suhrkamp taschenbuch
wissenschaft 933

Walter Benjamin
Gesammelte Schriften

Unter Mitwirkung von
Theodor W. Adorno und Gershom Scholem
herausgegeben von
Rolf Tiedemann und Hermann Schweppenhäuser

Walter Benjamin
Gesammelte Schriften

III

Herausgegeben von
Hella Tiedemann-Bartels

Suhrkamp

Die Editionsarbeiten wurden durch
die Stiftung Volkswagenwerk, die Fritz Thyssen Stiftung
und die Hamburger Stiftung zur Förderung
von Wissenschaft und Kultur ermöglicht.

Die vorliegende Ausgabe ist text- und seitenidentisch
mit Band III der gebundenen Ausgabe
der *Gesammelten Schriften* Walter Benjamins.

CIP-Titelaufnahme der Deutschen Bibliothek
Benjamin, Walter:
Gesammelte Schriften / Walter Benjamin.
Unter Mitw. von Theodor W. Adorno und Gershom Scholem
hrsg. von Rolf Tiedemann und Hermann Schweppenhäuser. –
[Ausg. in Schriftenreihe »Suhrkamp-Taschenbuch Wissenschaft«]. –
Frankfurt am Main : Suhrkamp.
ISBN 3-518-09832-2
NE: Tiedemann, Rolf [Hrsg.]; Benjamin, Walter: [Sammlung]

[Ausg. in Schriftenreihe »Suhrkamp-Taschenbuch Wissenschaft«]
3. [Kritiken und Rezensionen] /
hrsg. von Hella Tiedemann-Bartels.
– 1991
(Suhrkamp-Taschenbuch Wissenschaft ; 933)
ISBN 3-518-28533-5
NE: Tiedemann-Bartels, Hella [Hrsg.]; GT

suhrkamp taschenbuch wissenschaft 933
Erste Auflage 1991
© Suhrkamp Verlag Frankfurt am Main 1972
Suhrkamp Taschenbuch Verlag
Alle Rechte vorbehalten, insbesondere das
des öffentlichen Vortrags, der Übertragung
durch Rundfunk und Fernsehen
sowie der Übersetzung, auch einzelner Teile.
Druck: Wagner GmbH, Nördlingen
Printed in Germany
Umschlag nach Entwürfen von
Willy Fleckhaus und Rolf Staudt

1 2 3 4 5 6 – 96 95 94 93 92 91

Inhaltsübersicht

Kritiken und Rezensionen

ANHANG

Kritiken und Rezensionen

LILY BRAUNS MANIFEST AN DIE SCHULJUGEND[1]

Eines fällt an dem neuen Buche Lily Brauns vor allem auf. Es mag ein Fehler sehr vieler pädagogischer und schulreformatorischer Schriften sein, daß sie ihr Schulideal an so manchen Ideen und Institutionen orientieren – an Staat oder Religion, allgemeiner Bildung oder dem Prinzip der Arbeit – nur nicht am Ursprünglichsten: an der Jugend. Und bei vielen Schulplänen wird ein solcher Fehler nicht einmal auffallen. Denn – paradox könnte man formulieren: die Menge der geplanten Reformen hat den Blick auf die eine wirkliche, werdende Jugend verbaut. Die Verfasserin aber schreibt »eine Rede an die Schuljugend«. Sie hat diese eine wirkliche und werdende Jugend erblickt, die sich ihrer selbst langsam bewußt wird, ihrer Rechte, ihrer Stärke und ihrer Möglichkeiten, die zu Pflichten werden. Und doch – indem Lily Braun zu dieser Jugend von der Schule redet, verliert sie ihre Hörer aus den Augen, schweift über sie hinweg zu irgendeinem leeren, negativen Ideal der *Freiheit*. Ziellosigkeit bei allem Fanatismus ist ein Hauptmerkmal der Schrift.

Der Jugend weiß Lily Braun nichts weiter zuzurufen, als: Ihr seid rechtlos! In der Schule dürft ihr keine eigene Meinung entwickeln, im Hause müßt ihr schweigen, die grundlegende, selbstverständliche politische Bildung verbietet der Staat den Vierzehnjährigen, die sich selber ihr Brot verdienen. Darum: Habt in der Schule den Mut eurer eigenen Meinung, und wenn man euch auch auf die letzte Bank setzte; darum: Versagt euren Eltern den Gehorsam. »Gehorsam ist keine Tugend, wenn er nicht ein freudiges Jasagen zum Befehle ist.«

Es kann sich nicht um die Tatsachen handeln, von denen die Verfasserin ausgeht. Man mag 10 Ausnahmen und 100 Ausnahmen nennen, trotzdem bleibt das *Prinzip*, wie es sich in jeder Alltäglichkeit in der Schule äußert, dasselbe – und nicht anders in der Familie. Von ganz bedeutender Wichtigkeit aber sind

1 Lily Braun, Die Emanzipation der Kinder. Eine Rede an die Schuljugend. München: Albert Langen (1911). 28 S.

Lily Brauns Folgerungen, ihre Vorschläge, mit denen sie allerdings Wege angibt, ohne ein Ziel zu nennen. Denn die Freiheit
ist zwar für den Augenblick und für den heutigen Schüler ein
Ziel, an sich aber nur ein Ausgangspunkt. Wohin der Weg der
freien Jugend gehen sollte, darüber schweigt Lily Braun. Sie
schweigt da, wo gerade der, der sich an die Jugend wendet, das
Bedeutendste zu sagen hätte.

Beachtenswert sind die Vorschläge der Verfasserin dennoch
deswegen, weil sie keineswegs vereinzelt dastehen – höchstens
so kategorisch in der Öffentlichkeit noch nicht geäußert worden
sind. Denn es sind Aufforderungen und Begeisterungen, wie sie
in den Gesprächen kühner, unruhiger Schüler Tag für Tag geäußert werden; allerdings um bald in ihrer Undurchführbarkeit
erkannt zu werden oder dem allzu Mutigen ein oder mehrere
Jahre seines Lebens zu verderben. Diese Vorschläge – ganz abgesehen davon, zu welchen *positiven* Zielen sie führen mögen –
erweisen sich auf den ersten Blick jedem, der auch nur oberflächlich mit den Verhältnissen vertraut ist, als völlig undurchführbar, weil unter der Schülerschaft die Organisation und Solidarität
fehlt, die eine unerläßliche Vorbedingung auch des geringsten
Erfolges wäre. Als undurchführbar auch, weil es sich mit der
Emanzipation der Kinder durchaus nicht so verhält, wie mit jenen gewaltigen Bewegungen, die die Verfasserin so freigebig
zum Vergleich heranzieht, wie mit dem Befreiungskampfe, den
»die Sklaven des Altertums, die Bauern des Mittelalters, die Bürger des Zeitalters der Revolution, die Arbeiter und Frauen der
Gegenwart« führen. Hinter der Schülerschaft steht nicht die
materielle, rohe Macht, die den Kampf, der einmal so fürchterlich eröffnet wäre, durchhalten könnte. Und die Schulreform ist
ein Kampf der Ideen, in dem die sozialen Momente, die jene
erwähnten Kämpfe so furchtbar gestalteten, zurücktreten.

Doch nicht der Mangel an klaren Zielen, nicht die gänzlich
verfehlten Vorschläge allein entwerten die Schrift. Unwürdig
und empörend erscheint es, daß die Verfasserin als der ersten
eine, die zur Jugend spricht, nicht mehr als eine – sozusagen –
politische Rede, nichts über einen aufreizenden Aufruf hinaus
zu sagen hat. Daß die Schrift, die agitatorisch mit widerlich
schwüler Selbstmord-Romantik aufgeputzt ist (man lese die
ersten Seiten!), nichts weiter zu sein scheint, als eine Aufforde-

rung zu brutaler Befreiung von brutaler Knechtschaft. Daß dieses Eine ganz verkannt oder ganz verschwiegen ist: eine Reform der Jugend müßte hervorbrechen, auch wenn unsere Schule die vollkommenste wäre. Von der neuen Jugend, die aus dem Bewußtsein ihrer selbst als *jugendlicher Menschen* wieder einen höchsten Sinn und Zweck in ihr Dasein legt, sollte vor allem sprechen, wer sich an die Jugend wendet.

Im Lichte einer solchen Anschauung erscheint die heutige Schule von selbst als Ruine.

Diejenigen, die den neuen Geist in der Jugend zum Bewußtsein seiner selbst bringen, werden die größten Reformatoren auch der *Schule* werden.

Trotzdem im einzelnen die Schrift hie und da wahre Gedanken enthält, kann man ihr nur wünschen, daß der Schulreformer sie zu den Akten lege, daß kein »kindlicher« Geist sich an ihrem gefährlichen Feuer entzünden möge.

Karl Hobrecker, Alte vergessene Kinderbücher. Berlin: Mauritius-Verlag 1924. 160 S.

Ein Buch, dem niemand auf den ersten Blick sein bibliographisches Fundament, seine Herkunft aus vieljährigem Sammlerstudium ansieht: »Alte vergessene Kinderbücher« von Karl Hobrecker. So vorzüglich – sorgfältig und temperamentvoll zugleich – hat der Mauritius-Verlag in Gemeinschaft mit dem Verfasser es auszustatten gewußt, daß man glaubt, eines jener erfreulichen Werke selber in Händen zu haben, von denen es handelt. Die bunte Umschlagzeichnung, schwarze und farbige Textbilder in Fülle geben Proben aus dem Schatze der Sammlung Hobrecker, von dessen Bedeutung die Bescheidenheit des Autors freilich nicht mehr verrät, als es der Gegenstand durchaus erfordert. Ein hervorragendes Anschauungsmaterial wird selbst den Flüchtigen mit dem Charme berühren, dem jeder Sammler dieser Dinge einmal unterlegen sein muß.
Vom Sammler von Kinderbüchern als einem Typus kann man vielleicht erst seit dem Aufschwung der Bibliophilie reden, der zwischen 1919 und 1923 aus teils mehr, teils minder erfreulichen Ursachen sich vollzog. Damals hatte Hobrecker längst seinen Posten bezogen und mit dem Glück, das dem beharrlichen Liebhaber hier sich nie verweigert, die Fülle dessen vereinigt, was heute als unauffindbar rangieren muß. Aus dieser Sammlung, die ihr Bereich aus reiner, interesseloser Neigung zur Sache erst entdeckt und geschaffen hat, ist diese erste Geschichte des Kinderbuches, die vom zünftigen, pädagogischen Standpunkt sich emanzipiert hat, erwachsen. Dem entspricht die hier und da vernehmlich streitbare Tonart, mit der die schulmeisterlichen Moralitäten, wie sie seit der Aufklärung mit wirklich erstaunlicher Zähigkeit im Schrifttum für Kinder sich gehalten haben, verabschiedet werden. Kurz und markant wird die Entstehung des eigentlichen Kinderbuches aus Fibel, Märchen, Volksbuch, Lied und Klassik entwickelt. Bis in die dreißiger Jahre des vorigen Jahrhunderts währt die Vormundschaft des erbaulichen, des beleh-

renden, des moralischen Zwecks. Der Textteil erweist sich starrer und konservativer als die anschauliche Gestaltung des Buches, in dem schon gegen Ende des 18. Jahrhunderts die Abbildung (auch außerhalb der Anschauungsbilderbücher – Comenius, Basedow –) an Raum und Bedeutung gewinnt. Mit dem Biedermeier ist der farbige Kupfer für das Kinderbuch obligat geworden. Diese Periode, deren Reizen der Autor nicht fühllos gegenüber steht, wie seine schöne Hymne auf ihre Koloristik zeigt, tritt ihm, dem bekannten Hosemann-Forscher, doch zurück gegen die vierziger bis sechziger Jahre, den »Höhepunkt« – wie er sie überschreibt –, den die Herrschaft des großen Berliner Jugendschriften-Verlages Winckelmann und Söhne bezeichnet. Hier aber – und das ist vielleicht für Hobrecker den Sammler und Historiker das Charakteristische – erlahmt sein Interesse nicht, sondern geht ungebrochen ins Jahrhundert-Ende hinüber von Hosemann zu Oskar Pletsch, von Theodor Dielitz zu Julius Lohmeyer. Auf diesem letzten Wegstück dürfte seine Gefolgschaft sich vielleicht etwas lichten. Denn beim Aufschwung des Interesses für Kinderbücher spielt ganz unverkennbar künstlerische und technische Anteilnahme an primitiven, rein handwerklich gestimmten Dokumenten, wie sie mit dem Expressionismus aufkam, die größte Rolle. Primitive, anonyme und handwerkliche Produktion wird nach 1850 selten, die Fabrikation wird industrialisiert. Der Ruf des Künstlers fällt mehr und mehr ins Gewicht. Und damit ist eine wachsende Abhängigkeit von dem problematischen Schönheits- und Bildungsideal des Publikums gegeben. Schönheit, Kindlichkeit und Lieblichkeit der Typen findet sich weit robuster in den früheren Arbeiten des Jahrhunderts bedeutet als in den epigonal gestimmten Sachen des Jahrhundert-Endes. So sind denn solche Stücke in den Reproduktionen des Werkes mit Recht um so weniger berücksichtigt, als es den alten vergessenen Kinderbüchern gewidmet ist.

Im unübersehbaren Meer dieser Literatur bezeichnet ein katalogartiger Anhang mit mehr als 175 Titeln einige bibliographische Inseln. Auf einem Gebiet, wo jedes 40. oder 50. Exemplar ein Unikat ist, kann selbstverständlich an eine förmliche Bibliographie nicht gedacht werden, am wenigsten heute, da noch alle Vorarbeiten fehlen. Und für manchen Sammler dürfte Hobreckers kleines Verzeichnis mit einer Desideratenliste schon zusammenfallen. Deswegen wird er es ihm danken.

»ALTE VERGESSENE KINDERBÜCHER«

»Warum sammeln Sie Bücher?« – Hat man jemals die Biblio-philen mit einer solchen Umfrage zur Selbstbesinnung aufge-fordert? Wie interessant wären die Antworten, zumindest die aufrichtigen. Denn nur der Uneingeweihte kann glauben, es gäbe nicht auch hier zu verhehlen und zu beschönigen. Hochmut, Einsamkeit, Verbitterung – das ist die Nachtseite so mancher hochgebildeten und glückhaften Sammlernatur. Hin und wieder zeigt jede Passion ihre dämonischen Züge; davon weiß die Geschichte der Bibliophilie zu sagen wie nur eine. – Nichts davon in dem Sammlercredo Karl Hobreckers, dessen große Sammlung von Kinderbüchern durch sein Werk[1] nun dem Publi-kum bekannt wird. Wem die freundliche, feine Person, wem das Buch auf jeder Seite es nicht sagen würde, dem wäre die bloße Überlegung genug: dieses Sammelgebiet – das Kinder-buch – entdecken konnte nur, wer der kindlichen Freude daran die Treue gehalten hat. Sie ist der Ursprung seiner Bücherei, und einen gleichen wird jede ähnliche brauchen, um zu gedeihen. Ein Buch, ja eine Buchseite, ein bloßes Bild im altmodischen, vielleicht von Mutter und Großmutter her überkommenen Exemplar kann der Halt sein, um den die erste zarte Wurzel dieses Triebes sich rankt. Tut nichts, daß der Umschlag locker ist, Seiten fehlen und hin und wieder ungeschickte Hände die Holzschnitte betuscht haben. Die Suche nach dem schönen Exem-plar hat ihr Recht, aber gerade hier wird sie dem Pedanten den Hals brechen. Und es ist gut, daß die Patina, wie ungewaschene Kinderhände sie über die Blätter legen, den Büchersnob fern-hält.
Als vor 25 Jahren Hobrecker seine Sammlung begründete, waren alte Kinderbücher Makulatur. Er zuerst hat ihnen ein Asyl eröffnet, wo sie auf absehbare Zeit vor der Papiermühle

1 Karl Hobrecker, Alte vergessene Kinderbücher. Berlin: Mauritius-Verlag 1924. 160 S.

gesichert sind. Unter den mehreren tausend, die seine Schränke
füllen, mögen hunderte allein bei ihm, in einem letzten Exemplar, sich finden. Durchaus nicht mit seiner Würde und Amts-
miene tritt dieser erste Archivar des Kinderbuches mit seinem
Werk vors Publikum. Er wirbt nicht um Anerkennung seiner
Arbeit, sondern um Anteil an dem Schönen, das sie ihm erschlossen hat. Alles Gelehrte, insbesondere ein bibliographischer
Anhang von etwa zweihundert der wichtigsten Titel ist Beiwerk, das dem Sammler willkommen ist, ohne den Ferner-
stehenden zu behelligen. Das deutsche Kinderbuch – so führt
der Autor in dessen Geschichte ein – entstand mit der Aufklärung. Die Philanthropen machten mit ihrer Erziehung die
Probe auf das Exempel des großen humanitären Bildungs-
programms. War der Mensch fromm, gut und gesellig von
Natur, so mußte es gelingen, aus dem Kinde, dem Naturwesen
schlechtweg, den frömmsten, besten und geselligsten heranzuziehen. Und da in aller theoretisch gestimmten Erziehung die
Technik des sachlichen Einflusses erst spät entdeckt wird und die
problematischen Vermahnungen den Anfang machen, so ist auch
das Kinderbuch in den ersten Jahrzehnten erbaulich, morali-
stisch und variiert den Katechismus samt Auslegung im Sinn des
Deismus. Mit diesen Texten geht Hobrecker streng ins Gericht.
Ihre Trockenheit, selbst Bedeutungslosigkeit für das Kind wird
sich oft nicht abstreiten lassen. Doch sind diese überwundenen
Fehler geringfügig gegen die Verirrungen, welche dank der
vermeintlichen Einfühlung in das kindliche Wesen heute im
Schwange sind: die trostlose verzerrte Lustigkeit der gereimten
Erzählungen und die grinsenden Babyfratzen, die von gottver-
lassenen Kinderfreunden dazu gemalt werden. Das Kind verlangt vom Erwachsenen deutliche und verständliche, doch nicht
kindliche Darstellung. Am wenigsten aber das was der dafür zu
halten pflegt. Und weil selbst für den entlegenen und schweren
Ernst, wenn er nur aufrichtig und unreflektiert von Herzen
kommt, das Kind genauen Sinn hat, mag auch für jene alt-
fränkischen Texte sich manches sagen lassen. Neben Fibel und
Katechismus steht am Anfang des Kinderbuches das Anschau-
ungslexikon, das illustrierte Vokabelbuch oder wie man den
»Orbis pictus« des Amos Comenius sonst nennen will. Auch
dieser Form hat die Aufklärung sich auf ihre Weise bemächtigt

und das monumentale Basedowsche »Elementarwerk« geschaffen. Dies Buch ist vielfach auch textlich erfreulich. Denn neben
einem weitschweifigen Universalunterricht, der zeitgemäß den
»Nutzen« aller Dinge ins rechte Licht rückt – den der Mathematik wie den des Seiltanzens – kommen moralische Geschichten
von einer Drastik vor, die nicht unfreiwillig das Komische
streift. Bei diesen beiden Werken hätte das spätere »Bilderbuch
für Kinder« eine Erwähnung verdient. Es umfaßt zwölf Bände
mit je hundert kolorierten Kupfertafeln und erschien unter
F. J. Bertuchs Leitung in Weimar von 1792 bis 1847. Diese
Bilderenzyklopädie beweist in ihrer sorgfältigen Ausführung,
mit welcher Hingabe damals für Kinder gearbeitet wurde.
Heute würden die meisten Eltern sich vor der Zumutung entsetzen, eine solche Kostbarkeit in Kinderhände zu legen. Ber-
tuch fordert in seiner Vorrede ganz unbefangen zum Ausschneiden der Bilder auf. Endlich sind Märchen und Lied, in gewissem
Abstand auch Volksbuch und Fabel ebenso viele Quellen für den
Textgehalt der Kinderbücher. Selbstverständlich die reinsten.
Ist es doch ein durch und durch modernes Vorurteil, aus dem die
neuere romanartige Jugendschrift, ein wurzelloses Gebilde voll
von trüben Säften, hervorgegangen ist. Dieses nämlich, daß
Kinder so abseitige, inkommensurable Existenzen seien, daß
man ganz besonders erfinderisch zur Produktion ihrer Unterhaltung sein müsse. Es ist müßig, auf die Herstellung von Gegenständen – Anschauungsmitteln, Spielzeug oder Büchern – die
den Kindern gemäß wären, krampfhaft bedacht zu sein. Seit
der Aufklärung ist das eine der muffigsten Grübeleien des
Pädagogen. In seiner Befangenheit übersieht er, daß die Erde
voll von reinen unverfälschten Stoffen kindlicher Aufmerksamkeit ist. Und von den bestimmtesten. Kinder nämlich sind auf
besondere Art geneigt, jedwede Arbeitsstätte aufzusuchen, wo
sichtbare Betätigung an den Dingen vor sich geht. Unwiderstehlich fühlen sie sich vom Abfall angezogen, der sei es beim Bauen,
bei Garten- oder Tischlerarbeit, beim Schneidern oder wo sonst
immer entsteht. In diesen Abfallprodukten erkennen sie das
Gesicht, das die Dingwelt gerade ihnen, ihnen allein zukehrt.
Mit diesen bilden sie die Werke von Erwachsenen nicht sowohl
nach als daß sie diese Rest- und Abfallstoffe in eine sprunghafte
neue Beziehung zueinander setzen. Kinder bilden sich damit

ihre Dingwelt, eine kleine in der großen, selbst. Ein solches Abfallprodukt ist das Märchen, das gewaltigste vielleicht, das im geistigen Leben der Menschheit sich findet: Abfall im Entstehungs- und Verfallsprozeß der Sage. Mit Märchenstoffen vermag das Kind so souverän und unbefangen zu schalten wie mit Stoffetzen und Bausteinen. In Märchenmotiven baut es seine Welt auf, verbindet es wenigstens ihre Elemente. Vom Lied gilt ähnliches. Und die Fabel – »die Fabel in ihrer guten Form kann ein Geistesprodukt von wunderbarer Tiefe darstellen, dessen Wert die Kinder wohl in den wenigsten Fällen erkennen. Wir dürfen auch bezweifeln, daß die jugendlichen Leser sie der angehängten Moral wegen schätzten oder sie zur Schulung des Verstandes benutzten, wie es bisweilen kinderstubenfremde Weisheit vermutete und vor allem wünschte. Die Kleinen freuen sich am menschlich redenden und vernünftig handelnden Tier sicherlich mehr als am gedankenreichsten Text.« »Die spezifische Jugendliteratur« – so heißt es an anderer Stelle – »begann mit einem großen Fiasko, soviel ist sicher.« Und dabei, dürfen wir hinzufügen, ist es in sehr vielen Fällen geblieben.

Eines rettet selbst den altmodischsten, befangensten Werken dieser Epoche das Interesse: die Illustration. Diese entzog sich der Kontrolle der philanthropischen Theorien, und schnell haben über die Köpfe der Pädagogen hinweg Künstler und Kinder sich verständigt. Nicht als ob diese ausschließlich mit Rücksicht auf jene gearbeitet hätten. Die Fabelbücher zeigen, daß verwandte Schemata an den verschiedensten Stellen mehr oder weniger variiert auftauchen. Ebenso weisen die Anschauungsbücher z. B. in der Darstellung der sieben Weltwunder auf Kupfer des 17. Jahrhunderts, vielleicht auch noch weiter, zurück. Vermutungsweise sei gesagt, daß die Illustration dieser Werke in historischem Zusammenhang mit der Emblematik des Barock stehe. Die Gebiete sind sich nicht so fremd wie man wohl denken möchte. Gegen Ende des 18. Jahrhunderts tauchen Bilderbücher auf, die eine bunte Menge von Sachen auf einem Blatte – und ohne irgend welche figurale Vermittlung – zusammenstellen. Es sind Gegenstände, die mit dem gleichen Buchstaben beginnen: Apfel, Anker, Acker, Atlas u. dgl. Ein oder mehrere fremdsprachige Übersetzungen dieser Vokabeln sind beigegeben. Die künstlerische Aufgabe, so gestellt, ist derjenigen verwandt, welche die bilderschriftartige Kombination allegorischer Gegenstände den Zeichnern des Barock stellte, und in beiden Epochen entstanden ingeniöse hochbedeutende Lösungen. Nichts auffallender, als daß im 19. Jahrhundert, das für seinen Zuwachs an universalem Wissen so reichlich Kulturgüter des vorhergehenden dahingeben mußte, das Kinderbuch weder textlich noch illustrativ Einbuße erlitt. Zwar kommen so fein kultivierte Werke wie die Wiener »Fabeln des Äsopus« (Zweite Auflage bey Heinr. Friedr. Müller, Wien o. J.), die Hobreckers Verzeichnis beifügen zu können ich mich glücklich schätze, nach 1810 nicht mehr vor. Es ist überhaupt nicht das Raffinement in Stich und Kolorit, in dem das Kinderbuch des 19. Jahrhunderts mit den Vorgängern wetteifern könnte. Sein Reiz liegt zum guten Teil im Primitiven, in den Dokumenten einer Zeit, da die alte Manufaktur mit den Anfängen neuer Techniken sich auseinandersetzt. Seit 1840 hatte die Lithographie die Herrschaft, während vorher im Kupferstich noch häufig Motive des 18. Jahrhunderts begegnen. Das Biedermeier, die zwanziger und dreißiger Jahre, sind nur im Kolorit charakteristisch und neu. »Mir scheint in jener biedermeierlichen Zeit eine Vorliebe für Karmin, Orange und Ultramarin zu bestehen, auch ein leuchtendes Grün wird vielfach verwendet. Wo bleiben neben diesen funkelnden Gewändern, neben dem Azur des Himmels, den wildwabernden Flammen der Vulkane und Feuersbrünste, die einfach schwarz-weißen Kupfer und Steindrucke, wie sie für die langweiligen großen Leute im allgemeinen gut genug waren? Wo blühen wieder solche Rosen, wo leuchten solch rotbackige Äpfel und Gesichter, wo blinken noch solche Husaren in grünem Dolman und gelbverschnürtem, krapprotem Waffenkleide? Selbst der schlichte, mausgraue Zylinder des edlen Vaters, die lohgelbe Kopfbedeckung der schönen Mutter rufen unsere Bewunderung wach.« Diese selbstgenügsam prangende Farbenwelt ist durchaus dem Kinderbuch vorbehalten. Die Malerei streift, wo in ihr die Farbigkeit, das Durchsichtige oder glühend Bunte der Töne ihre Beziehung zur Fläche beeinträchtigt, den leeren Effekt. Bei den Bildern der Kinderbücher bewirkt es jedoch meist der Gegenstand und die Selbständigkeit der graphischen Unterlage, daß an eine Synthese von Farbe und Fläche nicht gedacht werden kann. In diesen Farbenspielen ergeht sich aller Verantwortung entbunden die bloße Phantasie. Die Kinderbücher dienen ja nicht dazu, ihre Betrachter in die Welt der Gegenstände, Tiere und Menschen, in das sogenannte Leben unmittelbar einzuführen. Ganz allmählich findet deren Sinn im Außen sich wieder und nur in dem Maße wie es als ihnen gemäßes Inneres ihnen vertraut wird. Die Innerlichkeit dieser Anschauung steht in der Farbe und in deren Medium spielt das träumerische Leben sich ab, das die Dinge im Geiste der Kinder führen. Sie lernen am Bunten. Denn nirgends ist so wie in der Farbe die sehnsuchtslose sinnliche Kontemplation zuhause.

Die merkwürdigsten Erscheinungen aber treten gegen Ende des Biedermeier, mit den vierziger Jahren, gleichzeitig mit dem Aufschwung der technischen Zivilisation und jener Nivellierung der Kultur auf, die nicht ohne Zusammenhang damit war. Der Abbau der mittelalterlichen sphärisch gestuften Lebensordnungen war damals vollendet. In ihm waren gerade die feinsten edelsten Substanzen oft zu unterst geraten, und so kommt es, daß der Tieferblickende gerade in den Niederungen des Schrift- und Bildwerks, wie in den Kinderbüchern, diese Elemente findet, die er in den anerkannten Kulturdokumenten vergeblich sucht. Das Ineinandersinken aller geistigen Schichten und Aktionsweisen wird so recht deutlich an einer Bohèmeexistenz jener Tage, die in Hobreckers Darstellung leider keinen Platz gefunden hat, obwohl einige der vollendetsten, freilich auch seltensten Kinderbücher ihr zu verdanken sind. Es ist Johann Peter Lyser, der Journalist, Dichter, Maler und Musiker. Das »Fabelbuch« von A. L. Grimm mit Lysers Bildern (Grimma 1827), das »Buch der Mährchen für Töchter und Söhne gebildeter Stände« (Leipzig 1834), Text und Bilder von Lyser, und »Linas Mährchenbuch«, Text von A. L. Grimm, Bilder von Lyser (Grimma o. J.) – das sind drei seiner schönsten Kinderschriften. Das Kolorit ihrer Lithographien sticht von dem brennenden des Biedermeier ab und paßt um so besser zu dem verhärmten, abgezehrten Ausdruck mancher Gestalten, der schattenhaften Landschaft, der Märchenstimmung, die nicht frei ist von einem ironisch-satanischen Einschlag. Das Niveau der Kolportage, auf dem diese originale Kunst sich entwickelte, dokumentiert sich am schlagendsten in den vielbändigen, mit selbstentworfenen Lithographien gezierten »Abendländischen tausendundeinen Nacht«. Ein

grundsatzloses, aus trüben Quellen geschöpftes Sammelsurium
von Märchen, Sage, örtlicher Legende und Schauermär, welches
in den dreißiger Jahren bei F. W. Goedsche in Meißen erschienen
ist. Die banalsten Städte Mitteldeutschlands – Meißen, Langensalza, Potschappel, Grimma, Neuhaldensleben – treten für den
Sammler in einen magischen topographischen Zusammenhang.
Oft mögen da Schullehrer als Schriftsteller und Illustratoren in
einer Person gewirkt haben, und man male sich aus, wie es in
einem Büchlein aussieht, das auf 32 Seiten und 8 Lithographien
der Jugend von Langensalza die Götter der Edda vorstellt.
Für Hobrecker aber liegt der Brennpunkt des Interesses weniger
hier als in den vierziger bis sechziger Jahren. Und zwar in Berlin, wo der Zeichner Theodor Hosemann seine liebenswürdige
Begabung vor allem an die Illustration von Jugendschriften
wandte. Auch den weniger durchgearbeiteten Blättern gibt eine
anmutige Kälte der Farbe, eine sympathische Nüchternheit im
Ausdruck der Figuren einen Stempel, an dem jeder geborne
Berliner seine Freude haben kann. Freilich werden die früheren,
weniger schematischen und weniger häufigen Arbeiten des Meisters, wie die reizenden Illustrationen zur »Puppe Wunderhold«,
ein Prachtstück der Sammlung Hobrecker, für den Kenner vor
jenen geläufigeren rangieren, die kenntlich am uniformen Format und Verlagsvermerk »Berlin Winckelmann & Söhne« in
allen Antiquariaten begegnen. Neben Hosemann wirkten Ram-
berg, Richter, Speckter, Pocci, von den Geringeren zu schweigen.
Für die kindliche Anschauung eröffnet in ihren schwarz-weißen
Holzschnitten sich eine eigene Welt. Ihr ursprünglicher Wert ist
dem der kolorierten gleich: seine polare Ergänzung. Das farbige
Bild versenkt die kindliche Phantasie träumerisch in sich selbst.
Der schwarz-weiße Holzschnitt, die nüchterne prosaische Abbildung führt es aus sich heraus. Mit der zwingenden Auffor-
derung zur Beschreibung, die in dergleichen Bildern liegt, rufen
sie im Kinde das Wort wach. Wie es aber diese Bilder mit Worten beschreibt, so beschreibt es sie in der Tat. Es wohnt in ihnen.
Ihre Fläche ist nicht wie die farbige ein Noli me tangere — weder ist sie's an sich noch für das Kind. Vielmehr ist sie gleichsam
nur andeutend bestellt und einer gewissen Verdichtung fähig.
Das Kind dichtet in sie hinein. Und so kommt es, daß es auch in
der anderen, der sinnlichen Bedeutung diese Bilder »beschreibt«.

Es bekritzelt sie. Es lernt an ihnen zugleich mit der Sprache die Schrift: Hieroglyphik. Die echte Bedeutung dieser schlichten graphischen Kinderbücher liegt also weit ab von der stumpfen Drastik, um deretwillen die rationalistische Pädagogik sie empfahl. Aber auch hier bestätigt sich: »Der Philister hat oft in der Sache Recht, aber nie in den Gründen.« Denn keine anderen Bilder führen wie diese das Kind in Sprache und Schrift ein – eine Wahrheit, in deren Gefühl man den ersten Worten der alten Fibeln die Zeichnung dessen mitgab, was sie bedeuten. Farbige Fibelbilder wie sie jetzt aufkommen sind eine Verirrung. Im Reich der farblosen Bilder erwacht das Kind, wie es in dem der bunten seine Träume austräumt.

In aller Historiographie gehört die Auseinandersetzung über das Jüngstvergangene zum Strittigen. Das ist auch in der harmlosen Geschichte des Kinderbuches nicht anders. Über die Einschätzung der Jugendbücher vom letzten Viertel des 19. Jahrhunderts an werden am leichtesten die Meinungen auseinandergehen. Vielleicht hat Hobrecker, wenn er den aufdringlichen Schulmeisterton an den Pranger stellt, versucktere Mißstände des neueren Jugendschrifttums weniger beachtet. Auch lag es seiner Aufgabe ferner. Der Stolz auf ein psychologisches Wissen vom kindlichen Innenleben, das an Tiefe und Lebenswert nirgends mit einer alten Pädagogik wie der Jean-Paulschen »Levana« zu messen ist, hat eine Literatur großgezogen, die im selbstgefälligen Buhlen um die Aufmerksamkeit des Publikums den sittlichen Gehalt verloren hat, der den sprödesten Versuchen der klassizistischen Pädagogik ihre Würde gibt. An seine Stelle ist die Abhängigkeit von den Schlagworten der Tagespresse getreten. Die heimliche Verständigung zwischen dem anonymen Handwerker und dem kindlichen Betrachter fällt fort; Schreiber wie Illustrator wenden sich mehr und mehr durch das unlautere Medium der akuten Sorgen und Moden zum Kinde. Die süßliche Geste, die nicht dem Kinde, sondern den verdorbenen Vorstellungen von ihm entspricht, wird in den Bildern heimisch. Das Format verliert die edle Unscheinbarkeit und wird aufdringlich. In all diesem Kitsch liegen freilich die wertvollsten kulturhistorischen Dokumente, aber sie sind noch zu neu, als daß die Freude an ihnen rein sein könnte.

Wie dem nun sei: in dem Hobreckerschen Werke selbst waltet,

seiner innern wie äußern Gestalt nach, der Charme der liebens-
würdigsten romantischen Kinderbücher. Holzschnitte, farbige
Vollbilder, Schattenrisse und feinkolorierte Darstellungen im
Text machen es zu einem überaus erfreulichen Hausbuche, mit
dem nicht allein der Erwachsene sein Vergnügen hat, sondern
an dem sehr wohl sich Kinder versuchen können, um in den
alten Fibeltexten zu buchstabieren oder unter den Bildern sich
Malvorlagen zu suchen. Dem Sammler aber wird einzig die
Befürchtung, die Preise steigen zu sehen, einen Schatten auf
seine Freude werfen. Dafür bleibt ihm die Hoffnung, ein oder
das andere Bändchen, das achtlos der Zerstörung preisgegeben
war, möge diesem Werke seine Erhaltung zu danken haben.

Friedensware

In Rom, in Zürich, in Paris – kurz, hatte man den deutschen Boden einmal verlassen, wo man wollte – waren von 1920 bis 1923 deutsche Erzeugnisse für die Hälfte des Preises zu finden, den man im Ausland, ja in Deutschland selbst, sonst für die gleichen Waren anzulegen hatte. Damals begannen die Grenzen sich wieder zu öffnen und der Reisende trat seine Tour an. Vom Ausverkauf mußte man leben und je höher der Dollar stieg, desto größer wurde der Kreis der Ausfuhrgüter. Er schloß im Höhepunkt der Katastrophe auch geistiges Kulturgut in sich ein. Die kantische Idee des ewigen Friedens – schon längst im geistig mittellosen Inland unanbringlich – stand unter jenen spirituellen Ausfuhrartikeln an erster Stelle. Unkontrollierbar in ihrer Verarbeitung, nun seit zehn Jahren schon ein Ladenhüter, war sie lieferbar zu konkurrenzlosen Preisen und kam, die Wege des seriöseren Exports zu ebnen, wie gerufen. An wahre Friedensqualität war nicht zu denken. Das rauhe hausgemachte Gedankengespinst Immanuel Kants hatte zwar als höchst strapazierbar sich erwiesen, doch sagte es dem breiteren Publikum nicht zu. Hier galt es, dem modernen Geschmack der bürgerlichen Demokratien Rechnung zu tragen, ein bunteres Fähnchen auf den Markt zu bringen und noch dazu den Reisenden zu finden, der über jeden nötigen Elan der Geste aus dem dreimal gelockerten Handgelenk des Journalisten und des Stifts zugleich verfügte. Daß der Reserveleutnant ehemals als Reisender besonders gern gesehen war, ist bekannt. Er war in besseren Kreisen gut eingeführt. Das gilt denn auch durchaus von Herrn von Unruh, der 1922 als Stadtreisender für den ewigen Frieden den pariser Platz bearbeitet hat. Freilich – und dies war danach angetan, für Augenblicke Herrn von Unruh selber stutzig zu machen – ist seine Einführung in französische Kreise vor Jahren bei Verdun nicht ohne Aufsehen, nicht ohne Lärm, nicht ohne Blutvergießen abgegangen. Wie dem auch sei – der Bericht, den er vorlegt – »Flügel der Nike – Buch einer Reise«[1] – besagt, daß seine Fühlung mit dem Kundenkreise sich behauptet hat, auch als er nicht mehr schwere Munition, sondern Friedensware bemustert vorlegte. Nicht gleich bestimmt mag sich versichern lassen, daß die Veröffentlichung seines Reisejournals – die Liste seiner Kunden und getätigten Abschlüsse – dem ferneren Geschäftsgang von Nutzen ist. Denn sie war nicht sobald erfolgt, als man die Ware aus Paris zu retournieren begann.

In jedem Falle ist es äußerst lehrreich, den Pazifismus Herrn von Unruhs näher zu prüfen. Seitdem sich die vermeinte Konvergenz der sittlichen Idee und der des Rechts, auf deren Voraussetzung die europäische Evidenz der kantischen Friedenslehre beruhte, im Geist des 19. Jahrhunderts zu lösen begann, wies immer deutlicher der deutsche »Friede« auf die Metaphysik als den Ort seiner Grundlegung. Das deutsche Friedensbild entspringt der Mystik. Demgegenüber hat man längst bemerkt, daß der Friedensgedanke der westeuropäischen Demokratien durchaus ein weltlicher, politischer und letzten Endes juristisch vertretbarer ist. Die pax ist ihnen Ideal des Völkerrechts. Dem entspricht das Instrument der Schiedsgerichte und Verträge praktisch. Von diesem großen sittlichen Konflikt des schrankenlosen und bewehrten Friedensrechts mit einer friedlichen Gerechtigkeit, von alledem was je im Laufe der Geschichte dies Thema mannigfach instrumentierte, ist ebenso wie von den weltgeschichtlichen Gegebenheiten dieser Stunde in Herrn von Unruhs Pazifismus nicht die Rede. Vielmehr sind die großen Diners die einzigen internationalen Fakten, denen sein neuer Pazifismus Rechnung trägt. Im Frieden der gemeinsamen Verdauung ist seine Internationale ausgebrütet und das Galamenü ist die magna charta des künftigen Völkerfriedens. Und wie ein übermütiger Kumpan beim Liebesmahl ein kostbares Gefäß zerschmeißt, so wird die spröde Terminologie des königsberger Philosophen mit dem Tritt eines Kanonenstiefels zum Teufel befördert und was übrigbleibt ist die Innerlichkeit des himmelnden Auges in seiner schönen alkoholischen Glasigkeit. Das Bild des begnadeten Schwätzers mit tränenden Blicken, wie nur

1 Fritz von Unruh, Flügel der Nike. Buch einer Reise. Frankfurt a. M.: Societäts-Druckerei, Abt. Buchverlag 1925. 404 S.

Shakespeare es festhalten konnte! – Die große Prosa aller Frie-
denskünder sprach vom Kriege. Die eigne Friedensliebe zu betonen, liegt denen nahe, die den Krieg gestiftet haben. Wer aber
den Frieden will, der rede vom Krieg. Er rede vom vergangenen
(heißt er nicht Fritz von Unruh, welcher gerade davon einzig
und allein zu schweigen hätte), er rede von dem kommenden
vor allem. Er rede von seinen drohenden Anstiftern, seinen ge-
waltigern Ursachen, seinen entsetzlichsten Mitteln. Doch wäre
das vielleicht der einzige Diskurs, gegen den die Salons, die
Herrn von Unruh sich geöffnet haben, vollkommen lautdicht
abgeschlossen sind? Der vielberufene Friede, der schon da ist,
erweist bei Licht besehen sich als der eine – und einzig »ewige«,
der uns bekannt ist – dessen jene genießen, die im Krieg kom-
mandiert haben und beim Friedensfest tonangebend sein wollen.
Das ist denn Herr von Unruh auch geworden. »Wehe« ruft sein
kassandrisches Kauderwelsch über alle, die nicht zur rechten
Zeit – das wäre etwa zwischen Fisch und Braten – es inne wurden, daß die »innere Umkehr« die einzig passable Revolte ist
und daß die »Revolution des Brotes« (84) und die Machenschaften der Kommunisten zugunsten einer vom Souper geläutert
sich erhebenden Gemeinschaft der »Kommunionisten« (123)
zurückzustehen haben, deren Innungsschild – kein Zweifel –
das Sektglas sein wird. Und akkurater konnte vor Versailles der
Festpoet der Republik sich gar nicht äußern: »Wenn ich zwischen den gekrönten goldenen Gittern stehe – zerreißen möchte
ich sie, diese ganze Buchsbaumanlage der Tyrannei!« (86)
Wenn eins in alledem versöhnend stimmt, so ist es die Pietät,
mit welcher der herangewachsene Dichter der kleinsten Phrase
seines »Neugebauer« oder »Ploetz« die Treue hält. In welche
Räume ruft er nicht zurück, wo der Schweizer ein »Landsmann
Tells«, die Mappe des Briefträgers ein »Schicksalssack mit Leid
und Freud« (17) und Apfelsinen ›purpurne Sonnenfrüchte‹ (90)
gewesen sind! Wie der Pennäler in der letzten Stunde sich »große Männer« in die Schulbank schnitzt, so finden wir den Dichter,
der verschlief, noch immer über den Lektionen seiner Flegeljahre
sitzen. In Gegenden, durch die noch Schützengräben laufen,
sieht er sich selber einziehen »wie Coriolan, als er in das Lager
des Aufidius kam« (17), und träumt sich dann im Strom der
Weltgeschichte weiter, bis er sich als den einzigen erkennt, der

den »Mut hat... sich als Winkelried vor die Gegenwart hinzu-
wagen« (62). Wie er so winkelfriedlich spinnt, erwächst in ihm
»das Schicksal wie eine Blume von unaussprechlicher Ahnung«
(382), daneben aber auch das duftlos blühende Kräutchen des
schlichten Blödsinns. »Das Wasser der Meere werden wir zünden, daß noch die Fische Begeisterung lernen« (387) – so setzt
er's sich und seinen Kameraden vor. Dann wieder schrillt ein
Pfiff in seine Träumerei und löst die Bilder puerlier Selbstbefrie-
digung aus. »Immer noch heult die Heulboje wie der Schrei aller
Frauen, die wir unter uns stießen, ehe sie eine Stimme gehabt.«
(330) Das Deutsch des Herrn von Unruh macht an das Gehaben
der Morphinisten denken, welche Mahlzeit wie Lektüre und Gespräch auf Augenblicke unterbrechen müssen, um durch die Dro-
ge Lebenskraft sich einzuspritzen. So brechen seine Sätze jäh ab
und keine Periode findet zum Vorstoß die Kraft, ehe sie nicht an
den Aromen einer faulen Dingwelt noch einmal genippt.
»›Nietzsche!‹ Der Diener präsentiert den hohen Aufbau eines
Erdbeereises.« (204) »›Wollen Sie damit sagen‹, kippt Melchior
einen Grand-Marnier hinter die Zähne.« (394) Doch weil in diesem Buch wie nirgends sonst Gourmets versorgt und Wort und
Speise aufgefahren sind, von denen Tisch und Leser zum Brechen voll werden, so will auch ein erlesener Laut bisweilen nur
unter dem Hautgout des faulen Stils geschmeckt sein. Dem Kenner würzt ein hölderlinsches »O« (»daß du liebst... und Dein
Auge so glänzt, das ist mir ein Wink, o ein Zeichen«) (379) im
Stadium der Verwesung den Sprachbrei nur um so besser.
Soviel vom Werdegang des desperaten Stils. Von dem Buche
aber ein Mehreres. Da liegt nun der Abhub aller vierschrötigen
Intimitäten, denen der Autor auf seinem Wege habhaft geworden ist. Ein wahrer Schindanger von Freundschaft, Dichterruhm
und Frauenehre tut sich auf und wie frische Verstümmlungen
stechen überall die leidigen Vornamen heraus. Da ist der hart
gestrafte, der beklagenswerte »Jaques«. Was immer seine Schuld
als Gönner eines solchen Gastes mag gewesen sein – da steht er
nun als Partner des unendlichen Gefasels und hat gebüßt. Da
sind »Agé«, sind Valéry, Drieu La Rochelle: sie alle in den
öden Attitüden, die auf der Schmiere den »Causeur« bezeichnen.
Da, gleich auf dem dritten Blatt, erscheint – herangewinkt wie
man einem Chauffeur winkt – der deutsche »Stefan« (13). Und

»die Noailles«, von deren »Schenkel« Unruh, sich »langsam aus den seidenen Polstern hebend« (215), abzurücken versucht. – Wohin, als in die Kneipe, wo man nach erledigtem Geschäft den guten Abschluß mit dem Kunden feiert, gehört diese ungewaschene Vertraulichkeit? An die Geschäftstour schließt der Bummel sich zwanglos an. Der Gast schleift seine Wirte durch die Stadt und vor dem Kneipendunst der Tafelrunde sperrt nun der Bürger Mund und Ohren auf, da er sich endlich Zeuge werden sieht, wie's unterm Künstlervölkchen so frei dahergeht. Der Verfasser rülpst sich in Herzenslauten, und in der Ehrlichkeit seines seraphischen Pazifismus erkennt der Spießer freudig und erstaunt die sonore Bierehrlichkeit seiner früheren Kommilitonen wieder. Vom Abendstern gleitet immer wieder ein tränenfeuchter Blick zum Ordensstern herunter: denn das eiserne Kreuz erster Klasse (339) im Kriege war dieser Brust, was der Schlag des erstklassigen Herzens darunter im Frieden. Allmählich kommt dann unter Schwüren und Geständnissen die Stunde der Zote herauf. Durchdringender sind Schweinereien in kein Ohr geflüstert und zimperlicher niemals stilisiert worden (225, 228, 303). Doch keine, der er ihre erbauliche Seite nicht abgewönne. Und endlich heben alle europäischen Renkontres dem Schmock sich gegen einen Hintergrund »nächtlicher Dirnen« (380) ab, den grobgemalter Prospekt das Reisepanorama schließt. Bewandert in Palästen und in Puffs, vor Pfeilerspiegeln und vor Pfützen gleich sehr zu Hause (wo immer einer sich bespiegeln kann: wie denn sein Bild in den eigenen Lackschuhen eine Abflucht von Tiefsinn im Autor wachruft), kann er das Fazit seiner Reise nicht prägnanter fassen, als in dem Traum, von dem er uns erzählt, daß ein französischer und ein deutscher Genius – Rodin und Lehmbruck – ihn, den Friedensboten, unwiderstehlich nach sich ziehen – zu zwei Huren. Die Geschäftsreise endet als Bierreise und die Völkerverständigung geht im Dreck aus. Denn weiter als die Dummheit dieses Buchs reicht die spiegelgeile Eitelkeit des Verfassers, höher als die Eitelkeit des Autors türmt der Unrat einer Produktion sich auf, an der ganz neu die theologische Erkenntnis sich bewährt, daß die Werke der Eitelkeit Schmutz sind. Er ist hier über beide Länderbreiten ausgegossen, daß kein großer und ehrlicher Name mehr bleibt, der von seinem Gestank nicht durchtränkt wäre.

Der PEN-Klub hat für Fritz von Unruh ein Diner gegeben.
Ein wenig Blut an den Flügeln des Friedensengels – das macht
ja in Europa keinen mehr irre. Doch galt das Essen nur dem
Friedensboten? Vor allem galt es wohl dem Autor Fritz von
Unruh. An der Festtafel saß ja der Dichter des »Reiterliedes«.

Reiterlied

Ulanen, stolz von Lützow her
Mit Reitermut durchflogen,
Beleidigt ist die deutsche Ehr',
Auf! in die Schlacht gezogen.

Die Gäule raus, das Schwert zur Hand,
Die Welt braucht uns Ulanen,
Wir stürmen frisch in Feindes Land
und hol'n uns welsche Fahnen.

O Dasein, herrlich süßes Gut,
Jetzt lernen wir dich lieben:
Fürs Vaterland und deutsches Blut
Bist du dem Tod verschrieben.

Standarten hoch und vorwärts nun,
Zu reden gibts nicht viel –
Die heilge Pflicht, wir werden sie tun,
Paris ist unser Ziel.

Doch dieser Schwur sei ernst getan:
Wie Gott auch bläst die Flammen –
Wir Lützower stehn auf dem Plan
Und hau'n die Welt zusammen.

Hier regt der neue, der verinnerlichte Pazifismus zum ersten
Male seine tiefschwarzen Flügel. So fuhr der erste Schrei der
Friedenskrähe über die Schlachtfelder. Sie kam – in ihrem
Schnabel hielt sie die Palme des Kleistpreises. Von langer Hand
– B. Z. am Mittag, 16. August 1914 – ist Paris das Ziel ge-
wesen. Es ist erreicht.

Alfred Kuhn, Das alte Spanien. Landschaft, Geschichte, Kunst. Berlin: Verlag Neufeld u. Henius (1925). 184 S.

Das Buch löst seine Aufgabe, zur spanischen Reise zu stimmen, in durchaus sympathischer Weise. Es weckt die Neigung »eine Erde [zu] überqueren, deren Anblick von allem verschieden ist, was jenseits der Pyrenäen existiert«, und mit Recht erkennt die Vorrede in dem neuerwachten Interesse am elementar Ethnischen in seiner engen Verbindung mit religiösen Lebensverfassungen einen Impuls von vielen, die sich heute nach Spanien aufmachen. In das Land, wo afrikanische Kultur sich mit romanischer mehr noch verschlingt als auseinandersetzt, der Islam und das Christentum sich die Entscheidungsschlacht um Europa geliefert haben, führt der anspruchslose Text weiteste Kreise ein. Erfreulich berührt, daß die Kunst in textlicher und bildlicher Darstellung geziemend berücksichtigt ist, ohne, wie das oft geschieht, so stupid in den Vordergrund zu drängen, daß die notwendigen topographischen, historischen und kulturellen Daten darüber zu kurz kommen. Vielmehr sind »Landschaft, Mensch und Kunst« die drei Zentren, um welche die Darstellung sich gruppiert.

Hugo von Hofmannsthal, Der Turm. Ein Trauerspiel in fünf Aufzügen. (München: Verlag der Bremer Presse 1925.) 158 S.

Mit seinem neuen Trauerspiel »Der Turm« greift Hofmannsthal auf die Gestaltenfülle des Barock zurück. Als der geheimnisreichsten einer aus der Menge tritt Calderons Prinz Sigismund in ein neues Leben. Dem Drama liegt ein Stoff im eminenten Sinne, der des spanischen »La vida es sueño« zugrunde: Das Leben ein Traum. Der Künstler aber wirkt nur in den Stoff hinein, indem er ihm gehorcht. Heißt »dichten« einen Stoff zur Auseinandersetzung mit sich selber bringen, so führt es oft durch eine Reihe von Stationen. Die großen Themen staffeln sich in Formen, von denen eine in die andere greift. Und nirgends gilt dies strenger als im Drama. Denn seine Form ist ein sehr wichtiger Index vom schöpferischen Willen eines Kollektivs. Dessen Ge-

setz aber besagt, daß in der Spannung zwischen Urform und
Variante die echte, die produktive Intensität sich ausschwingt.
Sie ist zu aller bloßen »Originalität« der Gegensatz. Die Zahl
der fruchtbaren dramatischen Stoffe ist begrenzt; unendlich sind
nur die Motive, die sie Form gewinnen lassen. Erfindung
schlechtweg ist gerade im Dramatischen die Passion des Dilettanten. Der glaubt in ihr die »Originalität« verbürgt. Sie aber
liegt, ihrem Begriffe nach, außerhalb des Kraftfeldes der historischen Spannungen, die das eigenste Leben des großen Dramas
bestimmen.

Die geschichtliche Spannung, wie dieses neue Werk sowohl in
sich wie im Verhältnis zu dem Calderonschen Urbild sie entfaltet, macht ihr höchstes Interesse aus. Man weiß, im Mittel-
punkte jenes Dramas steht der Traum. Ein Königreich Polen
»mehr der Sage als der Geschichte« ist dort, wie auch bei Hofmannsthal, der Schauplatz. Darinnen herrscht Basilius als König.
Von seiner verstorbenen Gemahlin hat er einen Sohn Sigismund.
Die Astrologen sehen dessen Horoskop voll Unheil. Der Mutter
brachte er im Wochenbett den Tod, der Vater fürchtet weitere
Erfüllung jenes Spruchs, der angibt, daß der Sohn die väterliche
Krone rauben werde. Daher verbirgt man ihn an einem abgelegenen Ort. In einem Turme wächst der junge Sigismund heran.
Mit niemandem als seinem Wärter darf er reden, nicht frei um-
hergehen, Ketten schmieden ihn an sein Gefängnis. Der väterliche Argwohn des Tyrannen steht bei Calderon, dem hohen
Funktionär an Philipps Hofe, nicht außer allem Verhältnis zu
Natur- und Staatsrecht. In seiner Weisheit gibt vielmehr der
Fürst dem Prinzen die Gelegenheit zu einer Probe. Den Schla-
fenden entführt man auf das väterliche Schloß, und hier erwacht
er, wird als Prinz begrüßt und zeigt in Spiel und Gegenspiel sein
wahres Wesen. Zorn, Wollust, Mißgunst, Hochmut brechen aus
dem Innern des fürstlichen Caliban. Es bleibt nichts übrig als
ihn zu entfernen und dem von neuem in die Kerkernacht ver-
senkten »Dies alles ist ein Traum gewesen« einzuschärfen. Was
kommt, entscheidet sich in dieser zwiefach irrealen Schicht ver-
meinten Träumens. Der Prinz im Grübeln, dekretiert am Ende:
»Doch sey's Traum, seys Wahrheit eben: / Recht thun muss ich;
wär' es Wahrheit, / Desshalb, weil sie's ist; und wär' es /
Traum, um Freunde zu gewinnen, / Wenn die Zeit uns wird er-

wecken.« Da ruft der Vater aus freien Stücken ihn auf den Thron, der Spruch der Weisen erfüllt sich zu aller Glück, die Drohung der dämonischen Natur aber hat christliche Vorsicht vereitelt.

Dies ist der Stoff, der um neues Leben den Dichter anging. Der Traum als Angelpunkt historischen Geschehens – das ist seine faszinierende, befremdliche Formel. Was konnte Hofmannsthal bestimmen, ihrem Aufruf zu entsprechen? Durch das, was nur »Variante« eines Stoffes ist, glückt ihm, aufs tiefste eine Form zu wandeln, zu bewegen. Calderon schrieb ein »Schauspiel«, in dem die spielerischen, die romanisch-romantischen Momente zu erstaunlichster Entfaltung kommen. Der Spanier umreißt die ganze, höchst barocke Spannung seines Stoffes innerlich. Als Reflexion, in der Volute rollt er ihn zusammen. Im »Turm« ist, was sich dort verschlungen, aufgerollt. Die Unnatur jener väterlichen Gewalt, das Martyrium dieses prinzlichen Daseins sind beim Namen genannt. Vielmehr in einer – auch im Theatralischen – unvergleichlichen Hauptszene nennen sie sich selber beim Namen. In den Schranken dieser neuen »Traumszene« rast nicht die blinde Kreatur sich aus, die leidende hält über ihren Peiniger Gericht. Und da der Vater aus Gründen der Staatsräson – um eine Rebellion zu stillen – seinen Sohn zu sich erheben will, schlägt Sigismund ihm ins Gesicht. »Wer bist du Satan, der mir Vater und Mutter unterschlägt? Beglaubige dich?« Damit hat die Funktion jenes Traums sich im tiefsten gewandelt. Wo er bei Calderon, wie ein Hohlspiegel, in einem unermeßlichen Grunde die Innerlichkeit als transzendenten siebenten Himmel aufreißt, da ist bei Hofmannsthal er eine wahrere Welt, in welche ganz und gar die Wachwelt hineinwandert. »Wir wissen von keinem Ding wie es ist, und nichts ist, von dem wir sagen könnten, daß es anderer Natur sei als unsere Träume.« »Sie haben zu mir gesagt: du hast geträumt und immer wieder: du hast geträumt! Dadurch, wie wenn einer einen eisernen Finger unter den Türangel steckt, haben sie vor mir eine Tür ausgehoben und ich bin hinter eine Wand getreten, von wo ich alles höre, was ihr redet, aber ihr könnt nicht zu mir und ich bin sicher vor euren Händen!« Durchaus hat alles sich im Wirklichen zusammengezogen wie unter der Einwirkung einer ätzenden Einsicht. Das breite Liebesspiel der spanischen Bühnentradition

ist ebenso dahingefallen wie die transzendente Moralität des
Traumlebens. Hofmannsthals Szenar kennt keine bedeutsamere
Frauenrolle. Ein männliches Nebenspiel tritt an den Platz der
parallelen Liebeshandlung. Julian, der für den Prinzen haftet,
ihn bewacht, liebt Sigismund und sucht dennoch zugleich für den
Ehrgeiz seines eigenen Strebens ihn auszunutzen. Der Mann,
dem nichts als ein winziges Aussetzen des Willens, ein einziger
Moment der Hingabe fehlt, um des Höchsten teilhaft zu werden,
ist nie so leibhaft über die Bretter gegangen. Sein Gegenspieler,
der Arzt, Herr seiner Kunst und Kundiger von ihren tiefsten
Gründen, eine paracelsische Erscheinung, der seinesgleichen,
seinen Oberen in der blöden Kreatur erkennt, als welche Sigismund am Anfang der Geschehnisse, fast ohne Sprachvermögen,
aus dem Turme ihm entgegenkommt.
Dieses Drama ist ein weiteres, entschiedenstes Vordringen in
einem Bezirk, der gleich sehr dem dramatischen Gestalten seines
Dichters wie der neueren Szene schlechtweg vorbestimmt scheint.
Das »Vortragische« mag man ihn nennen. Aus dem Ritual ist
das Drama erwachsen, Urtypus der dramatischen Spannung die
Spannung zwischen Wort und Aktion. Nicht was man in läß-
licher Rede so nennt: nicht eine Spannung im Bereich der Worte
selber (nicht die der Debatte) noch auch die des sprachlosen
Ringens (des Kampfes schlechthin) ist dramatisch. Das ist allein
die Spannung des Rituals, die zwischen Tun und Rede selber, im
Polaren, überspringt. Dem so verstandenen innerlichsten Zirkel
des Dramatischen ist selbst das Tragische schon äußerlich. Es
trägt die Spannung zwischen Leib und Sprache – von Aktion
und Wort – rein sprachlich aus und die Debatte als ein Späteres,
ein Vereinzeltes und als Variante des Dramatischen schlechtweg
kommt auf. Dieses Dramatische selbst aber ist ein Vortragisches.
Als »Ödipus«, »Elektra« und »Alkestis« des Dichters vor mehr
als zwanzig Jahren erschienen, da drängte eine Auseinandersetzung mit der griechischen Tragödie ans Licht, wie sie der
barocken Dramatik in Opitz' »Troerinnen« vorangegangen war.
In ganz Europa wuchs damals die neue Form, die sich in Deutschland als das »Trauerspiel« wenn nicht am reinsten so am radi-
kalsten prägte. Ein »Trauerspiel« heißt nicht umsonst der
»Turm«. Und so entsagt er der Chimäre einer neuen »Tragik«.
Was er im Prinzen Sigismund beschwört, das ist vor allem der

geschundene Leib des Märtyrers, dem gerade Sprache – nicht
umsonst – sich weigert. Damit nimmt dieses letzte Drama des
Dichters die kostbare Tradition der deutschen Bühne so kühn
wie sicher an dem Punkte auf, wo sie der Klassizismus unter-
brach. Und wenn die Dramaturgen (die doch wahrlich nicht
Überfluß an edlen Materialien haben) den Stoffen minder als
den Kräften neuer Texte das wahrhaft Rechtzeitige abzumerken
trachten würden, so wäre vielleicht gerade dieses Werk heute
schon über die deutschen Bühnen gegangen. Es sind Szenen
darinnen, welche die gewaltigen Anforderungen an Darsteller
und Spielleiter mit der tiefsten Erschütterung des Publikums
lohnen würden. Der blutige König, wie er sich, gleich Shakespeares Claudius ins Gebet, in die Schönheit eines Herbstabends
verliert; der Prinz, wie er vorm Alkoven seiner Mutter zurückschauert und doch nicht weiß, wovor er sich befindet; Julian,
sein Wächter, wie der Arzt ihm die Entscheidungsfrage stellt.
Das alte Trauerspiel schlug seinen Bogen zwischen Kreatur und
Christ. In dessen Scheitelhöhe steht der vollkommene Prinz. Wo
Calderons christlicher Optimismus den sah, da zeigt sich der
Wahrhaftigkeit des neueren Autors Untergang. Sigismund geht
zugrunde. Die dämonischen Gewalten des Turms werden seiner
Herr. Die Träume steigen aus der Erde auf und der christliche
Himmel ist längst aus ihnen gewichen. Im Aufruhr tritt ein sa-
genhafter »Kinderkönig« die wahre Erbschaft dieses Prinzen an,
wie Fortinbras die Hamlets in der Thronbesteigung. Im Geist
des Trauerspiels hat der Dichter den Stoff des Romantischen
entkleidet und uns blicken die strengen Züge des deutschen
Dramas daraus entgegen.

Hans Bethge, Ägyptische Reise. Ein Tagebuch. Berlin: Eupho-
rion Verlag (1926). 156 S., 48 Abb.

Durch die formvollendete Gestaltung, die allen Erzeugnissen
dieses Verlages eignet, lädt das Buch zum Blättern geradezu ein.
Die schönen Photographien (von Ernst Rathenau) sind an-
sprechend und exakt wiedergegeben. Leider ist der Text trostlos.
Es beleidigt das Auge, ein Betteldeutsch, das auf Rotations-

papier gehört, auf solch edlem Material festgehalten zu sehen.
Bereits in »Genua«, einem »Ereignis von starkem und besonderem Reiz«, macht man auf allerhand im weiteren Verlauf der
Reise sich gefaßt. Im Lande selber gibt es – beispielsweise –
eine Museumsführung, gegen die das Kauderwelsch des lausig-
sten Fremdenführers Musik ist. »Die ägyptische Mythologie war
immer verworren, die Religion von den Priestern niemals in ein
festes System gebracht, es gleitet alles etwas ungewiß durcheinander ... Wenn ich Bildhauer wäre und sollte den Gott des
Weines oder den Gott der Schönheit darstellen, ich glaube nicht,
daß ich ihn wesentlich anders bilden könnte als die Griechen den
Bacchus oder den Apollo gebildet haben. Aphrodite als Göttin
der Liebe: ja. Hathor, die ägyptische Aphrodite mit dem ernsten
Kuhgesicht: nein. Für die tierköpfig drohende Götterwelt der
Ägypter ist kein Raum in unserer Phantasie.« Aber schließlich
ist Bethge kein Bildhauer. Und ganz zu Hause ist er erst auf
kritischem Gebiet. »Wer sich an einem Toten rächen und ihn aus
den Wonnen des Paradieses vertreiben wollte, brauchte nur
seinen Namen wegzumeißeln, und der Arme war der Ewigkeit
verlustig. Das sind sehr kindlich-primitive Vorstellungen, die
man mit der Idee der Unsterblichkeit verknüpfte.« Nein, Herr
Verfasser! Das sind sehr kindlich primitive Vorkenntnisse für
eine Reise nach Ägypten. So daß man sich gar nicht wundern
kann, von dem Pharao Mykerinos zu hören: »Er muß ein sympathischer Mensch gewesen sein.« Womit man denn wohlbehal-
ten auf dem »Anhalter Bahnhof« sich wiederfindet. Doch in uns
klingt, was wir da unten in dem fernen Wunderland gesehen
und gehört noch nach: Bethge als Schmock: ja. Bethge als Schriftsteller mit dem ernsten Kuhgesicht: nein.

»BELLA«[1]

En Méditerranée – par les Messageries Maritimes. So lädt der
Rücken dieses Buches ein, wenn Bellas Leben vor dem Leser
abgelaufen ist. Man kann nicht besser ihr Gedächtnis feiern.

1 Jean Giraudoux, Bella. Histoire des Fontranges. Paris: Bernard Grasset (1926).
244 S.

Beim Lesen geht man gegen steifen Seewind an, und über den
Dingen, auf die man trifft, liegt eine Salzkruste.

Der Pressechef im Pariser Ministerium des Auswärtigen, Jean
Giraudoux, nimmt keinen nom de guerre an, wenn er Romane
schreibt (von Fabre-Luce erscheint soeben die politische Romanze »Mars« unter dem schönen Dichternamen Jacques Sindral).
Giraudoux bleibt als Autor hochgestellter Funktionär und beansprucht den technischen Apparat eines Büros für seine Phantasie
mindestens ebensosehr wie in der Wahrnehmung seiner Berufs-
geschäfte. Man möchte seine Sachen sich im Amt geschrieben
denken. Oder in einer Dichterschule als »thème en classe«. Er
selber muß aufs glücklichste erfahren haben, was er von den
gelehrten Brüdern Dubardeau bemerkt:

»Sie konnten ohne das alltägliche Bad in einer Flut Vertrauter,
Halb-Bekannter, Flut von Stimmen und von Lächeln nicht auskommen. Es war auch nicht nur Sache der Gewohnheit, weswegen sie im Lärm, in Zimmern, welche auf den Korridor hinausgehen, studieren mußten, wo immer Leute vorbeikamen,
Leute, die Durand oder Dupont, Bloch oder Bechamort, La
Rochefoucauld oder Uzès hießen. Die Menschheit war das
Ferment, das ihre Versuche gelingen ließ. Bei all ihren Experi-
menten über Gasmischungen, hybride Pflanzen, die Lebensfähig-
keit des neuen Österreich, hätten sie der Aufzählung der Mi-
schungsbestandteile beifügen können, ›ich nehme hinzu: einen
Menschen.‹ Die Anwesenheit eines belanglosen Individuums
Labaville hatte beim Gelingen der Synthese den Ausschlag gegeben. Wenn Labaville mit seinen Knöpfen und seiner Kasch-
mirkrawatte nicht da war, arbeitete Onkel Karl nicht gut. Sie
alle brauchten ein Gesicht als Feder-Wischer oder Blick-Wischer,
wenn sie die Augen von den chemischen Synthesen oder den
Giften, die da wirkten, erhoben. Ja selbst der Astronom brauchte
am Abend, wenn er dem Firmamente gegenüberstand, den
blassen Kopf von einem Sekretär in seiner Nähe.«

Der Autor selber ist von diesem Stamm und schlägt in seinem
Buche sich zu ihm. Als Neffe nimmt er an den Kämpfen teil, die
Rebendart, Ministerpräsident, den großen, freigesinnten Brüdern liefert. Das Urbild dieses Rebendart heißt Poincaré, und
die Gestalt, die sich im Prisma der sechs Brüder bricht, ist Ber-
tholots. Denn gern setzt Giraudoux ein Kollektiv an Stelle eines

Individuums. Die Rebendart erscheinen ebenfalls als Gruppe.
Der Haß, der sie mit primitiver Verve zeichnet, hat ihren
Größten, Henri Poincaré, den Mathematiker, zugunsten jener
Brüdergruppe annektiert. Was übrigbleibt, ist eine gottverlas-
sene Sippe, die auf dem Lande ihre Existenz vertrauern muß,
um nicht die wenigen aus ihrer Mitte, die in der Hauptstadt eine
Rolle spielen, bloßzustellen. Die Zeichnung dieses Ministerpräsi-
denten erschöpft ihr Modell, wie eine chinesische Marter den
Sträfling. »Alle Sonntage stand er zu Füßen eines jener guß-
eisernen Soldaten, die leichter als er selbst zurechtzuhämmern
wären, hielt seine Rede und gab vor zu glauben, die Toten hätten sich nur etwas abgesondert, um über die Summen, die
Deutschland schuldet, sich schlüssig zu werden.«
Im politischen Feldlager spielt ein Liebeskomplott. Der Romeo
– Philipp, der Berichterstatter – auf seiten seiner aufgeklärten
Onkel, die Julia – Bella, eine junge Witwe – die Schwieger-
tochter Rebendarts. Von dieser Liebeshandlung wird das süßeste
Geflecht im Buche nicht gewoben, sondern aufgetrennt. Denn
beide haben, eh noch die Erzählung einsetzt, sich gehört und
kannten nicht den wahren Namen voneinander. Nun bringt der
Streit der Capulet und Montagu nur Trübsal, Gram, Entfrem-
dung zwischen beide. Nicht allzuoft erscheint in der Geschichte
Bella selbst; es ist darin von der Rücksicht des Liebhabers etwas,
der seine Freundin unter Leuten nicht ermüden will. Seitdem sie
umeinander wissen, sind sie stumm. Die Szene – der begnadete
Verrat der Bella – die ihnen voreinander und den andern die
Sprache wiedergibt und Rebendart im Augenblicke, da sein
Anschlag fällig ist, entwaffnet, wird der Tod der Frau. Ihr
platzt ein Blutgefäß in der Erregung.
Der Erzähler aber verliert nicht den Atem. Er saugt nur tiefer
das geliebte Leben in sich und wendet die Geschichte Bellas
Vater zu, verfolgt die Liebe in der Deszendenz, steigt zu den
Quellen, endet im Motiv der sonderbarsten väterlichen Trauer,
in der die Tochter ihren Vater neu belebt.
In dieses Gradnetz wurde die genaueste Geschichte eingetragen.
In keiner früheren konnte ähnlich scharf, worum es Giraudoux
zu tun ist, sich entfalten. Selbst hier benimmt der Zauber der
unglaublich leichten Hand, die das Geschehen wie einen Faltenwurf zurechtrückt, dem Leser beinahe den Begriff von dieser

Kunst und Form. Sie ist – mit einem Worte es zu sagen – die
schönste Aktualisierung der Kreuzworträtsel. (Mithin: ganz
eigentlich in ein Schema eingeschrieben.) Wenn dort Worte sich
in den Buchstaben schneiden, so stehen hier Bilder, welche unter
sich im Ding, im Namen, im Begriff sich überqueren. Ein Rätsel,
dessen gelöstes Bild die wildesten Züge des politischen und
erotischen Kampfes in seinen atemraubenden Kreuzungen gibt.
Ausschnitte dieser Kreuzwortmetaphorik: das Parlament ist
Riesenschreibmaschine, an deren Klaviatur der Präsident sitzt;
so leicht wie eine Urne trägt sich das Dossier mit einem Todes-
urteil; ein Baum ist Grabmal und zugleich trigonometrisches
Signal. »Le Puzzle du paradis perdu par l'homme« stellt in
solchen Bruchstücken sich wieder her.
Auf solche Weise öffnet man in Frankreich die Archive. Zerleg-
bar ist das Personal selber, und der politische Mensch tut sich
auf wie ein Safe. Eine Frauenhand greift hinein und langt einen
Packen mit Liebesbriefen heraus. Man wird in Moskau dieses
Buch verschlingen.

EIN DRAMA VON POE ENTDECKT

Vor wenigen Monaten hat sich in der Bibliothek Pierpont Mor-
gan ein unbekanntes Manuskript von Poe gefunden. Es ist das
Jugenddrama Politian, das damit im Entwurfe, über den es nie
hinausgedeihen sollte, vorliegt. Von zwölf ausgeführten Szenen ist nur die letzte, abschließende verloren. An sich selbst
ist diese Szenenfolge ohne Interesse – unendlich merkwürdig
dagegen als erstes schattenhaftes Gestaltwerden eines Genius.
Noch sind die Kräfte allzu schwach, die ihn beschwören. Desto
erstaunlicher, wie er hie und da vorübergehend Gestalt gewinnt, um sofort in nichts zu zergehen. Selbst in mißratenen
Jugendwerken der Großen erkennt der tiefere Blick nicht
selten später gleichsam die ungestalte, die konkave Innenseite
einer Prägung, der scharf das souveräne Medaillon des kommenden Meisterwerkes entspricht. So könnten im Politian die
komischen Szenen mißglückter nicht sein, jedoch was hier
gegorne säuerliche Komik ist, wird in den reifen Werken

ätzendste Ironie. Wo die Form dem Dichter noch nicht gehorcht, ist eben dennoch die Inspiration schon die des Meisters.
Das gilt auch vom Stoff. Ein blutiges Ereignis aus der Chronik
des jungen Staates Kentucky gab dieser Renaissancetragödie
den Anstoß. Es fällt ins Jahr 1825. Ein junges Mädchen wird
von einem Obersten verführt. Einige Jahre später faßt ein
anderer Mann für dieses Mädchen eine Leidenschaft. Es weist
ihn lange ab und macht am Ende zur Vorbedingung einer
Eheschließung die Rache, die ihr Bräutigam an dem Verführer
zu vollziehen hat. Einem Duell weicht der Oberst aus. Da
klopft eines Nachts der Verlobte an seine Tür, der Oberst
öffnet und wird erdolcht. Der Mörder zum Tode verurteilt.
Seine Braut darf bei ihm in der Zelle bleiben und wenige
Tage vor dem Hinrichtungstermin suchen sich beide das Leben
zu nehmen. Die Frau erliegt ihren Wunden, der Mann wird
geheilt und gehängt. – Diesen beispiellosen Stoff hat Poe
nicht am bizarren Ende der Kerkerszene aufgegriffen. So
hätte er vielleicht später getan. Die Handlung dieses Dramas
spielt in einem römischen Palast sich ab. Wenn Poe die einzigartige Gabe besaß, die Weihe klosterartiger Architekturen
durch den Prunk der Palastgemächer nur noch zu steigern, mit
denen er sie erfüllt dachte, so gibt diese Verspannung der
Phantasie auch für dieses Drama den Schlüssel: die Dekora-
tion, die im Geist vor dem Dichter stand, ist das wahre Gesetz
der mißlungenen Tragödie. Und dazu stimmt, daß er dem
Plan bis an sein Lebensende nachgehangen hat.

Deutsche Volkheit. 12 Bände. Jena: Eugen Diederichs 1926.

Der Verlag Diederichs entwickelt sein Programm neuerlich in
einer von Zaunert edierten Sammlung »Deutsche Volkheit«.
Die zwölf vorliegenden Bändchen umschreiben einen weiten
Kreis: vom »Altgermanischen Frauenleben« bis zu »Sanssouci
und Friedrich der Große«. Die geplante Ausgestaltung enthält
neben Interessantem manches Zinnsoldatenhafte. »Der große
Friedrich und seine Soldaten«, »Der alte Dessauer«, »August
der Starke«. Tiefer in deutsches Volkstum wird Folkloristi-

sches führen. Ein vorzüglicher Band »Pflanzen im deutschen
Volksleben« von Heinrich Marzell behandelt die bäurische
Vegetationserfahrung. »Zauber und Segen«, »Totenehre im
alten Norden«, »Jahresfestspiel« und anderes werden uns in
Aussicht gestellt. Alles in allem ein Diederichs in nuce mit seinen
guten und schlechten Seiten.

*Ventura Garcia Calderon: La vengeance du Condor. Paris:
Sans-Pareil 1925.*

Wie beglückend können nicht Namen in Büchern für Lesende
sein. Davon ahnen gewöhnlich die Kritiker nichts, weil sie
vergessen haben, wie sie als Jungen im Lederstrumpf oder
Karl May an den Namen sich festsogen, weil sie nicht wissen,
daß für das lesende Dienstmädchen der Name des Helden der
halbe Roman ist und weil sie keine Zeit haben, in Reisebeschreibungen dem Rausch der fremden Wörter für Städte,
Menschen und Tiere sich hinzugeben. Es ist auch selten, daß
dem Erwachsenen Bücher in die Hand fallen, die durchsichtig
und schlicht genug erzählt sind, um den exotischen Namen
ihren Zauber zu lassen. Wer ihn kennenlernen will (und lesen
wie er nur als Junge gelesen hat), der greife (denn hier tut's
nur der altmodische Konjunktiv) zu dem peruanischen Ge-
schichtenbuch »La vengeance du Condor«. Da steht unter den
zwanzig Erzählungen kaum eine, die länger wäre als zehn
Seiten, und die meisten haben nur fünf oder sechs. Gerade
Raum genug, um Pferd und Reiter mitten im breiten epischen
Zug von Gebirg oder Ebene ein paar Sätze machen zu lassen,
die an Schönheit und Vollkommenheit alle novellistische Schul-
reiterei schlagen: Sätze über Flußbetten oder Abgründe, begleitet vom Schrei der Indianer und erzählt in der nüchternsten Sprache des Bleichgesichts. Des unübertrefflichen Erzählers Ventura Garcia Calderon.

ÜBERSETZUNGEN

Wer übersetzt, arbeitet in zwei Sprachen. Sein Material –
vielmehr: sein Organ – ist neben seiner Muttersprache nicht
sowohl der fremde Text als vielmehr dessen Sprache. Aus
beiden Sprachen baut er etwas auf und kann gemeinhin schon
von Glück sagen, wenn sein Gerüst ein wenig länger als ein
Kartenhaus sich hält. Und wie beklommen folgt man der
leichten Hand, die Vers auf Vers wie Stockwerk auf Stockwerk türmt, bis oftmals ein geringfügiger Fehler im letzten
das Ganze sang- und klanglos zu Fall bringt. Wie willig aber
neigt dafür das Ephemere, der Effekt, sich dieser Gattung; er
hat im Schrifttum nirgendwo ein höheres Recht als hier. Von
neuem sieht man dies an Übertragungen Verlainischer Gedichte bestätigt, die Alfred Wolfenstein[1] soeben veröffentlicht.
Es sind sehr geglückte darunter. Bei Verlaine will das viel
sagen. Vergebens griffe einer sehr weit aus, um diese Dichtungen ins Deutsche einzubringen. Hier liegt die Kunst des
Übersetzens in der Entspannung. Wie ein Träumender mit
der schwächsten Gebärde, der kaum eben sich regenden Hand,
in seiner Nähe langgesuchte Schätze zu greifen glaubt, so
greift der deutsche Sprachgeist wirklich nur in seiner nächsten
Nähe die Worte, aus denen Verlaines zögernder Stimmfall
zurücktönt. Was er in ihnen dichtet, ist deutscher Poesie
unnennbar verwandt. Nur wer im allerbeschränktesten Raume
die Sicherheit und die Gelassenheit der Geste sich wahrt,
kommt zu Glücksfunden wie: Wehmütige Zwiesprache –
Weisheit – Sonette VIII – Das Meer ist schöner – Kasper
Hauser singt – Die Abendsuppe. Daß gerade die restlose
Übertragung der »Romances sans paroles« nur in einer lückenlosen Folge geneigtester Stunden gelingen könnte, beweist das
berühmte »Il pleut sur mon cœur«, das in deutscher Gestaltung, nicht gerade glücklich, den Band eröffnet. Wenn anderswo unscheinbare Zusätze, wie aus technischer Verlegenheit ein
Übersetzer sie einschmuggelt, den Versbau (wie die Höllen-
maschine einen Palast) verheeren, so ist das ein altes Leid-
wesen, das sich natürlich auch in diesem Bande hin und wieder

1 Paul Verlaine, Armer Lelian. Gedichte der Schwermut, der Leidenschaft und der
Liebe. Übertr. von Alfred Wolfenstein. Berlin: Paul Cassirer 1925. 79 S.

bestätigt. Dem ungeachtet bleiben diese ehrfurcht- und liebe-
vollen Übertragungen ein sehr würdiger Anlaß, erneut im
Verlaine zu blättern. Man täte es mit ungestörterem Genuß,
wenn das Register den Standort der einzelnen Stücke in der
großen Messeinschen Ausgabe nachweisen würde.

Gleichzeitig publiziert man eine Übersetzung Rimbauds, des
»Antipoeten«, wie Wolfenstein diesen berufensten Wider-
sacher der Dichtung kürzlich genannt hat. In diesem Punkte
ist sein Übersetzer, Franz von Rexroth[2], ihm sehr kongenial.
Doch warum Ironie, geschweige denn Galle, an eine Neuerscheinung verschwenden, welche die literarische Unmündigkeit
ihres Autors so entschieden bekundet, daß die Kritik es bestenfalls mit dem Verlag als dessen Vormund zu tun hätte. Der
Autor scheint auf Schonung ein Recht zumal in Anbetracht
des Fleißes zu haben, der ihn von Rimbaud nicht allein alles,
was nicht niet- und nagelfest (will sagen: nicht Prosa) ist, in
zierliche Verschen im Sinne der Frida Schanz übertragen hieß,
sondern dazu ihm eingab, die Leichtigkeit dieses Unternehmens
dadurch zu bekräftigen, daß er gelegentlich in »fehlerhaften«
Sonetten Rimbauds im Vorbeigehen die obligaten vierfachen
Reime nachträgt (Ma Bohème, Le Mal, Au Cabaret Vert). Weniger leicht als das Reimen fällt das Französische ihm: »Si
jamais j'ai quelque or« übersetzt er: »Wenn mir kein Gold mehr
eigen«. Proben der eigentlich dichterischen Leistung mögen un-
terbleiben. Wenn eine Einleitung von Dr. R. Dereich am Schlusse
längerer ungemein »einführender« Darlegungen über Rimbaud
bemerkt: »Die Neuübertragungen Franz von Rexroths sind bei
aller architektonischen und dichterischen Strenge erfüllt von
einer inneren Musik und in ihrem expressionistischen Faltenwurf
verblüffend zeitgemäß«, so haben wir dem nichts hinzuzufügen
als drei Ausrufungszeichen.

2 Arthur Rimbaud, Gedichte. Übertr. von Franz von Rexroth. Mit einer Einl. von
Dr. R. Dereich. Wiesbaden: Dioskuren-Verlag [1925]. XIV, 109 S.

*Margaret Kennedy, Die treue Nymphe. Roman. (Aus dem
Englischen von E[dith] L[otte] Schiffer.) München: Kurt
Wolff Verlag (1925). 400 S.*

Der Titel deutet auf den sagenhaften Liebeskampf von Mann
und Nixe. Sie kann um dessentwillen, den sie liebt, an die
Oberwelt steigen, als Erdenweib dem Mann die Treue halten;
dann aber büßt sie mit dem Tode dieses Menschenglück. Das
Meer als väterliches Schloß der Nymphe ist in diesem Buch die
Musik, der unterseeisch tönende Palast, wo in der Flut der
väterlichen Melodien die Nymphe mit den vielen Schwestern
und Brüdern sich tummelt. Diese Familie eines begnadeten
Träumers und Musikers – in allen ihren Gliedern von den
Bräuchen der landfesten Gesellschaft gänzlich entbunden –
löst nach dem Tode ihres Oberhaupts, des Komponisten Sanger, sich auf. Sie wird ein Opfer bürgerlicher Verstrickungen.
Und ihre wesenhafteste Figur, Teresa Sanger, das nymphen-
hafte Mädchen, endet stumm in einer Leidenschaft, die sie zu
einem Schüler ihres Vaters faßt, der ihre Welt (und seine
wahre Heimat) der Ehe mit einer vortrefflichen Bürgerstoch-
ter zum Opfer bringt. Dies lautlose Verenden eines Menschenwesens, das grausam sich in einer Welt vollzieht, wo nichts als
nur Musik und wiederum Musik in Ansehen steht, bringt an
den Tag, was aller Kunstbetrieb (weit strenger als der schöpferische Aktus selber) an Grausamkeit mit jedem technischen
und kommerziellen teilt. Das Lebenslicht einer Jugend legt in
diesem harten gläsernen Prisma zum wundervollen Spektrum
seines Todes sich auseinander. Die ewige Ottilie der »Wahlverwandtschaften« ersteht in einer Londoner Bohème zu neuem
Sterben. Und sie erscheint wie vordem so auch nun in einer
Umwelt guter, sympathischer Menschen. Die neuere Entwicklung des Romans geht auf die Aufhebung der Bösewichter;
der schlechte Mensch gehört ins Raritätenkabinett des Romanciers. Zumindest muß, wer diese heutige Gesellschaft auf ihrer
bürgerlichen Höhe darzustellen gedenkt, wissen, daß eine allgemeine bona fides ihre subtilste Erfindung und das böse Gewissen ein Requisit ist, das sie den unteren Klassen zu beliebiger Verfügung abgetreten hat. – Wie dieses Buch den Leser
mit sich zieht, obwohl es keine äußerliche Spannung kennt,

dankt es dem Zauber der unglaublich sanften Strömung. Man
treibt auf ihr dahin wie auf der Stimme, die man liebt, wenn
sie erzählt. Ewig schade, daß ihre »englische« (will sagen:
angelsächsische und engelhafte) Intonation durch eine Übersetzung getrübt wird, die im Philologischen eben hinreichen mag,
in allem Stilistischen jedoch durchaus versagt. Auf das – von
der »Literarischen Welt« so streng denunzierte – amerikanische
Publikum aber wirft es denn doch ein versöhnendes Licht, daß
drüben dieser Roman monatelang »best seller«, meist gefragtes
Buch gewesen ist. Das macht nicht nur die kindische Kinderliebe
der Yankees, die an den frechen Wunder- und Naturkindern des
Komponisten ihr Gefallen finden muß, sondern die echte Naivität, die an einer Liebesgeschichte ihre Freude hat, welche so schön
ist, nur weil die Dichterin sie so ungemein rein vorträgt.

*Carl Albrecht Bernoulli, Johann Jacob Bachofen und das
Natursymbol. Ein Würdigungsversuch. Basel: Benno Schwabe
u. Co. 1924. XXVI, 697 S.*

Es gibt eine »Geschichte der klassischen Mythologie und Religionsgeschichte während des Mittelalters im Abendland und während der Neuzeit«. Sie ist von Otto Gruppe, einer gelehrten Kapa-
zität, verfaßt. Auf ihren 250 Seiten, die der verschrobensten
mythographischen Spekulationen gedenken, findet sich nirgends von Bachofen auch nur der Name. Man hat es dergestalt versiegelt und verbrieft, daß dieser Baseler Forscher, der
in der zweiten Hälfte des vorigen Jahrhunderts seine Werke
verfaßte – die »Gräbersymbolik der Alten«, das »Mutterrecht«, die »Sage von Tanaquil« sind die drei Hauptschriften
– für den offiziellen Betrieb der Altertumswissenschaft nicht
gelebt hat. Wenn's hoch kommt, gilt ihm dieser Forscher für
einen Außenseiter, dem eine große Gelehrsamkeit und ein
großes Vermögen erlaubte, privaten Passionen für antike
Mystik nachzugehen. Man weiß, daß demgegenüber immer
dort seine Name genannt wurde, wo die Soziologie, die Anthropologie, die Philosophie unbetretene Wege einzuschlagen sich
anschickten. Bachofen begegnet bei Engels, bei Weininger und

neuerdings mit höchstem Nachdruck bei Ludwig Klages. Der »Kosmogonische Eros« dieses großen Philosophen und Anthropologen – um den uneigentlichen Terminus »Psychologe« Klages zum Trotz zu vermeiden – ruft erstmalig mit Autorität Bachofens Gedanken auf. Sein Buch entwirft ein System der natürlichen und anthropologischen Tatsachen, auf denen die Grundschicht der antiken Kultur beruht, als welche Bachofen die patriarchalische Religion des »Chthonismus« (Erd- und Totenkultus) erkennt. Unter den Wirklichkeiten der »natürlichen Mythologie«, die Klages in seiner Forschung aus jahrtausendelanger Vergessenheit dem menschlichen Gedächtnis zu erneuern sucht, stehen in erster Reihe die sogenannten »Bilder« als wirkliche und wirkende Bestandteile, kraft deren eine tiefere, in der Ekstase einzig sich erschließende Welt in die Welt der mechanischen Sinne durch das Medium des Menschen hineinwirkt. Bilder aber sind Seelen, seien es Ding- oder Menschenseelen; ferne Vergangenheitsseelen bilden die Welt, in welcher das Bewußtsein der Primitiven, das dem Traumbewußtsein der heutigen Menschen vergleichbar ist, seine Wahrnehmungen empfängt. Bernoullis Bachofenwerk ist Ludwig Klages gewidmet und sucht ins Gradnetz von dessen Gedankenschema die ganze Breite der Bachofenschen Welt pünktlich einzutragen. Dieses Unternehmen ist um so fruchtbarer, als es zugleich die Auseinandersetzung mit Klages und seiner ausweglosen Verwerfung des gegebenen »technischen«, »mechanisierten« Weltzustandes mit sich führt. Eine Auseinandersetzung, die das philosophische, besser gesagt theologische Zentrum nicht umgangen hat, aus dem heraus Klages seine Untergangsprophetie mit einer Gewalt richtet, welche die Versuche anderer Kulturrichter, wie Georges Kreis sie hervorbrachte, auf immer abgetan scheinen läßt. Siegreich werden wir freilich diese Auseinandersetzung nicht nennen können, während wir von ihrer Notwendigkeit weit strenger noch als Bernoulli selbst überzeugt sind. Sie bleibt also noch zu liefern. Es wäre sehr zu bedauern, wenn der unmäßige Umfang dieser Schrift der Aufmerksamkeit des philosophischen Lesers dieses ihr hochwichtiges Zentrum entgehen ließe. Leider hat Bernoulli sich verführen lassen, jede ephemerste Aktualität, die irgendwo mit Bachofen zusammenhängt, aufzunehmen. Von daher lastet bis-

weilen ein schwüler Boudoirdunst über der Darstellung. Was in
Bernoullis Schrift über Overbeck und Nietzsche durch die polemischen Zwecke gerechtfertigt sein mochte, ist hier zu einem
Anstoß geworden, den man in der gleichen Lässigkeit wie die
zahlreichen sprachlichen Formlosigkeiten begründet sehen wird.
Dem außerordentlichen Verdienst der Schrift tut das nicht Abbruch. Sie ist von dem alten Baseler Verlage Benno Schwabe, der
das »Mutterrecht« in zweiter Auflage verlegte, würdig herausgebracht und mit einem ergreifend schönen Bildnis Bachofens
versehen worden.

FRANZ HESSEL

Umstände versetzen mich in die Lage, Aufklärung über Franz
Hessel erteilen zu können. Der freundliche Leser mag sie als
einen Beitrag zur Geisterkunde entgegen nehmen. Als ich klein
war, gab es an dem geheimnisvollen Punkte der Leipziger
Straße, wo mitten im großen Wertheimpalast noch ein Laden
stehen geblieben war, die altrenommierte Kolonialwarenhand-
lung von Ehrecke. Im Schaufenster: Mehl Ia und Kaiserauszug,
Makkaroni, Gries, Zuckerhüte, sowie Teigwaren leicht gefärbt.
Mit diesen Viktualien hatte es seine besondere Bewandtnis. Es
stand nämlich unter ihnen, genau in der Mitte, die Herme eines
Chinesen. Dieser Chinese nickte tagaus, tagein. Im ganzen
Warenhaus Wertheim war er noch nachts das einzig zuverlässige
Lebewesen. Als Knabe konnte ich dies Nicken nicht deuten. Aber
ich habe es mir gemerkt. Wie ich dann später Franz Hessel begegnete, erkannte ich sofort den Chinesen von Ehrecke. (Inzwischen hatte der Laden bekanntlich geräumt werden müssen.)
Es fehlten mir aber vorderhand die Beweisstücke. Endlich halte
ich sie in Gestalt seiner »Teigwaren, leicht gefärbt«[1] in den
Händen. Nun verstehe ich auch das Nicken. Er nickte nämlich
nicht etwa den Leuten zu. Mir dämmerte auch schon damals,
diese Gebärde sei eigentlich ein bescheidenes, erschüttertes Ergriffensein von der Qualität seiner Ware. Aber es ist noch mehr:
unter gesenkten Lidern der schräge Blick durch das Schaufenster.

1 Franz Hessel, Teigwaren, leicht gefärbt. Berlin: Ernst Rowohlt 1926. 148 S.

Dieser blaue Chinese kennt das Berliner Publikum besser als
irgendeiner von den Wertheimschen Verkäufern. Er hat auch
aus dem ausgetretenen Asphalt vor seinem Laden als ein gelehr-
ter Mandarin alles Verborgene abgelesen, was die Berliner Steine
von Berlin zu sagen haben. (Vielmehr nicht eben Steine, die an
Berlin nicht das Wichtige sind, sondern im Grunde gerade der
Asphalt.) – »Leicht gefärbt« ist keine chinesische Floskel, sondern für solche Teigwaren – das sind: Nudeln – ganz einfach
die Bedingung ihrer Haltbarkeit. »Ohne jeden Sauerteig«,
»ganz trocken« definiert sie unter »Tabernakel – Unwillen« der
Brockhaus. Diese in allen Wassern gewaschenen Nudeln müssen
20 Minuten über leichtem inneren Feuer des Lesers aufgesetzt
werden. Die Mahlzeit ist nahrhaft wie Märchen. Und schließlich
sind im Grunde Märchen wohl die Region, in welcher dieser
Chinese zuständig ist. Vor seinen Blicken geht alles gut aus und
die Geschichten, die er weiß, haben die Konstruktion von Zau-
berspielzeug. Kurze Geschichten, aber keine short stories. Jede
mit einem doppelten Boden: wenn man das obere Fach aufmacht – eine Moral, dreht er dann unversehns die Dose um –
eine Wahrheit. Dazu nickt er. Nur wenn man ihn um eine Erklärung bäte, würde er den Kopf schütteln.

DER KAUFMANN IM DICHTER

> Jeder Autor hat seine eigne Weise, seine Waare an den
> Mann zu bringen; – Ich meines Theils, mag vor den
> Tod nicht gerne in einem dunklen Laden stehn und um
> ein Paar Dukaten mehr oder weniger drücken und
> dingen.
>
> *Sterne, Tristram Shandy, I, 9.*

Den Dichter als Produzierenden unter die »Produzenten«, die
»schaffenden Stände« einzubegreifen, ist schlecht und recht angängig. Nur muß man freilich davon absehen, wieviel Mes-
quinerie und Frechheit unter dem Bilde des »geistigen Arbeiters«
(wie Feuerwanzen unter einem Stein) sich verkriechen. Daß aber
Dichter als Kaufleute dargestellt werden, ist neu, alles andere

als Floskel und eine Wendung, unter der soeben in Paris – dieser einzigen Schule der guten Lebensart in der Kritik – eine elegante, treffende Variation der üblichen »Charakteristik« von Dichtern versucht wird.

Hat nicht der Dichter wirklich vom Kaufmann mehr als man wahr haben will – mehr als bisweilen vom Produzenten? Ohne Zweifel gibt es deren genug, die da als großer oder kleiner Händler uralte, edle Stoffe oder modische neue unter die Leute bringen und noch dazu den ganzen Apparat des Kaufmanns, das werbende Vorwort und die Schaufensterdekoration der Kapitelchen, das servile »Ich« hinterm Ladentisch und die Kalkulationen der Spannung, die Sonntagsruhe hinter jedem sechsten Einfall und das kassierende Inhaltsverzeichnis beanspruchen. Die Schriftsteller aber haben bei solcher Betrachtung mehr zu gewinnen als von einer Mystik der Produktion, die meistens dem Budiker entspricht.

Das alles steht nicht in dem Buch, von dem es gilt. Denn dieses hat den Vorzug, keinen Text zu besitzen. »Prochainement ouverture... de 62 boutiques littéraires présentées par Pierre Mac Orlan

Henri Guilac	Simon Kra
Architecte	Entrepreneur

– dies alles auf eine grüne Bretterwand, die der Buchdeckel darstellt, gepinselt, besagt zu deutsch: Henri Guilac hat dieses Buch gezeichnet, Pierre Mac Orlan es eingeleitet und Simon Kra es verlegt[1]. Die Bildseiten aber stellen 62 französische Dichter vor ihren imaginären Kaufladen dar. Hier würde nun jeder Deutsche eine fulminante Satire erwarten. Ihn zu enttäuschen ist an diesem Buch das Pariserische. Denn diese Blätter, durchweg mit der Hand, sehr sauber und sehr leuchtend koloriert, haben eine candeur, eine Gutherzigkeit, die sie beinah für alle 62, die davon betroffen werden, zu einem reinen Vergnügen machen muß. Sie stehen in Erwartung ihrer Kunden vor der Tür, sehen durchs Ladenfenster oder beugen sich über die Theke. Wie einleuchtend aber, daß niemand erscheint! Und dies schon in Frankreich! Wie ausgestorben müßten nicht bei uns solche

1 Henri Guilac u. Pierre Mac Orlan, Prochainement ouverture... de 62 boutiques littéraires. Paris: Simon Kra (1925).

Läden aussehen! Kunden zu malen, ging auch nicht wohl an:
oder hätte man jedes Tausend der Auflageziffer durch ein
Männchen, das einkauft, darstellen sollen? Wie dem auch sei,
die Straße ist leer. Gide hat mit seinem Jugendwerk, den »Nourritures Terrestres«, sich eine Delikateßwarenhandlung eingerichtet, die Weine aus den »Caves du Vatican« zum Verkauf
hält. Paul Morand steht als Schlepper in der Tür eines zwei-
deutigen Etablissements, dessen rote Laterne »Ouvert la Nuit«
(»Nachtbetrieb«) anzeigt. »F. Carco« – Spezialist in Apachen-
romanen – liest man auf einer grünen Marquise, in deren dürf-
tigem Schutze »Rien qu'une femme« ihre Brüste am Fenster
zeigt. So reiht sich Haus an Haus in dieser literarischen Schla-
raffenstadt: Kofferhandlung (Colette), Parfümerie, Wechsel-
stube, Bäckerei, Gartenwirtschaft (Eugène Montfort) und Reise-
bureau (Charles Vildrac). Am Ende rückt man in die banlieue
hinaus, wo eine ganze Buden-Foire, ein Jahrmarkt mit Lotto-
zelt, anatomischem Kabinett, einem Quacksalberstand, einer
Wutbude (mit dem schmächtigen Jean Cocteau als Inhaber), ein
Stand mit alten Büchern »Les livres du Temps« sich findet, vor
denen Paul Souday, der Literaturkritiker des »Temps« placiert
ist.
Man hört von einem alten, aufgegebenen Plan, literarische
Marktschreierbuden in dieser Art wirklich zu bauen und den
Dichter selber in ihnen aufzupflanzen. Mit Mac Orlan bedauert
man, daß so etwas bei der Exposition des Arts et Métiers nicht
zustande gekommen ist. Denn sicher hat die Vorrede recht, in
der er die Schriftsteller darauf hinweist, sie könnten sich keinen
Begriff davon machen, in welchem Grade, was sie tun, dem Volk
belanglos scheint, und daß sie eines Tages dafür würden zahlen
müssen. Solche ingeniöse Spielerei mit Literaturdingen könnte
dem abhelfen, wenn sie bei allem Charme nicht sehr privat und
sehr vereinzelt bliebe. So muß man sich denn ganz im stillen an
ihr freuen, weil die Schwalbe, die keinen Sommer macht, das
Haustier unseres Zeitalters ist.

Ssofja Fedortschenko, Der Russe redet. Aufzeichnungen nach dem Stenogramm. Deutsch von Alexander Eliasberg. München: Drei Masken Verlag [1923]. 140 S.

Das Buch enthält Sätze, Perioden, Bruchstücke, wie sie in den Jahren 1915 und 1916 von der Verfasserin stenographisch nach den Äußerungen von russischen Mannschaften festgehalten wurden. Sie war bei ihnen an der Front. Unter der Arbeit, ohne daß es auffiel, hat sie jedes Wort aufgezeichnet, das ihr bemerkenswert vorkam, keines mehr. Alle Angaben über die Person des Sprechenden und den Zusammenhang der vorgelegten Stelle fehlen. So tritt der Leser in dies Buch wie in die Stube: er weiß nicht, wovon die Rede ist. Er versteht schlechter, er hört schärfer, als wer im Bild ist. Vernimmt die Stimmen aus den unabsehbaren Gesprächen, deren epische Breite in ihren unscheinbarsten Fragmenten noch liegt. Nichts vom Epigramm ist in all den Wendungen: die undurchdringlichen dunklen Gedanken heben sich wie Refrains eines Volksliedes ab, das in der durchgehaltenen Melodie den Russen und den Juden, Gott und Teufel, Vernunft und Niedertracht, Pogrom und Krieg, die Liebe und den Schlaf, die Weiber, Tiere, Glück und Jammer laut werden läßt. Wer Bücher nicht am Maße eitler Originalität, sondern tiefer als aktuale, organisierende und bewahrende Kräfte in den Zusammenhang des Lebens einstellt, muß über diesem von einer Ehrfurcht berührt werden, die an seinem Teil gewiß dem russischen Menschen – dem Russen schlechtweg, der hier im Menschen zur Sprache gebracht wird – gilt, an ihrem Teile aber der unbegreiflichen Erscheinung der Verfasserin, die durch Monate und Jahre des tiefsten Schreckens »auf den Knien ihres Herzens« den reinsten wie den entstelltesten Stimmen dieses russischen Menschen gelauscht haben muß und erreichte, was der besonnensten Demut einzig erreichbar war: das wahre Antlitz dieses Krieges festzuhalten und sogar dies als das der Kreatur in Leiden und Triumph noch zu erkennen. Diesem wundervoll stillen dienenden Werk entspricht, daß aus den wenigen Zeilen des Vorworts man nichts über die Verfasserin Ssofja Fedortschenko erfährt. Woran alle »Vaterlandsliebe« ins Nichts der Beschämung zerrinnen muß, das hat von neuem die mütterliche Liebe zum Volkstum in diesem Buche gewiesen.

Oskar Walzel, Das Wortkunstwerk. Mittel seiner Erforschung.
Leipzig: Quelle und Meyer 1926. XVI, 349 S.

Der Titel dieser Folge von ästhetischen Essays besagt: man hat
es hier mit einem typisch, wesenhaft modernen Buch zu tun, das
heißt mit einem Buch, in dem das Richtige falsch und das Falsche
richtig gedacht ist. Es ist, auf Anhieb, fesselnd, unanfechtbar,
seriös, gepflegt im Ausdruck, tolerant. Aber es ist darin nicht
ein Motiv, das nicht wie Kork im Strom des Seminarbetriebes
oben schwimmt, nicht *ein* Gedanke, der um einen Gegenstand,
der es verlohnt, mit einem anderen Gedanken seine Kraft mißt,
nicht *eine* Wendung, welche nur ein Denker, dem eine Dichtung
sich erschlossen hat, zuwege bringt. In Untersuchungen, deren
Entstehungszeit zum Teil bis 1910 zurückliegt, trägt sich die
jeweils neueste Konvention der Forschung vor und ist sich immer selbst viel wichtiger als irgend einer ihrer Gegenstände. Sie
gibt dem Tage, was des Tages ist, und hat die subalterne Aktualität, die von der wahren sich in der Nuance unterscheidet, daß
ihr kein Widerspruch beschieden ist. Dies Sammelbuch darf
einer günstigen Aufnahme sicher sein. Es hat seinen Lohn dahin. – Nicht daß es seine Leser unbelehrt entläßt. »Grundsätzliches« und »Einzelfragen« geht der Verfasser in einer Reihe
kluger, aufschlußreicher Überlegungen durch. Nur: was erschlossen wird, ist nicht die Dichtung, sondern das Schreiben und
Reden darüber. »Formanalyse« ist gewiß an der Tagesordnung.
Zweierlei aber bezeichnet man so. Einmal die Arbeit des begabten Spürers und versierten Methodikers. Zum andern, die des
Meisters, der in Sachgehalte so tief eindringt, daß ihm gelingt,
die Kurve ihres Herzschlags als die Linie ihrer Formen aufzuzeichnen. So einer ist der einzige Riegl gewesen, Verfasser jener
»Spätrömischen Kunstindustrie«, in der die tiefe Einsicht in das
materiale Wollen einer Zeit begrifflich als die Analyse ihres
Formenkanons wie von selbst sich ausspricht. Hier mußte sach-
gemäße Untersuchung auf die formalen Tatbestände ganz eigentlich stoßen und brauchte nicht als vorgefaßte »Themata«,
freischwebende »Probleme« sie zu erörtern. Von solchen neueren
Wendungen in der Ästhetik ist Walzel zwar, wie er dies selbst
betont, beeinflußt worden; von Riegl freilich minder als von den
abstrakteren, zweifelhafteren Schematismen Wölfflins. Wenn er

(trotz seiner dankenswerten Untersuchungen zur Form der Prosa) weit hinter seinem Vorbilde zurücksteht, trägt die Schuld jene unmanierliche »Einführung«, wie sie fast allen literarhistorischen Untersuchungen das Konzept besudelt. Solange die Sippe der fatalen »Miterleber« (Walzel fühlt nichts vom Schrecken dieses Worts und dieser Sache) nicht beseitigt ist, wird literarische Kritik häßlich und unfruchtbar wie eine alte Jungfer bleiben und der Magister ihr alleiniger Galan sein. Solche Kritik wird immer durch die »Weite« ihrer Gegenstände, durch das »synthetische« Gebaren sich verraten. Der geile Drang aufs »Große Ganze« ist ihr Unglück. Liebe zur Sache hält sich an die radikale Einzigkeit des Kunstwerks und geht aus dem schöpferischen Indifferenzpunkt hervor, wo Einsicht in das Wesen des »Schönen« oder der »Kunst« mit der ins durchaus einmalige und einzige Werk sich verschränkt und durchdringt. Sie tritt in dessen Inneres als in das einer Monade, die, wie wir wissen, keine Fenster hat, sondern in sich die Miniatur des Ganzen trägt.
Solche Versuche finden sich selten genug. (Hellingraths Studie zu der Pindarübertragung Hölderlins war einer). Aber selbst der bescheidenste von ihnen desavouiert zehn Bücher von dem Schlage dieses typischen.

W[ladimir] I[ljitsch] Lenin, Briefe an Maxim Gorki 1908–1913. Mit Einleitung und Anmerkungen von L. Kamenew. Wien: Verlag für Literatur und Politik 1924. 126 S.

Die Briefe, welche Lenin in den Jahren 1908 bis 1913 an Gorki gerichtet hat, liegen den deutschen Lesern jetzt in einem kleinen Bande vor, zu dem Kamenew das Vorwort geschrieben hat. Darin sagt er: »Es gibt viel weniger Dokumente, die Hunderten und Tausenden Menschen die Möglichkeit geben, an Lenins Persönlichkeit, an die Grundzüge seiner geistigen Erscheinung heranzutreten, als solche, die ihn als Gelehrten, führenden Politiker schildern. Es gibt ihrer nur sehr, sehr wenige. Unter diesen seltenen Dokumenten sind die Briefe an Gorki wohl die wichtigsten.« Wer hieraus aber folgern würde, es seien nicht auch diese Briefe durch und durch politisch, der würde sehr irren. Denn passio-

nierend sind sie gerade dadurch, daß das politische Gepräge in
ihnen die menschlichsten Beziehungen bestimmt. »Privat« und
»öffentlich« stoßen ja nicht aneinander wie Schlafzimmer und
Ordination in einer Arztwohnung, sondern sind ineinander
eingebaut. Wo das Privateste sich öffentlich begibt, kommen
dann auch die öffentlichen Dinge privat zur Entscheidung und
führen damit eine physische, politische Verantwortung herauf,
die etwas ganz anderes als die metaphorische moralische ist. Es
haftet die Privatperson für ihre öffentlichen Akte, weil sie in
ihrer jeden voll zur Stelle ist. Revolutionen statuieren immer
diese Haftbarkeit (wo nicht noch härtere) und mit Lenin kam
dieser Typ der Verantwortung als Diktatur des Proletariats
weithin sichtbar zur Geltung. Es wohnt jedoch in Lenins dikta-
torischer Unerbittlichkeit ein so unablenkbarer Sinn für das
Wirkliche, daß diese Briefe stellenweise bei all ihrem Schroffen
die Süßigkeit von großer Epik haben. Lenin muß mit dem Dasein im reinen gewesen sein und sein Haß gegen die herrschende
Ordnung viel inniger dessen dialektischen Frieden, dessen
»schöpferische Indifferenz« umfangen haben als manch anderer
mystische Liebe.
Theoretisch ist Lenins Stellungnahme gegen Gorki im Atheis-
musstreit der Hauptgehalt dieser Briefreihe. Sie wenden sich in
den vehementesten Ausfällen gegen sozialreligiöse Bewegungen,
wie sie unter dem Namen der »Gotterschaffung« eine Zeitlang
vor allem von Lunatscharski in Rußland propagiert wurden.
Gorki scheint ihnen nicht ohne Sympathie gegenüber gestanden
zu haben. »Nun, ist es denn nicht grauenhaft, was da bei Ihnen
für eine Sache herauskommt?« schreibt ihm daraufhin Lenin.
Diese Drastik findet in allen Briefen sich wieder, ob sie an Gorkis Einsiedelei auf Capri aus Genf, Bern, Krakau oder Paris sich
richten – aus Paris, wo Lenin dann später Märchen wahr werden ließ und, wie Giraudoux schön gesagt hat, unter allen Versprechen, die Großmütter wohl kranken oder verträumten Kindern machen, eines zumindest, und ein einziges, war eingelöst
worden. Und das kraft Lenin und Trotzki. »Denn mit Brot
bedienten einen im Restaurant Großneffen Puschkins und die
Enkelinnen Iwans des Schrecklichen reichten das Salz.« Wenn
aber Persönliches durchbricht, und die Besorgnis für das körperliche Wohlergehen Gorkis laut wird, dann kommt in Lenin

selber etwas Großmütterlich-Gewaltiges mit fast erschreckender Autorität zum Vorschein. »Danach zu urteilen, daß Sie eine Ziege haben..., ist Ihre Stimmung gut und Ihre Geistesverfassung die richtige und Ihr Leben normal.«

Nicht als private Zeugnisse eines »Genies« im Sinne bürgerlicher Geschichtsschreibung sind diese Briefe zu lesen. Jede undialektische Konstruktion der Individualität – und die bürgerliche ist eine solche – muß fallen. Die dialektische aber kristalliert sich um die Verantwortung. Einzig und weit ist die Person nicht in der Fülle dessen, wie sie lebt – sie reicht, soweit der Kreis der Dinge sich dehnt, für welche sie haftet: haftbar gemacht werden muß, nicht haftbar sich fühlt. Größe im Sinne des historischen Materialismus bestimmt sich an dem Maße, in welchem die »Indifferenz« der Person »schöpferisch« durch Verantwortung wird. So gesehen sind diese Briefe, in welchen Freundschaft unter dem Diktat politischer Verantwortung sich zeigt, ein neues Zeugnis für Lenins Größe.

EINIGE ÄLTERE UND NEUERE NEUDRUCKE

*Marsilio Ficino, Briefe des Mediceerkreises aus Marsilio Ficino's
Epistolarium. Aus dem Lateinischen übersetzt und eingeleitet von
Karl Markgraf von Montoriola. Berlin: Axel Juncker Verlag [1925]
276 S.*

Die Meinung dieser Ausgabe ist nicht leicht zu ergründen. Denn
unter denen, welche für dies Sammelwerk Ficinos interessiert
sind, gibt es gewiß nicht viele, die nach einem andern Text als
dem lateinischen des Originals Bedürfnis tragen. Und wenn zu
diesen wenigen der Referent sich zählt und somit vorab dankbar
für ein solches Unternehmen eingenommen ist, macht dessen
Ausführung ihn wieder ratlos. Seit Jahren haben Übersetzer wie
Wesselski, wie Hefele mit großem Glück gezeigt, daß mittel-
alterliches Latein sich treu in eine deutsche Fassung übertragen
läßt, deren Schönheit gerade darin besteht, daß die Syntax des
Urtexts hindurchschimmert. Für den vorliegenden Band läßt der
Grundsatz der »getreue[n] Wiedergebung ... des Humanistenlateins« nur seiner sprachlichen Fassung (nicht seinem Sinn) nach
vermuten, wessen sich der Leser zu gewärtigen hat. Ein dürres,
schikanöses Ostermann-Deutsch macht dieses Buch zu einer ver-
kappten Sammlung von Übersetzungsaufgaben. Man fühlt mit
seinen Sätzen Mitleid, möchte sie aus diesem Deutsch, in das
man sie gepfercht hat, befreien, und lateinische Heimatluft ihnen
zurückgeben. Wer aber das kann, schlägt das Buch gar nicht erst
auf. Dazu kommt, daß eine heutige Ausgabe dieser Briefe sogar
im Original, geschweige denn in einer Übersetzung, nach einem
eingehenden Kommentar ruft, der ihr das Relief gibt, ohne
welches sich allzu vieles als erbauliche Banalität liest, was einst
vielleicht ein Ausfall oder eine Stichelei gewesen ist. Lebendig
ist an diesem Buche nur die sachliche, ausführliche, höchst be-
lehrende Einleitung. Der Umschlag aber — rund heraus — eine
Schande: das niederträchtigste Ornamentengezücht, das je auf
einem Buch zu sehen gewesen ist.

Karl Wilhelm Jerusalem, Aufsätze und Briefe. Hrsg. von Heinrich Schneider. Heidelberg: Verlag von Richard Weißbach 1925. 246 S.

Auf gefällige Weise erneuert eine typographisch höchst einleuchtende Ausgabe der »Aufsätze und Briefe« das Andenken von C. W. Jerusalem. Bekanntlich war er seines Freitodes wegen das Urbild des »Werther«. Die »Aufsätze« sind Übungen eines jungen Mannes über die Tagesfragen des philosophischen Rationalismus vor 150 Jahren. Aber wie schön halten nicht Vor- und Nachwort von Lessing diese unbestimmten Arbeiten seines jungen Freundes beisammen. Die Lessingschen Zusätze an ihrem ursprünglichen Ort wiederzufinden, der unvergleichlich heiteren Kindlichkeit dieses gereiften Deutsch sich erfreuen zu können, ist höchst anziehend. Und wer da will, sieht über diesem sauberen Büchlein den Geisterkampf Goethes und Lessings: des Schwärmers und des Denkers um das blasse Nachbild dieses jungen Toten hin- und herschwanken.

Otto Deneke, Lessing und die Possen 1754. Heidelberg: Verlag von Richard Weißbach 1923. 80 S. (Stachelschriften. Hrsg. von G. A. E. Bogeng. Neuere Reihe. 1.)

Johann Friedrich Schink, Marionettentheater. Hrsg. von K. W. Herrmann. Heidelberg: Verlag von Richard Weißbach 1925. 224 S. (Stachelschriften. Hrsg. von G. A. E. Bogeng. Neuere Reihe. 2.)

Der renommierte Historiker der Bibliophilie Dr. jur. Bogeng gibt bei Weißbach eine Reihe von alten Streitschriften heraus, deren bisher in vorzüglicher Ausstattung zwei vorliegen. Im ersten Bändchen behandelt Otto Deneke (berühmt durch seine hervorragende Sammlung deutscher Literatur) Lessing und die »Possen«. Cimelien aus seinem Besitz gaben Deneke Veranlassung zu einer lichtvollen Darstellung des sehr kuriosen Streites, der in den Anfängen der Lessingschen Schriftstellerei zwischen dem großen Autor und einem Anonymus – eben dem Verfasser der »Possen« – sich abspielte. Wie manierlich und elegant da auf bloßen Titelblättern eine Polemik sich ausspinnt, mag man nachlesen. – Erheblich massiver ist das zweite Pamphlet der Reihe, Schinks »Marionettentheater«, das 1778 als Protest gegen das Geniewesen ans Licht trat. Nicht witzlos, doch mit der ganzen Heftigkeit eines Apostaten verfaßt, den noch dazu die Ge-

schichte ins Unrecht gesetzt hat. Literarhistorisch sind die beiden
Stücke des Bandes »Hanswurst von Salzburg mit dem hölzernen
Gat« – der Titel selbstverständlich auf den »Götz von Ber-
lichingen mit der eisernen Hand« gemünzt – und »Der Staup-
besen«, sehr interessant. Der Grobianismus des 16. Jahrhunderts
präsentiert sich im Aufputz des Rokoko.

C(arl) G(ustav) Carus, Reisen und Briefe. Ausgewählt von Eckart
von Sydow. 2 Tle. Leipzig: E. Haberland [1926]. 224 S., 285 S.
(Das Wunderhorn. 33/34, 35/36.)

Wenn »das Grundprinzip der Klassik in der Vollendung und
das der Romantik in der Unendlichkeit liegt, so darf man den
Sachverhalt der Problematik von Carus' Leben bildlich so umreißen, daß man sagt, Carus habe in seiner Art beide vereinigt,
indem er auf sein heimliches Grunderlebnis der romantischen
Unendlichkeit den offenbaren Stempel der klassischen Vollendung drückte«. So der Herausgeber, der hiernach Carus als das
unvergleichlichste Genie verehren müßte. Doch damit ist es,
Gott sei Dank, ihm selbst nicht ernst und dieser Schlußapotheose
geht eine maßvolle, verständige Würdigung vorher. Es kann
freilich deren Sache nicht sein, das auszusprechen, was sich für
den Leser dieser beiden Bände letzthin ergibt: wie schal und
bitter noch jede »Nachfolge Goethes« geschmeckt hat, ob die
einstige eines Eckermann oder Carus oder die gegenwärtige eines
Hauptmann. Peinliche Nachbildungen Goetheschen Memorial-
stils sind diese Reiseberichte, so sehr, daß dort, wo inhaltliche
Ähnlichkeiten hinzutreten – in den Notizen aus Italien 1828 –
sie einen gewissen Kuriositätswert erhalten. Nichts ist melan-
cholischer als jene überreife Klassik, die im Verlauf des 19. Jahrhunderts langsam den Wohnsitz Goethes in die Residenz der
Goethe-Gesellschaft überführte. Carus ist einer ihrer lautersten,
autorisiertesten Vertreter, seine »Symbolik« Frucht eines edleren
Epigonentums als etwa die Novellistik des späten Tieck. Zumal
die »Briefe über Landschaftsmalerei« und die »Fragmente eines
malerischen Tagebuchs«, von denen einiges in dieser Auswahl zu
finden ist, sind auf wirklich schöne Weise sentimental und ein
nie zu erreichender Text zu Caspar David Friedrich und Otto
Runge. Darum ist diese ganze Produktion doch um nichts weni-

ger historisch und eine Neuausgabe zumal der »Reisen« beschwört eine geistige Haltung herauf, von welcher Deutschland nichts mehr zu erwarten hat.

Heinrich Bruno Schindler, Das magische Geistesleben. Ein Beitrag zur Psychologie. Nach der Erstausgabe von 1857 mit einem Nachwort neu hrsg. von Curt Moreck. Celle: Niels Campmann 1927. 433 S.

Diesem Neudruck von 433 Seiten fehlte jeder Anlaß. Die Schrift des Mediziners Schindler ist ein typisches Dokument jener romantischen Psychologie, die als Lehre von den Träumen, von der Nachtseite der Seele, von den magnetischen Strömungen neben der Naturphilosophie von Ritter, Oken und andern einhergeht. Leider aber ist sie nur »typisch« – farblose Variante dessen, was Schubert, Carus, Ennemoser vorgebracht hatten, und im Quellenmaterial so unkritisch und verworren, daß man schon auf Görres' »Christliche Mystik« zurückgehen muß, um ein ähnliches Konvolut von Angaben »magischer« Vorfälle allerverschiedenster Art zu finden. Daß dem Buch nicht nur ein Register, sondern selbst das Inhaltsverzeichnis fehlt, ist für diese Art von Kompendien bezeichnend. Dabei mag die Schrift zu ihrer Zeit nicht unverdienstlich gewesen sein, wenn auch die schwächliche, moderantistische Theorie, die da aus dem einigermaßen beschränkten Gesichtswinkel des dilettierenden Arztes entwickelt wurde, von vornherein etwas privat anmutet. Heute aber, da das erste Anliegen der Forschung die strenge Sonderung der vielen höchst heterogenen Dinge ist, die unter dem Begriff des »Magischen« vor hundert Jahren zuerst zusammengefaßt wurden, ist der Neudruck dieser Schrift geradezu anstößig. Von der aktuellen Sachlage auf diesem Gebiet verrät der Herausgeber in einem Nachwort, das ebenso unpräzise ist wie das Buch, keine Kenntnis. Der Forscher, wenn anders er es zu benutzen hätte, findet es auf jeder Bibliothek. Wer sonst sich an den vielen Geistergeschichten erbauen will, mag immerhin zugreifen.

Friedrich Heinrich Jacobi, Die Schriften. In Auswahl und mit einer
Einleitung hrsg. von Leo Matthias. Berlin: Verlag »Die Schmiede«
1926. 227 S.

Von Weishaupt, dem Begründer des Illuminatenordens, hat
Jacobi gelegentlich einmal bemerkt, er sei für den Versuch viel
zu gut, »aus dem Geist unserer Zeit, der ein Gespenst ist, ein
lebendiges handelndes Wesen zu machen. Aber selbst bei diesem
Mißgriff hat er sich genommen wie ein Mann.« Jacobi hat dies
Gespenst – den Zeitgeist der Aufklärung zu exorzieren versucht. Man kann nicht durchaus sagen, daß er sich als Mann
dabei »genommen« hätte. Aber die Texte dieser Exorzismen
bleiben denkwürdig. Jacobi hat Religion nicht aus orthodoxer
Beschränktheit gepredigt. Früher als andere, mit Bewußtsein,
hat er gesehen, was Religion der Ordnung des profanen Lebens
bei den einzelnen wie bei den Völkern bedeutet. Er hat, wie das
Matthias sehr gut darlegt, als erster eine menschliche und zugleich politische Nötigung zu »glauben« gesehen, selbst dieser Nötigung nicht wahrhaft zu folgen vermocht und, mit
einem antirationalistischen Puppentheater, gewissermaßen, die
Disputationen Dostojewskischer und Kierkegaardscher Menschen vorbereitet. Sein bestes Wissen blieb stets ein »Wissen,
daß nicht ...«, es ist kein Zufall, daß die Kritik des kantischen
Kritizismus von allem, was er schrieb, am tiefsten gewirkt hat.
Was er dagegen positiv zu sagen wußte, fiel in gefährlichem
Sinne beschränkt und privat aus, ohne sich innerlich so durchzu-
bilden, daß wie bei Hamann dem ursprünglichen Protest in der
Fülle der sprachlich-stilistischen Variationen die besten Gedanken erst zufielen. Als Philosoph der Systemlosigkeit bleibt
Hamann Jacobi, dem systematischen Streiter gegen Systeme,
sehr überlegen. Hamann ist ebenso sehr männlich, satyrhaft, wie
Jacobi weiblich und weibisch. Diese Weiblichkeit ist nicht ohne
Sinn für das Schöne, im Tiefsten aber unsicher gewesen. Und
eine Unsicherheit, die dem männlich ringenden Denker Ursprung
von wahrem Pathos hätte werden müssen, wird in dem weib-
lichen Ingenium, das die aufgeklärte Despotie des Gefühls zu
errichten strebt, etwas sehr Peinliches. Oder, wie Friedrich
Schlegel in der Besprechung von Jacobis »Woldemar« zu dessen
Vorsatz, »Menschheit, wie sie ist, erklärlich oder unerklärlich,
aufs gewissenhafteste vor Augen zu legen«, bemerkte, im Grun-

de sei »hier unter ›Menschheit‹ nur die Ansicht eines Individuums von derselben verstanden ... und daß es also eigentlich
heißen sollte: ›*Friedrich-Heinrich-Jacobiheit*, wie sie ist, erklärlich oder unerklärlich, aufs gewissenhafteste vor Augen zu
legen‹«. Das ist mit dieser Auswahl vorbildlich geschehen und
die meisten werden sie heute dem »Woldemar« vorziehen.

*Paul Hankamer, Die Sprache, ihr Begriff und ihre Deutung
im 16. und 17. Jahrhundert. Ein Beitrag zur Frage der literarhistorischen Gliederung des Zeitraums. Bonn: Friedrich Cohen 1927. XVI, 207 S.*

Es ist noch nicht lange her, daß die deutsche Literaturgeschichte
dem XVII. Jahrhundert sich mit Elan und Freude an seiner
Geistesart zuwandte. Historisch gesehen ist diese Neuorientie-
rung eine Folge des Expressionismus, vor allem aber der sprach-
lichen Umwertungen gewesen, die von der Denkungsweise
Georges ausgingen.
Gerade das wird auch in diesen jüngsten Forschungen deutlich.
Paul Hankamer hat sie in einem Buche niedergelegt, dessen
Erscheinen sehr zu begrüßen ist. Es war eine Notwendigkeit, an
den »Schwulst« der barocken Dichter endlich mit der genauen
Frage nach dem geheimen Wollen, den bedachten Überzeugun-
gen, die sich in dieser Sprachform prägten, heranzutreten. Das
ist mit völliger wissenschaftlicher Zuverlässigkeit und einem
Takt, wie Wissenschaft in sprachlichen Dingen ihn nicht immer
aufbringt, geschehen.
Aber gerade weil dieses Buch, auf lange hinaus, maßgeblich
seine Stelle in der Sprachgeschichte jenes Zeitraums ausfüllt,
braucht man nicht zu verschweigen, wo es dennoch zu kritischem
Bedenken Anlaß geben kann. Die Arbeit führt vorzüglich in die
Quellen und in ihr tieferes Verständnis ein. Und doch kann man
nicht sagen, daß sie – im höchsten Sinn gesprochen – sie er-
forsche. Sie setzt sich vielmehr, wie es in den meisten, auch
besten literarhistorischen Büchern die Regel ist, am Ende des
behandelten Zeitraums im Werke eines Mannes oder einer
Schule – es ist in diesem Falle das des Jakob Böhme – einen

Punkt, auf welchen zu die Fluchtlinien der Deutung laufen, statt perspektivisch in das Innerste der Zeit zu führen. In historischen, geistesgeschichtlichen Werken ist die Tendenz auf etwas, was »im Wesenskerne heute gültig und immer« ist, wenn es nicht aus geschichtlicher Deutung der Quellen erzeugt, sondern in ihrem Wortlaut ihnen entnommen wird, stets eine etwas arbiträre Halbheit. Wenn dieses ausgezeichnete Buch hin und wieder im Innern sich Widerstände erzeugt, so trägt daran die Schuld die Erscheinung von Böhme, welche ein wenig aus den historischen Schranken – die sind in diesem Falle aber das Gerüst der Deutung – ins vage Absolute hinausgreift. In ganz genau dem gleichen Sinne lassen sich Einwände gegen die kosmisch-naturphilosophische Bestimmung der barocken Sprachphilosophie, so wie sie beim Verfasser sich darstellt, erheben. In diesen fraglos notwendigen, im einzelnen oft treffenden Ausführungen ist eine unerläßliche Vorsicht versäumt worden. Der Begriff des Kosmischen und der der Natur scheint allzu sehr in einem modernen, in einem geläufigen Sinne verstanden. Es ist die sehr entscheidende gegenreformatorische, mit einem Wort: die eigentlich barocke Prägung im Naturbegriff des XVII. Jahrhunderts durchaus nicht zu ihrem Rechte gekommen. Barock wird die Sprachtheorie jener Zeit im Zeichen der Lehre von der »Natursprache« erst durch die völlig unverwechselbare Gestalt, die der Naturbegriff damals gewinnt. (Die »Säkularisierung« alles Zeitlichen im Raume ist ihr Schema.) Das »Unendliche«, vor allem das »All-Wirkliche« sind Ausdrücke, die im Zusammenhang dieses Jahrhunderts nicht angebracht sind. Der Einsicht, in der Sprachbewegung des Barock liege ein Element der Gegenreformation, kommt der Verfasser sehr nahe, spricht sie auch wohl gelegentlich aus. Aber eine erschöpfende Deutung der Quellen würde darin ihr Hauptinstrument sehen, würde erkennen, wie sich Wort und Schriftwort aus theologischer Isoliertheit lösen – der Isoliertheit, in der sie Luther verdeutschte – und wie sie sich als Schrift zu säkularisieren, sich emblematisch im Naturraum niederzuschlagen streben.

Seinen Abhandlungen über das Barock, dem seine eigentliche Liebe zu gelten scheint, hat der Verfasser einen großen Abschnitt über den Sprachbegriff im XVI. Jahrhundert vielleicht nur propädeutisch vorangeschickt. Und dennoch liegt möglicherweise in ihm das höchste wissenschaftliche Verdienst der Arbeit. Der spröden, undichterischen Materie, den Schriften Wyles, Eybs, Brants, Murners hat der Autor glänzende Analysen abgewonnen. Wo man vorher nur die sprachliche Silhouette der Zeit sah, entdeckt sein scharfes Auge auf dem dunklen Grunde Sprachbau und sprachliche Gewandungen in den zartesten Strichen.

Fjodor Gladkow, Zement. Roman. (Aus dem Russischen übertr. von Olga Halpern.) Berlin: Verlag für Literatur und Politik (1927). 464 S.

Gladkow hat in Rußland Epoche gemacht. Sein Hauptwerk »Zement« war der erste Roman aus der Periode des Wiederaufbaus. Alsbald wurde die Umwelt, die er darin aufstellt, Schauplatz; von der Prosa aus eroberte sie die Bühne, auf der »Zement« sich nun seit Monaten behauptet. Dramatische Versionen erfolgreicher Stoffe sind in Rußland nichts Seltenes. Aber nie hat dergleichen nähergelegen als hier. Denn der Roman hat seine Höhepunkte im Dialog. Er brachte den Argot der Bolschewiken in die Literatur ein. Diese sprachliche Leistung ist es, die – noch bedeutungsvoller als die stoffliche – den informatorischen Wert des Buches ausmacht. Mit ihr erfährt der Leser in dem Medium einer seltenen vollendeten Übersetzung, welche Umgangsformen und welche Sprache, welches Zeremoniell und welche Debattierkunst sich in der Praxis der Kongresse und der Kommissionen ausgebildet hat. Er lernt zu gleicher Zeit die Typen kennen, die der Befreiungskampf der Proletarier hat entstehen lassen. Weiß Gott nicht samt und sonders Führertypen; Menschen, die von der Macht, die ihnen zufiel, im Denken und im Sprechen wie durch einen Schlaganfall betroffen wurden; finstere Bürokraten, die verschlagen in ihrem Paragraphenbau wie Füchse hausen; Agitatoren, die an Ideenflucht leiden; Geheimagenten, deren Wirksamkeit auch ihnen selber Geheimnis bleibt – dazwischen aber junge Funktionäre, die jeden Augenblick bereit sind, nicht allein das Leben, sondern den Tag, die Stunde, die Minute restlos in das vollziehende Organ des höheren Willens, wo immer er sie ansetzt, zu verwandeln; Fanatiker, die nichts versprechen,

nichts von sich verraten und schweigsam, unvermutet immer an
der exponiertesten Frontstelle auftauchen; Erneuerer, die dem
proletarischen Programm kraft ihres revolutionären Selbstge-
fühls auch gegen Komitees und Sowjets zum Siege verhelfen.
Von solchem Schlage ist die Hauptperson: der Rotarmist, der in
die Heimatstadt am Schwarzen Meer, nachdem er an der Front
des Bürgerkriegs gefochten hat, zurückkehrt. Der wirtschaftliche
Schlüssel dieser Stadt ist das große Zementwerk, das stilliegt,
vermodert, die ganze Stadt in seinen Verfallsprozeß mithinein-
reißt. Es ist der eine Mann, der dieses Werk in Monaten eines er-
bitterten Ringens, das bald das Lager der Genossen in zwei Teile
teilt, wieder in Gang setzt. In der gleichen Zeit geht seine Frau
ihm verloren. Niemand wüßte zu sagen, warum. Daß die Arbeit sie der Familie entfremdet – und sie ist eine unvergleichliche Arbeiterin – das wird zwar, und von ihr selber, erklärt.
Daß aber diese Erklärung dem Leser nichts sagt, das dankt er
einer Darstellung von dem Verhältnis dieser beiden Menschen,
an deren unkonstruierbarer Wahrheit jegliche Ableitung zunichte wird. Hier hat eine große Erfahrung sich gültig gestaltet:
nicht nur die Bindung, auch die Entfremdung der Gatten hat
kanonische Formen, die mit den Zeitaltern sich verändern
und oft, so unaussprechlich wie die Liebesformen selber, die
Züge dieses ihres Alters tragen. Allmählich prägt sich, anders
als die aufgeklärten Philanthropen es erwartet haben (wie für
Rußland, so auch für Europa), das wahre Antlitz einer Emanzipation der Frau. Wenn wirklich die Befehls- und Herrsch-
gewalten weiblich werden, dann wandeln sich diese Gewalten,
wandelt das Weltalter, wandelt das Weibliche selber sich.
Wandelt sich nicht ins vage Menschliche, sondern es schickt
sich an, ein neues, ein rätselhafteres Antlitz erstehen zu lassen:
ein politisches Rätsel, wenn man so will, ein Sphinxgesicht, mit
dem verglichen alle Boudoirmysterien verbrauchten Scherzfra-
gen ähnlich sehen. Dieses Gesicht ragt in das Buch hinein. Es
wäre eine große Dichtung, wenn der Autor aus diesem Bild es
hätte wachsen lassen. Aber einen epischen Brennpunkt besitzt es
nicht. Der Kampf des Mannes um die Wiederherstellung des
Zementwerks ist weniger das innere Gerüst des Vorgangs als
Leitfaden durch eine bilderreiche Vielfalt der Ereignisse. Mit
anderen Worten: die Spannung dieses Kampfes bleibt äußerlich,

sie wird nicht zum zentralen Kraftfeld des Geschehens. Um sie zu dem zu machen, hätte das alles eines weiteren Raumes, eines freieren Panoramas bedurft. Meeresprospekt und Berge schließen falsch und idyllisch den Horizont. Eine Zementfabrik kann episch nicht gegen einen landschaftlichen, nur gegen ihren wirtschaftlichen Hintergrund profiliert werden. Hier steht sie im Raum einer Miniatur. Diese Schwäche der Konstruktion setzt sich deutlich im Schluß durch. Der typische Effekt, die Apotheose, mit der so viele russische Romane die offizielle Geltung sich zu sichern suchen, entstellt ein Werk, in welchem der Primat des Politischen so energisch sich durchgesetzt hat, daß seine äußerliche Bekräftigung nachhinkt. Es könnte allerdings nur einer, der nichts von den Bedingungen russischen Schrifttums weiß, von solchen Unsicherheiten viel Aufhebens machen. Ehe hier neue Formen ihre neue Sicherheit bringen, sind noch viele Versuche fällig. Mit Boris Pilniaks »Nacktem Jahr«, Konstantin Fedins »Städten und Jahren« (die deutsche Ausgabe des letzteren wird vom Malik-Verlag vorbereitet) gehört Gladkows »Zement« zu den entscheidenden Werken der neuen russischen Dichtung. Für den, der sie verfolgt, ist – ganz besonders, wenn er nur das im Deutschen zu tun vermag – seine Kenntnis durch nichts zu ersetzen.

Iwan Schmeljow, Der Kellner. (Übertr. aus dem Russischen von Käte Rosenberg.) Berlin: S. Fischer-Verlag (1927). 233 S.

Die russischen Autoren der Vorkriegszeit verstehen nicht, dem Dasein Kontur zu geben. Sie können – ausgenommen Tolstoi – kein Schicksal zeichnen. Ihnen stellt alles von der Innenseite des Erlebnisses sich dar. Jedoch, sie haben die Dynamik des Geschehens für den Roman entdeckt, den allseitig geschlossenen Spannungsraum. Damit hat sich der russische Roman aus der zweiten Hälfte des vorigen Jahrhunderts, wie er am gültigsten von Dostojewski vertreten wird, einen neuen Typus des Lesers geschaffen. Das ist so zu verstehen: schließe ich einen Roman von Stendhal oder Flaubert, einen Roman von Dickens oder von Keller, ist mir, als träte ich aus einem Haus ins Freie. Wie tief

ich immer ins Erzählte mag versunken gewesen sein, ich blieb ich
selber, fühlte, in sehr verschiedener Art und Stärke, mich bestimmt, aber doch immer wie durch Proportionen eines Raums,
in dem ich weile, will sagen, ohne mich in der Substanz zu wandeln und die Kontrolle des Bewußtseins zu verlieren. Habe ich
aber ein Buch Dostojewskis geendet, so muß ich erst zu mir kommen, mich sammeln. Ich habe, wie erwachend, mich zurecht zu
finden, fühlte mich selbst im Lesen nur so schattenhaft, als sei ich
Träumer. Denn Dostojewski liefert mein Bewußtsein gefesselt in
das furchtbare Laboratorium seiner Phantasie, setzt es Geschehen-
nissen, Visionen und Stimmen aus, in denen es mir fremd wird
und sich auflöst. Noch den geringsten seiner Figuren ist es auf
Gnade und Ungnade preisgegeben, ist gebunden ihm ausgeliefert. Dieses an sich nicht unproblematische Verfahren wird durch
die Größe des Versuchs beglaubigt, welchen der Dichter in dem
Raume der religiösen und moralischen Erfahrung veranstaltet.
Das gleiche Verfahren muß seine Fragwürdigkeit an jedem kleineren Unternehmen verraten. Es hilft also nichts, daß Schmeljow es mit ungemeiner Gewandtheit, mit Gewissenhaftigkeit in
seinem beschränkten Bezirke handhabt. Der Kellner, der in diesem Buch Bericht von einigen Monaten seines Lebens erstattet, ist
eine beliebige Nebenfigur aus der Welt Dostojewskis, in Wort
und in Gebärde meisterhaft vergegenwärtigt. Nur eben ist von
jener Welt nichts um ihn. Sein Jammerdasein bleibt ein »Innenleben«, das einer Außenwelt nur korrespondiert, sie nirgends in
sich hineinzieht und hell macht. Darum ist dieses Buch ein Gebilde, das alle Spannungen des Dostojewskischen Romans, gereinigt von Erschütterungen, dem Leser mitteilt, ein unschäd-
liches Narkotikum, vollendet geschriebene (nicht minder vollendet übertragene) Unterhaltungslektüre.

Europäische Lyrik der Gegenwart. 1900–1925. In Nachdich-
tungen von Josef Kalmer. Wien, Leipzig: Verlagsanstalt Dr.
Zahn und Dr. Diamant (1927). 320 S. (Weltanthologie des
XX. Jahrhunderts. 1.)

Zunächst, wie es nicht anders zu erwarten ist, zahllose Namen.
Man kann nicht sagen, daß kein Prinzip der Auswahl in ihnen
läge. Doch es begreift sich, was dabei herauskommt, wenn man
von möglichst jeder Schule einen Vertreter zu Wort kommen
läßt. Man erfährt damit, wie es in Köpfen aussieht, denen das
Bild einer »Weltanthologie« vorschwebt. Ein Gedicht ist ihnen
vor allem Repräsentant: das Gedicht repräsentiert seinen Dichter, der Dichter repräsentiert seine Schule, die Schule repräsentiert die Lyrik ihrer Nation. Und so versammelt denn der Übersetzer nach seinem allgemeinen, gleichen und geheimen Wahl-
recht eine konstituierende Versversammlung, als deren Präsident
er der begreiflichen Illusion unterliegt, Verhandlungssprache
dieser Assemblée sei die Poesie. Er setzt zur Einführung in ihre
Grammatik eine eigene, von ihm besonders gelungen erachtete
Rimbaud-Übertragung neben entsprechende von Zweig, Stefan
George, Rexroth u. a. Diese Geschmacklosigkeit ist bezeichnend
für das terre-à-terre seiner Sammlung. »Gedichte sind uns
heute ein Genußmittel – mit dem Strohhalm zu saugen.« So
Josef Kalmer.
Übersetzt einer Drucksorten, Kataloge, so verlangt man von
ihm nichts weiter, als daß er die Sprache, in der er liest, und die
Sprache, in der er schreibt, hinreichend kenne. Wie tief diese
Kenntnis im übrigen geht, ob sie gewachsen oder improvisiert,
vermittelt oder direkt erworben, tut nichts zur Sache. Verse
aber sind keine Informationen. Kommt einer, der aus fünfzehn
oder zwanzig Sprachen lyrische Dichtungen übersetzt, erwartet
man von ihm vor allem einen Hinweis, wie er dazu gekommen,
wie es möglich war, daß so ein ungeheurer Sprachkreis lebendig
konnte ausgemessen und erfahren werden. Den Wert der Lexika
in allen Ehren – beim Übersetzer fremder Dichtung sind wir
gewohnt, berechtigt tiefere Quellen des Vertrautseins anzusetzen. Auch gibt es keinen, der behaupten dürfte, zur »Lyrik«
überhaupt ein inniges Verhältnis – es sei denn höchstenfalles
eins zur türkischen, zur angelsächsischen, zur russischen, kurz

eine Liebe, welche zuvörderst die bestimmte Neigung zu der
bestimmten Sprache ist – zu hegen. Wie nun so ein linguistischer
Don Juan seine Eroberungen gemacht hat, das zu erfahren wäre
tausendmal wissenswerter als eine noch so getreue Beschreibung
der Schönen, die er in den verschiedenen Zungen genossen. Und
wer imstande ist, über einen so brillanten und süßen, aber auch
anstößigen Wandel im Worte sich auszuschweigen, als ob er
harmlos und alltäglich wäre, der macht uns unwillkürlich gegen
seine bonne fortune ein wenig skeptisch. Wir schlagen daher
nicht ohne Beklemmung dies neue Leporello-Album auf. Und
in der Tat: uns klingen die Ohren.

So viel (mehr als genug), weil das Unternehmen verspricht, jene
unvorstellbare Synthese von Bildung und Respektlosigkeit, die
eigentliche Quintessenz des deutschen Philisteriums, in einer
Folge weiterer Anthologien zu belegen. Und das in einer Zeit,
die in Männern wie George, wie Borchardt die Meisterschaft,
Männern wie Schröder, Wolde, Hefele die Gewissenhaftigkeit
der Übertragung erneuert hat.

*Gaston Baty, Le masque et l'encensoir. Introduction à une
esthétique du théâtre. Préface de Maurice Brillant. Paris: Librairie Bloud et Gay 1926. 328 S.*

Die erste Bewegung zur Erneuerung des französischen Theaters,
der erste praktische Protest gegen das Boulevard-Theater ging
vor zehn Jahren von Jacques Copeau aus. Er gründete das
Théâtre du Vieux Colombier, das in puritanischen Aufführungen dem Ziele nachstrebte, die Dichtung als solche, ohne Ein-
mischung fremder Elemente auf die Bühne zu bringen. Copeau
konnte sich in Paris nicht halten. Er wollte das Theater zähmen
anstatt es zu bändigen. Bändigen hat in jedem Falle den ganzen
Reichtum und die ganze Wildheit der ursprünglichen Natur zur
Voraussetzung, arbeitet geradezu mit ihr. Ihr gegenüber zeigte
Copeau sich spröde. Baty hat sie zu seinem Element gemacht.
Nach schweren Jahren ist er durchgedrungen und heute als
Direktor des Studio des Champs Elysées der anerkannte Führer
des Theaters der Avantgarde. Noch ist seine Bühne klein, aber

es wird eine Frage kürzester Zeit sein, ihn als Direktor einer der großen zu sehen. Was er jetzt in winzigem Raume zustande bringt ist ein Wunder. – Baty steht mit seinen theoretischen Überzeugungen an der Spitze derjenigen Bewegung, die heute in allen Ländern Europas, besonders nachdrücklich in Rußland, die Reorganisation des Theaters eher von einer neuen Bühne, vom Regisseur, als von einem neuen Drama, vom Dichter, erhofft.

Die Praxis gibt dieser Schule recht. Wo ist die Phalanx der Dramatiker, die der von Regisseuren wie Meyerhold, Jessner, Martin, Reich, Baty entspräche? Der Niedergang des Theaters, hat einer von ihnen gesagt, beginnt mit dem Augenblick, da man das Drama als die hohe Kunstform ansah, der das Theater schlechterdings zu dienen habe. Kurz: mit der Herrschaft des Dramas übers Theater, die das neunzehnte Jahrhundert gebracht hat. Dem entsprach der Primat des gesprochenen Wortes in der Regie. Er ist es, gegen den mit aller Entschiedenheit Baty sich auflehnt. Er hat den Stumpfsinn des Boulevard-Theaters darin erkannt, daß alle Mimik, jede Geste nur Wiederholung des gesprochenen Wortes darstellt. Demgegenüber erhebt er die Forderung: Wort, Geste, Bühnenbild haben sich nicht zu decken, kaum zu schneiden. Das Leben der Szene hängt daran, daß jedes für sich zum Ausdruck bringt, was unter allen andern einzig und allein es zu verkörpern im Stande ist. Im Kampfe gegen die philiströse, rationalistische Herrschaft des Wortes wurde die Losung vom »Theater des Schweigens« geprägt, dessen bedeutendster Autor Jean-Jacques Bernard ist. »Martine« ist ein Drama, in dem auf langen Strecken das Wort brach liegt, um später um so besser Frucht zu tragen. Ist der Primat des Wortes einmal beseitigt, so fällt von selber der der Literatur.

Theater und Drama bilden überall da, wo sie auf der Höhe der Kraft stehen, in der Antike, bei Shakespeare, im spanischen Barock untrennbar Eines. Ganz ebenso aber im Mittelalter. Das darzulegen ist die Absicht von Batys Schrift. Es gibt die Analyse des Mysteriums vom Standpunkt des Regisseurs und findet in ihm Ecksteine einer Bühnenkunst, die heute auf den Trümmern des bürgerlichen Literaturtheaters mühselig neu erbaut werden muß. Baty, der seinem Stoff – und damit dem Katholizismus des geistlichen Schauspiels – sehr nahe steht, kommt aus den materiellen Notwendigkeiten heraus zu ganz ähnlichen Forde-

rungen, wie sie die Bühne des neuen Rußland bestimmen. Und
das will nur besagen, daß der revolutionäre Wille heute den
konservativen dialektisch in sich enthält: daß er heute der einzige Weg zu den Dingen ist, als deren Hüter die Bourgeoisie schon
längst zu Unrecht sich ansieht.

Paul Léautaud, Le théâtre de Maurice Boissard. 1907–1923.
Bd. 1. Paris: Librairie Gallimard (1926). 270 S.

Schriftsteller sollten daran gewöhnt werden, das Wörtchen »Ich«
als ihre eiserne Ration zu betrachten. Wie Soldaten vor Ablauf
von dreißig Tagen die ihrige nicht anrühren dürfen, so sollten
Schriftsteller nicht vor geendigtem dreißigstem Jahr das »Ich«
auskramen. Je früher sie darauf zurückgreifen, desto schlechter
verstehen sie sich auf ihr Handwerk. Es gibt aber Ausnahmen.
Ausnahmen sind die großen Polemiker. Ihr »Ich« ist eine konstruktive Leistung. Es ist durchsichtig und prismatisch angelegt
und jede Reaktion in ihnen untersteht moralischen Gesetzen,
die exakt sind wie die Gesetze über die Brechungswinkel. Zur
Zeit ist Karl Kraus bekanntlich der größte europäische Vertreter dieses Typus. Der Deutlichkeit halber nennen wir Shaw,
damit wir ganz genau erfahren, wie wir uns diesen Typus *nicht*
vorzustellen haben. Ich weiß nicht, ob Paul Léautaud außerhalb
von Paris einen Namen hat. Außerhalb Frankreichs hat er ihn
nicht. Es wäre ein schöner Gegenstand zu zeigen, warum die
große Satire nur in eingeschränkterem Wirkungskreise und aus
kleinen Anlässen sich entwickeln kann, wie Wien die Stärke von
Kraus, Paris die von Léautaud ausmacht, wie beide ihre Verve
in geringen Dingen, und als Theaterrezensenten, zu entfalten
wissen. Es ist auch gar nicht zu übersehen, daß der große Satiriker, noch mehr als der große Schriftsteller überhaupt, dem
technischen Betrieb nicht nahe genug stehen kann. Kraus ediert
seine eigene Zeitschrift und Léautaud ist in den Jahren, da er
für den »Mercure de France« die Theaterkritik besorgte, Ange-
stellter dieses Verlages gewesen. Die souveräne Haltung dieser
Kritiken hat etwas derartiges zur Voraussetzung. Nur jemand,
der nach Person und Leistung in einem großen literarischen Be-

trieb einen bestimmten Posten ausfüllt, konnte sich eine Kritik
erlauben, die oft in einem seitenlangen Referat dem fraglichen
Theaterabend nur drei Zeilen widmet, um Raum – wofür? –
für alles zu gewinnen, das dem Verfasser gerade in den Sinn
kommt. Es gibt bestimmt Leute, die mehr von Dramaturgie
verstehen als Léautaud, und hie und da (wenn auch nicht gerade in der Presse) kompetentere Fachleute für Regie. Man darf
sogar behaupten, daß sich Kunst von anderm Standort aus
sichten läßt als dem eines Rationalismus, der freilich in seiner
Erscheinung bei Léautaud unendlich viel tiefer ist als die Mystik des von ihm – und von wem denn sonst noch? – durch-
schauten Claudel. Aber nie hat es einen Kritiker gegeben, der
den Vorgang des Kritisierens selbst so erstaunlich und wahr
zu gestalten gewußt hat. Das ist die außerordentliche Kunst
dieses Mannes. Er mußte um das Ziel zu erreichen sich so
schrankenlos exponieren: von seinen Feinden und Freunden,
seinen Nachbarn im Theater und zu Hause, seinen Tieren und
seinen Schriften, seinen politischen Überzeugungen und seinen
Rankünen, seinen Leidenschaften und seinen Verwandten sprechen. Es ist für einen Leser dieses Buches beinahe selbstverständlich, daß dieser Mann ein enragierter Menschenfeind und
Sonderling ist, unzugänglich von jeher, sich mehr und mehr auf
seinen Umgang mit den Katzen und Hunden zurückzieht, die er
auf der Straße gefunden und zu sich genommen hat. Auch darin
dem klassischen Charakterbilde der großen Satiriker völlig
entsprechend. Nur ein sehr einsamer Mensch kann sein Ich so
unverbraucht und unbestechlich mitten ins sachliche Bereich
hineinstellen, so entscheidend mit dessen flüchtigsten Gedanken-
blitzen es erleuchten. Dies Boulevardtheater der Flers et Cailla-
vet, der Bernstein, der Porto-Riche ist ganz einfach am eigenen
Leibe von diesem Mann als Plage empfunden worden, als
menschenunwürdige wie die Mücken- oder die Heuschrecken-
plage; sein Kampf dagegen hat die ganze Überlegenheit und
Resignation, aber auch den Einschlag bewußter und weiser
Komik, den ein Kampf gegen Ungeziefer besitzen kann.

Ramon Gomez de la Serna, Le cirque. Paris: Simon Kra 1927.
214 S.

Die Krisis des europäischen Theaters rückt alle außertheatrali-
schen Formen des Schauspiels in neue Beleuchtung. Eine große
Literatur über den Zirkus gab es längst; sie war aber Fachlite-
ratur, wollte nur ihrem Gegenstand dienen und legte weniger
Wert darauf, für ihn zu werben. Seit einigen Jahren hat sich
das geändert. Der Zirkus wurde erforscht; man suchte nach dem
großen Kunstgriff, der aus dem billigsten volkstümlichen Amu-
sement etwas gemacht hat, was unerschüttert wie Römerbauten
durch die Jahrhunderte dauerte. Man interessierte sich für die
wirklichen, die nicht gespielten Dinge, die im Inneren einer
Arena, der ältesten Form, in der je Publikum ist angeordnet
worden, vor sich gingen. Man sah auch die sinnliche Atmosphäre
des Zirkus seit Seurat und Picasso mit neuen Augen. Der
spanische Romancier Gomez de la Serna hat ein Buch mit Notizen über den Zirkus erscheinen lassen, das dies erneuerte
Interesse dokumentarisch bezeugt, aber auch dessen Herkunft
aus der prekären Situation der Massen, ihrer verminderten
Todesfurcht, ihrer zunehmenden Skepsis gegen Anstalten der
Vergeistigung und der Verdummung sehr deutlich macht. Weiter
ist dieses Buch deshalb sympathisch, weil es – ein außerordentlich seltener Fall – keinen Schritt über die Einsicht des Autors
hinausgeht. Es ist daher kein Traktat über den Zirkus als
»Symbol« neueren Lebensgefühls, sondern eine Notizensamm-
lung geworden, die der Wirklichkeit allerdings etwas knapp wie
dem Clown sein Frack sitzt. Liebhaber der Psychologie gehen
hier selbstverständlich leer aus. Im Zirkus muß ja selbst dem
Borniertesten aufgehen, um wie viel näher am Wesentlichen,
wenn man will am Wunder, gewisse physische Leistungen stehen
als die Phänomene der Innerlichkeit, die manchmal nur die
banale Erscheinungsform sind, die solche Innervationen in den
Augen des Idealisten besitzen. Es ist also ganz sachgemäß, daß
Serna seine Aufmerksamkeit unter die Nummern einer Zirkus-
vorstellung aufgeteilt hat und sein Buch Kapitel über Magne-
tiseure, Illusionisten, Schlangenmenschen, Amazonen u. s. w.
enthält. Es geht aber noch weit besser ins Einzelne. Über das
Küchengeschirr und den Garderobenständer des Zauberers, die

Matte, auf der der Elephant sich die Füße abtritt, die Schemel,
Pyramidenstümpfe und Tonnen, die von dressierten Tieren
bestiegen werden, die samtverbrämte Polsterung, auf welche die
Athletin während ihrer Nummer sich bettet, kurz über das
gesamte Inventar des Zirkus sagen seine Notizen das Wichtigste:
nämlich wie sehr es unserer Phantasie vertraut, im Grunde
abgenutztes Trauminventar ist. Es gibt noch keine geistreiche
Konvention, die anleitet, über Dinge des Zirkus zu schwatzen.
Sein Publikum ist weit respektvoller als das irgend welcher
Theater oder Konzertsäle. Das hängt damit zusammen, daß im
Zirkus die Wirklichkeit das Wort hat, nicht der Schein. Es ist
immer noch eher denkbar, daß während Hamlet den Polonius
totsticht, ein Herr im Publikum den Nachbar um das Programm
bittet als während der Akrobat von der Kuppel den doppelten
Salto mortale macht. Eben deshalb ist freilich das Zirkuspubli-
kum im Ganzen auch das unselbständigste: in alle Schranken
gepferchtes Kleinbürgertum, das selbst als Artist, als Clown
oder Kunstreiterin diese Schranken nur jeweils auf Stunden, um
sie mit denen der Manege zu vertauschen, verläßt. Der Zirkus
ist vielleicht ein soziologischer Naturschutzpark, in dem das
Ineinanderspiel einer Herrenkaste von Pferdezüchtern und
Dompteuren mit einem gefügigen Proletariat, der plebs der
Clowns und der Stalljungen noch ohne Mißton, ohne revolutio-
näres Grollen sich vollzieht. Er ist ein (etwas unheimlicher) Ort
des Klassenfriedens. Aber er ist auch ein Ort des Friedens in
anderm Sinne: mit Recht hat Serna in einer berühmten Rede,
die er in einem Mailänder Zirkus, vom Trapez herab, hielt,
gesagt, der wahre Völkerfriede werde einst in einem großen
Zirkus besiegelt werden. Mir scheint, es gibt nur zwei Profes-
sionen, die von Natur aus Vertraute des Friedens sind, und gar
nicht die, von denen man es denken sollte. Nicht die sehr zweifelhaften barmherzigen Schwestern (die schließlich auf den
Krieg, nur anders als die Generale, warten) noch auch die
Pazifisten (die von Kriegsgefahr, nur anders als die Rüstungs-
lieferanten, leben) sondern die Mathematiker und die Clowns:
die Meister des abstrakten Denkens und der abstrakten Physis.
Der Frieden, der von ihren Unterschriften garantiert wäre, wäre
der einzige, dem ich vertrauen würde. Dieser im großen Zirkus
besiegelte Friede wäre auch Friede im Zeichen der Tierwelt, die

das Patronat über die Menschheit genommen hat. Denn das ist ja das Geheimnis des besonderen Gefühls, mit dem ein jeder den Zirkus betritt: Im Zirkus ist der Mensch ein Gast des Tierreichs. Die Tiere stehen doch nur scheinbar unter der Botmäßigkeit des Dompteurs, die Kunststücke, die sie machen, sind ihre Art den jüngeren Bruder zu unterhalten und zu zerstreuen, da sie ja Besseres mit ihm nicht anfangen können. Die Zirkusleute haben von ihnen gelernt. Wie Vögel von Ast zu Ast, so fliegen von Trapez zu Trapez Akrobaten, die Hände des Zauberers schießen durch den Raum wie zwei Wiesel, als Schmetterling läßt auf den Pferderücken die Schulreiterin sich nieder, der dumme August schnuppert wie ein Tapir sich durch den Sand der Manege und nur der Stallmeister mit der Peitsche fällt als der Herr der Schöpfung aus dem anarchischen Tierparadiese heraus. Wie sie so ist im Zirkus auch alles andere bis in die Umgänge, Passagen, Tore hinein von animalischem Leben erfüllt. In den Pausen drängt sich das Publikum zum Buffet, denn nichts macht Appetit wie ein Abend im Zirkus.

Philippe Soupault, Le cœur d'or. Paris: Bernard Grasset 1927. 260 S.

Der berühmte »Surrealismus« ist als Theorie jetzt gegen drei Jahre alt. Als Praxis ist er bedeutend älter. Diese uralte Praxis völliger Entspannung, die er als Grundlage der dichterischen Arbeit vorschreibt, macht das ganze Interesse der Theorie aus. Man versteht auf den ersten Blick, warum sie unter dem Einfluß Freuds, der in Frankreich erst spät aber nachhaltig auftrat, formuliert werden mußte. In der Tat hat der Surrealismus mit einer »vague de rêves« in Paris seinen Einzug gehalten, einer Traumschlaf-Epidemie, der Führer und Adepten sich hingaben. Man hat aber bei alledem übersehen, daß die Präzepte einer Produktion aus dem entspannten Innern, aus einem unbewußten Fundus, den zu Tage zu fördern die ganze »Kunst« macht, vielleicht für Künstler von Beruf viel schwerer als für den Amateur sich verwirklichen lassen. Wir sehen ein, daß der private Dilettant an die Schablonen des Dichtens oder des Malens, wie sie jeweilen gelten, enger gebunden bleibt als der Künstler, weil er sie weniger erfaßt und durchschaut. Wir sehen ein, daß dieser Dilettant als solcher notwendig unfrei ist, weil in bestimmten Dingen Freiheit ausschließlich aus Wissen und Übung kommt. Über diese Freiheit verfügt der Künstler. Aber er ist von ganz andrer Seite gefährdet. Die glückliche Konstellation, die phantastische Evidenz stellen in diesen tiefsten Schichten nur intermittierend, gelegentlich sich dar und jede Praxis, die ihnen gegenüber den Geist gefügiger, prompter, geschickter macht, gerät in Gefahr, die wichtigsten Daten zu fälschen: Zeit, Ort und Umstand unter denen sie vernehmlich werden. Nicht technische sondern vitale Notwendigkeit, mit andern Worten, die exakteste Bestimmung durch alle Beiläufigkeiten in Raum und Zeit gibt gerade dilettantischen Produkten von Kindern, Privatiers, Wahnsinnigen jene Selbständigkeit im Banalen, jene Frische im Gräßlichen, die den surrealistischen Sachen trotz allem oft fehlen. Und wenn nun gar das Stoffbereich sehr gegenständlich, etwa die Schilderung eines Orts, die Erzählung von etwas Erlebtem, die Entwicklung eines Gedankens ist (während es doch dies alles dauernd simultan und in Einem sein sollte), so müßte die Prägnanz des willenlosen, entspannten Eingedenkens schon sehr groß sein, um ihr das Traumhafte zu gewährleisten. Ist es dagegen die bewußte Erinnerung, welche der Autor post festum in das Unbewußte erst transponiert, so läßt der traurige Erfolg nicht auf sich warten. Undeutlich, nicht phantastisch, monoton, nicht traumhaft werden die Dinge abrollen. Darauf hat leider in seinem letzten Buch Soupault das Exempel gemacht. An ihm – der Fall verdient vermerkt zu werden – ist nichts gut als der Waschzettel. Darauf steht: »Cœur d'or – cœur solitaire (Proverbe de Montrouge)«. Diese Geschichte handelt von der Einsamkeit, stellt sie in einer langen Bilderfolge dar, die unterbrochen und wie gerahmt von schmalen Gegenwarten der Geliebten wird. Sie zu lesen ist quälend, sie zu leben war quälender, sie zu schreiben war nicht sehr schwer. Der Mann, der das gelitten hat, was dieses Buch erzählt, hat als Autor den Abhang, den er mühsam als Liebhaber hat erklimmen müssen, behaglich auf der andern Seite sich herunter rutschen lassen. Und der Leser geht leer aus. Vor kurzem hat in einem hübschen Wort Paul Valéry die merklichen Gefahren der neuen Dichter-

schule angedeutet. Es spielt auf die Pariser Würfelbuden an, die
auf den großen Markt- und Straßenfesten das Publikum mit
schreienden Plakaten an sich ziehen. Da heißt es »Jeder Wurf
ein Treffer«. »Chaque coup gagne« – das nennt er den Grundsatz der neuen Schule. Gewiß nicht mehr als ein kleines Bon-
mot, aber gerade genug um ein schwaches Buch aufzuwiegen.

*Henry Poulaille, L'enfantement de la paix. Roman. Paris:
Bernard Grasset 1926. 266 S.*

Henry Poulaille hat sein letztes Buch Heinrich Mann gewidmet.
Er bestätigt so das Gefühl der tiefen Verwandtschaft beider
Autoren, das sich dem Leser sehr bald ergibt. Es handelt sich
um mehr als um die stofflichen Analogien ihrer Werke. Immerhin besagen aber bei diesen Autoren die stofflichen Analogien
mehr als sonst. Beide gehören dem aktivistischen Typ an; beide
sind Dichter, die in der Darstellung dem Gegenstand zum Maximum seiner Wirkung verhelfen. Da dieser Gegenstand das Proletariat ist, so ist die Wirkung dieser Bücher revolutionär.
Poulaille setzt ein, wo Heinrich Manns Romanfolge, in deren
Mitte der deutsche Bürger im Zeitalter des Wilhelminischen
Imperialismus stand, aufhört: mit dem Kriege. Genauer gesagt,
mit dessen Ende. Man wird sogar finden, daß dieser Roman
sogleich im Eingang die Höhe seines geschichtlichen Gegenstandes erreicht. Es ist ein guter und echt epischer Gedanke, den
letzten Morgen des Weltkrieges zum Ausgang einer Erzählung
zu machen. Sie stellt in ihrem weiteren Gange die ganze Bitter-
keit des Friedens dar. Es braucht nicht der Kritik der diploma-
tischen Instrumente, an der die bürgerliche Presse sich nicht
genug tun kann, um darzulegen, wie die Lügenwelt des Krieges
im Frieden ihr Dasein weitergefristet hat: man kann auch ohne
ökonomische Kritik der Inflation und des Wiederaufbaus am
Schicksal von Proletariern das anschaulich machen. Poulaille hat
in seiner Erzählung die niederschlagendste Rechenschaft von der
Entrechtung und der Ohnmacht der »Heimgekehrten« gegeben.
Umsonst versuchen sie, im Innern sich zu sammeln und die Fühlung, die die Front ihnen aufzwang, im Angesicht des Klassen-

gegners zu behaupten. Mit der Strategie des Verrats und des
Vergessens tritt die Gesellschaft ihnen entgegen und es ergibt
sich, daß – für den Augenblick zumindest – sechs Jahre des
imperialistischen Krieges sie nicht gestählt sondern erschlafft
haben. Jeder verfällt seinem Einzelgeschick. Ohne dem Gang
seines gradlinigen Berichts untreu zu werden, hat Poulaille es
verstanden, diese Geschicke in ihrer gesellschaftlichen Struktur
zu zeigen. Er läßt in ihr wie ein Triebwerk geöffnetes Innere
schauen und man gewahrt die Funktion der einzelnen Teile: den
Transmissionsriemen »Ehe«, der die sozialen, kollektiven Energien an tausend Kettchen und Rädchen des Alltags abgibt, das
Zahnrad »Hunger«, das in die Fugen der »Angst« greift, den
großen Heizkessel »Schande«, dessen Manometer niemals auf
Explosion zeigt. Wann endlich dies Triebwerk in den Millionen
von isolierten, einander entfremdeten Menschen zum Stehen
wird gebracht werden können, darauf eröffnet sich hier freilich
kein Ausblick, geschweige, daß irgend ein Schleichweg, eine
private Versöhnung gilt. Das Buch erzählt die Dinge wie sie
sind. Während aber der Realismus der alten Schule sich daran
genug tat und so, auf einem Umweg, auf ein l'art pour l'art
(nur ein banales, schwächliches) hinauslief, hat Poulaille diese
Dinge unter den Gesichtspunkt ihres wirkenden Ausdrucks gestellt, und seine große Erzählergabe ist ihnen nichts schuldig
geblieben.

*Henry Poulaille, Ames neuves. Paris: Bernard Grasset 1925.
256 S.*

»Ames neuves« sind eine Sammlung von Kindergeschichten.
Man weiß, ein wie harter Prüfstein für das Können und für die
Lauterkeit eines Autors solche Erzählungen sind. Poulaille hat
sich an ihnen bewährt. Was er auf diesen Seiten darstellt, ist
immer wieder: das Erwachen der Kinder zum Bewußtsein der
Armut und ihre Art, mit dem Elend sich abzufinden. Erfahrung
und Beobachtung haben diese Erzählungen vor allen Chimären
der »Kinderpsychologie« bewahrt. Dieselbe schöne Einfachheit
und der gleiche Ernst wie sie in seinem Roman sich bekunden,

bestimmen den Tonfall dieser kurzen Geschichten. Es ist nichts
von dem »Humor« darinnen, der gerade den trostlosesten
Philistern obligat scheint, so bald sie über Kinder oder gar mit
Kindern reden sollen. Desto schärfer sind auch hier die Demar-
kationslinien der Klassen gezogen.

*Pierre Girard, Connaissez mieux le cœur des femmes. Paris:
Simon Kra (1927). VIII, 168 S. (Collection européenne. 27.)*

Das Komische ist wie eine Pflanze, die im Flachland überall
vorkommt, je höher man aber in der geistigen Landschaft hin-
aufsteigt desto seltener wird, um dafür tiefere Farben und
charaktervollere Formen anzunehmen. Alle europäischen Literaturen sind an Komischem dieser höheren Regionen arm, und
jedes Werk, das es einbringt, ist sozusagen ein Geschenk an Europa. Und es ist angenehm zu denken, daß ein Buch, in dem
solch seltenes Exemplar der Gattung gepreßt ist, wie andere
europäische Geschenke (wir meinen aber das Asylrecht, nicht
den Völkerbund!) aus der Schweiz kommt. Das Unbeschwerte,
Heitere in ihrem Schrifttum ist nicht so häufig, daß es nicht eine
freundliche Überraschung wäre. Es gibt zur Zeit nur zwei
schweizerdeutsche Autoren, bei denen man sich deren immer wieder zu versehen hat. Das sind Robert Walser und Pierre Girard.
Walsers Humor liegt das Verschachtelte, Spröde des schweizer-
deutschen Charakters zu Grunde. Bei Girard dagegen handelt es
sich um eine Emanzipation französischer Anmut von romani-
schen Formen und Konventionen. Bei Walser kommt ein ge-
schwätziger Tiefsinn zu Tage, der an alte Schnurren und Scherze
wie die Lügenmärchen erinnert; Girard drängt zu einer moralisch didaktischen Fabelwelt, die keine andere ist als die der
schönsten contes de fées. Der »Prinz Liebling« seiner neuen
Geschichte ist ein Genfer Bürgersöhnchen, das man im Zustand
der Verzauberung unter der Hörigkeit der bösen Feen »Schüch-
ternheit« und »Bravheit« kennen lernt. Man nimmt an allen
Mißgeschicken seiner Liebe teil, will auch die Hoffnung aufs
Entzaubertwerden bis zur letzten Seite nicht aufgeben. Da läßt
ihn denn freilich der Autor im Stich. Und dieser Augenblick –

da es aufhört – ist der einzig unangenehme des Buches. Ein
Märchen, selbst ein didaktisches, das traurig ausgeht, will man
nicht recht wahr haben. Man erhofft sich, und nicht darum
allein, eine Fortsetzung dieses charmanten, liebenswerten Buches.

Martin Maurice, Nuit et jour. Paris: Gallimard (1927). 224 S.

Es gibt bei Marcel Proust eine hinreichend merkwürdige Definition des Romanciers, die vom technischen Standpunkt ausgeht.
Da, so sagt Proust, die Dinge, die einem Menschen im Lauf
seines Lebens begegnen, für dessen Nebenmenschen nur an ganz
bestimmten, umgrenzten Reaktionen seines Wesens sichtbar
werden, ja auch ihn selber niemals in der ganzen Breite seines
Daseins sondern, wie tief sie immer gehen, nur partiell betreffen,
bestand im Grunde die verdienstvolle »Erfindung« des ersten
Romanciers in nichts anderm, als alles von der wirklichen Person, was nicht durch die Geschicke, die er im Roman erdichtet,
mitberührt wird, ganz einfach fortzulassen und ein Wesen zu
konstruieren, das in den Reaktionen auf ein Phantasiegeschehen
aufgeht. Wenn das richtig ist, so hat die Romantechnik mit
»Nuit et jour« einen Fortschritt gemacht. Hier nämlich ist das
Reaktionsfeld weiterhin und so radikal beschränkt worden, daß
eigentlich vom Innenleben eines Mannes nur das noch transparent bleibt, was ihn im Bett betrifft. Das wäre nun, je nachdem, langweilig oder obszön, oder beides, wenn der Stoff dieser
Technik entgegenkäme und es um eine Reihe von Coucherien
sich handelte. Aber das Gegenteil ist der Fall. Das Thema des
Buches ist eines der ältesten Fabelmotive: die Geschichte von den
zwei Seelen des Mannes, kurz von der irdischen und himmlischen Liebe. Es gibt nichts Verbrauchteres. Und an diesem ver-
brauchtesten Gegenstand hat der Verfasser einen atemraubenden, verwegenen Gewaltstreich geleistet: er hat das Ganze dieses
Motivs, die himmlische samt der irdischen Liebe, ins Sexuelle
transponiert und aus dem Sexuellen heraus geformt wie der
Plastiker eine Gruppe aus Lehm. Das Ganze ist synthetisch,
bruchlos, konstruktiv als Sexualgeschehen erfaßt und hat daher

den ganzen substantiellen Reichtum der alten Succubi- und
Incubi-Mären. Mit ihnen hat das Erzählte die Fülle einer echten
Erfahrung gemein, die sich in Worten Fixierung, nicht Ausdruck
sucht. Und in der Tat fixiert sie der Verfasser: ein Feldvermesser
des Bettes, der im Terrain der Sexualität die Höhen und Tiefen
absteckt, gleichgültig ob sie nun »Isoldenwäldchen« oder »Teu-
felsschanze«, »Philosophenweg« oder »Wolfsschlucht« sich nennen mögen. Auf dieser weichen, heißen Insel bewegt er sich als
hätte nie ein Missionar kirchlicher oder psychoanalytischer
Lehren sie betreten und als sei in ihren weißen Bergen und
Tälern nichts kenntlich als die Spur von wilden Europäern.

*Anthologie de la nouvelle prose française. Paris: Simon Kra
(1926). 404 S.*

Es gibt drei Arten von Anthologien. Die der ersten sind Dokumente der hohen Literatur, machen jedenfalls darauf Anspruch:
Auswahlsammlungen, die von einem mehr oder minder berufenen Literaten nach Grundsätzen gemacht sind, die, eingestandenermaßen oder nicht, einen normativen Charakter haben. Solche
Sammlungen können großes Interesse besitzen. Man braucht nur
den Namen des deutschen Dichters Rudolf Borchardt zu nennen,
um anzudeuten in welchem Grade sie eigentliche literarische
Dokumente darstellen können und als solche der Kritik ausgesetzt sind. Die zweite und seltenere Gattung setzt sich rein
informatorische Ziele. Ihr ist gemäß, daß der Herausgeber
anonym bleibt, wenn man es nicht überhaupt mit einer größeren
Gruppe von Editoren dabei zu tun hat. Die häufigste aber
unerfreuliche Gattung ist die dritte; ein undeutliches Ineinander
eklektischer und informatorischer Gesichtspunkte sucht das nutzlose Spiel eines Unberufenen dem Publikum gegenüber interessant zu machen. Die vorliegende Sammlung ist ein reiner Typ
der zweiten Gattung, die augenblicklich die willkommenste
zu nennen ist. Vor anderthalb Jahren kam der Verlag Simon
Kra mit seiner »Anthologie de la nouvelle poésie française«
heraus. Nun erscheint als Gegenstück dazu die »Anthologie
de la nouvelle prose française«. Beurteilen kann solche Werke

nur ein großer Kenner der Literatur, ihrem ganzen Werte nach schätzen nur der Neuling. So sind sie insbesondere für den Ausländer, der sich ein Bild vom Stand des französischen Schrifttums machen will, wie geschaffen. Als eine Art von Baedeker durchs geistige Paris (die meisten namhaften Autoren leben in der Hauptstadt) sind sie dem Provinzialen nahezu ebenso wichtig. Das neuere Buch ist sogar noch etwas mehr: Forschungsbericht aus unbereisten Gegenden, wenn man so will. Denn der Verlag hat Wert darauf gelegt, neben »klassischen« Proben der neuen Autoren von jedem auch einige ungedruckte Seiten zu bringen. Mit großem Interesse wird man insbesondere zwei Novellen des im Ausland noch gänzlich unbekannten Marcel Jouhandeau lesen.

DREI FRANZOSEN[1]

Proust, Gide und Valéry, das ist, wenn man so will, das gleichseitige Dreieck der neuen französischen Literatur und Souday hat mit seiner kritischen Feder den umgeschriebenen Kreis darum geschlagen. Es wurde also eine fast kanonische Figur. Und dazu paßt, daß ihre Linien auf dem großen Papier verlaufen, das mit dem Namen »Temps« gestempelt ist. Souday ist literarischer Chronist des Blattes. Das sichert dieser Sammlung von Referaten vorab den dokumentarischen Wert. Das lockere Hin und Wieder seiner Reflexionen, die mit jedem Buche von neuem einsetzen, hat alle Chancen, die besondere Atmosphäre, die beim Erscheinen um die 40 Bände war, die hier behandelt sind, den heutigen Lesern fühlbar zu machen.

Das ist am interessantesten im Falle Proust. Souday war 1913 einer der wenigen, die in dem ersten Werk der großen Folge – »Du coté de chez Swann« – etwas anderes sahen als ein verdrießliches Geflecht nichtssagender Notizen und krankhafter

1 Paul Souday, Marcel Proust. »Les Documentaires«. Paris: Simon Kra (1927). 107 S. – Paul Souday, André Gide. »Les Documentaires«. Paris: Simon Kra (1927). 126 S. – Paul Souday, Paul Valéry. »Les Documentaires«. Paris: Simon Kra (1927). 145 S.

Grübeleien. Nichts schwieriger für einen Rezensenten als dieses
Werk, ich sage nicht, zu lesen, zu erfassen, sondern dem Publikum vorzustellen. Ehe der Krieg mit einem Schlage allen, indem
er sie hart vor ihr Lebensende stellte, das eigene Dasein in der
scharf verkürzten Perspektive zeigte, die Proust als Kranker auf
sein Schicksal hatte, ehe der Krieg für ihn ein Publikum for-
mierte, hat dieser Kritiker es verstanden, den Charme, die
Distinktion des verwirrenden Buches ins Licht zu setzen. Die
Masse seiner Kollegen brauchte sechs Jahre, ihm auf den vor-
geschobenen Posten zu folgen. Dann fällt im Jahre 1919 der
Goncourtpreis an den Dichter und von da ab verwandelt die
Kritik seines Werks sich mehr und mehr in Geschichtschreibung
seines Ruhms. Weil aber eine »Genesis des Ruhmes« trotz Julian
Hirschs vorzüglicher Studie noch immer zu schreiben bleibt, ist
das, was hier auf sehr verschiedene Art an den drei Dichtern
sich darstellt, so fesselnd. Andererseits darf man es gerade darum bedauern, daß der Verfasser den journalistischen Ursprung
seiner Notizen in etwas verwischte. Man vermißt das bei solchen
Sammlungen übliche Vorwort und das Erscheinungsdatum der
einzelnen Rezensionen. Wie dem nun sei: in kleinsten Wölkchen
überm intellektuellen Horizont der Zeit hat dieses Auge die
Staublawine eines nahenden Ruhmes erkannt. Ob es dann
später auch in jedem Falle sie durchdrang und genau begriff, was
dahinter vorging, ist eine zweite und komplexere Frage.

Einiges, was hier über Gide zu lesen steht, könnte deren Beant-
wortung zweifelhaft machen. Auch diesem Autor gegenüber ist
Souday, als die Erstlingswerke in den neunziger Jahren erschienen, erstaunlich schnell im Bilde gewesen. Aber damit war
für die Folge noch nichts gesichert. Proust mag sehr vielen Lesern
verschlossen bleiben. Doch wem er sich eröffnet (jeder Satz kann
Torspalt dieses Sesams werden), der ist in seinem Bannkreise
ein für allemal zu Hause. Nichts dergleichen bei Gide. Hier
haben Bann und Zauber nichts zu schaffen. Denn er gehört zu
jener schrecklichen Rasse von Dichtern, welche im Publikum
nicht die Menschheit, den Gott, das Weib sehen, sondern die
Bestie. Gide – darin Oskar Wilde verwandt – ist dompteur ès
lettres. Ein in Freiheit dressiertes Publikum ist sein Traum. Und
man vernahm in ganz Paris das Grollen, mit dem es letzthin

einige Nummern verdarb, in denen es sein Bändiger zu zeigen gedachte. An diesen neuen Unbotmäßigkeiten ist Souday nicht ganz schuldlos.

Aber er wäre nicht der Referent des »Temps«, nicht der gebildete, geistvolle Repräsentant einer bürgerlich gefestigten Mitte, wenn er gegen die »Faux Monnayeurs«, den »Corydon« und die schöne Autobiographie von Gide, die unterm Titel »Si le grain ne meurt« erschienen ist, nicht die Rechte des »gesunden« Instinkts mit einiger Rücksichtslosigkeit in Schutz nähme. So eigenwillig nämlich dieser Publizist seine besonderen Maximen und Launen herausstellt, im Grunde ist er an den besten Traditionen des französischen Bürgers geschult. Hugo ist sein Gott, der Klerus sein rotes Tuch und die Demokratie sein Glaubensbekenntnis. Ein durch und durch humanistischer Rationalismus macht ihn denn wie von selber zu einem der interessantesten unter den vielen, nicht immer willkommenen Interpreten von Valéry. Man kennt diesen Dichter und Philosophen als den bedeutendsten unter den Gegnern der surrealistischen, tiefenpsychologischen, psychoanalytischen Strömungen, der Kulte des Unbewußten und der Inspiration. Das hat nicht hindern können, daß mit dem Augenblick seines Ruhms, als die Konturen dieser erstaunlichen Existenz mit dem Maß seiner öffentlichen Beachtung an Sicherheit einbüßten, ein schöngeistiger Abbé sich einiger seiner besten Gedanken bemächtigte und eine bläßliche, nichtssagende Erörterung über die Verwandtschaft der poésie pure mit dem Gebet monatelang in Revuen sich breit machte. In der Auseinandersetzung mit dergleichen Spielereien, denen Valéry (nicht zu seiner Ehre) sich leiht, findet man diesen Mann in seinem eigensten Element: der Polemik. Und wenn er damit dem Durchschnittstypus des französischen Kritikers fernrückt, so wird er deutschen Lesern gerade darin um so leichter eingehen. Für sie sind diese drei Bändchen der angenehmste Abriß der neusten französischen Literaturkämpfe, den sie sich wünschen können.

Franz Hessel, Heimliches Berlin. Roman. Berlin: Ernst Ro-
wohlt-Verlag 1927. 183 S.

Die kleinen Treppen, die säulengetragenen Vorhallen, die Friese
und Architrave der Tiergartenvillen sind in diesem Buche beim
Wort genommen. Der »alte« Westen wurde der antike, aus dem
die westlichen Winde den Schiffern kommen, die ihren Kahn mit
den Äpfeln der Hesperiden langsam den Landwehrkanal her-
aufflößen, um bei der Brücke des Herakles anzulegen. So unverwechselbar hebt dies Quartier sich aus dem Häusermeer der
Stadt heraus, als hüteten seinen Zugang Schwellen und Tore.
Sein Dichter ist ein Schwellenkundiger in jedem Sinn – es sei
denn dem fragwürdigen der experimentellen Psychologie, die er
nicht liebt. Die Schwellen aber, die Situationen, Stunden, Minuten und Worte voneinander trennen und abheben, fühlt er ein-
dringlicher unter den Sohlen als irgendeiner.
Und eben, weil er auch die Stadt so fühlt, erwarte man von ihr
nicht Beschreibungen oder Stimmungsgemälde bei ihm zu finden. »Heimlich« an diesem Berlin ist kein windiges Wispern,
kein leidiges Liebeln, einzig dies strenge und antike Bild-Sein
einer Stadt, einer Straße, eines Hauses, ja einer Stube, die als
cella das Maß des Geschehens in diesem Buche wie das von
Tanzfiguren in sich faßt.
Jede Architektur, die den Namen verdient, läßt ihr Bestes nicht
bloßen Blicken sondern dem Raumsinn zugute kommen. So
übt auch jener schmale Uferstreifen zwischen Landwehrkanal
und Tiergartenstraße seine Kraft an den Menschen auf sanfte,
geleitende Art: hermetisch und hodegetrisch. In Dialogen schreiten sie hin und wieder die steinerne Böschung ab. Und wie in
den vierzehn erdachten Gestalten seiner »Sieben Dialoge«[1] der
Autor das Römerherz zum Schlagen, die griechische Zunge zum
Reden bewegte, so auch in diesen gebrechlichen Kindern der
Welt. Es sind nicht Griechen oder Römer in modernen Kostümen, noch weniger Zeitgenossen in humanistischen Karnevals-
trachten, sondern dies Buch steht technisch der Photomontage
nahe: Hausfrauen, Künstler, mondaine Damen, Kaufherren,

1 Franz Hessel, Sieben Dialoge. Mit sieben Radierungen von Renée Sintenis, Berlin
1924.

Gelehrte sind von den schattenhaften Umrissen platonischer und menandrischer Maskenträger scharf überschnitten.

Denn dieses heimliche Berlin ist die Bühne eines alexandrinischen Singspiels. Vom Griechendrama hat es die Einheit des Orts und der Zeit: in vierundzwanzig Stunden schürzt und löst sich die Liebesverwirrung. Von der Philosophie die aufgehobene, die große griechische Fragemoral, die vordem, in ihrer klassischen Formung, der Geschichte von der Matrone zu Ephesos, der Dichter in einem Versstück[2] behandelt hat. Von der Griechensprache seine musikalische Instrumentierung. Es gibt heute keinen Autor, der der deutsch-griechischen Neigung zur Wortverbindung verständnisvoller und freier entgegenkäme als dieser. In seinem Munde werden die Worte Magneten, die andere Worte unwiderstehlich anziehen. Seine Prosa ist von solchen magnetischen Ketten durchsetzt. Er weiß, eine Schönheit kann »nordblond«, eine Kassiererin »Sitzgöttin«, eine Friseurwitwe »kuchenschön«, ein fader Tugendbold ein »Tunichtbös« und der Zwerg ein »Gerneklein« sein.

Auf andere Weise aber sind auch die niemals zweisamen, immer und immer freundgesäumten Liebespaare, die diesen Roman durchziehen, nur eben Glieder einer wohlgefügten magnetischen Kette. Und ob wir nun an die Geschichte vom »Schwan kleb an« oder ans Rattenfängerlied erinnern – Clemens Kestner heißt hier der Rattenfänger – es bleibt dabei, daß diese Prozession junger Berliner Menschen, so wenig musterhaft der Einzelne, so wenig beneidenswert sein Lebensweg sei, den Leser auf der schmalen Uferstraße hinter sich drein zieht, vorbei an der »Uferlandschaft mit der geschwungenen Fußgängerbrücke, den gabeligen Kastanienästen und den drei Trauerweiden«, die »etwas Fernöstliches behalten, wie es in manchen Augenblicken einige der kleinen märkischen Seen haben«.

Woher stammt dem Erzähler die Gabe, das winzige Revier seiner Geschichte so rätselhaft mit allen Perspektiven der Ferne und der Vergangenheit auszuweiten? In einer Generation von Dichtern, deren kaum einer von der Erscheinung Stefan Georges unberührt geblieben ist, hat Hessel Jahre, die anderen über der

2 Franz Hessel, Die Witwe von Ephesos. Dramatisches Gedicht in 2 Szenen, Berlin 1925.

Verbreitung von Dogmen, über einem schon wankenden Bau der
Erziehung vergingen, mythologischen Studien, Homer und dem
Übersetzen zugut kommen lassen. Wer seine Bücher zu lesen
versteht, fühlt, wie sie alle zwischen den Mauern alternder
Großstädte, den Ruinen des vorigen Jahrhunderts, die Antike
beschwören. Doch wenn er so mit weitgespanntem Bogen seine
Lebens- und Schaffenskreise durch Griechenland, Paris, Italien
schlägt, die Mitte dieses Zirkels hat immer in seiner Stube am
Tiergarten aufgeruht, die seine Freunde selten ohne ein Wissen
von der Gefahr betreten, in Helden verwandelt zu werden.

*Aus Gottfried Kellers glücklicher Zeit. Der Dichter im Brief-
wechsel mit Marie und Adolf Exner. Wien: F. G. Speidelsche
Verlagsbuchhandlung (1927). 184 S.*

Kellers Briefe sind fast ausnahmslos wichtig. Nicht als Dokumente des Lebenslaufes, den man ja angeblich bei keinem Dichter weniger als bei dem, von dem jeweilen die Rede ist, von
seinem Werk trennen kann, sondern in ernsthaftem Sinn: nämlich stilistisch und charakterologisch. In ihnen konnte er sich
weit eher als im Werk in die tausendspiraligen Gehäuse seiner
Wortform zurückziehen, schnöde aus ihnen schnuppernd oder
grämlich darin verschwindend. Wie sich seine Briefschreiberei
dem Adressaten präsentiert haben mag, kann man sich vorstellen, wenn man, im vorliegenden Bande, auf folgenden
Glückwunsch für eine junge Mutter gerät: »Auf Ihr Kindchen
freue ich mich: das wird gewiß ein allerliebstes Tierchen! Wenn
es ordentlich genährt ist, so wollen wir's braten und essen, wenn
ich nach Wien komme, mit einem schönen Kartoffelsalat und
kleinen Zwiebeln und Gewürznägelein. Auch eine halbe Zitrone
tut man dran!« Die Briefe der Geschwister Exner sind an sich
nicht bedeutend. Aber das sollte in dergleichen Fällen gar nicht
in Frage stehen. Briefe »großer Männer« ohne die ihrer Korrespondenten herauszugeben, ist eine Barbarei. Nicht nur als unge-
kürzter Briefwechsel, sondern auch durch seine Beigaben, seine
Ausstattung ist dies ein musterhafter Dokumentenband zu
Keller. Schöne, farbige Wiedergaben Kellerscher Malereien, ge-

schmackvoll gewählte Porträts der Korrespondenten, ein ausreichendes Namenregister und der bemerkenswert schöne Druck machen ihn zu einer sehr erfreulichen Neuerscheinung.

PORTRÄT EINES BAROCKPOETEN

Im ganzen Gebiet der Literarhistorie ist kaum etwas ausfindig zu machen, was undankbarer wäre, als ein Porträt – ein Lebens- und ein Geistesbild – der deutschen Barockpoeten einem heutigen Leser vorzustellen. Dieser Aufgabe hat sich Gundolf, nach seinen letzten Veröffentlichungen zu schließen, annehmen wollen. Die Schwierigkeiten liegen hier schon in der Methode. Von dem in dieser Form Möglichen, Gebotenen und Erlaubten sind die Vorstellungen nur schattenhaft; bis in die Ausgeburt, den literarhistorischen Roman, gibt es keine Entartung, die sie nicht schon an sich erfahren hätte. Aber daß und wie diese Fragen von Gundolf in früheren Schriften gelöst wurden, weiß man. Und auch wer diese Lösung anficht, von Virtus und Fortuna, Kairos und Tyche in diesen Zusammenhängen nichts wissen will, wird ihm die Methode vorgeben müssen und bei Schriften wie dem »Gryphius«[1] vor allem auf den baren Gewinn an sachlicher Einsicht in Gestalt und Schaffen des Dichters achten. Diese Einsicht trifft auf Widerstände, die jenseits des methodisch Kontroversen liegen.

Die Dichterfigur des deutschen Barocks als Typus ist allen den kanonischen Gestalten – olympischen Göttersöhnen wie romantischen Traumwandlern –, die sich das vorige Jahrhundert vom Dichter gemacht hat, gleich fremd. Wer heutzutag im Gryphius blättern will, muß eine glückliche Hand haben oder tut besser, zu einer jener Anthologien zu greifen, mit denen der Teufel Büchern, die ihre Seele an ihn verkauft haben, junge, unschuldige Leser in Haufen zuführt. (Dieser Barockanthologien schreibende Teufel – diab. erud. comm. – nennt sich, je nach Umständen, Klabund oder Unus.) Und wenn die Bücher dem Neuling verschlossen bleiben, so hat das Schicksal dieser Dichter ihm nicht mehr zu sagen. Opitz, Lohenstein, Gryphius sind Bürokraten, hohe Beamte im Dienste des schlesischen Adels oder

[1] Friedrich Gundolf, Andreas Gryphius, Heidelberg: Weiß'sche Universitätsbuchhandlung 1927. 63 S.

der schlesischen Städte gewesen, und ihre Lebenslinie fasziniert
bei aller Willkür ebenso wenig wie die Silhouette der reichen
Amtstracht, in der das Frontispiz ihrer Bücher sie darstellt.
Beschäftigung mit deren Formenwelt, das ist der einzige Zugang
zu dieser Dichtung. Und damit hat es seine eigene Bewandtnis.
Denn diese Form wirkt um so spröder und grandioser, je besser
dem Betrachtenden gelingt, sie lediglich als solche, in ihrem
Umriß, unangesehen der Gestalt, die sie im Einzelwerke annimmt, ins Auge zu fassen. Das heißt aber im Grunde nichts
anderes, als man begreift sie nur aus der Sprache.
Die Formen der barocken Dichtung Deutschlands, welche im
Trauerspiel, das alle anderen umfaßt, den Gipfel haben, sind
vor allem Formen des *Ausdruckes*, dann erst (und in gewissem
Sinne sogar nie) der Kunst. Mag diese Dichtung in der Formensprache wie immer dunkel und sinnlos scheinen, das Studium
ihrer Sprachform erhellt sie. Aber was hilft es, hier zu insi-
stieren? Gundolfs Gedankengänge und die Wege der Barock-
forschung sind durchaus divergierende Linien, bilden noch nicht
einmal den rechten Winkel der Negation, der in seinem Kleist-
buch so sehr frappierte. Von der Formenwelt Gryphiusscher
Dichtung, der der Trauerspiele zumal, ist dem Verfasser nichts
aufgegangen. »Gryphius' Dramen«, so meint er, »unterscheiden
sich von seiner Lyrik grundsätzlich nur durch den Umfang.«
Man kann sich nicht radikaler vergreifen. Der König, der
Intrigant, das Martyrium, der Schauplatz, die Apotheose sind
ebensoviel sachliche Kristallisationszentren. Genauer, sie bilden
das Gerüst des Märtyrerdramas. »Körperliches Leiden als solches«, wirft Gundolf ein, »ist nicht tragisch«. So hat einst
Lessing diesem Drama den Prozeß gemacht. Nichts hoffnungs-
loser als die magistrale Haltung, magisterhaft ihm nachtun zu
wollen. Lessings Recht – des Polemikers, der mit lebendigen
Kräften im Streit lag – kann nicht das Recht des Historikers
sein und kann dem neueren Denker nicht ersparen, den Dingen
sachlich auf den Grund zu gehen. Davon ist Gundolf hier weit
entfernt. Hegels große Entdeckung: der Geist sei im historischen
Verlaufe niemals, was er sich glaubt, diese magna charta der
wahren Geschichtschreibung ist ihm so fremd, daß er genau im
Sinn der überkommenen Wälzer das Drama der Epoche aus
ihrer Dramaturgie erklärt.

Befreiend wirkt einzig seine Behandlung des Gryphiusschen
Lustspiels. Hier wird der professoralen Stupidität, die im
»Horribilicribrifax« den Vorläufer einer deutschen Komödie
erblickt, der überfällige Bescheid erteilt. Im übrigen bleibt alles
beim alten. Und darum hat es nicht viel zu heißen, wenn der
Verfasser im Vorwort den »modischen Taumel, der die er-
wünschte Neuerforschung der deutschen Barockpoesie begleitet«, Snobismus schilt und seine eigene Untersuchung nach
Maßgabe der ewigen Normen und Werte zu führen verspricht.
Muß gerade ihm entgegengehalten werden, daß Normen nur
gestaltet, in Bildern leben? Und was hat ihn bewogen, an
Gryphius zu rühren, wenn er sie nicht in seinem Trauerspiel
erkannt hat?

LANDSCHAFT UND REISEN

Johann Jacob Bachofen, Griechische Reise. Hrsg. von Georg Schmidt.
Heidelberg: Richard Weißbach 1927. 238 S.

Acht Jahre vor dem Erscheinen seines ersten Hauptwerks, der
»Gräbersymbolik der Alten«, im Jahre 1851 hat Bachofen seine
große, klassische Reise nach Griechenland, durch Attika, den
Peloponnes, Argolis und Arkadien gemacht. Klassisch ist diese
Reise in dreifachem Sinne. Der Stätte nach, durch ihre kanonische Bedeutung für ihn selber (seine übrigen griechischen Reisen
treten gegen diese zurück), endlich durch ihre goethische Haltung. Mit Recht hat Ludwig Klages, dem als einem der ersten
das Manuskript von Bachofens Reisejournal vorlag, es in die
Nähe der »Italienischen Reise« gerückt. Wenn damit ausgesprochen wird, daß hier das Deutsche um einige große Stücke
beschreibender Prosa, das deutsche Sehnen nach Hellas um eine
seiner süßesten Erfüllungen bereichert ist, so heißt das doch auf
der andern Seite, daß zu Gestaltung und Verständnis von
Bachofens Lehre diese Blätter nichts Neues oder Entscheidendes
beitragen. Sie stellen damit den Forscher vor eine interessante
Alternative: Waren dem Reisenden selber um diese Zeit die
Grundgedanken seines späteren Wirkens noch unbewußt? Oder
wirkt auch hier die seltsame Zwiespältigkeit, die für Bachofens

Wesen bezeichnend ist? Wie bei Wilhelm von Humboldt, dem
schweizerischsten unter den großen deutschen Denkern, das
eindringlichste Wissen um das Unvergleichliche und Unredu-
zierbare jedweder Sprache mit dem Dogma der unbedingten
Überlegenheit der altgriechischen dauernd im Streite gelegen
hat, ähnlich ringen bei dem Mythologen Bachofen eindring-
lichstes Wissen um die ethnologischen Urphänomene des Mythischen mit rücksichtsloser Bejahung des Apollinischen bis hinein
in das Christliche, das ihm wahrscheinlich nichts anderes gewesen ist als der letzte weltgeschichtliche Sieg des Apollon.
Äußerlich gesehen zerfällt dieses Tagebuch in zwei Teile. Der
mittlere Abschnitt der Reise, der von Patras über Korinth bis
Epidauros führt, liegt in einer literarisch gestalteten Bearbeitung
vor, der Rest, Beginn und Ende, in Notizen. Von diesen hat der
Herausgeber nur die ersten, den Reiseweg von Basel bis Patras
markierenden, aufgenommen. Da ist es denn sehr bezeichnend,
wie auf den ersten zwanzig Seiten des Buches aus dem Innern
des Reisenden selbst etwas wie ein unterirdisches Stöhnen in die
Seligkeit des südlichen Himmels hineinklingt; störende Laute,
wenn man so will, die aber Bachofens besten Lesern teuer sein
werden, weil sie dies junge Reiseepos an sein späteres didaktisches »Gräbersymbolik«, »Mutterrecht«, »Tanaquil« binden.
Aber solche Reflexionen, so zwingend sie sich auch einstellen,
wären am unrechten Ort, wenn sie diesem Buche sein Recht
schmälern wollten, genommen zu werden als das was es ist: Die
Reise durch ein archäologisch noch wenig erschlossenes Griechenland, Pferderitt durch vereinsamte Hochtäler an der Seite eines
schönen, griechischen Bauernknaben, Quartier in abgelegenen
Dörfern, wo unter feierlichem Nachthimmel Mädchenlachen an
das Ohr des einsamen Reisenden schlägt.

*Graf Paul Yorck von Wartenburg, Italienisches Tagebuch. (Hrsg.
von Sigrid v. d. Schulenburg.) Darmstadt: Otto Reichl Verlag 1927.
XX, 242 S.*

Es ist durchaus keine reine Freude, über dieses Buch zu berichten. Unmöglich kann man den Verfasser schelten, der in Notizen, die er niemals für den Druck bestimmt hat, sich nach Art
eines gewissenhaften deutschen Reisenden älteren Schlages Re-

chenschaft von einem vielmonatlichen Aufenthalt in Italien abgelegt hat. Und dem Herausgeber, der in einem maßvollen, sachlichen Vorwort alle denkbaren Einwände gegen diese Publikation vorwegzunehmen sucht, bestätigt man vielleicht nur sein innerstes Fühlen, wenn man feststellt, daß diese Aufzeichnungen doch eben nur an allzu seltenen Stellen ein mehr als privates Interesse haben. Wäre nicht die Person, die aus ihnen spricht, so besonders kultiviert und sympathisch, sie wären rundweg zurückzuweisen. Aber auch so wie sie sind, wird der unvoreingenommene Leser nur wenig Durchschlagendes in ihnen finden. Yorck von Wartenburg stand im Begriff, von den überlieferten Schablonen in der Anschauung Italiens sich zu befreien. Daß und wie er es tat, bekundet ein historisch und sachlich höchst interessanter Exkurs über die Mosaiken von Ravenna und Cefalu. Er ist aber auf diesem seinem neuen Wege zu schüchtern vorgedrungen, als daß heute – da die Erneuerung des Bildes von Italien, die ihm ahnte, längst sich vollzogen hat – sein Tagebuch noch viel zu bedeuten hätte. Das darf um so eher gesagt werden, als bereits Wartenburgs Briefwechsel mit Dilthey auffallend überschätzt worden ist, und die Publikation dieses Tagebuchs in einem Verlag, der dem Grafen Keyserling nahesteht, zu der Vermutung berechtigt, die neue feudale Schule im deutschen Feuilletonismus wolle Yorck von Wartenburg zu den Ihren rechnen. Das wäre aber ein Anspruch, der diesem besonnenen und vornehmen Dilettanten mehr Unrecht täte, als wäre nie ein Wort von seinem Nachlaß unter die Presse gekommen.

Georg Lichey, Italien und wir. Eine Italienreise. Dresden: Carl Reißner 1927. 296 S.

Man müßte eine Kartothek der Sprach- und Gedankensudelei zur Verfügung haben, wie einzig Karl Kraus sie besitzen könnte, um dieses Buch in seinen rechten Zusammenhang einzustellen. »Christus oder Cäsar ... rangen um eine für beide Teile gleich empfängliche Seele.« Es ist die Rede von der Seele des Herrn Lichey, die wir den Vorgenannten neidlos überlassen. Leider wohnt sie dem Kampfspiel auf einem Müllhaufen bei, der die Gestalt eines Buches hat.

Aber es ist gut, daß dies Buch gedruckt wurde. Nun erst besitzen wir das Idealporträt des »Mitreisenden«, dem zu entgehen von jeher der beste und schwierigste Teil aller Reisetechnik gewesen ist. Aber werden wir je ihm entrinnen, dem Seufzer: »Es ist etwas Unerhörtes, diese Sixtina« und dem Geständnis: »Zu dem Schock von lebenden Aquarellen kam auf diese Weise noch eins hinzu« und dem stolzen Vorbehalt: »Selbst die Kuppel ... kam nicht an das heran, was ich mir von ihr erträumt hatte.« Der reisende Pöbel selber hat hier chorische Stimme bekommen. Alle, die »Anschluß suchen«, sich »durchdrängeln«, ihren »Namen eingraben«, kurz, »denen es ein Erlebnis gewesen ist«, sind mit diesem Buch ein für allemal zu Worte gekommen.

»Italien! Heißt dieses Thema anschlagen nicht Eulen nach Athen tragen?«

Erstaunlich aber, wie der Autor durch ein einziges Motto auf alles Fernere den Leser harmonisch zu stimmen vermochte.

>   »Sind auch der Dinge Formen abertausend,
>   Ist Dir nur Eine, Meine, sie zu künden.
>   Goethe: Faust«

Der Vers ist von George, der Faust ist von Goethe. Das Ganze aber ist von Herrn Lichey, dem, wie er selber sehr schön erklärt, »nur das Ganze und immer nur das Ganze« vor Augen schwebte.

Wir kommen ihm mit einem Ganzen nach!

Der Deutsche in der Landschaft. Besorgt von Rudolf Borchardt. (München:) Verlag der Bremer Presse (1927). 524 S.

Die Anthologienfolge der Bremer Presse nimmt immer deutlicher einen großen, einheitlichen Charakter an, der zu fast allem, was es bisher in dieser Form gegeben hat, in den erfreulichsten Gegensatz tritt. Denn wenn der üblichen Blütenlese und Auswahl – mag sie sich popularisierend, modernisierend, ästhetisierend geben – immer das Odium der Plünderung, der unbefugten Ausbeutung eines jungfräulichen Bestandes bleibt, ruht auf diesen ein sichtlicher Segen. Sichtlich darin, daß diese Bände, was sie bringen, zu einer neuen Gestalt, einer Größe verbinden, die nun nicht im abstrakten Sinne »historisch«, son-

dern unmittelbares, wenn auch bedachteres, wehrhafteres Fort-
blühn des Alten ist. Was hier gewirkt wird, ist Wirkung des
ursprünglichen Schrifttums selber, gehört in den Lebenskreis
seiner Großen genau so hinein, wie Übersetzungen und Kommentare ihrer Schriften. Nichts dient an ihnen dem abstrakten
Ungefähr der Bildung, und im gegründeten Bewußtsein davon
spricht, hier zum ersten Male, Borchardt sich über den Geist
dieser Sammlungen aus: »Sie sind nicht objektiv, wie man sagt,
oder Aufreihungen von Objekten, ohne Zeit, ohne Stil, ohne
Willen, und im Grunde ohne Anlass; Anlass und Zeit, Willen
und Stil sind an ihnen unablässig im Stillen am Werke, sie sind
ein Teil von ihnen. Wir übergeben der Nation, da wir als Söhne
des neunzehnten Jahrhunderts an die Mächte der Persönlichkeit
glauben, niemals Gegenstände gegenständlich, sondern immer
und immer nur Bilder der Gegenstände bildlich, nur Formen,
die der Gegenstand beim Durchgange durch den organischen Geist
sich umwandelnd empfangen hat, und übergeben damit, in
immer neuen Abwandlungen und Anwendungen, immer neue
Bilder dieses organischen Geistes selber. Darum können diese
Sammlungen sich nicht vorgenommen haben, mit irgend welchen
sonst bestehenden zu concurrieren, und sie sind vielmehr mit
ihnen überhaupt nicht zu vergleichen.« Sie sind Anthologien
im höchsten Sinne, Kränze wie der des Meleager von Gadara,
den wir, ob wir auch alle seine Blüten beim Namen nennen, uns
nicht mehr aufgelöst zu denken wüßten.
Diese höhere Einheit außerhalb des Buches, in dem sie anschaulich ist, grundsätzlich, abgezogen zu vermitteln, das wäre freilich nicht, und am allerwenigsten für den vorliegenden Band,
Sache eines gefälligen Improvisierens. Wie vier Hauptansichten
des Erdkörpers, die sich im neunzehnten Jahrhundert den Deutschen erschlossen – die streng geographische, die naturwissen-
schaftlich beschreibende, die landschaftlich schildernde, die historische –, in diesem Buch sich verbinden, das zu entwickeln,
hieße ein zweites schreiben. Hier muß durchaus genügen, auszusprechen, wie sich gewisse Stellen des Werkes untereinander
wieder zu geistigen Landschaften zusammenschließen (deren
schönste vielleicht gegen Mitte, wo Kleist, Immermann, Schin-
kel, Ludwig Richter und Annette von Droste einander folgen),
ja wie das Ganze eine platonische Landschaft, ein topos hyper-

ouranios ist, in dem anschaulich und als Urbilder Städte, Provinzen und vergessene Erdwinkel liegen.

Wie die Vorherrschaft von Allgemeinbegriffen als Verödung, so macht die von entwicklungsfähigen Anschauungen (Ideen) im Sprachlichen als Belebung sich fühlbar. Darum ist hier so wenig wie irgend sonst das geistesgeschichtliche Werk dieses Verlages von seinem literarischen trennbar. In diesem Bande, dessen sprachliches Niveau eine schwellenlose Hochebene darstellt, tritt doch die dichterische Prosa gegen die wissenschaftlich beschreibende, die wissenschaftlich konstruierende so sehr zurück, daß etwa unter all den erstaunlichen Stücken das großartigste die »Kurische Nehrung«, eine Heimatskizze des Juristen Passarge sein könnte. Gewiß durften hier jene Dichter nicht fehlen, die ihr Bild auf immer mit einer Landschaft verbunden haben, es sei denn, sie hätten wie Eichendorffs oder Jean Pauls ihren Kontur gegen den schwärmerisch glühenden Himmel verloren. Aber gerade ein Leser, der ganz von diesen vereinzelten Dichtererscheinungen absähe, dürfte sich fragen, ob die stilistische und sinnliche Sonderart französischer, englischer, italienischer Prosaisten ebenso klar gerade aus einem Landschaftsbuche herausträte, so klar, daß auch aus deren Texten wie aus diesen deutschen als Selbstporträt, schauenden Auges, vor einer feinen, hintergründigen Landschaft der Kopf des Schreibers selig und geruhig, und alle ihre Züge in den seinen sammelnd, hervortauchen würde? Muß es ihm nicht zu denken geben, wie durchaus heil die deutsche Reflexion über Landschaft und Sprache, wie hitzig die über Staat und Volk von jeher ausfiel? Und ist die allerorten offenkundige Verlassenheit der besten Deutschen, die einer gleichgestimmten Umwelt, einer volkhaften, gefügten Perspektive ins Vergangene entbehrten, vielleicht viel weniger Grund – so mag er sich fragen –, denn Ausdruck dieses strengen erfahrungssatten Daseins in der Landschaft?

Aber dies Buch wäre nicht streng über alle Exaktheit, nicht belehrend über alles Gelehrte, vor allem, es wäre kein deutsches, käme seine Fülle nicht aus der Not, wäre nicht jeder landschaftliche Umkreis, den hier Historiker und Forscher durchmessen, einem anderen, ihm aber nächstverwandten deutschen Typus als Bannkreis, als gefahrvoller, schicksalhafter Naturraum erfahrbar oder erlebt. »Deuter«, so spricht es Hofmanns-

thal, als er von diesem Ingenium und seiner leidvollsten, verhängnisvollsten Schickung handelt, einmal aus, »Deuter sind sie
in ihren höchsten Augenblicken, Seher – das witternde, ahnende
deutsche Wesen tritt in ihnen wieder hervor, witternd nach
Urnatur im Menschen und in der Welt, deutend die Seelen und
die Leiber, die Gesichter und die Geschichte, deutend die Siedlung und die Sitte, die Landschaft und den Stamm«. Das hat in
seiner lichtesten Figur Herder und fünfzig Jahre später in seiner
dunkelsten Ludwig Hermann Wolfram verkörpert. »*Wie* lockt
Natur«, so verkündet der Pontifex seiner verschollenen Faustdichtung, »den geistdurchdrungnen Dichter«? »*Strom* wird der
Bach, ergießend sich in Meerfluth / Wird niedre Blum' zur hohen
Cactussäule, / Wird Weidenbaum zu Urwalds mächt'gen Riesen,
/ Wird Ginsterblüth' zur Riesenlotusblume.« So hat, vom
kleinen deutschen Dorfbezirk bis zu dem des javanischen Urwalds ein Jahrhundert lang jede Erdgestaltung ihr physiogno-
misches Siegel in die Schriften der deutschen Geographen, Reisenden und Dichter gegraben. Darum ist der Titel dieses Buches
mehr als eine glückliche Formulierung: eine Entdeckung, und
die Hoffnung seines Herausgebers, mit ihm ein Stück »verlorener deutscher Geistergrösse« einzubringen, wird jeder Leser
an sich erfüllt finden.

DREI KLEINE KRITIKEN VON REISEBÜCHERN

*Venedig in Bildern. (Aufnahmen von Alinari-Florenz und Bruno
Reiffenstein-Wien. Hrsg. von Johannes Eckardt.) Leipzig und Wien:
Verlag Dr. Epstein 1928. 195 S., 96 Abb.*

Bücher verlegen muß eine ebenso unbezwingliche Leidenschaft
sein wie Bücher schreiben. Wenigstens möchte man »in den
geheimsten Falten des menschlichen Herzens« der Ursache nach-
spüren, die einen Verleger zur Herstellung dieses Bilderbuches
»Venedig« veranlassen konnte. Denn wie man zu den bekannten Versuchen der neueren Landschafts- und Städtephotographie
auch stehen mag – und neben deren Verdiensten soll auch ihr
Problematisches nicht übersehen werden – der Stil jener »Pracht-

werke«, die tote Fassaden abzirkeln, genrehafte Veduten aus
Architekturen stellen, Perspektiven mit der Staffage verträum-
ter Müßiggänger verschönen, durfte seit Jahren für begraben
gelten. Hier feiert er Auferstehung. Aus Ladenhütern der Firma
Alinari, Florenz, und der »Kamerabeute« eines Herrn Reiffen-
stein hat man ein Herbarium ungeschickt gepreßter Architekturen zusammengestoppelt. Blieb an den Originalen etwas zu
verderben, so hat die Reproduktion es besorgt. Sie bringt es mit
sich, daß der Himmel über dieser Stadt wie über Tromsö oder
Hammerfest zu lasten scheint. Ein Kupfertiefdruckgebiet hat
sich gegen die Adria vorgeschoben. Am Ende hat dann wohl der
Herausgeber ziemlich ratlos vor der Bescherung gestanden und
sich nichts Besseres gewußt, als einige Auszüge aus Goethe, Justi
und Hehn dem Bande voranstellen.

*Alfred Mansfeld, Westafrika. Aus Urwald und Steppe zwischen
Crossfluß und Benue. Geologischer Teil, [bearb.] von H(ans) Reck.
München: Georg Müller 1928. VIII, 76 S., 144 Abb.*

Zu anschaulichen Tafeln bietet das Buch einen soliden Text:
zweihundertfünfzig Seiten photographisches und literarisches
Tatsachenmaterial. Es fehlen auch nicht Reflexionen teils sympathischer, teils fragwürdiger Art. Trotzdem und trotz mancher
lehrreicher Anekdoten, bezeichnender Einzelheiten hat das Ganze
die Dürre einer Denkschrift. Das Buch stammt von einem hohen
Beamten der ehemaligen deutschen Kolonie Kamerun: vielleicht
ist es darum. Bestimmt wäre das Werk erfreulicher ausgefallen,
wenn der Verfasser sich Referate über Literatur, Kunst, Religion der Neger geschenkt hätte, um desto genauer auf das
Wirtschaftliche und Administrative einzugehen. Denn was er
über die Kultur der Eingeborenen zu sagen weiß, beschränkt
sich auf mehr oder weniger zusammenhanglose Einzelheiten und
ist von den großen Gedanken der neueren Ethnologie völlig
unberührt. Wer sich für Kamerun interessiert oder wer sein
afrikanisches Bilderarchiv vervollständigen will, wird sich das
Buch unbedingt anschaffen müssen. Einen weiteren Leserkreis
geht es wenig an.

Helmuth von Glasenapp, Heilige Stätten Indiens. Die Wallfahrtsorte
der Hindus, Jainas und Buddhisten, ihre Legenden und ihr Kultus.
München: Georg Müller Verlag 1928. XVI, 184 S., 266 Abb.

Das großartig ausgestattete Werk ist eine Art von kritischem
Tempelkatalog Indiens. Es zerfällt in drei Teile: Heiligtümer
der Hindus, der Jainas, der Buddhisten. Der Verfasser ist als
Autorität auf dem Gebiet der indischen Religionsgeschichte
längst bekannt. Auswahl und technische Beschaffenheit des
großen Bilderteils sind ersten Ranges.

Eva Fiesel, Die Sprachphilosophie der deutschen Romantik.
Tübingen: J. C. B. Mohr 1927. IV, 259 S.

Dieses Werk, ursprünglich wohl eine Dissertation oder aus einer
solchen erwachsen, steht hoch über dem Durchschnitt germani-
stischer Doktorarbeiten. Diese Feststellung ist voranzuschicken,
um die zweite vor Mißverständnissen zu bewahren: es ist eine
typische Frauenarbeit. Das will sagen: die Schulung, das Niveau,
die Sorgfalt stehen außer Verhältnis zu dem geringen Maß von
innerer Souveränität und wahrem Anteil an der Sache. Das
romantische Denken über die Sprache ist eine Phase im allgemeinen Sprachdenken der Menschheit; ein Wind, ja ein Sturm
von weither, der dem Forscher sein Schiffchen zum Kentern
bringt, wenn keiner drin sitzt, welcher klug die Segel setzt und
das Ziel seiner Fahrt im Auge behält. Kurz: über diesen Gegenstand arbeiten kann nur, wer eine eigene Überzeugung von
dessen Wesen hat. Kein unbeteiligt Registrierender kommt ihm
nahe, kann auch nur seinen Beitrag zur Charakteristik des ihm
zugewandten Denkens erkennen. Stoffmassen mag man hin und
wieder glücklich kombinieren – und was hier über die jung-
deutsche Philosophie der Sprache zu lesen steht, ist in diesem
Sinne glücklich zu nennen – aber kein Scharfsinn, keine Kom-
binatorik kann das erreichen, was nur der eigene Einblick in
die Welt der Sprache leistet, um welche die romantischen Debatten kreisen. Denn entscheidend erhellen sich die Zusammenhänge stets nur aus Zentren, die dem jeweils in Frage stehenden
Denken unbekannt waren. Und eine eigene Stellung des Autors

zu diesem Denken war nicht sowohl um ihrer selbst zu verlangen, als weil die innersten Strukturen des Vergangenen sich jeder Gegenwart nur in dem Licht erhellen, das von der Weißglut ihrer Aktualitäten ausgeht. In solchem Lichte wäre die »mystische Terminologie«, die August Wilhelm Schlegel seinem Bruder nachrühmt, wäre die sprachphilosophische Seite der romantischen Begriffsmystik deutlich geworden. Gewiß erfährt man aus diesem Buche genau die Dogmen, Überzeugungen und Lehren von der Sprache, die in der Romantik im Schwange gingen. Es ist, das sei nochmals betont, eine tüchtige Arbeit. Leider aber in ihrer Beschränktheit auch eine typische. Typisch für einen unmännlichen Historizismus. Denn weil es mit den Philosophien nicht anders steht wie, nach Lichtenberg, mit den Leuten, so kommt es weniger darauf an, was für Gedanken eine hat, als was diese Gedanken denn aus ihr machen. Hier aber wird nur abgeschiedenem Denken ein Kenotaph gebaut, um den Girlanden aus Zitaten welken. Die gleiche Frostigkeit regiert im Bibliographischen. Die Arbeit zitiert ausschließlich Quellenschriften. Sie tut es auf die ungewohnteste Art, ohne genaue Angabe der Edition, vor allem ohne Hinweis auf den Fundort der Stelle. Sei's. Interessanter ist, daß offenbar bewußt alle Literaturangaben über dieses Gebiet beiseite gelassen wurden. Wissenschaftliche Nacktkultur: Wege zu Kraft und Schönheit. Die »Quellen« als Gottes freie Natur, Literatur darüber als trostlose Rohrleitung, die das Quellwasser in die sündigen Städte leitet. Wenn je, so ist hier Anlaß es auszusprechen, daß Wissenschaft nicht Ermittelung von Informationen über Gewesenes (und sei es auch gewesenes Denken) ist, sondern in einem Traditionsraum steht, dessen Gesetze sie wenn nicht zu achten, so zu kennen hat. Die Bibliographie als Wissenschaft ist das Zeremonial dieses Raumes und hat wie jedes andere seinen guten Grund. Jede geistesgeschichtliche Wahrheit ist zugleich Erkenntnis von ihrem Werden: das Literaturverzeichnis ist ein Beitrag zu dessen Geschichte. Und mehr als das. Wer eingeladen ist und die Tür, durch die er eintrat, hinter sich zuschlägt, verfährt nicht anders, als wer über die »Sprachphilosophie der deutschen Romantik« ein Buch ohne Literaturangaben verfaßt. Nämlich unerzogen.

HUGO VON HOFMANNSTHALS »TURM«
Anläßlich der Uraufführung in München und Hamburg

Hugo von Hofmannsthals »Turm« hat in diesen Wochen seinen
Weg über die deutschen Bühnen begonnen. Daß die Bühnenfas-
sung[1] von der Urform, die 1925 in den »Neuen deutschen Beiträgen« erschienen ist, sich sehr wesentlich unterscheidet, ja einen
völlig neu verfaßten vierten und fünften Akt bringt, möchte –
an dieser Stelle zumindest – einen Vergleich beider Fassungen
noch nicht rechtfertigen. Nein, was den Anlaß gibt, trotz unserer
Anzeige in Nr. 15/II der »L[iterarischen] W[elt]«, auf das Drama
zurückzukommen, sind die außerordentlichen Einblicke, die der
Fortschritt von einer Fassung zur andern in die Arbeitsweise des
Dichters und die Struktur seines Stoffes eröffnet. Man weiß, daß
er den einem Werk von Calderon »Das Leben ein Traum« entnahm. Dieser formelhafte Titel, in dem das dramatische Wollen
der Zeit einen gewaltigen Ausdruck fand, heißt bei Calderon
zweierlei. Er sagt: Das Leben ist nicht mehr als ein Traum, seine
Güter sind Spreu. Das ist seine weltliche Weisheit. Aber er sagt
auch: So wie ein Nichts – dies Leben – über unsere Seligkeit
entscheidet, vor Gott gewogen und gerichtet wird, so entrinnen
wir sogar träumend, in der Scheinwelt des Traumes, nicht
Gott. Traum und Wachen – sie sind vor Gott nicht geschiedener
als Leben und Tod; die christliche Achse ragt ungebrochen
durch beide. Dieses zweite Motiv des Titels: der Traum als
theologisches Paradigma konnte der neuere Dichter unmöglich sich aneignen wollen. Und aus einer gänzlich veränderten Fassung des Traummotivs schien ein neues Drama sich
mit zwingender Logik als Variante herauszubilden. Der Traum
nämlich hat in der ersten Fassung des »Turms« alle Akzente
eines chthonischen Ursprungs. Der letzte Akt der Urfassung
insbesondere zeigt Sigismund, den Prinzen, als beschwörenden
Meister der finsteren Gewalten, denen er dennoch, in eben diesem
Endkampf, schließlich weichen muß. So ließ in einem gewissen
Sinne sich sagen, der Prinz sei an Mächten zugrunde gegangen,
die aus dem eigenen Innern gegen ihn aufstanden. Spielt nun ein
solcher Vorgang in das Tragische hinüber, so hat doch der Dich-

1 Hugo von Hofmannsthal, Der Turm. Ein Trauerspiel in fünf Aufzügen. 2., veränderte Fassung. Berlin: S. Fischer Verlag (1927). 149 S.

ter eben nicht ohne Absicht sein Stück »Trauerspiel«, nicht
»Tragödie« genannt. Und es ist unverkennbar, wie in der neuen
Fassung die reinen Züge einer Duldergestalt im Sinne des christlichen Trauerspiels immer deutlicher nach Gestaltung verlangten,
das ursprüngliche Traummotiv damit zurücktrat, und die Aura
um Sigismund lichter wurde.

Daß auf den Lippen dieses Unmündigen jeder Laut zum Laute
der Klage sich formen mußte – weil Klage der Urlaut der Kreatur ist – darin lag eine der ergreifendsten Schönheiten der ersten
Fassung. Aber auch der gewagtesten. Denn die Lösung der Klage aus den Banden des Verses ist ein unerhörtes, seit der Prosa
des Sturmes und Dranges nie unternommenes Vorhaben, von
dem nichts weniger als gesichert ist, ob es im Rahmen des ·Dra-
matischen völlig zu glücken vermöchte. Freilich ist auch der
stillere, bestimmtere Sigismund dieser zweiten Fassung Glied
jener Kette, welche immer wieder von den Dichtern aufgegriffen ward, wenn sie die heimliche Bindung wortlosen Duldens
an all das, was nebelhaft, urmütterlich um frühe Kindheit braut,
gestaltet haben. Der Prinz, auch in der neuen Gestalt, ist vom
Schlage des Kaspar Hauser. Auch in dem neu gestalteten Helden
tauchen die Worte aus dem aufgewühlten Lautmeer nur flüchtig
hervor, mit erdfremdem Najadenblick um sich schauend. Es ist
der gleiche, welcher heute in der Sprache der Kinder, der Visio-
näre oder der Irren uns so tief betrifft. In den Urlauten der
Sprache, nicht in ihren höchsten, kunstvollsten aber auch ab-
hängigsten Gebilden, hat der Dichter deren gewaltigste Kräfte
aufgerufen, als Nothelfer in ihren Kampf sie eingestellt, der
der seine ist. Nur wandte das kreatürliche Wort, mit dem der
Dichter seinen ersten Sigismund begabte, sich gegen Ende immer
finsterer ins Chthonische, Dräuende. Dagegen dringt, wo in der
neuen Fassung das lichte Schweigen des Prinzen wie Morgen-
nebel zerreißt, das unverstellte Wort der anima naturaliter
christiana wie Lerchenruf zu uns. Das Chthonische, das mit dem
Fortfall des Traummotivs sein Gewicht verlor, klingt nur noch
verhallend nach. Und nichts ist für die strenge und gelassene
Haltung, in der der Dichter an die neue Fassung ging, bezeichnender, als daß selbst das schrecklichste Wahrzeichen des kreatürlichen Innern, der aufgeschnittene Bauch eines Schweins, das
Sigismund vor Zeiten schaudernd beim Bauern, seinem Pflege-

vater, am Querholz erblickte, nun seine Bedeutung gewandelt hat: »Die Morgensonne fiel ins Innere, das war dunkel; denn die Seele war abgerufen und anderswo geflogen. Es sind alles freudige Zeichen, aber inwiefern, das kann ich euch nicht erklären.«

Mit ganz anderem Nachdruck als vordem gruppiert sich nunmehr das Geschehen um die politische Aktion. Abgesehen von zwei Szenen, ist Schauplatz die Burg des Königs. Diese Wendung rechtfertigt sich nicht allein durch einen sehr viel strafferen Aufbau der Handlung, sondern bewährt sich besonders glücklich in der Darstellung des Aufstands, der für den Zuschauer etwas von dem Gesicht einer Palastrevolte erhält, und damit dem »in der Atmosphäre dem siebzehnten« Jahrhundert verwandten Ablauf dieses Geschehens sich sicherer einfügt als vorher. In der Verschwörung, auf die es hinausläuft, durchdringen sich das politische und das eschatologische Element. Mit diesem Widerspiel ergriff der Dichter ein Ewiges, Providentielles aller Revolution. Wie denn vielleicht ewige politische Konstellationen kaum je in neuere Geschichte bleibender, bewußter als in ihr siebzehntes Jahrhundert sich prägten. Die Macht jedoch, die von Gewalttätigen und Schwarmgeistern getragen wird, behielt mit ihrem schwärmerischen Führer, dem Kinderkönig, in der ersten Fassung das letzte Wort, während in der zweiten die Landsknechtsfigur, Olivier, am Ende als Befehlender dasteht. Das macht: Sigismund selber hat die Figur des Kinderkönigs in sich aufgenommen. Der Zwiespalt, der ihn wollen und nicht-wollen ließ, ist vom Dichter geschlichtet, und jetzt erst tritt mit ganzer Bedeutung heraus, was er seinem Meister, dem Lenker der Revolte und dem Wegbereiter seiner Herrschaft, zu sagen hat: »Du hast mich ins Stroh gelegt wie einen Apfel, und ich bin reif geworden, und jetzt weiß ich meinen Platz. Aber der ist nicht dort, wohin du mich haben willst.« Nicht im Kriegslager und als Herr über Truppen und Fürsten stirbt Sigismund, sondern als Wanderer an der Landstraße, die da in »ein weites offenes Land« führt. »Es riecht nach Erde und Salz. Dort werde ich hingehen.«

Wenn im Verscheiden über seine Lippen die Worte: »Mir ist viel zu wohl zum Hoffen« kommen, was heißt das anderes als Hamlets: »In Bereitschaft sein ist alles. Da kein Mensch weiß, was er verläßt, was kommt darauf an, frühzeitig zu verlassen?«

Daher ist es vielleicht nicht voreilig, den dichterischen Raum, den diese beiden Versionen des »Turms« erfüllen, von den gleichen Kräften durchwaltet zu denken, die die blutige Fatalität des vorshakespearischen Dramas in die Welt der christlichen Trauer wandeln, die im »Hamlet« begründet ist. Der große Dichter darf in der Spanne weniger Jahre inneren Notwendigkeiten der Formen und Stoffe gerecht werden, die im Ursprung Jahrzehnte brauchten, sich zu erfüllen.

EINE NEUE GNOSTISCHE LIEBESDICHTUNG[1]

Es gibt Bücher, die dem Leser Gewalt antun. Und das sind nicht die sogenannten Tendenzromane, die im ganzen doch nur an denen ihre Wirkung bewähren, die ihnen zu willen sind. Dies neue Buch von Brust aber ließ mich nicht los, trotzdem ich – und ich werde noch sagen warum – ihm ganz und gar nicht zu willen gewesen bin. Ja, es zu lesen hat mich mitgenommen, und doppelt, weil der starke gegründete Widerwille gegen die Welt, mit der der Autor hier wie schon früher sich einließ, durchkreuzt wird von der Bewunderung für die begnadete, episch schlichtende Hand, mit der er sie darstellt.

Man hat in diesem Buch ein jüngstes Zeugnis des alten Ringens zwischen der christlichen und der germanischen Lebenserfahrung und Lebenslehre vor Augen. Ich weiß, es gibt Menschen, die überzeugt sind, daß heute keiner aus Eigenem, Erlebtem und Durchlittenem zu solch altem, verdämmernden Riesenkampf sich zu äußern vermag. Aber dies Ringen, so alt es ist, ist ungeschlichtet geblieben, und wir wissen alle, aus welchen Kräften der bodennähere – der es im Doppelsinn des Wortes ist: dem Unterliegen und der Muttererde Nähere – der heidnisch-germanische Partner sich wieder zu regen beginnt. Die ersten Jahrzehnte dieses Jahrhunderts stehen im Zeichen der Technik. Gut! Aber das sagt nur denen etwas, die wissen, daß sie auch im Zeichen der wiedererwachenden ritualen und kultischen Traditionen verlaufen. Man kann daher das dichterische Schrifttum

1 Alfred Brust, Jutt und Jula. Geschichte einer jungen Liebe. Berlin-Grunewald: Horen-Verlag 1928. 168 S.

von Männern wie Brust, das wissenschaftliche von Männern wie
Klages trotz allem nicht als Atavismen abtun. So muß man
denn, in der Erwartung auf ein Fundament dieser Dinge zu
stoßen, in Kauf nehmen, was zu lesen einen nicht freut. »Wir
Germanen brauchen den sich ausbreitenden indischen Geist nicht.
Wir haben eine größere Vergangenheit ... Die Weisheiten der
Schwäche, wollen wir auch den schwächeren Nationen über-
lassen. Wir haben ja unsere Meister, die wahrlich reineres Wissen
verbreiteten, als die schemenhaften Auslegungen jenes Misch-
maschs eines rauch-, eß- und fluchlustigen polnischen Mediums.
Wir Germanen haben nach Israel die *größten* Propheten gehabt.
Wir haben Paracelsus, Eckehart, Tauler, Seuse, die deutsche
Theologie, wir haben den schlesischen Engel und den Schuster
Böhme aus Görlitz. Diese Deutschen haben die kommende
germanische Religion in schneeiger Reinheit umrissen.« Gewiß
hat so etwas einen Nachhall wie aus verräucherten stuckverzier-
ten Versammlungssälen. Seinen Ursprung aber, zum wenigsten
seine säuberlichste Verfassung, erfährt es auf dem Lande, am
besten im bittersten Flachlande, wo die atmosphärischen, topographischen Kräfte seit Jahrhunderten ihre Richtung nicht
wandelten. Und es kann keinen erstaunen, zu hören, daß dieser
Dichter in Heidekrug, einem einsamen Dorfe bei Memel, siedelt.
Nun aber kennt er diese Erde. Wo er nicht als glückloser Künder germanischer Wolkenreiche, auf ihr gelagert, »daß der Leib
ein Pentagramm« beschreibt, sondern als Landmann, als Spaziergänger, als Gärtner sie antritt, da glückt es ihm. Da kommt
ihm der schöne, lebendige Einfall, diese Liebesgeschichte statt
auf irgendeinem banalen Gutshof in die Einsamkeit einer großen Kultur von Heil- und Arzneipflanzen zu verlegen, die
einzig in ganz Deutschland gedacht ist. Der Leser fühlt: wo
immer er sich befindet – und zweifelhaft genug sind die geistigen Ströme, die über diesem Boden kreisen – dieser Boden selber blüht wunderbar unter der beschreibenden Hand. Die unendliche Peinlichkeit aller Heimatkunst ist diesem Buche und
seinem Dichter fern. Was aus ihm wird, wenn er sich seinen
leicht verschleierten Blicken statt dem ekstatisch aufgerissenen
Auge überläßt, das sagt am schönsten ein Kapitelschluß, der
seinen Helden auf einem Waldweg mit einmal, grundlos, unerklärlich woher, auf einen Gnomen geraten läßt. Von diesen

erstaunlichen dreißig Zeilen mögen die letzten hier folgen: »Und das böse Männchen lief hinweg. Aber es lief behutsam und im Zickzack und in langen Bogen, als verfolge es einen vorgezeichneten Weg und als sei rechts und links von diesem unsichtbaren Wege alles undurchdringlich für den kleinen Geist verbaut.«

Was hilft es? das Buch bliebe sich selber nicht treu, nähme es nicht an seinem Teil alle zerreißenden Spannungen auf, welche die eigentlich christliche Erscheinung der Natur sind. Sie gruppieren sich um die Forderung der Reinheit. Das geschieht nun aber durchaus nicht im kirchlichen, orthodoxen Verstande. Daß vielmehr jeder akute Zusammenstoß der christlichen Welt mit der Welt der Völker, der Heiden, im heftigen Aufflammen gnostischer Spekulationen sich kundtut, dafür ist dieses Autors bisheriges Werk ein neuer Beweis. Und insofern rückt es nahe genug an das Lebenswerk desjenigen Mannes, der in der unvergleichlich umfassendsten, gültigsten und entschiedensten Form diesen Geisterkampf durchlitt und bestand – das Werk eines in Deutschland noch immer fast Unbekannten, Brusts und meines gemeinsamen Freundes Florens Christian Rang. Dessen Gedankenwelt spricht mich an, wenn in dieser Novelle das Wort vom »Sich-freisündigen« mir begegnet und in eben diesem Wort der entscheidende Einspruch, der gegen die halbheidnischen Begriffe von »Reinheit«, die hier regieren, laut werden muß. Echt religiöses Anliegen ist von jeher, viel mehr als Reinheit bewahren, sie wiedergewinnen. Und die Forderung ihrer Bewahrung ohne die Aussicht, wie die verlorene sich zu erneuern vermöge, führt ebenso tief in ein zweideutiges Sektiererwesen, wie jener ungeheuerliche widermoralische Vorgang der »Prüfung«, in dem Brust die Feuer- und Wasserprobe seiner Liebesleute erblickt. Es hat nämlich der Mann sich dort zu überwinden, die Braut dem Propheten – und auf dessen Geheiß – nackend zu senden, und die Braut dem Geheiß des Geliebten zu folgen. Hier gähnt der Abgrund blutiger Barbarei, in welchem Schemen aller christlichen Walpurgisnächte durcheinander geistern. Spielarten apokrypher gnostischer Lehren durchziehen die ganze Erzählung. Hier deutet einer durch ein Schweigen an, Christus, der große Liebende, sei wohl zu schwach gewesen, »die Last der Sünde aller Suchenden kommender Gezeiten auf sich zu nehmen, wie es die Kirchen durch sein Wort verkünden«. An anderer Stelle wieder heißt es im Tischgebet: »Der Gott ist gnädig. Seine Güte ist ewig. Alles danken wir ihm!« Oder es tauchen alte Sagen auf, Maria sei das Weib Jesu gewesen. Irren wir? sind hier nicht wirklich uralte beklemmende Kräfte am Werke, denen verwandt, die im ersten christlichen Zeitraum den gnostischen Doketismus entstehen ließen: die Lehre, Gottes Sohn habe zwar auf Erden gewirkt und gewandelt, als aber das vollbracht war und er ans Kreuz geschlagen werden sollte, da habe der Vater einen Scheinleib das Martyrium erdulden lassen, während der echte in die Glorie entrückt ward. Das ist gewiß zunächst nicht mehr als eine theologische Spekulation. Wer aber weiß, ob nicht die überschwengliche Verbindung der höchsten Majestät und tiefsten Leidens, also das Bild des Kruzifixus, von jeher einen Stich ins Unwirkliche, Schein-Heilige hatte? So etwas haftet der gegorenen Nacktheit bayerischer Glasbilder, auch der Heiligengestalt dieses Buches an, mit ihrem nur augenscheinlich so keuschen Namen »Der Innige«.

Das Werk nimmt die Mitte zwischen Traktat und Erzählung. Damit tritt es romantischen Formen der Novelle sehr nahe, und ist etwas wie ein heidenchristliches Gegenstück zur »Lucinde« geworden. Geschichten, Reflexionen, eingestreute Gedichte durchziehen eine Liebeshandlung, die in einzelnen Stellen – vor allem dem gemeinsamen Bade der Liebenden – den unvergleichlichsten Episoden des Schlegelschen Buches zur Seite zu rücken ist. Und wenn das meiste von dem, was hier über Liebe gesagt ist, die Erstlinge seiner Wahrheit und Einsicht den drohenden Mächten zum Opfer bringt, so ist, was dem profanen Denken bleibt, um so heller und besser. Soviel vom Gefüge. Der Umriß aber, die Fabel hat eine straffere, strengere Gestalt, die der verschlossenen Entschiedenheit des Autors, aber auch allem Verbogenen und Starren seines Werkes entspricht. Ein Testament, das zwei Erben bedenkt, gültig nur unter der Voraussetzung ihrer gegenseitigen Heirat; ein fremder Wanderer von irgendwoher und irgendwohin; ein geheimnisvoller Brief und zum Schluß entdeckte Vaterschaft an einem unehelichen Kinde: die Ströme der Kolportage und der Gnosis begegnen einander. Kurzschluß der Traditionen gewiß. Aber der Funke, der hier herausspringt, ist echt, nur kann er weder erhellen noch zünden.

*Michael Sostschenko, So lacht Rußland! Humoresken. Aus dem
Russischen von Mary v. Pruss-Glowatzky und Elsa Brod. Prag:
Verlag von Adolf Synek 1927. 152 S.*

In Rußland ist das Politische noch für das breiteste, harmloseste
Gelächter der Resonanzboden. Aus den Begriffen und Schlagworten des Parteilebens holt Sostschenko eine überwältigende
Komik heraus. Er tut es, ohne sie auch nur im mindesten ironisch
zu behandeln, einfach, indem er seine Spießer mit ihnen konfrontiert. »Bürger, wie geht es an der Familienfront zu? Die
Männer sind ganz unterdrückt. Besonders jene, deren Frauen
sich mit Fortschrittsfragen beschäftigen.« Oder: »Der Weltkrieg
und die verschiedenen Schützengräben, Bürger, das alles hat
seine Folgen zurückgelassen.« So beginnen diese kleinen Geschichten. Und das kennzeichnet auch den Stil, den der Verfasser
in ihnen sich schuf: eine Kombination aus der Ausdrucksweise
des Querulanten, des berufsmäßigen Versammlungsredners und
der »Zuschriften aus dem Leserkreis«. Der russische Schwätzer
sieht sich in überlebensgroßer Gestalt auf eine Tribüne entrückt
und kann die Konfessionen seines verpfuschten Daseins in einer
nicht endenwollenden Reihe von Beschwerden und Anekdoten
vor seinem Publikum ausbreiten. So taucht vor dessen und des
Lesers Blicken der russische Alltag auf, nicht wie die Revolution
ihn schuf, sondern wie er von ihr verabschiedet ward: müßig,
verkniffen, schamrot bis über die Ohren. Dem tönt hier Ruß-
lands Gelächter nach.

*Aus unbekannten Schriften. Festgabe für Martin Buber zum
50. Geburtstag. ([Mit Beiträgen von] Leo Baeck, Richard
Beer-Hofmann, Arthur Bonus [u. a.].) Berlin: Verlag Lambert
Schneider 1928. 245 S.*

In Schriften wie der vorliegenden, in denen ein Kreis von Freunden bei festlicher Gelegenheit dem Gefeierten seine Widmungs-
geschenke versammelt, hat bis vor kurzem noch ein barocker
Geschmack geherrscht. Es waren schwere Bände, die in ihren
hohen Formaten ein bibliophysisches Denkmal der »Ehrung«,

nicht aber eine eigentliche Festgabe waren. Dies Buch jedoch, das Lambert Schneider verlegt, Hegner ganz ausgezeichnet gedruckt hat, ist seiner Gestaltung und seinem Format nach wirklich Gabe, nicht zuletzt dieser beiden Verleger an ihren Autor, der dem einen durch seine Bibelübersetzung, dem andern durch seine Erschließung des chassidischen Schrifttums verbunden ist. Ebenso eindringlich und glücklich wie das schmale Äußere des Bandes ist sein Aufbau im Innern. Die sogenannte Originalität ist, sehr im Sinne des Beschenkten, beiseite geblieben. Und wie man einem Freund bisweilen lieber als eigens Erstandenes etwas aus eigenem Besitz schenkt, eine Sache, an der man schon lange hing, in der man alle Reflexionen und alle Erfahrung, die an ihr haften, dem Empfänger widmet, so sind aus ungelesenen Schriften hier Formeln und Dicta (wie aus den Veden, aus dem Talmud, aus Heraklit und aus Platon) oder längere Abschnitte (wie aus Nicolaus Cusanus, Carus, George Fox) dargebracht worden. Die gute Eingebung, aus der das kam, ist dann noch weiter fruchtbar geworden. Um all die verschollenen oder mißdeuteten Stellen sind kleine Kommentare der Spender erwachsen. Und damit bringt dies Buch in der unaufdringlichsten, natürlichsten Art eine Grundform jüdischen Denkens zur Geltung, in der nun auch einander Fremdes und Abgelegenes als in einem geselligen geistigen Raum miteinander kommuniziert. In diesem Sinne ist die glückliche, beziehungsreiche Wahl des Wolfkehlschen Beitrags – ein althochdeutsches Schlummerlied in einer jüdischen Überlieferung – besonders bezeichnend. Unter den eigentlich jüdischen erscheint – eingeleitet und übertragen von Gerhard Scholem – eine gewaltige Rede des Rabbi Abraham ben Elieser Halewi über den Tod der Märtyrer. Ernst Simon gibt die scharfsinnige, überzeugende Paraphrase einer Talmudstelle, die vorschreibt, sich am Purimfeste zu berauschen, bis man nicht mehr unterscheidet »zwischen dem verfluchten Haman und dem gesegneten Mardechai«. Aus dem Kreis der religiösen Bewegung Südwestdeutschlands, der Buber seit langem verbunden ist, ein theologischer Beitrag von Hermann Herrigel, ein Beitrag des Anglisten Theodor Spira und vor allem ein Selbstzeugnis Florens Christian Rangs, das aus einem Brief über seinen letzten Aufenthalt in Italien von seinem Sohne Bernhard dargebracht ist. Es steht hier am rechten

Orte, um alle, die die Gedankenwelt dieses großen Deutschen angeht, an den Dank zu erinnern, den sie dem literarischen Verwalter dieses kostbaren Nachlasses, dem Herausgeber der »Kreatur«, die fortlaufend größere Stücke aus diesem Schatze ans Licht stellt, schulden. Auch das alte Deutschland des 17. und 18. Jahrhunderts ist in Gedanken von Paracelsus, Blumhardt, Goethe, Hölderlin, Brentano gewissermaßen als der große Hintergrund gegeben, von dem hier die gedrängten Köpfe der Neueren sich abheben. Andere Spuren wieder führen ins Prager Judentum, zu Kafka, aus dessen Nachlaß Brod Tagebuchfragmente beisteuert, und zu Thieberger, der eine Erinnerung an Salomon Buber, den berühmten Großvater Martin Bubers, hierhergesetzt hat. Das Buch beschließt ein Stück aus Martin Bubers Dissertation, die Gabe seines Freundes und Mitarbeiters Franz Rosenzweig, in welcher jüdischer Bibliographengeist und Esprit des ancien régime sich auf völlig einmalige Weise verbunden haben.

DREI BÜCHER

Viktor Schklowski, »Sentimentale Reise durch Rußland«;
Alfred Polgar, »Ich bin Zeuge«; Julien Benda, »Der Verrat der
Intellektuellen«

Gemeinsam ist den drei Büchern, die wir hier vor den Leser legen, dieses: es sind in der Form essayistischer oder tagebuchartiger Aufzeichnungen ebenso scharfe Abbilder des heutigen Europa wie lebendige Porträts ihrer Autoren. Schklowski, der Russe, schreibt die Chronik der Revolution im äußersten Osten des Riesenreiches, der Wiener Polgar stellt die Diagnose des fiebernden Erdballs mit der zärtlichen Akribie eines Arztes und der Franzose Benda nimmt im Augenblick der schwersten Krisis aller im Humanismus ehemals gesicherten Begriffe von Gerechtigkeit, Wahrheit und Freiheit die besten Traditionen seines Landes auf, um die Intelligenz, die diese Losungen verraten hat, von neuem unter ihnen zu sammeln. Der bolschewistische Epiker, der deutsche Meister der kleinen Form, der gallische und gründliche Polemiker – sie alle sind politische Autoren. Ohne

die begriffliche Sprache der Zeitungen und Broschüren zu reden,
stellen sie dar, wie grade das geschulteste, strengste Denken heut
in politische Aktivität umzuschlagen gezwungen ist. Und nicht
von jeher?

Viktor Schklowski gehört der Vereinigung der Serapionsbrüder
an. Mit Wsewolod Iwanov und Konstantin Fedin bildete er die
Gruppe der Führer. Er hat mehrere Schüler gehabt, von denen
Michael Slonimski der bekannteste ist. Man kann in der »Senti-
mentalen Reise« lesen, wie Schklowski in dem Frost- und Hun-
ger-Winter 1921 in Leningrad am kunstgeschichtlichen Institut
Kurse über die Schriftstellerei abgehalten hat. Damals kam er
aus der verwilderten Ukraine zurück. Es ist nicht leicht zu
sagen, was dazu gehörte, nach Schreckensjahren, wie sie hinter
ihm lagen, im Nu (wie man von einem Pferd aufs andere
springt) die Herrschaft über seine eigenen Theorien und über
seine Hörer zu gewinnen. An diesen Theorien gibt es nichts
Banales. Man stößt auf Stellen wie die folgende: »In ihrem
Ursprung ist die Kunst destruktiv und ironisch. Ihr Ziel ist die
Erzeugung von Ungleichheiten. Dahin gelangt sie mittels des
Vergleichs. Durch die Kanonisierung subalterner Formen erschafft sie sich neue. So geht Puschkin von der Dichtform im
Poesiealbum aus; Nekrassow vom Vaudeville; Blok von der
Romanze der Zigeuner; und Majakowski von der humoristischen Dichtung. Das Schicksal der Helden, die Zeit der Handlung, alles dient nur der Motivierung der Form.« Schklowski
bekennt hier und sonst sich zum Formalismus. Aber das muß
eine neue Form sein, so gut wie eine neue Sentimentalität, denen
er dieses formlose, unsentimentale Buch, »Die Sentimentale
Reise«[1], unterstellt hat. Man versteht, was er meint, wenn er
»Feuer« von Barbusse ablehnt; das Buch ist ihm viel zu gut
komponiert. Schklowskis Kriegsbuch hat keine Komposition;
seine Form liegt nicht in der Darstellung sondern liegt vorher
im Erfahrenen, im Wahrgenommenen selber. In ihnen ist die
neue Disziplin erstaunlich. Gewöhnlich wollen autobiographische Aufzeichnungen einen mehr oder weniger hohen Begriff
von der Wirksamkeit ihres Autors geben. Anders bei Schklowski. Als Kommissar der provisorischen Regierung von Kerenski

1 Victor Chklovski, Voyage sentimental. (Traduction de Vladimir Poszner.) Paris:
Simon Kra 1926. 274 S.

kam er an die Front, um die Truppen zum Widerstand zu
bewegen, hatte dann monatelang in Persien den Rückzug der
Armee in seine Bahn zu leiten, setzt in Pogromen für die Perser
sein Leben ein, zieht vor Cherson auf Patrouille gegen die
Weißen und geht zu guter Letzt, wie mans ihm prophezeit hat,
bei einem Sprengversuche in die Luft. Und er sagt sich, in alledem, wo keiner wirken konnte, nichts gewirkt zu haben. »Ich
ging wie eine Nadel ohne Faden durch das Gewebe.« Das Genie
seiner Beobachtung kommt aus der tiefsten skeptischen Besonnenheit, aus einer Selbstkontrolle ohne alle Eitelkeit. Und
wenn er recht hat und die Energie, der Mut, die Liebe, die er
dem Chaos gegenüber einsetzt, nichts gewirkt haben, so ist die
klare, überzeugte Geste dieses Mannes sein Buch: eine unver-
geßliche Geste voll rücksichtsloser Trauer und voll herrischer
Zartheit. Um es mit einem Worte auszusprechen: den Geist des
dix-huitième siècle atmet dies Buch. Es liest sich in seiner französischen Übersetzung vielleicht deshalb so gut, weil es der
männlichen, der passionierten Skepsis der großen Revolutionäre
so nahe ist, die 1792 in den Kellern der Conciergerie saßen. Man
sieht vor sich, wie leer die Zimmer waren, in denen dieses Buch
geschrieben wurde. Aus dem pragmatischen Bericht von Fakten
heben sich Anekdoten so heraus wie aus den Texten eines Xeno-
phon. Sie sind mehr als ein Dokument dieser Vorgänge: sie
sagen, was für Menschen sich in ihnen formen. Es sind Menschen,
die alle Arten des Duldens, die stoische und die epikuräische, die
christliche, die aufgeklärte und die zynische zum eigensten Gebrauche neu entdecken mußten. Vielleicht heißt darum diese
Reise durch das Rußland der Schreckensjahre die »sentimentale«. Und sicher konnte nur ein solches Wort, das seine Kraft in
zwei Jahrhunderten gesammelt hat, den Titel dieses Buches
abgeben. Es ist so schnell wie möglich deutsch herauszubringen.
Freuen wir uns, daß es übersetzbar ist. Und daß wir Polgar[2] im
Deutschen besitzen. Denn was in Übersetzung von ihm bleiben
würde, ergäbe nicht den mindesten Begriff von seiner Kunst,
wenn schon noch immer einen klaren von ihrem Ursprung. Der
liegt nämlich nicht in seinem bezaubernden Können oder der
blendenden Leichtigkeit, sondern in der Gerechtigkeit, einer, die
umso schwermutvoller ist, je mehr aller Fanatismus ihr fern

2 Alfred Polgar, Ich bin Zeuge. Berlin: Ernst Rowohlt Verlag 1928. XVI, 288 S.

bleibt. Wäre die Philosophie der Kunst weniger von ästhetischen Floskeln überwuchert als es seit 50 Jahren der Fall ist, man könnte sicherer auf ein Verständnis für diesen einfachen, gewichtigen Tatbestand rechnen: daß aller Humor in Gerechtigkeit seinen Ursprung hat. Freilich in einer, die den Menschen nicht wichtig nimmt, sondern die Sachen, sodaß ihr die sittliche Ordnung statt als Gesinnung oder als Handlung in einer rechten, geglückten Verfassung der Welt oder vielmehr im nicht minder entscheidenden Aufbau des einzelnen Falles – des Zufalls – erscheint. »Die Zeit ist aus den Fugen, Schmach und Gram / Daß ich zur Welt, sie einzurenken, kam« – um dieses Leid weiß jeder echte Bajazzo, auch dieser Wiener. Nur weil eben der Humor die Dinge – nicht aber dieses Aussichtslose: die Menschen – ins Lot zu bringen sich vorsetzt, sieht er scheel, mißtrauisch auf deren sittliches Pathos. Daher Polgars moralische Skepsis, die Ironie, die nur die Außenseite von jenem Takt ist, den die strengen, zarten, gesichtslosen Dinge verlangen. Der ist ein andrer als der Kavalierstakt: der revolutionäre, der je und je aus dem Volk kommt und der aus seiner Wiener Tradition, aus Abraham a Santa Clara, Stranitzky, Nestroy hier wieder frei wird. Aus ihm versteht man erst ganz und gar die schöne Bescheidenheit dieses Autors. Auch sie keine private Haltung sondern verantwortliches, in Form gebanntes Verhalten. Und zwar in jene »Kleine Form«, die Glosse, von der es einmal bei Polgar heißt: »Ich nehme meine Arbeit ernst ... aber ich nehme sie nicht wichtig; zumindest nicht für die andern. Und das mache ich als Tugend geltend, als Qualifikation zum Schriftsteller.« Denn: »Das Leben ist zu kurz für lange Literatur, zu flüchtig für verweilendes Schildern und Betrachten, zu psychopathisch für Psychologie, zu romanhaft für Romane, zu rasch verfallen der Gärung und Zersetzung, als daß es sich in langen und breiten Büchern lang und breit bewahren ließe.« Und endlich: »Ich halte episodische Kürze für durchaus angemessen der Rolle, die heute der Schriftstellerei zukommt.«

Daß aber diese Rolle so wenig von dem klassischen Text, der Sprache der Gerechtigkeit und Wahrheit beibehielt, die einst im Drama europäischer Geschichte der Literatur war anvertraut worden (so wenig, daß sie zu den großen Spaßmachern und Aufrührern sich hat flüchten müssen), davon handelt in seinem

neuesten Buche³ der französische Literat Julien Benda. Und
zwar beschäftigt er sich mit der Stellung, die im Laufe der
letzten Jahrzehnte die Intellektuellen zur Politik einzunehmen
begannen. Benda behauptet: Von jeher ist, seitdem es Intellektuelle gibt, ihr weltgeschichtliches Amt gewesen, die allgemeinen
und abstrakten Menschheitswerte: Freiheit und Recht und
Menschlichkeit zu lehren und die Hierarchie der Werte zu kün-
den. Und nun begannen sie mit Maurras und Péguy, mit
d'Annunzio und Marinetti, mit Kipling und Conan Doyle, mit
Rudolf Borchardt und Spengler die Güter zu verraten, zu deren
Wächter Jahrtausende sie bestellt haben. Zweierlei bezeichnet
die neue Wendung. Einmal die beispiellose Aktualität, die das
Politische für die Literaten bekommen hat. Politisierende Romanciers, politisierende Lyriker, politisierende Historiker, politisierende Rezensenten, politisierende Metaphysiker wohin man
blickt. – Aber nicht nur die politische Leidenschaft selbst ist hier
das Unglaubwürdige, Unerhörte. Befremdender, unheilvoller
erscheint sie, erfährt man den Inhalt ihrer Entscheidung, die
Parolen einer Intelligenz, die die Sache der Nationen gegen die
Menschheit, der Parteien gegen das Recht, der Macht gegen den
Geist führt. Wenn so der Literat die politischen Aspirationen
des Augenblicks zu seinen eigenen macht, bringt er ihnen, ist er
Künstler, den ungeheueren Zuwachs seiner Phantasie, ist er
Denker, den seiner Logik, und sein moralisches Prestige in beiden Fällen. Vielleicht liegt darin das Entscheidende. Denn die
bitteren Notwendigkeiten des Wirklichen, die Maximen der
Realpolitik sind auch früher schon von den »clercs« vertreten
worden, aber mit dem Pathos der sittlichen Vorschrift hat nicht
einmal ein Machiavell sie hinstellen wollen. – Diese politische
Streitschrift gewinnt ihre besondere Intensität dadurch, daß sie
die Gedankenwelt ihrer Gegner mit einer Folgerichtigkeit und
Schärfe darlegt, die deren ursprüngliche eigene weit übertrifft.
Die souveräne Gruppierung aller ihm widerstrebenden Lehren
durch dieses Buch ist freilich Grund nicht nur für die Annehm-
lichkeit seiner Lektüre und jenen aufsehenerregenden Erfolg,
der beim Erscheinen einer Übersetzung gewiß auch hierher über-
greifen würde, sondern auch für seine augenfälligste Schwäche.
In der Tat, es fehlt diesem großartigen polemischen Gedanken-

3 Julien Benda, La trahison des clercs. Paris: Bernard Grasset 1927. 308 S.

zuge jedwede Gegenströmung, und die Exposition der heutigen
Lage ist zu klar, zu drastisch, zu blendend, um so unmittelbar,
wie Benda es glaubt, zu deren Abfertigung zu führen. Er erkennt zwar ganz gut, daß das unwiderstehlichste Motiv der
von ihm denunzierten Gesinnung in dem Entschluß der Intelligenz liegt, aus dem Stadium der ewigen Diskussionen heraus
und um jeden Preis zur Entscheidung zu kommen. Aber den
grimmigen Ernst dieser Haltung versteht er ebensowenig wie
ihren Zusammenhang mit der Krisis der Wissenschaft, der Erschütterung des Dogmas einer »voraussetzungslosen« Forschung,
und er scheint nicht zu sehen, wie die Verhaftung der Intelligenz
an die politischen Vorurteile der Klassen und Völker nur ein
meist unheilvoller, meist zu kurz gegriffener Versuch ist, aus
den idealistischen Abstraktionen heraus und der Wirklichkeit
wieder nah, ja näher als je auf den Leib zu rücken. Gewalttätig
und krampfhaft genug fiel diese Begegnung denn freilich aus.
Statt aber ihr beherrschtere, gemäßere Formen zu suchen, sie
rückgängig machen, den Literaten wieder der Klausur des
utopischen Idealismus überantworten wollen, das verrät –
darüber kann auch die Berufung auf die Ideale der Demokratie
nicht täuschen – eine streng reaktionäre Geistesverfassung. Man
kann Benda sonst den Vorwurf nicht machen, er suche sie zu
vertuschen. Die These, die er seinem Buch zugrunde legt, behauptet eine doppelte Moral in aller Form: die der Gewalt für
die Staaten und Völker, die des christlichen Humanismus für die
Intelligenz. Und er beklagt viel weniger, daß die christlich
humanitären Normen keinen entscheidenden Einfluß auf das
Weltgeschehen üben, als daß sie sich mehr und mehr dieses Anspruchs begeben, weil die Intelligenz zur Partei der Macht über-
ging. Hier aber, wo man ein Recht hat zu hören, wie der Verfasser Rede stehen würde und wie er seinen paradoxen Satz
vertritt, werden die logischen Konturen unscharf. Ist nicht das
alles schon vor Jahrtausenden ausgesprochen worden? »Gebt
dem Kaiser, was des Kaisers ist und Gott, was Gottes ist.« Und
was hat es der Welt geholfen? Dazu kommt, daß Benda den
Katholizismus, der ihm diese Grundhaltung vorschreibt, vielleicht absichtlich mehr zurückstellt als in früheren Schriften. Dies
gesagt, muß man die Virtuosität bewundern, mit der er sich im
Vordergrunde der Probleme hält und, um nur eines zu erwähnen,

wortlos am Kommunismus vorübergeht, der die Politisierung
der Intelligenz in weit größerem Format und auf viel weniger
anfechtbare Art, als die Bourgeoisie tat, vollzogen hat. Der
Untergang der freien Intelligenz ist eben wenn nicht allein so
doch entscheidend wirtschaftlich bedingt. Und wenn in Frankreich ihre repräsentativsten Geister den Anschluß an die extremen Nationalisten, in Deutschland aber an die linksradikalen
gewonnen haben, so hängt das nicht nur mit nationalen Unterschieden sondern auch mit dem wirtschaftlich etwas widerstands-
fähigeren Kleinbürgertum Frankreichs zusammen.

Diese Bücher, jedes beherzt und tüchtig auf seine Art, haben
miteinander das beste gemein: eine illusionslose Anschauung
europäischer Dinge. Ihre Perspektive auf Zeit und Welt ist in
sich selber finster genug und stellt man sie zusammen so beschatten sie noch einander. Dem sei wie ihm wolle: einen denkenden Leser lehren sie mehr als die verdächtigen Fernblicke auf
eine europäische Kultur, von welcher nicht viel mehr heut abzusehen oder wirklich ist als ihre namenlose Gefährdung.

KULTURGESCHICHTE DES SPIELZEUGS

Am Anfang des Werkes von Karl Gröber, »Kinderspielzeug aus
alter Zeit«[1] steht die Bescheidung. Der Verfasser versagt sich,
vom kindlichen Spielen zu handeln, um in ausdrücklicher Beschränkung auf sein gegenständliches Material sich ganz der
Geschichte des Spielzeugs selber zu widmen. Er hat sich, wie
weniger die Sache als die außerordentliche Solidität seines Vor-
gehens es nahelegte, auf den europäischen Kulturkreis konzentriert. War somit Deutschland geographische Mitte, so ist es doch
in diesem Bereich auch die geistige. Denn wir dürfen ein gut
Teil der schönsten Spielsachen, die noch jetzt in Museen und
Kinderstuben begegnen, ein deutsches Geschenk an Europa
nennen. Nürnberg ist die Heimat der Zinnsoldaten und der ge-
striegelten Tierwelt der Arche Noah; das älteste bekannte
Puppenhaus stammt aus München. Aber auch wer von Priori-

1 Karl Gröber, Kinderspielzeug aus alter Zeit. Eine Geschichte des Spielzeugs. Berlin:
Deutscher Kunstverlag 1928. VII, 68 S., 306 Abb., 12 farbige Tafeln.

tätsfragen, die im Grunde hier wenig sagen, nichts wissen will, wird gestehen, in den hölzernen Puppen von Sonneberg (Abb. 192), den erzgebirgischen »Spanbäumen« (Abb. 190), der Oberammergauer Festung (Abb. 165), den Spezereigeschäften und Haubenläden (Abb. 274, 275, Tafel X), dem zinnernen Erntefest aus Hannover (Abb. 263) unübertreffliche Muster schlichtester Schönheit vor sich zu haben.

Solch Spielzeug ist nun allerdings anfänglich nicht Erfindung von Spielwarenfabrikanten gewesen, vielmehr erstmals aus den Werkstätten der Holzschnitzer, der Zinngießer usw. ans Licht getreten. Nicht vor dem 19. Jahrhundert wird die Spielzeugherstellung Sache eines eigenen Gewerbes. Stil und Schönheit der älteren Typen sind überhaupt nur aus dem Umstand zu erfassen, daß ehemals Spielzeug ein Nebenprodukt in den vielen zünftig umschränkten Handwerksbetrieben war, von denen jeder nur fabrizieren durfte, was in seinen Bereich fiel. Als dann im Laufe des 18. Jahrhunderts die Anfänge einer spezialisierten Fabrikation aufkamen, stießen sie überall gegen die Zunftschranken. Die untersagten es dem Drechsler, seine Püppchen selbst zu bemalen, zwangen bei der Verfertigung von Spielzeug aus unterschiedlichen Stoffen verschiedene Gewerbe, die einfachste Arbeit unter sich aufzuteilen, und verteuerten so die Ware.

Hiernach versteht es sich beinahe von selbst, daß auch der Vertrieb, zumindest der Detailumsatz, von Spielzeug zunächst nicht Sache bestimmter Händler war. Wie man beim Drechsler holzgeschnitzte Tiere fand, so die Zinnsoldaten beim Kesselschmied, die Tragantfiguren beim Zuckerbäcker, die wächsernen Puppen beim Lichtzieher. Etwas anders stand es mit dem Zwischenhandel, dem Großvertrieb. Auch dieser sogenannte »Verlag« taucht zuerst in Nürnberg auf. Dort begannen Exportunternehmer, das Spielzeug, das aus dem städtischen Handwerk, vor allem aber aus der Heimindustrie der Umgegend hervorging, aufzukaufen und auf den Kleinhandel zu verteilen. Um die gleiche Zeit nötigte die vordringende Reformation viele Künstler, die sonst für die Kirche geschaffen hatten, sich »auf die Herstellung von kunstgewerblichem Bedarf umzustellen und statt der großformatigen Werke kleinere Kunstgegenstände fürs Haus« zu verfertigen. So kam es zu der ungeheuren Ver-

breitung jener winzigen Dingwelt, die damals in den Spiel-
schränken die Freude der Kleinen, in den Kunst- und Wunder-
kammern die der Erwachsenen machte, und mit dem Ruhm
dieses »Nürnbergischen Tandes« zu der bis heute unerschütter-
ten Vorherrschaft deutscher Spielwaren auf dem Weltmarkt.
Überblickt man die gesamte Geschichte des Spielzeugs, so scheint
in ihr das Format viel größere Bedeutung zu haben, als man
zunächst es vermuten würde. In der zweiten Hälfte des 19.
Jahrhunderts nämlich, als der nachhaltige Verfall dieser Dinge
beginnt, bemerkt man, wie die Spielsachen größer werden, das
Unscheinbare, Winzige, Verspielte ihnen langsam abhanden
kommt. Erhält das Kind jetzt erst abgesonderte Spielzimmer,
jetzt erst einen Schrank, in dem es z. B. die Bücher getrennt von
denen der Eltern aufheben kann? Kein Zweifel, die älteren
Bändchen in ihren kleinen Formaten erforderten viel inniger die
Anwesenheit der Mutter, die neueren Quartos mit ihrer faden
und gedehnten Zärtlichkeit sind eher bestimmt, über deren
Fernsein hinwegzusetzen. Eine Emanzipation des Spielzeugs
setzt ein; es entzieht sich, je weiter die Industrialisierung nun
durchdringt, der Kontrolle der Familie desto entschiedener und
wird den Kindern, aber auch den Eltern immer fremder.
Nun lag der falschen Einfachheit des neuen Spielzeugs freilich
die echte Sehnsucht zugrunde, den Anschluß an die Primitive
wiederzugewinnen, an den Stil einer Heimindustrie, die doch
um eben diese Zeit in Thüringen, im Erzgebirge einen immer
aussichtsloseren Kampf um ihr Dasein führte. Wer die Lohn-
statistik dieser Industrien verfolgt, weiß, daß sie ihrem Ende
entgegengehen. Das mag man doppelt beklagen, wenn man sich
klar macht, daß unter sämtlichen Materialien durch seine Wider-
standsfähigkeit und die Bereitschaft, Farbe anzunehmen, dem
Spielzeug keines mehr entgegenkommt als das Holz. Überhaupt
ist es dieser äußerlichste Blickpunkt – die Frage nach Technik
und Material – der den Betrachter tief in die Spielwelt eindringen läßt. Wie Gröber ihn hier zur Geltung bringt, ist höchst
anschaulich und belehrend. Wendet man darüber hinaus einen
Gedanken an das spielende Kind, so kann man von einem
antinomischen Verhältnis sprechen. Auf der einen Seite stellt es
sich so dar: Nichts ist dem Kind gemäßer als die heterogensten
Stoffe – Steine, Plastilin, Holz, Papier – in seinen Bauten ge-

schwisterlich zu verbinden. Auf der anderen Seite ist niemand
den Stoffen gegenüber keuscher als Kinder: Ein bloßes Stückchen Holz, ein Tannenzapfen, ein Steinchen umfaßt in der
Ungebrochenheit, der Eindeutigkeit seines Stoffes doch eine
Fülle der verschiedensten Figuren. Und wenn Erwachsene Kindern Puppen aus Birkenrinde oder aus Stroh, eine Wiege aus
Glas, Schiffe aus Zinn zugedacht haben, so umspielen sie deren
Fühlen auf ihre Weise. Holz, Knochen, Flechtwerk, Ton sind in
diesem Mikrokosmos die wichtigsten Stoffe und sämtlich schon
in patriarchalischen Zeiten, in denen Spielzeug noch das Stück
des Produktionsprozesses gewesen ist, welches Eltern und Kinder verband, benutzt worden. Später kamen Metalle, Glas,
Papier, ja selbst Alabaster dazu. Den Alabasterbusen, den die
Dichter des 17. Jahrhunderts besangen, haben nur die Puppen
gehabt und ihn oft genug mit ihrem gebrechlichen Dasein be-
zahlen müssen.

Auf die Fülle dieser Arbeit, die Gründlichkeit ihrer Anlage, die
gewinnende Sachlichkeit ihres Auftretens kann eine Anzeige
nur eben hinweisen. Wer dieses auch im Technischen völlig
geglückte Tafelwerk nicht aufmerksam durchliest, weiß eigentlich kaum, was Spielzeug überhaupt ist, geschweige was es bedeutet. Diese letzte Frage führt denn freilich über dessen Rahmen hinaus auf eine philosophische Klassifikation des Spielzeugs. Solange der sture Naturalismus herrschte, war keine
Aussicht, das wahre Gesicht des spielenden Kindes zur Geltung
zu bringen. Heute darf man vielleicht schon hoffen, den gründ-
lichen Irrtum zu überwinden, der da vermeint, der Vorstellungs-
gehalt seines Spielzeugs bestimme das Spiel des Kindes, da es in
Wahrheit eher sich umgekehrt verhält. Das Kind will etwas
ziehen und wird Pferd, will mit Sand spielen und wird Bäcker,
will sich verstecken und wird Räuber oder Gendarm. Vollends
wissen wir von einigen uralten, alle Vorstellungsmasken verschmähenden Spiel- (doch einst vermutlich kultischen) Geräten:
Ball, Reifen, Federrad, Drache – echten Spielsachen, »um so
echter, je weniger sie dem Erwachsenen sagen«. Denn je an-
sprechender im gewöhnlichen Sinne Spielsachen sind, um so
weiter sind sie vom Spielgeräte entfernt; je schrankenloser in
ihnen die Nachahmung sich bekundet, desto weiter führen sie
vom lebendigen Spielen ab. Dafür sind die mancherlei Puppen-

häuser bezeichnend, die Gröber bringt. Nachahmung – so läßt sich das formulieren – ist im Spiel, nicht im Spielzeug zu Hause.

Aber freilich, man käme überhaupt weder zur Wirklichkeit noch zum Begriff des Spielzeugs, versuchte man es einzig aus dem Geist der Kinder zu erklären. Ist doch das Kind kein Robinson, sind doch auch Kinder keine abgesonderte Gemeinschaft, sondern ein Teil des Volkes und der Klasse, aus der sie kommen. So gibt denn auch ihr Spielzeug nicht von einem autonomen Sonderleben Zeugnis, sondern ist stummer Zeichendialog zwischen ihm und dem Volk. Ein Zeichendialog, zu dessen Entzifferung dieses Werk ein gesichertes Fundament bildet.

Giacomo Leopardi, Gedanken. Deutsch von Richard Peters. Mit einem Geleitwort von Theodor Lessing. Hamburg-Bergedorf: Fackelreiter-Verlag 1928. 84 S.

Um den Deutschen diesen als Hymniker wie als Prosaisten gleich spröden Dichter nahezubringen, hat man immer wieder zu dem Vergleich mit Hölderlin gegriffen. In der Tat tritt in der Vereinigung dieser Namen zutage, was in beiden Dichtern sich tief verwandt ist: die schmerzhafte Lauterkeit ihres Lebens und Schaffens. Sie brach mit Strahlenspeeren aus ihnen heraus, um in der ihnen anerschaffenen Aura der Verlassenheit doppelt zu flammen.

Leopardi ist 1837 im Alter von neununddreißig Jahren gestorben, zu einer Zeit also, da Hölderlins Geist schon lange erloschen war. Keiner von beiden hat im Schaffen das Mannesalter erreicht. Sie zählen zu denen, in deren engerem Lebensraum Erfüllen und Planen großartiger und gefährlicher aufeinandergetürmt sind als sonst. Nichts selbstverständlicher als daß das Leben der Jugend, das in ihnen Gestalt gewann, der saturierten Geschichts- und Kunstbetrachtung des 19. Jahrhunderts ganz unzugänglich geblieben ist und sie veranlaßt hat, hier ganz besonders beharrlich mit ihren Schlagworten aufzutrumpfen. Bei Hölderlin spricht sie von Idealismus ohne gewahr zu werden, daß nur ein deutsches Bürgertum, das seinem utopischen Bilde

von Hellas – nicht ähnlich, aber – zugeneigt gewesen wäre, wie
die französische Bourgeoisie einem Idealbild des Römertums, die
Jahrhundertwende hätte bestehen können, ohne sich zu verlieren. An Leopardi tut die gleichen Dienste – sein Schaffen
ins Abstrakte zu verwandeln – das Kennwort des »Pessimis-
mus«.

Nun wird das Jugendalter eines wahrhaft bedeutenden Menschen am ehesten eine düstere Welt aus sich herausstellen, und
Leopardi hat seiner Jugend immer die Treue gehalten. Aber das
geschah nicht nur in Elegien, sondern in einer prosaischen Produktion voll satirischer Entschiedenheit und revoltierender Bitternis. In seinem großen Werk über den Dichter hat Voßler
dafür die bezeichnendsten Worte gefunden. »Ihrer Lebensführung nach waren beide, Hölderlin und Leopardi, arme, hilflose
Menschen, die man von der Wiege bis ins Grab hat schonen
und gängeln müssen. Aber die geistige Stellungnahme zum
natürlichen Lauf der Welt ist bei Leopardi mehr und mehr eine
Auflehnung, bei Hölderlin die Ergebenheit. Der eine liebt es,
sich innerlich zu sehen und darzustellen als einen Zweifler,
Spötter, Verächter und Empörer: Bruto minore; der andere als
einen Frommen, Gläubigen und Stifter einer großen Religion:
Empedokles.« Dem kontemplativen und resignierten Typus des
Pessimisten stellt in dem Dichter sich ein anderer: der paradoxe
Praktiker, der ironische Engel entgegen. Der schlägt vielleicht
erst in der Totenmaske (im Buche abgebildet) ganz die Augen
auf. Denn in der schlechtesten Welt das Rechte durchsetzen, ist
bei ihm nicht nur Sache des Heroismus, sondern der Ausdauer und des Scharfsinns, der Verschlagenheit und der Neugier. Es ist dies todesmutige Experimentieren mit dem Explosiv-
stoffe »Welt«, was die »Pensieri« so hinreißend macht. Sie sind
ein Handorakel, eine Kunst der Weltklugheit für Rebellen. In
der Tat, ihr greller, zerreißender Moralismus steht niemandem
näher als dem Spanier Gracian. Nur hat, was Leopardi in der
Einsamkeit von Recanati und Florenz sich abgerungen, nicht die
Gelassenheit und Fülle, die Gracian dem Hofleben dankte.
Manchen dieser Maximen bleibt etwas Altkluges. Dafür sind sie
voll schöner Reflexe dieser einsamen Jugend, gedankenvollen
Zitaten aus antiken Autoren, die oft des Dichters einziger Umgang waren.

Sainte-Beuve hat an einer berühmten Stelle die intelligence-
miroir und die intelligence-glaive einander gegenübergestellt.
Das Schwert ist diesem Jüngling manchmal entfallen. Aber er
hielt stand, gepanzert. In dieser Rüstung spiegelt sich die Welt,
verzerrt und golden: intelligence-cuirasse.

Das Nachwort, das Dr. Richard Peters zu seiner Übersetzung
geschrieben hat, enthält einen Hinweis auf die wichtigsten bisher in deutscher Sprache veröffentlichten Leopardi-Übersetzun-
gen. So verdienstlich das ist, so bedauerlich, daß er gerade die
erste Übersetzung der »Pensieri« unerwähnt läßt, zumal es sich
dabei nicht um ein vergilbtes Büchlein aus dem vorigen Jahrhundert handelt, das seiner Aufmerksamkeit zur Not hätte
entgehen können, sondern um die zwar unvollständige aber
verdienstliche Ausgabe, die Gustav Glück und Alois Trost im
Jahr 1922 als Band 6288 der Reclamschen Universal-Bibliothek
haben erscheinen lassen. Gerade dieser Bibliothek sollte ein
deutscher Literat bei jeder Gelegenheit die Ehre geben, die ihr
gebührt.

EIN GRUNDSÄTZLICHER BRIEFWECHSEL ÜBER DIE KRITIK
ÜBERSETZTER WERKE

Herrn Dr. Walter Benjamin, Berlin

Göttingen, den ...

Sehr verehrter Herr Doktor!
– – – Die Existenz der Pensieri-Übersetzung von Gustav Glück und Alois
Trost im Verlage von Reclam ist mir tatsächlich entgangen, und ich bin durch-
aus geneigt, der verdienten Reclam-Sammlung die Ehre zu geben, die ihr ge-
bührt. Meine Übersetzung der »Pensieri«[1] ist bereits im Jahre 1921, also vor
Erscheinen der anderen Übersetzung, begonnen worden; daß ich sie erst jetzt
publizieren konnte, hat seinen Grund in den Schwierigkeiten, für derartige
Arbeiten einen Verleger zu finden. – – Wenn auch meine bibliographischen
Bemerkungen nicht den Anspruch auf Vollständigkeit machen, so haben Sie
gewiß ein gutes Recht zu bemängeln, daß ich die gewiß verdienstliche Publi-

1 Leopardis »Pensieri«, übertragen von Dr. Richard Peters, im Fackelreiter-Verlag.
Besprochen in der »L[iterarischen] W[elt]« vom 18. Mai 1928 von Walter Benjamin,
der die Mangelhaftigkeit der bibliographischen Angaben getadelt hat.

kation von Glück und Trost nicht gekannt und nicht genannt habe. Doch diese Übersetzung, die ich nunmehr eingesehen habe, gibt meines Erachtens einige der wichtigsten Stellen der Pensieri recht entstellt wieder (z. B. in 104: »i giovani... si fanno ribelli agli educatori« mit »bäumen sich auf gegen die Erzieher« und »avrebbero potuto regolarlo« mit »den jugendlichen Ungestüm im Zaume zu halten«), und sie läßt auch ganz im allgemeinen in Satzbau und Sprachstil den typisch italienischen Charme von Leopardis Sprache vermissen. — — Sie verwenden, sehr verehrter Herr Doktor, für ein kleines Versehen von mir ganze 17 Zeilen und finden nicht ein einziges Wort der Stellungnahme oder Kritik für meine Übersetzung. Darin kann ich nicht eine loyale Art der Buchbesprechung erblicken. Dies ist mir um so schmerzlicher, als ich für Sie persönlich wie für Ihr literarisches Schaffen nach wie vor die allergrößte Hochschätzung bewahre und ich jedem Ihrer herrlichen Worte über Leopardi selbst zustimmen kann. Vielleicht finden Sie selbst es berechtigt, wenn ich Sie bitte, mit einigen kurzen Worten in der »L[iterarischen] W[elt]« noch einmal auf das Neue und Eigene meiner Übersetzung zurückzukommen.
Ich verbleibe in vorzüglicher Hochachtung Ihr sehr ergebener

Dr. Richard Peters

Berlin, den ...
Sehr verehrter Herr Doktor Peters,
Ihre Zeilen möchte ich um so lieber beantworten, als sie zwei Fragen von grundsätzlichem Interesse aufwerfen. Die erste Frage will ich so formulieren: Wie ist eine bibliographische Notiz zu bewerten, die – das ist der Fall der Ihren – die einzige einschlägige Arbeit, die es auf ihrem engsten Gebiete gibt, übersieht? Bevor ich antworte, eine naheliegende Einrede: »Eine Übersetzung ist keine wissenschaftliche Arbeit. Dem Leopardi-Übersetzer, der in Unkenntnis der Arbeit eines Vorgängers ist, kann daraus ebensowenig ein Vorwurf gemacht werden wie einem Romancier, der ein Buch über die Zeit Karls des Großen schriebe, es vorgehalten werden dürfte, wenn ihm ein wichtiges Buch über Karl den Großen entgangen wäre.« Auf diese naheliegende Einrede würde die naheliegende Ausrede lauten: so sei es wohl bei Versübersetzungen, nicht aber bei Prosaübersetzungen zumal philosophischer Schriften. Aber in eine solche Argumentation möchte ich mich nicht einlassen, sondern lieber klar und deutlich aussprechen: Eine Übersetzung ist eine Arbeit, die neben gewissen anderen Maßstäben auch denen der Wissenschaft

genügen muß. Sie ist eine der gar nicht wenigen Disziplinen, die
Wissenschaft auf die Kunst anwenden, genau so wie andere sie
für die Industrie und die Architektur verwerten. In all solchen
Fällen entsteht eine Technik, die strengen wissenschaftlichen
Gesetzen unterliegt, um selber außerwissenschaftlichen Gebilden
zu dienen. Übersetzen von dieser Seite gesehen, ist eine philolo-
gische Technik, die ihre Hilfswissenschaften hat. Die Bibliographie ist eine von ihnen. Und zwar steigt deren Wichtigkeit
mit dem Steigen der Buchproduktion. Nun gibt es Weniges, was
für die kritische Lage der Wissenschaft so durchaus charakteristisch ist wie der Umstand, daß dieser steigenden Wichtigkeit
der Bibliographie ihre sinkende Beachtung seit Jahren parallel
geht. Der Fall Ihrer Leopardi-Übersetzung – Unkenntnis der
Glückschen Übersetzung, die einen großen Teil des von Ihnen
Geleisteten schon Ihrerseits und gestatten Sie mir, trotz Ihrer
Rüge dabei zu bleiben, nicht schlechter geleistet hat – war im
Sinne solcher Überlegungen bezeichnend und wert, hervorgehoben zu werden. Ich improvisiere hier nicht, sondern bin bereits früher an ganz anderer Stelle und mit ganz anderem Nachdruck auf diese Dinge zu sprechen gekommen[2]. Und ich werde
weiterhin hierin um so aufmerksamer verfahren, je weniger
nicht nur die Autoren, sondern auch die Rezensenten gemeinhin
Lust haben, mit diesen Dingen sich aufzuhalten. Gegenständliche Arbeit in allen Ehren. Die Bibliographie ist gewiß nicht
der geistige Teil einer Wissenschaft. Jedoch sie spielt in ihrer
Physiologie eine zentrale Rolle, ist nicht ihr Nervengeflecht,
aber das System ihrer Gefäße. Mit Bibliographie ist die Wissenschaft groß geworden, und eines Tages wird sich zeigen, daß
sogar ihre heutige Krisis zum guten Teile bibliographischer Art
ist.
»Nun«, sagen Sie und stellen damit die zweite Prinzipienfrage,
»ein Rezensent, der es so genau mit dem Bibliographischen
nimmt, wird es doch wohl mit der Übersetzung ebenso halten
müssen. Sie aber bringen über die meine kein Wort.« Beides ist
richtig. Die Erklärung ist einfach. Die große Mehrzahl aller
Übersetzer hat keine andere Absicht, als ein fremdsprachliches
Buch dem deutschen Leser zugänglich zu machen. Dabei handelt
es sich oft genug um wertlose Sachen. Der Kritiker sagt sein

2 Siehe Literaturblatt der Frankfurter Zeitung 1928, Nr. 9.

Wort, indem er das feststellt. Keiner wird ihm zumuten, eine
solche Übersetzung auch noch durchzusehen. Umgekehrt liegt
der Fall bei Ihrem Leopardi. Hier ist das Werk von überragen-
dem Interesse; die Übersetzung, in der es vorliegt, eine ausge-
glichene, unproblematische Arbeit. Durch die Druckanordnung
machte ich kenntlich, daß diese Rezension im Hauptteil sich
ausschließlich um Leopardi drehe (wie die unmittelbar ihr folgende ausschließlich um George Moore) und schickte die bibliographische Bemerkung als eine Art von Postskriptum nach. Die
intensive Teilnahme, wie sie hier Ihrem Autor gewidmet wurde,
ist immer noch zugleich eine Reverenz an den Übersetzer gewesen. Ganz anders steht es mit einer dritten Klasse von Werken, an denen die Übersetzung als Wagnis, als gefährliches
Kunststück sich darstellt. Ein Typus dieser Klasse war der
deutsche Proust, der von verschiedenen Autoren, zuletzt von
Franz Hessel und mir, vorgelegt wurde. Derartigen Arbeiten
gegenüber wird man das Schweigen des Rezensenten problematischer empfinden. Aber auch damals haben angesehene Zeitschriften, wie die »Literarische Welt« und die »Weltbühne«,
ausführliche Kritiken gebracht, die sich ausschließlich mit dem
Originalwerk beschäftigen. Solange eben ein internationales
Fachblatt für Übersetzungen, das dringend zu wünschen ist,
aussteht, wird in den meisten Fällen der Grundsatz *Qui tacet
consentire videtur* sein Recht behalten. Damit möchte ich Ihnen,
sehr verehrter Herr Doktor, die Meinung meiner Besprechung
verdeutlichen, die, ich bin davon überzeugt, deren Leser schon
lange richtig erfaßt hatten, indem sie mit Vertrauen zu Ihrer
Ausgabe griffen.
In vorzüglicher Hochachtung

Ihr sehr ergebener

Walter Benjamin

George Moore, Albert und Hubert. Erzählung. Deutsch von
Max Meyerfeld. Berlin: S. Fischer Verlag 1928. 102 S.

George Moore ist ein großer Erzähler – kein Epiker. Denn
seine Welt ist gesetzlos. Ihn hat nicht die Vision einer Epoche
und einer Stadt regiert wie Balzac, nicht ein Kanon von Leidenschaft vorgeschwebt wie Stendhal, nicht eine politische Idee
bezwungen wie Zola. Er hat auf Balzac, auf Zola geschworen,
alle erdenklichen Einflüsse, den von Bourget, von James erfahren, aber bestimmt wurde er doch immer von unberechen-
baren Impulsen, und das Bezeichnendste bleiben daher seine
autobiographischen Schriften, in denen, wie Chesterton sagt,
»die Ruinen George Moores im Mondlicht sich ausbreiten«. In
der Tat ist das Atmosphärische die Stärke dieses irischen Dichters. Moore hat bekanntlich als Maler begonnen und in seinen
Pariser Jahren im engsten Verkehr mit den Impressionisten
gestanden. Wüßte man das nicht, so bliebe dennoch erkennbar,
daß seine Novellistik das einzige literarische Gegenstück zur
Kunst eines Sisley, einer Morisot ist. Diese Verwandtschaft,
diese Isolierung bezeichnen ebenso genau sein Können wie die
Grenzen seiner Bedeutung. Er hat sie mit der Wendigkeit und
Zerstreutheit seines Schaffens sich selber gesetzt. Wenn die ihn
aber um das Höchste brachten, so haben sie ihm dafür doch
eines geschenkt: die wunderbare Frische seiner Schriften.
Diese Frische hat auch dies Buch von den beiden Frauen. Albert
und Hubert nämlich sind Frauen in Männertracht. Sie begegnen
sich auf die seltsamste Art, kreuzen sich einmal, haben nichts
miteinander zu schaffen. Dies eine Mal aber ist genug, damit die
eine glücklichere von beiden ins Leben ihrer Schicksalsschwester
eine Losung wirft. Und wie die andere nun um dieses Schlüssel-
wort ihr ganzes Leben aufbaut, das ist der Hergang dieser Geschichte. Wie lautet diese Parole? »Mach es wie ich! Heirate ein
Mädchen!« Die Schönheit und die feenhafte Wahrheit in alledem ist aber dies: es geht hier nicht um Sexualia, die beiden
Mädchen sind nicht Transvestiten, sind Proletarierinnen, die ein
Zufall des Broterwerbs in diese Kleider gesteckt hat, die ihnen
langsam auf den Leib gewachsen sind. Albert aber findet kein
Mädchen, sondern nur die wahrste, trübseligste aller Liebschaf-
ten auf ihrem Wege. »Wie sag ich's ihr? Wie bring' ich's über

die Lippen? Wie hat denn Hubert es ihrem Mädchen gesagt?«
Sie wird alt, und ihr ungelebtes Leben beginnt in Gestalt einer
Leidenschaft an ihr Rache zu nehmen. Der Geiz bemächtigt sich
ihrer. Das ist sehr wahr, und vielleicht hätte eine anekdotische
Wendung den Schluß dieser Erzählung ihrem Ablaufe ebenbürtig gemacht. Wir leiden ungern, daß der Tod uns dies Buch
vor den Augen zuschlägt.
Ich liebe Geschichten, in denen nicht von Regen und Sonnen-
schein die Rede ist und zu denen ich mir das Wetter selbst
machen kann. Von diesem Schlage ist die vorliegende. Und
wenn die wahrsten, verborgensten Freuden des Lesers sind,
Orte, Menschen und Stunden, von denen ein Buch ihm erzählt,
auf seine Weise von der Phantasie umdunkeln oder erhellen zu
lassen, um einen Namen, eine Beschreibung ein Netz von Erinnerungen und Fragen zu weben, so ist er bei keinem lieber zu
Hause als bei George Moore.

*A[lexander] M[oritz] Frey, Außenseiter. Zwölf seltsame Ge-
schichten. München: Drei Masken Verlag (1927). 319 S.*

Frey hat vor Jahren mit seinem Roman »Solneman der Unsichtbare« bewiesen, ein wie sympathisches Talent er ist. Leider
ist ihm zu diesem Band nicht genug eingefallen. Vielleicht ist
nichts dagegen zu sagen, daß Verfasser sogenannter »grotesker«,
»seltsamer«, »phantastischer« Geschichten während des ersten
Viertels ihrer Erzählungen von der gespannten Phantasie des
Lesers wie eine Turbine von starkem Gefälle sich treiben lassen;
nur daß dem Leser, wenn er am Schlusse leer ausgeht, das Gefühl bleibt, man habe ihm die Phantasie abgezapft. Die meisten
unter den zwölf neuen Geschichten von Frey hinterlassen in der
Tat eine gewisse Verstimmung. Eine der wenigen Ausnahmen
ist »Hütlein«, die ungequält, natürlich erwachsene Phantasie
vom Ende eines Schizophrenen.

ZWEI KOMMENTARE

R(ichard) Finger, Diplomatisches Reden. Ein Buch der Lebenskunst im Sinne des Spaniers Gracian. Berlin: Verlag von Struppe u. Winkler 1927. 94 S.

Liegt Ihnen daran, zu erfahren, wie man in zehn Zeilen E. v. d. Straten-Sternberg, Sophokles, Moszkowsky, Dr. Stresemann und Gracian in einen Zusammenhang bringen kann, so erwerben Sie das Buch des Dr. R. Finger. Von einer andern Seite her aber kann dieses trostlose Machwerk bestimmt kein Interesse beanspruchen.

Gracian ist nicht nur ein großer Autor, sondern gerade heute einer der interessantesten. Es lebt in Paris ein Mann (ehemals Zeichner, heute Schriftsteller) André Rouveyre, einer der unzugänglichsten und verschrobensten, aber auch klügsten und ehrlichsten Franzosen, der dem Gracian einen ebenso glühenden wie geistvollen Kult geweiht hat. Dieser Rouveyre hat Gracianisches an sich. Bei seinem deutschen Doppelgänger ist der gleiche Kult nur aus der entgegengesetzten Ursache zu verstehen: er sucht, was ihm fehlt. Leider hat er es nicht gefunden. Er liest Gracian mit den Augen des Bildungsphilisters, sieht in ihm einen Idealisten »im edlen und echten Sinne des Wortes«, auch einen Lehrer der »ewigen durchaus bestimmten Lehren der ›Höflichkeit‹«. Das alles hat historisch genau so viel Hand und Fuß, wie die grenzenlos komische Theorie eines »deutschen Schweigens«, daß es »historisch« gäbe. Nämlich: die Deutschen seien in Rußland Nemetzi genannt worden. Nun heißt dies Wort nicht die Schweigenden sondern die Stummen. Und so wurden bekanntlich zunächst die deutschen, eigentlich holländischen Arbeiter genannt, die Peter der Große für seine Werften nach Rußland zog, Leute, die, der Landessprache nicht kundig, wie die Stummen sich nur durch Zeichen verständlich machen konnten. Das Buch ist eine Fundgrube von Geschmacklosigkeiten und Naivitäten. Ungracianischer von Gracian zu handeln, war gar nicht möglich. Freilich erklärt der Verfasser selbst, er habe seinen Autor von der »barocken Darstellung«, welche dem heutigen Geschmack nicht mehr entspricht, »reinigen« wollen. Das ist, als wollte einer das »Jahr der Seele«, von den Floskeln

Georgescher Schreibart gereinigt, in sein geliebtes Esperanto
übertragen.
Ein Gracian für Budiker, der war bis heute noch nicht da, und
nun haben wir ihn.

*Elisabeth Itzerott, Bemerkungen zu Friedrich Hebbels Tagebuch-
aufzeichnungen im Lichte christlicher Weltanschauung. Berlin, Leipzig: B. Behrs Verlag/Friedrich Feddersen 1927. 335 S.*

Das Goethe-Schiller-Denkmal in Weimar ist gewiß nicht schön.
Was würde man aber sagen, wenn einer kommt und behauptet,
es sei nur die nach außen getretene Gebärde, der verkörperte
Geist des Goethe-Schillerschen Briefwechsels. Gewiß, der Mann
übertreibt. Aber es ist viel Wahres in seinen Behauptungen.
Und jedenfalls dies: daß nur selten das würdigste Standbild des
Künstlers von ihm selber gemeißelt wird. Hat er es aber einmal
unternommen, dann versteht die Nachwelt mit den verunglück-
ten Statuen im Hain der Klassik so wenig Spaß wie mit der
Siegesallee. Daher käme auch heute noch jemand, der sich un-
mißverständlich zum Goethe-Schillerschen Briefwechsel, zu Stif-
ters Korrespondenz, zu den Hebbelschen Tagebüchern zu äußern gedächte, nicht glimpflich davon.
Dennoch sind bei dieser Gelegenheit einige Worte zu jenen Tagebüchern selbst, die hier die sonderbarste Exegetin gefunden
haben, nicht zu umgehen. Es ist – und damit kommt man dem
vorliegenden Werke schon näher – verständlich, daß gerade ein
innig und unbekümmert vor sich hin denkender Mensch, wie die
Verfasserin dieser »Bemerkungen« es ist, auf das Buch dieses
gleich weit durch Leidenschaft wie durch Mangel an Disziplin
von dem Denken der Schulen entfernten Mannes verfallen
konnte. Weil aber dieses Denken kleinbürgerlich in seinem Kern
war, so mußten gerade Leidenschaft und Tiefe es zu abstrusen, roh
improvisierten, ja brutalen Gebilden führen. »Am Feierabend«
steht mit großen Lettern über dem Hebbelschen Denken geschrieben. Nach Tages Müh' und Arbeit zieht es Hebbel, den Tagebuch-
verfasser, in eine Laubenkolonie des Denkens, wo Grübelei sich an
spiraligen Sophismen ums Spalier rankt. Hemdsärmlig, polternd
oder maulend, macht er sich ans Werk. Und niemals ist man den
größten Gegenständen breitspuriger, unzarter nahegetreten.

Darum läßt es, so gern mans versuchte, sich schwerlich verkennen: Mit diesem Buche ist ihm bitteres Recht geschehen. Im
»Lichte christlicher Weltanschauung« hat hier ein frommes, aber
süffisantes Gemüt seine Glossen zu Hebbel gemacht. Ein Autor
ohne alle Einsicht in die Theologie und ohne alle Kenntnis des
christlichen Denkens, das historisch auf diesen Namen ein Recht
hat, ganz an vagen Gemeinplätzen des erbaulichen Schrifttums
und gegen einen schemenhaften Pantheismus ausgerichtet. Häß-
liche Bleistiftstriche, wie man in zerlesenen Bänden sie findet,
haben sich hier unleidlich artikuliert. Und wenn es schon im
Charakter der Hebbelschen Tagebücher begründet ist, Leser wie
die Verfasserin anzuziehen, so bleibt denn doch der doppelt
peinliche Eindruck, die große alte Form des religiösen Denkens,
die Interpretation, so sinnlos gehandhabt und Hebbel einem so
belanglosen und schulmeisterlichen Traktate verquickt zu sehen.

SPIELZEUG UND SPIELEN
Randbemerkungen zu einem Monumentalwerk [1]

Es wird lange dauern, bis man dazu kommt, in diesem Buche
zu lesen, so faszinierend ist der Anblick der unabsehbaren Spiel-
zeugwelt, die der Tafelteil vor dem Leser ausbreitet. Regimen-
ter, Karossen, Theater, Sänften, Geschirre – alles ist liliputa-
nisch noch einmal da. Es mußte endlich der Stammbaum der
Schaukelpferde und Bleisoldaten versammelt, die Archäologie
der Kaufmannsläden und Puppenstuben geschrieben werden.
Das ist in aller wissenschaftlichen Zuverlässigkeit und ohne
archivalische Pedanterie in dem Textteil dieses Buches geschehen,
der ebenbürtig neben dem Bilderteile besteht. Es ist ein Werk
aus einem Guß, dem man nirgends von den Mühen seiner Herstellung etwas anmerkt, und von dem man nun, da es vorliegt,
nicht mehr versteht, wie es fehlen konnte.
Im übrigen liegt die Neigung zu solcher Forschung im Zuge der
Zeit. Das Deutsche Museum in München, das Spielzeugmuseum
in Moskau, die Spielzeugabteilung des Musée des Arts Déco-

1 Karl Gröber, Kinderspielzeug aus alter Zeit. Eine Geschichte des Spielzeugs. Berlin:
Deutscher Kunstverlag 1928. VII, 68 S., 306 Abb., 12 farbige Tafeln.

ratifs in Paris – Schöpfungen jüngster Vergangenheit oder der
Gegenwart – zeigen an, daß überall und wohl aus guten Gründen das Interesse am rechtschaffenen Spielzeug erwacht. Die
Ära der Charakterpuppen, da die Erwachsenen kindliche Bedürfnisse vorschoben, um ihren eigenen kindischen zu genügen,
ist abgelaufen; der schematische Individualismus des Kunstge-
werbes und das individualpsychologische Bild vom Kinde, die
im Grunde einander so gut verstanden, wurden von innen gesprengt. Gleichzeitig wagte man die ersten Schritte aus dem
Bannkreis der Psychologie und des Ästhetizismus heraus zu tun.
Die Volkskunst und das kindliche Weltbild wollten als kollektive Gebilde begriffen werden.
Diesem jüngsten Stande der Forschung entspricht im ganzen das
vorliegende Werk, wenn anders man ein Standardwerk von
dokumentarischem Charakter auf eine theoretische Haltung
verpflichten kann. Denn in der Tat muß diese Stufe den Übergang zu einer genaueren Fixierung der Dinge bilden. Wie nämlich die Merkwelt des Kindes überall von Spuren der älteren
Generation durchzogen ist und mit ihnen sich auseinandersetzt,
so auch in seinen Spielen. Unmöglich, sie in einem Phantasie-
bereiche, im Feenlande einer reinen Kindheit oder Kunst zu
konstruieren. Das Spielzeug ist, auch wo es dem Gerät der Erwachsenen nicht nachgeahmt ist, Auseinandersetzung, und zwar
weniger des Kindes mit den Erwachsenen, als der Erwachsenen
mit ihm. Wer liefert denn zu Anfang dem Kinde sein Spielgerät
wenn nicht sie? Und mag ihm ein gewisses Belieben bleiben, die
Dinge anzunehmen oder zu verwerfen: nicht weniges vom
ältesten Spielzeug (Ball, Reifen, Federrad, Drachen) wird ihm
als kultisches Gerät, das erst Spielzeug geworden ist, und freilich
dank seiner Bildkraft auch werden durfte, gewissermaßen oktroyiert worden sein.
Es ist also ein großer Irrtum in der Annahme, daß schlankweg
die Kinder selber mit ihrem Bedürfnis alles Spielzeug bestimmen. Töricht, wenn ein sonst verdienstliches neueres Werk vermeint, beispielsweise die Klapper des Säuglings mit der Behauptung deduzieren zu können: »In der Regel verlangt zunächst das Ohr nach Beschäftigung« – da doch von altersher die
Rassel ein Instrument zur Abwehr böser Geister ist, das man
gerade dem Neugeborenen in die Hand geben muß. Und sollte

nicht mit folgender Bemerkung selbst der Verfasser dieses
Werkes irren? »Nur was das Kind bei den Großen sieht und
kennt, will es bei seiner Puppe. Deswegen war bis ins 19. Jahrhundert die Puppe nur im Kleid der Erwachsenen beliebt, das
Wickelkind oder das Baby, wie es heutzutage den Spielzeug-
markt beherrscht, fehlte früher ganz.« Nein, nicht auf die
Kinder geht das zurück; dem spielenden Kinde ist seine Puppe
bald groß, bald klein, und gewiß als ein untergebenes Wesen
oft eher das letztere. Vielmehr war eben bis ins neunzehnte
Jahrhundert hinein der Säugling als geistgestaltes Wesen völlig
unbekannt und andererseits der Erwachsene dem Erzieher das
Ideal, nach dem er die Kinder zu bilden gedachte. Und in diesem heut so gern belächelten Rationalismus, der im Kinde den
kleinen Erwachsenen sah, ist jedenfalls dem Ernst als der Kindern gemäßen Sphäre sein Recht geworden. Dagegen tritt der
subalterne »Humor« im Spielzeug als ein Ausdruck jener Unsicherheit, die der Bourgeois im Umgang mit Kindern nicht los
wird, zugleich mit den großen Formaten auf. Die Lustigkeit aus
Schuldbewußtsein kommt bei den albernen Verzerrungen ins
Große, Breite vorzüglich auf ihre Rechnung. Wer Lust hat, dem
Warenkapital in die Fratze zu sehen, braucht nur an eine Spiel-
zeughandlung zu denken, wie sie bis vor fünf Jahren typisch
gewesen und in kleinen Städten noch heute die Regel ist. Hölli-
sche Ausgelassenheit ist die Grundstimmung. Von den Deckeln
der Gesellschaftsspiele, aus dem Kopf der Charakterpuppen
grinsten Larven, lockten aus dem schwarzen Kanonenrohr,
kicherten in den sinnreichen »Katastrophenwagen«, die beim
fälligen Eisenbahnunglück in die vorgesehenen Teile zerfielen.
Kaum aber hatte hier die militante Bosheit sich verkrochen, so
kam der Klassencharakter dieses Spielzeugs an anderer Stelle
zum Durchbruch. Die »Einfachheit« wurde ein kunstgewerbli-
ches Schlagwort. Die liegt nun aber in Wahrheit für Spielzeug
nicht in den Formen sondern in der Durchsichtigkeit seines Her-
stellungsprozesses. Sie kann also nicht nach einem abstrakten
Kanon beurteilt werden, variiert vielmehr in den verschiedenen
Regionen und hat mit formaler um so weniger zu tun, als
manche Verarbeitungsarten – besonders das Schnitzen – alle
spielende Willkür an einem Objekt entfalten können, ohne
darum im mindesten unverständlich zu werden. Wie denn auch

ehemals die echte und selbstverständliche Einfachheit von Spielsachen keine Angelegenheit formalistischer Konstruktion sondern eben der Technik war. Denn ein charakteristischer Zug
aller Volkskunst – Nachbildung feiner Technik in Verbindung
mit kostbarem Material durch primitive Technik in Verbindung
mit gröberem – läßt sich gerade am Spielzeug deutlich verfolgen. Porzellane aus den großen zaristischen Manufakturen, die
auf russische Dörfer verschlagen wurden, gaben das Vorbild zu
Puppen und Genreszenen in Holzschnitzerei. Die neuere Folk-
loristik ist längst von dem Glauben zurückgekommen, das
Primitivere sei unter allen Umständen auch das Ältere. Oft ist
die sogenannte Volkskunst nur gesunkenes Kulturgut einer
herrschenden Klasse, das, in ein breiteres Kollektivum aufgenommen, sich erneuert.
Es ist nicht das kleinste Verdienst des Gröberschen Werkes,
diese Bedingtheit des Spielzeugs durch die ökonomische und
ganz besonders durch die technische Kultur der Kollektiva
schlagend gezeigt zu haben. Hatte man aber Spielzeug bis heute
allzu sehr als Schöpfung für das Kind, wenn nicht als Schöpfung
des Kindes betrachtet, so wird das Spielen wiederum noch
immer allzu sehr vom Erwachsenen her, allzu ausschließlich
unter dem Gesichtspunkt der Nachahmung angesehen. Und es
läßt sich nicht leugnen, daß es nur dieser Enzyklopädie des
Spielzeugs bedurfte, um die Theorie des Spiels, die, seit Karl
Groos im Jahre 1899 seine bedeutenden »Spiele der Menschen«
erscheinen ließ, nie wieder im Zusammenhang behandelt worden ist, neu zu beleben. Sie hätte sich zuvörderst mit jener
»Gestaltlehre der Spielgesten« zu befassen, von denen hier vor
kurzem (18. Mai 1928) Willy Haas die drei wichtigsten auf-
führte: Erstens: Katze und Maus (jedes Fangspiel); zweitens:
die Tiermutter, die ihr Nest mit Jungen verteidigt (z. B. der
Goalwächter, der Tennisspieler); drittens: der Kampf zwischen
zwei Tieren um die Beute, den Knochen oder das Liebesobjekt
(um den Fußball, den Poloball usw.). Sie hätte weiterhin die
rätselhafte Zweiheit Stock und Reifen, Kreisel und Peitsche,
Murmel und Schieber, den Magnetismus, der sich zwischen
beiden Teilen bildet, zu erforschen. Wahrscheinlich ist es so:
bevor wir im Außerunssein der Liebe in das Dasein und den oft
feindlichen, nicht mehr durchdrungenen Rhythmus eines frem-

den menschlichen Wesens eingehen, experimentieren wir früh mit ursprünglichen Rhythmen, die in dergleichem Spiel mit Unbelebtem in den einfachsten Formen sich kundtun. Oder vielmehr, es sind eben diese Rhythmen, an denen wir zuerst unserer selbst habhaft werden.

Endlich hätte eine solche Studie dem großen Gesetz nachzugehen, daß über allen einzelnen Regeln und Rhythmen die ganze Welt der Spiele regiert: dem Gesetze der Wiederholung. Wir wissen, daß sie dem Kind die Seele des Spiels ist; daß nichts es mehr beglückt, als »noch einmal«. Der dunkle Drang nach Wiederholung ist hier im Spiel kaum minder gewaltig, kaum minder durchtrieben am Werke als in der Liebe der Geschlechtstrieb. Und nicht umsonst hat Freud ein »Jenseits des Lustprinzips« in ihm zu entdecken geglaubt. In der Tat: jedwede tiefste Erfahrung will unersättlich, will bis ans Ende aller Dinge Wiederholung und Wiederkehr, Wiederherstellung einer Ursituation, von der sie den Ausgang nahm. »Es ließe sich alles trefflich schlichten, / Könnte man die Sachen zweimal verrichten«, nach diesem Goetheschen Sprüchlein handelt das Kind. Nur gilt ihm: nicht zweimal, sondern immer wieder, hundert- und tausendmal. Das ist nicht nur der Weg, durch Abstumpfung, mutwillige Beschwörung, Parodie, furchtbarer Urerfahrungen Herr zu werden, sondern auch Triumphe und Siege aufs intensivste immer wieder durchzukosten. Der Erwachsene entlastet sein Herz von Schrecken, genießt ein Glück verdoppelt, indem er's erzählt. Das Kind schafft sich die ganze Sache von neuem, fängt noch einmal von vorn an. Vielleicht ist hier die tiefste Wurzel für den Doppelsinn in deutschen »Spielen«: Dasselbe wiederholen wäre das eigentlich Gemeinsame. Nicht ein »So-tun-als-ob«, ein »Immer-wieder-tun«, Verwandlung der erschütterndsten Erfahrung in Gewohnheit, das ist das Wesen des Spielens.

Denn Spiel, nichts sonst, ist die Wehmutter jeder Gewohnheit. Essen, schlafen, anziehen, waschen, müssen dem kleinen zuckenden Balg spielhaft, nach dem Rhythmus begleitender Verschen eingeimpft werden. Als Spiel tritt die Gewohnheit ins Leben, und in ihr, ihren starrsten Formen noch, überdauert ein Restchen Spiel bis ans Ende. Unkenntlich gewordene versteinerte Formen unseres ersten Glücks, unseres ersten Grauens, das sind die Gewohnheiten. Und noch der trockenste Pedant spielt, ohne es zu wissen, kindisch nicht kindlich, am meisten, wo er am meisten Pedant ist. Er wird sich seiner Spiele nur nicht erinnern; ihm allein bliebe ein Werk wie dieses hier stumm. Wenn aber ein moderner Dichter sagt, es gebe für jeden ein Bild, über dem die ganze Welt ihm versinkt, wie vielen steigt es nicht aus einer alten Spielzeugschachtel auf?

Jakob Job, Neapel. Reisebilder und Skizzen. Zürich: Rascher u. Cie. A.-G. 1928. 255 S., 32 Abb.

Vom Meere aus Neapel zu lieben ist leicht. Hat man den Fuß erst an Land gesetzt, ist man gar auf dem glutheißen labyrinthischen Bahnhof dem Zug entstiegen, in einer ausgeleierten vettura, durch Wolken von Betonstaub, über ein Straßenpflaster, das so wenig je zur Ruhe kommt wie der Vesuv, umsonst vor überfüllten Gasthöfen vorgefahren, so wendet sich schon das Blatt. Dann kommen die Erfahrungen des ersten Tages, und sie zeigen, wie wenige dem unverstellten Bilde dieses Lebens — einem Dasein ohne Stille und Schatten — ins Auge sehen können. In wem bei der Berührung mit diesem Boden nicht alles abstirbt, was um Komfort weiß, der geht einem aussichtslosen Kampfe entgegen. Die andern freilich, denen in dieser Stadt das schmutzigste, aber auch leidenschaftlichste und erschrockenste Antlitz begegnet, aus dem je Armut der Befreiung entgegenstrahlte, schließt die Erinnerung an sie zu einer Kamorra zusammen. Für alles, was man von entwendeten Portefeuilles, verschleppten Mädchen und verwanzten Betten zu erzählen weiß, bleibt ihnen nur ein ungerührtes Lächeln. Sollten sie den Verfasser dieses Buches unter sich aufnehmen — so viel Liebe, gepaart mit so wenig Verständnis, nimmt für ihn ein — so werden sie seinen Beitritt zum Bunde von der Leistung eines Schweigegelübdes auf ewige Zeiten abhängig machen, sei es auch nur, weil sein Deutsch das inkorrekteste ist, das sich denken läßt.
Wir blättern und finden vielversprechende Überschriften: Camaldoli, Sorrent, Herbsttage in Seiano, Ravello. Wir lesen, und es ist vielleicht immer noch schön. Denn was dasteht, ist so ohne Gewicht, so rührend, so trocken wie das gepreßte Blatt eines

Weinstocks von irgendeiner Vigne am Golf. Wunderbar läßt sich träumen während wirs halten. Da steht »Positano«, und ich sehe mich wieder auf der Straße, die in Kehren den Ort durchzieht. Es ist Nacht. Wir sind eine kleine Gesellschaft: Ernst Bloch, der Philosoph, der trinkfeste Tavolato, Alfred Sohn-Rethel, ein jüngstes Glied aus der Familie des deutsch-römischen Malers. Der Mond stand am Himmel, und es war eine jener südlichen Nächte, in denen sein Licht nicht auf den Schauplatz unseres Tagesdaseins zu fallen scheint, sondern auf eine Gegen-, eine Neben-Erde. Es war ein anderes Positano, das wir durchzogen. Schärfer hoben sich überall die verlassenen Teile der großen Stadt von denen ab, wo die wenigen Nachfahren einer Bevölkerung von einst vierzigtausend Seelen heut hausen. Denn so gewaltig war diese Siedlung im Mittelalter. Ich wußte gut, was hier für Erzählungen umgehen, hielt aber nicht viel von den penetranten Gespenstergeschichten, die immer aufkommen, wo ein intellektuelles Wanderproletariat mit einer eingesessenen primitiven Bevölkerung zusammentrifft, sei es hier, in Ascona oder in Dachau. Es war also bestimmt nicht die Neigung, das Gruseln zu lernen und kaum ein ernstliches Interesse, das mich überkam, als ich plötzlich meine Begleiter bat, an der Straße auf mich zu warten, um mich einige Schritte bergwärts, in eines der ausgestorbenen Quartiere, das gerade über mir aufstieg, machen zu lassen. Die Steinstufen waren riesig; ich ließ mir Zeit und nahm bedächtig eine nach der andern. So mochte ich dreißig große Schritte getan haben, alles war still, und von der Straße hörte ich die Stimmen der Wartenden. Meine Lust weiterzusteigen, hielt an. Aber bald wurde es schwerer. Ich spürte, wie ich denen da unten entglitt, trotzdem ich in Hör- und Sehweite, denkbar nah, blieb. Mich umgab eine Stille, eine Verlassenheit voller Ereignis. Leiblich drang ich mit jedem Schritte in ein Geschehn vor, von dem ich weder Bild noch Begriff hatte und das mich nicht dulden wollte. Plötzlich hielt ich zwischen Gemäuer und Fensterhöhlen, in einem Stachelwald scharfer Mondschatten inne. Um keinen Preis hätte ich einen Schritt weiter tun wollen. Und hier, unter den Augen meiner völlig ins Wesenlose entrückten Begleiter, machte ich die Erfahrung, was es heißt, einem Bannkreis sich nähern. Ich kehrte um.
Diese Erfahrung ist kein Kuriosum. Jeder kann sie dort machen.

Darum ist es doppelt notwendig, sie vor Klischees zu bewahren wie diesem: »Nachts geht man in einem gespenstigen Dunkel. Aus schmalen Löchern, aus engen Nischen, aus hallenden Gewölben scheinen Fabelwesen uns anzufallen.« Das ist Positano, »wie es im Buch steht«. Das papierne Dörfchen, das der Verfasser uns aufbaut, weiß natürlich auch nichts von den Kräften, die an Clavels berühmtem Turm gebaut haben. Es wird im Herbst ein Jahr, daß dieser unvergessene Basler Sonderling gestorben ist: ein Mann, der sich sein Leben in die Erde hineingebaut, der in den Fundamenten seines Turmes schöpferisch gehaust hat und an dem großen carrefour der Zeiten, Völker und Klassen, das der Golf von Sorrent ist, Auskunft erteilen konnte wie wenige und in einem kleinen Briefe[1] mehr von seiner Landschaft zu sagen hat als dies ganze Buch.

Und doch: wenn ein Fundus von Erlebtem und Wissen die Bedingung aller Reisebeschreibungen ist, wo fände sie in Europa einen Gegenstand wie Neapel, das allstündlich den Reisenden so gut wie den Einheimischen zu Zeugen macht, wie uralter Aberglaube und allerneuester Schwindel sich zu zweckmäßigen Prozeduren vereinen, deren Nutznießer oder Opfer er ist. Wie unvergleichlich durchdringen sie sich in den Festen, die diese Stadt verzehnfacht besitzt, weil jedes Quartier seinen eigenen Heiligen feiert, an dessen Namenstage es die andern Quartiere zu Gast lädt. Wie leicht ließe in der Darstellung dieser Feste eine stichhaltige, bereichernde Kenntnis von den Lokalitäten und den Sitten der Stadt sich einbringen – ein Aspekt der Reisebeschreibung, auf den die deutschen Leser freilich, kaum fünfzig Jahre nach Gregorovius und Hehn, schon gänzlich zu verzichten haben lernen müssen. Selbst das vorliegende Buch gewinnt seine besten Seiten der Schilderung festlicher Prozessionen ab. Aber hätte nicht mehr als die eingehende, allzu farb- und urteilslose Darstellung vom Blutwunder des heiligen Januarius ein einziger unter den Gebräuchen dieses Festes gesagt? Wenn der Tag gekommen ist und die Menge Stunde um Stunde unter innigen Gebeten im Dom und im Vorhof des Wunders harrend auf den Knien liegt, dann haben die unter den Neapolitanern, deren Stammbaum auf die Familie des Heiligen zurückführt, das

1 s. Gilbert Clavel, Brief an Carl Albrecht Bernoulli vom 27. 8. 1927. In: Die Annalen. Eine schweizerische Monatsschrift, Horgen-Zürich, 1927, S. 953-955.

Recht, seiner säumigen Neigung für seine Schutzbefohlenen mit
lautem Schimpfen, herrischen Flüchen so lange nachzuhelfen, bis
ein winkendes Taschentuch vom Altar her verkündet, das Wunder sei eingetreten, das Blut flüssig geworden. Warum hören wir
nichts von Piedigrotta, dem orgiastischen Lärmkult der Nacht
vom achten September und den gewaltigen Festgelagen, zu
denen die Neapolitaner, wie die Nordländer in die Lebensver-
sicherung, allwöchentlich bei ihrem Krämer mit einigen Soldi
sich einkaufen, um, wenn die Zeit gekommen, über jedes Maß
und Vermögen schlemmen zu können. Den traditionellen Be-
schluß dieser Mahlzeit macht ein Fläschchen Rizinusöl. Und das
heidnische Lärmen der Piedigrottanacht setzt sich in den alltäglichen Festen fort, die der Neapolitaner mit der Technik begeht.
Wenn er dem Ziel seiner Wünsche sich nähert, ein Motorrad
erwerben zu können, probiert er gewissenhaft alle erreichbaren
durch, um das geräuschvollste zu behalten. Nie werde ich die
Eröffnung der Untergrundbahn vergessen, die tagelang nicht zu
benutzen war, weil alle Schalter von der Straßenjugend belagert
waren, die den dröhnend einfahrenden Zug dröhnender über-
schrie und die Tunnel während der Fahrt mit einem zerreißenden Heulen erfüllte. Und noch die »Landpartie«, die Fahrt in
Autokarawanen nach St. Elmo oder den Vomero herauf, muß in
Staub und Getöse gebadet sein, um die rechte Freude zu
machen.

Zu alledem eröffnet des Autors Buch keinen Zugang. Dennoch
wird derjenige Leser ihm dankbar sein, den es, seinem Thema
zu, von sich selbst so weit abführt, wie uns in dieser Besprechung.
Und wenn wir einen Augenblick an die beigegebenen vorzüglichen Aufnahmen des Verfassers denken, so können wir uns
ohne Ironie diesem Leser anschließen.

*Anja und Georg Mendelssohn, Der Mensch in der Handschrift.
Leipzig: Verlag von E. A. Seemann (1928–)1930. VIII, 100 S.*

Braucht dies Werk eine Empfehlung? Ich glaube nicht. Es wird
ein großer Erfolg werden. Und ein durchaus verdienter.
Es steht auf der Höhe der graphologischen Wissenschaft. Es

steht auf der Höhe der graphologischen Intuition. Es steht auf
der Höhe der sprachlichen Darstellungskunst.

Es zeugt zudem – bei Werken mit psychoanalytischem Einschlag ist das erwähnenswert – von höchstem Takt. Wenigstens
stellen Kürze und Präzision dieses Buches sich von einer gewissen Seite als Takt dar. Es sagt nirgends zu viel und sagt nichts
zu oft. Daher ist seine Stimme mindestens ebensosehr erweckend
wie unterweisend. Endlich ist es von jener seltenen produktiven
Bescheidenheit, die den bezeichnet, der ganz und gar im Innern
seiner Sache lebt, dem der Gedanke, ihr gegenüber selbstgefällig
sich in Positur zu setzen, gar nicht kommen kann.

Wenn es etwas gegeben hat, was am Betrieb der Graphologie
für den lauteren Menschen peinlich sein konnte, so war es die
Süffisanz, mit der sie, in ihren vulgären Vertretern, sich an die
Neugier und an die Klatschsucht der Spießer wandte, um denen
nun ›Die Wahrheit‹ über Krethi und Plethi, eine Galerie ent-
schleierter Charaktere von der Urahne bis zur Stütze der Hausfrau zu eröffnen. Die neueren wissenschaftlichen Versuche von
Klages, von Ivanovic und anderen haben damit natürlich gar
nichts zu schaffen. Aber so wehrhaft und eifersüchtig hat wohl
das integrale Rätsel Mensch, das durch alle Analysen nur immer
reiner ins Rätsel geläutert hindurchgeht, noch keiner gewahrt.

Das ist der rühmliche Ausdruck einer Methode, von welcher der
erwähnte Takt der Darstellung nur die Erscheinung ist. Neu ist
diese Methode nicht. In welchem Grade aber hier mit ihr Ernst
gemacht wurde, das ist an diesem Werk das Entscheidende. Es
stellt den Versuch dar, die Handschrift auch des zivilisierten
Menschen durchaus als Bilderschrift zu erfassen. Und die Autoren haben den Kontakt mit der Bilderwelt in einem vordem
unerreichten Maß zu bewahren verstanden. Man hat das Rechts
und Links, das Oben und Unten, das Schräg und Steil, das
Schwer und Fein einer Handschrift von jeher für ausschlaggebend gehalten. Aber darinnen geisterte immer noch ein vager
Rest von Analogie und Metapher. Wenn es bei einer engen
Schrift hieß: »Der hält das Seine zusammen, d. h. er ist sparsam«, so war das zwar richtig, aber die Sprache hatte die Kosten der graphologischen Einsicht zu tragen. Auch die »seelische
Schaukraft«, die Klages aufruft, um sie zum Richter über das
Formniveau, über das Mehr oder Minder von Reichtum, Fülle,

Schwere, Wärme, Dichtigkeit oder Tiefe der Schrift zu machen, wird an entscheidenden Stellen auf das Bild stoßen, das wir schreibend in unsere Handschrift wickeln. Und daher das relative Recht, gegen Klages es geltend zu machen, daß die Erklärung der Handschrift als »fixierte Ausdrucksbewegung« nicht hinreicht. Denn »sie sagt: die Schrift ist determiniert durch die Geste – aber man kann diese Theorie erweitern: die Geste ist ihrerseits determiniert durch das *innere* Bild«.

Es ließe sich leicht entwickeln, wie gerade diese Bindung an das Bild die Gabe hat, im Graphologen den Widerstand gegen die Versuchung moralischer Schriftauswertung hervorzubringen, der heut und bis auf weiteres von ihm verlangt werden muß. Es wäre ja noch schöner, wenn er von sich aus über dergleichen Fragen sich mehr zu sagen getraute, als heute ein Mann von Ehre verantworten kann – nämlich gar nichts. Oder mit den Worten der Verfasser zu reden: »Die Beobachtung [...] lehrt, daß der Mensch sowohl die Licht- als auch die Schattenseiten seiner Eigenart in sich trägt.« Alles Moralische ist ohne Physiognomie, ein Ausdrucksloses, das unsichtbar oder blendend aus der konkreten Situation herausspringt. Es kann gewährleistet, aber nie und nimmer gewahrsagt werden. Wohin es führt, darüber sich hinwegzusetzen, hat gerade die bedeutende Graphologie von Klages gezeigt. Wenn die Verfasser von seinem Grundbegriff, dem Formniveau, abrücken, an dessen Höhe oder Tiefe Klages zugleich den sittlichen Gradmesser für den Charakter des Schreibenden zu besitzen glaubt, so wird das durch die Abstrusitäten gerechtfertigt, die durch die Lebensphilosophie dieses Forschers seiner Graphologie auferlegt worden sind. »Lebensfülle der Menschheit und Ausdrucksgehalt ihrer seelischen Niederschläge sind seit der Renaissance in beständigem, seit der französischen Revolution in reißendem Absinken begriffen; dergestalt, daß auch die reichste und begabteste Persönlichkeit von heute als an einem unvergleichlich ärmeren Medium partizipierend, nur allerhöchstens die Fülle dessen erreicht, was vor vier oder fünf Jahrhunderten *Durchschnitt* war.« Daß solche Gedankengänge für den Streiter Klages ihren Ort und ihr Recht haben, ist nichts Neues. Es wäre aber unleidlich, die Graphologie als Schwingungsmedium für solche Lebensphilosophien oder Geheimlehren sich denken zu müssen. In welchem

Grade es ihr gelingt, von jedem Sektenwesen unabhängig sich
zu behaupten, ist für den Augenblick ihre Existenzfrage. Und es
ist klar, daß die Antwort nicht im Sinne einer Abschließung,
sondern nur der schöpferischen Indifferenz, eines »extrême
milieu« möglich ist.

Der Standort solcher schöpferischen Indifferenz ist natürlich
niemals auf der goldenen Mittelstraße zu suchen. Denn diese
Indifferenz ist dialektischer, unablässig erneuter Ausgleich, kein
geometrischer Ort sondern Bannkreis eines Geschehens, Kraftfeld einer Entladung. Für die Theorie der Handschriftendeutung
nun ließe, andeutungsweise, dieser Bereich geradezu durch den
dynamischen (nicht mechanischen) Ausgleich zwischen den Lehren von Mendelssohn und von Klages sich darstellen. Ihr
Antagonismus ist darum so wichtig, weil er so fruchtbar ist. Er
liegt begründet in jenem von Leib und Sprache.

Die Sprache hat einen Leib und der Leib hat eine Sprache. Dennoch – die Welt gründet auf dem, was am Leibe nicht Sprache
ist (dem Moralischen) und an der Sprache nicht Leib (dem
Ausdruckslosen). Dahingegen hat freilich die Graphologie durchaus es mit dem zu tun, was an der Sprache der Handschrift das
Leibhafte, am Leibe der Handschrift das Sprechende ist. Klages
geht von der Sprache aus: will sagen vom Ausdruck, Mendelssohn vom Leibe: will sagen vom Bild.

Glückliche Hinweise führen in den bisher noch kaum geahnten
Reichtum dieser Bilddimension ein. In vielem gehen die Verfasser auf Bachofen und auf Freud zurück. Aber sie sind aufge-
schlossen genug, auch im Unscheinbaren, wo nur immer es Wert
und Ausdruck für unser Lebensgefühl gewann, sich einen Bilder-
fonds zu eröffnen. Nichts geistvoller und doch sachgemäßer als
der folgende Vergleich zwischen Handschrift und Kinderzeichnung, in dem die Zeile den Erdboden darstellt. »Die Buchstaben
stehen seit einem gewissen Punkt ihrer Entwicklung [...] auf
der Zeile, wie ihre Urbilder, Menschen, Tiere und Dinge, auf
dem Erdboden standen. Man darf sich durch die Tatsache der
unter die Erdoberfläche stoßenden Unterlängen nicht davon
abhalten lassen, die Beine *auf* der Zeile zu suchen, wenn man
sich Buchstaben in körperliche Darstellungen zurückverwandelt.
Auf gleicher Höhe, daneben, können in anderen Buchstaben
Kopf, Auge, Mund, Hand stehen, ebenso wie in der frühen

Kinderzeichnung, die eine Zusammenordnung und Proportionierung von Körperteilen noch nicht kennt.« Ebenso bedeutungsvoll sind die skizzierten Umrisse einer kubischen Graphologie. Die Handschrift ist nur scheinbar ein flächenhaftes Gebilde. Die Druckgebung zeigt an, daß eine plastische Tiefe, ein Raum hinter der Schriftebene für den Schreibenden existiert, und auf der anderen Seite verraten Unterbrechungen in den Schriftzügen die wenigen Stellen, an denen die Feder in den Raum vor der Schriftebene zurücktritt, um ihre »immateriellen Kurven« darin zu beschreiben. Ob der kubische Bildraum der Schrift ein mikrokosmisches Abbild des Erscheinungsraumes der Hellsicht ist? Ob in ihm die telepathischen Schriftdeuter wie Rafael Scherman ihre Aufschlüsse holen? Jedenfalls eröffnet die Theorie vom kubischen Schriftbild die Aussicht, eines Tages die Handschriftendeutung der Erforschung telepathischer Vorgänge dienstbar zu machen.

Daß eine Lehre in so weit vorgeschobener Position alles Apologetische, mit dem die älteren Werke einzusetzen pflegten, ebenso ausscheidet wie alle Polemik, ist selbstverständlich. Das Buch entwickelt, was es zu sagen hat, von innen heraus. Selbst Handschriftenproben findet man hier nicht so zahlreich wie sonst in dergleichen Büchern. Die graphologische Anschauung ist so intensiv, daß die Autoren fast das Wagnis hätten unternehmen können, an einer einzigen Handschrift die Elemente ihrer Wissenschaft – besser gesagt: ihrer Praktik – aufzurollen. Wer zu sehen versteht wie sie, für den ist jeder Fetzen beschriebenen Papiers ein Freibillett fürs große Welttheater. Ihm zeigt er die Pantomime des ganzen Menschenwesens und Menschenlebens in hunderttausendfacher Verkleinerung.

PARIS ALS GÖTTIN
Phantasie über den neuen Roman der Fürstin Bibesco [1]

Eine bibliographische Allegorie: Die Göttin der Hauptstadt von Frankreich, in ihrem Boudoir, träumerisch ruhend. Ein Mar-

1 Marthe Bibesco, Catherine-Paris. Roman. (Deutsch von Käthe Illich.) Wien, Leipzig: F. G. Speidel'sche Verlagsbuchhandlung (1928). 365 S. (Die Übersetzung ist gut.)

morkamin, Gesimse, schwellende Polster, Tierfelle über Diwan
und Estrich. Und Nippes, Nippes überall. Modelle vom Pont
des Arts und von der Tour Eiffel. Auf Sockeln, um die Erinnerung an so viel Verschollenes wachzurufen, in winzigem Maßstab Tuilerien, Temple und Château d'Eau. In einer Vase die
zehn Lilien des städtischen Wappens. Doch all dies malerische
bric-à-brac gesteigert, übertrumpft, begraben durch die unüber-
sehbare Menge tausendgestaltiger Bücher — Sedeze, Duodeze,
Oktavos, Quartos und Folios aller Größe und Farbe — von
unbelesenen Amoretten aus den Lüften dargeboten, von Faunen
aus dem Füllhorn der Portieren ausgeschüttet, von Genien
kniend vor ihr ausgebreitet: Die Huldigungen des dichtenden
Erdballs. Keusche, mit Schließen versicherte, in geschrumpftes
Leder gewandete Straßenverzeichnisse aus der Jugend der Stadt,
dem wahren Kenner weit verführender als die schwelgerisch
sich entblätternden Bilderatlanten; schamlos in aller schwarzen
Pracht der Kupferdrucke erschlossene »Mystères de Paris«;
eitle Bände, die dieser Stadt einzig von ihrem Verfasser reden,
von seinem Scharfblick, seiner Distinktion, wenn nicht gar von
den glücklichen Augenblicken, die er bei ihr genossen, und Bücher von der adligen Demut kristallener Spiegel, in denen die
hohe Gefeierte sich in allen Gestalten zugleich erblickt, die sie
im Lauf der Jahrhunderte annahm. Das wichtigste Kennzeichen
des barocken Emblems, das wir hier post festum entwerfen,
nicht zu vergessen: wie im Vordergrund die Bücherflut, über die
wölbige Rampe des Boudoirs sich ergießend, zu Füßen eines
Rezensentenkollegiums aufschlägt, das alle Hände voll zu tun
hat, sie zu teilen und abzufangen.
Von allem, was hier angespült werden mag, hat das Buch der
Fürstin Bibesco die Grundsubstanzen. Dieser Roman hat Geschichte, Statistik, Topographie von Paris auf gute Art in sich
integriert. Spröder und phantasievoller ist der Stadt selten
gehuldigt worden. Eine Leidenschaft bricht hindurch, wie nur
die Fremden sie kennen. Denn die Fürstin Bibesco ist Rumänin.
Ihre Heldin übrigens auch. Legt das schon nahe, Geständnisse
hier zu sehen und den Schlüssel für die Personen zu suchen, so
sind die inneren Gründe dafür noch besser. Die göttliche Impertinenz der Heldin könnte sie wohl, wenn sie sich einmal zum
Schreiben entschlösse — und wer sagt, daß sie es hier nicht getan

hat? — zur Verfasserin eines Schlüsselromanes machen. Und vielleicht käme man sogar dem Charme und Wert des Buches genauer auf die Spur, entschlösse man sich einmal, hypothetisch, den Schlüsselroman als Kunstform zu sehen. Man brauchte dann nicht, wie der erste Gatte der Verfasserin, ein hochgeborener polnischer Magnat zu sein, um gestehen zu müssen, daß er geglückt ist. In Polen hat man sich denn aber bei kunsttheoretischen Subtilitäten nicht aufgehalten, und die Moral der Erzählung, im Einklang mit einer Lebenserfahrung der Verfasserin, in den schlichten Worten gesehen: On n' épouse pas un Polonais. Gegenstück zu der resignierten Überschrift des vierten Kapitels: On n' épouse pas une ville — nämlich Paris, das sie denn schließlich doch in Gestalt eines Fliegerleutnants sich antraut.

Wie dem nun sei, der Schlüsselroman ist eine echt romantische Variante der Romanform. Es stimmt dazu vorzüglich, daß die Fürstin ganz offenbar bei dem romantischsten Romancier unter den Heutigen sich geschult hat. Wenn man ihr Werk sich vornimmt, sieht man erst, was dieser Giraudoux für ein großer literarischer Prinzenerzieher ist. Von rechtswegen. Niemand praktiziert den romantischen Absolutismus virtuoser als er. Von Giraudoux stammt jener merkwürdige Facettenreichtum, der vorher im Roman ganz unbekannt war. Es lohnt die Mühe, ihn zu betrachten. Er hat nichts mit der Geschliffenheit der Redeweise Wildescher Figuren zu tun; ist vielmehr die geschliffene Kantigkeit und die tausendflächige Transparenz der Figuren selbst. Der Verfasser hat es in ihnen mit Prismen zu tun, an denen seine Gefühle in den feurigsten Farben sich brechen. So weit der Lyrismus dieser neuen Romanform. In welchem Glanze er sich geltend macht, zeigt eins seiner letzten, exzentrischsten Bücher, die »Eglantine«. In anderem Sinne aber ist hier »Bella« heranzuziehen. Nicht umsonst auch sie ein Schlüsselroman oder, wie Horatio sagen würde, »ein Stück von ihm«. Denn das ist das andere Element: die Aktualität, die Präsenz des Sportlichen, des Politischen, des Mondänen. Von hier droht diesen Büchern die Gefahr des Snobismus wie vom Lyrischen die des Preziösen. Zwischen diesen beiden Polen sind die Romane dieses neuen Typs der fulminante Ausgleich. Oder, weil in diesem Bild die Autoren zu kurz kommen: Leitartikel und Liebeslied sind die beiden Pfosten, zwischen denen das Seil gespannt ist, und wel-

chem die Verfasser mit der Balancierstange ihrer Gescheitheit
sich hin und her zu bewegen haben. Und die Fürstin Bibesco ist
wirklich klug. Die Weisheit des Herzens und die Erfahrungen
des Hoflebens durchdringen sich ihr in einem barocken Ensemble, das von fern an die großen schreibenden Praktiker,
Krieger und Kirchenfürsten, des siebzehnten Jahrhunderts erinnert. »Er wußte vielleicht, was alle Ehrgeizigen, wenn sie ihr
Ziel erst erreicht haben, wissen, daß der Besitz der Macht nur
eine einzige Wollust kennt: die Macht zu verachten« – ist das
nicht eines Vauvenargues würdig?
So mag sich denn die Verfasserin auch eine barocke Apotheose
gefallen lassen: Gegenbild eines beliebten Vorwurfs der alten
Meister. Wie oft zeigen sie uns nicht den siegreichen Feldherrn,
wenn er mit repräsentativer Gebärde die Schlüssel einer erober-
ten Stadt in Empfang nimmt? Hier überreicht mit gleich großer
Geste ein erobertes Herz der Stadtgöttin seine Schlüssel.

*Alexys A. Sidorow, Moskau. (Hrsg. unter Mitwirkung von
M. P. Block.) Berlin: Albertus-Verlag (1928). XXIV S., 2000
Abb. (Das Gesicht der Städte.)*

Da sind sie also: die Vorstadtstraßen mit den stotternden Gat-
tern, die sich endlos dahinziehen, die Putten von den nichtsnutzigen Standbildern, die Pudowkin zu allegorischem Bruch-
eisen zerschlug, die in Kuppeln erstickten Türme, von zweitausend ein gutes Hundert, die Kirchlein des ältesten Kreml, die
wie Hütten von Waldfrauen sind, die da hausen mochten, ehe
dieser sanfteste, thronendste Hügel gerodet wurde, chram
spassitelja, die Erlöserkirche, nichtssagend wie ein Zarengesicht,
hart wie das Herz eines Gouverneurs, die unzähligen Segeltuch-
schwingen, die an Markttagen auf den Arbat und den Ssucha-
rewsky-Platz in Schwärmen sich niederlassen, und den Ssucha-
rewsky-Turm selber, dieser riesige Kachelofen, der sich nicht
heizen läßt, die wüsten, welligen Plätze, an deren Rande die
Bahnhöfe Moskaus schwankend vor Anker liegen, die Häuser
Mosselprom und des Gosstorg, aus Glas- und Betonklötzen, die
ersten »selbstgebauten« der Bolschewiken, der Strasnoy-Platz

mit seinem Sparbüchs-Kloster, der Rote Platz, in welchen von
allen Seiten die russische Steppe hineinflutet, um an die Kreml-
mauer zu branden, und diese Mauer selbst mit den anbetungs-
würdigen Zinnen, die in sich wie ein russisches Frauenantlitz
Süßigkeit und Roheit vermählen, die neuen Trickplakate des
neuen Moskau – rauchende Moslem, Autos und Filmstars in
natürlicher Größe – die in dieser »Prärie der Architektur« wie
bei uns am Bahndamm entlang sich staffeln, und wieder die
Profile des Kreml, auf den der Himmel braver und treuer
herunterschneit als auf sonst einen Flecken auf Erden, und die
Kremltore, die fester als alle Tore Europas Ehrfurcht und
Schrecken in ihrer Leibung zu halten wußten, die Moskwa, vor
deren Ufern die Stadt freundlicher blickt wie ein Bauernmäd-
chen, das an den Spiegel herantritt, die Gewerkschaftshäuser,
Fabriken, Konsumpaläste, deren Fassaden an roten Feiertagen
der rote Wandkalender des Proletariats sind, die Dorfkirchen
der nahen Umgebung, die wie Dächer sind, die man sauber ins
tiefe Gras stellte, und das Dach der Basilius-Kathedrale – ein
großes, verholztes Steppendorf ohne Türen und Fenster –, das
Historische Museum, das hier mit einem Male nach Moskau,
und nur in Moskau nach Charlottenburg aussieht, die Tvers-
kaja, deren enge Läden versteinerte Marktbuden sind, Datschen,
Sommerhäuschen unweit der Stadt, deren schiefe Gatter dem
Fremden mehr winken als wehren, und Datschen im Winter,
die tiefer und trauriger schlafen als das verschneiteste Feld und
der einsamste Kirchhof. Und in all diesen Bildern, klein und
verschwimmend oder plastisch und groß die Menschen, die diese
Stadt schufen und schändeten, verrieten und förderten, liebten
und lästerten, die dichte oder lichte Masse, die sie bezwang oder
von ihr bezwungen wurde, die in Parks und auf Plätzen singt
und friert, hungert und heult, jubelt und turnt, und aus welcher
sich diese Männer zusammengefunden haben, die ihrer Heimat
den scharfen, tiefen Blick in ihr Antlitz taten, aus dem dies
durch und durch erfreuliche Buch entstand.

*I[saac] Benrubi, Philosophische Strömungen der Gegenwart in
Frankreich. Leipzig: Meiner 1928. VIII, 530 S.*

Ein nützliches Werk, in dem die verschiedenen französischen
Philosophenschulen mit dem ganzen Stab ihrer Schüler vorbei-
ziehen. Jeder hält ein Fähnchen mit dem Verzeichnis seiner
wichtigsten Schriften. Einige Führergestalten: Comte, Ribot,
Durkheim, Renouvier, eine imposante Menge von Sorbonnards,
deren Abhandlungen die letzten fünfzig Jahrgänge der Fach-
zeitschriften ausfüllen und im Ganzen da bleiben können, und
schließlich die paar markanten Outsider, von denen wir mit viel
Interesse erfahren, in welcher Gesellschaft sie vor Jahren einmal
ausmarschierten. Heute beschwören uns Namen wie George
Sorel, Albert Thibaudet, Julien Benda, Jules de Gaultier nicht
immer das Tableau der ideologischen Kämpfe, an denen sie in
ihrer Jugend teilhatten. Dadurch wird eine Darstellung, die
auch sie aus dem Gesichtspunkt der allgemeinen Geistesbewegung behandelt, um so interessanter.

FEUERGEIZ-SAGA[1]

Man kennt die einsamen Landsitze des nördlichen Amerika, aus
denen Poe die traurigen Feenschlösser der Arnheim, der Landor
und der Usher erstehen ließ. Nun taucht von neuem und wie für
ewig ein solches Bauwerk in seiner Umfriedung von Tannen
mit dem Blick über Park und Waldung bis auf die fernen
blauenden Hügel auf. Und niemand, der als Leser da eintrat,
kann sagen, was er gesehen hat. Denn schwerlich gibt es Romane, die unerzählbarer bleiben, unerzählbarer von Anfang an
waren als die Werke von Julien Green. Keine mit andern Worten, vor denen nach einem »Schlüssel« oder »Erlebnis« zu fahnden oberflächlicher oder perverser wäre. Keine, die sich strenger
verschließen. Keine, die klassischer wären. Wo liegt dann aber
das lebendige Prinzip solcher Werke?
Dies hier ist nicht Ausgeburt von einem Erlebnis. Es ist vielmehr

1 Julien Green, Mont-Cinère. Roman. (Deutsch von Rosa Breuer-Lucka.) Wien, Leipzig: F. G. Speidel'sche Verlagsbuchhandlung (1928). 336 S.

erfahrbare Wirklichkeit an sich selber. Ein Wettersturz bricht über den Leser herein. Was hier vorgeht, ist ein meteorologischer Ausgleich zwischen dem Klima menschlicher Urgeschichte und dem unserer heutigen Zonen, der nicht anders als katastrophal sich vollziehen kann. Diesen Roman nacherzählen? Genau so gut könnte man einem zumuten, ein nächtliches Gewitter herzuerzählen.

Wenn die Blitze den Nachthimmel spalten, reißt eine Helle den Blick auf tausendstel Sekunden in fernste Fernen. So tun hier, eine nach der andern, fahl und flüchtig, die Lichtungen der Zeiten sich auf. Dies Haus »im allereinfachsten Stil amerikanischer Wohnbauten, truhenförmig, mit einem Säulenvorbau, der fast über die ganze Länge der Front sich hinzieht«, ist bald im Unwetter wie ein Nachthimmel transparent und eine Abflucht von Höhlen, Kammern und Galerien geworden, die sich in die Urzeit der Menschheit verlieren.

Wohnen – noch immer ist es also ein Hausen, ein Geschehen voller Angst und Magie, das vielleicht niemals verzehrender war, als unter der Decke des zivilisierten Daseins und der bürgerlich-christlichen Kleinwelt? Denn es glimmt und schwelt unter dieser Decke; kalte Flammen des Geizes lecken an den Wänden des frostigen Hauses. Wenn am Ende eine Feuersbrunst seine Fenster erleuchtet und aus dem Dachstuhl emporschlägt, ist es zum ersten Male erwärmt.

Die Urgeschichte des neunzehnten Jahrhunderts, deren Monumente seit den Surrealisten immer vernehmlicher zu uns sprechen, ist um ein unvergeßliches Zeugnis reicher. Wenn eines der tiefsten, legitimsten Motive der neuen Architektenschulen darin zu suchen ist, die magischen Gewalten zu liquidieren, denen wir in Zimmern und Mobiliar unfehlbar und ahnungslos unterstehen, wenn sie uns aus Bewohnern in Benutzer der Häuser, aus stolzen Besitzern in praktische Verächter verwandeln wollen, so ist das nur die Kehrseite von Erleuchtungen, wie sie dieses Werk inspiriert haben. Hier ist das Bett wirklich noch Thron, den die Träumenden beziehen oder die Sterbenden, das Feuer im Kamin wirklich noch ewige Herdflamme, wie die schreckliche Vestalin, die Heldin des Buches es nährt, die Nähkunst wirklich noch der Schicksalszauber, den selbst die letzte Magd mit den Parzen teilt. Und mit dem Umkreis der primitivsten Verrichtungen ist auch das Inventar des Hauses schon erschöpft, das Vokabular des Autors geschlossen. Die moralischen Begriffe des Katechismus, die Gegenstandswelt der Fibel – das sind die Runen, aus denen diese drei Frauen, die der Dichter in seinen Kreis lud, streng, achtlos, verträumt sich ihr Schicksal zusammenlesen.

Diese Sagenwelt liegt genau so tief unter der Erdoberfläche wie die Märchenwelt über ihr. Emily ist das Märchenkind – nur gespiegelt. Wie im Märchen, in all seiner Anmut das Sonntagskind hilflos und siegreich dasteht, so steht hier drohend, schrecklich, dennoch unterliegend, die Heldin dieser Geschichte. Gäbe es einen Werktag vor anderen, stünde das Grau aller Wochentage in Einem gesammelt, das wäre der Geburtstag der Heldin, wäre ihr Lebenstag. Ja, er ist es, denn das ist der Tag, der jahraus, jahrein über Mont-Cinère liegt. Dies Alltags-Werktags-Mühsalskind, das ungeläutert und auf verrufenen Wegen in wenigen Jahren das Greisenalter gewann und nichts von der schrecklichen Torheit der Frühzeit verlor, steht zwischen ihrer eigenen und deren Mutter, nach Natur und Alter dieser viel näher als jener. Jene – das ist die fromme, die arme, treusorgende Witwe der Märchen. Aber gespiegelt: so fromm wie herzlos; so treu und sorglich mit Leinen, Hausrat und Brennholz wie treulos und sorglos gegen Mutter und Kind; so arm und reich, wie nur ein Geizhals es sein kann. Diese – die Großmutter, die, wie wir aus Märchen es kennen, dem Kind an langen Winterabenden Geschichten erzählt; aber es sind Geschichten, wie der Verfolgungswahn sie der Irren zuraunt und denen das Kind sich nur darum preisgibt, weil der Kamin im Zimmer der Kranken der einzige ist, wo ein Feuer brennt. Und da ist Stevens, der Gärtnerbursche, der törichte Glücksprinz, der die Prinzessin erlöst. Nur gespiegelt: denn nun erst, nach der Hochzeit, beginnt die wahre Geschichte, und wenn sie nicht verbrannt sind, so brennen sie heute noch. Die Märchenwelt, wie sie im nachtschwarzen Wasser des Todes sich spiegelt. »Ach weh! Frau Mutter, wie weh!« sang der junge Brentano, als er den Blick in den gleichen Spiegel hineintat.

Emily sitzt im Schaukelstuhle, am Fenster. Sie sieht in die Landschaft hinaus. Sie betrachtet sie aufmerksam wie ein Bild. »Ihr Blick glitt unaufhörlich von einem Punkte zum andern. Man

fühlte: das war eine unter vielen kleinen Zerstreuungen, wie sie
ein Leben ohne große Beschäftigungen ausfüllten. Und eine, die
zur Regel geworden war.« Es ist ein Tag wie tausend andere.
Vielleicht aber doch nicht. Vielleicht ist es der geheimnisvolle
Tag, von dem ein großer zeitgenössischer Denker, Franz Rosenzweig, schreibt: »Das Selbst überfällt den Menschen eines Tages
wie ein gewappneter Mann und nimmt von allem Gut seines
Hauses Besitz.« Dies tief Verschlossene, in sich vertrotzte Selbst,
das Erbe sämtlicher Gestalten dieses Dichters, tritt hier als
stummer Hochmut des Besitzes in die Heldin ein. Und nicht so
bald erscheint es, ist dies Kind in seinem Prätendententrotz
erstarrt wie Ödipus in seiner Verblendung, Antigone in ihrer
Pflicht, Elektra in ihrer Rache. Es ist nicht zuletzt die außerordentliche Komposition, die diese Vergleiche heraufruft. Ein
Menschenschlag, ein sagenhaftes Geschlecht, das in der griechischen Tragödie die Verhaftung im Mythos zum erstenmal
durchbricht – nichts anderes als diese Durchbruchstelle ist die
Tragödie –, taucht hier mitten in der gespenstischen Helle und
Nüchternheit des vorigen Jahrhunderts in sein finsterstes, ge-
bundenstes, ausweglosestes Dasein von neuem unter. Daher
konnte das Außerordentliche eintreten: ein Roman die Notwendigkeit der antiken Tragödie erreichen, ja eine hoffnungs-
losere und strengere. Denn hier müssen die Tore fehlen, durch
welche der Chor sich eindrängt.
Doch ist es nicht im Grunde germanische viel eher als griechische
Antike, der Todestrotz germanischer Frauengestalten, der hier
im Geiz sich auf das unheilvollste mit jener scheelen, verküm-
merten Dingwelt verklammert? Der Trotz hat sich aufs Unna-
türlichste geworfen und den Besitz zum Charakter geschlagen.
So ist die Heldin von Mont-Cinère in früher Jugend schon von
Leidenschaft verholzt, durchwachsen. In allem ihrem Tun ein
einziges, atemraubendes Widerspiel zu dem reinen, sachlichen
Kinde, das in den Märchen handelt. Dem müssen alle Dinge
zum besten dienen. Es hat eine glückliche Hand. Wie anders
hier. Wie glänzend besteht dies Kind die Märchenprüfung von
den sechs Armenhemdchen, und dennoch wird die Fee, die
tapfere Methodistenschwester, die sich seiner annimmt, mit
ihrem Segen nur Not und Tod stiften. Denn der Geiz ist immer
in Todesnöten, ihm werden alle Dinge zum Strohhalm, an

welchen er in letzter Angst sich klammert. Dem Geiz kommt
überall der Boden der Kassette zum Vorschein. Die Welt ist ihm
fadenscheinig von Anfang an. Er ist immer Matthäi am letzten.
Giotto vergaß ihn unter den Allegorien der Laster in Padua.
Aber mit jeder ihrer Gebärden sind die Gestalten dieses Werkes
bereit, in den ewigen Zyklus seiner Fresken hineinzutreten.

*Johann Wolfgang von Goethe, Farbenlehre. Herausgegeben und
eingeleitet von Hans Wohlbold. Jena: Eugen Diederichs 1928.
559 S.*

Im vergangenen Winter hat der Berliner Bibliophilen-Abend
an seine Mitglieder als Festgabe eine Faksimile-Ausgabe der
Goetheschen »Beiträge zur Optik« verteilen lassen. Vielleicht ist
unter den Beschenkten manchem — wie dem unterfertigten
Zaungast — der Gedanke gekommen, ob man dies Werk nicht
gerade als das enfant terrible unter den Goetheschen Geistes-
kindern für so besonders geeignet gehalten hat, in eine ge-
schlossene Gesellschaft zitiert zu werden. Hieß es nicht, die
Freiheit dieser Tafelrunde auf das schmeichelhafteste sich zum
Bewußtsein bringen? Wer so vor sich hinspann, wird nun besonders erfreut sein, daß inzwischen ein Verleger und ein
Herausgeber sich recht öffentlich und ausdrücklich zu ihm bekannt und auch die Kosten und Bemühungen nicht gescheut
haben, es zwar weniger altfränkisch, aber adrett gekleidet und
vor allem mit seinem ganzen vielfarbigen Spielgerät unter die
Leute zu schicken.
So diffizil die Sache für jeden Laien, jeden Physiker, jeden
Goethe-Forscher sich anläßt, zeigt sich doch bald, daß sie sich
von mehreren Seiten mit Nutzen betrachten läßt. Und zwar
auch dann, wenn man die nächstliegende Frage: Newton oder
Goethe — wer hatte recht? vorerst aus dem Spiel läßt. Denn
erstens gibt es bekanntlich in der »Farbenlehre« mehrere Kapitel, die mit der mathematischen Physik nichts zu tun haben.
Unter ihnen hat man das letzte von der »Sinnlich-Sittlichen
Wirkung der Farbe« von jeher besonders gern gelten lassen. Es
führt in das unerschöpfliche Gebiet der Farbensymbolik, wo

man den Dichter und seine Leser mit tausend Freuden sich selbst
überließ. Mit diesem Brauche ist leider auch diesmal nicht gebrochen worden. Interessante Vergleiche, wie sie zum Beispiel
zwischen Goethes Farbendeutung und der außerordentlichen in
Kandinskys Werk »Über das Geistige in der Kunst« nahegele-
gen hätten, darf man hier nicht suchen. Desto wichtiger sind die
Hinweise, die der Herausgeber in einer anderen Richtung gegeben hat. So gewiß nämlich die Farbenlehre ihrem physikalischen Wahrheitsgehalte nach außerhalb des Goetheschen For-
schungszusammenhanges zuständig ist, so gewiß gehört sie nach
ihrem philosophischen Gehalt in dessen Zentrum. Und ganz
ausgezeichnet hat Wohlbold die »Farbenlehre« als ein Gegenstück zur »Metamorphose der Pflanze« darzustellen verstanden.
»So wie die Urpflanze als Idee sich in der Stoffwelt zur sinnlichen Pflanze zu gestalten sucht, will sich das Licht in der
Finsternis Ausdruck schaffen. Deshalb können wir hier wie
dort von einer Metamorphose sprechen.« Goethes Lehre »bildet
sich nicht ein, Farben aus dem Licht zu entwickeln; sie sucht uns
vielmehr zu überzeugen, daß die Farbe zugleich von dem Lichte
und von dem, was sich ihm entgegenstellt, hervorgebracht
werde«. Das ist der Kern der Sache. Das ist der Sinn des berühmten Wortes: »Die Farben sind die Taten und Leiden des
Lichtes.«
Es ist schade, sehr schade, daß es gerade der angelaufene Zerr-
spiegel von Rudolf Steiners Weltbild ist, in dem der Herausgeber diese Wahrheiten am adäquatesten erblickt haben will.
Das kümmerliche, fahrige Wesen, das durch die Erzeugnisse
dieser Schule geht, hat ihm denn auch eine wichtige Seite seines
wohlangelegten Manuskriptes ganz gehörig verwischt. Es gibt
nämlich in der hundertjährigen Debatte über die Goethesche
Optik eine bestimmte, entscheidende Frage, die nun nicht mehr,
nicht wieder dürfte verschleiert werden: Steht Goethes physikalische Farbenlehre zu der Newtons disparat – d. h. läßt sie
sich unter Umständen unabhängig von der Newtonschen halten? oder konträr – d. h. muß, wenn die eine wahr ist, die
andere falsch sein und umgekehrt? Und wenn wirklich Newton
keine Instanz gegen Goethe ist, und es richtig sein sollte, der
Physik stehe »ein Urteil über Goethes Farbenlehre gar nicht
zu«, und wenn sie »in dieser Frage nicht kompetent« ist, so

hätte die Exaktheit erfordert, zu betonen, daß Goethe selber, der von Newton, dem »Anführer der Kosaken« bekanntlich in den drastischsten Ausdrücken redet, sich über dieses Verhältnis durchaus nicht klar war. Eines aber dürfte doch feststehen: daß nämlich die Sache sich keineswegs so behandeln läßt, wie der Herausgeber es träumt. Er erklärt: »Schließlich kommt es nicht auf Berechnungen und äußere Beweise an. Es gibt ein Empfinden, einen Instinkt, könnte man fast sagen, für das, was ein rechter und ein falscher Weg ist. Beweise liegen, wie des Schicksals Sterne, in der eigenen Brust. Maßgebend ist letzten Endes der innere Gewinn. Wenn Naturbetrachtung einen Wert haben soll, so kann dieser doch schließlich nur in einer Erhöhung des Menschentums liegen, in einer Steigerung des Erlebens, einer inneren Gestaltung und Verwandlung.« Das ist nun in der Tat die Sprache eines »Hüters der Schwelle«. Bedenklich genug, daß es die des physikalischen Kabinetts im Goethe-Haus ist, zu dessen optischen Sammlungen der Herausgeber den Katalog verfaßte[1].

Die Auseinandersetzung der Goetheaner und der Physiker ist ein Jahrhundert lang ein Stellungskampf geblieben. Unleugbar ist der Verfasser in Goethes Positionen heimisch. Goethes Überzeugungen, daß die rein naturhafte, physisch-psychische Ausstattung des Menschen ihm diejenigen Bilder des Daseins liefert, die für ihn die wichtigsten sind, daß die Optik beim »Hindurchquälen der Spektra durch viele enge Spalten und Gläser« nichts zu gewinnen habe, sind die seinen. Aber in diese Voraussetzungen der Goetheschen Haltung hat schon Simmel tiefe Blicke getan. Man kann gewiß nur gewinnen, wenn man sich für die immanenten Zusammenhänge der Goetheschen Optik an beide hält, an Simmel und Wohlbold. Aber man wird dann auch nicht vergessen dürfen, was gerade über die wichtigste Frage, die Frage der Auseinandersetzung und der Entscheidung von einem der glänzendsten Interpreten der Farbenlehre, S. Friedländer, in seiner viel zu wenig bekannten »Schöpferischen Indifferenz« geschrieben wurde: »Die wahre Aufklärung wird hier nur durch einen mathematisch gebildeten Goetheaner geschehen können; und Goethesche Mathematik ist weniger ein hölzernes Eisen als vielmehr das hölzerne Pferd, mit dessen Hilfe Goethes Griechen

1 Er steht übrigens in keinem weiteren Verhältnis zum Goethe-National-Museum.

endlich das barbarische Troja der Optik erobern und die ihnen
geraubte Helena der Farbenschönheit wiedergewinnen werden.«

Neues von Blumen[1]

Kritisieren ist eine gesellige Kunst. Auf das Urteil des Rezensenten pfeift ein gesunder Leser. Aber was er im Tiefsten gou-
tiert, ist die schöne Unart, uneingeladen mitzuhalten, wenn der
andere liest. Das Buch auf solche Weise aufzuschlagen, so daß es
winkt wie ein gedeckter Tisch, an dem wir mit all unseren Einfällen, Fragen, Überzeugungen, Schrullen, Vorurteilen, Gedanken Platz nehmen, so daß die paar hundert Leser (sind es so
viele?) in dieser Gesellschaft verschwinden und gerade darum
sich's wohl sein lassen – das ist Kritik. Zumindest die einzige,
die dem Leser Appetit auf ein Buch macht.
Sind wir für diesmal einig, so soll auf den einhundertzwanzig
Tafeln dieses Buches für zahllose Betrachtungen und zahllose
Betrachter gedeckt sein. Ja, so viel Freunde wünschen wir diesem reichen und nur mit Worten kargenden Werke. Man wird
aber das Schweigen des Forschers ehren, der diese Bilder hier
vorlegt. Vielleicht gehört sein Wissen zu jener Art, die den
stumm macht, der es besitzt. Und hier ist wichtiger als das
Wissen das Können. Wer diese Sammlung von Pflanzenphotos
zustande brachte, kann mehr als Brot essen. Er hat in jener
großen Überprüfung des Wahrnehmungsinventars, die unser
Weltbild noch unabsehbar verändern wird, das Seine geleistet.
Er hat bewiesen, wie recht der Pionier des neuen Lichtbilds,
Moholy-Nagy hat, wenn er sagt: »Die Grenzen der Photographie sind nicht abzusehen. Hier ist alles noch so neu, daß
selbst das Suchen schon zu schöpferischen Resultaten führt. Die
Technik ist der selbstverständliche Wegbereiter dazu. Nicht der
Schrift- sondern der Photographieunkundige wird der Analpha-
bet der Zukunft sein.« Ob wir das Wachsen einer Pflanze mit

1 Karl Bloßfeldt, Urformen der Kunst. Photographische Pflanzenbilder. Herausgegeben mit einer Einleitung von Karl Nierendorf. Berlin: Ernst Wasmuth [1928]. XVIII,
120 S.

dem Zeitraffer beschleunigen oder ihre Gestalt in vierzigfacher
Vergrößerung zeigen – in beiden Fällen zischt an Stellen des
Daseins, von denen wir es am wenigsten dachten, ein Geysir
neuer Bilderwelten auf.

Diese Photographien erschließen im Pflanzendasein einen ganzen unvermuteten Schatz von Analogien und Formen. Nur die
Photographie vermag das. Denn es bedarf einer starken Vergrößerung, ehe diese Formen den Schleier, den unsere Trägheit
über sie geworfen hat, von sich abtun. Was ist von einem Betrachter zu sagen, dem sie schon in der Verhüllung ihre Signale
geben? Nichts kann die wahrhaft neue Sachlichkeit seines Vor-
gehens besser dartun, als der Vergleich mit jenem einstigen
unsachlichen und doch so genialen Verfahren, kraft dessen der
ebenso geschätzte wie unverstandene Grandville in seinen
»Fleurs animées« den ganzen Kosmos aus dem Pflanzenreiche
hervorgehen ließ. Er greift es vom entgegengesetzten Ende –
weiß Gott nicht zart – an. Er stempelt diesen reinen Naturkindern das Sträflingsbrandmal der Kreatur, das Menschen-
gesicht, mitten in die Blüte hinein. Dieser große Vorläufer der
Reklame beherrschte eines ihrer Grundprinzipien, den graphischen Sadismus, wie kaum ein anderer. Ist es nicht merkwürdig,
hier nun ein anderes Prinzip der Reklame, die Vergrößerung ins
Riesenhafte der Pflanzenwelt, sanft die Wunden heilen zu
sehen, die die Karikatur ihr schlug?

»Urformen der Kunst« – gewiß. Was kann das aber anderes
heißen als Urformen der Natur? Formen also, die niemals ein
bloßes Vorbild der Kunst, sondern von Beginn an als Urformen
in allem Geschaffenen am Werke waren. Im übrigen muß es
dem nüchternsten Betrachter zu denken geben, wie hier die Vergrößerung des Großen – z. B. der Pflanze oder ihrer Knospe
oder des Blattes – in so ganz andere Formenreiche hineinführt,
wie die des Kleinen, etwa der Pflanzenzelle im Mikroskop. Und
wenn wir uns sagen müssen, daß neue Maler wie Klee und mehr
noch Kandinski seit langem damit beschäftigt sind, mit den
Reichen uns anzufreunden, in die das Mikroskop uns barsch und
gewaltsam entführen möchte, so begegnen in diesen vergrößerten Pflanzen eher vegetabilische »Stilformen«. In dem Bischof-
stab, den ein Straußfarn darstellt, im Rittersporn und der Blüte
des Steinbrech, die auch an Kathedralen als Fensterrose ihrem

Namen Ehre macht, indem sie die Mauern durchstößt, spürt man ein gotisches parti-pris. Daneben freilich tauchen in Schachtelhalmen älteste Säulenformen, im zehnfach vergrößerten Kastanien- und Ahornsproß Totembäume auf, und der Sproß eines Eisenhufes entfaltet sich wie der Körper einer begnadeten Tänzerin. Aus jedem Kelche und jedem Blatte springen uns innere Bildnotwendigkeiten entgegen, die in allen Phasen und Stadien des Gezeugten als Metamorphosen das letzte Wort behalten. Das rührt an eine der tiefsten, unergründlichsten Formen des Schöpferischen, an die Variante, die immer vor andern die Form des Genius, der schöpferischen Kollektiva und der Natur war. Sie ist der fruchtbare, der dialektische Gegensatz zur Erfindung: das Natura non facit saltus der Alten. Das weibliche und vegetabilische Lebensprinzip selber möchte man mit einer kühnen Vermutung sie nennen dürfen. Die Variante ist das Nachgeben und das Beipflichten, das Schmiegsame und das, was kein Ende findet, das Schlaue und das Allgegenwärtige.
Wir Betrachtenden aber wandeln unter diesen Riesenpflanzen wie Liliputaner. Brüderlichen Riesengeistern, sonnenhaften Augen, wie Goethe und Herder sie hatten, ist es noch vorbehalten, alle Süße aus diesen Kelchen zu saugen.

»ADRIENNE MESURAT«[1]

Der hervorragende Pariser Romancier und Chronist Paul Léautaud hat einmal gesagt: »Die Bücher, die zählen, sind von Anfang bis zu Ende in gleichem Ton ohne Paradestücke und effektvolle Stellen geschrieben. Paradestücke und effektvolle Stellen sind ein Merkmal minderwertiger Bücher.« Die homogene Schlichtheit der Erzählung kann nicht weiter getrieben werden, als es der junge Julien Green in seinen beiden ersten Romanen getan hat. Nun wissen wir alle, daß nichts schwerer ist als solch schwellen- und nuancenloses Berichten. Und diese Schwierigkeit ist wahrhaftig keine stilistische. Man versteht Green sehr gut, wenn er sagt, daß ihm Stil etwas ist, was er

1 Julien Green, Adrienne Mesurat. Paris: Plon 1927. 355 S.

haßt. Stil ist in seinem Sinne ein Kunstgriff, dem Ärmlichen, Banalen der Erfahrung und des Gedankens einen Anflug von Originalität zu geben. Je weniger forciert, je schlichter und faßlicher dagegen ein Bericht ausfällt, desto dichter und außerordentlicher muß die Welt sein, aus der er stammt. Andernfalls wird er bei aller Sachlichkeit nur um so nichtiger wirken. Kurz: Schlichtheit, um zu bestehen, muß auf den Grund der Dinge vordringen. Ein oberflächlicher Naturalismus mag stilisiert zur Not wie etwas Lesbares aussehen. (Beispiele würden Seiten füllen, und nicht mit den schlechtesten Namen.) Aber ein Werk von der sprachlichen Nüchternheit der »Adrienne Mesurat« muß aus der metaphysischen Grundschicht des Wirklichen stammen, um Gehalt und Bedeutung zu haben.

Wirklich ist der Roman dem Naturalismus niemals ferner gewesen als in diesem Werk. Eben daher dessen innere Wahrheit, die in der Kunst der äußern immer widerspricht. Kunst heißt die Wirklichkeit gegen den Strich bürsten. Sie glätten und polieren ist Tapeziererarbeit. Wie eines aus dem andern in »logischer Folge sich abrollt«, wie die Menschen »so lebenswahr und so plastisch geschildert sind« – kleinbürgerliche Polsterkünste. Aber die *Kunst* ist hart. Sie will nicht »eins aus dem andern« entwickeln, sondern vieles aus wenigem. Sie läßt uns wie das Russische Theater Meyerholds in den Schnürboden der Leidenschaften hineinsehen und zeigt das simple, zackige Räderwerk: Einsamkeit, Furcht, Haß, Liebe, Trotz, das hinter jedem Geschehen steht. Und nicht als »psychologische Motive« bewegen diese Gewalten die Handelnden: sie schaffen sich in ihrem Schicksal Ausdruck.

Greens Abstand von dem üblichen Typus des Romanciers ist in der Kluft zwischen Vergegenwärtigung und Schilderung einbegriffen. Green schildert die Menschen nicht, er vergegenwärtigt sie in schicksalhaften Momenten. Das heißt: sie gebärden sich ganz so, wie wenn sie Erscheinungen wären. Adrienne Mesurat, die im Staubwischen innehält, um Familienporträts zu betrachten, der alte Mesurat, der sich den Bart streicht, Madame Legras, die mit Adriennes Kette das Weite sucht – so und nicht anders wären jede ihrer Gebärden, wenn sie als arme Seelen jenseits des Grabes diese Augenblicke von neuem durchleben müßten. Diesen Blick in die trostlose Stereotypie aller schicksal-

haften Momente hat Green nur mit Einem gemein. Es ist derselbe Blick, den Pirandello auf die sechs Personen wirft, die
ihren Autor suchen. Der gleiche Blick, nur aus dem unbewegli-
chen, leidenschaftslosen Auge des nordischen Menschen. Aus
einem Malerauge dazu. Dieser gebürtige Amerikaner war bis
zu seinem dreiundzwanzigsten Jahre Maler. Dann schrieb er in
fünf Monaten seinen ersten Roman »Mont-Cinère«. Probe-
weise, wie er sich ausdrückt und beinah mit der Gewißheit, auf
völlige Interesselosigkeit zu stoßen.

»Meine Neigung geht dahin, mir auszusinnen, was mir am
fernsten liegt. Was nicht ausgedacht ist, ist wertlos für mich.
Und ich wäre nicht fähig, den mindesten Straßenunfall, den ich
als Augenzeuge erlebte, wiederzugeben.« Das stimmt durchaus
zu dem seltsamen Eindruck, der allen Werken des Dichters
eignet. Trotz ihrer präzisen Details, ihrer drastischen Katastrophe geben sie denn doch das Gefühl, es könne, ja vielleicht
es müsse einer sie geschrieben haben, der fast nichts, geschweige
denn solches erlebte. Und schlimm genug, wenn es paradox
klingt: aber nur die lautersten, gewaltigsten Werke können
solchen Eindruck im Leser wecken. (Oder sehen vielleicht »Don
Quichote«, »Krieg und Frieden« im entferntesten Sinne erlebt
aus?) Aber das Befremdliche geht, in gleicher Richtung, noch
weiter. Wie dieses Werk – »Adrienne Mesurat« – nicht Erlebnissen sondern einer Vision entstieg, so ist es auch nicht zeitgemäß im Sinne der Heutigen, vielmehr ein unscheinbares und
freilich um so wesentlicheres Beweisstück in einem historischen
Prozeßverfahren, das noch gar nicht eröffnet wurde. »Adrienne
Mesurat« gehört gleich Stendhals Romanen einer Gattung von
Werken an, deren Aktualität im Zeitpunkt ihres Erscheinens
latent ist, so daß kaum einer sich ihrer versieht, und erst im
Licht des Nachruhms erkennbar wird, wodurch sie das Innerste
ihrer Epoche bekunden. Alles an dieser Erzählung von den
primitiven Kräften im Menschen bis zu den nicht minder ursprünglichen seiner Umwelt scheint derart zeitlos, daß wir uns
kaum vorzustellen vermögen, man werde später auf den ersten
Blick erkennen, sie sei heute geschrieben. Es sei denn – um zum
Schluß das Grundmotiv wenigstens anzuschlagen –, wir gestehen uns ein, daß die Vision der Liebe, die es beherrscht, in der
Tat nur heute aufsteigen konnte: eine Gestalt zwischen Scheuer-

weib und Erinnye, wie sie den feuchten Lappen, den Menschen-
leib, solange in ihren gewaltigen Händen wringt, bis der letzte
Tropfen Leben aus ihm herausfloß.

1929

RÜCKBLICK AUF CHAPLIN

Der »Zirkus« ist das erste Alterswerk der Filmkunst. Charlie ist älter geworden seit seinem letzten Film. Aber er spielt sich auch so. Und das Ergreifendste an diesem neuen Film ist, zu fühlen, daß Chaplin den Kreis seiner Wirkungsmöglichkeiten nun überblickt, entschlossen ist, mit ihnen und nur mit ihnen seine Sache zu Ende zu führen. Überall geht die Variante seiner größten Motive in voller Herrlichkeit auf. Die Verfolgung ist in einen Irrgarten verlegt, das unerwartete Auftauchen muß einen Zauberer verblüffen, die Maske des Unbeteiligtseins macht ihn zur Marionette in einer Jahrmarktsbude ...

Die Lehre und die Mahnung, die aus diesem großen Werke herausblicken, haben Philippe Soupault den Anstoß zu einem ersten Versuche gegeben, das Bild von Chaplin als historische Erscheinung zu beschwören. Die ausgezeichnete Pariser Revue »Europe« (Rieder, Paris), auf die wir demnächst ausführlicher hinweisen werden, brachte im Novemberheft einen Essay des Dichters, der eine Reihe von Gedanken entwickelt, um die ein endgültiges Bild des großen Künstlers sich eines Tages wird kristallisieren können[1].

Da ist zunächst einmal mit allem Nachdruck gesagt, daß Chaplins Verhältnis zum Film im Grunde ganz und gar nicht das des Akteurs, geschweige des Stars ist. In Soupaults Sinne dürfte man geradezu sagen: Chaplin ist, in seiner Totalität gesehen, so wenig Akteur wie der Schauspieler William Shakespeare. Soupault sagt es und sagt es mit Recht: »Die unbestreitbare Überlegenheit von Chaplins Filmen ... beruht darauf, daß in ihnen eine Poesie waltet, auf die jeder im Leben stößt, ohne es freilich immer zu wissen.« Natürlich heißt das nicht, Chaplin sei »Dichter« seiner Film*manuskripte*. Er ist eben Dichter von seinen Filmen, d. h. Regisseur. Soupault hat gesehen, daß Chaplin zuerst (die Russen sind ihm darin gefolgt) den Film auf Thema,

1 Philippe Soupault, Charlie Chaplin. In: Europe. Revue mensuelle, Bd. 18, Paris 1928, S. 379–402.

Variation, kurz auf Komposition, gestellt hat, und daß das
Alles zum herkömmlichen Begriff von spannender Handlung in
völligem Gegensatz steht. Soupault hat darum auch so entschieden wie bisher wohl noch niemand, den Gipfel von Chaplins Produktion in »L'opinion publique« erkannt. Jenem Film,
in dem er selbst bekanntlich gar nicht auftritt und der in
Deutschland unter dem törichten Titel »Die Nächte einer schönen Frau« lief. (Die »Kamera« sollte ihn jedes halbe Jahr
wiederholen. Er ist eine Stiftungsurkunde der Filmkunst.)
Wenn wir erfahren, daß für dieses Werk von 3000 m 125 000 m
gedreht wurden, so gibt das einen Begriff von der gewaltigen
hingebenden Arbeit, die in Chaplins Hauptwerken steckt. Es
gibt aber auch einen Begriff von den Kapitalien, die dieser
Mann mindestens so nötig wie ein Nansen oder Amundsen
braucht, um seine Entdeckungsfahrten nach den Polen der Filmkunst auszurüsten. Man muß Soupaults Besorgnisse teilen, daß
die gefährlichen finanziellen Ansprüche von Chaplins zweiter
Frau im Verein mit dem Konkurrenzkampf, den die amerikanischen Trusts gegen ihn führen, die Produktion des Mannes
lahmlegen. Chaplin soll einen Napoleon- und einen Christus-
Film planen. Müssen wir nicht befürchten, solche Projekte seien
riesige Paravents, hinter denen der große Künstler seine Müdigkeit birgt?
Es ist gut und nützlich, daß im Augenblick, da das Alter sich
zum erstenmal in Chaplins Zügen abzeichnet, Soupault an die
Jugend und den territorialen Ursprung seiner Kunst erinnert.
Natürlich ist dieses Territorium die Großstadt, London. »Auf
seinen endlosen Gängen durch die Londoner Straßen mit ihren
schwarzen und roten Häusern lernte Chaplin beobachten. Er
selbst hat erzählt, daß der Gedanke, den Typ des Mannes mit
der Melone, den Hackschrittchen, dem kleinen kurzgeschnitte-
nen Schnurrbart und dem Bambusstäbchen in die Welt zu
setzen, ihm zum erstenmal beim Anblick der kleinen Angestellten vom *Strand* kam. Ihm sprach aus dieser Haltung und Klei-
dung die Gesinnung des Mannes, der etwas auf sich hält. Aber
auch die andern Typen, die ihn in seinen Filmen umgeben,
stammen aus London: das junge, schüchterne, gewinnende Mädchen, der vierschrötige Flegel, der immer drauf und dran ist,
mit den Fäusten um sich zu schlagen, und wenn er sieht, daß

man vor ihm nicht Angst hat, Reißaus zu nehmen, der anmaßende Gentleman, den man am Zylinder erkennt.« An dieses Selbstzeugnis schließt Soupault eine Parallele zwischen Chaplin und Dickens an, die man nachlesen und weiterverfolgen mag. Chaplin bestätigt mit seiner Kunst die alte Erkenntnis, daß nur eine sozial, national und territorial aufs strengste bedingte Ausdruckswelt die große unabgesetzte und doch höchst differenzierte Resonanz von Volk zu Volk findet. In Rußland weinten die Leute, als sie den Pélerin sahen, in Deutschland interessiert die theoretische Seite seiner Komödien, in England liebt man seinen Humor. Kein Wunder, daß diese Unterschiede Chaplin selbst verwundern und faszinieren. Mit nichts gibt ja der Film so unverwechselbar zu erkennen, welche gewaltige Bedeutung er haben wird, als daß niemand auf die Idee kam oder kommen könnte, dem Publikum eine höhere Instanz überzuordnen. Chaplin hat sich in seinen Filmen an den zugleich internationalsten und revolutionärsten Affekt der Massen gewandt, das Gelächter. »Allerdings«, sagt Soupault, »Chaplin bringt nur zum Lachen. Aber abgesehen davon, daß das das Schwerste ist, was es gibt, ist es auch im sozialen Sinne das Wichtigste.«

RUSSISCHE ROMANE

F. Panferow, Die Genossenschaft der Habenichtse. Roman. (Aus dem Russischen übertr. von Edith Hajós.) Berlin: Verlag für Literatur und Politik [1928]. 436 S.

Im Zivilisationsprozeß der letzten hundert Jahre ist es dem Dorf seltsam ergangen. Zunächst – und fast bis in die jüngste Zeit – ist die Kluft zwischen Stadt und Land immer weiter geworden. Der Fortschritt der Zivilisation beruhte zum größten Teil auf Bedingungen, die im Dorf nicht zu schaffen waren. Plötzlich, im Laufe weniger Jahrzehnte, ist hier alles anders geworden. Kam es ehemals nicht in Frage, Gasanstalten für Dörfer zu bauen, so versorgen Überlandzentralen das kleinste Dorf so gut wie die Großstadt mit elektrischem Licht. Kein noch so mittelmäßiges Orchester konnte an Gastspielreisen in

Dörfer denken – im Radio spielen große Dirigenten für jedes
Wirtshaus. Früher war, wenn es hoch kam, ab und zu die Vorstellung einer Schmiere zu sehen – im Kino sieht der Bauer so
gut wie der Snob die Stars. Wenn auch dies alles nur schematisch
zutrifft und sehr verschieden sich bewerten ließe – die Tatsache
selbst ist unbedingt festzuhalten. Denn sie ist im Begriff, aus
dem sozialökonomischen Wesen »Dorf« etwas völlig Neues zu
machen.

Natürlich muß diese Entwicklung am grellsten zutage treten, wo
es im Dorfe am finstersten war. In Rußland also. Mit ihr hat
Panferows Buch es zu tun. Es belauscht sie, mit unerhörter
Diskretion, als einen biologischen Prozeß. Es hält sich engstens
an die Wirklichkeit, meidet die Utopie, auch die bescheidenste.
Von Elektrifizierung des Dorfes, Industrialisierung der Landwirtschaft und wie die Schlagworte des Parteiprogramms heißen,
hören wir also nichts. Desto wichtiger ist der Traktor – der
eine, erste, den die Genossenschaft der Habenichtse, der armen
Bauern, sich von der Kreisbehörde auf Kredit beschafft, um ihn
auf einem harten, wüsten Landstück anzusetzen, das sie kollektiv in Besitz nimmt. Unsägliche Schwierigkeiten. Viele fallen ab.
Sabotage. Im Verborgenen operieren die reichen Bauern, die
natürlichen Feinde der Sowjets. Die Revolution nahm ihnen,
was sie erspart hatten und die alte Vormacht im Dorf und das
Recht, sie von neuem sich zu erobern. Das Recht, aber nicht
immer die Kraft. Die Zähigkeit ihres Widerstandes, die Geschicklichkeit ihrer Manöver, die Meisterschaft ihrer primitiven
Diplomatie, ihre Skrupellosigkeit, ihre Dummheit, die sie im
entscheidenden Augenblick um den Erfolg bringt, kommen mit
unendlichem Variantenreichtum zum Vorschein. Gerade er macht
das kunstvolle Leben des Buches. In der ganzen Erzählung stößt
man nur ein einziges Mal auf den politischen terminus technicus
für den Feind, den reichen Bauern: Kulak. So weit ist man hier
von Schablonen entfernt. Aber den lebenswarmen, schwierigen,
nächtlichen Nahraum des Dorfes, das Dorf, das wohl im Allgemeinen, nicht aber im Einzelnen, sondern dann erst wieder im
Unscheinbarsten, in der Nuance genau so ist, wie der Leninismus
es konstruiert: das dargestellt zu haben, ist Panferow rund und
erfrischend gelungen. Anders also, als die Plakate es haben
wollen, wo »auf der einen Seite der Feind der Revolution, der

Kulak, auf der anderen Seite der Verteidiger der Revolution,
der Kleinbauer« zu sehen ist, »während der Mittelbauer abseits
steht und unentschlossen auf der Lippe kaut«.

Panferow ist selbst aus dem Bauernstande hervorgegangen;
daher diese leisen Sarkasmen auf jeden bürokratischen Aspekt
vom Dorfe. Aber hier spricht nicht nur ein großer Kenner, sondern ein Verdichter und Durchdringer. Wie die Bauern, so gehen
auch ihre Tage lautlos, auf Fußwickeln, durch das Dorf, Schauplatz und Jahreszeiten wechseln unaufdringlich und zart, aber
hart und genau ist, was sie bringen. Schweiß, Kampf, Liebe und
Tod. Hart und genau ist auch das Buch entstanden, in Stunden,
die nach der Arbeit in der Redaktion der »Krestanskaja Gazie-
ta«, der Arbeiterzeitung, dem Dichter blieben. Und ihrer waren
nicht wenige. Denn Panferow war wohnungslos, als er dies Buch
schrieb, nächtigte im Bureau. Das Erscheinen dieses Werkes hat
seine Lage verändert. Es war ein großer Erfolg. 30 000 Exemplare waren in drei Wochen abgesetzt. Das Sowkino erwarb
die Filmrechte. Offizielle Weihen kamen dazu. Lunartscharski
begrüßte das Buch in der »Prawda«; Rußland stellt diesen Auf-
bauroman der Landwirtschaft neben Gladkows ähnlich gerichteten Industrieroman »Zement«.

Den deutschen Rezensenten aber muß unmittelbarer ein Anderes
betreffen: Wie ist dies mit Geruch und Klima der Wolga-Niede-
rung gesättigte Werk doch gastlich, frei, nach allen Seiten offen,
kurz ganz das Gegenteil der süffisanten, kleinbürgerlichen Enge,
die hierzulande »Heimatkunst« genannt wird. Die Erwartun-
gen, Erfahrungen, Hoffnungen, Parolen der Sowjetpolitik sind
freilich unter diesen Bauern erst im Entglimmen. Im Buche aber
sind sie strahlend da und dringen in das Dorf wie riesenhafte
Scheinwerfer ein, die dem Raum mit ihren einander überschnei-
denden Kegeln ein ungeahntes neues Gesicht geben.

*Tarassow-Rodionow, Februar. Roman. Übersetzung aus dem Russi-
schen von Olga Halpern. Potsdam: Gustav Kiepenheuer Verlag 1928.
588 S.*

Rodionow Tarassow ist bisher im Deutschen nur mit der ausge-
zeichneten, viel zu wenig bekannten Novelle »Schokolade«
erschienen, einem eindringlichen Porträt des Kriegs-Kommunis-

mus. Auch das neue Werk kommt aus dem Stoffkreis der Revo-
lution. »Februar« ist der erste Teil einer Trilogie »Schwere
Schritte«. Sie wird mit den beiden folgenden Bänden »Juni«
und »Oktober« die ganze Geschichte der Revolution in der
Form der Roman-Chronik umfassen. Der vorliegende Band
führt bis zum Sturz der Kerenski-Regierung. Tarassow bemüht
sich, den Vorgang dokumentarisch, unter Beibehaltung aller
Daten und Namen aufzuzeichnen. Er hat aber nicht nur die
Archive studiert, sondern als Rot-Armist selber mitten in den
Befreiungskämpfen gestanden. Das gibt der Darstellung jene
scharfe, emotionelle Bewegung, die schon im Vorwort sich ankündigt. Dort macht zu Beginn des großen Unternehmens der
Verfasser den Einwurf: Ist es nicht noch zu früh, eine über-
schauende, zusammenfassende Darstellung jener Vorgänge anzu-
streben? Und er erwidert sich selbst: »Wie kann es aber zu früh
sein, wenn der Uhrzeiger, der schon Milliarden Sekunden durch-
lief, ein immer dichteres Netz der Vergessenheit spinnt, in dem
die grellen Bilder jener nicht wiederkehrenden Tage immer
tiefer und tiefer versinken.« Der vorliegende Band läßt die
nachfolgenden mit Spannung erwarten. Wir werden nach ihrem
Erscheinen auf das Ganze zurückkommen.

ZWEI BÜCHER ÜBER LYRIK

*Franz Heyden, Deutsche Lyrik. Nachschaffende Betrachtungen lyri-
scher Gedichte. Hamburg, Berlin, Leipzig: Hanseatische Verlagsanstalt (1929). 236 S.*

Die Situation: »So singt es und klingt es, die Sinne in bestrik-
kendem Wohllaut umschmeichelnd, schier endlos.« Heyden:
Deutsche Lyrik, S. 99.
Es gibt Situationen, da kann einer gar nichts klügeres tun, als
sich dumm stellen. Es sind nicht die Ungefährlichsten, die diese
Taktik verlangen. Und wir rechnen die Situation, in die diese
»Nachschaffenden Betrachtungen lyrischer Gedichte« den Leser
versetzen, nicht zu den harmlosen.
Der Verfasser nimmt keinen Anstand, zum Genuß lyrischer

Dichtungen einzuladen. Andere an dem »im Genuß« Empfundenen teilnehmen zu lassen, das ist eingestandenermaßen die Absicht. Bleiben wir beim Genuß. Auf dem Tisch steht eine Schokoladentorte. Bestimmt wird die gute Hausfrau zum Genusse derselben einladen. Aber wird sie in der »nachschaffenden Betrachtung« der Torte Mittel zu dessen Steigerung oder gar dessen Wesen sehen? Bestimmt nicht. Sie wird sogar diese nachschaffende Betrachtung eher zu vermeiden suchen. Und es ist gar nicht erfindlich, warum wir ihren guten Tischsitten nicht an geisterhafteren Tafeln Respekt verschaffen.

Bleiben wir begriffsstutzig. Stutzen wir bei dem Begriffe: Genuß. Der ist doch nur die erste Etappe, das Vorspiel der Einverleibung. Mit der Einverleibung, die dem Genuß folgt, setzt das Hauptstück des Vorgangs erst ein. Was hielten wir von einer Physiologie der Ernährung, die es nur mit den Freuden des Geschmackssinns zu tun hat? Nichts. Genau so viel von dem Buch, das hier vorliegt. Denn gerade für das lyrische Gedicht wie für sonst nichts im Schrifttum gilt: nur wo es einem ganz zu Fleisch und Blut geworden ist, beginnt es sein Werk. Der Schauplatz aber alles Förderlichen, Nahrhaften, Nutzbaren, das der Lyrik einwohnt, heißt Gedächtnis und ist in diesem Buche nirgends betreten. »Werde auswendig«, das ist das Geheiß, mit dem jede lyrische Dichtung ins Leben tritt. Schauplatz seiner Erfüllung ist das Gedächtnis.

»Nicht die Stärke, sondern die Dauer des großen Gefühls macht den großen Menschen« schreibt Nietzsche. Nun – das Gedicht ist die besondere Speise, die Stärke des Gefühls in organische Dauer umzusetzen bestimmt ist, die Gefühle überwältigt und einverleibt. Das ist sein einzig echter, einzig erheblicher »pädagogischer« Sinn. Und in nichts dem reformpädagogischen Vorwitz verwandt, der hier ein witterndes Näschen vorwagt.

Wie ein Gedicht nach jahrelangem Wissen Gewohnheit wird, das bestimmt sein Ethos. Nämlich griechisch: Ethos = Gewohnheit. Dann hat ein herbes Werk der Zersetzung es in solchem Grade verwandelt und so sehr jenseits von alledem was einst an ihm »genußreich« war gestellt, daß nun von ihm zu reden möglich wird. »Auswendig« heben wir das Gedicht aus den Angeln. Wie geringer ist es geworden und nur weniges an ihm fühlbar.

Es ist die Klosterzelle, das Gedächtnis, in dem die Sätze, Verse, Worte wie Trappisten stumm in die Särge ihrer Buchstäblichkeit sich zur Ruhe legen. Von diesem rechten, sprengenden, ja in Stücke sprengendem Sterben des Werkes hätte der Verfasser wohl etwas erkennen können, wenn er in der neuen, nachgeorgischen Lyrik sich umgetan, Brecht und Ringelnatz auf seinem Schreibtisch gefunden und so die Todeskrisis einer ganzen Gattung von Lyrik sich für ihn erschlossen hätte. Des Liedes nämlich. Denn das Lied, das noch in seinem hohlsten Nachklang (Falke, Brandes) dem Verfasser das A und O der Lyrik bedeutet, ist doch selbst in seinen erhabensten Lauten diesem rechtzeitig-zeitweiligen Verstummen gerade jetzt ausgeliefert. Seine Betrachtung kann nur so trostlose Begriffe wie den der »uneigentlichen Sprache«, des »seelischen Fluidums«, des »lyrischen Hauches« zutage fördern. Für den »Deutschunterricht« sind sie kein »Fortschritt«, für den Schüler eine Qual, für den Denkenden Unfug.

Alexander Mette, Über Beziehungen zwischen Spracheigentümlichkeiten Schizophrener und dichterischer Produktion. Dessau, Dresden: Dion-Verlag 1928. 99 S.

»Die Hölderlinkrankheit des angehenden zwanzigsten Jahrhunderts ist wie die Ossiankrankheit des endenden achtzehnten dafür reif, ... von nobleren Leserklassen abgeschüttelt zu werden« schrieb unlängst Rudolf Borchardt in der Anmerkung zu seinem Aufsatz »Hölderlin und endlich ein Ende«. Man kann sich fragen, ob dies strenge und nicht restlos gerechte Urteil bei Gelegenheit einer Schrift zu erinnern ist, die im einzelnen sehr gewinnende Züge hat. Auch ist Hölderlins Krankheitsproduktion – so könnte man einwenden – für sie nicht Gegenstand, sondern nur Beispiel. Zugegeben. Aber was ist dem Autor Gegenstand? Worum geht es ihm? Das »Fazit« seiner Untersuchung liegt ganz und gar im Rahmen jener populären »Genie- und-Irrsinn«-Schablone, die bei wechselndem wissenschaftlichen Anstrich seit Lombroso dieselbe geblieben ist. Das Mißverhältnis zwischen der Großartigkeit des Materials auf der einen, dem gedanklichen Ertrag auf der anderen Seite fällt hier um so viel deutlicher der Fragestellung zur Last, als die Sorgfalt

der Untersuchung gewachsen ist. Der Leser wird Bewunderung
für die Konzentration und die Erfahrung fühlen, die dem Verfasser die Deutung von schwierigen Krankentexten erlaubt
und das hohe Maß von Menschlichkeit, das aus ihr spricht,
jedem Psychiater wünschen. Nichtsdestoweniger wird er gut
tun, dem, was hier getrieben wird, fernzubleiben. Denn die
Intentionen des Autors sind bei weitem nicht tief und umfassend genug, um das Operieren mit so gefährlichen Sprach-
gemengen zu rechtfertigen. Weder die Schizophrenie noch die
Lyrik sind hier neu, ja überhaupt nur gedacht worden. Darum
hat dies Spiel mit Symptomen, dies Kombinieren schizophrener
und lyrischer Texte etwas Desperates. Dem Verfasser fehlte die
Entschlossenheit, seine scharfen und glücklichen Analysen für
eine Theorie der Krankheit zu verwerten, ja ihr zugrunde zu
legen, statt sie in einer Psychologie des lyrischen Dichters zu
strapazieren. Er hätte dann weder bei den unfruchtbaren De-
markationsversuchen zwischen schizophrener und dichterischer
Produktion sich aufgehalten, noch, statisch und typologisch, den
Wahnsinnigen mit dem Gesunden verglichen. Vielmehr hätte er
die Schizophrenie, dialektisch und kollektivistisch, als Bewegung
im Medium der Sprache, und damit als eine Erscheinung erkannt, die nur in ihrem lebendigen Gegensatz zur Sprachgemeinschaft verständlich ist. Die Urzeit – im Bilde zu reden:
die Tiefsee – der Sprache, das ist das Medium, in das sie beide,
der Dichter und der Kranke, herabtauchen. Der Lyriker tut es
in der Taucherglocke der Kunstform, verantwortlich und auf
Zeit, der Kranke nackt und bloß, so daß er bei den Schätzen
da unten, die er zu heben nicht imstande ist, verbleibt. Hat man
dergestalt den Raum der Individualität mit ihrem trügerischen
Kunstbegriff verlassen, so klären sich die Dinge von selber.
Denn auch hier tritt das wahrhaft Aktuelle uns am Ende einer
historischen Perspektive entgegen. Dagegen ist es beim Verfasser zu kurz gegriffen. Sein apologetisches Interesse für die
Lyrik des Expressionismus ist dafür der beste Beweis. Denn
nicht darum versagt der Schizophrene in seinem expressionistischen Bedürfnis nach »Wesenserfassung, unmittelbarer Wiedergabe des Gefühlten...«, weil zu seiner Objektivierung ein
geistiger Fond und ein sprachliches und logisches Leistungs-
vermögen nötig wäre, die nur dem genialen Dichter und Philo-

sophen zur Verfügung stehen«, sondern weil diese Objektivierung kollektiv von der Sprache selber bereits geleistet und der
Kranke bemüht ist, in einem Sprachprozeß Berufung einzulegen, der in der letzten Instanz vor Jahrhunderten ist entschieden worden.

*Arthur Holitscher, Es geschah in Moskau. Roman. Berlin: S.
Fischer Verlag 1929. 272 S.*

Ein historischer Roman aus der Zeit der *Nep* – der »neuen
ökonomischen Politik«. So müßten wir sagen, wenn wir uns an
Holitschers Untertitel »Ein Roman« halten. Aber ist es überhaupt einer? Dichtung und Wahrheit geben einen solchen ja nur
in einem ganz bestimmten stofflichen Mischungsverhältnis, bei
einer ganz bestimmten geistigen Temperatur, in einer ganz
bestimmten technischen Versuchsanordnung. Hier durchdringen sich beide Elemente nur unvollständig. Immer wieder treten
der Held dieser Seiten – das Moskau des Jahres 1924 – und
der erlebte dokumentarische Bestand auseinander. Holitscher
hat diesen letzten schon früher in einer Anzahl instruktiver und
einflußreicher Berichte entwickelt. Hier aber kommt ein Neues
dazu. Die kompositorische Ironie der Erzählung erlaubt ihm,
dem Auge des Lesers den Nebel sichtbar zu machen, in dem die
großen politischen Revirements vom Kreml heruntersteigen, die
Atmosphäre der Unsicherheit und des Mißtrauens zu zeigen, die
sie verbreiten, und den ungeheuren Heroismus greifbar zu
machen, der in jenen Tagen der Prüfung für viele überzeugte
Parteiarbeiter Loyalität und Disziplin (Dinge, die nur im Westen so simpel scheinen) gewährleisten mußte. In dieser Darstellung der Nep ihrer internen atmosphärischen Auswirkung
nach liegen die besten Seiten dieses politischen Romans, des
ersten einer Romantrilogie, »die in drei Weltstädten spielt und
die Zeitspanne zwischen dem letzten und dem nächsten Weltkrieg umfaßt«. Hoffen wir, sie wird noch zur Zeit fertig!

Robert Faesi, Die Ernte schweizerischer Lyrik. Deutsche, fran-
zösische, italienische, rätoromanische und lateinische Gedichte
und Volks-Lieder. Zürich: Rascher u. Cie. 1928. 352 S.

Es gibt drei Arten von Anthologien. Die ersten sind Dokumente
der hohen Literatur, machen jedenfalls darauf Anspruch: Auswahlsammlungen, die von einem mehr oder minder berufenen
Literaten nach Grundsätzen gemacht sind, die, eingestandenermaßen oder nicht, einen normativen Charakter haben. Solche
Sammlungen können großes Interesse besitzen. Man braucht nur
den Namen Rudolf Borchardt zu nennen, um anzudeuten, in
welchem Grade sie eigentliche literarische Dokumente darstellen
können und als solche der Kritik ausgesetzt sind. Dies ist die
zweite und seltenere Gattung viel weniger. Sie setzt sich rein
informatorische Ziele. Ihr Herausgeber tritt als Person zurück,
die Auswahl, die er gibt, ist gewissermaßen die technische der
Raffung und Verkürzung in der Vogelperspektive. Die häufigste, aber unerfreulichste Gattung ist die dritte: ein undeutliches
Ineinander eklektischer und informatorischer Gesichtspunkte
sucht das müßige Spiel eines Unberufenen für das Publikum
interessant zu machen. Die vorliegende Sammlung ist ein reines,
geglücktes Exemplar der zweiten Gattung, die für die schweizerische Dichtung schon wegen der Mannigfaltigkeit der Sprachen
und Dialekte an erster Stelle erfordert scheint. Und naturgemäß
kommt gerade die Lyrik dem anthologischen Prinzip besonders
entgegen. Die Frage aber, die hier – gerade weil der Herausgeber mit Kenntnis und Umsicht seines Amtes gewaltet hat –
sich einstellen könnte, ist: auch der schweizerischen Eigenart?
Vielleicht geht Faesi eines Tages an eine Anthologie schweizerischer Prosa. Dann wird sich zeigen, daß auch die Namen aller
großen Schweizer Lyriker in ihr vertreten wären, während auf
diesen Blättern Gotthelfs Name notwendig fehlen mußte.

Nicolas von Arseniew, Die russische Literatur der Neuzeit und
Gegenwart in ihren geistigen Zusammenhängen in Einzeldar-
stellungen. Mainz: Dioskuren-Verlag 1929. (Welt und Geist;
Die Literaturen der Gegenwart.) 410 S.

Dies ganz hervorragend schlechte Buch wirft eine Reihe unlösbarer Fragen auf. Wie hat es einen Verlag gefunden? Denn wer
wird dieses Sammelsurium erzbanaler Redensarten kaufen? Wie
hat es einen Herausgeber gefunden? Denn wer konnte es verantworten, diese dilettantische Schöngeisterei mit seinem Namen zu
decken? Wie hat es einen Setzer und Korrektor gefunden, der
die zahllosen Solözismen ihm durchgehen ließ? Ja, wie hat es
einen Autor gefunden, da doch selbst Einer, der von seinem
Gegenstand keinen Dunst hat, fähig sein sollte, zwischen zwei
Schreibarten eines Namens (Jesenin S. 308; Esenin S. 311) sich
zu entscheiden. Genug. Und nun einige Proben:
Die Syntax: »Seine krankhafte, wildererregte Einbildungskraft
(der krankhaft erregte Zug noch gestärkt durch vieles Trinken)
gebar schemenartige phantastische Visionen – es ist aber eine
vernünftelnde Phantasie, kein freier poetischer Flug, eine künstlich erregte Phantasie – es mangelt seinen Gestalten sogar am
phantastischen Leben (ganz anders ist es bei Hoffmann!), sie
sind abstrakt konstruierte Marionettengestalten. Wo er diese
unreife, pseudo-philosophische, wahrer Bildung ermangelnde (L.
Andreev war recht oberflächlich gebildet, obwohl er das Gymnasium und die juristische Fakultät beendigt hatte), aber auch
natürlicher kräftiger Ursprünglichkeit ermangelnde, krankhaft
überwuchernde Einbildungskraft in Zügeln hält, können sich
seine Augen für die Wirklichkeit öffnen.« (S. 187.)
Das Vokabular: »Die Erzählung ›Das Kind‹ zeigt das Ruchlose
dieser bolschewistischen revolutionären Psychologie, wie sie im
niederen Volk bei primitiv-einfachen Menschen zum Ausdruck
gelangt.« (S. 314.) Gemeint ist natürlich Psyche, vgl. S. 334.
Die Mentalität: »Dieselbe abgeschmackte, aber dabei speziell
sentimental-sadistische Art, die nach dem blutigen Greuel des
Bürgerkrieges riecht, verbunden mit dem schöngeistigen Bolschewismus einiger Moskauer kommunistischen literarischen (!) ›Salons‹ finden wir bei dem russisch-jüdischen Literaten Babel.«
(S. 330.)

Das Niveau: »In der russischen Literatur und im russischen Geistesleben wird er [sc. Gorki] besonders als der Vorbote der bolschewistischen Revolution ... leben, eine nicht besonders schmeichelhafte Auszeichnung.« (S. 183.)

Die Sachlichkeit: »Auch das *sittliche* Gesetz wird im Bolschewismus verneint, übrigens durchaus folgerichtig: da es nichts Göttliches gibt und dazu auch keine Seele, wie könnte es ein sittliches Gesetz geben? ... Ein ungeheuer hoher Prozentsatz von Kindern (in den Petersburger Schulen bis 52 %) ist mit Geschlechtskrankheiten angesteckt ... Auch keine Familie soll es geben.« (S. 134.)

Der Mann, der hier mit dem Begriffsschatz und dem Horizont eines Pogromkosaken an die gewaltigen Leistungen der russischen Epik herangeht, ist, wie der Titel lehrt, Professor in Saratow gewesen, zurzeit aber Privatdozent in Königsberg. Und somit ist sein Buch, wenn schon nicht absolut unerläßlich zur Kenntnis des russischen Schrifttums, für die der deutschen Universitäten desto belangvoller, wo man mitunter offenbar nicht einmal Deutsch zu können braucht, wenn man nur das Herz auf dem rechten Fleck hat.

BÜCHER, DIE LEBENDIG GEBLIEBEN SIND

Was in den letzten Wochen an dieser Stelle genannt wurde, ließe sich um zahlreiche ebenso unbekannte wie bedeutende Dichtungen vermehren. Nur ist zu fürchten: je mehr derart in dieser Rubrik erscheint, desto mehr heben die einzelnen Posten einander auf. Eher wäre vielleicht der eine oder andere Name, der hier erschien, mit Nachdruck zu wiederholen. Gern tue ich das mit Robert Walsers »Gehilfe«, den Max Brod erwähnt hat, ohne zu verraten, daß dieses wundervolle Jugendwerk ein Lieblingsbuch von Franz Kafka gewesen ist. Aber vielleicht ist es im Augenblick das Angebrachteste, den Blick auf einige große Werke deutscher Wissenschaft zu lenken. Auf gelehrte Bekenntnisschriften, deren Verborgenheit in den Fachbibliotheken nur eine besondere Spielart des Vergessenseins darstellt. Für heute auf ein kunsthistorisches, ein architektonisches, ein theologisches, ein ökonomisches.

Das erste und älteste ist *Alois Riegls »Spätrömische Kunstindustrie«* (Wien 1901)[1]. Dieses epochemachende Werk trug das Stilgefühl und die Einsichten des zwanzig Jahre späteren Expressionismus mit prophetischer Sicherheit an die Denkmäler der späteren Kaiserzeit heran, brach mit der Theorie der »Verfallszeiten« und erkannte in dem, was bisher »Rückfall in die Barbarei« geheißen hatte, ein neues Raumgefühl, ein neues Kunstwollen. Zugleich ist dieses Buch einer der schlagendsten Belege dafür, daß jede große wissenschaftliche Entdeckung ganz von selbst, auch ohne es zu prätendieren, eine Revolution des Verfahrens bedeutet. In der Tat hat in den letzten Jahrzehnten kein kunstwissenschaftliches Buch sachlich und methodisch gleich fruchtbar gewirkt.

Das Zweite: *Alfred Gotthold Meyers »Eisenbauten«* (Eßlingen 1907)[2]. Dies Buch erstaunt immer wieder von neuem durch den Weitblick, mit dem zu Anfang des Jahrhunderts Gesetzlichkeiten der technischen Konstruktion, die durch das Wohnhaus zu Gesetzlichkeiten des Lebens selbst werden, erkannt und mit kompromißloser Deutlichkeit beim Namen gerufen wurden. Wenn Riegl den Expressionismus vorweg nahm, so dieses Buch die neue Sachlichkeit. Zwanzig Jahre mußten vergehen, ehe Sigfried Giedion in einem ebenfalls ganz ungewöhnlichen Werk (»Bauen in Frankreich. Eisen und Eisenbeton«) Gleiches an einem schon reicheren, geläufigeren Tatsachenmaterial entwickeln konnte. Durchaus unvergleichlich aber ist Meyers Buch durch die Sicherheit, mit der es den Eisenbau des neunzehnten Jahrhunderts fortlaufend ins Verhältnis zu Geschichte und Urgeschichte des Bauens, des Hauses selber zu setzen weiß. Es sind Prolegomena zu einer jeden künftigen historisch-materialistischen Geschichte der Architektur.

Das Dritte: *Franz Rosenzweigs »Stern der Erlösung«* (Frankfurt a. M. 1921)[3]. Ein System der jüdischen Theologie. Denkwürdig wie das Werk seine Entstehung in den Schützengräben

1 Alois Riegl, Die spätrömische Kunst-Industrie nach den Funden in Österreich-Ungarn. Wien: Hof- und Staatsdruckerei 1901.
2 Alfred Gotthold Meyer, Eisenbauten. Ihre Geschichte und Ästhetik. Nach des Verfassers Tode zu Ende geführt von Wilhelm Frh. von Tettau. Mit einem Geleitwort von Julius Lessing. Eßlingen: P. Neff 1907.
3 Franz Rosenzweig, Der Stern der Erlösung. Frankfurt a. M.: J. Kauffmann 1921.

von Mazedonien. Siegreicher Einbruch der Hegelschen Dialektik
in Hermann Cohens »Religion der Vernunft aus den Quellen
des Judentums«.

Das Vierte: *Georg Lukács »Geschichte und Klassenbewußt-*
sein« (Berlin 1923)[4]. Das geschlossenste philosophische Werk
der marxistischen Literatur. Seine Einzigartigkeit beruht in der
Sicherheit, mit der es in der kritischen Situation der Philosophie
die kritische Situation des Klassenkampfes und in der fälligen
konkreten Revolution die absolute Voraussetzung, ja den absoluten Vollzug und das letzte Wort der theoretischen Erkenntnis
erfaßt hat. Die Polemik, die von den Instanzen der Kommunistischen Partei unter Führung Deborins gegen dies Werk veröffentlicht wurde, bestätigt auf ihre Art dessen Tragweite.

DIE DRITTE FREIHEIT
Zu Hermann Kestens Roman »Ein ausschweifender Mensch«[1]

»Frei wozu?« fragte Nietzsche und riß damit die Dialektik der
Freiheit auf. Er glaubte, die anarchistische Thesis, das »Frei
wovon?« zu zerschlagen. Aber er gab ihr nur die Antithesis.
Und erst die dritte, die synthetische Figur der Freiheit löst den
Zwiespalt und gibt damit der ersten ihr Recht zurück.

Nicht diese dritte, nur die erste, simple, undialektische, anarchische Freiheit meint Lenin, wenn er schreibt: »Die Freiheit ist
ein bürgerliches Vorurteil.« Kesten hat diesen Satz zum Motto
genommen. Er ist nicht an den Haaren herbeigezogen, das muß
man ihm lassen. Josef Bar – so heißt der »ausschweifende
Mensch« – soll nämlich ins Gefängnis. Und nun klammert er
sich an das besagte bürgerliche Vorurteil mit aller Kraft. Miß-
billigend schaut der Autor ihm dabei zu.

Das ist der Aufriß des überaus ironisch verschachtelten Geschehens, das Kesten vor uns aufbaut. Da haben wir also erstens
die Freiheit in ihrer ganzen aufregenden, unerhellten Vieldeu-

---

4 Georg Lukács, Geschichte und Klassenbewußtsein. Studien über marxistische Dialektik. Berlin: Malik-Verlag (1923).
1 Hermann Kesten, Ein ausschweifender Mensch. (Das Leben eines Tölpels.) Roman.
Berlin: Gustav Kiepenheuer Verlag 1929. 226 S.

tigkeit, zweitens in seiner ganzen gottgewollten Schäbigkeit den
Helden, zuletzt in seiner ganzen produktiven Unverschämtheit
den Verfasser, der hier auf gut romantische Weise zum Personal
des Buches gehört, um bald sich dumm zu stellen, als ginge ihn
das Ganze nichts an, bald ungeschickt, als sei es nicht seine
Schuld, wenn sein Held sich an allen Ecken und Enden kompromittiert.

Es ist so, wie es dasteht, ein eingreifendes Werk, das, wo es
darauf ankommt, scharf ins Zeug geht, und uns von Dingen und
in Worten unterhält, die gelten. »Er war frei. Er hatte Geld.«
Das ist eine Sprache, die zu Herzen geht und die Debatte mehr
fördert als alles überalterte Geschwätz von innerer Freiheit. Wie
sehen nun aber so befreiende Summen bei Kesten aus? Gesetzt,
es seien 47 Mark und 74 Pfennig, die der Held einem Anwalt für
seine Beratung entrichtet. »Es waren drei Fünfmarkscheine in
Papier, ein Zwanzigmarkstück mit dem Bildnis Kaiser Wil-
helms II., Brustbild mit Helm, Bar sah es genau, zwölf Mark in
Silber, vier Talerstücke nämlich mit Bildern verschiedener deut-
scher Potentaten geschmückt, sieben Nickelzehner und vier
Kupferpfennige.« Man sieht, hier trifft der Blick der neuen
Sachlichkeit mit außerordentlichem Nachdruck die Stelle, wo die
Welt mit Brettern vernagelt ist. Der Nahblick, das erstaunliche
Organ der großen Satire, hat nicht nur hier, nicht nur bei diesem
Autor, seit kurzem etwas Glotzendes bekommen.

Das darlegen, es in seinen Ursachen entfalten, hieße, den ideologischen Standort der ganz neuen deutschen Satire bezeichnen.
Zugleich, den jähen Aufschwung dieser Gattung erklären. Sie
stellt mit derart grund- und wertverschiedenen Geistern wie
Polgar, Kästner, Mehring, Peter Panter, Kesten eine sehr
spezifische Haltung der Intelligenz dar und was an ihr bezeichnend ist, sagt die Konfrontation mit dem einzigen Karl
Kraus. Es ist die Selbstironie des Intellektuellen, die in dem
Augenblick aufhörte, billig zu sein, da sie zum Eingeständnis
seiner ausweglosen Lage wurde. Von Tucholsky stammt die
abschließende Formel: Der deutsche Intellektuelle steht immer
etwas links von sich selber.

Kestens Verhältnis zu seinem Helden ist die beste Illustration
dieses Satzes. Es geht nicht weiter. Es rückt und rührt nicht. Und
dafür hatte der Autor im ersten Band dieser Josefs-Geschichte

einen virtuosen formalen Ausdruck gefunden. Dort spielte sich
für den Helden das ganze Geschehen an einem einzigen Tag ab.
Diesmal durchmißt er eine längere Spanne. Er erlebt viel Abenteuer. Mit den Behörden, mit den Mädchen, mit dem »Popanz
Freiheit« vor allem. Was ihm fehlt, hier wie im ersten Bande,
hier noch mehr, das ist der Segen des Autors. Die Skala seiner
Titulaturen allein muß ihm verraten, wie sehr der ihn en bagatelle behandelt. Hier nennt er ihn einen Mann von rascher
Auffassungsgabe und anderswo einen halben Jungen, wenn er
schlecht gefrühstückt hat, einfach Herrn Bar, und wenn er
leutselig sein will, den Jüngling Josef.
Man muß es Kesten nachsagen: diese Schnödigkeit der Diktion
feit ihn gegen alle Arten von Stimmung. Das Buch ist wundervoll ventiliert. Seinem Leser ergeht es wie in Rohbauten, wo
man treppauf, treppab klettern kann, ohne je aus der frischen
Luft und der ungeschwächten Tageshelle herauszutreten. Der
Autor aber scheint hier nicht selten eben die Freiheit sich zu
erlauben, die er seinem Helden verekeln will. In seiner Ironie
ist ein Einschlag von Verantwortungslosigkeit.
»Jeder Satz ein Meisterwerk, jede Seite musterhaft, jedes Kapi-
tel ein Genuß, das Ganze passabel.« So sagte vor Jahren Ernst
Rowohlt von einem nun leider verschollenen Buch seines ersten
Verlags, Philipp Kellers »Gemischten Gefühlen«. Nicht nur im
Titel eine Verwandtschaft mit Kestens Buch, die sich ausspinnen
und an Niveau und Haltung bewähren ließe. Das tut nichts zur
Sache. Wohl aber, daß in Kellers Buche noch deutlich der wahre
Ursprung dieser gesamten Kritik der Freiheit zu spüren ist.
Nämlich Flaubert.
Schon Flaubert hat den Illusionscharakter dieser Freiheit durch-
schaut. Vieles hat sich seit der »Education Sentimentale« geän-
dert. Die Tränenfeuchte über diesen unvergeßlichen Seiten hat
sich zu Lachgas verflüchtigt. Aber noch diese neueste Kritik der
Freiheit bleibt an das Schema des Erziehungsromans, sein
individuell-anarchisches Experiment gebunden. Frei wovon?
Gewiß und unbedenklich: von allem! Und da steht die Chimäre
zur Rechten. Frei wozu? Gewiß und noch einmal: zu allem! Und
da steht sie zur Linken. Die dritte Freiheit erst sprengt das
Reich der spekulativen Ethik. Und sie gehorcht der Frage:
Frei *mit wem?*

Wir stellen sie an Kestens Held, der am Ende des zweiten
Buches als entschlossener Rebell, wie der Autor versichert, das
Gefängnis verläßt. Wird er die Antwort finden: »Mit Allen!«
Wird er erkennen, daß der Klassenkampf sie vollzieht? Kommt
da mit seinem Josef eine der seltenen deutschen Romanfiguren
herauf, die zum Mann werden?

BÜCHER, DIE ÜBERSETZT WERDEN SOLLTEN

*Pierre Mac Orlan, Sous la lumière froide. Port d'eaux mortes –
Docks. Les feux du »Batavia«. Paris: Editions Emile-Paul Frères
1927. 240 S.*

Für Ideologie und geistige Verfassung der europäischen Intelligenz im Zeitalter des Hochkapitalismus ist das gespannte, un-
ausgesetzte Interesse für die Welt des Lumpenproletariats und
besonders für ihre geschlechtlichen Brennpunkte – die Hure, den
Apachen – höchst bezeichnend. Seit mehr als fünfundzwanzig
Jahren behaupten diese Typen ununterbrochen die Szene. Berge
von belletristischer, von essayistischer Literatur haben sich um
sie getürmt, und die großstädtische Bohème richtet in ihren
individuellen und politischen Sympathien, ihren intimeren Le-
bensformen und ihren Festlichkeiten wie fasziniert an ihnen
sich aus.
Diese Gefühlswelt kündigt in ihrer Mischung von sexueller
Überspannung und vagem revolutionären Bürgerhaß zuerst bei
Flaubert sich an, von welchem das verräterische Wort stammt:
»De toute la politique je ne comprends qu'une chose, l'émeute«,
und der auch von der Liebe, wie wir wissen, am besten die
sexuelle Revolte dagegen begriffen hat. Im Laufe des Jahrhunderts ist dieses unterirdische Kommunizieren der Intelligenz
mit der Hefe des Proletariats allmählich deutlicher geworden,
bis am Ende die sogenannten Poètes Maudits es publik machten.
Dieser Vorgang hätte sich nicht so stetig gesteigert, wenn nicht
sehr viele Kräfte des gesellschaftlichen Daseins in ihm zusam-
mengewirkt hätten. Von ihnen steht an erster Stelle der Verfall
der »freien« Intelligenz. Die Bourgeoisie ist nicht mehr stark

genug, den Luxus einer »klassenlosen« Intelligenz sich zu leisten, die früher einmal ihre menschlichsten Interessen auf lange Sicht und glücklich vertreten hat. Zum zweiten Male formiert sie eine intellektuelle Front mit rauher, kriegerischer Disziplin. Die erste war die Front von 1789 bis 1848: die der bürgerlichen Offensive in den europäischen Klassenkriegen. In ihnen fand die Intelligenz einen führenden Platz. Ganz anders ist es in der neuen Front der Defensive, in der nicht die geistige Initiative, sondern die klassenmäßige Zuverlässigkeit das Haupterfordernis ist. Ob nun die Intelligenz dieser Disziplin sich fügt oder widersetzt – ihre Freiheit verliert sie auf alle Fälle. Die Position eines humanistischen Anarchismus, die sie ein halbes Jahrhundert lang zu halten vermeinte – und in gewissem Sinne wirklich hielt – ist unrettbar verloren. Daher bildete sich die fata morgana eines neuen Emanzipiertseins, einer Freiheit zwischen den Klassen, will sagen, der des Lumpenproletariats. Der Intellektuelle nimmt die Mimikry der proletarischen Existenz an, ohne darum im mindesten der Arbeiterklasse verbunden zu sein. Damit sucht er den illusorischen Zweck zu erreichen, über den Klassen zu stehen, vor allem: sich außerhalb der Bürgerklasse zu wissen. Es ist eine Übergangsposition, und man hat das Recht, sie unhaltbar zu finden, nur darf man nicht vergessen, daß sie schon heute an die fünfzig Jahre dauert.
Es sind mit dieser neuen Wendung der Intelligenz vor allem in Paris, dem das Anarchische und Refraktäre am tiefsten in den Knochen steckt, eine Anzahl sehr interessanter Physiognomien hervorgetreten. Mac Orlan ist eine der wichtigsten. Während Francis Carco der gefühlsselige Schilderer, etwa der Richardson, dieser neuen Freiheit wurde, ist Mac Orlan ihr ironischer Moralist, sozusagen ihr Sterne. Die drei kurzen Erzählungen, die in seinem letzten Buche »Sous la lumière froide«, einem der besten, die er gemacht hat, vereinigt sind, verführen förmlich zu einer marxistischen Analyse. Alle drei spielen in Häfen als in den feuerfesten, überhitzten Retorten, in welchen am besten die seltensten, schwierigsten Klassenmischungen gelingen. »La lumière froide« ist das kalte Licht, das über die Zement- und Betonwüsten der Quaimauern und der Docks sich breitet.
Beiträge zu einer Mystik der Konjunktur sind die beiden Hauptstücke, von denen die etwas schwächere Kindergeschichte, die die

Mitte des Bandes bildet, umrahmt wird. Im hinteren »Salon«
einer Hafenkneipe sitzen vier Männer beim dumpfen Gelage
hinter den Karten, feiern Abschied und spielen um ihre »Chance« – um das Glück, um Fortuna. So setzt die erste Geschichte
ein. Und wie der Erzähler aus dem Ausgang dieser einzigen
Nacht das Schicksal der vier entwickelt, zeigt ihn den klassischen Aufgaben der Novelle auf meisterhafte Weise gewachsen.
Vor Jahren schrieb Mac Orlan einen »Petit manuel du parfait
aventurier«. Das Abenteuer als die verkürzte und ineinander
verschränkte Vielfalt der Berufsgefahren von Boxer, Börsen-
jobber und Spion ist ein Gegenstand, dessen Anziehungskraft
für ihn sich niemals vermindert. Die dritte Erzählung des Bandes durchleuchtet ein Exemplar aus dieser geheimnisvollen
Spezies »Abenteuer« mit X-Strahlen, das dürftige Skelett seines
Riesenleibs in Gestalt des Gerüchts, einer Kunde, um welche
wochenlang die Kombinationen und die Geschäfte der Zuhälter
und Huren von Marseille sich bewegen. Erwarten sie doch von
einer zur anderen Nacht die »Feux du Batavia« – die Feuer des
transatlantischen Riesendampfers – auftauchen zu sehen, der
den goldenen Regen der Milliardäre über die schmutzigen Betten
ergießen wird. Aber die »Batavia« ist ein Gerücht, es gibt kein
Schiff dieses Namens. Und in den scharfen, kompromißlosen
Zügen dieses romantischen Abenteuers erkennt das leidig-wirk-
liche des Verfassers und ungezählter verwandter Geister sein
eigenstes Bild. Denn chimärischer ist kein Dasein als das Dasein
zwischen den Klassenfronten im Augenblick, da sie sich fertig-
machen, aufeinander zu prallen.

*Guillaume Apollinaire, Le flâneur des deux rives. Paris: Gallimard
1928. 116 S.*

Zugegeben, daß diese Besprechung ein Vorwand ist. Da aber
diese Rubrik es nur mit Neuerscheinungen halten will, so bleibt
ihr nichts übrig, als vom »Flâneur des deux rives« zu sprechen,
wenn sie es unternimmt, die Aufmerksamkeit nachhaltiger auf
Guillaume Apollinaire zu lenken. Und doch besteht noch ein
tieferes Recht von dieser Sammlung kurzer Plaudereien zu
handeln. Apollinaire war Dichter, ja Mensch, à propos de tout
et rien. Er hat sich mit so angespanntem Fühlen an den Augen-

blick verloren und doch, zugleich, so eigenwillig im Vergangenen
sich behagt, daß er viel eher als irgendwelchen Dichtern oder
Künstlern den großen anonymen Schöpfern der Pariser Mode
vergleichbar ist. In der Tat, solange dieser Mann lebte, ist keine
radikale, exzentrische Mode in Malerei oder Schrifttum erschienen, die er nicht geschaffen oder zumindest lanciert hat. Mit
Marinetti gab er, in seinen Anfängen, die Losungen des Futurismus aus; dann propagierte er Dada; die neue Malerei von Picasso bis zu Max Ernst; zuletzt den Sürrealismus, dem er in der
Vorrede seines letzten Dramas »Les Mamelles de Tirésias« den
Namen schenkte. Das Eigentümliche aber war, daß im Stil seines
Schreibens und seines Daseins all diese Theorien und Parolen
schon wie bereit lagen. Er holte sie aus seiner Existenz wie ein
Zauberer aus dem Zylinderhut, was man gerade von ihm ver-
langt: Eierkuchen, Goldfische, Ballkleider, Taschenuhren. Er
war der Bellachini der Literatur.
Um seine Dichterstimme rangen sein Lebtag ein Prophet und ein
Charlatan. Namenlos und melancholisch der eine, frech und
besessen der andere. Derselbe Mann, der vor den dumpfen Instinkten der Masse zittert, in seiner Dichter-Apokalypse sie die
Poeten massakrieren sieht, spekulierte in pornographischen
Schriften auf ihre Kauflust. Derselbe, dem das Leben im Schüt-
zengraben unter den Tausenden unbekannter Soldaten unver-
geßliche Verse eingibt und dem der Feldpostbrief zur Stegreif-
dichtung wird, kann noch als Heimgekehrter sich von seiner
Uniform nicht trennen und hat an seinen Epauletten einen
neuen Lorbeer.
Aber dieser »côté galon«, der seine Freunde bei Apollinaire ge-
kränkt hat, konnte die Bürger nicht mit ihm aussöhnen. Wenn
etwas ihn noch zweideutiger erscheinen ließ als seine Schriften,
war es sein Umgang. Als die Mona Lisa gestohlen wurde, fiel
der Verdacht auf Apollinaire. So verfemt war er. So viel traute
man ihm zu. Und mit Recht. Das Lächeln der Mona Lisa, das
hätte nur er vor Tucholsky auffangen können und vielleicht zu
schallendem Lachen gesteigert. Von dieser Fähigkeit, Kitsch,
Klatsch und Kunst in einem und demselben Lebensraume, dem
seines eigenen Daseins, zu organisieren, zeugt dieser Nachlaß-
band. Man muß ihn neben die »Anecdotiques« stellen, in der
die Glossen gesammelt sind, die der Dichter längere Zeit regel-

mäßig im »Mercure de France« veröffentlicht hat. Dazu den
»Apollinaire vivant« von Billy und den kleinen »Apollinaire«
von Soupault. Die Gedichte aber, in denen die Essenz seiner
Kunst am unvermischtesten ruht, wird man suchen, von einem
zu hören, der sie noch von ihm selber vernommen hat. Wenn
man nicht in Paris sich die Platte verschafft, in welche eines
Tages Apollinaire zu seinem Stolze einige Verse hineinsprechen
durfte. Da hatte sich ein Punkt seines großen Programms erfüllt:
die Lyriker hätten heutzutage nicht Bücher zu hinterlassen,
sondern Schallplatten.

Diese Gedichte sind für seine Generation entscheidend geworden. Das Zentrum ihrer Inspiration ist an Reinheit und Schärfe
am besten mit dem Mallarmés vergleichbar. Doch ihm strikt
gegensätzlich. Mallarmés Gedicht ist die »tour d'ivoire«, der
elfenbeinerne Turm, so weiß und blendend, daß er kaum mehr
sichtbar im schweigenden Äther badet. Und der Dichter ist zu
einem Reflex in seinem höchsten Fenster geworden. Von Apollinaires Versen dagegen möchte man sagen, sie steigen aus einem
geselligen Lärmen auf, enthalten Seelen von Gesprächen, baden
ganz in jenem Alltag, an den sich der Dichter verlor. Sie sind
so unfeierlich, beschämen die Prosa. Man kann sie lesen wie ein
leises Summen, das dem »Flâneur des deux rives« über die Lippen kommt, wenn er abends am Kai entlang schlendert.

Gabriel d'Aubarède, Agnès. Paris: Librairie Plon (1928). 246 S.

Briefschreiben ist uns in unserem persönlichen Umgang eine
zweideutige und lästige Sache geworden. Wir geben, ohne zu
empfangen, denn von der Briefform empfangen wir in der Tat
nichts mehr. Solch winzige Umstände sind oft Brennpunkte, in
denen die Bestimmungskräfte einer Zeit sich sammeln. Und
darum ist, als Vorwurf einer heutigen Liebeshandlung, die
Wartezeit zweier Verlobter, die nach kurzer Begegnung sich
weit voneinander entfernen und vereinbart haben, einander
nicht zu schreiben, fruchtbar und deutlich. D'Aubarède kam es
nun darauf an, dieses Motiv nach innen — weniger zeitkritisch
als moralisch — sich entwickeln, die unbekannten Opfer und
Gefahren sichtbar werden zu lassen, mit denen diese neue,
strengere und reduziertere Gestalt menschlicher Verhältnisse

erkauft wird. Es sind die Opfer und Gefahren der Leidenschaft
in ihrer überschwenglichen Steigerung. Denn wenn alle Leidenschaft in ihrer höchsten Glut nicht nur dem Weltlauf feindlich,
sondern ihrem eigenen Gegenstande tödlich ist, so ist Einsamkeit
der Blasebalg dieser Gluten. Leidenschaft sucht die Nähe der
Geliebten ja nicht, sich zu entfachen, sondern sich zu kühlen.
Darum ist das Schweigen, das die beiden Verlobten hier einander versprochen haben, nicht nur ein zeitgemäßes, sondern ein
gefährliches Experiment in der Liebe. Ein Jahr, während dessen
sie an nichts sich halten können als die fixierten täglichen fünf
Minuten, in denen sie ausschließlicher als sonst im Geiste beiein-
ander sein wollen. Wie in diesem Ritus das Herz des Mädchens
sich aushöhlt, ihr Tag zu diesen Minuten, ihr Leib zur Schatulle
dieses Gelübde schrumpft, und die erste Regung, ins Leben
zurückzufinden, ein Briefentwurf an den Freund, die Katastrophe heraufführt, das ist höchst sparsam, beherrscht und drastisch
um den Mittelpunkt dieser Erzählung gruppiert, jenen so wirklichen wie unergründlichen Vorgang, der uns auf den Gedanken
bringen könnte, der Mensch verhinge Lieben über sich als Strafe,
und es erlösche von selber, wenn er gesühnt: daß nämlich Liebe
sich am eigenen Leid ersättigt, und wenn das Opfer verbrannt
ist, der Altar, auf dem es flammte, als Granit des Hochmuts
zum Vorschein kommt. Als nach Jahresfrist der Geliebte sich
einstellt, ist es mit Agnès soweit gekommen. Sie schickt ihn
fort und treibt die Dinge in ihrem zerstörenden Hochmut dahin, wo nichts als das Erbarmen des Geliebten zwischen ihr und
dem elenden Tode steht. Wie dies Erbarmen langsam und wie
aus einer schonenden Verpackung von Haß sich auswickelt, wie
man, noch schonender, in dem Erbarmen die Liebe durchfühlt,
das gehört zu den schönsten dieser erstaunlich fein und treu
erfaßten Vorgänge. Hätte nun d'Aubarède seine Helden zu
Prototypen des neuen lakonischen Lebensstils und ihre Liebe
exemplarischer gestalten wollen, es wäre ein merkwürdiges
Gegenstück zu dem Buche entstanden, das er wirklich geschrieben hat. Denn so viel wird deutlich geworden sein, er wählte die
romantische Variante des Vorwurfs. Darum darf seine Heldin
einer Honoratiorenfamilie Lyons entstammen und mag den
Kreisen, aus denen sie kommt, so tief und gefährlich verwandt
sein, daß sie in ihren Gefühlen die Mutter verleugnen muß, um

zu sich selber zu finden. Darum kann ihre Flucht sie ins Kloster
und endlich hart bis an das Bett eines kümmerlichen Jungge-
sellen jagen, den die Familie ihr antraut. Darum gehört diese
schöne Erzählung in die Gattung der »Liebesgeschichten«, von
denen wir Abschied nehmen müssen und in Deutschland längst
Abschied genommen haben. Wir wissen, aus wie triftigen Gründen und werden dennoch ein so zartes und klangvolles Buch um
so lieber haben, als unsere guten Autoren so etwas nicht mehr
schreiben und die schlechten es noch immer versuchen.

*Marçel Brion, Bartholomée de Las Casas. »Père des Indiens«. Paris:
Editions Plon 1928. 309 S.*

Die Kolonialgeschichte der europäischen Völker beginnt mit
dem ungeheuerlichen Vorgang der Conquista, der die ganze
neueroberte Welt in eine Folterkammer verwandelt. Der Zusammenprall der spanischen Soldateska mit den gewaltigen
Gold- und Silberschätzen Amerikas hat eine Geistesverfassung
geschaffen, die niemand ohne Grauen sich vergegenwärtigen
kann. Nichts trüber und staunenswerter, als daß der Mann, von
dessen Wirken die vorliegende Schrift Zeugnis ablegt, durchaus
ein Einzelner, ein heroischer Streiter auf dem verlorensten
Posten gewesen ist. Las Casas ist mit vierundzwanzig Jahren
als Mitglied der dritten Expedition des Kolumbus (1498) zum
ersten Male nach Amerika gekommen. Dort hat er bald einen
Überblick über die trostlose Lage der Eingeborenen gewonnen
und sich mit nie versagender Energie ein Leben lang um ihre
Verbesserung bemüht. Da er als Priester (zuletzt Bischof von
Chiapas) seine Aktion auf die Moralvorschriften der katholischen Kirche aufbauen mußte, die Theoretiker der conquista
aber erst recht ihre Ansprüche auf die vom Papst dem Kaiser
zugesprochene Herrschaft über »Indien« sowie auf die Katho-
lizität der erobernden Spanier im allgemeinen gründeten, so
haben die Debatten einen durchaus juridisch-theologischen Charakter. Es ist das große Verdienst von Brion, das sehr entschieden und ebenso fesselnd herausgearbeitet, dazu in einem gelehrten Anhang ausführlich belegt und erläutert zu haben. Sehr
interessant ist es zu verfolgen, wie hier die wirtschaftliche Notwendigkeit einer Kolonisation, die noch nicht die imperialistische

war – damals brauchte man Tributländer, nicht Märkte –, sich
ihre theoretische Rechtfertigung sucht: Amerika sei herrenloses
Gut; die Unterjochung sei die Vorbedingung der Mission; gegen
die Menschenopfer der Mexikaner einzuschreiten sei Christen-
pflicht. Der Theoretiker der Staatsraison – die sich aber nicht
offen als solche gab –, war der Hofchronist Sepulveda. Der
Disput, der zwischen den beiden Gegnern 1550 in Valladolid
stattfand, bezeichnet den Höhepunkt in Las Casas Leben – und
leider auch seines Wirkens. Denn so nahen Kontakt dieser
Mann mit der Wirklichkeit nahm, der Erfolg seiner Aktion
blieb doch im Ganzen auf Spanien beschränkt. Nach der Disputation von Valladolid erließ Karl V. Verordnungen, die die
Sklaverei aufhoben, die sogenannte »encomienda«, das »Patronat«, das eine ihrer sadistischsten Formen war, abschaffte usw.
Aber gleiche oder ähnliche Maßnahmen waren schon vorher, so
gut wie erfolglos, erlassen. Und als Las Casas 1566 zu Madrid
in einem Dominikanerkloster starb, da hatte zwar er das Seinige
getan, gleichzeitig aber war das Werk der Zerstörung vollbracht.
Brions tiefdringende Arbeit zeigt hier im moralischen Gebiet
die gleiche geschichtliche Dialektik, der wir auf kulturellem
begegnen: im Namen des Katholizismus tritt ein Priester den
Greueln entgegen, die im Namen des Katholizismus begangen
wurden; so hat ein Priester, Sahagun, durch sein Werk »Historia
general de Las Casas de nueva España« die Überlieferung von
dem gerettet, was unter dem Protektorat des Katholizismus
zugrunde gegangen ist. Brion hat uns um eine ausgezeichnete
Darstellung politischer Dogmenkämpfe bereichert, die gerade
jetzt von neuem auf Interesse und Verständnis stoßen.

*Léon Deubel, Œuvres. Préface de Georges Duhamel. Paris: Mercure
de France 1929. 286 S.*

»La chanson balbutiante« – »Léliancolies« – »La lumière na-
tale« – »Ailleurs« – »Régner« – das sind einige unter den
schönen und merkwürdigen Titeln, mit denen in den Jahren
1899 bis 1913 Léon Deubels Gedichte in die Welt hinausgingen.
Hier von »Welt« zu sprechen ist freilich nicht angängig. Die
durchschnittliche Auflageziffer dieser Bändchen lag zwischen
dreißig und sechzig, und damit noch immer hoch über dem, was

der Dichter als sein Ideal sich ersehnte: seine Bücher in fünf
Exemplaren drucken zu lassen. Es sieht ja aus, als ließe sich
dergleichen heute nicht mehr verstehen. Dabei ist es sehr einfach. Deubel lebte mit seinen Versen, und er lebte so überaus
intensiv mit ihnen, weil nicht nur er sie nötig hatte, sondern sie
ihn. Denn diese Verse sind nicht immer die stärksten. Deubel
war eine große Begabung. Aber auf dieser großen Begabung
lagen, wie auf dem schwerfälligen Manne selber, Trübsal und
Lebensangst, die sein Dasein und Dichten in eine Einsamkeit
zwangen, der ebenso Bewährung wie Zuspruch fehlten. Er
verschloß sich also mit seinem Tun in den fürstlichen, nun aber
verlassenen und stickigen Wohnungen derer, die ihm vorangegangen waren, Baudelaires zumal, und die Samen seiner Bilder
schossen darinnen in kelchigen, strahligen, schäftigen Formen
ins Kraut. Er selber hat dies geile Bilderwesen als die große
Gefahr seiner Dichtung empfunden, und einmal schreibt er,
unbeholfen genug: »Ich will nicht so verschwenderisch mit
Bildern sein, das ermüdet den Leser.« Er hat von dieser Seite,
seiner wesentlichsten, Verwandtschaft mit Heym. Dessen we-
hende, flammende, knatternde Bilder aber waren Standarten,
unter denen die Lyrik zum letzten siegreichen Sturm auf die
Großstadt sich rüstete. Deubel hat die Stadt nicht geliebt. Sie
war ihm nur eine Station auf dem Leidenswege, der schwarze
Katarakt, den er in einem schönen Gedicht sein Lebensschiff
heil durchziehen hieß. Sein Wille ist ihm nicht in Erfüllung gegangen. Mit vierunddreißig Jahren nahm sich Deubel das Leben,
einer der letzten, die an der Poesie zugrunde gegangen sind.
Unter denen, die etwas für ihn getan haben, ist Alfred Richard
Meyer, der Verleger der schönen nun schon seltenen Plaquette
»Ailleurs«. Später hat er dem Toten ein Bändchen »In Memoriam Léon Deubel« nachgeschickt – leider von unaussprech-
lichen Übersetzungen entstellt. Einen glücklicheren Versuch
unternahm Paul Zech im zweiten Heft der »Neuen Kunst«.
Mit zwanzig oder dreißig seiner schönsten Verse sollte Deubel
in der besten aller deutschen Republiken, dem alten Freistaat
ihrer Übersetzungen, das Heimatrecht verliehen werden.

GEBRAUCHSLYRIK? ABER NICHT SO!

Das Chanson, wie es vom Montmartre zu uns heruntergekommen ist, war ein Feuer, an dem der Bohemien sich den Rücken wärmte, jederzeit bereit, einen Scheit zu ergreifen und ihn als Brandfackel in die Palais zu schleudern. Weil aber der Arme alles verkaufen muß, so mußte er's auch dulden, daß der Reiche sich Zutritt zu seinem Asyl erzwang und sich's bei einem Feuer gemütlich machte, das darauf brannte, ihn zu verzehren. Das ist der Ursprung des Kabaretts. Schwer ist es den Schülern Aristide Bruants nicht geworden, sich auf die soziale Zweideutigkeit der Gattung einzulassen. Die sexuelle findet sich schnell dazu. Aber auch die Zote war noch Revolte, Aufstand des Sexus gegen die Liebe, und bei Wedekind geht es hart her. Erst recht geht es hart her bei Brecht, dem besten Chansonnier seit Wedekind, und dem lehrreicheren, weil bei ihm um den Waagebalken der Not die beiden Schalen Hunger und Geschlecht gerechter spielen. Mit Brecht hat das Chanson sich vom Brettl emanzipiert, die Decadence begann historisch zu werden. Sein Hooligan ist die Hohlform, in die dereinst mit besserem, vollerem Stoff das Bild des klassenlosen Menschen soll gegossen werden. Damit fand die Gattung ihre scharfe aktuelle Bestimmung. Es reicht nicht mehr aus, Gaunersprache und Platt, Argot und Slang zu parlieren, um hier mitreden zu dürfen. Und, die Wahrheit zu sagen: nie hat es ausgereicht. Wenn es in den Kreisen der »Vaterlandslosen«, »Entwurzelten« so etwas wie Heimatkunst gibt, dann ist es das Chanson, das aus dem engen rauchgeschwärzten Kneipenwinkel kommt. Und wo dergleichen Weisen etwas taugen, da haben einmal Männer beisammen gesessen. Mehring[1] mag allerlei Qualitäten haben, mag der Sprache rabeleske Toupets, balladeske Tollen oder bierbaumsche Schmachtlocken drehen — er hat nie an ungehobelten Tischen gesessen. Das Unvernünftige, Verbissene, Herbe, Verächtliche, Heimweh und amor fati des Verrufenen sind ihm fremd — trotz »Ketzerbrevier« und »Legenden«. Sein Chanson ist ein Esperanto der Dichtung, der Effekt ist sein letztes Wort und niemals liegt er in der Nuance. Ein Mann wie Brecht kann

[1] Die Gedichte, Lieder und Chansons des Walter Mehring. Berlin: S. Fischer Verlag (1929). 255 S.

das Massivste anheben, wir werden immer unsere Freude daran
haben, wie zart er es niederlegt. Mehring kann gar nicht athle-
tisch genug stemmen, aber wenn man dagegen klopft, klingt es
so hohl wie dies:

> Und acherontisch donnert der Métrozug,
> Apokalyptisch reist der Passagier.

Die Überlieferungen der Decadence sind gerade in Deutschland
zu schwer erkauft und zu lauter – man braucht hier nur den
Namen Hardekopf zu nennen –, um sich diese akademische
Kopie gefallen zu lassen, der ihre Herkunft aus dem Amüsier-
betrieb der Großstadt an der Stirn geschrieben steht. Diese
Sachen haben keine verändernde Kraft; sie werden keine Um-
gruppierung verschulden. Denn sie sind nicht von der Niedertracht, sondern vom Masochismus eines bürgerlichen Publikums
inspiriert.

*Willa Cather, Frau im Zwielicht. (Übertr. von Magda Kahn.)
Freiburg i. Br.: Urban Verlag [1929]. 227 S.*

Dies Buch ist schauerlich gegen die Welt abgedichtet. Soviel
Portieren verstecken das Pförtchen, an dem die Phantasie die
concierge ist. So viele Teppiche sind über die Schwelle gelegt,
so viel ewige Lampen der Sehnsucht hängen in allen Eckchen.
Der Leser kommt sich vor wie ein Kanarienvogel, der mitten
in der Geschichte im Bauer sitzt. Die süßen Aromen des Ehe-
bruchs, den man nicht weiß, schwängern die Atmosphäre wie
Weihrauchkerzen. Wäre das Buch nicht so verdammt zart, man
möchte es verdammt unverschämt nennen. So imponierend ist
die Technik, die diese stubenreinen Liebesspielchen uns wiedergibt und im Vorbeigehen Tränen unserer Rührung als Gottes-
lohn abfängt. Ein ganz und gar kunstvolles und ein ganz und
gar nichtiges Buch.

Curt Elwenspoek, Rinaldo Rinaldini, der romantische Räuber-
fürst. Das wahre Gesicht des geheimnisvollen Räuber-»Don
Juan«, durch erstmalige Quellenforschungen enthüllt. Stuttgart:
Süddeutsches Verlagshaus 1929. 198 S.

Rinaldo Rinaldini – es gab keinen, der so hieß. Der Name ist
eine Erfindung von Vulpius. Aber offenbar war er mehr als eine
gelungene modische Prägung der empfindsamen Zeit. Offenbar
ist er ein onomatopoetischer Ausdruck – nicht zwar des Räuber-
lebens, aber der ewigen Sehnsucht nach ihm. In diesem Namen
wohnt das Waldesecho des vieux souvenir, von welchem Baudelaire gedichtet hat, es dringe »wie Hornruf« zu uns. Die Leitmotive »Einsamkeit«, »Gerechtigkeit« und »Freiheit« sind in
diesem Zauberklange verschmolzen.
Der war nun in der Tat Eingebung eines elenden Skribenten.
Der Erzähler phantastischer Kolportagegeschichten, der Vulpius
blieb, auch als er längst von Goethes Gnaden zum Bibliotheks-
sekretär war gemacht worden, hat seinem Helden ein Leben
gedichtet, das in seinen Schicksalen einiges, in seiner Färbung
aber nicht das Mindeste mit dem historischen Räuberleben
Angelo Ducas zu tun hat, das in Italien schon lange ehe Vulpius
es sich zum Vorbild nahm Gegenstand romantischer Epen gewesen war. Um seinem deutschen Publikum des Rokoko ihn
nahezubringen, mußte Vulpius dem Rinaldo vor allem einige
donjuaneske Liebesgeschichten andichten, die ihn von dem offenbar männerbündisch gesinnten Ducas völlig entfernen. Den
heutigen Leser wiederum wird eher eine trockene pragmatische
Abfassung für den Helden gewinnen. Und man kann der
chronistischen Darstellung, die hier vorliegt, nichts Besseres
nachsagen, als daß der Wunsch zu werben, der Sinn für das
unbedingt Liebenswürdige einer Gestalt, die ein Jahrhundert
lang im Volke gelebt hat, an seiner Quelle stand. Im übrigen
hat der Verfasser mit Recht neben seiner eigenen die Umrisse
der Vulpiusschen Darstellung geben wollen. Ein Auszug aus
dessen dreibändigem Werke bildet das mittlere Drittel des
Buches. Natürlich enthält er das berühmte Räuberlied, diesen
wundervollen Singsang, mit welchem das Banditenleben aus
dem Schlaflied aufsteigt, um in großem, romantischem Bogen in
das Eiapopeia der Liebe zurückzusinken.

Einsamkeit, Gerechtigkeit und Freiheit ... als idealer Outsider
stand der romantische Bandit an der Stelle, die heute der romantische Millionär geräumiger einnimmt. Denn Rinaldini ist
der Vorläufer des Millionär-Bolschewismus. Der stellt sich den
Sozialismus ja auch als gerechte Verteilung vor, freilich, um
dann folgendermaßen zu argumentieren: Wenn wir Millionäre
zusammenlegten, und teilten es unter die Armen, – was käme
dann schon auf Jeden? Der reiche Theoretiker hat recht: Wenn
man das Kapital an die Proleten aufteilt, ergibt sich, daß sie
von den Zinsen nicht leben können! Rinaldo aber – oder vielmehr Angelo Duca – ging über diese Rechnung zur Tagesordnung über. Seine Leute hatten etwas von ihm. Nicht nur die
Mitglieder seiner Bande, sondern all das Volk von Lucanien. Er
durfte sich mit gutem Gewissen eine Fahne malen lassen, »auf
der man ihn inmitten der kämpfenden Seinen, umgeben von
Toten und Verwundeten, erblickte, während eine Schar von
Bettlern ihm zujubelte, der mit der Miene eines sanften Heiligen
auf sie herabblickte«.
Zu dem Bilde, das man hiernach von seinem Helden sich macht,
paßt nicht schlecht, daß der Verfasser dessen Sache auf etwas
beschränkte, spießbürgerliche Manier führt. Menschen, die sich
bis heute Kontakt mit dem Dichten und Spintisieren des Volkes
bewahrten, stellt man sich gern als Bürger einer Hoffmanesken
Welt vor, in der ja die Philister und Bürokraten vom Schlage
eines Aktuarius Lindhorst zugleich die großen Sachverständigen
des Nächtlichen, Übelberufenen sind. Selbst die exakte Quellen-
kunde, die der Verfasser nicht ohne Pedanterie an den Tag legt,
bestätigen uns dies Bild des sympathischen Autors. Aber er
weiß doch seine Haltung auch mit weniger altväterischen Mitteln zum Ausdruck zu bringen, und die schöne Aufnahme, die,
neben anderen Abbildungen, hier von der Via Angelo Duca in
San Gregorio Magno zu finden ist, würde allein bezeugen, daß
dieser Mann vom Genius eines Ortes und seines Helden nachdrücklich genug gestreift worden ist.

DER ARKADISCHE SCHMOCK[1]

»Theseus drehte sich zurück und erhob langsam die Klinge.
Dann sprang er zu und hieb sie, den Schild spaltend, bis in die
Mitte hinein, wo sie stecken blieb und zerbrach. Theseus hob
mit einem Lächeln das Heft über die Stirn empor. Leer wie
eine Hand, sagte er und ließ das Heft und ließ sich selber mit
einem schluchzenden Gelächter kopfüber der Tiefe zufallen.«
Oder so: »Einzig der Wechsel – wie drinn in der Lunge Eingang und Ausgang der windigen Lüfte – war ihm das Leben,
ein immer verübter, und niemals bemerkter, goldner Betrug.«
Oder so: »Unübersehbar ergoß sich grüne rauschende Tiefe zu
Kränzen blauender Wälder. Die Glocke des Himmels blühte
darüber in hauchender Bläue, wo schwebend Wolken wie Mu-
schel-Inneres rosig leuchteten. Der Westen atmete in flehendem
Grün dem versunkenen Gotte nach, und aus Scharen großer
Reiher-Vögel, die über der Dämmerung aufblitzend zurück-
fielen, kam ein Saiten-Schwirren melodisch.«
So stur ist keiner, daß ihm nicht aufging, hier spricht ein Dichter, der aus dem Vollen schöpft, mit der antiken Sinnenfreude
auf Du und Du steht und, wenn er den Mund öffnet, da beginnt, wo dem Dichter der »Penthesilea« der Atem ausging. Er
hat die Stimme von »Jenseits« gehört, mit welcher Zeus die
Europa anspricht, ihm ist sogar das ›innere Licht‹ nicht entgangen, das dem Herakles die Reflexe am Speer »zum Schein
eines Gesichts« macht. Er weiß, was die Zitronenfalter im
trojanischen Kriege getrieben haben und wie die Götter so
anschaulich reden und hört Athene, wie sie gesprächsweis, vom
Herakles äußert: »Seine Taten sind so viel, wie über ihm Früchte
hängen.« Der Leser aber geht in sich und beginnt sich des Bettels
zu schämen, den Grimm und Schwab, Bechstein und Möllenhoff
in ihren Sagenbüchern dem Volke hinwarfen. Und sein einziger
Trost, in diesem Gefühl mit einem Autor übereinzustimmen,
der über seinen Vorgänger, Schwab, sagt: »Eine Darstellung
muß es darum verfehlen, die es wagt, auf Heroismus oder Pathos besondere Lichter zu setzen. Wenn etwa Schwab die Antigone ›Heldenjungfrau‹ nennt, so mißfällt uns nicht nur das

1 Albrecht Schaeffer, Griechische Helden-Sagen. Neu erzählt nach den alten Quellen.
Folge 1. Leipzig: Insel-Verlag, [1929], 248 S.

Gezierte des Ausdrucks, sondern das aufgesetzte Glanzlicht, das die Größe künstlich erscheinen läßt.« Hat man aber alle Anstalt getroffen, diesen Nachfolger mit Ehren in das Regal zu stellen, so stößt man, im nächsten Absatz dieser sonderbaren Selbstanzeige, Selbstbezichtigung des Verfassers, auf die Worte: »Dennoch sind wir Kinder unseres Jahrhunderts, wir wollen, auch wenn wir poetische Felder betreten, den bitteren Lehrgang durch Psychologie und Pathologie nicht umsonst geleistet haben.« Ob nicht am Ende das Betreten poetischer Felder verboten ist, ob und wie jemand einen Lehrgang leistet, soll nicht erörtert werden. Befremdliches genug bleibt noch übrig.

Handgreiflich ist am ganzen Programm des Autors am ehesten das Verhältnis zu Schwab. Dem muß man nachgehen. Schwabs »Sagen des klassischen Altertums« sind in der Geschichte der Sage ein Markstein. Keine Neubelebung, sondern der epochale Abschluß. Zum ersten Male wird bei Schwab die Sage als Werkzeug klassischer Bildung kodifiziert. Damals aber legitimierte der Humanismus sich noch in einer Leistung an die Nation, die bis in die früheste kindliche Bildung hinuntergriff. Die durchsichtige, selbst Kindern zugängliche Fassung der Schwabschen Sagen gibt die Gewähr für die Lauterkeit einer Bestimmung, die sie snobistischem Urteil entrückt. Schwabs Verhältnis zu Tiefe und Umfang der Sagenwelt ist dem der abschließenden Banalitäten der Chorverse zum Ganzen einer griechischen Tragödie vergleichbar. Nur als Banalität, nicht anders, konnte damals das Größte an dieser Sagengestaltung des schwäbischen Pfarrers sich ausprägen: Daß er der Überlieferung die Autorität wahrte. Dies aber ist für jede Niederschrift von Sagen der Prüfstein.

Wir besitzen in den »Deutschen Sagen« der Grimm das vollendete Muster, das noch der zwanzig Jahre späteren Sammlung Schwabs die Richtung gewiesen hat. Der Stil der Sage, wie diese Großen ihn nicht sowohl geschaffen wie geborgen haben, liegt im Lakonismus. Mit jedem Satze bringt die Sage ein neues Geschehen. Sie meidet die Überschneidungen, aus denen die Stimmung kommt. Sie schließt den Dialog aus, der ihre epische Besinnung herabmindert. Sie haßt die Nuance, die der Tod aller Autorität ist.

Stimmung, Dialog und Nuance machen bei Schaeffer die Sage. Eine verweichlichte, jedem Einfall hörige Prosa gibt sich für

Überlieferung. Wo einer klassisch war, können tausend romantisch sein. Einer von diesen tausend ist Schaeffer. Ein Nichts.
Eine lächerliche Minorität. Wer glaubt ihm seine »epera pte-
roenta«, seine Wolkenschimmer und Vogeltriller? Was soll uns
diese nagelneue Kunde vom Alten? Glücken konnte dies Buch
nicht. Daß es aber so schlecht werden mußte, als es nur irgend
werden konnte, das ist das Werk der Kräfte, welche strenger
als je die weltgeschichtliche Brache der Sage hüten. Bachofens
Studium hätte sie dem Verfasser vernehmlich gemacht. Kann
aber dem geholfen werden, den das Studium antiker Quellen
nicht vor dem Modischsten: der Mischung von Impressionismus
und Symbolik bewahrte, die den Schmock definiert? Die Danai-
denarbeit dieser Nachschöpfung trägt ihre Strafe in sich.

ECHT INGOLSTÄDTER ORIGINALNOVELLEN

Wenn die Marieluise Fleisser Novellen[1] schreibt und auf den
Titel setzt »Marieluise Fleisser aus Ingolstadt«, so kann das
schon Koketterie sein, aber eine sehr wissende und die ihre
Mittel kennt. Vor allem ist es bestimmt nicht Ressentiment.
Diese Frau bereichert unsere Literatur um das seltene Schauspiel
ganz unverbohrten provinzialen Stolzes. Sie hat einfach die
Überzeugung, daß man in der Provinz Erfahrungen macht, die
es mit dem großen Leben der Metropolen aufnehmen können,
ja sie hält diese Erfahrungen für wichtig genug, um ihre Person
und ihre Autorschaft an ihnen zu bilden. Die Denkungsart, in
der sie das tut, gibt ihr allen Anspruch auf Beachtung und Dank.
Denn wer sich unter der provinziellen Literatur in Deutschland
umsieht, erkennt: Sachwalter des Landschaftlichen und Stämmi-
schen sind beinah immer verstockte, reaktionäre Geister. Man
kann aber auch mit den wenigen Ausnahmen, mit Hermann
Stehr, dem Schlesier, Alfred Brust, dem Ostpreußen, die Fleisser
nicht in eine Reihe stellen. Die Formel würde nicht auf sie
passen. Ein Mann wie Brust sucht die Enge der Umwelt durch
eine oft sehr gewaltsame Weitung der Innenwelt auszugleichen.

1 Ein Pfund Orangen und neun andere Geschichten der Marieluise Fleisser aus Ingolstadt. Berlin: Gustav Kiepenheuer Verlag 1929. 208 S.

Dichtungen dieses Schlages unternehmen ihre Sache auf eigne
Faust und hinterm Rücken dessen, was in Europa vorgeht.
Marieluise Fleisser ist nicht weniger stolz aber disziplinierter.
Sie pfeift auf Anschluß, aber sie bemüht sich um Einordnung.
Ihre »Pioniere in Ingolstadt« haben gezeigt, mit welchem Glück
sie verstanden hat, die unliterarische, aber keineswegs naturali-
stische Sprache, die Leute wie Brecht heute suchen, in Anlehnung
an den ebenfalls gar nicht naturalistischen Volksmund zu
schaffen. Ihr neues Buch geht in Richtung auf diese Sprache
einen Schritt weiter. Sie spricht sie nicht mehr als dramatischer
Autor in ihren Personen, sie nimmt sie in die Sprache ihrer
Epik auf, solidarisiert sich mit ihr. Man höre: »Aber gerade
dann hat der Herr seinen Kaffee immer so interessant gefunden,
er tauchte förmlich hinein mit starren angewärmten Augen und
war von der Güte des Getränks überzeugt.« »Der Mann merkte
was und legte sich weg.« »Mit der Gelegenheit langten wir an
dem bewußten Kreuzweg an, wo sich mein Fräulein zum erstenmal von mir trennen wollte. Und so lang, wie die Nacht
war, wenn wieder so ein Abschied kam, habe ich mir jedesmal die Stelle mit Bezug auf mein Fräulein gemerkt, es war
hinterher eine ganze Sammlung.« Die Fleisser hat am Sprach-
kleid überall die Spuren der Ingolstädter Mauern, die sie
streifte. »Mensch, Du hast woll die Wand mitjenommen«, sagt
der Berliner, und das wäre ihr höchstes Lob. Sie hält wirklich
nicht Abstand und streift, daß es schon mehr ein Rempeln ist,
an den Dingen hin. So aggressiv und störrisch sie an die Sachen
herangeht – ungeschickt ist sie dabei nur scheinbar. Ja der
aufsässige Dialekt, der die Heimatkunst von innen heraus
sprengt, ist nur die eine Seite des sprachlichen Könnens, das in
diesen Novellen steckt. Es gibt da nämlich noch eine Verstiegen-
heit, die flüchtigen Lesern als Restbestand eines provinziellen
Expressionismus erscheinen könnte, in Wahrheit aber, und
mindestens außerdem, etwas Anderes und Besseres darstellt:
die namenlose Verwirrung nämlich, mit der das volkstümliche
Sprechen sich auf den Weg macht, die Stufen der sozialen Rede-
leiter hinanzuklimmen, das »feine«, »gehobene« Deutsch der
herrschenden Klassen zu sprechen. Diese Verwirrung, diese
hochstaplerische Schlichtheit, ist hier ein Kunstmittel ersten
Ranges geworden. Die Verfasserin hat diese Sprachgebärde als

das erkannt, was sie ist, als soziale Zauberei, linguistischen Fetischismus, bestimmt durch eine Reihe von Beschwörungsformeln die Wände weichen zu machen, die sich zwischen den Klassen erheben. Und diese Rudimente von Magie im Sprechen geben den gekuschten, ausgepowerten Existenzen, die im Mittelpunkt dieser Erzählungen stehen, der »armen Lovise« oder dem Maurergesellen vom »Abenteuer aus dem Englischen Garten« das Faszinierende. Für die Verfasserin lauert da aber eine Gefahr. Wenn sie »Gott« sagt, wozu im Laufe dieser Erzählungen mehr als einmal Anlaß ist, gibt es Sätze wie den: »Gott hängte seine Fahne über sie, auf der der Name stand dieser Kreatur: Girl.« Und das ist vielleicht noch sehr gut, deutet aber doch an: dies Deutsch ist für Epik eine zu schmale Basis. Hier ist noch eine letzte Beschränktheit zu brechen, damit auf so viel mutiges dichterisches Experimentieren die reine Leistung folge. Kommt sie zustande, dann werden wir an den Schriften der Fleisser nicht nur vollkommene, sondern pädagogisch höchst brauchbare Stücke haben, und die Johanna Spyri einer eisenfresserischen Jugend in ihr begrüßen.

Hans Heckel, Geschichte der deutschen Literatur in Schlesien. Bd. 1: Von den Anfängen bis zum Ausgang des Barock. Breslau: Ostdeutsche Verlagsanstalt 1929. (Einzelschriften zur schlesischen Geschichte. 2.) X, 418 S.

Die historische Kommission für Schlesien zeichnet als Herausgeberin dieser Literaturgeschichte. Damit ist ein bestimmtes wissenschaftliches Minimum gewährleistet. Man kann nicht sagen, daß die Leistung über das Gewährleistete hinausgeht. Fleißiger Nachweis der genealogischen und biographischen Daten, ausführliche Inhaltsangaben, Proben der Lyrik usw. – in dieser Schicht liegen die Verdienste des Buches. Es gehört einem Typus an, dem man in Übergangs- und Umwertungszeiten der Wissenschaft immer wieder begegnen wird. Ein Autor, unfähig solche Umwertung an seinem Teile zu vollziehen oder auch nur zu erfassen, sucht ihr auf opportunistische Weise entgegenzukommen und meint, neuen Maßstäben gerecht werden zu kön-

nen durch Beugung und Nachgiebigkeit in der Handhabung
überkommener. Wir denken hier an seine Darstellung der
schlesischen Barockdichtung, die die zweite Hälfte des Buches
einnimmt und nicht nur unter den hier behandelten Epochen
dem gegenwärtigen Brennpunkt der Forschung am nächsten
steht sondern auch eine der wichtigsten Manifestationen Schle-
siens gewesen ist. Wer sich das vergegenwärtigt, wer sich sagt,
wieviel nach Nadlers anregenden Entwürfen in der »Literaturgeschichte der deutschen Stämme« hier noch zu leisten gewesen
wäre, welch seltene Gelegenheit es zu leisten (400 große Seiten
sind für die Darstellung von 1300 bis 1700 in Anspruch genommen worden), der muß zu dem Ergebnis gelangen, daß wenig
geschehen ist. Und wenn er von der unentschiedenen Haltung
des Autors, der die Chancen gar nicht zu nutzen wußte, die
gerade die heutige Forschung ihm bietet, auch absieht, so wird
er sich doch keinesfalls von einer bloßen Chronik dessen, was
im Lande Schlesien in Dingen der Literatur sich ereignete, befriedigt erklären. Das Land, seine Menschen, seine sozialen
Verhältnisse erhellen sich im gemächlichen Verlaufe dieser Erzählung nur notdürftig und sporadisch. Die große Aufgabe, die
literarische Monographie einer Landschaft zu schreiben, mag
man ihr nun die wirtschaftlichen oder die stammesgeschichtlichen
Verhältnisse zugrunde legen, ist offenbar überhaupt nicht ins
Blickfeld des Verfassers getreten. So scheint uns Jahr für Jahr
die Hoffnung zu trügen, es möchte endlich ein geschärfteres und
strengeres Wesen auch in die Geschichte der Literatur einziehen.
Wird sie sich nicht endlich Rechenschaft davon geben, daß ein
träges Beharren auf den Akzenten, die die Forschung des neunzehnten Jahrhunderts in diesem Bereiche gesetzt hat, nunmehr
die Wissenschaft in nächste Nähe des Feuilletons rückt? Die
Geilheit der barocken Liebesdichtung, die Schrecken und Greuel
der Märtyrerdramen, der Byzantinismus der Gelegenheitsge-
dichte und Widmungen, das Pathos der Sonette und Monologe –
wir wollen nicht wissen, ob sie beim einen aufrichtiger, psychologisch vertiefter, entschuldbarer, formvollendeter als beim
anderen sind. Wir wollen vorerst einmal erfahren: Was sind sie
selbst? Was spricht aus ihnen? Warum mußten sie sich einstellen? Wer sich in ein Phänomen zu vertiefen weiß, der trifft
zuletzt darin immer auf das »Moderne«; der Vermittler, der

von vornherein bedacht ist, die Maßstäbe des heutigen Lesepublikums (statt der Einsichten der heutigen Wissenschaft) anzusetzen, baut gebrechliche Brücken. Es sei zugegeben, daß auf
vielen, die der Verfasser hier in der Gestalt von ausgewählten
Versen im Texte anbringt, sich's angenehm geht. Trotzdem ist
diesem opportunistischen Verfahren, das sich um den Ausgleich
des supponierten alten »Geschmacks« mit dem neuern bemüht,
der Kampf um so nachdrücklicher anzusagen, je mehr es verbreitet ist. Man kann auch darstellerisch eine schärfere Profilierung der Autoren gegeneinander nie und nimmer charakterologisch, menschlich, ästhetisch zu erwirken hoffen, sondern nur
durch immer strengere, detailliertere Untersuchung der Art und
Weise, in der die Einzelnen mit ihrer literarischen und kulturellen Umwelt sich auseinandersetzen. Gerade in solcher prinzipiell
unabsehbaren Differenzierung liegt das allein lebendige methodische Prinzip einer Literaturgeschichte. Die wie auch immer
versteckte Zweiteilung von Darstellung und Würdigung schlägt
ihm ins Gesicht. Der Typus des barocken Literators ist ja in den
gröbsten Umrissen von Heckel wie auch schon von anderen gezeichnet worden. Aber es versinkt alles wieder in der gemächlichen, komfortablen Darstellung der Viten und Werke. Wenn
wir mehr fordern als das nützliche Handbuch, das Heckel
vorlegt, so berechtigt dazu eine Epoche, die wie wenige andere
ein vertieftes Studium der Literatur in ihrer sozialen und landschaftlichen Bedingtheit nicht nur ermöglicht sondern anregt.
Wir brauchen ein Buch, das die Genesis des barocken Trauerspiels im engen Zusammenhang mit dem Entstehen der Bürokratie, die Einheit der Zeit und der Handlung im engen Zusammenhang mit den dunklen Amtsstuben des Absolutismus,
die geile Liebesdichtung mit der Schwangerschaftsinquisition des
entstehenden Polizeistaats, die Schlußapotheose der Operndra-
men mit der rechtsphilosophischen Struktur der Souveränität
darstellt. Dann wird sich zugleich zeigen, was hier im Ursprung
landschaftlich und stämmisch bedingt war und wie die Kräfte
und Antagonismen des Barock bis Schiller (wie Nadler gezeigt
hat), ja bis in das Widerspiel von Hebbel und Nestroy fortwir-
ken. Um von dem besten Lohn, dem elektrischen Kontakt mit der
heutigen Lage zu schweigen. Der Leser von Heckel hat ihn nicht
zu besorgen. Er steckt in historizistischen Filzpantoffeln.

Die Wiederkehr des Flaneurs[1]

Wenn man alle Städteschilderungen, die es gibt, nach dem Ge-
burtsorte der Verfasser in zwei Gruppen teilen wollte, dann
würde sich bestimmt herausstellen, daß die von Einheimischen
verfaßten sehr in der Minderzahl sind. Der oberflächliche Anlaß, das Exotische, Pittoreske wirkt nur auf Fremde. Als Ein-
heimischer zum Bild einer Stadt zu kommen, erfordert andere,
tiefere Motive. Motive dessen, der ins Vergangene statt ins
Ferne reist. Immer wird das Stadtbuch des Einheimischen Verwandtschaft mit Memoiren haben, der Schreiber hat nicht umsonst seine Kindheit am Ort verlebt. So in Berlin Franz Hessel
die seine. Und wenn er sich nun aufmacht und durch die Stadt
geht, so kennt er nicht den aufgeregten Impressionismus, mit
dem so oft der Beschreibende seinen Gegenstand antritt. Denn
Hessel beschreibt nicht, er erzählt. Mehr, er erzählt wieder, was
er gehört hat. »Spazieren in Berlin« ist ein Echo von dem, was
die Stadt dem Kinde von früh auf erzählte. Ein ganz und gar
episches Buch, ein Memorieren im Schlendern, ein Buch, für das
Erinnerung nicht die Quelle, sondern die Muse war. Sie geht die
Straßen voran, und eine jede ist ihr abschüssig. Sie führt hinab,
wenn nicht zu den Müttern, so doch in eine Vergangenheit, die
um so bannender sein kann, als sie nicht nur des Autors eigne,
private ist. Im Asphalt, über den er hingeht, wecken seine
Schritte eine erstaunliche Resonanz. Das Gaslicht, das auf das
Pflaster herunterscheint, wirft ein zweideutiges Licht über diesen
doppelten Boden. Die Stadt als mnemotechnischer Behelf des
einsam Spazierenden, sie ruft mehr herauf als dessen Kindheit
und Jugend, mehr als ihre eigene Geschichte.
Was sie eröffnet, ist das unabsehbare Schauspiel der Flanerie,
das wir endgültig abgesetzt glaubten. Und nun sollte es hier, in
Berlin, wo es niemals in hoher Blüte stand, sich erneuern? Dazu
muß man wissen, daß die Berliner andre geworden sind. Langsam beginnt ihr problematischer Gründerstolz auf die Hauptstadt der Neigung zu Berlin als Heimat Platz zu machen. Und
zugleich hat in Europa der Wirklichkeitssinn, der Sinn für
Chronik, Dokument, Detail sich geschärft. In diese Situation

1 Franz Hessel, Spazieren in Berlin. Leipzig und Wien: Verlag Dr. Hans Epstein
1929. 300 S.

tritt nun einer, der gerade jung genug ist, um diesen Wandel mitzuerfahren, und gerade alt genug, um den letzten Klassikern der Flanerie, einem Apollinaire, einem Léautaud persönlich nahegestanden zu haben. Den Typus des Flaneurs schuf ja Paris. Daß nicht Rom es war, ist das Wunderbare. Aber zieht nicht in Rom selbst das Träumen schon allzu gebahnte Straßen? Und ist die Stadt nicht zu voll von Tempeln, umfriedeten Plätzen, nationalen Heiligtümern, um ungeteilt mit jedem Pflasterstein, jedem Ladenschild, jeder Stufe und jeder Torfahrt in den Traum des Passanten eingehen zu können? Die großen Reminiszenzen, die historischen Schauer – sie sind dem wahren Flaneur ja ein Bettel, den er gerne dem Reisenden überläßt. Und all sein Wissen von Künstlerklausen, Geburtsstätten oder fürstlichen Domizilen gibt er für die Witterung einer einzigen Schwelle oder das Tastgefühl einer einzigen Fliese dahin, wie der erstbeste Haushund sie mit davonträgt. Auch mag manches am Charakter der Römer liegen. Denn Paris haben nicht die Fremden, sondern sie selbst, die Pariser, zum gelobten Land des Flaneurs, zu der »Landschaft aus lauter Leben gebaut«, wie Hofmannsthal sie einmal nannte, gemacht. Landschaft – das wird sie in der Tat dem Flanierenden. Oder genauer: ihm tritt die Stadt in ihre dialektischen Pole auseinander. Sie eröffnet sich ihm als Landschaft, sie umschließt ihn als Stube.

»Gebt der Stadt ein bißchen ab von eurer Liebe zur Landschaft«, sagt Franz Hessel zu den Berlinern. Wollten sie nur die Landschaft in ihrer Stadt sehen. Hätten sie auch nicht den Tiergarten, diesen heiligen Hain der Flanerie mit seinen Blicken auf die sakralen Fassaden der Tiergartenvillen, die Zelte, in denen man während des Jazz das Laub schwermütiger als sonst zu Boden sinken sehen kann, den Neuen See, von dem hier die Buchten und Bauminseln in Gedanken gezeichnet sind, »wo wir im Winter kunstvoll holländernd große Achter ins Eis schrieben und im Herbst von der Holzbrücke am Bootshaus in den Kahn stiegen mit der Herzensdame, die unser Ruder steuerte« – wäre dies alles nicht, die Stadt wäre noch immer voll Landschaft. Spürten sie nur den Himmel über Hochbahnbögen so blau wie über Engadiner Ketten sich spannen, aus dem Getöse die Stille wie aus einer Brandung sich heben und kleine Straßen im Stadtinnern die Tageszeiten so deutlich wie eine Bergmulde

widerspiegeln. Freilich das wahre, die Stadt randvoll erfüllende
Dasein des Städters in ihr, ohne das es dieses Wissen nicht gibt,
ist nichts Billiges. »Wir Berliner«, sagt Hessel, »müssen unsere
Stadt noch viel mehr – bewohnen.« Bestimmt will er das wört-
lich verstanden wissen, weniger von den Häusern als von den
Straßen. Denn sie sind ja die Wohnung des ewig unruhigen,
ewig bewegten Wesens, das zwischen Hausmauern soviel erlebt,
erfährt, erkennt und ersinnt, wie das Individuum im Schutze
seiner vier Wände. Der Masse – und mit ihr lebt der Flaneur –
sind die glänzenden, emaillierten Firmenschilder so gut und
besser ein Wandschmuck wie im Salon dem Bürger ein Ölge-
mälde, Brandmauern ihr Schreibpult, Zeitungskioske ihre Bi-
bliotheken, Briefkästen ihre Bronzen, Bänke ihr Boudoir und die
Caféterrasse der Erker, von wo sie auf ihr Hauswesen herab-
sieht. Wo am Gitter Asphaltarbeiter den Rock hängen haben, ist
ihr Vestibül und die Torfahrt, die aus der Flucht der Höfe ins
Freie leitet, der Zugang in die Kammern der Stadt.
Schon in der meisterhaften »Vorschule des Journalismus«[2] war
die Erforschung dessen, was Wohnen ist, als unterirdisches
Motiv erkennbar. Wie jede stichhaltige und erprobte Erfahrung
ihr Gegenteil mit umfaßt, so hier die vollendete Kunst des
Flaneurs das Wissen vom Wohnen. Urbild des Wohnens aber ist
die matrix oder das Gehäuse. Das also, von dem man genau die
Figur dessen abliest, der es bewohnt. Will man sich nun erinnern,
daß nicht nur Menschen und Tiere, sondern auch Geister, und
vor allem die Bilder wohnen, so liegt greifbar vor Augen, was
den Flaneur beschäftigt und was er sucht. Nämlich die Bilder wo
immer sie hausen. Der Flaneur ist der Priester des genius loci.
Dieser unscheinbare Passant mit der Priesterwürde und dem
Spürsinn eines Detektivs – es ist um seine leise Allwissenheit
etwas wie um Chestertons Pater Brown, diesen Meister der
Kriminalistik. Man muß dem Autor in den »Alten Westen« folgen, um ihn von dieser Seite kennen zu lernen: wie er die Laren
unter der Schwelle aufspürt, wie er die letzten Denkmale einer
alten Wohnkultur feiert. Die letzten: denn in der Signatur dieser
Zeitenwende steht, daß dem Wohnen im alten Sinne, dem die
Geborgenheit an erster Stelle stand, die Stunde geschlagen hat.
Giedion, Mendelssohn, Corbusier machen den Aufenthaltsort

2 s. Franz Hessel, Nachfeier. Berlin: Ernst Rowohlt 1929.

von Menschen vor allem zum Durchgangsraum aller erdenklichen Kräfte und Wellen von Licht und Luft. Was kommt, steht
im Zeichen der Transparenz: nicht nur der Räume, sondern,
wenn wir den Russen glauben, die jetzt die Abschaffung des
Sonntags zugunsten von beweglichen Feierschichten vorhaben,
sogar der Wochen. Man meine aber nicht, ein pietätvoll, am
Musealen haftender Blick sei genug, um die ganze Antike des
»Alten Westens«, in den Hessel seine Leser führt, zu entdecken.
Nur ein Mann, in dem das Neue sich, wenn auch still, so sehr
deutlich ankündigt, kann einen so originalen, so frühen Blick
auf dies eben erst Alte tun.

Unter der plebs deorum der Kariatyden und Atlanten, der
Pomonen und Putten, mit deren Entdeckung er den Leser hier
aufnimmt, sind ihm die liebsten doch jene einst herrschenden,
nun zu Penaten, unscheinbaren Schwellengöttern gewordenen
Figuren, die angestaubt auf Treppenabsätzen, namenlos in
Flurnischen einquartiert, die Hüterinnen der rites de passage
sind, die ehemals jeden Schritt über eine hölzerne oder metaphorische Schwelle begleiteten. Von ihnen kommt er nicht los
und ihr Walten weht ihn noch an, wo ihre Abbilder längst nicht
mehr oder unkenntlich stehen. Berlin hat wenig Tore, aber dieser große Schwellenkundige kennt die geringeren Übergänge,
die Stadt von Flachland, Stadtteil von Stadtteil abheben: Bau-
stellen, Brücken, Stadtbahnbögen und Squares, und sie alle sind
hier geehrt und beachtet, ganz zu schweigen von den schwelli-
gen Stunden, den heiligen zwölf Minuten oder Sekunden des
kleinen Lebens, die den makrokosmischen twelf-nights entsprechen und auf den ersten Blick so unheilig aussehen können.
»Die Tanztees der Friedrichstadt«, weiß der Autor, »haben
auch ihre lehrreichste Stunde, bevor der Betrieb losgeht, wenn
im Dämmer nah bei den noch eingehüllten Instrumenten die
Balletttdame einen Imbiß einnimmt und sich dabei mit der
Garderobefrau oder dem Kellner unterhält.«

Baudelaire hat das grausame Wort von der Stadt, die schneller
als ein Menschenherz sich wandle, gesprochen. Hessels Buch ist
voll tröstlicher Abschiedsformeln für ihre Bewohner. Ein wahrer
Briefsteller des Scheidens ist es, und wer bekäme nicht Lust, Abschied zu nehmen, könnte er mit seinen Worten Berlin so ins Herz
dringen wie Hessel seinen Musen aus der Magdeburger Straße.

»Sie sind inzwischen verschwunden. Bruchsteinern standen sie da
und hielten artig, soweit sie noch Hände hatten, ihre Kugel oder
ihren Stift. Sie verfolgten mit ihren weißen Steinaugen unsern
Weg, und es ist ein Teil von uns geworden, daß diese Heiden-
mädchen uns angesehen haben.« »Nur was uns anschaut sehen
wir. Wir können nur –, wofür wir nichts können.« Man hat die
Philosophie des Flaneurs niemals tiefer erfaßt als es Hessel mit
diesen Worten getan hat. Er geht einmal durch Paris und da
sind die Conciergefrauen, die nachmittags in kühlen Hausgän-
gen sitzen und nähen, von denen fühlt er sich angesehen wie von
seiner Amme. Und nichts ist für das Verhältnis der beiden
Städte – Paris, seiner späten und reifen Heimat, und Berlins,
seiner frühen und strengen – bezeichnender, als daß den Berlinern dieser große Spaziergänger baldigst auffallend und su-
spect wird. »Der Verdächtige« heißt darum der erste Abschnitt
in diesem Buche. In ihm ermessen wir die atmosphärischen
Widerstände, die sich in dieser Stadt der Flanerie in den Weg
stellen und wie bitter der nachschauende Blick aus Dingen und
Menschen in ihr auf den Träumer zu fallen droht. Hier und
nicht in Paris versteht man, wie der Flaneur vom philosophischen Spaziergänger sich entfernen und die Züge des unstet in
der sozialen Wildnis schweifenden Werwolfs bekommen konnte,
den Poe in seinem »Mann der Menge« für immer fixiert hat.
So viel vom »Verdächtigen«. Der zweite Abschnitt aber ist
überschrieben »Ich lerne«. Das ist nun wieder ein Lieblingswort
des Verfassers. Schriftsteller nennen es meist »studieren«, wie
sie sich einer Stadt nähern. Zwischen diesen Worten liegt eine
Welt. Studieren kann jeder, lernen nur, wer aufs Dauernde aus
ist. Eine souveräne Neigung zum Dauernden, ein aristokrati-
scher Widerwille gegen Nuancen hat bei Hessel das Wort. Erlebnis will das Einmalige und die Sensation, Erfahrung das
Immergleiche. »Paris«, so hieß es vor Jahren, »das ist der
schmale Gitterbalkon vor tausend Fenstern, die rote Blechzi-
garre vor tausend Tabakverschleißen, die Zinkplatte der kleinen
Bar, die Katze der Concierge.« So memoriert der Flaneur wie
ein Kind, so besteht er hart wie das Alter auf seiner Weisheit.
Nun ist auch für Berlin ein solches Register, solch ägyptisches
Traumbuch des Wachenden zusammengetragen. Und wenn erst
der Berliner in seiner Stadt nach andren Verheißungen forscht

als denen der Lichtreklamen, dann wird es ihm sehr ans Herz
wachsen.

Alfred Polgar, Hinterland. Berlin: Ernst Rowohlt Verlag 1929.
275 S.

»Natur ist, wo du ohne dich allein bist« – in dieser Definition
steckt nicht nur Polgars ganze Sprachkunst; sie ist der archimedische Punkt, von wo aus er die Welt sieht. »Der archimedische
Punkt, von wo aus er die Welt sieht« – das ist es eben: er
wird die Welt nicht bewegen, sondern beschauen. Wieso aber
sein Weltbeschauen dennoch Aktion ist, und er also im Hebel-
punkte philosophiert, davon später. Das wollen wir aber an
seinem Begriff von Natur gleich festhalten, daß er Partei nimmt.
Unbedingt gegen den Menschen, wo er nicht »ohne sich allein«
ist, wie Liebende oder Kinder. Diese Natur liebt er, die in sich
versunken ist, den welthistorischen Belangen den Rücken kehrt,
Wien und das Salzkammergut im Schoß hält, Süßes für ihre
Kinder, aber nichts für ihre Erwachsenen übrig hat. In ihrem
Schatten hat sich sein Spott gekühlt und seine Trauer ist auf
ihren Höhen wetterfest geworden. Und nun ermesse man, was
in ihm vorging, als eines Tages alle Menschenschmach begann,
über die Gewaltige hinzuspülen. Er blieb ihr aber nur desto
eigensinniger treu und erduldete was geschah »aus der Perspektive von damals; aus der Ohnmachts-Perspektive also«. Heute
veröffentlicht er »Hinterland«, die Folge im Weltkrieg und im
anschließenden Weltfrieden erschienener Skizzen, die sich so
scharf von den »Schilderungen« abheben, der gut abgehangenen,
durchräucherten Schwarte Weltgeschichte, die vorsorgliche Autoren zur Zeit aus dem Rauchfang holen. Der Leser dieser Polgar-
schen Skizzen stößt, post festum, auf die Befehle und Direkti-
ven, die damals nur verstohlen über Nacht der großen Formation der Refraktäre, Simulanten, Defaitisten zugestellt wurden,
den Korps, die im Rücken des uniformierten Heeres den Hel-
denkampf auf seiten der Natur und gegen die Gesellschaft
gefochten haben. Der Krieg hat die überraschendsten Avance-
ments gesehen und eines von ihnen war das dieses Epikuräers,

des soignierten Herrn, der, was es nur Vertrauenswürdiges, Beruhigendes gibt, die Verläßlichkeit des jüdischen Arztes, des jüdischen Bankiers, des jüdischen Anwalts in sich vereint, zum Wortführer aller Streitkräfte der passiven Resistenz. Daß ein Österreicher dies werden mußte, war vorbestimmt. Es ist nachgerade überhaupt die europäische Rolle des Österreichertums geworden, aus seinem ausgepowerten Barockhimmel die letzten Erscheinungen, die apokalyptischen Reiter der Bürokratie zu entsenden: Kraus, den Fürsten der Querulanten, Pallenberg, den geheimsten der Konfusionsräte, Kubin, den Geisterseher in der Amtsstube, Polgar, den Obersten der Saboteure. Und diese seine österreichische Rolle führt er in jeder erdenklichen Ausstaffierung, vom Ketzer zum Kasperl, vom Terroristen zum Trottel durch und kann dabei in so unscheinbaren Kostümen wie dem des Panoramadieners vor der »Schlacht beim Berge Isel« erscheinen, wo überall Tote liegen, aber »bei den Franzosen viel, viel mehr als bei den Tirolern. Warum? – Nur der Panoramadiener kann das erklären.« Wirklich kann er's. Von der strotzenden Volute des Kanzelredners bis zur idiosynkratischen Reflektionsspirale von Nestroy verschlingen sich in seiner Sprache noch einmal alle Abbreviaturen und Arabesken des Wienerischen. Abraham a Santa Claras Beredsamkeit hat kein großartigeres Bild gefunden als Polgar für den Frieden von Brest-Litowsk. »Das Rad des Geschehens ging über den Friedensvertrag, nahm ihn mit, wie das Wagenrad ein Stück Papier mitnimmt, das auf dem Fahrweg liegt. – Nach ein paar Umdrehungen verschwindet es im Schmutz der Straße.« Dieser emblematische Lakonismus herrscht überall. Wie ein Ausschlag kam am verfallenden Wien eine verborgene Bildwelt zum Vorschein, und an den Häuserwänden, von denen der Kalk sich löste, erschien als weißer Flecken das Siegel unter dem Menetekel, das Polgar längst auf ihnen gelesen hatte. Darum ist diese von seinen wienerischen Schriften die Quintessenz. Endlich beginnt die Stadt, die so lange unter seinem Brennglas gelegen hat, Feuer zu fangen. Und da sitzt er im »Abendlande des Unterganges«, der Heurige treibt ihm die Tränen aus beiden Augen, auf der Estrade wird der letzte Zapfenstreich angezettelt und der Wiener Strudl verschlingt den Gast.

Joseph Gregor, Die Schwestern von Prag und andere Novellen.
München: R. Piper u. Co. Verlag (1929). 244 S.

Joseph Gregor ist Theaterfachmann und hat als solcher eine
Anzahl materialreicher Schriften über die Bühne erscheinen
lassen, bei denen man über das auffallend schlechte Deutsch zur
Tagesordnung übergehen konnte. Angesichts der vorliegenden
Novellen ist das leider nicht möglich und auch der Theaterfachmann verrät sich in ihnen nur wie der Teufel am Pferdefuß.
Sie sind nämlich ganz und gar im Kostüm und Dekor erstickt
und in was für einem, davon macht der Leser sich einen Begriff,
wenn er erfährt, wie in dieser preziösen und bis zum Schwach-
sinn feierlichen Prosa, in der das Wort »Schlafwagen« keinen
Platz hat, ein solcher beschrieben wird: »Es war das Milieu der
eleganten, konventionellen Vereinsamung, das, rasend durch
die Nacht, keinem Weltmenschen fremd ist.« Das Wort »Kna-
benfreundschaft«, geschweige »Päderastie« darf in diesem Vokabular nicht vorkommen. Das wird, in sechster Besetzung sozusagen, folgendermaßen gegeben: »eine jener rätselhaften Freundschaften, der man im Zeitalter Platons Rosen wand und die
man heute psychoanalysiert.« Nirgends wird man Orgien beschrieben finden wie hier, es sei denn in den Inseraten der
Nachtlokale, denen aber die Wendung vom Nackttanz, der »die
Sinne einer Millionenstadt zur Explosion brachte«, nicht entstammt, und die verglichen mit solcher Schilderung eines Spiel-
tischs – »Gelbe Hände flatterten Verzweiflung über dem grünen
Tuche, die Kugel surrte in der Rouletteschale« – stilistische
Kunstwerke sind. Die Geschichten sind lang und nicht nur aus
sprachlichen Gründen unlesbar. Schade, denn die Vereinigung
mondäner und dämonischer Züge, die ihr Motiv ist, wäre genau, was die Nuttenköpfe auf dem Umschlag der Magazins
ihren Lesern versprechen.

Magnus Hirschfeld, Berndt Götz, Das erotische Weltbild. Helle-
rau bei Dresden: Avalun-Verlag (1929). 208 S.

Es war ein glücklicher Gedanke, einem großen Publikum die
Grundzüge einer Lehre vom magischen Menschen an dem zu
entwickeln, was jeder in der Reflexion und ohne die Mühe der
Selbstversenkung in sich vorfinden kann: an der Verfassung
des Liebenden. Gedichte, Bilder, Briefstellen bilden das Anschauungsmaterial, das von frühkindlichen Zeugnissen, gelegentlich auch von Hinweisen auf Psychotische wirksam gestützt
wird. Die Überschriften »Von der Liebesbereitschaft«, »Vom
Erlebnis des Leibes«, »Vom magischen Erleben der Zeit« usw.
kennzeichnen den Gehalt und zugleich die aphoristische, nicht
immer verbindliche Formulierung, die bei Werken dieser Art
angebracht ist.

Familienbriefe Jeremias Gotthelfs. Hrsg. von Hedwig Wäber.
Frauenfeld und Leipzig: Verlag Huber u. Co. Aktiengesell-
schaft (1929). 122 S., 8 Abb. und eine Handschriftenprobe.

Diese Briefe sind ein, wie man so sagt, erfreulicher Zuwachs für
die Gotthelf-Forschung. Der schlichte Leser Jeremias Gotthelfs
wird von ihnen nicht viel mehr als die Kenntnis mitnehmen,
daß dieser große Autor seine Sprach- und Gedankenschätze für
sein Werk sparte. Ob das vorwiegend in der Art seiner Korrespondenten oder in seiner Natur begründet lag, können wir hier
nicht entscheiden. Erfreulich, daß die Ausgabe dieser Sachlage
Rechnung trägt und sich in Vorwort und Apparat auf das
Archivalische und Lexikographische beschränkt.

HEBEL GEGEN EINEN NEUEN BEWUNDERER VERTEIDIGT[1]

Da hat sich an Hebel wieder einmal eine Null angehängt. Und so wenig der unermeßliche Wert dieses Autors davon berührt wird, darf man das zum Anlaß nehmen, ihn von neuem sich schätzungsweise vor Augen zu führen. Was diesem Schriftsteller not täte, wäre freilich nicht die Gefolgschaft der Nullen, sondern der Eine, der ein für allemal die erste Stelle mit markanten Zügen fixierte. Ansätze, welche dazu gemacht wurden, sind seinem neuen Bewunderer unbekannt geblieben. Noch einmal modelt er das Nippesfigürchen »Hebel« in Thorwaldsenscher Süße aus dem Biskuitguß allgemeiner Bildung.

Es ist ums Popularisieren eine wichtige Sache. Nicht zum wenigsten wegen des Doppelsinns, der darin steckt. Denn Bildung als Befreiungsmittel der Beherrschten und »Bildung« als ein Instrument der Unterdrücker dringen beide aufs Allgemeinverständliche, Populäre. Nun ist die »allgemeine« Bildung, die vor hundert Jahren als Kulturparole der herrschenden Klasse aufkam, ein Herrschafts-, kein Befreiungsinstrument gewesen. Die Befreiung nimmt gerade das Spezialistentum zum Ausgang und führt zur Demaskierung dieses Kulturprogramms. Ist aber schließlich der Gegensatz der beiden möglichen Funktionen populären Wissens – der unterdrückenden und der befreienden – allzu deutlich geworden, so verliert dieses Herrschaftsinstrument seinen Wert. Und das ist die Signatur des gegenwärtigen Augenblicks. Wir sehen die allgemeine Bildung aus den Händen der wahrhaften Machthaber in die der Pseudoherrscher übergehen, die ihre fetischistische Freude am Instrument als solchem haben, ohne zu erkennen, wie untauglich es zu werden anfängt. Die wahren Machthaber jedoch sind sich darüber im klaren und überlassen neidlos diesen anderen das ausgeleierte Werkzeug. Niemandem läge es näher, diese Verhältnisse zu durchschauen, als einer akademischen Elite. Um so trister, gerade in einer akademischen Schriftenreihe die allgemeine Bildung im Stadium ihrer gänzlichen Auflösung anzutreffen.

Es ist der Köhlerglaube an die Gegensätze, der dieses Stadium kennzeichnet. Der idealistische Optimismus der goldenen Mitte

---

1 Hanns Bürgisser, Johann Peter Hebel als Erzähler. Horgen-Zürich, Leipzig: Verlag der Münster-Presse 1929. 113 S. (Wege zur Dichtung. 7.)

mag unmittelbarer Ausdruck des gebildeten Spießers sein –
theoretisch ist er nur mittelbar und die Wirkung der hoffnungs-
losen Starre, der der Arme verfällt, da er sich rings von gottgewollten ehernen Gegensätzen umlagert sieht. Befangener als
dieser neue Hebel-Interpret kann man im Glauben an diese
Idole nicht sein. Der Epiker und der Lyriker, der dichterische
und der Verstandesmensch, der Polytheist und der Pantheist –
als Kampf derartiger Kolosse spielt die Untersuchung sich ab,
und der Verfasser steht dazwischen und freut sich an dem durch
keinerlei dialektisches Artikulieren gestörten Getöse ihrer Zu-
sammenstöße. Denn die allgemeine Bildung ist nicht nur die
Kombination von Fakten und Floskeln, als die man sie im
besten Fall entlarvt, sie ist vor allem breitspurige Befassung mit
»Gegensätzen«, »Weltanschauungen«, »Problemen«, die unaufhörlich »ausgewertet«, »abgewogen«, »gewürdigt« sein wollen.
Die konventionelle Bewunderung, die hier Hebel gezollt wird,
ist teuer genug mit den Zensuren erkauft, die ›die platte Ver-
ständigkeit der Aufklärung‹, ›die konventionellen Spielereien
der Anakreontik‹, »die gewaltsamen Analogien von Menschen-
und Naturleben, welche wir bei Lenau, Heine, Rückert...
häufig finden« und was nicht sonst in unerträglicher Folge betreffen. Unwissenheit und Engstirnigkeit führen einen allzu
beschränkten Haushalt, um die Pfennige ihres Lobes anders als
gegen blanke Deckung durch den Tadel je zu verausgaben.
Die Fehler und Entgleisungen des Werkes sind andere als in
philologischen Arbeiten älteren Stils. Das Wort hat die neue
synthetische Richtung der Literaturgeschichte und ihr gehört
nach seinem vielversprechenden Programm – es will die Weltanschauung, das Stofferlebnis, die innere und die äußere Form
bei Hebel behandeln – das Werk auch an. Trotzdem wird sie
mit Recht die Verantwortung für eine Arbeit ablehnen, die
überall an ihrem wichtigsten Gegenstande vorbeigeht. Hätte
sie, statt eine Analyse der Hebelschen Frömmigkeit mit allen
Kategorien der Religionsgeschichte ins Werk zu setzen, vielmehr
von seinem Formenschatz gehandelt, sie wäre von selbst auf die
zuständigen Begriffe gestoßen: nicht religionsgeschichtliche; theologische. Hebels Werk ist nämlich vor allem anderen erbaulich;
dabei von einer Welt- und Geistesweite wie wohl kein zweites
der Gattung seit dem Ende des Mittelalters. Der Gerechte – das

Wort im biblischen Sinne verstanden – ist die Hauptrolle auf seinem theatrum mundi. Weil aber eigentlich keiner ihr gewachsen ist, so wandert sie von einem zum andern, bald ist es der Schacherjude, bald der Strolch, bald der Beschränkte, der einspringt, um diesen Part durchzuführen. Immer ist es ein Gastspiel von Fall zu Fall, eine moralische Improvisation. Hebel ist Kasuist wie alle wirklichen Moralisten. Er solidarisiert sich um keinen Preis mit irgendeinem Prinzip, weist aber auch keins ab, denn jedes wird einmal Instrument des Gerechten, und die rebellische Verschlagenheit seiner Strolche und Lumpen am allermeisten. Es steht mit seiner Chronik des Alltags wie mit der seines größten Zeitraums, den fünfzig Jahren im »Unverhofften Wiedersehen«: sie liest sich wie aus Akten des jüngsten Gerichts. Nur daß alles Eschatologische fehlt. Die ganze Erde ist bei ihm zum Rhodos der göttlichen Gerechtigkeit geworden.

Es ist militärische Bereitschaft in seiner Moral. Immer ist ihre Losung verblüffend und als wolle sie die Postenkette der Frommen sichern. Wie gänzlich windschief steht sie nicht beispielsweise in der »Probe« zu allem, worauf sich der Leser gefaßt macht. Es scheint gar nicht mehr das Wichtige, daß man sich unbestechlich erweisen solle, denn man wisse nie, mit wem man's zu tun habe. Nein, es sieht geradezu aus, als wolle Hebel mit der Sphäre der honorigen Bürgersleute (unter denen es also denn doch auch etwas wie Spitzel geben muß) gar nicht länger sich einlassen und schlage sich im Augenblick, wo alles sich um das »Merke« dreht, auf die Seite der Spitzbuben: »Item an einem solchen Orte mag es nicht gut sein, ein Spitzbube zu sein, wo ein Hatschier dem andern nicht trauen darf.«

Als wolle der Dichter eben die honette Moral vom Riegel nehmen, die da hängt wie eine Melone, und nun setzt er sie mit einer unglaublich frechen Gebärde schief auf den Kopf und verläßt das Lokal mit der Tür knallend. Auf solche Weise macht er die Moral, die beim durchschnittlichen Geschichtenschreiber ein Fremdkörper ist, zur Fortsetzung der Epik mit anderen Mitteln. Man erkennt das, wenn man an Hebels Verhältnis zur jüdischen Welt denkt. Es läßt sich an Lebendigkeit und Tiefe nur mit dem Lichtenbergschen vergleichen. Es reicht von der nächsten, wärmsten Beziehung zum jüdischen Proletariat bis

zu so schrecklichen Beschwörungen der Pogromstimmung wie den
»Zwei Postillonen«. Diese Verwandtschaft zum Jüdischen gipfelt eben im haggadischen Einschlag seiner Erzählungen, die
vor der Moral nicht kapitulieren, sondern auch sie mit Kraft
und List zum epischen Gute schlagen.

Wenn Hebels Geschichten ein Uhrwerk sind, dann ist das
»Merke« ihr Zeiger. Aber man muß diese kleine Weltenuhr
eben lesen können. Ihr neuer Interessent steht mit einer Hilflosigkeit davor, die sich in seiner Sprache ebenso verrät wie in
seiner Gedankenarmut. Im Grunde sind beide dasselbe. Das
beweist sein Abschnitt über Hebels epischen Stil, in dem auf
zwei Seiten die Worte »behaglich« und »Behaglichkeit« achtmal
wiederkehren, von ihren Synonymen »gemütlich« und »beschaulich« zu schweigen. In die Anschauung, die aus diesem
Vokabular erhellt, gipfelt die Untersuchung.

Wege zur Dichtung? Nein! Die staubige Landstraße von Semi-
narikon nach Doktorswyl.

EINE KOMMUNISTISCHE PÄDAGOGIK

Psychologie und Ethik sind die Pole, um die sich die bürgerliche
Pädagogik gruppiert. Man soll nicht annehmen, sie stagniere. Es
sind in ihr beflissene und bisweilen auch bedeutende Kräfte am
Werk. Nur können sie nichts dawider, daß die Denkungsart des
Bürgertums hier wie in allen Bereichen auf eine undialektische
Weise gespalten und in sich zerrissen ist. Auf der einen Seite die
Frage nach der Natur des Zöglings: Psychologie der Kindheit,
des Jugendalters, auf der anderen das Erziehungsziel: der Voll-
mensch, der Staatsbürger. Die offizielle Pädagogik ist das Verfahren, diese beiden Momente – die abstrakte Naturanlage und
das chimärische Ideal – einander anzupassen, und ihre Fortschritte liegen dabei in der Linie, zunehmend List an Stelle der
Gewalt zu setzen. Die bürgerliche Gesellschaft hypostasiert ein
absolutes Kindsein oder Jungsein, dem sie das Nirwana der
Wandervögel, der Boyscouts anweist, sie hypostasiert ein ebenso
absolutes Menschsein und Bürgersein, das sie mit den Attributen
der idealistischen Philosophie schmückt. In Wirklichkeit sind

beides aufeinander eingespielte Masken des tauglichen, sozial verläßlichen, standesbewußten Mitbürgers. Das ist der unbewußte Charakter dieser Erziehung, dem eine Strategie der Insinuationen und Einfühlungen entspricht. »Die Kinder brauchen uns nötiger als wir sie«, das ist die uneingestandene Maxime dieser Klasse, die noch den subtilsten Spekulationen ihrer Pädagogik genau so zugrunde liegt wie ihrer Praxis der Fortpflanzung. Dem Bürgertum steht sein Nachwuchs gegenüber als Erbe; den Enterbten als Helfer, Rächer, Befreier. Das ist der hinreichend drastische Unterschied. Seine pädagogischen Folgen sind unabsehbar.

Zunächst geht die proletarische Pädagogik nicht von zwei abstrakten Daten aus, sondern von einem konkreten. Das Proletarierkind ist hineingeboren in seine Klasse. Genauer in den Nachwuchs seiner Klasse, nicht in die Familie. Es ist von vornherein ein Element dieses Nachwuchses, und was aus ihm werden soll, bestimmt kein doktrinäres Erziehungsziel, sondern die Lage der Klasse. Diese Lage ergreift ihn vom ersten Augenblick an, ja schon im Mutterleibe, wie das Leben selbst, und die Berührung mit ihr ist ganz danach angetan, von früh auf in der Schule von Not und Leiden sein Bewußtsein zu schärfen. Es wird zum Klassenbewußtsein. Denn die Proletarierfamilie ist dem Kinde kein besserer Schutz vor schneidender sozialer Erkenntnis, als sein zerfranstes Sommermäntelchen vorm schneidenden Winterwind. Edwin Hoernle[1] gibt Beispiele genug von revolutionären Kinderorganisationen, spontanen Schulstreiks, Kinderstreiks bei der Kartoffelernte usw. Was seine Gedankengänge noch von den aufrichtigsten und besten auf bürgerlicher Seite unterscheidet, ist, daß sie nicht das Kind, die kindliche Natur allein ernst nehmen, sondern auch die gesellschaftliche Lage des Kindes selbst, die sich der »Schulreformer« niemals wirklich kann zum Problem werden lassen. Ihm hat Hoernle den eindringlichen Schlußabsatz seines Buches gewidmet. Dieser hat es mit den »Austromarxistischen Schulreformern« und dem »Scheinrevolutionären pädagogischen Idealismus« zu tun, die gegen die »Politisierung des Kindes« Protest erheben. Aber – weist Hoernle nach – was sind Volks- und Berufsschule, Militarismus

1 Edwin Hoernle, Grundfragen der proletarischen Erziehung. Berlin: Verlag der Jugendinternationale (1929). 212 S.

und Kirche, Jugendverbände und Pfadfinder ihrer verborgenen, doch exakten Funktion nach anderes als Werkzeuge einer antiproletarischen Schulung der Proletarier? Ihnen stellt sich die kommunistische Erziehung freilich nicht defensiv, sondern als eine Funktion des Klassenkampfes entgegen. Des Kampfs der Klasse für die Kinder, die ihr gehören und für die sie da ist.

Erziehung ist Funktion des Klassenkampfes, aber nicht nur das. Sie stellt dem kommunistischen Credo nach die restlose Auswertung der gegebenen Umwelt im Dienst der revolutionären Ziele dar. Da diese Umwelt nicht nur Kampf ist sondern Arbeit, stellt die Erziehung sich zugleich als revolutionäre Arbeitserziehung dar. In deren Programm gibt die Schrift ihr Bestes. Sie führt damit zugleich in das der Bolschewisten an einem sehr entscheidenden Punkte ein. In Rußland hat in der Ära Lenin die bedeutungsvolle Auseinandersetzung der mono- und der polytechnischen Bildung stattgefunden. Spezialisierung oder Universalismus der Arbeit? Die Antwort des Marxismus lautet: Universalismus. Nur indem der Mensch die verschiedensten Milieuveränderungen erfährt, in jeder Umwelt von neuem seine Energien im Dienst der Klasse mobil macht, kommt er zu jener universalen Aktionsbereitschaft, die das kommunistische Programm dem entgegenstellt, was Lenin als den »widerlichsten Zug der alten bürgerlichen Gesellschaft« bezeichnet: dem Auseinanderklaffen von Praxis und Theorie. Die kühne, unberechenbare Personalpolitik der Russen ist gänzlich das Erzeugnis dieser neuen, nicht humanistischen und kontemplativen, sondern aktiven und praktischen Universalität; der Universalität des Bereitseins. Die unabsehbare Verwendungsmöglichkeit der nackten menschlichen Arbeitskraft, die das Kapital dem Ausgebeuteten allstündlich zum Bewußtsein bringt, kehrt auf höchster Stufe als polytechnische Durchbildung des Menschen im Gegensatz zur spezialistischen wieder. Das sind Grundsätze der Massenerziehung, deren Fruchtbarkeit für die der Heranwachsenden mit Händen zu greifen ist.

Trotzdem ist es nicht leicht, Hoernles Formulierung, daß die Erziehung der Kinder sich in nichts Wesentlichem von der erwachsener Massen unterscheide, ohne Vorbehalt hinzunehmen. So gewagte Erkenntnisse bringen es zum Bewußtsein, wie wünschenswert, ja nötig es gewesen wäre, das politische Exposé, das hier vorliegt, durch ein philosophisches zu ergänzen. Aber freilich: alle Vorarbeiten zu einer marxistischen, dialektischen Anthropologie des proletarischen Kindes fehlen. (Wie denn auch das Studium des erwachsenen Proletariers seit Marx nichts Wesentliches gewonnen hat.) Diese Anthropologie wäre nichts anderes als eine Auseinandersetzung mit der Psychologie des Kindes, an deren Stelle die ausführlichen, nach den Prinzipien materialistischer Dialektik durchgearbeiteten Protokolle derjenigen Erfahrungen zu treten hätten, die in den proletarischen Kindergärten, Jugendgruppen, Kindertheatern, Wanderbünden gemacht worden sind. Das vorliegende Handbuch ist baldmöglichst durch sie zu ergänzen.

Ein Handbuch in der Tat, aber mehr als das. In Deutschland gibt es außerhalb des politischen und ökonomischen Schrifttums keine orthodox-marxistische Literatur. Das ist die Hauptursache von der erstaunlichen Unwissenheit der Intellektuellen – mit Einschluß der linken – in marxistischen Dingen. Die Schrift von Hoernle belegt an einem der elementarsten Stoffe, der Pädagogik, mit autoritativer Schärfe, was orthodox-marxistisches Denken ist und wohin es führt. Man soll sie zu Herzen nehmen.

⟨WAS SCHENKE ICH EINEM SNOB?⟩

Einen Snob beschenken heißt, sich auf eine Pokerpartie einlassen. Die Seele des Snobismus ist nämlich der Bluff. Bluff aus Frechheit oder aus Angst, das kann man hier so wenig wie im Poker unterscheiden. Jedenfalls könnte man gar keinen größeren Fehler machen als in die Defensive zu gehen, als sich schüchtern zu fragen: Was kann er gegen ein Reisenecessaire einwenden, wie wird er sich zum Muster des Pyjamas äußern, welche Fratze wird er zu einem Cointreau ziehen? Snobs sollen provoziert werden. Je verächtlicher sie den Weihnachtstisch zu inspizieren pflegen, desto beiläufiger soll man ihnen das Ihre zuschieben. Man erspare ihnen keine Zweideutigkeiten. Bücher nur eingewickelt schenken. Preis deutlich mit Bleistift nachziehen. Noch wichtiger als die Auswahl der Bücher selbst – und Snobs kann man gar nicht aggressiver, verschlagener als mit Büchern beschenken – ist die Geste, mit dem man seinen höflich tastenden Blick als Netzball zurückschlägt. *Charlotte Westermann: »Knabenbriefe« (Georg Müller).* Er wird mit dem schmalen Band etwas ratlos dastehen. Und dann werden Sie sagen: »Ich verschenke nämlich nur Bücher, die ich selbst habe. Ich lese es hin und wieder. Es hat der Verfasserin weder Namen noch Geld gebracht, es ist nicht Auftakt eines zweiten Buches geworden, nur ein Erkennungszeichen für ein paar Leute, die es gelesen haben und sich nicht davon trennen wollen.« Sie werden, wie Sie hieraus ersehen, vermeiden, dem Snob die Stichworte zur Verfügung zu stellen, die ihm sein asoziales Gewerbe erleichtern. Sie werden also hier ebensowenig von Conrad Ferdinand Meyer sprechen, wie auf Wedekind anspielen, wenn Sie statt dieses klassizistischen etwa ein gleich verschollenes aber dekadentes Frauenbuch ihm unter seinen Mistelzweig (Weihnachtsbaum lehnt der Snob ab) legen: *Henriette Riemanns »Pierrot im Schnee« (Erich Reiß).* Das könnten Sie um so eher wählen, als es ein rechtschaffen schlechtes und dennoch interessantes Buch ist und aus einer Zeit stammt, wo beim Zusammenprall der Bohémienne mit dem Libertin noch die Funken stoben. Überhaupt schenken Sie was Sie wollen. Das Entlegendste, Vergilbteste kann ihn genau so wehrlos machen wie *»Im Westen nichts Neues« (Ullstein).* Nur hüten Sie sich vor Einem. Nichts würde der gesunde, durchtrainierte Snob Ihnen mehr verübeln als die Rücksicht auf seine Interessensphäre. Da hätte er leichtes Spiel. Sie werden sie also im besten Fall persiflieren. Ist er Politiker, so schenken Sie *»Bella« (Insel-Verlag),* das wahre Snobsbuch der Politik. Ist er Regisseur, so bekommt er ein Handbuch der Liturgie. Hat jemand Beziehungen zu den Herren, die den Tresoreinbruch am Wittenbergplatz gekonnt haben (es ist alles zu wetten, daß sie Snobs sind), so soll er ihnen das *»Bastelbuch«* schenken. Vielleicht ist er aber über Weihnachten auf ein Gut eingeladen. Der Gutsherr ist leidenschaftlicher Snob und interessiert sich für nichts als für seine Treibhäuser. Man müßte dann schon so borniert wie er selbst sein, um ihm mit einschlägiger Literatur oder selbst mit alten, kostbaren Parkatlanten zu kommen. Eine kleine Novelle aber, die vor vielen Jahren bei *Reiß* erschien, wird ihn bis in die Wurzeln seines Stammbaums erschüttern. Sie heißt: *»Die Menschenzwiebel Kzradock oder der frühlingsfrische Methusalem«*. Ist er zudem Familienvater und hat er Kinder, so schenken Sie ihm (nicht denen) noch außerdem das schönste aller neuen Kinderbücher: *»Das Zauberboot«* (*Herbert Stuffer*). Nun mag er zusehen, wie er in den Feiertagen mit seinen Kindern sich auseinandersetzt. Gutwillig wird er es nicht aus den Händen geben. – Schenken ist eine friedliche Kunst. Aber dem Snob gegenüber muß sie martialisch gehandhabt werden. Freilich könnte da eine Komplikation entstehen: Wenn Sie ihn lieben. Für diesen außerordentlichen Tatbestand gibt es nun freilich auch einige außerordentliche Nothelfer. Das sind die Klassiker des Snobs, die großen Dichter, die beim Schreiben nichts so entsetzte wie der Gedanke, sie könnten vor dem Snob, den sie selber im Innern trugen – »le serpent« hat Baudelaire ihn in einem Gedichte genannt – sich bloßstellen. *Stendhal (Insel-Verlag)* und *Thackeray (Georg Müller)* sind die größten. Die schenken Sie ihm vielleicht in alten Ausgaben. Und wollen Sie ein übriges tun, so schreiben Sie, mit Rundschrift, hinein: »Weihnachten 1929 von Deiner . . .«

G. F. Hartlaub, Der Genius im Kinde. Ein Versuch über die zeichnerische Anlage des Kindes. 2. stark umgearbeitete und erweiterte Auflage. Breslau: Ferdinand Hirt 1930. 230 S., 35 farbige u. 92 Schwarzdruckbilder.

Dies Buch, das sich mit seinem ersten Erscheinen einen Ausnahmeplatz in der Literatur über Kinderzeichnungen sicherte, liegt nun in zweiter ›stark umgearbeiteter und erweiterter‹ Auflage vor. Es verbindet mit einer sehr exakten Analyse des Stils, des Ausdrucks und der Form der Kinderzeichnung den offenen Sinn für alles, was an künstlerischen, individualpsychologischen, pädagogischen Problemen, Analogien urgeschichtlichen und psychopathischen Ursprungs daran grenzt. Viele Eltern sollten es lesen, und wäre es auch nur, um mehr von den Kritzeleien und Tuschbildern zu haben, mit denen die Kinder

sie Alltags und Festtags beschenken. Für Zeichenlehrer aber ist
die Lektüre des Werks um so mehr obligatorisch, als es vom
Sonderfall der Zeichnung her deutliche Weisungen für den
Umgang mit Kindern enthält. Alle falschen Angleichungen an
das Schaffen bewußter Künstler sind hier vermieden. Nicht umsonst heißt es »Der *Genius* im Kinde«, nicht das *Genie*. Hartlaub sagt es mit einem Satze: Das Kind spricht nicht sich durch
die Dinge, sondern die Dinge durch sich aus. Schaffen und
Subjektivität haben im Kinde noch nicht ihre verwegene Begegnung gefeiert. – Der Abbildungsteil ist nach Material und
Ausstattung vorzüglich und würde jedem schlechteren Texte als
diesem gefährlich werden.

LOB DER PUPPE
Kritische Glossen zu Max v. Boehns »Puppen und Puppenspiele«[1]

Max v. Boehns Bücher gehören zu denen, die man gern und glücklich als »Fundgruben« bezeichnet. Gewiß nicht in dem großen, originären Sinne, in dem die Werke eines Görres, Bastian oder selbst Borinski es sind, die zum Teil noch aus erster Hand schöpfen. Aber auch Boehn hat die Fülle des Materials, die manchmal willkürlich scheinende Verwirrung, die Vorliebe für das Entlegene und Unbekannte, die mit ihrem nackten stofflichen Reiz das Wesen des wissenschaftlichen Schmökers ausmacht, auf den nur Pedanten herabsehen werden. Kommt nun, wie in den weit verbreiteten Modenbüchern des Autors so auch in diesem, eine leuchtende Bilderfolge hinzu, so ist man schnell zum Lesen und Betrachten gestimmt. Und man wird sich diese Stimmung auch durch einige kritische Reflexionen nicht verderben lassen, die einem der Text, manchmal etwas aufdringlich, nahelegt.

Die erste betrifft die Darstellung und könnte die oberflächlichste scheinen. Und doch ist die Fragwürdigkeit großer Partien des Buches mit ihr schon hinlänglich gekennzeichnet. Diese monotone Folge von Hauptsätzen (man zählt Seiten, wo deren sieben, ja zehn hintereinander stehen) bildet sprachlich die Geste ab, mit der ein Fremdenführer eher als ein Besitzer die Kostbarkeiten einer Raritätenkammer, die für ihn selber nichts Geheimnisvolles mehr besitzen, dem Publikum vorweist. Gewiß ist die Durchdringung dieses ungeheuer ausgedehnten Stoffes nichts Leichtes; und die Flut schwillt hier um so bedrohlicher, als sich wissenschaftliche Auswahlprinzipien mit dem Charakter der Boehnschen Bücher nun einmal schwer vertragen. Dennoch aber (oder vielleicht eben darum; denn Vollständigkeit konnte hier nicht verlangt werden) verursacht es ein leises Mißbehagen in den Teilen, die von der Gegenwart handeln, die artistische

1 Max von Boehn, Puppen und Puppenspiele. 2 Bde. München: F. Bruckmann (1929). 293 S., 292 S.

kunstgewerbliche, an Namen gebundene Produktion so überhell
auf Kosten der heute noch lebendigen volkstümlichen belichtet
zu sehen. Nicht nur Käte Kruse, Lotte Pritzel (die sehr gut
charakterisiert ist), Marion Kaulitz, sondern auch Zweifelhaf-
tere fallen auf. Und wenn wir da zehn Nymphenburger Por-
zellanpuppen reproduziert sehen, so fragen wir, wo bleiben die
außerordentlichen Tonpuppen, die aus keiner staatlichen Manufaktur, sondern aus den Händen der Bauern des Gouverne-
ments Wjatka kommen? Statt der nichtsnutzigen lustigen Gram-
mophonstoffpuppen sähen wir gern die aus Papier geklebten
Schornsteinfeger, Marktweiber, Herrschaftskutscher, Bäcker und
Schulmädchen, die man in Riga für wenige Santimes in Spiel-
warengeschäften und Papierläden kauft. Mehr als die hysterische
Exotik der Relly Mailänder Puppen geht uns denn doch die
unscheinbare der barcelonischen an, die statt des Herzens eine
Zuckerkugel im Innern tragen.
Nah genug streift ja der Verfasser die Pole des Puppenerdballs:
Liebe und Spiel. Aber steuerlos, ohne Kompaß und Erdkarte.
Vom Geist des Spiels weiß er wenig, und was er von der andern
Halbkugel heimgebracht hat, ist spärlich; unterm Kennwort
»Puppenfetischismus« nachzulesen. Das große, das kanonische
Geständnis, das heiße Lippen in die Puppenohren stammeln, hat
er nie gehört. »Wenn ich dich liebe, was geht's dich an.« Wer
will uns denn weismachen, es sei die Demut des Liebhabers, die
das flüstert. Es ist der Wunsch, der tollgewordene Wunsch
selber, und sein Wunschbild die Puppe. Oder muß es heißen:
die Leiche? Denn daß nur dies: das zu Tod gehetzte Liebesbild
selber für das Lieben ein Ziel macht, das gibt dem starren oder
ausgeleierten Balg, dessen Blick nicht stumpf ist sondern gebrochen, den unerschöpflichen Magnetismus. Hoffmanns Olym-
pia hat sie und Kubins Madame Lampenbogen; und ich kannte
einen, der auf einen rauhen, unbemalten Rücken, wie ihn die
Holzpuppen in Neapel haben, die Worte von Baudelaire schrieb:
»Que m'importe que tu sois sage«[2] und sie verschenkte, um
seine Ruhe wiederzufinden. Der Eros, der da geschunden wieder
in die Puppe zurückflattert, ist doch derselbe, der sich in den
warmen Kinderhänden einst aus ihr löste, weswegen der schrul-
lenhafteste Sammler und Liebhaber hier dem Kinde noch näher

2 »Was ist an Deinen Sitten mir gelegen.«

ist als der treuherzige Pädagog, der sich einfühlt. Denn Kind
und Sammler, ja selbst Kind und Fetischist – sie stehen auf
gleichem Boden, freilich auf verschiedenen Seiten des schroffen,
zerrissenen Massivs sexueller Erfahrung.

Des Autors verbissene Neigung fürs Juste milieu, die dieser
spannungsreichen Welt der Puppen nie ganz gerecht werden
kann, verrät sich überdeutlich in der Diskussion, die er, ein
wenig unvorsichtig, über Kleists Marionettenaufsatz eröffnet
Er will da auf nichts geringeres hinaus als diese Seiten, die allen
philosophischen Freunden der Marionetten (und welcher Mario-
nettenfreund wäre nicht Philosoph) für den Schlüssel zu ihrer
Erkenntnis galten, aus der Diskussion dieser Frage ein für allemal auszuschalten. Mit welchen Gründen? Kleist habe hier
gleichnisweise, um vor der Zensur sie sicherzustellen, politische
Gedankengänge entwickelt. Welche, erklärt Boehn nicht. Mir
aber war es der gewünschteste Anlaß, zum vierten oder fünften-
mal diesen Essay vorzunehmen, von dem da behauptet wird,
nur Leute, die ihn nie gelesen hätten, könnten, in diesem Zusammenhang, so viel Aufhebens davon machen. Wie hier die
Marionette mit dem Gotte konfrontiert wird, der Mensch in
seinen reflexiven Schranken hilflos zwischen beiden hängt, das
ist freilich ein so unvergeßliches Bild, daß es schon mancherlei
Unausgesprochenes decken könnte. Allein davon wissen wir
nichts. Und hätte der Verfasser schlicht und recht sich hier ans
Ausgesprochene gehalten, so wäre der gedankenreiche Elan, mit
dem sich die Romantik vor hundert Jahren seines Themas bemächtigt hat, ihm nicht verloren gewesen.

Gleich hinter dieser zweifelhaften Kleist-Exegese aber hat man
die Freude, auf die »Verwandlungspuppen oder Metamorphosen« zu stoßen. Boehn nennt als ihren Erfinder Franz Gene-
sius. Sie spielten eine Hauptrolle in dem Puppentheater von
Schwiegerling, gewiß eines der größten Puppenspieler aller
Zeiten. Heute scheint es schon schwer geworden zu sein, Material über sein Theater zu finden, und darum will ich hier mitteilen, was ich noch von der Vorstellung, die das Schwieger-
lingsche Marionettentheater 1918 in Bern gab, erinnere. Dies
Marionettentheater war eigentlich mehr eine Zauberbude. Es
gab nur ein Theaterstück jeden Abend. Vorher aber produzier-
ten sich seine Kunstpuppen. Zwei Nummern stehen mir noch

deutlich vor Augen. Kasperl kommt tanzend mit einer schönen
Dame herein. Plötzlich, wie die Musik gerade am süßesten spielt,
klappt die Dame ein, verwandelt sich in einen Luftballon, der
Kasperl, weil er ihn aus Liebe festhält, in den Himmel entführt. Eine Minute bleibt die Bühne ganz leer, dann kommt
Kasperl mit einem furchtbaren Krach heruntergefallen. Die
andere Nummer war traurig. Auf einem Leierkasten spielt ein
Mädchen, das aussieht, als wäre es eine verwunschene Prinzessin, eine traurige Melodie. Auf einmal klappt der Leierkasten
ein. Zwölf zuckerwinzige Tauben fliegen heraus. Die Prinzessin
aber versinkt mit hochgehobenen Armen stumm in der Erde.
Und eben, wie ich dies schreibe, kommt mir noch eine andere
Erinnerung von damals. Ein langer Clown steht auf der Bühne,
verbeugt sich, beginnt zu tanzen. Während des Tanzens schüttelt
er einen kleinen Zwergclown aus dem Ärmel, der genau so rot-
gelb geblümt gekleidet ist wie er; und so bei jedem zwölften
Walzertakt einen neuen. Bis schließlich zwölf ganz gleiche
Zwergen- oder Babyclowns um ihn im Kreise herumtanzen.
Unleugbar, ganz besonders hier beim Puppenspiele, wird es
manchen verdrießen, wie dies beharrliche Befaßtsein mit dem
Sonderbaren, dies unermüdliche Kramen im Kuriositätenschatze
des Daseins, so gänzlich ohne Leidenschaft (ohne ordnende
versteht sich, aber ach auch ohne verwühlende) so kühl und so
emsig vonstatten geht. Welcher Sympathie wäre nicht der Verfasser gewiß, wenn er nur einmal über einer Puppe oder Marionette sein Thema und sein Manuskript, den Verleger und das
Publikum, sein Tempo und vor allem sich selber vergäße. Wie
wäre ihm nicht die Haltung des Sammlers zustatten gekommen,
die ihm leider (und unbeschadet der Frage ob er es ist oder
nicht) völlig fernliegt. Und diese Genauigkeit, dieses Aufhaspeln
des Stoffes, dieses vollständige Inventar aller Daten wäre nicht
Sammlerart? In der Tat nicht. Die wahre, sehr verkannte Leidenschaft des Sammlers ist immer anarchistisch, destruktiv.
Denn dies ist ihre Dialektik: Mit der Treue zum Ding, zum
Einzelnen, bei ihm Geborgenen, den eigensinnigen subversiven
Protest gegen das Typische, Klassifizierbare zu verbinden. Das
Besitzverhältnis setzt völlig irrationale Akzente. Dem Sammler
ist in jedem seiner Gegenstände die Welt präsent. Und zwar
geordnet. Geordnet aber nach einem überraschenden, ja dem

Profanen unverständlichen Zusammenhange. Man erinnere doch nur, von welchem Belang für jeden Sammler nicht nur sein Objekt, sondern auch dessen ganze Vergangenheit ist, ebenso die zu dessen Entstehung und sachlichen Qualifizierung gehörige wie die Details aus dessen scheinbar äußerlicher Geschichte: Vorbesitzer, Erstehungspreis, Wert usw. Dies alles, die wissenschaftlichen Sachverhalte wie jene anderen, rücken für den wahren Sammler in jedem einzelnen seiner Besitztümer zu einer magischen Enzyklopädie, zu einer Weltordnung zusammen, deren Abriß das Schicksal seines Gegenstandes ist. Sammler sind Physiognomiker der Dingwelt. Man braucht nur einen zu beobachten, wie er die Gegenstände seiner Vitrine handhabt. Kaum hält er sie in Händen, scheint er inspiriert durch sie, scheint wie ein Magier durch sie hindurch in ihre Ferne zu schauen.

Nichts dergleichen bei Boehn. Und doch hätte man ein Recht, es zu erwarten. Denn der Autor hält ja im übrigen mit seiner Subjektivität so wenig zurück, daß uns aus manchen Stellen statt des süßen Lack- und Moderduftes neuer und alter Puppen der Bierdunst hitlerischer Versammlungslokale entgegenweht. »Wir wissen alle, an welchen tiefgehenden Schäden unser Volkstum leidet und wer die Schuldigen sind, die ein Interesse . . . , das sich in Mark und Pfennigen ausdrücken läßt, daran haben, daß das deutsche Volk sich nicht auf sich selbst besinne und christliche und deutsche Belange nicht zu Worte kommen.« Man kennt diese Sprache, wüßte wo sie gesprochen wird, auch wenn einem der Verfasser »seine Unzufriedenheit« mit dem Reklamegeschrei und dem Mangel an Geschmack, der für alle Berliner Veranstaltungen so bezeichnend ist, vorenthielte. Im Grunde aber würden wir uns vielleicht gar nicht ungern einen alten, verraunzten Landadligen vorstellen, der uns in seine versponnensten Schatzkammern läßt, ein oder das andere der schönen Stücke heraushebt und zwischendurch auch seinen unmaßgeblichen Gefühlen freien Lauf läßt. Doch wo ist hier in einem Werk, das hundertfach dazu den Anlaß gäbe, das Liebenswürdige, Gewinnende, das uns dergleichen (freilich wohl kaum in der Sprache der Leitartikel) gern in Kauf nehmen ließe. Soweit die Glossen. Schließlich wird man doch zu versöhnlicheren Betrachtungen zurückfinden, und der Stoff legt für seinen

Autor Fürbitte ein. Nichts scheint ja kurzweiliger, unverbindlicher, leichter als ein Spiel mit Kuriositäten. Scheinbar im Machtbereich jedes Feuilletonisten ist es in Wahrheit doch allein das Genie, das diese Findlinge recht zu behandeln weiß. Keiner so wie Jean Paul, welcher sie seinem Zettelkasten entnahm, um sie als Gleichnisse tief in die epische Holzwolle seiner Romane hineinzusenken, und der Nachwelt unbeschädigt zu überliefern. Manchem Leser dieses Puppenbuchs könnte geschehen, daß er sich Jean Paulsche Texte ersinnt, um so allegorischen Sachverhalten ihr Recht werden zu lassen, wie der Marionette des Gehängten, der am Galgen in Stücken fault, die sich nachher wieder zusammensetzen. Oder Kasperles lebendigem Tier, in Wien ein Karnickel, in Hamburg eine Taube, in Lyon eine Katze. Die Goncourts, Bewohner des sittenlosen Paris, auf das Boehn schlecht zu sprechen ist, haben doch einmal prägnanter als jeder andere das ausgesprochen, worum es seinen Moden- und Puppenbüchern zu tun ist: »Geschichte aus dem Abfall von Geschichte machen.« Und das ist und bleibt etwas Rühmenswertes.

François Porché, Der Leidensweg des Dichters Baudelaire. (Deutsche Übertragung von Clara Stern.) Berlin: Ernst Rowohlt Verlag 1930. 279 S.

Dieses Buch ist Jacques Crépet gewidmet. Crépet ist die führende Autorität der Baudelaire-Forschung. Da die beiden Männer sich persönlich unbekannt sind, so ist das eine Geste, mit der Porché sein Buch vor der Wissenschaft verantwortet. Das kann er mit gutem Gewissen tun. Die Arbeit ist hervorragend solide, wie denn überhaupt diesem Verfasser der Ruf der Zuverlässigkeit voraufgeht. Die Vorurteile, die die Gattung einer »biographie romancée« mit Recht erwecken könnte, haben an diesem Werk keinen Anhalt. Desto mehr verdient hervorgehoben zu werden, daß es bei aller Vollständigkeit, Sachlichkeit und Exaktheit sich außerordentlich angenehm liest. Wenn dem Verfasser vorgeschwebt hat, Baudelaires Leben einem möglichst großen Publikum anständig und zugleich auf eine Art, die dessen Anteil erweckt, zu erzählen, so ist ihm das restlos gelungen.

Er hat dabei den Takt besessen, auf das Werk des Dichters, soweit es sich nicht in der Biographie spiegelt, überhaupt nicht einzugehen. Auf andere Weise hätte er nur dem Charakter seiner Erzählung Abbruch getan, wahrscheinlich ohne darum Wesentliches über Baudelaires Werk auszusagen. Das läßt sich nämlich in Kürze nicht machen. Wenn schon in Frankreich dieses Buch einen Platz einnimmt, den es mit keinem anderen zu teilen braucht, so ist es für Deutschland überhaupt die einzige Biographie Baudelaires. Es ist ein Buch, das dem Interesse aller Deutschen, die mit dem Namen Baudelaires einen Begriff verbinden, ausgezeichnet entgegenkommt.

EIN AUSSENSEITER MACHT SICH BEMERKBAR
Zu S. Kracauer, »Die Angestellten«[1]

Uralt, vielleicht so alt wie das Schrifttum selber, ist in ihm der Typus des Mißvergnügten. Thersites, der homerische Lästerer, der erste, zweite, dritte Verschworene der Shakespeareschen Königsdramen, der Nörgler aus dem einzigen großen Drama des Weltkrieges, sind wechselnde Inkarnationen dieser einen Gestalt. Aber der literarische Ruhm der Gattung scheint ihren lebendigen Exemplaren nicht Mut gemacht zu haben. Sie pflegen anonym und verschlossen durchs Dasein zu gehen, und für den Physiognomiker ist es schon ein Ereignis, wenn einer aus der Sippe sich einmal bemerkbar macht und auf offener Straße erklärt, daß er nicht mehr mitspiele. So ganz namentlich freilich auch der nicht, mit dem wir es diesmal zu tun haben. Ein lakonisches S. vor dem Nachnamen warnt uns, zu schnell uns einen Vers auf seine Erscheinung zu machen. Auf andere Weise begegnet der Leser diesem Lakonismus im Innern: als Geburt der Humanität aus dem Geiste der Ironie. S. tut einen Blick in die Säle des Arbeitsgerichts und das unbarmherzige Licht enthüllt ihm selbst hier »nicht eigentlich armselige Menschen, sondern Zustände, die armselig machen«. Soviel steht immerhin fest: daß dieser Mann nicht mehr mitspielt. Daß er es ablehnt, für den

1 S[iegfried] Kracauer, Die Angestellten. Aus dem Neuesten Deutschland. Frankfurt a. M.: Frankfurter Societätsdruckerei 1930. 148 S.

Karneval, den die Mitwelt aufführt, sich zu maskieren – sogar
den Doktorhut des Soziologen hat er zu Hause gelassen –, und
daß er sich grobianisch durch die Masse hindurchrempelt, um hie
und da einem besonders Kessen die Maske zu lüften.
Leicht zu verstehen, wenn er sich dagegen verwahrt, sein Unternehmen eine Reportage nennen zu lassen. Erstens sind neu-
berliner Radikalismus und neue Sachlichkeit, diese Paten der Reportage, ihm in gleichem Maße verhaßt. Zweitens läßt sich ein
Störenfried, der die Maske lüftet, nicht gerne einen Porträtisten
schimpfen. Entlarven ist diesem Autor Passion. Und nicht als
orthodoxer Marxist, noch weniger als praktischer Agitator,
dringt er dialektisch ins Dasein der Angestellten, sondern weil
dialektisch eindringen heißt: entlarven. Marx hat gesagt, daß
das gesellschaftliche Sein das Bewußtsein bestimmt, zugleich
aber, daß erst in der klassenlosen Gesellschaft das Bewußtsein
jenem Sein adäquat werde. Das gesellschaftliche Sein im Klassenstaat, folgt daraus, ist in dem Grade unmenschlich, daß das
Bewußtsein der verschiedenen Klassen ihm nicht adäquat, sondern nur sehr vermittelt, uneigentlich und verschoben entsprechen kann. Und da ein solches falsches Bewußtsein der unteren
Klassen im Interesse der oberen, der oberen in den Widersprüchen ihrer ökonomischen Lage begründet liegt, so ist die
Herbeiführung eines richtigen Bewußtseins – und zwar erst in
den Unterklassen, welche von ihm alles zu erwarten haben – die
erste Aufgabe des Marxismus. In diesem Sinne, und ursprünglich nur in ihm, denkt der Verfasser marxistisch. Freilich führt
gerade sein Vorhaben ihn um so tiefer in den Gesamtaufbau des
Marxismus, als die Ideologie der Angestellten eine einzigartige
Überblendung der gegebenen ökonomischen Wirklichkeit, die
der des Proletariers sehr nahe kommt, durch Erinnerungs- und
Wunschbilder aus dem Bürgertum darstellt. Es gibt heute keine
Klasse, deren Denken und Fühlen der konkreten Wirklichkeit
ihres Alltags entfremdeter wäre als die Angestellten. Mit anderen Worten aber will das heißen: Die Anpassung an die men-
schenunwürdige Seite der heutigen Ordnung ist beim Angestell-
ten weiter gediehen als beim Lohnarbeiter. Seiner indirekteren
Beziehung zum Produktionsprozeß entspricht ein viel direkteres
Einbegriffensein in gerade jene Formen zwischenmenschlicher
Beziehung, die diesem Produktionsprozeß entsprechen. Und da

die Organisation das eigentliche Medium ist, in welchem die
Verdinglichung der menschlichen Beziehungen sich abspielt —
das einzige übrigens auch in dem sie könnte überwunden werden —, so kommt der Verfasser notwendig zu einer Kritik am
Gewerkschaftswesen.

Diese Kritik ist nicht partei- oder lohnpolitisch. Sie ist auch
weniger mit einer Stelle zu belegen als aus allen herauszulesen.
Kracauer hat es nicht mit dem zu tun, was die Gewerkschaft für
den Angestellten leistet. Er fragt: Wie schult sie ihn? Was tut
sie, um ihn aus dem Bann von Ideologien zu befreien, die ihn
fesseln? Bei der Antwort auf diese Fragen kommt nun sein kon-
sequentes Außenseitertum ihm sehr zu statten. Er ist auf nichts
von alledem festgelegt, womit Autoritäten, um ihn zur Ruhe zu
verweisen, auftrumpfen könnten. Die Gemeinschaftsidee? Er
entlarvt sie als Spielart eines wirtschaftsfriedlichen Opportunis-
mus. Der höhere Bildungsgrad des Angestellten? Er nennt ihn
illusorisch und beweist, wie ohnmächtig der verstiegene Anspruch
auf Bildung den Angestellten in der Wahrung seiner Rechte
macht. Die Kulturgüter? Sie fixieren, heißt für ihn, jener Meinung Vorschub zu leisten, derzufolge »die Nachteile der Mechanisierung mit Hilfe geistiger Inhalte zu beseitigen seien, die wie
Medikamente eingeflößt werden«. Diese ganze ideologische
Konstruktion »ist selber noch ein Ausdruck der Verdinglichung,
gegen deren Wirkungen sie sich richtet. Sie wird von der Auffassung getragen, daß die Gehalte fertige Gegebenheiten dar-
stellten, die sich ins Haus liefern lassen wie Waren.« In solchen
Sätzen spricht nicht nur die Stellung zu einem Problem. Dies
ganze Buch ist vielmehr Auseinandersetzung mit einem Stück
vom Alltag, bebautem Hier, gelebtem Jetzt geworden. Der
Wirklichkeit wird so sehr zugesetzt, daß sie Farbe bekennen
und Namen nennen muß.

Der Name ist Berlin, das dem Verfasser die Angestelltenstadt
par excellence ist; so sehr, daß er sich durchaus bewußt ist,
einen wichtigen Beitrag zur Physiologie der Hauptstadt geliefert zu haben. »Berlin ist heute die Stadt der ausgesprochenen
Angestelltenkultur; das heißt einer Kultur, die von Angestellten
für Angestellte gemacht und von den meisten Angestellten für
eine Kultur gehalten wird. Nur in Berlin, wo die Bindungen an
Herkunft und Scholle soweit zurückgedrängt sind, daß das

Weekend große Mode werden kann, ist die Wirklichkeit der
Angestellten zu erfassen.« Zum Weekend gehört auch der Sport.
Die Kritik der Sportbegeisterung unter den Angestellten beweist, wie wenig der Verfasser gesonnen ist, seine ironische
Behandlung der Kulturideale bei Wohlgesinnten durch ein desto
innigeres Bekenntnis zur Natur wettzumachen, weit entfernt.
Der Instinktunsicherheit, wie sie von der herrschenden Klasse
gezüchtet wird, tritt hier gerade der Literat als Wahrer unver-
dorbener sozialer Instinkte entgegen. Er hat sich auf seine
Stärke besonnen, die darin besteht, die bürgerlichen Ideologien,
wenn schon nicht restlos, so in allem zu durchschauen, wo sie
noch mit dem Kleinbürgertum in Verbindung stehen. »Die Aus-
breitung des Sports«, heißt es bei Kracauer, »löst nicht Komplexe auf, sondern ist unter anderem eine Verdrängungser-
scheinung großen Stils; sie fördert nicht die Umgestaltung der
sozialen Verhältnisse, sondern ist insgesamt ein Hauptmittel der
Entpolitisierung.« Und noch entschiedener an anderer Stelle:
»Man richtet ein vermeintliches Naturrecht gegen das heutige
Wirtschaftssystem auf, ohne sich darüber klar zu sein, daß
gerade die Natur, die sich ja auch in den kapitalistischen Be-
gierden verkörpert, einer seiner mächtigsten Verbündeten ist
und ihre ungebrochene Verherrlichung zudem der planmäßigen
Organisation des Wirtschaftslebens widerstreitet.« Dieser Na-
turfeindschaft entspricht, daß der Verfasser eben da »Natur«
denunziert, wo die herkömmliche Soziologie von Entartungen
reden würde. Ihm dagegen ist ein gewisser Reisender in Tabak-
fabrikaten, die Keßheit und Versiertheit selber, Natur. Daß bei
so konsequenter Durchdenkung der Ökonomik, die den elementaren, um nicht zu sagen, den barbarischen Charakter der Pro-
duktions- und Tauschverhältnisse noch in ihren heutigen, abgezogenen Formen aufdeckt, die vielberufene Mechanisierung
einen sehr anderen Akzent gewinnt als sie für die Sozialpasto-
ren ihn besitzt, bedarf kaum des Hinweises. Wieviel verheißungsvoller ist diesem Betrachter der seelenlose mechanisierte
Handgriff des ungelernten Arbeiters, als das so ganz organische
»Moralisch-Rosa«, das nach der unschätzbaren Formulierung
eines Personalchefs der Teint des guten Angestellten zeigen soll.
Moralisch-Rosa – das ist also die Farbe, die die Wirklichkeit
des Angestelltendaseins bekennt.

Die Redeblume des Personalchefs beweist, in welchem Grade
der Jargon der Angestellten mit der Sprache des Verfassers
kommuniziert, welch Einverständnis zwischen diesem Außenseiter und der Sprache des Kollektivs ist, auf das er es abgesehen
hat. Ganz von selbst erfahren wir, was Blutorangen und Rad-
fahrer, was Schleimtrompeten und Prinzessinnen sind. Und je
genauer wir mit alldem Bekanntschaft machen, desto mehr sehen
wir, wie Erkenntnis und Menschlichkeit in Spitznamen und
Metaphern geflüchtet sind, um dem breitspurigen Vokabular
der Gewerkschaftssekretäre und Professoren aus dem Wege zu
gehen. Oder handelt es sich in all den Artikeln zur Erneuerung,
Durchseelung, Vertiefung der Lohnarbeit weniger um ein Vokabular als um eine Pervertierung der Sprache selber, die mit dem
innigsten Wort die schäbigste Wirklichkeit, mit dem vornehm-
sten die gemeinste, mit dem friedfertigsten die feindseligste
deckt? Wie dem auch sei, es liegen in Kracauers Analysen, besonders der akademischen tayloristischen Gutachten, Anfänge
der lebendigsten Satire, die ja längst sich aus dem politischen
Witzblatt zurückzog, um einen epischen Spielraum zu beanspruchen, der der ·Unermeßlichkeit ihres Gegenstandes entspricht. Ach, diese Unermeßlichkeit ist Trostlosigkeit. Und je
gründlicher sie aus dem Bewußtsein der von ihr erfaßten Schichten verdrängt ist, desto schöpferischer erweist sie sich – dem
Gesetz der Verdrängung gemäß – in der Bilderzeugung. Es liegt
sehr nahe, die Vorgänge, in denen eine unerträglich angespannte
ökonomische Situation ein falsches Bewußtsein erzeugt, mit
denen zu vergleichen, die den Neurotiker, den Geisteskranken
aus unerträglich angespannten Privatkonflikten zu seinem falschen Bewußtsein führen. Solange wenigstens die marxistische
Lehre vom Überbau nicht durch die dringend erforderliche von
der Entstehung des falschen Bewußtseins ergänzt ist, wird es
kaum anders möglich sein, als die Frage: Wie entsteht aus den
Widersprüchen einer ökonomischen Situation ein ihr unange-
messenes Bewußtsein? nach dem Schema der Verdrängung zu
beantworten. Die Erzeugnisse des falschen Bewußtseins gleichen
Vexierbildern, in denen die Hauptsache aus Wolken, Laub und
Schatten nur eben hervorlugt. Und der Verfasser ist bis in die
Inserate der Angestelltenzeitungen herabgestiegen, um jene
Hauptsachen ausfindig zu machen, die in den Phantasmagorien

von Glanz und Jugend, Bildung und Persönlichkeit vexierhaft eingebettet erscheinen: nämlich Konversationslexika und Betten, Kreppsohlen, Schreibkrampf-Federhalter und Qualitätspianos, Verjüngungsmittel und weiße Zähne. Aber das Höhere begnügt sich nicht mit der Phantasieexistenz, und setzt sich seinerseits im Alltag des Betriebes genau so vexierhaft durch wie das Elend im Glanz der Zerstreuung. So erkennt Kracauer im neopatriarchalischen Bureaubetrieb, der schließlich auf unbezahlte Überstunden hinauskommt, das Schema der mechanischen Orgel, der verschollene Klangfolgen entsteigen, oder in der Fingerfertigkeit der Stenotypistin die kleinbürgerliche Trostlosigkeit der Klavieretüde. Die eigentlichen Symbolzentralen dieser Welt sind die »Pläsierkasernen«, der stein-, vielmehr der stuckgewordene Wunschtraum des Angestellten. In der Durchforschung dieser »Asyle für Obdachlose« erweist die traumgerechte Sprache des Verfassers ihre ganze Verschlagenheit. Erstaunlich, wie sie gefügig all diesen stimmungsvollen Künstlerkellern, all diesen lauschigen Alkasaren, all diesen intimen Mokkabuchten sich anschmiegt, um sie als ebenso viele Schwellungen und Geschwüre abgegossen dem Licht der Vernunft preiszugeben. Wunderkind und enfant terrible in einer Person, plaudert der Verfasser hier aus der Traumschule. Und viel zu sehr ist er im Bilde, um diese Anstalten etwa nur als Verdummungsinstrumente im Interesse der herrschenden Klasse betrachten und ihr die alleinige Verantwortung für sie geben zu wollen. So eingreifend seine Kritik am Unternehmertum ist, es teilt für ihn, als Klasse betrachtet, mit der ihm untergebenen den Charakter des Subalternen zu sehr, um als eigentlich bewegende Kraft und zurechnungsfähiger Kopf im Wirtschaftschaos anerkannt werden zu können.

Auf politische Wirkung, wie man sie heute versteht – auf demagogische also – wird diese Schrift nicht nur um solcher Einschätzung des Unternehmertums willen verzichten müssen. Das Bewußtsein – um nicht zu sagen das Selbstbewußtsein – davon wirft Licht auf des Verfassers Abneigung gegen alles, was mit Reportage und neuer Sachlichkeit zusammenhängt. Diese linksradikale Schule mag sich gebärden wie sie will, sie kann niemals die Tatsache aus der Welt schaffen, daß selbst die Proletarisierung des Intellektuellen fast nie einen Proletarier schafft. Warum? Weil ihm die Bürgerklasse in Gestalt der Bildung von

Kindheit auf ein Produktionsmittel mitgab, das ihn auf Grund des Bildungsprivilegs mit ihr und, das vielleicht noch mehr, sie mit ihm solidarisch macht. Diese Solidarität kann sich im Vordergrund verwischen, ja zersetzen; fast immer aber bleibt sie stark genug, den Intellektuellen von der ständigen Alarmbereitschaft, der Frontexistenz des wahren Proletariers streng auszuschließen. Kracauer hat mit diesen Erkenntnissen Ernst gemacht. Darum ist seine Schrift im Gegensatz zu den radikalen Modeprodukten der neuesten Schule ein Markstein auf dem Wege der Politisierung der Intelligenz. Dort der Horror von Theorie und Erkenntnis, der sie der Sensationslust der Snobs empfiehlt, hier eine konstruktive theoretische Schulung, die sich weder an den Snob noch an den Arbeiter wendet, dafür aber etwas Wirkliches, Nachweisbares zu fördern imstande ist: nämlich die Politisierung der eigenen Klasse. Diese indirekte Wirkung ist die einzige, die ein schreibender Revolutionär aus der Bürgerklasse heute sich vorsetzen kann. Direkte Wirksamkeit kann nur aus der Praxis hervorgehen. Er aber wird sich arrivierten Kollegen gegenüber in Gedanken an Lenin halten, dessen Schriften am besten beweisen, wie sehr der literarische Wert politischer Praxis, die direkte Wirkung von dem rüden Fakten- und Reportierkram entfernt ist, der sich heut für sie ausgibt.

So steht von Rechts wegen dieser Autor am Schluß da: als ein Einzelner. Ein Mißvergnügter, kein Führer. Kein Gründer, ein Spielverderber. Und wollen wir ganz für sich uns in der Einsamkeit seines Gewerbes und Trachtens ihn vorstellen, so sehen wir: Einen Lumpensammler frühe im Morgengrauen, der mit seinem Stock die Redelumpen und Sprachfetzen aufsticht, um sie murrend und störrisch, ein wenig versoffen, in seinen Karren zu werfen, nicht ohne ab und zu einen oder den anderen dieser ausgeblichenen Kattune »Menschentum«, »Innerlichkeit«, »Vertiefung« spöttisch im Morgenwinde flattern zu lassen. Ein Lumpensammler, frühe – im Morgengrauen des Revolutionstages.

*S[iegfried] Kracauer, Die Angestellten. Aus dem Neuesten
Deutschland. Frankfurt a. M.: Frankfurter Societätsdruckerei
1930. 148 S.*

Die Zeiten, da es üblich gewesen ist, Untersuchungen »Zur
Soziologie...« – der und der Gruppe, dieser und jener Erscheinung – zu überschreiben, werden noch in vieler Erinnerung
sein. Damals hätte diese Schrift »Zur Soziologie des Angestellten« geheißen. Vielmehr, sie wäre gar nicht geschrieben worden.
Denn was die Mode dieser Titel aussprach, war eigentlich nur,
wie sehr man davor zurückschreckte, politische Gegenstände
politisch klarzustellen, um sie statt dessen in ein Gespinst akademischer Floskeln zu wickeln, in dem ihre Ecken und Kanten
keinem mehr weh tun konnten. Das ist Kracauers Sache nicht.
Er hat aber diese alte Art, um die Dinge herumzukommen, nicht
verlassen, um statt dessen eine neue zu wählen. Insbesondere ist
ihm die Reportage, diese moderne Umgehungsstrategie politischer Tatbestände unterm Deckmanöver der linken Phrasen
genau so verhaßt wie das euphemistische Gelispel der Soziologie. »Die Wirklichkeit«, sagt er, »ist eine Konstruktion. Gewiß
muß das Leben beobachtet werden, damit sie erstehe. Keineswegs jedoch ist sie in der mehr oder minder zufälligen Beobach-
tungsfolge der Reportage enthalten, vielmehr steckt sie einzig
und allein in dem Mosaik, das aus den einzelnen Beobachtungen
auf Grund der Erkenntnis ihres Gehalts zusammengestiftet
wird.« Soziologisches Wissen und Beobachtungsmaterial sind also
bloße Vorbedingungen dieser Arbeitsweise, die ebensosehr wegen der Originalität als wegen der Durchschlagskraft ihrer Ergebnisse genaue Betrachtung verlohnt.
Daß hier einer sich auf eigene Faust auf den Weg macht, verrät schon die Sprache. Störrisch und stößig sucht sie sich ihre
Fixpunkte mit einem Eigensinn, den ihr ein Abraham a Santa
Clara hätte neiden können, wenn er seine Bußpredigten von
Kalauer zu Kalauer führte. Nur: in den »Angestellten« hat der
Bilderwitz die Rolle des Wortwitzes übernommen. Und so
wenig jener Kalauer etwas Zufälliges ist, da er vielmehr mit
dem Sprachleben des Barockzeitalters zusammenhängt, so wenig
kommt ein Bilderwitz von ungefähr, der bei Kracauer auf jene
surrealistischen Überblendungen ausgeht, die nicht nur, wie wir

es von Freud erfahren haben, den Traum, nicht nur, wie wir
von Klee und von Max Ernst es wissen, die sinnliche Welt,
sondern eben auch die soziale Wirklichkeit kennzeichnen. »Im
Lunapark«, heißt es bei Kracauer, »wird abends mitunter eine
bengalisch beleuchtete Wasserkunst vorgeführt. Immer neuge-
formte Strahlenbüschel fliehen rot, gelb, grün ins Dunkel. Ist die
Pracht dahin, so zeigt sich, daß sie dem ärmlichen Knorpel-
gebilde einiger Röhrchen entfuhr. Die Wasserkunst gleicht dem
Leben vieler Angestellten. Aus seiner Dürftigkeit rettet es sich in
die Zerstreuung, läßt sich bengalisch beleuchten und löst sich,
seines Ursprungs uneingedenk, in der nächtlichen Leere auf.«
Natürlich ist das mehr als eine Metapher. Denn dieses bengali-
sche Licht glüht ja für die Angestellten selbst auf. Und damit
wird klar, welche politische Helligkeit aus solcher Überblendung
heraussprüht.
Woher dem politischen Traumdeuter diese Künste kommen?
Von literarischen Einflüssen sei diesmal abgesehen. Was der
Verfasser, sprachlich vor allem, dem anonymen Autor des
»Ginster« verdankt, mag auf sich beruhen. Soviel steht fest,
daß seine Deuterpraxis aus dem genauen Studium eigenster
Erfahrung erwachsen ist. (Wie weißer Zauber ja mit strenger
und nüchterner Betrachtung des Erfahrenen Hand in Hand
geht, wo der schwarze nie über Bannkreis und Mysterium hinauskommt.) Die Erfahrung aber, die hier zugrunde liegt, ist
einfach die des Intellektuellen. Der Intellektuelle ist der geborene Feind des Kleinbürgertums, weil er es ständig in sich
selbst überwinden muß. Hier hat er sich auf seine Stärke besonnen, die darin besteht, die bürgerlichen Ideologien, wenn
schon nicht restlos, so in allem zu durchschauen, wo sie noch mit
dem Kleinbürgertum zusammenhängen. In den Angestellten
aber kommt nun ein neues, uniformierteres, erstarrteres, ge-
drilleteres Kleinbürgertum herauf. Es ist unendlich viel ärmer an
Typen, Originalen, verschrobenen, aber versöhnlichen Men-
schenbildern als das verflossene. Dafür unendlich viel reicher
an Illusionen und an Verdrängungen. Mit ihnen nimmt der
Verfasser es auf. Nicht in der Art eines Gregers Werle, der
gegen die »Lebenslüge«, wie Don Quichote gegen Windmühlen,
angeht. Sein Interesse gilt nicht dem Einzelnen, gilt vielmehr
der Verfassung einer homogenen Masse und den Zuständen, in

denen diese sich spiegelt. Die Summe dieser Zustände deckt ihm
der Name Berlin. »Berlin ist heute die Stadt der ausgesprochenen Angestelltenkultur; das heißt einer Kultur, die von Angestellten für Angestellte gemacht und von den meisten Angestellten für eine Kultur gehalten wird.« Wenn Joseph Roth mit
der Behauptung im Recht ist, die er vor kurzem an dieser Stelle
aufgestellt hat, die Aufgabe des Schriftstellers sei, nicht zu ver-
klären, sondern zu entlarven, so ist der Autor der »Angestellten« höchst schriftstellerisch an Berlin herangetreten. Das ist an
diesem wichtigen Buche nicht das Unwichtigste. Im Augenblick,
da die ersten Spuren einer tätigen Liebe zur Hauptstadt sich
zeigen, geht man zum ersten Male ihren Gebrechen nach. Eben
gab in seinem Monumentalwerk »Das steinerne Berlin« Hegemann die politische Baugeschichte der Mietkaserne, wie sie aus
dem Grundbesitze entstand, nun folgt Kracauer mit der Darstellung der Berliner Büro- und Vergnügungspaläste als Abdruck der Angestelltenmentalität, die bis hoch in die Unter-
nehmerkreise hinaufreicht. Gleichzeitig hat er den Posten eines
Berliner Berichterstatters der »Frankfurter Zeitung« übernommen. Es ist gut für die Stadt, diesen Feind in ihren Mauern zu
haben. Hoffen wir, daß sie verstehen wird, ihn zum Schweigen
zu bringen. Wie? Nun, indem sie ihren besten Zwecken ihn
nutzbar macht.

Ein Buch für die, die Romane satt haben

Vor kurzem erschien ein Buch »Men without women«[1]. Es ist
eine Novellensammlung. Hier aber soll von einer Sammlung
von Essays die Rede sein, die es sämtlich mit wirklichen Menschen zu tun haben: Mystikern, Ärzten, Seefahrern, Dichtern;
Deutschen, Schweizern, Engländern, Spaniern. Immer am Leitfaden ihrer Selbstbiographie oder ihrer Werke. Und auch dies
Buch – »Studien zur europäischen Literatur« von Fritz Ernst[2] –

1 Deutsch unter dem Titel »Männer«. [Ernest Hemingway, Männer, übertr. von
Annemarie Horschitz, Berlin 1929.]
2 Fritz Ernst, Studien zur europäischen Literatur. Zürich: Verlag der Neuen Schweizer Rundschau (1930). 222 S.

könnte gut »Männer ohne Frauen« betitelt sein. Nicht, daß sie alle unverheiratet, geschweige frauenlos geblieben wären. Aber es ist das Männliche, das, je nachdem, keines Trostes Bedürftige oder das Untröstbare, worum es dem Autor zu tun war. Es muß ein solches Buch vielleicht hin und wieder geschrieben werden, um einem klar zu machen, wie üppig, wie besonnt und wie schlaff die Lebenszüge »großer Männer« meistens dargestellt werden. Die Sätze unseres Autors dagegen möchte man mit einem Baldachin vergleichen. Sie ehren, aber beschatten zugleich, wen sie meinen.

Solche Darstellung trifft kein Wissen, dem nicht eine moralische Haltung sich innig verbindet. Hier ist es nicht die Bewunderung, die so oft zum Unartikulierten oder Banalen führt, sondern besonnene in Erfahrung begründete Dankbarkeit. »Les Egyptiens avoient une loi contre l'ingratitude. Cette loi s'est perdue.« So steht nicht umsonst als Motto vor diesem Bande. Dankbarkeit: denn jede einzelne dieser trostentrückten Existenzen ist dem Verfasser selber Trost geworden. Nicht ihr bloßes Dasein an sich, noch weniger aber dessen Produkte, sondern die verlassenen, die verwüsteten Lebensbreiten als Nährboden seltener, verborgenster Heilkräuter. Wirkliche Dankbarkeit leitet den Mann, sein Blick für das versteckte, entscheidende Kennzeichen ist der des Kindes, das Kräuter für einen Kranken sammelt. Ein Schwyzer Kind, von dem wir vielleicht einmal ein zweites »Chrut und Uchrut« für die arme Europa erwarten können. Daß er die Wunderkräfte der Sprache kennt, beweist nicht sein Reichtum an Themen allein, sondern mehr noch die Haltung, mit der er sie darbringt. Etwas wie diesen »Pestalozzi« findet man nicht leicht ohne ihn. »Das Wunder Pestalozzi« ruft der Verfasser, aber dann rechtfertigt er solchen Titel mit ganz einfachen, ungerührten Feststellungen. »Er durfte nicht das Ungewöhnliche, sondern nur das Gewöhnliche auf unerhörte Art vollbringen.« »Es scheint keinen menschlichen Mangel zu geben, den zu beheben ihn nicht Leidenschaft ergriffen hätte.« Oder er stellt die wohltemperierte Öde von Gontscharows Existenz dar und belegt sie mit dem trübseligsten Emblem: »Sein Lieblingstier war das uralte Steckenpferd der Klugheit, nämlich der gemäßigte Fortschritt, insbesondere solange sich dieser mit dem Bereich materieller Dinge begnügte.« Es ist ein im hohen litera-

rischen Sinne farbloses Buch; denken wir an Gide, der den Deutschen die höchste Stilkunst, die Fähigkeit rein zeichnerischer
Darstellung abspricht, so werden wir ihn hier mit Freuden
Lügen strafen. Kann man denn sicherer und silberstiftiger über
Kügelgens »Jugenderinnerungen eines alten Mannes« schreiben,
als mit den Worten: »Es geht eine eigentümlich greifbare Treue
durch das Ganze«? Die Darstellung Kügelgens macht neben
der Pestalozzis nicht nur den Gipfel, sondern auch das Grundmotiv dieses Buches sichtbar: das gedämpfteste, Dantesche »Be-
siegt siegt er im Gnadenüberschwange«.
Dem Verfasser ist nichts so nahe gegangen wie dies Bezwungen-
wordensein im Leben der Großen. Seine Kunst ist, aus Frost und
Nebel, in dem ihr Dasein verstrich, die Wintersonne ihrer Unsterblichkeit zu locken. Mit nichts anderem, als ungeblendet
einen Lichtkern fixieren zu können, läßt die erstaunliche Anziehungskraft dieses Buchs sich vergleichen.

KRISIS DES ROMANS
Zu Döblins »Berlin Alexanderplatz«[1]

Das Dasein ist im Sinne der Epik ein Meer. Es gibt nichts
Epischeres als das Meer. Man kann sich natürlich zum Meer sehr
verschieden verhalten. Zum Beispiel an den Strand legen, der
Brandung zuhören und die Muscheln, die sie anspült, sammeln.
Das tut der Epiker. Man kann das Meer auch befahren. Zu
vielen Zwecken und zwecklos. Man kann eine Meerfahrt machen
und dann dort draußen, ringsum kein Landstrich, Meer und
Himmel, kreuzen. Das tut der Romancier. Er ist der wirklich
Einsame, Stumme. Der epische Mensch ruht nur aus. Im Epos
ruht das Volk nach dem Tagwerk; lauscht, träumt und sammelt.
Der Romancier hat sich abgeschieden vom Volk und von dem,
was es treibt. Die Geburtskammer des Romans ist das Individuum in seiner Einsamkeit, das sich über seine wichtigsten
Anliegen nicht mehr exemplarisch aussprechen kann, selbst unberaten ist und keinem Rat geben kann. Einen Roman schreiben

1 Alfred Döblin, Berlin Alexanderplatz. Die Geschichte vom Franz Biberkopf.
Berlin: S. Fischer Verlag 1929. 530 S.

heißt, in der Darstellung des menschlichen Daseins das Inkommensurable auf die Spitze treiben. Was den Roman vom eigentlichen Epos trennt, fühlt jeder, der an die homerischen Werke oder an das dantesche denkt. Das mündlich Tradierbare, das Gut der Epik, ist von anderer Beschaffenheit als das, was den Bestand des Romans ausmacht. Es hebt den Roman gegen alle übrigen Formen der Prosa – Märchen, Sage, Sprichwort, Schwank – ab, daß er aus mündlicher Tradition weder kommt noch in sie eingeht. Vor allem aber gegen das Erzählen, das in der Prosa das epische Wesen am reinsten darstellt. Ja, nichts trägt so sehr zum gefährlichen Verstummen des inneren Menschen bei, nichts tötet den Geist des Erzählens so gründlich ab wie die unverschämte Ausdehnung, die in unser aller Existenz das Romanlesen annimmt. Es ist daher die Stimme des geborenen Erzählers, die sich gegen den Romancier so vernehmen läßt: »Ich will auch nicht davon sprechen, daß ich die Befreiung des epischen Werks vom Buch für ... nützlich halte, nützlich insbesondere in Hinsicht auf die Sprache. Das Buch ist der Tod der wirklichen Sprachen. Dem Epiker, der nur schreibt, entgehen die wichtigsten formbildenden Kräfte der Sprache.« So hätte Flaubert nicht gesprochen. Diese These ist Döblins. Er hat darüber im ersten Jahrbuche der Sektion für Dichtung an der Preußischen Akademie der Künste eine sehr umfassende Rechenschaft abgelegt, und sein »Bau des epischen Werks« ist ein meisterhafter und dokumentarischer Beitrag zu jener Krise des Romans, die mit der Restitution des Epischen einsetzt, der wir allerorten und bis ins Drama begegnen. Wer diesen Döblinschen Vortrag durchdenkt, braucht sich gar nicht mehr bei den äußeren Anzeichen dieser Krisis, dieses Erstarkens des Radikal-Epischen aufzuhalten. Die Sturmflut biographischer, historischer Romane verliert für ihn alles Erstaunliche. Der Theoretiker Döblin, weit entfernt, mit dieser Krisis sich abzufinden, eilt ihr voraus und macht ihre Sache zu seiner eigenen. Sein letztes Buch zeigt, daß Theorie und Praxis seines Schaffens sich decken.
Es ist aber nichts aufschlußreicher als diese Döblinsche Haltung mit der gleich souveränen, gleich beherzt in praxi durchgeführten, gleich exakten und doch in allem gegensätzlichen zu vergleichen, die André Gide in seinem »Tagebuch der Falschmünzer« kürzlich an den Tag gelegt hat. Im Widerspiel dieser

kritischen Intelligenzen kommt die heutige Situation der Epik
am schärfsten zum Ausdruck. Gide entwickelt in diesem autobiographischen Kommentar seines letzten Romans die Lehre
vom »roman pur«. Dort hat er's mit erdenklichster Subtilität
darauf angelegt, alle schlichte, geradlinig aneinanderreihende
Erzählung (alle epischen Größen ersten Grades) zugunsten sinn-
reicher, rein romanhafter (und das heißt hier zugleich auch
romantischer) Verfahrungsweisen beiseite zu setzen. Die Stellung der Personen zu dem, was vorgeht, die Stellung des Dichters zu ihnen und seiner Technik, all das soll Bestandteil seines
Romans selbst werden. Kurz, dieser »roman pur« ist eigentlich
reines Innen, kennt kein Außen, und somit äußerster Gegenpol
zur reinen epischen Haltung, die das Erzählen ist. Gides Ideal
des Romans ist – so läßt er sich im strengen Gegensatz zu
Döblin darstellen – der reine Schreibroman. Er hält die Flaubertschen Positionen vielleicht zum letzten Male aufrecht. Und
es kann nicht Wunder nehmen, in Döblins Vortrag auch auf diese
Leistung die denkbar schärfste Entgegnung zu finden. »Sie
werden die Hände über dem Kopf zusammenschlagen, wenn ich
den Autoren rate, in der epischen Arbeit entschlossen lyrisch,
dramatisch, ja reflexiv zu sein. Aber ich beharre dabei.«
Wie unerschrocken er's tut, dafür ist die Ratlosigkeit mancher
Leser vor diesem neuen Buche ein Zeichen. Nun ist es wahr, daß
selten auf solche Weise erzählt wurde, so hohe Wellen von Ereignis und Reflex haben selten die Gemütlichkeit des Lesers in
Frage gestellt, so hat die Gischt der wirklichen gesprochenen
Sprache ihn noch nie bis auf die Knochen durchnäßt. Aber es
wäre nicht nötig gewesen, darum mit Kunstausdrücken zu operieren, vom »dialogue intérieur« zu reden oder auf Joyce zu
verweisen. In Wirklichkeit handelt es sich um etwas ganz anderes. Stilprinzip dieses Buches ist die Montage. Kleinbürgerliche
Drucksachen, Skandalgeschichten, Unglücksfälle, Sensationen
von 28, Volkslieder, Inserate schneien in diesen Text. Die
Montage sprengt den »Roman«, sprengt ihn im Aufbau wie
auch stilistisch, und eröffnet neue, sehr epische Möglichkeiten.
Im Formalen vor allem. Das Material der Montage ist ja
durchaus kein beliebiges. Echte Montage beruht auf dem Dokument. Der Dadaismus hat sich in seinem fanatischen Kampf
gegen das Kunstwerk durch sie das tägliche Leben zum Bundes-

genossen gemacht. Er hat zuerst, wenn auch unsicher, die Allein-
herrschaft des Authentischen proklamiert. Der Film in seinen
besten Augenblicken machte Miene, uns an sie zu gewöhnen.
Hier ist sie zum ersten Male für die Epik nutzbar geworden.
Die Bibelverse, Statistiken, Schlagertexte sind es, kraft deren
Döblin dem epischen Vorgang Autorität verleiht. Sie entsprechen den formelhaften Versen der alten Epik.
So dicht ist diese Montierung, daß der Autor schwer darunter zu
Wort kommt. Die moritatenähnlichen Kapitelansagen hat er
sich vorbehalten; im übrigen ist's ihm nicht eilig, sich vernehm-
men zu lassen. (Aber er wird sein Wort noch anbringen.) Erstaunlich, wie lange er seinen Figuren folgt, ehe er's riskiert, sie
zur Rede zu stellen. Sacht, wie der Epiker es soll, geht er an die
Dinge heran. Was geschieht, auch das Plötzlichste, scheint von
langer Hand vorbereitet. In dieser Haltung aber inspiriert ihn
der berlinische Sprachgeist selbst. Sacht ist das Zeitmaß seiner
Bewegung. Denn der Berliner spricht als Kenner und mit Liebe
zu dem, wie er's sagt. Er kostet es aus. Wenn er schimpft, spottet
und droht, will er dazu sich Zeit nehmen, genau wie zum Früh-
stück. Glaßbrenner pointierte das Berlinische dramatisch. Hier
ist es nun in seiner epischen Tiefe ermessen; Franz Biberkopfs
Lebensschifflein hat schwer geladen und braucht doch nirgends
auf Grund zu stoßen. Das Buch ist ein Monument des Berlini-
schen, weil der Erzähler keinen Wert darauf legte, heimat-
künstlerisch, werbend zur Stadt zu stehen. Er spricht aus ihr.
Berlin ist sein Megaphon. Sein Dialekt ist eine von den Kräften,
die sich gegen die Verschlossenheit des alten Romans kehren.
Denn verschlossen ist dieses Buch nicht. Es hat seine Moral, die
sogar den Berliner was angeht. (Tiecks »Abraham Tonelli« hat
die Berliner Schnauze schon so entfesselt, aber noch niemand
hatte sich sie zu kurieren getraut.)
Es ist lohnend, der Kur an Franz Biberkopf nachzugehen. Was
geschieht ihm? – Aber zunächst: Warum heißt es: »Berlin
Alexanderplatz«, und »Die Geschichte vom Franz Biberkopf«
nur darunter? Was ist der Alexanderplatz in Berlin? Das ist die
Stelle, wo seit zwei Jahren die gewaltsamsten Veränderungen
vorgehen, Bagger und Rammen ununterbrochen in Tätigkeit
sind, der Boden von ihren Stößen, von den Kolonnen der Auto-
busse und U-Bahnen zittert, tiefer als sonstwo die Eingeweide

der Großstadt, die Hinterhöfe um den Georgenkirchplatz sich aufgetan, und stiller als anderswo in den unberührten Labyrinthen um die Marsiliusstraße (wo die Sekretäre der Fremdenpolizei in eine Mietskaserne gepfercht sind), um die Kaiserstraße (in der die Huren abends ihren alten Trott machen), sich Gegenden aus den neunziger Jahren gehalten haben. Kein Industrieviertel; Handel vor allem; Kleinbürgertum. Und dann sein soziologisches Negativ: die Ganoven, die von den Arbeitslosen ihren Zuzug bekommen. Einer von denen ist Biberkopf. Als Arbeitsloser verläßt er das Zuchthaus Tegel, bleibt eine Weile anständig, eröffnet einen Handel an ein paar Straßenecken, fällt ab und wird Mitglied der Pumsbande. Eintausend Meter, länger ist der Radius nicht, der den Bannkreis dieser Existenz um den Platz schlägt. Der Alexanderplatz regiert sein Dasein. Ein grausamer Regent, wenn man will. Ein unumschränkter. Denn der Leser vergißt alles neben und außer ihm, lernt seine Existenz in diesem Raum fühlen und wie wenig man von ihm wußte. Es ist ja alles anders, als der Leser, der dieses Werk dem Mahagonispind entnimmt, sich's vorstellt. Es schmeckt so gar nicht nach »sozialem Roman«. Keiner übernachtet hier in der Palme. Die haben immer ein Zimmer. Man trifft sie auch nie auf der Zimmersuche. Selbst der Erste scheint um den Alexanderplatz herum seine Schrecken verloren zu haben. Elend sind diese Leute schon. Immerhin sind sie elend in ihren Zimmern. Was ist das? Wie kommt das eigentlich?
Zweierlei ist das. Etwas Großes und etwas Beschränkendes. Etwas Großes: Denn das Elend ist in der Tat nicht, wie der kleine Moritz sich's vorstellt. Das wirkliche wenigstens, im Gegensatz zum gefürchteten. Nicht die Menschen allein, sondern auch Not und Jammer müssen sich nach der Decke strecken, müssen sehen, wie sie sich durchschlagen. Auch ihre Agenten, Liebe und Alkohol, werden manchmal aufsässig. Und es gibt nichts so Schlimmes, daß sich nicht eine Weile damit leben ließe. In diesem Buch kehrt das Elend seine joviale Seite heraus. Es läßt sich mit den Menschen am gleichen Tisch nieder, aber das Gespräch bricht darum nicht ab, man setzt sich zurecht und läßt es sich weiter schmecken. Das ist eine Wahrheit, von der der neue Hintertreppennaturalismus nichts wissen will. Darum mußte ein großer Erzähler kommen, um ihr wieder einmal zu ihrem Recht

zu verhelfen. Von Lenin sagt man, er habe nur eins fanatischer
gehaßt als das Elend selber: Mit ihm paktieren. Das ist nun in
der Tat etwas Bürgerliches; nicht nur in den kleinen mesquinen
Formen der Schlamperei, sondern auch in den großen der Weisheit. In diesem Sinn ist Döblins Geschichte bürgerlich, und zwar
viel beschränkender als nach Tendenz und Absicht, nämlich nach
Abkunft. Was hier bestrickend und mit unverminderter Kraft
von neuem auftaucht, das ist der große Zauber von Charles
Dickens, bei dem Bürger und Verbrecher so herrlich aufeinander
eingespielt sind, weil sie ihre Interessen (entgegengesetzte freilich) in einer und derselben Welt haben. Die Welt dieser Ganoven ist der Bürgerwelt homogen; Franz Biberkopfs Weg zum
Zuhälter bis zum Kleinbürger beschreibt nur eine heroische
Metamorphose des bürgerlichen Bewußtseins.
Der Roman, könnte einer auf die Theorie des »roman pur«
antworten, ist wie das Meer. Er hat keine andere Reinheit als
Salz. Was ist nun das Salz dieses Buches? Es ist aber mit dem
epischen Salze wie mit dem mineralischen: Es macht die Dinge
dauerhaft, mit denen es sich verbindet. Und Dauer ist in ganz
anderer Weise als für die übrigen Werke der Dichtung ein
Kriterium des Epischen. Dauer, nämlich nicht in der Zeit, sondern im Leser. Der wahre Leser liest Epik, um zu »behalten«.
Und ganz bestimmt behält er zweierlei aus diesem Buch: Die
Geschichte mit dem Arm und die Sache mit Mieze. Wie der
Franz Biberkopf dazu kommt, daß man ihn unters Auto wirft,
so daß er den Arm verliert? und daß man ihm die Freundin
ausspannt und umbringt? Das steht schon auf der zweiten
Buchseite. »Weil er vom Leben mehr verlangt als das Butterbrot.« In diesem Fall nicht fettes Essen, Geld oder Weiber,
sondern etwas viel Schlimmeres. Wonach es seine große Schnauze
gelüstet, das ist gestaltloser. Hunger nach Schicksal verzehrt
ihn, das ist es. Dieser Mann muß den Teufel al fresco immer
von neuem an die Wand malen; es ist kein Wunder, wenn der
immer von neuem kommt und ihn holen will. Wie dieser
Schicksalshunger gestillt, fürs Leben gestillt wird und der Zu-
friedenheit mit dem Butterbrot Platz macht, wie der Ganove
zum Weisen wird, das ist der Hergang der Sache. Zum Schluß
wird Franz Biberkopf schicksallos, »helle«, wie die Berliner
sagen. Döblin hat dies Mannbarwerden an seinem Franz mit

einem großen Kunstgriff unvergeßlich gemacht. Wie die Juden
bei der Barmizwoh dem Kind seinen zweiten Namen bekannt-
geben, der bis dahin geheim blieb, so gibt Döblin dem Biberkopf
einen zweiten Vornamen. Er heißt von nun an Franz Karl.
Gleichzeitig ist aber mit diesem Franz Karl, der zweiter Portier
in einer Fabrik wird, etwas ganz Sonderbares geschehen. Und
daß Döblin, obwohl er seinem Helden doch so genau auf die
Finger sieht, dies nicht entgangen wäre, wollen wir nicht beschwören. An dieser Stelle nämlich hat Franz Biberkopf aufgehört, exemplarisch zu sein, und ist lebendig in den Himmel der
Romanfiguren entrückt worden. Hoffnung und Erinnerung werden ihn in diesem Himmel, der kleinen Portierloge, über sein
Gescheitersein trösten. Wir aber sehen ihm in seine Loge nicht
nach. Denn das ist ja das Gesetz der Romanform: kaum hat der
Held sich selber geholfen, so hilft uns sein Dasein nicht länger.
Und wenn diese Wahrheit am großartigsten und am unerbitt-
lichsten in der »Education sentimentale« an den Tag tritt, so ist
die Geschichte dieses Franz Biberkopf die »Education sentimentale« des Ganoven. Die äußerste, schwindelnde, letzte, vorgeschobenste Stufe des alten bürgerlichen Bildungsromans.

Gabriele Eckehard, das deutsche Buch im Zeitalter des Barock.
Berlin: (Verlag Ullstein) 1930. 50 S. (Berliner Bibliophile Ab-
handlungen. 4.)

Es ist selten, daß Sammler als solche sich der Öffentlichkeit vorstellen. Sie wünschen als Wissenschaftler, als Kenner, zur Not
auch als Besitzer zu passieren, aber sehr selten als das, was sie
vor allem doch sind: als Liebhaber. Diskretion pflegt ihre
stärkste, Freimut ihre schwächste Seite zu sein. Wenn ein großer
Sammler den Prachtkatalog seiner Schätze veröffentlicht, repräsentiert er zwar seine Sammlung, in den seltensten Fällen
aber sein Sammlergenie. Von diesen Regeln bildet das vorliegende Buch eine rühmliche Ausnahme. Ohne gerade Katalog
zu sein, repräsentiert es eine der stattlichsten Privatsammlungen
deutscher Barockliteratur; ohne gerade Entstehungsgeschichte
der Sammlung zu sein, enthält es die Impulse, aus denen sie sich

gebildet hat. Man redet so gerne von dem »persönlichen Verhältnis«, das ein Sammler zu seinen Sachen habe. Im Grunde
scheint diese Wendung eher geschaffen, die Haltung, die sie
anerkennen will, zu bagatellisieren, sie als unverbindliche, als
liebenswürdig-launische hinzustellen. Sie führt irre. Launisch
sind Sammler vielleicht – doch im Sinne des französischen luna-
tique – nach den Launen des Mondes. Spielball sind sie vielleicht – aber von einer Göttin – nämlich der τύχη. Am ehesten
aber wird man die Gemeinde der wahren Sammler als die der
Zufallsgläubigen, der Zufallsanbeter zu bezeichnen haben. Nicht
nur darum, weil sie alle wissen, daß ihr Besitz sein Bestes dem
Zufall dankt, sondern weil sie in ihren Besitztümern selber den
Spuren des Zufalls nachjagen, weil sie Physiognomiker sind, die
da glauben, daß nichts so Ungereimtes, Unberechenbares, Un-
vermerktes den Dingen zustoßen könne, daß es in ihnen seine
Spuren nicht hinterließe. Diese Spuren sind es, denen sie nachgehen: der Ausdruck des Geschehenen entschädigt sie tausend-
fach für die Unvernunft des Geschehens. – Soviel um anzudeuten, warum es die Sammlerin und nicht nur die Verfasserin
dieser Schrift rühmt, wenn wir sie eine Adeptin der Physiognomik nennen. Was sie vom Einband, von der Druckweise,
der Erhaltung, dem Preis, der Verbreitung der Werke, mit
denen sie es zu tun hat, aufzeichnet, sind ebenso viele Verwandlungen zufälligen Geschickes in mimischen Ausdruck. So von
Büchern zu reden, wie sie es tut, ist das Vorrecht des Sammlers.
Hoffen wir, daß dem Beispiel, das hier – bis in Ausstattung und
Illustration hinein – gegeben wird, so viele folgen, als wenige
ihm vorangingen. Daß unter diesen wenigen aber der Beste –
Karl Wolfskehl – ein Liebhaber des Barock ist, das zeigt, daß es
für den wahren Büchersammler wenige gleich adäquate Gegenstände seiner Liebe gibt wie eben die Bücher des deutschen
Barockzeitalters.

THEORIEN DES DEUTSCHEN FASCHISMUS
Zu der Sammelschrift »Krieg und Krieger«. Herausgegeben von
Ernst Jünger[1]

Léon Daudet, Sohn von Alphonse, selbst ein bedeutender
Schriftsteller, Leader der royalistischen Partei Frankreichs, hat
in seiner Action Française einmal einen Bericht über den Salon
de l'Automobile gegeben, der, wenn auch vielleicht nicht mit
diesen Worten, in die Gleichung auslief »L'automobile c'est la
guerre«. Was dieser überraschenden Ideenverbindung zugrunde
lag, war der Gedanke an eine Steigerung der technischen Be-
helfe, der Tempi, der Kraftquellen usw., die in unserem Privatleben keine restlos vollendete, adäquate Ausnutzung finden und
dennoch drängen, sich zu rechtfertigen. Sie rechtfertigen sich,
indem sie auf harmonisches Zusammenspiel verzichten, im Kriege, der mit seinen Zerstörungen den Beweis dafür antritt, daß
die soziale Wirklichkeit nicht reif war, die Technik sich zum
Organ zu machen, daß die Technik nicht stark genug war, die
gesellschaftlichen Elementarkräfte zu bewältigen. Ohne im mindesten der Bedeutung der wirtschaftlichen Kriegsursachen zu
nahe zu treten, darf man behaupten: der imperialistische Krieg
ist gerade in seinem Härtesten, seinem Verhängnisvollsten mit-
bestimmt durch die klaffende Diskrepanz zwischen den riesen-
haften Mitteln der Technik auf der einen, ihrer winzigen moralischen Erhellung auf der anderen Seite. In der Tat, ihrer wirtschaftlichen Natur nach kann die bürgerliche Gesellschaft nicht
anders, als alles Technische so sehr wie möglich vom sogenannten Geistigen abdichten, nicht anders, als den technischen Gedanken vom Mitbestimmungsrecht an der sozialen Ordnung so
entschieden wie möglich ausschließen. Jeder kommende Krieg ist
zugleich ein Sklavenaufstand der Technik. Daß aus diesen und
verwandten Befunden alle den Krieg betreffenden Fragen ihre
heutige Prägung erhalten, daß sie Fragen des imperialistischen
Krieges sind, meint man den Verfassern der vorliegenden Schrift
um so weniger ins Gedächtnis rufen zu müssen, als sie Soldaten
des Weltkriegs gewesen sind und, was immer man ihnen auch
sonst mag bestreiten müssen, unstreitig von der Erfahrung des

1 Krieg und Krieger. Hrsg. von Ernst Jünger. Berlin: Junker und Dünnhaupt Verlag
1930. 204 S.

Weltkriegs ausgehen. Man erstaunt also sehr, schon auf der ersten Seite die Behauptung zu finden, daß es »eine nebensächliche Rolle spielt, in welchem Jahrhundert, für welche Ideen und mit welchen Waffen gefochten wird«. Und das Erstaunlichste, daß Ernst Jünger mit dieser Behauptung sich einen Grundsatz des Pazifismus zu eigen macht, unter allen den anfechtbarsten und den abstraktesten. Allerdings nicht sowohl doktrinäre Schablone, als ein eingewurzelter und, an allen Maßstäben männlichen Denkens gemessen, recht eigentlich lasterhafter Mystizismus, steht bei ihm und seinen Freunden dahinter. Aber sein Mystizismus des Krieges und das klischierte Friedensideal des Pazifismus, sie haben einander nichts vorzuwerfen. Vielmehr hat für den Augenblick selbst der schwindsüchtigste Pazifismus vor seinem epileptisch schäumenden Bruder eins voraus, nämlich gewisse Anhaltspunkte am Wirklichen, nicht zuletzt einige Begriffe vom nächsten Krieg.

Gern und mit Nachdruck sprechen die Verfasser vom »ersten Weltkrieg«. Wie wenig es aber ihrer Erfahrung gelungen ist, seiner Realitäten sich zu bemächtigen, von denen sie mit den befremdlichsten Steigerungen als von dem »Welthaft-Wirklichen« zu reden pflegen, beweist die Stumpfheit, mit der sie den Begriff kommender Kriege fixieren, ohne Vorstellungen mit ihm zu verbinden. Beinahe könnten diese Wegbereiter der Wehrmacht einen auf den Gedanken bringen, die Uniform sei ihnen ein höchstes, mit allen Fibern ihres Herzens ersehntes Ziel, gegen welches die Umstände, unter denen sie später zur Geltung kommt, sehr zurücktreten. Verständlicher wird diese Haltung, wenn man sich klar macht, wie sehr die hier vertretene Ideologie des Krieges, gemessen am Stande der europäischen Rüstungen, jetzt schon veraltet ist. Die Verfasser haben sich an keiner Stelle gesagt, daß die Materialschlacht, in der einige von ihnen die höchste Offenbarung des Daseins erblicken, die kümmerlichen Embleme des Heroismus, die hier und dort den Weltkrieg überdauerten, außer Kurs setzt. Der Gaskampf, für den die Mitarbeiter dieses Buches auffallend wenig Interesse haben, verspricht dem Zukunftskrieg ein Gesicht zu geben, das die soldatischen Kategorien endgültig zugunsten der sportlichen verabschiedet, den Aktionen alles Militärische nimmt und sie sämtlich unter das Gesicht des Rekords stellt. Denn seine schärf-

ste strategische Eigenart besteht darin, bloßer und radikalster
Angriffskrieg zu sein. Gegen Gasangriffe aus der Luft gibt es
bekanntlich keine zulängliche Gegenwehr. Selbst die privaten
Schutzmaßregeln, die Gasmasken, versagen bei Senfgas und
Levisit. Ab und zu erfährt man »Beruhigendes«, wie die Er-
findung eines empfindlichen Fernhörers, der das Surren der
Propeller auf große Entfernungen hin registriert. Und einige
Monate später dann die Erfindung eines lautlosen Flugzeugs.
Der Gaskrieg wird auf Vernichtungsrekorden beruhen und mit
einem ins Absurde gesteigerten Hasardieren verbunden sein. Ob
sein Ausbruch innerhalb der völkerrechtlichen Normen – nach
vorhergehender Kriegserklärung – erfolgt, ist fraglich; sein
Ende wird mit dergleichen Schranken nicht mehr zu rechnen
haben. Mit der Unterscheidung zwischen ziviler und kampf-
tätiger Bevölkerung, welche der Gaskrieg bekanntlich aufhebt,
fällt die wichtigste Basis des Völkerrechts. Daß und wie die
Desorganisation, die der imperialistische Krieg mit sich führt,
ihn unabschließbar zu machen droht, hat schon der letzte
gezeigt.
Es ist mehr als ein Kuriosum, es ist ein Symptom, daß eine
Schrift von 1930, die es mit »Krieg und Kriegern« zu tun hat,
an all dem vorbeigeht. Symptom derselben knabenhaften Ver-
schwärmtheit, die in einen Kultus, eine Apotheose des Krieges
mündet, als deren Verkünder hier vor allem von Schramm und
Günther auftreten. Diese neue Kriegstheorie, der ihre Herkunft
aus der rabiatesten Dekadenz an der Stirne geschrieben steht, ist
nichts anderes als eine hemmungslose Übertragung der Thesen
des L'Art pour l'Art auf den Krieg. Wenn aber diese Lehre
schon auf ihrem ursprünglichen Boden die Neigung hat, im
Munde mittelmäßiger Adepten ein Gespött zu werden, so sind
ihre Perspektiven in dieser neuen Phase beschämend. Wer
möchte sich einen Kämpfer der Marneschlacht oder einen von
denen, die vor Verdun lagen, als Leser von Sätzen, wie sie hier
folgen, vorstellen: »Wir haben den Krieg nach sehr unreinen
Prinzipien geführt.« »Wirklich gekämpft, von Mann zu Mann
und von Truppe zu Truppe, wurde immer seltener mehr.«
»Selbstverständlich haben die Frontoffiziere den Krieg oft recht
stillos gemacht.« »Denn durch die Einbeziehung der Massen,
des schlechteren Blutes, der praktischen, bürgerlichen Gesinnung,

kurz des gemeinen Mannes, vor allem in Offizierskorps und Unteroffizierkorps, sind mehr und mehr die ewig aristokratischen Elemente des soldatischen Handwerks vernichtet worden.« Falschere Töne kann man nicht anschlagen, ungeschicktere Gedanken nicht zu Papier bringen, taktlosere Worte nicht aussprechen. Daß es aber gerade hier den Verfassern so gänzlich mißglücken mußte, darin ist – all ihren Reden vom Ewigen, Urtümlichen zum Trotz – die unvornehme, ganz und gar journalistische Hast schuld, mit der sie des Aktuellen sich zu bemächtigen suchen, ohne Gewesenes erfaßt zu haben. Kultische Elemente des Krieges – ja, es hat sie gegeben. Theokratisch verfaßte Gemeinschaften kannten sie. Und so hirnverbrannt es wäre, diese versunkenen Elemente am Zipfel des Krieges wieder heraufziehen zu wollen, so peinlich mag es für diese Krieger auf der Ideenflucht sein, zu erfahren, wieweit in der von ihnen verfehlten Richtung ein jüdischer Philosoph, Erich Unger, gegangen ist, wieweit die Feststellungen, die bei ihm an Hand konkreter Daten aus der jüdischen Geschichte, gewiß zum Teil mit problematischem Recht, gemacht sind, die hier beschworenen blutigen Schemen in nichts sich verflüchtigen lassen. Aber etwas ins klare zu stellen, die Dinge wirklich beim Namen zu nennen, dazu reicht es bei den Verfassern nicht aus. Der Krieg »entzieht sich jener Ökonomie, welche der Verstand übt; in seiner Vernunft ist etwas Unmenschliches, Maßloses, Gigantisches, etwas, was an einen vulkanischen Prozeß, eine elementare Eruption erinnert . . ., eine ungeheure Woge des Lebens, durch eine schmerzhaft tiefe, zwingende, einheitliche Kraft gerichtet, geführt auf Schlachtfelder, die heute schon mythisch werden, verbraucht für Aufgaben, die den Bezirk des gegenwärtig Faßlichen weithin überschreiten.« So redselig ist ein Freier, der schlecht umarmt. In der Tat umarmen sie den Gedanken schlecht. Man muß ihn zu wiederholten Malen ihnen zuführen und das tun wir hiermit.

Dies ist er: Der Krieg – der »ewige« Krieg, von dem hier soviel gesprochen wird, so gut wie der letzte – sei der höchste Ausdruck der deutschen Nation. Daß sich hinter dem ewigen Kriege der Gedanke des kultischen, hinter dem letzten der des technischen verbirgt, und wie wenig es den Verfassern gelungen ist, deren Verhältnis zueinander ins reine zu bringen, wird deutlich

geworden sein. Aber mit diesem letzten Krieg hat es noch eine
besondere Bewandtnis. Er ist nicht nur der Krieg der Materialschlachten, sondern auch der verlorene. Damit freilich in ganz
besonderem Sinne der deutsche. Den Krieg aus ihrem Innersten
heraus geführt zu haben, könnten auch andere Völker von sich
behaupten. Ihn aus dem Innersten verloren zu haben, nicht. Das
Besondere an der gegenwärtigen letzten Phase jener Auseinandersetzung mit dem verlorenen Krieg, die Deutschland seit
1919 so schwer erschüttert, ist nun, daß gerade sein Verlust für
die Deutschheit in Anspruch genommen wird. Die letzte Phase,
so darf man sagen, weil diese Versuche, den Verlust des Krieges
zu bewältigen, eine deutliche Gliederung zeigen. Sie begannen
mit dem Unternehmen, die Niederlage durch ein hysterisch ins
Allmenschliche gesteigertes Schuldbekenntnis in einen inneren
Sieg zu pervertieren. Diese Politik, die dem untergehenden
Abendlande ihre Manifeste mit auf den Weg gab, war die
getreue Widerspiegelung der deutschen »Revolution« durch
die expressionistische Avantgarde. Dann kam der Versuch, den
verlorenen Krieg zu vergessen. Das Bürgertum legte sich schnau-
fend aufs andere Ohr, und welches Kissen war da weicher als
der Roman? Die Schrecken der erlebten Jahre wurden zur
Daunenfülle, in der jede Schlafmütze ihren Abdruck leicht
hinterlassen konnte. Was nun das letzte Unternehmen, mit dem
wir es hier zu tun haben, von den früheren abhebt, das ist die
Neigung, den Verlust des Krieges ernster zu nehmen als diesen
Krieg selbst. – Was heißt, einen Krieg gewinnen oder verlieren?
Wie auffallend in beiden Worten der Doppelsinn. Der erste,
manifeste meint gewiß den Ausgang, der zweite aber, der den
eigentümlichen Hohlraum, Resonanzboden in ihnen schafft,
meint ihn ganz, spricht aus, wie sein Ausgang für uns seinen
Bestand für uns ändert. Er sagt: der Sieger behält den Krieg,
dem Geschlagenen kommt er abhanden; er sagt: der Sieger
schlägt ihn zum Seinigen, macht ihn zu seiner Habe, der Ge-
schlagene besitzt ihn nicht mehr, muß ohne ihn leben. Und nicht
nur den Krieg so schlechthin und im allgemeinen, sondern jeden
geringsten seiner Wechselfälle, jeden subtilsten seiner Schach-
züge, jede entlegenste seiner Aktionen. Einen Krieg gewinnen
oder verlieren, das greift, wenn wir der Sprache folgen, so tief
in das Gefüge unseres Daseins ein, daß wir damit auf Lebenszeit

an Malen, Bildern, Funden reicher oder ärmer geworden sind.
Und da wir einen der größten der Weltgeschichte, einen Krieg
verloren, in dem die ganze stoffliche und geistige Substanz des
Volks gebunden war, so mag man ermessen, was dieser Verlust
bedeutet.

Gewiß kann man denen um Jünger nicht vorwerfen, sie hätten
es nicht ermessen. Wie traten sie aber dem Ungeheuren entgegen? Sie haben nicht aufgehört, sich zu schlagen. Sie haben
den Kultus des Krieges noch zelebriert, wo kein wirklicher
Feind mehr stand. Sie waren den Gelüsten des Bürgertums, das
den Untergang des Abendlandes herbeisehnte wie ein Schüler
an die Stelle einer falsch gerechneten Aufgabe einen Klecks,
gefügig, Untergang verbreitend, Untergang predigend, wohin
sie kamen. Das Verlorene auch nur einen Augenblick sich gegenwärtig – anstatt verbissen es fest – halten zu wollen, war ihnen
nicht gegeben. Sie haben immer zuerst und immer am bittersten
gegen die Besinnung gestanden. Sie haben die große Chance des
Besiegten, die russische, den Kampf in eine andere Sphäre zu
verlegen, versäumt, bis der Augenblick verpaßt war und in
Europa die Völker wieder zu Partnern von Handelsverträgen
gesunken waren. »Der Krieg wird *verwaltet,* nicht mehr *geführt*«, meldet beschwerdeführend einer der Verfasser. Das sollte
durch den deutschen Nachkrieg korrigiert werden. Dieser Nachkrieg war im gleichen Maße Protest gegen den ihm vorangegangenen wie gegen das Zivil, dessen Siegel man auf jenem
erblickte. Vor allem sollte das verhaßte rationale Element dem
Kriege genommen werden. Und gewiß, diese Mannschaft badete
in den Dämpfen, die dem Rachen des Fenriswolfes entstiegen.
Aber sie konnten den Vergleich mit den Gasen der Gelbkreuz-
granaten nicht aufnehmen. Vor dem Hintergrund des Kom-
mißdienstes in Militär-, der ausgepowerten Familien in Miet-
kasernen bekam dieser urgermanische Schicksalszauber einen
fauligen Schimmer. Und ohne ihn materialistisch zu analysieren,
konnte auch damals das unverdorbene Gefühl eines freien,
wissenden, wahrhaft dialektischen Geistes, wie jener Florens
Christian Rang es war, dessen Lebenslauf mehr Deutschheit
ausprägt als ganze Heerhaufen dieser Verzweifelten, sich mit
bleibenden Sätzen ihnen entgegenstellen. »Die Dämonie des
Schicksal-Glaubens, daß Menschen-Tugend umsonst ist, – die

finstere Nacht eines Trotzes, der den Sieg der Lichtmächte im
Götterweltbrand zerlodert, ... die scheinbare Willens-Herrlich-
keit dieses Schlachtentod-Glaubens, der das Leben nicht achtend
hinwirft für die Idee, – diese wolkenschwangere Nacht, die uns
schon Jahrtausende überlagert und statt Sterne nur Blitze zu
Wegkündern gibt, betäubende, verwirrende, nach denen Nacht
nur um so dunkler uns stickt: diese grauenvolle Weltansicht des
Welt-Tods statt Welt-Lebens, die sich in der deutschen Idealis-
mus-Philosophie das Grauen mit dem Gedanken erleichtert, daß
hinter den Wolken ja Sternhimmel sei, – diese deutsche Geistes-
Grundrichtung ist zu tiefst willenlos, meint nicht, was sie sagt,
ist ein Verkriechen, eine Feigheit, ein Nichtwissenwollen, Nicht-
leben- aber auch nicht Sterbenwollen ... Denn das ist die deutsche Halbstellung zum Leben: jawohl: es wegwerfen zu können,
wenn es nichts kostet, in einem Augenblick des Rauschs, die
Hinterbliebenen versorgt, und dies kurzlebige Opfer mit ewiger
Gloriole umstrahlt.« Wenn es aber dann im gleichen Zusammenhange heißt: »Zweihundert sterbensbereite Offiziere hätten
genügt, in Berlin die Revolution niederzuwerfen – entsprechend
an allen Orten –, aber es fand sich nicht einer. Eigentlich hätten
ja wohl viele gerne gerettet, aber uneigentlich, das ist wirklich,
wollte keiner so sehr, daß er den Anfang machte, sich zum Führer aufwarf, oder als einzelner vorging. Lieber ließen sie sich
auf der Straße die Achselstücke abreißen« –, wenn so zu lesen
steht, wird denen um Jünger die Sprache vielleicht verwandt
klingen. Soviel ist sicher, wer das geschrieben hat, der kennt aus
eigenster Erfahrung Haltung und Überlieferung derer, die sich
hier zusammengefunden haben. Und vielleicht teilte er solange
ihre Feindschaft gegen den Materialismus, bis sie sich die Sprache
der Materialschlacht schuf.
Wenn zu Anfang des Krieges der Idealismus von staats- und
regierungswegen geliefert wurde, so war die Truppe je länger
je mehr auf Requisition angewiesen. Immer finsterer, tödlicher,
stahlgrauer wurde ihr Heroismus, immer entlegener und nebel-
hafter die Sphäre, aus denen noch Glorie und Ideal winkten,
immer starrer die Haltung derer, die sich weniger als Truppen
des Weltkriegs, denn als Vollstrecker des Nachkriegs fühlten.
»Haltung« – in all ihren Reden das dritte Wort. Wer würde
leugnen, daß die soldatische eine ist. Sprache aber ist der Prüf-

stein für eine jede und ganz und gar nicht nur, wie man gern annimmt, für die des Schreibenden. Bei denen, die sich hier verschworen haben, besteht sie die Probe nicht. Mag Jünger es den adligen Dilettanten des siebzehnten Jahrhunderts nachsprechen, die deutsche Sprache sei eine Ursprache – wie das gemeint ist, verrät der Zusatz, als solche flöße sie der Zivilisation, der Welt der Gesittung, ein unüberwindliches Mißtrauen ein. Wie aber kann deren Mißtrauen sich mit dem seiner Landsleute messen, wenn man ihnen den Krieg als einen ›mächtigen Revisor‹ vorstellt, der der Zeit ihren ›Puls fühlt‹, ihnen verwehrt, einen ›geprüften Schluß‹ ›auszuräumen‹, ihnen zumutet, ihren Blick für »Ruinen« »hinter dem leuchtenden Firnis« zu schärfen. Aber beschämender als solche Verstöße ist in diesen so zyklopisch gemeinten Gedankenbauten eine Glätte der Fügung, die jeden Leitartikel zieren würde, und peinlicher als die Glätte der Fügung ist die Mittelmäßigkeit der Substanz. »Die Gefallenen«, erzählt man uns, »gingen, indem sie fielen, aus einer unvollkommenen Wirklichkeit in eine vollkommene Wirklichkeit, aus dem Deutschland der zeitlichen Erscheinung in das ewige Deutschland ein.« Das der zeitlichen Erscheinung ist ja notorisch, um das ewige stünde es aber schlecht, wären wir für sein Bild auf das Zeugnis derer, die es so zungenfertig ablegen, angewiesen. Wie billig haben sie das ›feste Gefühl der Unsterblichkeit‹, die Gewißheit, man habe »die Scheußlichkeiten des letzten Krieges ins Fürchterliche gesteigert«, die Symbolik des ›nach innen siedenden Bluts‹ erstanden. Sie haben, bestenfalls, den Krieg geschlagen, den sie hier feiern. Wir werden aber einen nicht gelten lassen, der vom Kriege spricht und nichts kennt als Krieg. Wir werden, radikal auf unsere Weise, fragen: Wo kommt ihr her? Und was wißt ihr vom Frieden? Seid ihr in einem Kinde, einem Baum, einem Tier je auf den Frieden so gestoßen wie im Felde auf einen Vorposten? Und, ohne ihre Antwort abzuwarten: Nein! Nicht, daß ihr dann nicht fähig wärt, den Krieg zu feiern, leidenschaftlicher sogar, als ihr tut. Aber ihn zu feiern *wie* ihr es tut, wäret ihr nicht fähig. Wie hätte Fortinbras für den Krieg gezeugt? Man kann aus Shakespeares Technik darauf schließen. Wie er die Liebe Romeos zu Julien dadurch im Feuerglanze ihrer Leidenschaft enthüllt, daß er den Romeo von vornherein verliebt, verliebt in Rosalinde, darstellt, so hätte Fortinbras mit einem Lob des Friedens, einem so betörend, schmelzend süßen eingesetzt, daß dann, wenn er am Ende seine Stimme für den Krieg erhebt, sich jeder schaudernd eingestehen müßte: Was sind das für gewaltige, namenlose Kräfte, die diesen von dem Glück des Friedens ganz Erfüllten mit Leib und Seele sich dem Kriege angeloben lassen? – Hier nichts davon. Freibeuter von Fach haben das Wort. Ihr Horizont ist flammend, aber sehr eng.

Was sehen sie in seinen Flammen? Sie sehen – hier können wir uns F. G. Jünger anvertrauen – eine Wandlung. »Es gehen Linien seelischer Entscheidung quer durch den Krieg; der Wandlung des Kampfes entspricht die Wandlung der Kämpfenden. Sie wird sichtbar, wenn man die geschwungenen, schwerelosen, begeisterten Gesichter der Soldaten des August 1914 mit den tödlich ermatteten, hageren, unerbittlich gespannten Gesichtern der Materialschlachtkämpfer des Jahres 1918 vergleicht. Hinter dem Bogen dieses Kampfes, der, steiler und steiler gespannt, endlich zerspringt, erscheint unvergeßlich ihr Gesicht, geformt und bewegt von einer gewaltigen, geistigen Erschütterung, Station um Station eines Leidensweges, Schlacht um Schlacht, deren jede das hieroglyphische Zeichen einer angestrengt fortarbeitenden Vernichtungsarbeit ist. Hier erscheint jener soldatische Typus, den die hart, nüchtern, blutig und pausenlos abrollenden Materialschlachten durchbildeten. Ihn kennzeichnet die nervige Härte des geborenen Kämpfers, ihn der Ausdruck der einsameren Verantwortung, der seelischen Verlassenheit. In diesem Ringen, das in einer immer tieferen Schicht sich fortsetzte, bewährte sich sein Rang. Der Weg, den er ging, war schmal und gefährlich, aber es war ein Weg, der in die Zukunft führt.« Wo immer man in diesen Blättern auf genaue Formulierungen, echte Akzente, stichhaltige Begründungen stößt, ist es die Wirklichkeit, die hier getroffen, die von Ernst Jünger als total mobilgemachte angesprochen, von Ernst von Salomon als die Landschaft der Front gefaßt ist. Ein liberaler Publizist, der vor kurzem diesem neuen Nationalismus unter dem Stichwort »Heroismus aus langer Weile« beizukommen suchte, hat, das sieht man hier, etwas zu kurz gegriffen. Jener Soldatentypus ist Wirklichkeit, ist ein überlebender Zeuge des Weltkriegs und es war eigentlich die Landschaft der Front, seine wahre Heimat, die im Nachkrieg verteidigt wurde. Diese Landschaft zwingt zum Verweilen.

Man soll es mit aller Bitternis aussprechen: Im Angesichte der total mobil gemachten Landschaft hat das deutsche Naturgefühl einen ungeahnten Aufschwung genommen. Die Friedensgenien, die sie so sinnlich besiedeln, sind evakuiert worden und so weit man über den Grabenrand blicken konnte, war alles Umliegende zum Gelände des deutschen Idealismus selbst geworden, jeder Granattrichter ein Problem, jeder Drahtverhau eine Antinomie, jeder Stachel eine Definition, jede Explosion eine Setzung, und der Himmel darüber bei Tag die kosmische Innenseite des Stahlhelms, bei Nacht das sittliche Gesetz über dir. Mit Feuerbändern und Laufgräben hat die Technik die heroischen Züge im Antlitz des deutschen Idealismus nachziehen wollen. Sie hat geirrt. Denn was sie für die heroischen hielt, das waren die hippokratischen, die Züge des Todes. So prägte sie, tief durchdrungen von ihrer eigenen Verworfenheit, das apokalyptische Antlitz der Natur, brachte sie zum Verstummen und war doch die Kraft, die ihr die Sprache hätte geben können. Der Krieg in der metaphysischen Abstraktion, in der der neue Nationalismus sich zu ihm bekennt, ist nichts anderes als der Versuch, das Geheimnis einer idealistisch verstandenen Natur in der Technik mystisch und unmittelbar zu lösen, statt auf dem Umweg über die Einrichtung menschlicher Dinge es zu nutzen und zu erhellen. »Schicksal« und »Heros« stehen wie Gog und Magog in diesen Köpfen, ihre Opfer sind nicht allein Menschen- sondern auch Gedankenkinder. Alles Nüchterne, Unbescholtene, Naive, was über die Verbesserung des Zusammenlebens der Menschen erdacht wird, wandert in den abgenutzten Schlund dieser Maulgötzen, die mit dem Rülpsen der 42-cm-Mörser darauf erwidern. Manchmal kommt die Verspannung des Heroentums mit der Materialschlacht die Verfasser ein wenig hart an. Aber durchaus nicht alle und nichts ist kompromittierender als die weinerlichen Exkurse, mit denen hier die Enttäuschung über die »Form des Krieges«, den »sinnlos mechanischen Materialkrieg« laut wird, dessen die Edlen »offenbar müde geworden« waren. Wo aber einzelne es versuchen, den Dingen ins Auge zu sehen, wird am deutlichsten, wie sehr für sie der Begriff des Heroischen unter der Hand sich verwandelt hat, wie sehr die Tugenden der

Härte, der Verschlossenheit, der Unerbittlichkeit, die sie feiern,
in Wahrheit weniger solche des Soldaten als des bewährten
Klassenkämpfers sind. Was sich hier unter der Maske erst des
Freiwilligen im Weltkrieg, dann des Söldners im Nachkrieg,
heranbildete, ist in Wahrheit der zuverlässige faschistische
Klassenkrieger, und was die Verfasser unter Nation verstehen,
eine auf diesen Stand gestützte Herrscherklasse, die niemanden
und am wenigsten sich selber Rechenschaft schuldend, auf steiler
Höhe thronend, die Sphinxzüge des Produzenten trägt, der sehr
bald der einzige Konsument seiner Waren zu sein verspricht.
Mit diesem Sphinxantlitz steht die Nation der Faschisten als
neues ökonomisches Naturgeheimnis neben dem alten, das in
ihrer Technik weit entfernt sich zu lichten seine drohendsten
Züge herauskehrt. Im Parallelogramm der Kräfte, welches beide
– Natur, Nation – hier bilden, ist die Diagonale der Krieg.
Es ist verständlich, daß für den besten und durchdachtesten
unter den Aufsätzen dieses Bandes die Frage der »Bändigung
des Krieges durch den Staat« entsteht. Denn der Staat spielt in
dieser mystischen Kriegstheorie von Haus aus nicht die geringste
Rolle. Man wird die Bändigerrolle keinen Augenblick im pazi-
fistischen Sinne verstehen. Es wird hier viel mehr vom Staate
gefordert, den magischen Kräften, die er in Kriegsläuften für
sich mobilisieren muß, bereits in seinem Bau und seiner Haltung
sich anzupassen und würdig zu zeigen. Es werde ihm andernfalls
nicht gelingen, den Krieg seinen Zwecken tauglich zu machen.
Das Versagen der Staatsmacht angesichts des Krieges steht für
die, die sich hier zusammengefunden haben, am Anfang ihres
selbständigen Denkens. Die Formationen, die bei Kriegsende
zwitterhaft zwischen ordensartigen Kameradschaften und regu-
lären Vertretungen der Staatsmacht standen, konsolidierten sich
baldigst als unabhängige staatslose Landsknechtshaufen, und
die Finanzkapitäne der Inflation, denen der Staat als Garant
ihres Besitzes fraglich zu werden begann, haben das Angebot
solcher Haufen, die durch Vermittlung privater Stellen oder der
Reichswehr jederzeit greifbar wie Reis oder Kohlrüben anrollen
konnten, zu schätzen gewußt. Noch die vorliegende Schrift
ähnelt dem ideologisch phrasierten Werbeprospekt eines neuen
Typus von Söldnern oder besser von Kondottieren. Freimütig
erklärt einer unter ihren Verfassern: »Der tapfere Soldat des

Dreißigjährigen Krieges verkaufte sich ... mit Leib und Leben, und das ist immer noch edler, als wenn man nur Gesinnung und Talent verkauft.« Wenn er dann freilich fortfährt, der Landsknecht des deutschen Nachkriegs habe sich nicht verkauft, sondern sich verschenkt, so ist das nach Maßgabe der Bemerkung des gleichen Autors über den vergleichsweise hohen Sold dieser Trupps zu verstehen. Ein Sold, der das Haupt dieser neuen Krieger ebenso hart wie die technischen Notwendigkeiten des Handwerks prägte: Kriegsingenieure der Herrscherklasse, bilden sie das Pendant der leitenden Angestellten im Cut. Weiß Gott, daß ihre Führergeste ernst zu nehmen, ihre Drohung nicht lächerlich ist. Im Führer eines einzigen Flugzeugs mit Gasbomben vereinigen sich alle Machtvollkommenheiten, dem Bürger Licht und Luft und Leben abzuschneiden, die im Frieden unter tausend Bürovorsteher verteilt sind. Der schlichte Bombenwerfer, der in der Einsamkeit der Höhe, allein mit sich und seinem Gott, für seinen schwer erkrankten Seniorchef, den Staat, Prokura hat, und wo er seine Unterschrift hinsetzt, da wächst kein Gras mehr – das ist der »imperiale« Führer, der den Verfassern vorschwebt.

Nicht ehe Deutschland das medusische Gefüge der Züge, die ihm hier entgegentreten, gesprengt hat, kann es eine Zukunft erhoffen. Gesprengt – besser vielleicht gelockert. Das soll nicht heißen, mit gütigem Zuspruch oder mit Liebe, die hier nicht am Ort sind; es soll auch nicht der Argumentation, dem überredungsgeilen Debattieren den Weg bereiten. Wohl aber hat man alles Licht, das Sprache und Vernunft noch immer geben, auf jenes »Urerlebnis« zu richten, aus dessen tauber Finsternis diese Mystik des Weltentods mit ihren tausend unansehnlichen Begriffsfüßchen hervorkrabbelt. Der Krieg, der sich in diesem Licht enthüllt, ist der »ewige«, zu welchem diese neuen Deutschen beten, sowenig wie der »letzte«, von welchem die Pazifisten schwärmen. Er ist in Wirklichkeit nur dies: Die eine, fürchterliche, letzte Chance, die Unfähigkeit der Völker zu korrigieren, ihre Verhältnisse untereinander demjenigen entsprechend zu ordnen, das sie durch ihre Technik zur Natur besitzen. Mißglückt die Korrektur, so werden zwar Millionen Menschenkörper von Gas und Eisen zerstückt und zerfressen werden – sie werden es unumgänglich – aber selbst die Habitués chthonischer Schreckensmächte, die ihren Klages im Tornister führen, werden nicht ein Zehntel von dem erfahren, was die Natur ihren weniger neugierigen, nüchterneren Kindern verspricht, die an der Technik nicht einen Fetisch des Untergangs, sondern einen Schlüssel zum Glück besitzen. Von dieser ihrer Nüchternheit werden sie den Beweis im Augenblick geben, da sie sich weigern werden, den nächsten Krieg als einen magischen Einschnitt anzuerkennen, vielmehr in ihm das Bild des Alltags entdecken und mit eben dieser Entdeckung seine Verwandlung in den Bürgerkrieg vollziehen werden in Ausführung des marxistischen Tricks, der allein diesem finsteren Runenzauber gewachsen ist.

Zur Wiederkehr von Hofmannsthals Todestag[1]

Sich nicht nachbilden, nicht übernehmen zu lassen, gehört, wenn nicht zum Wesen des Vornehmen überhaupt, ganz bestimmt und im höchsten Grade zu dem, welches Hofmannsthal in so vielen Modulationen seines Wesens und seiner Geschöpfe von der frühen bis zur reifen Zeit ausprägte. Es ist nun ein Jahr her, daß die Einsicht in dieses Unnachahmliche quälend, wohl nicht allein seinen Freunden, sich aufdrängte, als der Tod dieses Mannes mit einem Schlage tat, was der Lebende gewiß stets vermieden hätte, nämlich die Unbeholfenheit der Schreibenden bloßstellte, die nun, da sie Hofmannsthal wollten »Gerechtigkeit widerfahren lassen«, glaubten, auf keine andere Weise das tun zu können, als indem sie seine Haltung und seine Sprache zu imitieren versuchten: und dabei traten sie beiden zu nahe. Aber ist es nun überhaupt möglich, das, was Hofmannsthal gab, in einer anderen Sprache anzudeuten, als in der er sprach? Anzudeuten, gewiß nicht; auszudeuten, bestimmt. Doch um es auszudeuten, hätte man daran glauben müssen. Und gerade da fehlte es. Man war ungläubig, hatte es hier und da vielleicht auch aus triftigen Gründen sein können, war es aber zumeist aus den billigsten: man verstand nicht. Es versagte aber nicht

1 Loris. Die Prosa des jungen Hofmannsthal. Mit einem Nachwort von Max Mell. Berlin: S. Fischer Verlag 1930. 284 S.

nur das Publikum, das in Hofmannsthals Schaffen eigensinnig sich an das Weltläufige, Amüsante hielt und abrückte, als die großen Arbeiten anthologischer, repräsentativer Art kamen, die seinem Programm der »Schöpferischen Restauration« dienten; es verleugnete ihn genau so sein frühester Gefährtenkreis, und wie hart und blind man unter Stefan Georges Freunden und Schülern gegen den »Abtrünnigen« sein konnte, hat noch zuletzt Wolters in seinem Buch »Stefan George und die Blätter für die Kunst« in einem sehr viel fragwürdigeren Sinne öffentlich gemacht, als jemals Hofmannsthal seine esoterischsten Schöpfungen. Der grenzenlosen Entfremdung, die um sein Grab war, scheint nun in dieser Sammlung »Loris, die Prosa des jungen Hofmannsthal« der Genius des Toten weniger entgegenzutreten, als leidend sich zu entrücken. Nirgends ist er verletzbarer, nirgends aber auch unverwundbarer an den Tag getreten, und indem er sich wehrlos dem Übelwollen seiner Zeitgenossen ergibt, trifft ihn nicht ein einziges ihrer Geschosse. Das ist Loris, weniger aus dem Gesichtspunkt seines ersten Erscheinens, als seiner heutigen Wiederkunft angesehen. Wenn eine Gestalt durch erlittenes Unrecht schön werden kann, dann ist es die Hofmannsthals, und gerade dieser Schönheit Züge begegnen, dem kommenden Schicksale vorgeformt, schon in dem Stück, das man diesem Bande mit Recht voranstellte – den vorher ungedruckten »Stadien«. Sie stammen aus dem Anfang der neunziger Jahre; erstaunlich, wie tief hier der Abstand vom Erlebten in das Erleben selber eingebettet ist. Ähnlich in fast allen wichtigen Essays dieser selbstbeschauenden Reihe, die doch nirgends ins Reflexive und Analytische fallen. So nahe können das Mesquine und das Vornehme beieinanderliegen: die Nachgiebigkeit, das Weniger an Haltung, die Hofmannsthal hier bei Amiel so schroff herausstellt, sind bei ihm selber Siegel des Fürstlichen. Bisweilen haben ihm wohl die Freunde Georges nichts mehr verdacht als gerade dies Fürstliche, das von ihrer imperatorischen Haltung so äußerst verschieden ist. Einige Stücke über Pater und die Schwestern Barrison deuten an, daß er in jener frühesten Zeit seine liebsten Bilder in englischem Kostüm bei sich empfing. Auch hat er Schöneres, Unverderblicheres nie geschrieben, als die kleine Studie über die Schwestern Barrison, »Englischer Stil«. – Wer dieser Loris gewesen ist, wird der Leser des Buches wohl fühlen, erfassen wird es der Kritiker aber minder aus der Betrachtung dieses Bandes, denn aus dem ganzen Werk selbst. Darum ist Max Mell so ganz auf dem richtigen Wege, wenn er in seinem Nachwort, um das Bild des Loris zu fassen, eine der dunkelsten Stellen im späten Werk Hofmannsthals anzieht und an die künftigen Kinder erinnert, denen der Kaiser der »Frau ohne Schatten« in der Höhle begegnet. Wenn auch dieses Nachwort noch nicht das Letzte über Loris sagt, so kann ein Vorwort, wie diese wenigen Zeilen es sind, nur eben auf seinen Schatten weisen, der keinen Platz braucht, um seines Weges zu ziehen.

WIDER EIN MEISTERWERK
Zu Max Kommerell, »Der Dichter als Führer in der deutschen Klassik«[1]

Gäbe es einen deutschen Konservativismus, der auf sich hält, in diesem Buche müßte er seine magna charta erblicken. Seit achtzig Jahren gibt es keinen mehr. Und so sind wir vermutlich der Wahrheit nicht fern mit der Annahme, daß Kommerell kaum eine eingehendere Kritik gefunden hat als die folgende, die ihm von einer anderen Seite begegnet. Dies Buch bringt einen jener seltenen, dem Kritiker denkwürdigen Momente, da keiner ihm die Qualität des Werks, die Stilform, die Befugnis des Verfassers abfragt. Sie alle sind gar nicht anzuzweifeln. Selten ist so Geschichte der Dichtung geschrieben worden: ihre vielseitigen Darlegungen, die scharf gekantete, undurchdringliche Oberfläche jener symmetrischen, diamantenen Gewißheit, die wir seit langem als den schwarzen Stein in der Kaaba der Georgischen Schule kennen. Vom Preis des Blutes, der Verachtung der Musik, dem Haß der Menge bis zur Knabenliebe nicht ein Motiv, das nicht auf lauten oder flüsternden Appell zur Stelle, und nicht gewachsen wäre, seit wir ihm zuletzt begegneten. Die kritischen Maximen, die Wertmaßstäbe, die noch in Gundolfs Schriften so meistersingerlich klappernd gehandhabt wurden, sind hier zum

1 Max Kommerell, Der Dichter als Führer in der deutschen Klassik. Klopstock, Herder, Goethe, Schiller, Jean Paul, Hölderlin. Berlin: Georg Bondi 1928. 486 S.

alten Eisen geworfen, vielmehr in der Glut einer Erfahrung da-
hingeschmolzen, die auf die hieratische Trennung von Werk und
Leben verzichten konnte, weil sie an beiden die physiognomische, im strengsten Sinne unpsychologische Sehart bewährt.
Darum ist fast alles, was sich über die einzelnen, und weniger
noch über ihre Person als über ihre Freundschaften, Fehden,
Begegnungen, Trennungen findet, von einziger Genauigkeit und
Kühnheit des Blicks. Der Reichtum echt anthropologischer Einsichten ist hier – wie in den Horoskopen, den chiromantischen,
überhaupt esoterischen Schriften so oft – zum Erstaunen. Diesen
okkulten Disziplinen ist ja die Georgische Lehre vom Heros
hinzuzurechnen. Hier hebt sie in den Gestalten des weimarschen
Musenhofs bald eine mantische, bald eine panische, bald eine
satyrhafte, ja kentaurische Seite ans Licht. Man fühlt, wieviel die
Klassiker zu Pferde gesessen haben.
Wie diese Bewegtheit über Gestalten kam, die so bereit sind, in
den Posen ihrer Denkmäler zu erstarren? Der Verfasser hielt
sich nicht an das Gewesene allein: auch was sich nicht ereignet
hat, entdeckt er. Wohlverstanden, er erfindet es nicht – etwa als
Phantasiebild – sondern schlicht und deutlich entdeckt er's, nämlich der Wahrheit nach als ein Nichtgeschehenes. Sein Ge-
schichtsbild taucht aus dem Hintergrunde des Möglichen auf,
gegen den das Relief des Wirklichen seine Schatten wirft. Dazu
stimmt, daß nichts auf Effekte und Glanzlichter komponiert und
das Abgelegene und Dunkle am durchformtesten scheint. Zum
ersten Male sind in diesem Werk die großen Gegnerschaften –
Jacobis wider den jungen, Herders wider den Weimarer Goethe,
Schillers wider die Schlegel, Klopstocks wider den König – gestaltet und erst im Wechselspiel mit ihnen haben die Freundschaften der klassischen Zeit ihr festes Gefüge bekommen. Daß
die Darstellung dieser Gegnerschaften parteilos sei, wird man
weder erwarten noch wünschen. Wie aber die Akzente fallen, ist
für das Werk und seine geheime Absicht bezeichnend. Nichts ist
hier Zufall, aber weniges aufschlußreicher als die Vernichtung
der beiden Schlegel in einer Konfrontation mit Schiller. Absurd,
darin »historische Gerechtigkeit« zu suchen. Es geht um anderes.
Die Romantik steht im Ursprung der Erneuerung deutscher Lyrik, die George vollzog. Sie steht auch im Ursprung der philosophischen und kritischen Entwicklung, die sich heute gegen dies

Werk erhebt. Sie in den Hintergrund zu rücken, ist, strategisch
gesehen, kein müßiges, noch weniger aber ein unverdächtiges
Unternehmen. Es verleugnet mit den Ursprüngen der eigenen
Haltung die Kräfte, die aus ihrer Mitte sie überwachsen. Jene
Klassik, von der wir hier hören, ist eine späte und sehr staats-
männische Entdeckung des Kreises. Nicht umsonst unternimmt
sie ein Schüler von Wolters. Jede dialektische Betrachtung der
Georgeschen Dichtung wird die Romantik ins Zentrum stellen,
jede heroisierende, orthodoxe kann nichts Klügeres tun, als sie
so nichtig wie möglich zeigen.

In der Tat: das Buch begründet mit einem Radikalismus, den
keiner seiner Vorgänger im Kreise erreichte, eine esoterische
Geschichte der deutschen Dichtung. Dies ist Literaturgeschichte
nur für den profanum vulgus; in Wahrheit eine Heilsgeschichte
der Deutschen. Eine Geschichte, die in Begegnungen, Bündnis-
sen, Testamenten und Weisungen ablaufend, jeden Augenblick
droht, ins Apokryphe, Unsägliche und Verdächtige umzuspring-
gen. Eine Lehre vom wahren Deutschtum und den unerforschlichen Bahnen des deutschen Aufstiegs kreist zukunftsschwanger
um die Verwandtschaft des deutschen und des griechischen Ingeniums. Der Deutsche ist der Erbe der griechischen Sendung;
die Sendung Griechenlands die Geburt des Heros. Es versteht
sich, daß diese Griechheit aus allen Zusammenhängen gelöst
als mythologisches Kraftfeld erscheint. Auch klingt es wohl nicht
zufällig, ob auch leise, an eine berühmte Briefstelle Hölderlins
über griechischen Geist und den deutschen an, wenn von der
vaterländischen Dichtung gefordert wird das innigste Durch-
drungensein von der Art des Stammes, zugleich jedoch der
höchste innere Abstand von ihm, und wenn ihre untrüglichste
Beglaubigung die Scham genannt wird. Worte die ahnen lassen,
welch bedeutende Bildung die Kräfte ins Spiel setzt, die hier an
einer germanischen Götterdämmerung dichten. Denn Rune,
Deute, Ewe, Blut, Geschick, sie stehen nun, nachdem die Lechter-
Sonne, die sie einst in ihre Glut getaucht hat, zur Rüste ging, als
eben so viele Gewitterwolken am Himmel. Sie sind es, die jene
Blitze uns zu Wegkündern geben, nach denen, wie es Florens
Christian Rang, der tiefste Kritiker des Deutschtums seit Nietzsche, sagt, »Nacht nur um so dunkler uns stickt: diese grauenvolle Weltansicht des Welt-Tods statt Welt-Lebens«. Wie kraft-

los aber und wie weitschweifig der phraseologische Donner, der ihnen folgt. Er dröhnt ja in allen Büchern des Kreises. Es nimmt nicht unbedingt für das, was sie lehren, ein, es überzeugt nicht, fühlt man, wie da den Sprechenden nirgends der Atem ausgeht. »Daß man bei allen Predigern und Werbern – und würben sie für die reinste Sache und predigten sie von nichts als Liebe – schließlich leer ausgeht, weil sie auch den reichsten Menschen nur als Stoff für ihre Absicht nehmen« – diese so meisterhaft von Kommerell formulierte Erfahrung, die Goethe an Lavater zu machen bestimmt war, etwas von ihr vermittelt auch sein Buch dem Leser. Je länger, je mehr zergeht auch das Bild von Hellas im Blendlicht eines Morgen, »wo die Jugend die Geburt des neuen Vaterlandes fühlt in glühender Einung und im Klirren der vordem allzu tief vergrabenen Waffen«. »Durch diese Wirklichkeit«, heißt es an anderer Stelle, »ist unser Wort ›Held‹ noch nicht gegangen ... Aber ein noch nicht Wirkliches umwittert dies Wort: wenn die Nachbarvölker ihre Benamung des Helden von den Griechen entlehnen, besitzen *wir* den selbwüchsigen Wortstamm und damit die Anwartschaft auf das Ding das er nennt. Wird aber unter ihm und in ihr Held zu Halbgott: wer scheute dann noch den härtesten Hammer und die heißeste Esse unsres künftigen Schicksals?«
Blumige Bildersprache? Ach nein; das ist das Scheppern stählerner Runen, der gefährliche Anachronismus der Sektensprache. Ganz kann man dieses Buch nur verstehen aus einer grundsätzlichen Betrachtung des Verhältnisses, welches die Sekten zur Geschichte haben. Nie ist sie ihnen Gegenstand des Studiums, stets Objekt ihrer Ansprüche. Als Ursprungstitel oder Paradigma suchen sie das Gewesene sich zuzuschlagen. So wird hier die Klassik zum Vorbild. Es ist das große Anliegen des Verfassers, an der Klassik den ersten kanonischen Fall eines deutschen Aufstands wider die Zeit, eines heiligen Kriegs der Deutschen gegen's Jahrhundert, wie ihn George später ausrief, zu konstruieren. Es wäre Eines, diese These zu begründen, ein Zweites, nachzuforschen, ob dieser Kampf siegreich ausging, ein Drittes, zu prüfen, ob er wahrhaft ein vorbildlicher gewesen ist. Für den Verfasser steht eins im andern, aber das dritte an erster Stelle. So zwar, daß er den Kampf als Paradigma ansieht, darum ihn für siegreich erklärt und endlich über seinen Gegenstand, die

Stellung der Parteien, sich die Haare nicht grau werden läßt. Ja, wie standen die Parteien? Ist es angängig, diesen komplexen und gerade in seiner Komplexion – Goethe zeigt es – so bedrückenden Vorgang auf das Spiel und das Widerspiel des Heroischen und des Platten zu reduzieren? Es gibt Heroisches genug in den Männern der Klassik: sie selbst war alles andere als eine heroische, sie war eine resignierende Geisteshaltung. Und keiner als der einzige Goethe hat sie bis ans Ende, ohne zu zerbrechen, behaupten können. Schiller und Herder sind an ihr zugrunde gegangen. Und was außerhalb Weimars blieb, nicht zuletzt Hölderlin, verbarg vor dieser »Bewegung« sein Haupt. Goethe aber – sein Gegensatz gegen das Zeitalter war der einer restaurativen Herrschernatur. Deren Quellen flossen nicht aus irgendeiner antiken Vergangenheit, sondern aus dem Urgestein ältester Macht – ja ältester Naturverhältnisse selber. Schiller dagegen konstruierte historisch den Gegensatz. Seine restaurative Haltung war Gesinnung und von Ursprünglichkeit weit entfernt. Kommerell weiß das alles so gut wie ein anderer. Aber es gilt ihm nichts. Es ist, als ginge ihm die Antike und damit die Geschichte überhaupt mit Napoleon, mit dem letzten Heros, zu Ende.

Die Größe dieses Werks ist freilich gänzlich an solche Anachronismen gebunden. Denn es nimmt die große Plutarchische Linie der Biographik von neuem auf. Damit ist weiter noch als sein Abstand von der Gundolfschen Dichtergeschichte der von der neueren Modebiographik eines Ludwig. Plutarch stellt seinen Helden bildlich, oft vorbildlich, immer aber dem Leser durch und durch äußerlich hin. Ludwig sucht ihn dem Leser, vor allem aber sich, dem Autor, innerlich zu machen. Er verleibt ihn sich ein, er saugt ihn auf, es bleibt nichts. Der Erfolg solcher Werke liegt darin: sie verhelfen einem jeden zu einem kleinen »Inneren Napoleon«, einem »Inneren Goethe«. Wie man geistvoll aber richtig bemerkt hat, daß es wenige Leute gibt, die nicht einmal im Leben aufs Haar Millionäre geworden wären, so kann man von den meisten sagen, daß ihnen die Gelegenheit, ein großer Mann zu werden, nicht gefehlt hat. Ludwigs Geschicklichkeit ist, seine Leser auf schlüpfrigen Pfaden zu diesen Wendepunkten zurückzuführen und ihr verwaschenes, abgelebtes Dasein als großen Aufriß eines Heldenlebens ihnen vorzuführen. Wenn

Kommerell das Bild eines Goethe heraufruft, so teilt es keinen
Augenblick die Luft, geschweige denn die Stimmung des Lesers.
So kann es geschehen, daß in der Entwicklung des Goetheschen
Jugendlebens – »Der Wanderer und seine Gesellen« – das
Werk hin und wieder die Dignität eines Kommentars zu »Dich-
tung und Wahrheit« hat. Goethes Jugend so unter den Begriff
der Auseinandersetzung mit den Formen des zeitgenössischen
Führertums zu stellen ist mehr als aufschlußreich. Hier liegt der
Grund zu seiner Darstellung von des Dichters Verhältnis zu
Carl August, das er als den exemplarischen Fall der Menschenbildung und Erziehung in Goethes Leben erkennt und noch in
den Beziehungen zu Napoleon und Byron beziehungsvoll wider-
gespiegelt findet, einem Abschnitt, der zu dem wenigen Erleuchteten gehört, das über Goethes Leben geschrieben ist. Daß das
Verhältnis »Fürst und Dichter« hier historisch und nicht nur
zeitlos-mythologisch ergriffen würde, und daß zutage träte, was
denn sein Besonderes im deutschen Staat um siebzehnhundert-
achtzig war, wird man billig hier nicht erwarten. Es bleibt
genug. Der Ton, in dem Schelling den alten Goethe in seinen
Briefen anredet, so atemstockend in einer Ehrfurcht, der der Tod
noch nichts von ihrer Bürde genommen hat. An solchen Stellen
ist die »Deute« umgeschlagen, und auf der Höhe ihres Wage-
mutes und Gelingens zum schlichten, objektiven, untrüglichen
Lesen geworden. Der Verfasser nimmt gelebte Stunden zur
Hand wie der große Sammler Altertümer. Es ist nicht, daß er
darüber redet; man sieht sie, weil er sie so wissend, forschend,
andächtig, gerührt, abschätzend, fragend in der Hand dreht, sie
von allen Seiten anblickt und ihnen nicht das falsche Leben der
Einfühlung, sondern das wahre der Überlieferung gibt. Aufs
engste dem verwandt ist des Verfassers Eigensinn; ein samm-
lerischer. Denn wenn beim Systematiker das Positive und das
Negative immer gründlich und weltfern auseinanderliegen, stoßen beide – Vorliebe und Verwerfung – hier eng aneinander.
Ein einziges Gedicht aus einer Liederreihe, ein einziger Augenblick aus einem Dasein, wird herausgehoben, und der Verfasser
scheidet scharf Personen und Gedanken, die gesinnungsmäßig
sehr nahe verwandt scheinen.
Wie wenig er im Grunde es wagen kann, eine »Rettung« der
Klassik zu unternehmen, beweist am besten das Kapitel »Die

Gesetzgebung«. Nicht umsonst zeigt es, wie gänzlich wir dem
entfremdet sind, was Goethe auf seiner Italienreise die Offenbarung der antiken Kunst brachte; wieviel Rokoko selbst in
seinem Werke verborgen ist, und wie unannehmbar wenn nicht
die Maximen, so die Musterbilder seiner Kunstkritik sind.
Kommerells Bild der Klassik, sofern es bleibend ist, lebt aus dem
Herrschaftsanspruch, den er in ihr erkennt. Die Ohnmacht dieses
Anspruchs aber gehört so gut zu ihrem Bilde wie seine Titel.
»Bis heute«, sagt der Verfasser, »hat der durchschnittlich Gebildete das A und O der Weimarer Bildung nicht voll begriffen
und bedeckt eine schimpfliche Blöße mit den theologischen philosophischen musikalischen Abzeichen des Bettlerstolzes: jenseits
vom Scheine zu stehen.« Wenn das wahr ist – und es ist wahr –
so muß wohl eine gewaltige Mißverständlichkeit, ja Zweideutigkeit in ihr selber gelegen haben. Mißverständlich – sie war es in
so schrecklichem Maß, daß, als um die Jahrhundertmitte das
Spießertum entschlossen dem edelsten Erbe des Volkes den
Rücken kehrte, es das im Namen seines Schiller tat, und daß, um
Zweifel an der Vereinbarkeit des Geistes von Weimar und Se-
dan zu fassen, es eines Nietzsche bedurft hat.
Folgerecht, daß des Verfassers Schlußwort über die Klassik
wiederum Sternen- und Schicksalsweisheit zu bleiben verurteilt
ist. »So reifte uns ein schwer deutbares Geschick wie keinem
andern Volke: die Teilung der Herrschaft und ein doppelter
Augenblick, der offene und der geheime. Hölderlins Überwälti-
gungen durch den Zeitgeist – obwohl unter dieselbe Jahrziffer
fallend – gehören in eine andre Ewe: sein Augenblick ist nicht
minder wahr, deutet aber auf eine andre Mitte als der Augenblick Goethes, und die Traumgestalten Jean Pauls scheinen nur
solange blutlos bis ihre irdischen Brüder über unsern Boden
gehen. All dies regte sich in rätselhafter Fülle im deutschen
Umkreis zweier Jahrzehnte und an unsrem Geisterhimmel stand
zugleich eine Tagessonne ein Morgenrot und die ewigen Sterne.«
Das ist wahr, schön und bedeutend. Wir aber müssen gerade im
Angesicht solch blumenhaft offenen, blumenhaft flammenden
Blicks zu der unansehnlichen Wahrheit, zum Lakonismus des
Samens, der Fruchtbarkeit uns bekennen, damit aber zur Theorie, die den Bannkreis der Schau verläßt. Gibt es zeitlose Bilder,
so gibt es zeitlose Theorien gewiß nicht. Nicht Überlieferung

kann über sie entscheiden, nur die Ursprünglichkeit. Das echte
Bild mag alt sein, aber der echte Gedanke ist neu. Er ist von
heute. Dies Heute mag dürftig sein, zugegeben. Aber es mag
sein wie es will, man muß es fest bei den Hörnern haben, um
die Vergangenheit befragen zu können. Es ist der Stier, dessen
Blut die Grube erfüllen muß, wenn an ihrem Rande die Geister
der Abgeschiedenen erscheinen sollen. Diese tödliche Stoßkraft
des Gedankens ist es, welche den Werken des Kreises fehlt.
Statt es zu opfern, meiden sie das Heute. In jeder Kritik muß
ein Martialisches wohnen, auch sie kennt den Dämon. Eine, die
nichts als Schau ist, verliert sich, bringt die Dichtung um die
Deutung, die sie ihr schuldet, und um ihr Wachstum. Nicht zu
vergessen, daß die Kritik, um etwas zu leisten, sich selber unbedingt bejahen muß. Ja, vielleicht muß sie – man denke an die
Theorien der Brüder Schlegel – sich selber den höchsten Rang
geben. Davon ist der Verfasser sehr weit entfernt. Der Denker
nach seinem Bilde ist »für immer aus der schöpferischen Unschuld des Künstlers verwiesen«. Daß niemals Unschuld Schöpfertum bewahrt, wohl aber Schöpfertum die Unschuld immerfort erschafft, auf diese unbekümmerte Wahrheit kann sich der
Schüler Stefan Georges nicht einlassen.
Ein Hölderlin-Kapitel beschließt diese Heilsgeschichte des Deutschen. Das Bild des Mannes, das darin entrollt wird, ist Bruch-
stück einer neuen vita sanctorum und von keiner Geschichte
mehr assimilierbar. Seinem ohnehin fast unerträglich blendenden Umriß fehlt die Beschattung, die gerade hier die Theorie
gewährt hätte. Darauf aber ist es nicht abgesehen. Ein Mahnmal
deutscher Zukunft sollte aufgerichtet werden. Über Nacht werden Geisterhände ein großes »Zu Spät« draufmalen. Hölderlin
war nicht vom Schlage derer, die auferstehen, und das Land, dessen Sehern ihre Visionen über Leichen erscheinen, ist nicht das
seine. Nicht eher als gereinigt kann diese Erde wieder Deutschland werden und nicht im Namen Deutschlands gereinigt werden, geschweige denn des geheimen, das von dem offiziellen
zuletzt nur das Arsenal ist, in welchem die Tarnkappe neben
dem Stahlhelm hängt.

EIN JAKOBINER VON HEUTE
Zu Werner Hegemanns »Das steinerne Berlin«[1]

Seit zwei Jahrhunderten hat Berlin seine ausgedehnte Spezial-
literatur, in der es, wie die andern großen Städte auch, seine
Lokalgeschichte aufzeichnet und seinen Überlieferungen nachgeht. Es ist aber ein Schrifttum, das im Bereich der Berolinensien
bleibt, in dem die Stadt sich mehr zu spiegeln als zu begreifen
sucht. Selbst die sprichwörtliche Kritiklust ihrer Bewohner machte
vor der Erscheinung der Heimat mit Rührung Halt, nahm
Einzelnes zur Zielscheibe ihrer Satire, bewitzelte die Denkmäler,
aber behelligte nicht die Mietskasernen. Nun beginnt im Maße,
wie die Liebe des Berliners zu seiner Stadt freier wird und ihre
provinzielle Sentimentalität verliert, auch die Kritik an ihr zu
erstarken. Das Schrifttum über die Weltstadt will öffentlichen,
ja europäischen Charakter annehmen. Diese Entwicklung in der
Stille einer langjährigen redaktionellen Arbeit unermüdlich gefördert zu haben, ist das Verdienst Werner Hegemanns, des
Herausgebers der Wasmuthschen Monatshefte für Baukunst und
Städtebau. Hegemann, der jetzt mit einer monumentalen Baugeschichte Berlins hervortritt, ist einer der ganz wenigen entscheidenden Köpfe, die ihr immenses Fachwissen nicht sowohl
nach außen in immer umfassenderen Kreisen erweitert als von
innen durch immer strengere Konzentration gesprengt haben.
Wie er sich heute darstellt, ist er ein Mann von ausgeprägtester
staatsbürgerlicher Bildung, ein Mann, der an jeder Angelegenheit, mit der er befaßt ist, die kulturellen und politischen Funktionen in engster Wechselwirkung erlebt, ein Mann, der an die
Planung öffentlicher Anlagen in amerikanischen Städten mit der
gleichen Exaktheit und Phantasie herantrat wie an die historischen Studien über die preußischen Könige.
Es ist freilich eine seltsame Phantasie, die im Bannkreis eines
strengen Rationalismus seit jeher seine Arbeiten inspiriert. Sie
ist nämlich eine rebellische. »Phantasie«, sagt Chesterton, »hat
ihren höchsten Zweck in rückschauender Verwirklichung. Die
Posaune der Phantasie wie die Posaune der Auferstehung ruft
die Toten aus ihren Gräbern. Phantasie sieht Delphi mit den

1 Werner Hegemann, Das steinerne Berlin. Geschichte der größten Mietskasernenstadt
der Welt. Berlin: Verlag Gustav Kiepenheuer (1930). 505 S.

Augen eines Griechen, Jerusalem mit den Augen eines Kreuz-
fahrers.« Es ist wunderbar, wie sehr diese interessante, wenn
auch fragwürdige Definition auf den Historiker Hegemann zutrifft. Er sieht wirklich die Dinge mit den Augen des jeweiligen
Zeitgenossen und zwar eines grundsätzlich mißvergnügten. Man
kann sein Mißvergnügen verstehen. Denn er hat die Quellen so
unvergleichlich studiert, sein Wissen ist in allen Details so stich-
fest, daß er bis auf den Grund der tausend Schwächen, der tausend Unzulänglichkeiten der Menschen dringt, die ehemals –
jemals – an der Spitze standen. Er schreibt die ewig aktuelle
Geschichte, mit anderen Worten, die Skandal-Geschichte. Nur
darf er sich's ausbitten, daß dies Wort im vollsten Sinne verstanden werde: nach dem lateinischen scandalum, als das Ärger-
nis. So begriffen, springt die Rolle dieses Aufklärers um, bekommt einen Einschlag ins Theologische. Und unwillkürlich sieht
man sich in den moral plays nach ihm um, vermißt ihn; da
scheint noch eine Stelle auf ihn zu warten: die Rolle des Querulanten beim Weltgericht.
So verklagt er nun die Stadt Berlin vor dem Weltgericht. Wir,
die geschundenen Steuerzahler, haben, weiß Gott, das Recht,
diese Stadt, deren Verwaltung von einer Blamage in die andere
taumelt, vor allen möglichen Gerichten zu belangen. Wie weit
wir aber vor dem Weltgericht sie belasten möchten, werden wir,
trotz allem, noch überlegen. »Die größte Mietskasernenstadt der
Welt« nennt sie Hegemann. Wer muß es nicht mit Schrecken
innewerden, was dieser Name bedeutet? Und wen muß nicht
beim Aufmarsch der Entlastungszeugen Zorn und Ekel packen,
dieses Treitschke, der die unvergeßlichen Worte für sie gefunden hat: »So elend ist keiner, daß er im engen Kämmerlein die
Stimme seines Gottes nicht vernehmen könnte«, und dieses
Hobrecht, der im Jahre 1868 schon die ganze schlummernde
Courths-Mahler-Poesie aus der Mietskaserne herausholte, wenn
er schrieb: »In der Mietskaserne gehen die Kinder aus den Kellerwohnungen in die Freischule über denselben Hausflur wie
diejenigen des Rats oder Kaufmanns auf dem Wege nach dem
Gymnasium. Schusters Wilhelm aus der Mansarde und die alte
bettlägerige Frau Schulz im Hinterhause ... werden in dem
1. Stockwerk bekannte Persönlichkeiten. Hier ist ein Teller Suppe
zur Stärkung bei Krankheit, da ein Kleidungsstück, dort die

wirksame Hilfe zur Erlangung freien Unterrichtes oder dergleichen, und alles das, was sich als das *Resultat* der gemütlichen
Beziehungen zwischen den gleichgearteten und wenn auch noch
so verschieden *situierten* Bewohnern herausstellt, eine Hilfe,
welche ihren veredelnden Einfluß auf den Geber ausübt.« Wer
möchte nicht atemlos einer Verhandlung folgen, bei der sie alle
aufmarschieren, von den Hohenzollernkönigen an, die das Ka-
sernenwesen auf die Zivilbevölkerung ausdehnten und durch
unsinnig hohe Bauten den Berliner Bodenwucher begründeten,
über die superklugen Polizeiassessoren, die als erste auf den
Gedanken gekommen sind, um der Stadt die Enteignungskosten
für ihr Straßenland zu sparen, den Eignern für die ihnen bleibenden Terrains die unbeschränkte Ausbeutung durch eine Bau-
ordnung zu gestatten, derzufolge jeder von den drei Höfen in
den durchschnittlichen Mietskasernen nur etwas über 5 Qua-
dratmeter zu umfassen brauchte, bis zu jenen »Millionenbau-
ern«, deren spekulativ verteuerte Terrains die Stadt bis in die
achtziger Jahre des vorigen Jahrhunderts mit einem Eisengürtel
umgaben. Wer könnte sich der aufwühlenden Gewalt der
corpora delicti entziehen, die in vollendeter Wiedergabe bei den
Akten befindlich sind: »der Spittelkolonnaden als Rahmen für
Litfaßsäulen«, der Nummer 62b der Schönhauser Allee, deren
stattlich muntere Fassade dem sehenden Auge die stinkende
Öde der drei Höfe verrät, die sich hinter ihr aneinanderreihen,
der Gegenüberstellung des Großen Sterns in der edlen Schin-
kelschen Planung und der tierischen wilhelminischen Ausführung? Hier, wo der Verfasser von der dialogischen Form seines
»Fridericus«, seines »Napoleon« und »Christus« abging, ist er
zur allerhöchsten dialogischen, ja forensischen Spannung durch-
gedrungen. Der Anteil, den diese weit angelegte, aber niemals
weitschweifige Darstellung dem Leser abgewinnt, ist für dessen
Kultur in öffentlichen, ja politischen Dingen ein Maßstab.
Hegemann hat dieses Monumentalwerk dem Andenken an Hugo
Preuß gewidmet. Nach Wermuths Worten war dieser es, »der
den Berliner Gedanken zum Aufbau der neuen Großstadt die
Form gab«. Dasselbe gilt bekanntlich von den Gedanken zum
Aufbau des neuen Reiches: Preuß ist einer der Urheber der
Weimarer Verfassung. Der Schluß ist nicht zu kühn, daß auch
Hegemann ein demokratischer Kopf ist. Wer hinter seinem

fanatischen Negativismus linksradikale Tendenzen im heutigen
Sinne vermuten würde, ginge sehr fehl. Dieses Faktum – man
mag zu ihm stehen, wie man wolle – ist unbestreitbar. Und es
ist im Grunde der Schlüssel zu der höchst fesselnden, ja inkom-
mensurablen Erscheinung des Mannes. Gewiß hat es einen
demokratischen Fanatismus gegeben – das Jakobinertum von
1792. Heute aber gilt nicht umsonst das demokratische Credo als
das des in jedem Sinne Gesetzten, Gemäßigten. Der demokratische Geist ist der unserer herrschenden Ordnung. Härte und
Grausamkeit können einer herrschenden Sache dienen, Fanatismus niemals. Hegemann stellt diesen Anachronismus: den fanatischen Demokraten, den Jakobiner von heute, dar. Das ewig
wache Mißtrauen Robespierres, seine unbestechliche Witterung
für Korruption, seine weltfremde Lauterkeit – all' das ist in
Hegemann auferstanden. Dem entspricht der methodische Ort
seines Werkes. Es ist ein politisches im Sinne der Aufklärung,
will sagen ein kritisches durch und durch. Aber in keinem Sinn
ein entlarvendes. Was immer Hegemann entdeckt, – und sein
Werk ist voller Entdeckungen – es sind Zufälligkeiten. Ärger-
liche, anstößige, empörende Abweichungen von der Norm des
Graden, Vernünftigen, niemals jedoch Auswirkungen der besonderen, konkreten, verborgenen Konstellationen des geschichtlichen Augenblicks. Seine Darstellung ist eine einzige imposante,
in ihren Grundzügen gewiß unwiderlegliche Korrektur an der
pragmatischen Geschichtsschreibung, niemals aber deren Um-
wälzung wie der historische Materialismus sie erstrebt, wenn er
in den Produktionsverhältnissen der Epoche die konkreten,
wechselnden Kräfte aufspürt, die das Verhalten der Machthaber
so gut wie der Massen ohne deren Wissen bestimmen. Lässigkeit
und Korruption der Herrschenden, wo immer der Verfasser
ihnen begegnet, stellt er fest. Aber noch der unbestechlichste
kritische Geist bleibt im Pragmatischen. Das Innere der Geschichte ist dem dialektischen Blick vorbehalten. Daher das
Problematische, ja hin und wieder Querköpfige des Werkes.
Oder sollte der vollkommene Demokrat unserer Tage ein Quer-
kopf sein müssen?
Unbestreitbar ist Hegemanns Buch ein Standardwerk. Man legt
es aber schwerlich aus der Hand, ohne sich zu fragen, woran es
liegt, daß es die schmale Spanne nicht überschreiten konnte, die

es von jener letzten Vollkommenheit trennt, welche das Schicksal seines Buchs unabhängig von dem seines Gegenstands, ja, ein Schicksal dieses Gegenstands werden läßt. Wenn in dieser Weltgerichtsverhandlung über die Stadt Berlin irgend etwas zu wünschen übrig läßt, ist es die Ventilation. Im eigentlichen Sinne so gut wie im übertragenen. Der Verhandlungsraum ist nicht ventiliert, und auch die Fragen sind es nicht allseitig. Gewiß, wir leben in diesen Mietskasernen. Nostra res agitur. Aber hier ist ja nicht die Rede von dem, was ist, sondern dem, was war. Und da dürfte schon hin und wieder der kühle Wind des Gewesenen lindernd durch die überhitzte Aktualität der Verhandlung streichen. Selbst beim Weltgericht müßte es einen mildernden Umstand abgeben, daß alles schon so lange zurückliegt. Denn der Zeitlauf selber ist ein moralischer Vollzug, nicht im Vorrücken des Heute zum Morgen aber dem Umschlag des Heute ins Gestern. Chronos hält in der Hand ein Leporello-Bilderbuch, in dem die Tage einer aus dem andern ins Gewesene zurückfallen und dabei ihre verborgene Rückseite, das unbewußt Gelebte enthüllen. Mit ihr hat der Historiker es zu tun. Und von ihr gilt das Goethesche: »Es sei, wie es wolle, es war doch so schön.« Sie ist versöhnend.

Gewiß ist das Leben, das Hunderttausende Jahrhunderte lang in diesen Berliner Gelassen geführt haben, ungesund, unwürdig gewesen. Gewiß drückt sich das diabolische Wesen der Mietskaserne heute wie damals im Ehe- und Familienleben, in den Qualen der Frauen und Kinder, in der Borniertheit des Gemeinwesens, der Häßlichkeit seines Alltags aus. Aber ebenso gewiß ist es, daß Boden, Landschaft, Klima und vor allem Menschen – nicht nur Hohenzollern und Polizeipräsidenten – diese Stadt geschaffen und ihrerseits im Bilde der Mietskaserne einen Abdruck des ihrigen hinterlassen haben. Noch die planlose Rohheit dieser Siedlung, so gewiß ihr Kampf bis aufs Messer zu liefern ist, hat ihre Schönheit, nicht nur für den flanierenden Snob aus dem Westen, sondern für den Berliner, den Zille-Berliner selbst, eine Schönheit, die innigst seiner Sprache, seinen Sitten verwandt ist. Hegemann wäre freilich kein Jakobiner, wenn er vom Genius der Geschichte sich leiten, von seiner Hand den Zugang zu dem begnadeten Dasein – dem physiognomischen – sich weisen ließe. Dieser Aufklärer mit den scharf geschnittenen

Gesichtszügen besitzt für historische Physiognomie keinen Sinn. Sein Stammbaum hat seine Wurzeln in den knorrigsten, originalsten, aber auch blicklosesten Subjekten, die um die zweite Hälfte des achtzehnten Jahrhunderts den norddeutschen Boden bevölkerten. Das ist ihm fremd, daß die Mietskaserne, so fürchterlich sie als Behausung ist, Straßen geschaffen hat, in deren Fenstern nicht nur Leid und Verbrechen, sondern auch Morgen- und Abendsonne sich in einer traurigen Größe gespiegelt haben, wie nirgend sonst, und daß aus Treppenhaus und Asphalt die Kindheit des Städters seit jeher so unverlierbare Substanzen gezogen hat wie der Bauernjunge aus Stall und Acker. Eine historische Darstellung aber hat all dies zu umfassen. Wäre es nicht um der Wahrheit, dann um der Wirkung willen. Nicht als abstraktes Negativum, als Gegenbeispiel darf vor uns stehen, was wir vernichten wollen. So kann es nur auf Augenblicke unterm erleuchtenden Blitze des Hasses erscheinen. Was man vernichten will, das muß man nicht nur kennen, man muß es, um ganze Arbeit zu leisten, gefühlt haben. Oder wie der dialektische Materialismus es sagt: These und Antithese zu zeigen, ist gut, eingreifen kann aber nur, wer den Punkt erkennt, an dem die eine in die andere umschlägt, da das Positive im Negativen und das Negative im Positiven zusammenfallen. Der Aufklärer denkt in Gegensätzen. Ihm Dialektik zuzumuten, ist vielleicht unbillig. Ist es aber unbillig, dem Historiker jenen Blick in das Antlitz der Dinge zuzumuten, der Schönheit noch in der tiefsten Entstellung sieht? Verneinende Geschichtserkenntnis ist ein Widersinn. Nichts zeugt mehr für die Kraft, die Leidenschaft und Begabung des Autors, als daß ihm im Herzen des Unmöglichen ein Werk von dieser Fülle und Gediegenheit geglückt ist. Nichts beglaubigt unwiderleglicher seinen Rang.

Symeon, der neue Theologe, Licht vom Licht. Hymnen. (Übers. und mit einem Nachwort versehen von Kilian Kirchhoff.) Hellerau: Jakob Hegener 1930. 217 Bl. nach Art eines Blockbuches.

Wenn ein unbekanntes Werk, das durch ein Jahrtausend von uns getrennt ist, deutsch herausgegeben wird, so soll das nicht so geschehen, wie der Franziskanerpater Kilian Kirchhoff es mit der Hymnenfolge »Licht vom Licht« gemacht hat. Ihr Verfasser Symeon, der neue Theologe, ist auch den Gebildetsten kein Begriff, ihre Form auch dem Literaturliebhaber befremdlich, ihr Gehalt auch dem Frommen entlegen. Die ungemeine Sprödigkeit dieser enthusiastischen Betrachtungen entzieht sie auch den Handhaben, die wir in der Kenntnis späterer Mystiker zu besitzen vermeinen könnten. Nein, diese Verzückungen im Geiste des griechischen Katholizismus liegen vom Umkreis unserer religiösen Bildung weit ab. Sie haben aber – nach der vorliegenden Übersetzung zu schließen – auch kaum die Eignung, unser Interesse zu wecken, es sei denn, das Floskelhafte, Leerverstiegene, das uns aus ihnen entgegentritt, wiche dem Gehalt und der Prägung wie sie, vielleicht, uns eine Interpretation erkennen ließe, die diesen Hymnen ihre Stelle im Schrifttum jener Epoche gäbe, uns informierte, worin sie typisch, worin sie singulär sind, nicht zuletzt die polemischen Untergründe, das Wogegen erklärte, ohne das kein bedeutenderes Werk zu verstehen ist. Wie der Übersetzer nicht nur auf all das verzichten, sondern selbst über die Formprobleme der Übersetzung solcher »Hymnen«, wie sie doch wohl nicht umsonst genannt werden, sich ausschweigen konnte, grenzt ans Unfaßliche. Das Nachwort beschränkt sich darauf, eine byzantinische vita des Symeon auszuschreiben. Es muß dem Herausgeber gesagt werden, daß er als Übersetzer solchen Werkes nur erst halbe Arbeit an ihm geleistet hat, und wenn er die andere erklärende Hälfte nicht liefert, so wird – ohne dem Urteil der Philologen vorgreifen zu wollen – auch der Wert jener ersten uns problematisch. Das Werk liegt in seiner neuen deutschen Gestalt kaum erschlossener vor uns als in der Urschrift.

CHICHLEUCHLAUCHRA
Zu einer Fibel[1]

Es ist keine Zeit zu verlieren und zu versichern: der obige Titel
ist nicht der neuen Fibel entnommen. Wohl aber einer alten.
Mit solchen Lautungeheuern nämlich suchten die Fibeln des 16.
und 17. Jahrhunderts den Kindern zu Leibe zu rücken. Warum?
Wenn man dem nachgeht, kann man seine Freude daran haben,
wie es den »Großen« niemals an einem pädagogischen Vorwand
gefehlt hat, mit ihren jeweiligen Schrullen und Mucken sich vor
den Kindern in Positur zu setzen. Wir lesen: Xakbak, zauzezizau
oder spisplospruspla und brauchtes gar nicht in solcher Nachbarschaft auf Fibelworte wie Hratschin, Jekutiel oder Nebukad-
nezar zu stoßen, um zu erkennen, daß das Spritzer der Gischt
Hofmannswaldauscher und Lohensteinischer Alexandriner sind,
die sich in die zeitgenössischen Fibeln verirrt haben. Aber die
Schulmeister des Jahrhunderts hatten sich's unter ihren Perücken
sicher ganz anders zurechtgelegt. Sie werden sich gesagt haben,
so etwas sei nützlich, da könnten die Kinder nämlich nicht
schwindeln und etwa statt zu lesen nur raten. Darauf, daß Le-
senlernen zum guten Teile eben Ratenlernen ist, konnten damals
auch die eifrigsten Pädagogen nicht kommen. Denn so lange
aller Unterricht um den Geistlichen sich gruppierte, hatten sie ihr
Lager stets auf der Seite des Wissens, gewissermaßen bei Gott.
Und nichts ist kurioser und rührender als die unbeholfenen
Schritte, mit denen sie erstmals versuchten, sich dem Kinderlager
zu nähern. Nicht jeder konnte dem Rat des Erasmus von Rotter-
dam folgen und wie ein Schulmeister seine Kleinen ein ABC aus
Mürbegebäck in alphabetischer Reihenfolge aufessen lassen.
Andere ersannen Buchstaben-Lotterien, Buchstaben-Würfel und
ähnliche Spiele. Kurz, der Gedanke, die Fibel spielhaft aufzulockern, ist alt und der neueste und radikalste Versuch, die nach-
gelassene Fibel der Seidmann-Freud, steht nicht außerhalb pädagogischer Überlieferung.
Wenn dennoch etwas dies Elementarbuch aus der Reihe aller
bisherigen hebt, so ist es die seltene Vereinigung gründlichsten
Geistes mit der leichtesten Hand. Sie hat die geradezu dialek-

1 Tom Seidmann-Freud, Hurra, wir lesen! Hurra, wir schreiben! Eine Spielfibel.
Berlin: Herbert Stuffer Verlag 1930. 64 S.

tische Auswertung kindlicher Neigungen im Dienste der Schrift
ermöglicht. Grundlage war der ausgezeichnete Einfall, Fibel und
Schreibheft zusammenzulegen. Selbstvertrauen und Sicherheit
werden in dem Kinde erwachen, das seine Schrift- und Zeichen-
proben zwischen diesen beiden Buchdeckeln anstellt. Der Einwand: aber hier ist ja kein Platz, liegt freilich nahe. Und in der
Tat ist es gar nicht möglich, Schreiben auf dem hier ausgesparten
Raum – so reichlich er auch bemessen ist – zu erlernen. Aber
wie klug ist das! Verglichen mit der lähmenden Öde der Schreib-
hefte, die am Anfang der Zeile, oft nur der Seite, die Vorschrift
haben, die wie eine Kirchturmspitze aus der Schneewüste ragt,
und von welcher die reisende Kinderhand beim Üben sich immer
weiter entfernen muß, stellen diese Blätter dicht besiedelte Buch-
stabenländer dar, und die Versuchung, mit dem Bleistift von
Station zu Station zu reisen, würde sich auch ohne die Anweisung einstellen: »Schreibe diese Linien mit den neuen Buchstaben voll.« Es sind so wenige, daß das Kind sehr schnell aus dem
Buch herausgeht. Und damit ist ein Hauptzweck der Verfasserin
schon erfüllt. Denn ihr kommt es darauf an, das Buch in die
gesamte kindliche Betriebsamkeit hineinzubauen. Es ist eine
kleine Enzyklopädie seines Daseins, in der Farbstifte und Kin-
derpost, Bewegungsspiele und Blumensammlung als Ausmalbil-
der, Briefkuverts, »Schreibturnen«, und Wortrubriken zu ihrem
Recht kommen. Sogar die Unarten. Kinder lieben es, in Büchern
zu kritzeln. Die Verfasserin macht sich das mit dem Vorschlag
zunutze: »Streiche in dieser Geschichte aus: alle R rot, alle G
gelb, alle B blau, alle S schwarz.« Schwarzweiß behält fast auf
keinem Blatte das letzte Wort, und es gibt keine Fibel, in der die
Buchstaben so lange antichambrieren müssen, ehe sie in den
Worten miteinander Bekanntschaft machen.
»Worte, die mit A anfangen, Worte, die mit E anfangen«, verlangt diese Fibel zwar schon auf den ersten Seiten, verlangt sie
aber nicht gelesen oder geschrieben, sondern einfach gezeichnet.
Wie Goethe, von Lichtenberg, wenn ich nicht irre, gesagt hat, wo
er einen Witz mache, da liege ein Problem verborgen, kann man
vom Kinderspiel sagen: wo Kinder spielen, liegt ein Geheimnis
vergraben. Durch Zufall trat mir das hier Verborgene vor
Augen. Das war in Gestalt einer Kinderzeichnung; sie stellte ein
Auto dar. Als sie entstanden war, hatte das Fünf- oder Sechs-

jährige, von dem sie stammte, gerade die Buchstaben lernen müssen. Daß »Auto« mit A beginnt, war ihm gesagt worden. Und was geschah? Sein gezeichnetes Auto, das ich vor mir hatte, begann wirklich mit A. Die Lösung – aber für das Kind lag hier kein Problem – war das Ei des Kolumbus. Das Auto war in Vorderansicht abgebildet. Der Kühler mit der Aussicht auf die Vorderräder gab den Umriß, der Abschluß des Kühlers nach unten zu den Querstrich des A: so kam das A in Gestalt des Autos, das Auto in Gestalt des A mir entgegen. Will die Verfasserin dergestalt die Schreiblust aus der Freude am Zeichnen entwickeln, so steht sie nicht nur auf festem, sondern auf altem Boden. Vor siebzig Jahren schon machte der ausgezeichnete Karl Vogel den Vorschlag, den Unterricht im Schreiben mit der Zeichnung von einem Hause, einem Rade zu beginnen, um den Kindern anschließend klarzumachen, man könne so ein Haus, ein Rad auch schreiben.

Kunstwissenschaftler sprechen gern von der »Handschrift« der Graphiker. Das ist so eine routinierte Redewendung, die wohl am Gegenstande ebenfalls eher die Routine als den Ursprung trifft. Die neueste Graphologie aber kehrte die Wendung um. Und es ist erstaunlich, was nun herauskam. »Es ist erwiesen«, schreibt Anja Mendelssohn in ihrem Buche »Der Mensch in der Handschrift«, »daß unsere Buchstabenschrift aus einer *Bilderschrift* entstanden ist. Alle unsere Buchstaben waren Bilder, und bei einigen von ihnen ist das zugrunde liegende Bild noch ohne weiteres erkennbar. Es macht keine Schwierigkeiten, einem Kinde klar zu machen, daß das P einen Mann mit einem Kopf bedeutet, daß das O ein Auge ist ... Das Kind versteht auch ohne weiteres, daß das H und E einen Zaun darstellen, und bereichert das E sogar mit dem vierten Querstrich, den es einmal besessen und erst in der frühesten Periode der griechischen Schrift verloren hat.« Die Fibeln des 17. Jahrhunderts sind in Richtung auf einen solchen Biomorphismus der Lettern besonders weit gegangen: den Abgrund zwischen Sache und Zeichen trickhaft zu überwinden, war eine Aufgabe, die für den Menschen des Barockzeitalters die ungeheuerste Faszination haben mußte. Tilmann Olearius stellt in seiner Fibel – der »Deutschen Sprachkunst« – allen Lettern ihre Gestalt in Form organischer Gebilde oder geläufiger Gebrauchsgegenstände zur Seite. Nimmt

man dazu, daß in den meisten Fällen diese Gegenstände auch
die von ihnen dargestellten Anfangsbuchstaben haben, so kann
man sich von der schwülen Stubenluft dieser Fibeln einen Begriff
machen. Groteske Formen nahm diese Methode – alphabeticum
lusu nannte man sie – in späteren Fibeln aus der Mitte des
Jahrhunderts an. Da kommen denn, beispielsweise, zu Ehren
des W in einem Bilde das entblößte Hinterteil des abgestraften
Schulknaben, das mit seinen Linien den Buchstaben nachbildet,
und der vor Schmerzen aufgerissene Mund, dem der W-Laut
entfährt, zusammen. Eine kluge und reizende Abart dieses altmodischen Biomorphismus hat nun die neue Fibel. Da gibt es
nämlich schon auf der zweiten Seite eine Reihe mit einfachsten
Strichen gezeichneter Gegenstände: Zaun, Wagen, Gießkanne,
Leiter, Dach usw. Die Linien dieser Zeichnungen sind von Haus
aus schwarz. In jeder aber wird ein Teil von ihnen durch rote
Überstriche herausgehoben. Diese überstrichenen Teile machen
die Buchstaben, so daß die sechsundzwanzig Bildchen die Lettern
stellen. Es versteht sich von selbst, daß die Lautspielereien der
alten Fibeln hier beiseite geblieben sind.

Ein anderes Blatt. Mancher Erwachsene wird es überfliegen,
ohne sich Rechenschaft abzulegen, was es in einem Kinder- oder
gar Klassenzimmer bedeuten kann. Es wäre mir gegangen wie
ihm; mich führte aber ein Zwölfjähriger auf den richtigen Weg.
Dem fielen die vierzehn Kinder auf, welche da, jeweils ein Knabe
und ein Mädchen, mit zwei typischen Vornamen sieben europäische Länder vertreten. »Frankreich«, »Holland«, »Schweden«
usw. steht in Rotdruck daneben. Der Junge stutzte, fand das
falsch, wies auf den Lehrplan: »Die Welt ist Sexta-Pensum.« In
der Tat, was sollen da die europäischen Ländernamen in Nona?
– Kann aber eine Fibel radikal vorgehen, ohne tief in den überkommenen Elementarunterricht einzugreifen? Jede Vervollkommnung liegt ja hier in der Linie des Enzyklopädischen. Aus
der Enge ist sie entstanden, als Ziel des Unterrichts aus ihr die
letzten Seiten mit dem Katechismus waren, und zum Enzyklopädischen strebt sie, seit in der Aufklärung der Anschauungsunter-
richt aufkam, um Mitte des vorigen Jahrhunderts sich mit dem
Leseunterricht zu verlieren. Auch die Weltkunde muß Platz in
der Fibel haben. Und nichts ist unrichtiger, als alles vom methodischen Fortschreiten der »Anschauung« zu erwarten, und so

schlechthin die Nähe, Heimat und was dergleichen mehr ist, zur
Lehrmeisterin des Kindes zu machen. »Amerika« ist dem Berliner Kind ein mindestens so vertrautes und brauchbares Wort
wie »Potsdam«; und mehr als man denkt, kommt es auf das
Wort an. Daß es das Entlegenste meint, hindert die Phantasie
nicht, sich auf schöpferische Weise in ihm heimisch zu machen.
Ich kannte ein Kind, bei dem zu Hause viel von Kupferstichen
die Rede war. Es wußte genau, was das war. Und wenn man es
fragte, so steckte es den Kopf zwischen den Stuhlbeinen
durch.

Mit einem »Geleitwort für die Erwachsenen«, das man heraus-
trennen kann, schließt diese Fibel. Es sind kluge Anmerkungen;
gewiß die fortgeschrittensten Formulierungen, die sich dem Gegenstande heute widmen lassen. »Dies ist einer der wichtigsten
Grundsätze der hier vertretenen Erziehungsmethode: Sie ist
nicht auf ›Aneignung‹ und ›Bewältigung‹ eines bestimmten Pensums gerichtet – diese Art des Lernens ist nur den Erwachsenen
gemäß –, sondern sie trägt dem Wesen des Kindes Rechnung,
für das Lernen, wie alles übrige, von Natur aus ein großes
Abenteuer bedeutet . . . ›Die alte Schule zwingt nur zu einem
unausgesetzten Laufen nach Zielen, zu einem Miteinanderringen
um das ›Können‹ von dem, was der allmächtige Erwachsene verlangt. Dabei werden aber die Türen zu dem wirklichen Können
verrammelt.‹« Was unter »wirklichem Können« verstanden ist,
macht der Zusammenhang unverkennbar. Es ist die unbewußte
Übung durch Spiel, deren Erfolge sich hier der bewußten nach
Vorschrift überlegen erweisen sollen. Der entscheidende Durchbruch des Spiels in das Zentrum des Elementarunterrichts ist
also, unbeschadet aller früheren Anläufe, doch nicht möglich
gewesen, ehe die wissenschaftlichen Grundlagen in Gestalt der
Freudschen Lehre vom Unbewußten, der Klagesschen vom Willen als der das Gegenteil bewirkenden Hemmvorrichtung zur
Geltung gekommen waren. Es hieße aber oberflächlichen Gebrauch von dieser anmutigen Auslieferung der Lettern an den
Spieltrieb machen, wollte man nicht ihre Kehrseite gleichfalls
ins Auge fassen. Wenn ein Kind mit dieser Fibel fertig ist, heißt
es im Nachwort, wird es dadurch »gewissermaßen auf eine hin-
terlistige Weise« veranlaßt worden sein, zu lesen oder zu schreiben. Unabsichtlich, aber nur um so maßgebender, kennzeichnen

diese Worte genau die ungemeine Fragwürdigkeit, die das Kennzeichen unserer Bildung geworden ist. Überall schickt die freie
entbundene Hand über die ernste schwerfällige sich zu siegen an.
Aber nicht leicht ist zu sagen, wieviel von jener Entbundenheit
Schwäche, von jener Freiheit Verlegenheit ist. Nicht die Fortschritte der Wissenschaft sind ja der stärkste Antrieb dieser
radikalen Pädagogik gewesen, sondern der Untergang der Autorität. Und ob uns alle Fortschritte der Humanität und Gesund-
heit im Unterricht für den Verlust seiner großen Solidarität mit
dem Gegenstand – anfangs der Lettern, später der Wissenschaft – entschädigen können, ob das »Chichleuchlauchra« nicht
doch seinen guten Sinn hat, ist eine Frage, die dieses Buch grade
in der Durchdachtheit und Rückhaltlosigkeit seines Aufbaus
näherlegt als jedes geringere. Kollektive Unterweisung ohne
Autorität zu organisieren, wird niemals glücken. Diese Fibel aber
wendet sich weniger an das laute und eingreifende Spiel von
Gruppen als an das in sich versunkene des einzelnen Kindes. Es
ist diese Bescheidung, der sie ihr Gelingen verdankt.

KOLONIALPÄDAGOGIK

Es läßt sich diesem Buch[1] etwas Seltenes nachrühmen: daß es
nämlich ganz und gar schon mit seinem Umschlag gegeben ist.
Der ist eine Photomontage: Fördertürme, Wolkenkratzer, Fa-
brikschornsteine im Hintergrund, eine mächtige Lokomotive im
Mittelgrund und vorn in dieser Landschaft aus Beton, Asphalt
und Stahl ein Dutzend Kinder um die Kindergärtnerin geschart,
die ein Märchen erzählt. – Unbestreitbar, wer sich mit den
Maßnahmen einläßt, die der Verfasser im Text empfiehlt, der
wird vom Märchen genau so viel mitteilen, als wer es am Fuß
eines Dampfhammers oder in einer Kesselschmiede zum besten
gäbe. Und die Kinder werden von den Reform-Märchen, die
ihnen hier zugedacht sind, in ihrem Herzen genau so viel haben
wie ihre Lungen von der Zementwüste, in welche dieser vor-
treffliche Wortführer »unserer Gegenwart« sie versetzt. Nicht

1 Alois Jalkotzy, Märchen und gegenwart. Das deutsche volksmärchen und unsere
zeit. Wien: Jungbrunnen 1930. 112 S.

leicht wird man ein Buch finden, in dem die Preisgabe des Echtesten und Ursprünglichsten mit gleicher Selbstverständlichkeit gefordert, in der die zarte und verschlossene Phantasie des Kindes gleich rückhaltlos als seelische Nachfrage im Sinne einer warenproduzierenden Gesellschaft verstanden und die Erziehung mit so trister Unbefangenheit als koloniale Absatzchance für Kulturgüter angesehen würde. Die Art von Kinderpsychologie, in der der Verfasser beschlagen ist, ist das genaue Gegenstück der berühmten »Psychologie der Naturvölker« als gottgesandter Abnehmer europäischer Pofelware. Sie stellt sich auf jeder Seite bloß: *»Das Märchen gestattet dem Kinde, sich dem Helden gleichzusetzen. Dieses Bedürfnis nach Identifikation entspricht der kindlichen Schwäche, die es gegenüber der Erwachsenenwelt empfindet.«* An Freuds großartige Deutung der kindlichen Überlegenheit (in seiner Studie über Narzißmus), auch nur an die Erfahrung, die das Gegenteil beweist, zu appellieren, hieße zuviel Umstände mit einem Text machen, in dem die Oberflächlichkeit mit einem Fanatismus proklamiert wird, der unter dem Panier der Jetztzeit einen heiligen Krieg gegen alles entfesselt, was nicht dem »gegenwärtigen Empfinden« entspricht und die Kinder (wie gewisse afrikanische Volksstämme) in den vordersten Linien dieses Kampfes einsetzt.

»Die Elemente, deren sich das Märchen bedient, sind sehr häufig unbrauchbar, veraltet und unserem gegenwärtigen Empfinden fremd geworden. Eine besondere Rolle spielt die böse Stiefmutter. Kinderschlächter und Menschenfresser sind typische Figuren des deutschen Volksmärchens. Der Blutdurst ist auffallend, die Schilderung des Mordens und Tötens ist beliebt. Auch die überirdische Welt des Märchens ist vor allem schreckenerregend. Die Grimmsche Sammlung strotzt von Prügelfreude. Das deutsche Volksmärchen ist häufig alkoholfreudig, jedenfalls niemals alkoholgegnerisch.« So wandeln sich die Zeiten. Während, nach dem Verfasser zu schließen, der Menschenfresser noch unlängst eine recht geläufige Erscheinung im deutschen Alltag gewesen sein muß, ist er dem »gegenwärtigen Empfinden« nunmehr entfremdet. Das mag schon sein. Wie aber, wenn die Kinder, vor die Wahl gestellt, eher ihm als dieser neuen Pädagogik in den Rachen liefen? Und so auch ihrerseits sich dem »gegenwärtigen Empfinden« entfremdet erwiesen? Dann wird es sie schwerlich mit dem Radio wieder an sich fesseln, »diesem Wunder der Technik«, von dem der Verfasser sich eine neue Blüte des Märchens verspricht.

Denn »das Märchen hat ... das Erzählen als wichtigste Lebensäußerung notwendig«. So sieht die Sprache des Mannes aus, der an das Werk der Brüder Grimm herangeht, um es »Bedürfnissen« anzupassen. Weil er vor nichts zurückscheut, gibt er von solcher Anpassung auch noch Proben in einem Verfahren, das den Spinnrocken durch die Nähmaschine und Königsschlösser durch hochherrschaftliche Behausungen ersetzt. Denn »der monarchische Glanz unserer mitteleuropäischen Welt ist glücklich überwunden, und je weniger wir von diesem Spuk und Alpdruck deutscher Geschichte unseren Kindern vorsetzen, um so besser wird es für die Kinder und für die Entwicklung des deutschen Volkes und seiner Demokratie sein.« Nein! So tief ist die Nacht unserer Republik nicht, daß alle Katzen drin grau und Wilhelm II. und König Drosselbart nicht mehr zu unterscheiden wären. Sie wird noch Kraft finden, diesem lebfrischen Reformismus sich in den Weg zu stellen, für den Psychologie, Folklore und Pädagogik nur Flaggen sind, unter denen das Märchen als Exportware nach dem dunklen Erdteil verfrachtet wird, wo die Kinder in den Plantagen seiner frommen Denkungsart schmachten.

THEOLOGISCHE KRITIK
Zu Willy Haas, »Gestalten der Zeit«[1]

Verkapselt und unscheinbar wie der Same sind im Leben des Menschen seine wahrhaft zeugenden Erfahrungen. Was im höchsten Sinne fruchtbar ist, liegt in der harten Schale der Unmitteilbarkeit beschlossen. Nichts scheidet echte Produktivität von fehlender, vor allem aber falscher, so deutlich wie die Frage: hat der Mann beizeiten – im Jahrzehnt zwischen fünfzehn und fünfundzwanzig – erlebt, was ihm den Mund verschließt, was ihn verschwiegen, wissend und bedenklich macht, was ihm Erfahrung wurde, für die er immer zeugen und die er nie verraten, niemals ausplaudern wird. Es sind unter diesen »Gestalten der Zeit« zwei, denen der Verfasser des Buches solch unmitteilbare, zur Zeugenschaft verpflichtende Erfahrungen dankt, denen er die Treue gehalten hat, und die nun sein Buch als Schutzpatrone auf dem Weg durch die Zeitgenossenschaft leiten: Franz Kafka und Hugo von Hofmannsthal. Beide, so wird man finden, sind im Herzen der Gefahr zu ihm gestoßen: der erste, der in Prag, dem Heerlager der entarteten jüdischen Geistigkeit, im Namen des Judentums von ihr sich abwandte, um den drohenden undurchdringlichen Rücken ihr zuzukehren; der zweite, der im Zentrum der zerfallenden habsburgischen Monarchie die Kraft, aus der sie gelebt hatte, in einer gleichsam nachgeschichtlichen Reife restlos in Formen verwandelte.

Es wäre gar nicht erstaunlich, wenn der Verfasser selbst die Akzente, die wir somit im Text seines Buches setzten, zunächst für willkürlich hielte. Was diese beiden, Hofmannsthal und Kafka, etwa miteinander gemein gehabt haben, diese Frage wäre in der Tat an den Haaren herbeigezogen. Aber ganz anders die Frage, was sie beide einem Autor wie Haas zu bedeuten haben. Er hat sie in je zwei gänzlich voneinander unabhängigen Arbeiten behandelt; so souverän, so unbeeinflußt von den eigenen Sätzen und so im Innersten mit ihnen stimmig kann der Schrift-

1 Willy Haas, Gestalten der Zeit. Berlin: Gustav Kiepenheuer Verlag 1930. 247 S.

steller sich nur seinen bedeutsamsten Themen nähern. Dabei ist es gewiß nicht ausschlaggebend, daß beide, Hofmannsthal und Kafka, ihm nahe bekannt waren. Immerhin ist es kein gewöhnliches Schauspiel, wie die spärlichen, genau verzeichneten Worte einer kurzen Begrüßung mit Kafka hier auf sechs Seiten dessen Gestalt beschwören. Und auch das berührt nur erst einen vorläufigen Aspekt, festzustellen, wie hier im Schaffen Hofmannsthals die katholische, in dem von Kafka die jüdische Welt sich zusammendrängt. Was Haas im Jahre 1929 unter dem Eindruck der Todesnachricht über Hofmannsthal schrieb – es war in der gesamten deutschen Presse fast das einzige, was der Stunde gerecht wurde –, stellt die Gestalt in den Raum der alten katholischen Monarchie, und zwar gewissermaßen als einen Ururenkel des Mutterlandes, welchem alle Söhne weggestorben waren, als ein dichterisches Staatsgenie, das zu spät kam. Das Land hatte keine Zukunft mehr. So rollte sich – das entwickelt der zweite Hofmannsthal-Essay – das Kommende der Zeit gleichsam ein, schmiegte sich, als Volute, ganz ins Gewesene, wurde zu einem Schattenreich der Zukunft, in dem nur das Älteste umging. In jenem Reich der »Ungeborenen Kinder«, welches die »Frau ohne Schatten« eröffnet, hat Haas so wie vor kurzem der Freund des Dichters, Max Mell, den wolkigen Kern der Hofmannsthalschen Bilderwelt erkannt. Bei keinem Dichter haben Bild und Schein sich inniger, gefährlicher durchdrungen. Ja, eben diese verborgene Zweideutigkeit in Hofmannsthals Bildwelt gibt ihr den geistigen Glanz, die ideelle Bedeutsamkeit, das Zuviel, das ihren unterscheidenden Charakter ausmacht. Oder, wie Haas sagt: »Niemals ist Geist auf eine so magische Weise dichterisches Erlebnis geworden.«

Das Überraschende ist nun: je tiefer der Leser in die Gedankenwelt dieses Essayisten eintritt, desto deutlicher wird ihm wie gerade dies: der Schein, in hunderterlei Gestalt immer von neuem seinen Anteil herausfordert, ob er nun an Gide den hermaphroditischen Schein, an France den Schein der ewigen Wiederkunft, an Hermann Bahr den Schein des Vermittelten darstellt. In Wahrheit aber hat in diesen Untersuchungen die Theologie in der Nähe eines ihrer liebsten Gegenstände, des Scheins, ihr Zelt aufgeschlagen. Es ist in diesem Buche vom Talmud und von Kierkegaard, von Thomas von Aquin und von Pascal, von Igna-

tius von Loyola und von Léon Bloy die Rede. Aber nicht beim
Studium der eigentlichen Theologen erwacht die höchste Aufmerksamkeit des Verfassers, sondern über den Werken derer,
die theologischen Gehalten in ihrer äußersten Gefährdung, ihrer
zerrissensten Verkleidung Asyl geben. Eine dieser Verkleidungen ist der Schein. Die Kolportage ist eine andere. Darum stehen
neben den musterhaften Analysen Hofmannsthals die vielleicht
noch bedeutsameren Kafkas. Der künftigen Exegese dieses Dichters sind hier in einer Deutung, die mit der höchsten Energie
überall zu den theologischen Sachverhalten hindurchstößt, die
Wege gewiesen. Die Betrachtungen des Verfassers streifen dabei
bisweilen eine Theorie der Kolportage. Es ist eine Theologie auf
der Flucht, die er bei Kafka entdeckt, und deren Schema einigen
Essays zugrunde liegt, die den Umkreis der Kolportage erforschen. Hierher gehört eine »Theologie im Kriminalroman«, die
großartige Charakteristik Ludendorffs und eine Auslegung des
jüdischen Witzes.
Ein Patronat über dieses Buch, eine schützende Teilnahme glaubten wir den beiden Dichtern zusprechen zu dürfen, denen die
vollkommensten Essays der Sammlung gelten. Was der Verfasser sich in ihr vorsetzt, ist schwierig und gefährlich in dem
Grade, daß auch der Entschlossenste hier nach Helfern ausblik-
ken darf. Denn was wird unternommen? Der Versuch, den Weg
zum Kunstwerk durch Zertrümmerung der Lehre vom »Gebiet«
der Kunst zu bahnen. Die theologische Betrachtungsweise gewinnt ihren vollen Sinn in einer, wenn auch verborgenen, so um
so destruktiveren Wendung gegen die Kunst. Daß die theologische Erleuchtung der Werke die eigentliche Interpretation ihrer
politischen so gut wie ihrer modischen, ihrer wirtschaftlichen so
gut wie ihrer metaphysischen Bestimmungen ist – das ist das
Grundmotiv dieser Betrachtung. Man sieht, eine Haltung, die
der historisch-materialistischen sich mit einem Radikalismus ent-
gegensetzt, der sie zu ihrem Gegenpol macht. »Wo jeder andere
nur in Kompromissen weiterkommen könnte, kann die Kirche
noch in tief-wahren Synthesen weiterdenken«, schreibt Haas. Es
gibt aber Fälle, da diese katholische Verschlingung von These
und Antithese in der Form einer Looping-the-loop-Schleife sich
vollzieht. Haas befährt sie mit schwindelnder Sicherheit. Immerhin – der Anblick könnte Besorgnis auslösen – wäre da nicht

eine Sicherheit höheren Grades und ein besserer Verlaß: die
Kunst fallen zu können. »Sein ganzes Leben im Auszug – in
einem nicht näher errechenbaren Auszug – einsetzen können
gegen irgendein kleines Detail dieser Welt: das, und nichts anderes, heißt ›denken‹.« Ist diese tiefe Definition, die wir auf der
letzten Seite des Buches finden, nur zufällig die vom Bewußt-
seinszustande eines Stürzenden? Der Verfasser wird seine hals-
brecherischen Erfahrungen gemacht haben. Wenn er aber nach
atemraubendem Sturze den Boden berührt, steht er fest auf den
Füßen.

Es waren immer nur gezählte Fälle des Schrifttums, da die Substanz eines Autors so eng wie hier sich mit der Haltung des
Virtuosen, besser des geschulten Literaten verband. Sehr denkbar, daß sie auf der rechten Seite sich häufiger als auf der linken
fanden. Wie dem nun sei, Haas, der Herausgeber einer im literarischen Tageskampf nach links sich orientierenden Wochenschrift – als Forscher ist er weit eher ein Schüler der Adam
Müller, Burke oder de Maistre als der Voltaire, Gutzkow oder
Lassalle. Im Grunde reicht freilich sein Stammbaum sehr viel
weiter in die Vergangenheit. Denn um die universalhistorische
Konstruktion, wie diese Essays sie unternehmen, als Ausdruck
der gesamten metaphysischen Geisteshaltung, zugleich als eminent virtuose, eminent vermittelnde, wenn schon nicht immer
synthetische Form des Schrifttums wiederzufinden, muß man bis
auf die Belletristik und Chronistik des siebzehnten Jahrhunderts
zurückgehen. Haas selbst hat diese Methode, die seine eigene ist,
in seinem Nachruf auf Hofmannsthal vollendet beschrieben. Sie
arbeitet eine Perspektive aus wie etwa irgendeine Bühnenmalerei
mit Kulissen. Sie erstrebt das Plastische aus übereinandergela-
gerten dichten Schichten. »Das gibt nun freilich niemals körperliche Plastik, aber eben perspektivische Plastik.« Dem entspricht
die Erscheinungsform dieser seiner eigenen Gestalten. Es sind
solche der Zeit, gewiß. Ihr Leben aber ist das epische unausgetragener Vergangenheiten, in deren Widerstreit dem Verfasser das wahre Bild seiner Tage sich darstellt.

LINKE MELANCHOLIE
Zu Erich Kästners neuem Gedichtbuch[1]

Kästners Gedichte liegen heute schon in drei stattlichen Bänden
vor. Wer aber dem Charakter dieser Strophen nachgehen will,
hält sich besser an ihre ursprüngliche Erscheinungsform. In Büchern stehen sie gedrängt und ein wenig beklemmend, durch
Tageszeitungen aber flitzen sie wie ein Fisch im Wasser. Wenn
dieses Wasser nicht immer das sauberste ist und mancherlei
Abfall darin schwimmt, desto besser für den Verfasser, dessen
poetische Fischlein daran dick und fett werden konnten.
Die Beliebtheit dieser Gedichte hängt mit dem Aufstieg einer
Schicht zusammen, die ihre wirtschaftlichen Machtpositionen un-
verhüllt in Besitz nahm und sich wie keine andere auf die Nacktheit, die Maskenlosigkeit ihrer ökonomischen Physiognomie
etwas zugute tat. Nicht etwa, daß diese Schicht, die nur den
Erfolg visierte, nichts als ihn anerkannte, nun die stärksten Positionen erobert hätte. Dazu war ihr Ideal zu asthmatisch. Es war
das kinderloser, aus unbeträchtlichen Anfängen emporgekomme-
ner Agenten, die nicht wie die Finanzmagnaten auf Jahrzehnte
für die Familie, sondern nur für sich selbst, und das kaum über
Saisonabschlüsse hinaus, disponierten. Wer hat sie nicht vor
sich: ihre verträumten Babyaugen hinter der Hornbrille, die
breiten weißlichen Wangen, die schleppende Stimme, den Fatalismus in Gebärde und Denkungsart. Es ist von Haus aus ganz
allein diese Schicht, der der Dichter etwas zu sagen hat, der er
schmeichelt, indem er ihr vom Aufstehen bis zum Zubettgehen
den Spiegel weniger vorhält als nachträgt. Die Abstände zwischen seinen Strophen sind in ihrem Nacken die Speckfalten,
seine Reime ihre Wulstlippen, seine Zäsuren Grübchen in ihrem
Fleisch, seine Pointen Pupillen in ihren Augen. Auf diese Schicht
bleiben Stoffkreis und Wirkung beschränkt, und Kästner ist
genau so außerstande mit seinen rebellischen Akzenten die De-
possedierten, wie mit seiner Ironie die Industriellen zu treffen.
Das ist, weil diese Lyrik, ihrem Augenschein zum Trotz, vor
allem die ständischen Belange der Zwischenschicht – Agenten,
Journalisten, Personalchefs – wahrt. Der Haß aber, den sie dabei

1 Erich Kästner, Ein Mann gibt Auskunft. Stuttgart, Berlin: Deutsche Verlags-Anstalt
(1930). 112 S.

gegen das kleine Bürgertum proklamiert, hat selbst einen klein-
bürgerlichen, allzu intimen Einschlag. Dagegen büßt sie der
Großbourgeoisie gegenüber zusehends an Schlagkraft ein und
verrät am Ende ihre Sehnsucht nach dem Mäzen in dem Stoß-
seufzer: »O gäbe es nur ein Dutzend Weise, mit sehr viel Geld.«
Kein Wunder, daß Kästner, wenn er mit den Bankiers in einer
»Hymne« abrechnet, auf so schiefe Art familiär wie auf schiefe
Art ökonomisch ist, wenn er unter dem Titel »Eine Mutter zieht
Bilanz« die nächtlichen Gedanken einer Proletarierfrau darstellt.
Zuletzt bleiben Heim und Rente die Laufbänder, an denen eine
bessergestellte Klasse den knautschenden Dichter gängelt.
Dieser Dichter ist unzufrieden, ja schwermütig. Seine Schwermut
kommt aber aus Routine. Denn Routiniertsein heißt, seine Idio-
synkrasien geopfert, die Gabe, sich zu ekeln, preisgegeben haben. Und das macht schwermütig. Dies ist der Umstand, der
diesem Fall einige Ähnlichkeit mit dem Fall Heine gibt. Routi-
niert sind die Anmerkungen, mit denen Kästner seine Gedichte
einbeult, um diesen lackierten Kinderbällchen das Ansehen von
Rugbybällen zu geben. Und nichts ist routinierter als die Ironie,
die den gerührten Teig der Privatmeinung aufgehen läßt wie ein
Backmittel. Bedauerlich nur, daß seine Impertinenz so außer
allem Verhältnis ebensowohl zu den ideologischen wie zu den
politischen Kräften steht, über die er verfügt. Nicht zum wenigsten an der grotesken Unterschätzung des Gegners, die ihren
Provokationen zugrunde liegt, verrät sich, wie sehr der Posten
dieser linksradikalen Intelligenz ein verlorener ist. Mit der Ar-
beiterbewegung hat sie wenig zu tun. Vielmehr ist sie als bürgerliche Zersetzungserscheinung das Gegenstück zu der feuda-
listischen Mimikry, die das Kaiserreich im Reserveleutnant
bewundert hat. Die linksradikalen Publizisten vom Schlage der
Kästner, Mehring oder Tucholsky sind die proletarische Mimikry des zerfallenen Bürgertums. Ihre Funktion ist, politisch
betrachtet, nicht Parteien sondern Cliquen, literarisch betrachtet,
nicht Schulen sondern Moden, ökonomisch betrachtet, nicht Produzenten sondern Agenten hervorzubringen. Und zwar ist diese
linke Intelligenz seit fünfzehn Jahren ununterbrochen Agent
aller geistigen Konjunkturen, vom Aktivismus über den Expressionismus bis zu der Neuen Sachlichkeit gewesen. Ihre politische Bedeutung aber erschöpfte sich mit der Umsetzung revo-

lutionärer Reflexe, soweit sie am Bürgertum auftraten, in Gegenstände der Zerstreuung, des Amüsements, die sich dem Konsum zuführen ließen.

Derart verstand der Aktivismus, der revolutionären Dialektik das klassenmäßig unbestimmte Gesicht des gesunden Menschenverstands aufzusetzen. Er war gewissermaßen die Weiße Woche dieses Intelligenzmagazins. Der Expressionismus stellte die revolutionäre Geste, den gesteilten Arm, die geballte Faust in Papiermaché aus. Nach diesem Werbefeldzug schritt sodann die Neue Sachlichkeit, aus der die Kästnerschen Gedichte stammen, zur Inventur. Was findet »die geistige Elite«, die an die Bestandaufnahme ihrer Gefühle herantritt, denn vor? Diese selbst etwa? Sie sind längst verramscht worden. Was blieb, sind die leeren Stellen, wo in verstaubten Sammetherzen die Gefühle – Natur und Liebe, Enthusiasmus und Menschlichkeit – einmal gelegen haben. Nun liebkost man geistesabwesend die Hohlform. An diesen angeblichen Schablonen glaubt eine neunmalweise Ironie viel mehr als an den Dingen selbst zu haben, treibt großen Aufwand mit ihrer Armut und macht sich aus der gähnenden Leere ein Fest. Denn das ist das Neue an dieser Sachlichkeit, daß sie auf die Spuren einstiger Geistesgüter sich soviel zugute tut wie der Bürger auf die seiner materiellen. Nie hat man in einer ungemütlichen Situation sich's gemütlicher eingerichtet.

Kurz, dieser linke Radikalismus ist genau diejenige Haltung, der überhaupt keine politische Aktion mehr entspricht. Er steht links nicht von dieser oder jener Richtung, sondern ganz einfach links vom Möglichen überhaupt. Denn er hat ja von vornherein nichts anderes im Auge als in negativistischer Ruhe sich selbst zu genießen. Die Verwandlung des politischen Kampfes aus einem Zwang zur Entscheidung in einen Gegenstand des Vergnügens, aus einem Produktionsmittel in einen Konsumartikel – das ist der letzte Schlager dieser Literatur. Kästner, der eine große Begabung ist, beherrscht ihre sämtlichen Mittel mit Meisterschaft. Weitaus an erster Stelle steht hier eine Haltung, wie sie schon im Titel vieler Gedichte sich ausprägt. Da gibt es eine »Elegie mit Ei«, ein »Weihnachtslied chemisch gereinigt«, den »Selbstmord im Familienbad«, das »Schicksal eines stilisierten Negers« usw. Warum diese Gliederverrenkungen? Weil Kritik und Erkenntnis zum Greifen naheliegen; aber die wären Spielverderber und

sollen unter keiner Bedingung zu Worte kommen. Da muß denn
der Dichter sie knebeln, und nun wirken ihre verzweifelten
Zuckungen wie die Kunststücke eines Kontorsionisten, nämlich
belustigend auf ein großes und in seinem Geschmack unsicheres
Publikum. Bei Morgenstern war der Blödsinn nur die Kehrseite
einer Flucht in die Theosophie. Kästners Nihilismus aber verbirgt nichts, sowenig wie ein Rachen, der sich vor Gähnen nicht
schließen kann.

Früh begannen die Dichter Bekanntschaft mit dieser sonderbaren
Spielart der Verzweiflung zu machen: der gequälten Stupidität.
Denn meist ist die wahrhaft politische Dichtung der letzten Jahrzehnte heroldhaft den Dingen vorangeeilt. Es war im Jahre 1912
und 1913, als Georg Heyms Gedichte die damals unvorstellbare
Verfassung der Massen, die im August 1914 zutage trat, in
befremdlichen Schilderungen niemals gesichteter Kollektiva: der
Selbstmörder, der Gefangenen, der Kranken, der Seefahrer oder
der Irren, vorwegnahmen. In seinen Versen rüstete sich die Erde,
von der roten Sintflut bedeckt zu werden. Und lange ehe der
Ararat der Goldmark als einziger Gipfel aus der Flut ragte, bis
auf den letzten Platz von Freßsack, Gürtelpelz und Naschkatz
besetzt, hatte Alfred Lichtenstein, der in den ersten Tagen des
Krieges gefallen war, jene tristen und aufgeschwemmten Figuren
ins Blickfeld gerückt, für die Kästner die Schablone gefunden
hat. Was nun den Bürger in dieser frühen, noch vorexpressio-
nistischen Fassung von dem späteren und nachexpressionisti-
schen unterscheidet, ist seine Exzentrizität. Lichtenstein hat nicht
umsonst eines seiner Gedichte einem Clown zugeeignet. Seinen
Bürgern steckt die Clownerie der Verzweiflung noch in den
Knochen. Sie haben noch nicht den Exzentrik als Gegenstand des
großstädtischen Amüsements aus sich herausgesetzt. Sie sind
noch nicht so gänzlich saturiert, noch nicht so ganz Agenten, daß
sie nicht ihre dunkle Solidarität mit einer Ware, für die die
Absatzkrise schon am Horizont heraufzieht, fühlten. Der Friede
kam dann – jene Absatzstockung der Menschenware, die wir als
Arbeitslosigkeit kennenlernen. Und Selbstmord, wie ihn Lich-
tensteins Gedichte propagieren, ist Dumping, Absatz dieser
Ware zu Schleuderpreisen. Von alledem wissen Kästners Strophen nichts mehr. Ihr Takt folgt ganz genau den Noten, nach
denen die armen reichen Leute Trübsal blasen; sie sprechen zu

der Traurigkeit des Saturierten, der sein Geld nicht restlos seinem Magen zuwenden kann. Gequälte Stupidität: das ist von den zweitausendjährigen Metamorphosen der Melancholie die letzte.

Kästners Gedichte sind Sachen für Großverdiener, jene traurigen schwerfälligen Puppen, deren Weg über Leichen geht. Mit der Festigkeit ihrer Panzerung, der Langsamkeit ihrer Fortbewegung, der Blindheit ihres Wirkens, sind sie das Stelldichein, das Tank und Wanze sich im Menschen gegeben haben. Diese Gedichte wimmeln von ihnen wie ein Citycafé nach Börsenschluß. Was Wunder, da sie ihre Funktion darin haben, diesen Typ mit sich selbst zu versöhnen und jene Identität zwischen Berufs- und Privatleben herzustellen, die von diesen Leuten unter dem Namen »Menschlichkeit« verstanden wird, in Wahrheit aber das eigentlich Bestialische ist, weil alle echte Menschlichkeit – unter den heutigen Verhältnissen – nur aus der Spannung zwischen jenen beiden Polen hervorgehen kann. In ihr bilden sich Besinnung und Tat, sie zu schaffen ist die Aufgabe jeder politischen Lyrik, und erfüllt wird sie heute am strengsten in den Gedichten von Brecht. Bei Kästner muß sie der Süffisanz und dem Fatalismus Platz machen. Es ist der Fatalismus derer, die dem Produktionsprozeß am fernsten stehen, und deren dunkles Werben um die Konjunkturen der Haltung eines Mannes vergleichbar ist, der sich ganz den unerforschlichen Glücksfällen seiner Verdauung anheimgibt. Sicher hat das Kollern in diesen Versen mehr von Blähungen als vom Umsturz. Von jeher gingen Hartleibigkeit und Schwermut zusammen. Seit aber im sozialen Körper die Säfte stocken, schlägt Dumpfheit uns auf Schritt und Tritt entgegen. Kästners Gedichte machen die Luft nicht besser.

LITERATURGESCHICHTE UND LITERATURWISSENSCHAFT

Immer wieder wird man versuchen, die Geschichte der einzelnen Wissenschaften im Zuge einer in sich geschlossenen Entwicklung vorzutragen. Man spricht ja gern von autonomen Wissenschaften. Und wenn mit dieser Formel auch zunächst nur das begriffliche System der einzelnen Disziplinen gemeint ist – die Vor-

stellung von der Autonomie gleitet doch ins Historische leicht
hinüber und führt zu dem Versuch, die Wissenschaftsgeschichte
jeweils als einen selbständig abgesonderten Verlauf außerhalb des politisch-geistigen Gesamtgeschehens darzustellen. Das
Recht, so vorzugehen, mag hier nicht debattiert werden; unabhängig von der Entscheidung über diese Frage besteht für einen
Querschnitt durch den jeweiligen Stand einer Disziplin die Notwendigkeit, den sich ergebenden Befund nicht nur als Glied im
autonomen Geschichtsverlaufe dieser Wissenschaft, sondern vor
allem als ein Element der gesamten Kulturlage im betreffenden
Zeitpunkte aufzuzeigen. Wenn, wie im folgenden dargelegt
wird, die Literaturgeschichte mitten in einer Krise steht, so ist
diese Krise nur Teilerscheinung einer sehr viel allgemeineren.
Die Literaturgeschichte ist nicht nur eine Disziplin, sondern in
ihrer Entwicklung selbst ein Moment der allgemeinen Geschichte.

Das zweite ist sie gewiß. Aber ist sie wirklich das erste? Ist
Literaturgeschichte eine Disziplin der Geschichte? In welchem
Sinn das zu verneinen ist, wird sich im folgenden ergeben; es ist
nicht mehr als billig, mit dem Hinweis zu beginnen, daß sie
durchaus nicht, wie ihr Name vermuten ließe, von Anfang an im
Rahmen der Geschichte aufgetreten ist. Als Zweig der schöngeistigen Ausbildung, eine Art angewandter Geschmackskunde,
stand sie im achtzehnten Jahrhundert zwischen einem Lehrbuche
der Ästhetik und einem Buchhändlerkatalog.

Als erster pragmatischer Literarhistoriker tritt im Jahre 1835
Gervinus mit dem ersten Bande seiner »Geschichte der poeti-
schen Nationalliteratur der Deutschen« hervor. Er zählte sich der
historischen Schule zu; die großen Werke sind ihm »historische
Ereignisse, die Dichter Genien der Aktivität und die Urteile über
sie weittragende öffentliche Nachwirkungen. Diese Analogie zur
Welthistorie bleibt so innig mit der individuellen Haltung von
Gervinus verquickt wie sein Verfahren, die fehlenden kunst-
philosophischen Gesichtspunkte durch ›Vergleichung‹ der großen
Werke mit ›verwandten‹ zu ersetzen.« Das wahre Verhältnis
zwischen Literatur und Geschichte konnte dies glänzende aber
methodisch naive Werk sich nicht zum Problem machen, geschweige denn das von Geschichte zu Literaturgeschichte. Überblickt man vielmehr die Versuche bis zur Jahrhundertmitte, so

zeigt sich, wie durchaus ungeklärt die Stellung der Literaturgeschichte, sei es in, sei es auch nur zur Historie geblieben war.
Unter Männern wie Michael Bernays, Richard Heinzel, Richard
Maria Werner trat auf diese erkenntniskritische Ratlosigkeit der
Rückschlag ein. Mehr oder weniger vorsätzlich gab man die
Orientierung an der Geschichte auf, um sie mit einer Anlehnung
an die exakte Naturwissenschaft zu vertauschen. Während vorher selbst bibliographisch gerichtete Kompilationen eine Vorstellung vom Gesamtverlaufe erkennen ließen, ging man nun
verbissen auf Einzelarbeit, auf das »Sammeln und Hegen« zurück. Allerdings hat diese Zeit positivistischer Doktrin eine Fülle
von Literaturgeschichten für den bürgerlichen Hausgebrauch als
Komplement der strengen Forscherarbeit hervorgebracht. Aber
das universalhistorische Panorama, das sie entrollen, war nichts
als eine Art darstellerischen Komforts für Verfasser und Leserschaft. Die Scherersche Literaturgeschichte mit ihrem Unterbau
exakter Tatsachen und ihren großen rhythmischen Periodisie-
rungen von drei zu drei Jahrhunderten läßt sich sehr wohl als
Synthese der beiden Grundrichtungen damaliger Forschung verstehen. Mit Recht hat man die kulturpolitischen und organisa-
torischen Absichten, aus denen dieses Werk hervorging, betont
und die Makart-Vision eines kolossalen Triumphzugs idealer
deutscher Gestalten, die ihm zugrunde liegt, aufgezeigt. Scherer
läßt die tragenden Figuren seiner kühnen Komposition »bald
aus der politischen, bald aus der literarischen, religiösen oder
philosophischen Atmosphäre entspringen, ohne den Eindruck
höherer Notwendigkeit, ja auch nur der äußerlichen Konsequenz
zu erwecken, er durchkreuzt ihre Wirkungen mit solchen der
Einzelwerke, der verabsolutierten Ideen oder Dichtungsgestal-
ten, wodurch ein farbiger Wirrwarr, aber nichts weniger als eine
geschichtliche Ordnung entsteht.«
Was sich hier vorbereitet, ist der falsche Universalismus der
kulturhistorischen Methode. Mit dem von Rickert und Windel-
band geprägten Begriff der Kulturwissenschaften vollendet sich
diese Entwicklung; ja der Sieg der kulturgeschichtlichen An-
schauungsart war ein so unumschränkter, daß nun sie mit
Lamprechts »Deutscher Geschichte« zur erkenntnistheoretischen
Grundlage der pragmatischen wurde. Mit der Proklamation der
»Werte« war die Geschichte ein für allemal im Sinn des Moder-

nismus umgefälscht, die Forschung nur der Laiendienst an einem
Kult geworden, in dem die »ewigen Werte« nach einem synkre-
tistischen Ritus zelebriert werden. Es ist immer denkwürdig, wie
kurz von hier der Weg bis zu den rabiatesten Verirrungen der
neuesten Literarhistorie gewesen ist; welche Reize die ent-
mannte Methodik den widerwärtigsten Neologismen hinter der
goldnen Pforte der »Werte« abzugewinnen verstand: »Wie alle
Poesie zuletzt auf eine Welt der ›wortbaren‹ Werte hinzielt, so
bedeutet sie in formaler Beziehung eine letzte Steigerung und
Verinnerlichung der unmittelbaren Ausdruckskräfte der Rede.«
Wohl oder übel wird man nach dieser Mitteilung schon fühllos
für den Chock der Erkenntnis geworden sein, daß der Dichter
selbst diese »letzte Steigerung und Verinnerlichung« als »Wortungs-Lust« erlebe. Es ist die gleiche Welt, in der das »Wortkunstwerk« zu Hause ist, und selten hat ein provoziertes Wort
so großen Adel an den Tag gelegt, wie in dem Falle »Dichtung«.
Mit alledem macht jene Wissenschaft sich wichtig, welche
immer durch die »Weite« ihrer Gegenstände, durch das »synthetische« Gebaren sich verrät. Der geile Drang aufs große Ganze
ist ihr Unglück. Man höre: »Mit überwältigender Kraft und
Reinheit treten die geistigen Werte hervor ... ›Ideen‹, welche
die Seele des Dichters schwingen lassen und zur symbolischen
Gestaltung reizen. Unsystematisch und doch deutlich genug läßt
uns der Dichter in jedem Augenblick fühlen, welchem Werte
oder welcher Wertschicht er den Vorzug gibt; vielleicht auch,
welche Rangordnung er den Werten überhaupt zuerkennt.« In
diesem Sumpfe ist die Hydra der Schulästhetik mit ihren sieben
Köpfen: Schöpfertum, Einfühlung, Zeitentbundenheit, Nachschöpfung, Miterleben, Illusion und Kunstgenuß zu Hause. Wer
sich in der Welt ihrer Anbeter umzutun wünscht, hat nur das
neueste repräsentative Sammelbuch[1] zur Hand zu nehmen, in
dem die deutschen Literarhistoriker der Gegenwart sich Rechenschaft von ihrer Arbeit zu geben suchen, und dem die obigen
Zitate entnommen sind. Womit allerdings nicht gesagt sein soll,
daß seine Mitarbeiter solidarisch füreinander haften; gewiß
heben sich Autoren wie Gumbel, Cysarz, Muschg, Nadler von
dem chaotischen Grunde, auf welchem sie hier erscheinen, ab.

1 Philosophie der Literaturwissenschaft. Hrsg. von Emil Ermatinger. Berlin: Junker
und Dünnhaupt Verlag 1930. X, 478 S.

Um so bezeichnender aber, daß selbst Männer, die sich auf wissenschaftliche Leistungen von Rang zu berufen vermögen, wenig oder nichts von der Haltung, die die frühe Germanistik geadelt hat, in der Gemeinschaft ihrer Fachgenossen zur Geltung zu bringen vermocht haben. Die ganze Unternehmung ruft für den, der in Dingen der Dichtung zu Hause ist, den unheimlichen Eindruck hervor, es käme in ihr schönes, festes Haus mit dem Vorgeben, seine Schätze und Herrlichkeiten bewundern zu wollen, mit schweren Schritten eine Kompanie von Söldnern hineinmarschiert, und im Augenblick wird es klar: die scheren sich den Teufel um die Ordnung und das Inventar des Hauses; die sind hier eingerückt, weil es so günstig liegt, und sich von ihm aus ein Brückenkopf oder eine Eisenbahnlinie beschießen läßt, deren Verteidigung im Bürgerkriege wichtig ist. So hat die Literaturgeschichte sich's hier im Haus der Dichtung eingerichtet, weil aus der Position des »Schönen«, der »Erlebniswerte«, des »Ideellen« und ähnlicher Ochsenaugen in diesem Hause sich in der besten Deckung Feuer geben läßt.

Man kann nicht sagen, daß die Truppen, die ihnen hier im Kleinkrieg gegenüberliegen, über eine ausreichende Schulung verfügen. Sie stehen unter dem Kommando der materialistischen Literarhistoriker, unter denen der alte Franz Mehring immer noch um Haupteslänge hervorragt. Was dieser Mann bedeutet, belegt jeder Versuch materialistischer Literarhistorie, der seit seinem Tode hervorgetreten ist, von neuem. Am deutlichsten Kleinbergs »Deutsche Dichtung in ihren sozialen, zeit- und geistesgeschichtlichen Bedingungen« – ein Werk, das sklavisch alle Schablonen eines Leixner oder Koenig auspinselt, um sie dann allenfalls mit einigen freidenkerischen Ornamenten einzurahmen; ein rechter Haussegen des kleinen Mannes. Indessen ist Mehring Materialist weit mehr durch den Umfang seiner allgemein-historischen und wirtschaftsgeschichtlichen Kenntnisse als durch seine Methode. Seine Tendenz geht auf Marx, seine Schulung auf Kant zurück. So ist das Werk dieses Mannes, der ehern an der Überzeugung festhielt, es müßten »die edelsten Güter der Nation« unter allen Umständen ihre Geltung behalten, viel eher ein im besten Sinne konservierendes als umstürzendes.

Aber der Jungbrunnen der Geschichte wird von der Lethe gespeist. Nichts erneuert so wie Vergessenheit. Mit der Krise der

Bildung wächst der leere Repräsentationscharakter der Literaturgeschichte, der in den vielen populären Darstellungen am handgreiflichsten zutage tritt. Es ist immer derselbe verwischte Text, der bald in der, bald in jener Anordnung auftritt. Seine Leistung hat mit wissenschaftlicher schon lange nichts mehr zu schaffen, seine Funktion erschöpft sich darin, gewissen Schichten die Illusion einer Teilnahme an den Kulturgütern der schönen Literatur zu geben. Nur eine Wissenschaft, die ihren musealen Charakter aufgibt, kann an die Stelle der Illusion Wirkliches setzen. Das hätte zur Voraussetzung nicht nur die Entschlossenheit, vieles auszulassen, sondern die Fähigkeit, den Betrieb der Literaturgeschichte, bewußt, in einen Zeitraum hineinzustellen, in dem die Zahl der Schreibenden – das sind ja nicht nur die Literaten und Dichter – tagtäglich wächst und das technische Interesse an den Dingen des Schrifttums sich sehr viel dringlicher bemerkbar macht als das erbauliche. Mit Analysen des anonymen Schrifttums – der Kalender- und Kolportageliteratur z. B. – sowie der Soziologie des Publikums, der Schriftstellerbünde, des Buchvertriebs zu verschiedenen Zeiten könnten neuere Forscher dem Rechnung tragen, haben es zum Teil auch begonnen. Aber dabei kommt es vielleicht weniger auf eine Erneuerung des Lehrbetriebs durch die Forschung als der Forschung durch den Lehrbetrieb an. Denn mit der Krise der Bildung steht ja in genauem Zusammenhang, daß die Literaturgeschichte die wichtigste Aufgabe – mit der sie als »Schöne Wissenschaft« ins Leben getreten ist, – die didaktische nämlich, ganz aus den Augen verloren hat.

Soviel von den gesellschaftlichen Umständen. Wie hier der Modernismus die Spannung zwischen Erkenntnis und Praxis im musealen Bildungsbegriff nivelliert hat, so im historischen Bereiche die von Gegenwärtigem und Gewesenem, will sagen die von Kritik und Literaturgeschichte. Die Literaturgeschichte des Modernismus denkt nicht daran, vor ihrer Zeit durch eine fruchtbare Durchdringung des Ehemaligen sich zu legitimieren, sie vermeint, das durch Gönnerschaft dem zeitgenössischen Schrifttum gegenüber besser zu können. Es ist erstaunlich, wie die akademische Wissenschaft hier mit allem geht, mitgeht. Wenn frühere Germanistik die Literatur ihrer Zeit aus dem Kreise ihrer Betrachtung ausschied, so war das nicht, wie man es heute versteht, kluge Vorsicht, sondern die asketische Lebensregel von Forschernaturen, die ihrer Epoche unmittelbar in der ihr adäquaten Durchforschung des Gewesenen dienten; Stil und Haltung der Brüder Grimm legen Zeugnis ab, daß die Diätetik, welche solch Werk erforderte, nicht geringer als die großen künstlerischen Schaffens gewesen ist. An Stelle dieser Haltung ist der Ehrgeiz der Wissenschaft getreten, an Informiertheit es mit jedem hauptstädtischen Mittagsblatt aufnehmen zu können.

Die heutige Germanistik ist eklektisch, das will sagen durch und durch unphilologisch, gemessen nicht am positivistischen Philologiebegriff der Scherer-Schule sondern an dem der Brüder Grimm, die die Sachgehalte nie außerhalb des Wortes zu fassen suchten und nur mit Schauder von ›durchscheinender‹, ›über sich hinausweisender‹ literaturwissenschaftlicher Analyse hätten reden hören. Freilich ist die Durchdringung von historischer und kritischer Betrachtung keiner Generation seitdem in annähernd ähnlichem Grade gelungen. Und wenn es einen Aspekt gibt, unter welchem die in vieler Hinsicht isolierte, in einigen wenigen Stücken – Hellingrath, Kommerell – bemerkenswerte Geschichtsschreibung der Literatur aus dem Kreise Georges sich mit der akademischen zusammenschließt, so ist es, daß sie auf ihre Art den gleichen widerphilologischen Geist atmet. Das Aufgebot des alexandrinischen Pantheons, das aus den Werken der Schule bekannt ist, Virtus und Genius, Kairos und Dämon, Fortuna und Psyche, steht geradezu im Dienst des Exorzismus von Geschichte. Und das Ideal dieser Forschungsrichtung wäre die Aufteilung des ganzen deutschen Schrifttums in heilige Haine mit Tempeln zeitloser Dichter im Innern. Der Abfall von der philologischen Forschung führt schließlich – und nicht zum wenigsten im George-Kreise – auf jene Trugfrage, die in wachsendem Maße die literarhistorische Arbeit verwirrt: wieweit und ob denn überhaupt Vernunft das Kunstwerk erfassen könne. Von der Erkenntnis, daß sein Dasein in der Zeit und sein Verstandenwerden nur zwei Seiten ein und desselben Sachverhalts sind, ist man weit entfernt. Sie zu eröffnen ist der monographischen Behandlung der Werke und der Formen vorbehalten.

»Für die Gegenwart«, heißt es bei Walter Muschg, »darf gesagt werden, daß sie in ihren wesentlichen Arbeiten nahezu ausschließlich auf die Monographie gerichtet ist. Der Glaube an den

Sinn einer Gesamtdarstellung ist in dem heutigen Geschlecht in hohem Maß verloren. Statt dessen ringt es mit Gestalten und Problemen, die es in jener Epoche der Universalgeschichten hauptsächlich durch Lücken bezeichnet sieht.« Mit den Gestalten und Problemen ringt es – das mag richtig sein. Wahr ist, daß es vor allem mit den Werken ringen sollte. Deren gesamter Lebens- und Wirkungskreis hat gleichberechtigt, ja vorwiegend neben ihre Entstehungsgeschichte zu treten; also ihr Schicksal, ihre Aufnahme durch die Zeitgenossen, ihre Übersetzungen, ihr Ruhm. Damit gestaltet sich das Werk im Inneren zu einem Mikrokosmos oder viel mehr: zu einem Mikroaeon. Denn es handelt sich ja nicht darum, die Werke des Schrifttums im Zusammenhang ihrer Zeit darzustellen, sondern in der Zeit, da sie entstanden, die Zeit, die sie erkennt – das ist die unsere – zur Darstellung zu bringen. Damit wird die Literatur ein Organon der Geschichte und sie dazu – nicht das Schrifttum zum Stoffgebiet der Historie zu machen, ist die Aufgabe der Literaturgeschichte.

Das Problem des Klassischen und die Antike. Acht Vorträge gehalten auf der Fachtagung der klassischen Altertumswissenschaft zu Naumburg 1930. Herausgegeben von Werner Jaeger. Berlin, Leipzig: Verlag von B. G. Teubner 1931. X, 128 S.

Auf gute Art unterscheidet die vorliegende Sammelschrift sich von der Mehrzahl derer, in denen maßgebende Vertreter eines Faches zusammenwirken. Hier geht es nicht um Repräsentation, sondern um eine wirkliche Arbeitsgemeinschaft, die sich denn auch im Vorwort von Jaeger andeutungsweise, aber bewußt gegen den landläufigen Kongreßbetrieb abgrenzt. Schon die Formulierung des Themas bekundet eine seltene Bereitschaft, es mit echten Fragen aufzunehmen. Denn wenn es ein Wort gibt, dem für unser Ohr der Frageklang sich ganz verschmolzen hat, so ist es: *das Klassische*. Nur ist es vielleicht eher ein Echo als eine Antwort, was dieser Frage aus dem wuchtigen Massiv der klassischen Wort- und Bildforschung – Philologie und Archäologie – hier zurücktönt. Ein vielfach abgestuftes Echo, das den

Intervall zwischen dem ersten und dem letzten Aufsatz der Reihe füllt.

Der Band wird eröffnet von J. Stroux mit einer Abhandlung über die »Anschauungen vom Klassischen im Altertum«. Der Verfasser unterscheidet drei Hauptstücke der klassischen Theorie vom Klassischen: Erstens die Lehre von der normativen Geltung der Gattungen, die darauf beruht, daß sie aus dem Wesen der Kunst notwendig hervorgehen und in ihrer Physis das Gesetz ihrer Entwicklung in sich tragen; zweitens die Lehre von der Symmetrie und organischen Struktur des Werkes, die es haben muß, um das Schöne zu verwirklichen; drittens die Lehre von dem Geziemenden – dem Prepon – das man kurz als die Theorie von allen harmonisch zu gestaltenden Bezügen und Maßen fassen darf.

Man sieht: soviel Bestimmungen, soviel Rätsel. Das Rätselhafte aber an diesen Aufstellungen ist ganz identisch mit dem von Rechts wegen – de jure, leider nicht de facto – Einmaligen an ihnen: daß die Besinnung auf die Kunstübung in der klassischen Epoche des Griechentums von jedweder Bezugnahme auf ein geschichtliches Werden, einen historischen Index des eigenen Daseins frei ist. Man ist einem sehr einladenden Abhang gefolgt, als man, wie es zuletzt Georg Lukács in seiner »Theorie des Romans« getan hat, diese Abwesenheit geschichtlicher Fragwürdigkeiten im antiken Bewußtsein als ideale Natürlichkeit, Naivität im Schillerschen Sinne begriff. Demgegenüber behauptet Nietzsches Entdeckung von dem heroisch exponierten Dasein des griechischen Menschen, den ungeheuren Spannungen, die er in sich zu überbrücken hatte, ihr besseres Recht, wie sie ja auch der Gegenpol viel mehr als der Gegensatz zu Winkelmanns »edler Einfalt und stiller Größe« gewesen ist. Dem schwebend Gefährdeten jener Existenz tragen solche Bestimmungen viel eher Rechnung als der idealistische Humanismus, der schlechtweg an die Musterhaftigkeit des reinen Menschentums anschließt und unter den Mitarbeitern der Sammelschrift einen radikalen Vertreter nur in Schadewaldt gefunden hat. »In der organischen Gestalt«, heißt es bei ihm, »läßt klassische Kunst die Idee der Norm am Bilde der Natur aufleuchten; so macht sie dem zerstückten Leben gleichsam vor, wie es denn möglich sei, eines und ein Ganzes zu werden.« Mit dieser Einkörperung der

Norm in die Natur ist die griechische Kunst bisher nur allzu oft umschrieben und daher nicht sowohl der griechische Naturbegriff gedeutet, als vielmehr Griechentum als Natur oktroyiert worden.

In einer ganz anderen Welt steht man mit dem Verfasser der letzten Arbeit, H. Kuhn. »›Klassisch‹ als historischer Begriff« ist sein Beitrag betitelt. Es ist, wie es darin heißt, »dem Griechentum eigentümlich, daß es das eigene reifende Leben als etwas zu Vollbringendes auffaßte, als eine Leistung, die, gedankenhaft vorausgenommen, an ihrem höchsten Entwurf als ihrer Norm zu messen ist«. Oder genauer: »›Klassisch‹ heißt die Reife einer geschichtlichen Entwicklung, die dem organischen Wachstum analog ist. Gemäß dem Charakter des menschlichen Tuns ist diese gewordene Vollendung zugleich Lösung einer zu leistenden Aufgabe und als solche musterhaft. Aber wie die Vollendung nur im ›fruchtbaren Augenblick‹ als Erfüllung hervortreten konnte, so wird sie ihre Musterhaftigkeit nur nach Maßgabe der Geschichtszeit entfalten können.« Wenn ein Humanist alten Schlages – und der bleibt Schadewaldt ungeachtet seiner Neigung zu Georgischen Denkmotiven – erklärt, daß die Klassik »allein in der Kunst« sich vollende, so spricht in Kuhn ein Mann, dem keine der Erscheinungen des klassischen Lebenskreises mehr selbstverständlich – und das heißt heute sicher: falsch verstanden – ist und dem die Schwierigkeit, den Begriff einer Klassik zu denken, »leichter einzusehen« scheint als je. »Wir erinnern nur an das Unternehmen, in der Kunstgeschichte mittels des Begriffes vom ›Kunstwollen‹ die Begriffe von Blüte und Verfall ganz auszuschalten; oder an die mannigfachen, an die Romantik, vor allem an Bachofen anknüpfenden Versuche, das Schwergewicht in frühere als die sonst klassisch genannten Perioden zurückzuverlegen. Diese Schwierigkeit ist durch keine philosophische Verfügung und durch keine Ordnung und Deutung des empirischen Materials aus der Welt zu schaffen. In ihr meldet sich die Bedeutung jenes ... Sachverhaltes, der in die geschichtliche Begriffsbildung ein Moment der Unruhe hineinträgt und sie einer permanenten Grundlagenkrisis aussetzt.«

Sehr schlüssig greift hier mit seiner Ablehnung aller falschen Beruhigungsmittel B. Schweitzers Arbeit »Über das Klassische in der Kunst der Antike« ein. Sie geht in der Hauptsache gegen

Wölfflins Versuch, das Klassische, wenn nicht mechanisch-, so historisch-zeitlos im Zuge einer autonomen Entwicklung der Sehweise zu bestimmen. »Sollten nicht ebenso wie die Vorgänge der Stoffwahl auch die Kräfte der formal-künstlerischen Gestaltung, die Art und Weise des Sehens historisch bedingt sein? ... In der Tat, das Gegenständliche zum Gehalt, das Formale zur Gestalt erhoben können nur als *Ausdruck* auf ein hinter beiden Liegendes bezogen werden, auf ein ›Kunstwollen‹.«

Was mit dergleichen Überlegungen punktiert erscheint, ist freilich nur die eine Achse in dem hier zur Bestimmung der Klassik errichteten Koordinatensystem. Die universalhistorische wird senkrecht von der römisch-antiken geschnitten. Diesen Schnittpunkt: den der römischen Klassik – die da als erste Renaissance ebenso originell ist wie die griechische Urklassik – mit der griechischen zu bestimmen, ist zumal in Fraenkels Untersuchung über »Die klassische Dichtung der Römer« der Gegenstand.

Dergleichen spezielle Untersuchungen sind umso unentbehrlicher, als gerade der Reichtum der Vermittlungen, die gedankliche Organisation und Verknüpfung der Fakten darüber entscheidet, wiewiet der Begriff des Klassischen gegen den der Humanität, der Natur, der absoluten Vollendung und ähnliche Allgemeinheiten abzudichten, wiewiet seine Einbringung in eine Philosophie der Geschichte vollziehbar ist, die ihrer obersten Aufgabe, das Gegenwärtige als ein historisch Entscheidendes zu begreifen, gerecht wird. Kein Zweifel, daß diese Intention durch eine Auseinandersetzung mit außerwissenschaftlichen Deutungen des Sachverhaltes an Schärfe hin und wieder gewonnen hätte. Wie nahe rührt nicht die vorzügliche Ableitung des Klassischen aus dem Gedanken einer »königlichen Techne«, welche das Griechentum »nach dem Modell der spezialisierten kunstmäßigen Leistung«, der Techne überhaupt, sich gebildet habe, an das Tiefste, was Valéry über die Klassik zu sagen hat. Macht eine Forschertagung sich von den Schranken des berufsmäßigen Alltags einmal frei, so sähe man gern, daß sie, wenn nicht in persona so im Zitat, bedeutende Denker zu Gast bäte. Heute hat über Klassik kaum einer mehr zu sagen als der Verfasser des »Eupalinos«. Auch er aber hätte wohl nur zum Ausdruck bringen können, wovon die Spur in den besten Arbeiten dieser Reihe erkennbar ist: die dringende Frage, wie die vollendete Klassik

oder die »Herrschaft der Kunst« mit den Mächten sich auseinandersetzt, die von zwei entgegengesetzten Seiten her gegen
sie anrücken: denen des religiösen Gemeinwesens, das keine
Vollkommenheit als in Erfüllung offenbarter Satzungen kennt,
und denen einer sozialistischen Gesellschaft, die keine als die der
menschlichen Beziehungen selber achtet.
Diese Frage bleibt offen. Und das ist gut so. Denn eine Betrachtung der Klassik, die von der Sklaverei nichts zu sagen weiß,
kann am Ende doch nicht als abschließend gelten.

WIE ERKLÄREN SICH GROSSE BUCHERFOLGE?
»Chrut und Uchrut« – ein schweizerisches Kräuterbuch

Unsere Buchkritik ist an die Neuerscheinung geheftet. Kaum
eines ihrer Kennzeichen, insbesondere ihrer Gebrechen, das nicht
mit diesem Tatbestand zusammenhinge. Informationen lösen
täglich oder stündlich einander ab. Erkenntnisse können die
Geschwindigkeitskonkurrenz mit ihnen nicht aufnehmen. Da
stehen denn Reaktionen zur Verfügung, die in den Rezensenten
den literarischen Reizen (der Neuerscheinung) mit der gleichen
Geschwindigkeit antworten, mit der die Bücher aufeinander folgen. Information und Reaktion – auf dem lückenlosen Zusammenspiel dieser beiden beruht die Schlagkraft des Rezensions-
betriebes. Und was da »Urteil« oder »Wertung« heißt, das ist
nur die Stafette, die sie im Augenblick der Ablösung einander
zuwerfen. Daß dem Verfahren, Bücher so zu »werten«, ein
gänzlich anderes: sie erkenntnismäßig zu verwerten, entgegengestellt werden kann, bedarf keines Beweises. Da wird denn
plötzlich der rein ästhetische Gesichtspunkt unzulänglich, die
Information des Publikums Nebensache, das Urteil des Rezensenten belanglos. Dagegen treten eine Anzahl völlig neuer Fragen in den Vordergrund: Welchem Umstand verdankt das Werk
Erfolg oder Mißerfolg? was hat das Votum der Kritik bestimmt?
an welche Konventionen schließt es an? in welchen Kreisen sucht
es seine Leser? Eine Bescheidung und Gesundung der Kritik, eine
Sanierung, ist es, die mit solch neuem Blick sich anbahnt. Ihre
Merkmale: unabhängig zu sein von der Neuerscheinung; wis-

senschaftliche Werke so gut zu betreffen wie belletristische; indifferent gegen die Qualität des zugrundegelegten Werkes zu bleiben. Niveau und Haltung, die sie im Journalismus verspielt hat, wird die Kritik an solchen Aufgaben am ehesten zurückgewinnen, den Anspruch auf Unfehlbarkeit von Reaktionen aber, auf den sie sich heute stützt, als widersinnig und anstößig fallen lassen. Daß die erkenntnismäßige Verwertung von Büchern mit ihrer literarischen »Wertung« identisch würde, – dieses seltene Optimum der Kritik setzt nicht nur den vollkommenen Kritiker voraus: selbst er kann nur zu diesem Ziel gelangen, wo das große Werk sein Gegenstand ist.

Desto lockender, in diesem Bewußtsein einem kleinen sich zuzuwenden, das nicht weniger vollkommen zu sein braucht. Das Kräuterbuch des Pfarrers Künzle[1] ist eine Schrift, wie nicht nur der Kranke, sondern auch der Rezensent sie sich dankbarer gar nicht wünschen kann. Der neue Rezensent wenigstens, an welchen hier appelliert wurde. Wo den alten die Wald- und Wiesenbreite volkstümlicher Literatur angähnt, lockt den neuen, materialistischer eingestellten, die grünste Weide. Grün ist natürlich der Umschlag des Buches und die Auflageziffern – botanische, wenn nicht astrologische Zahlen – genug, die Kräuter einer kleinen Trift zu zählen. 720. bis 730. Tausend – läßt dem neuen Rezensenten das Herz höher schlagen. Da hat er also eines der Bücher vor sich, für die Begriffe wie Kritik und Zeitungsinserat, Bibliothek und Sortimenter ihre Geltung verloren haben; ein Buch, unter dem die Meisterwerke der Literatur so winzig in der Tiefe liegen wie Festungen und Städte, Dome und Paläste unter den harten Gräsern der höchsten Almen. Und weil es das *nächst der Bibel verbreitetste Buch der Schweiz* sein dürfte, so ist es wohl auch natürlich, daß es – auf seine profane Weise – eine bibliographische Figur für sich macht. Man kann sogar sagen, daß sie, auf recht possierliche Art, das Gegenstück der biblischen ist. Oder wo hätte man sonst als erstes Titelwort, und noch dazu in fetten Lettern, lesen müssen: »Nachdruck verboten«? Dann folgen auf der zweiten Seite »Worterklärung[en] für Nichtschweizer«, und unter ihnen wirbt eine Anzeige für eine Schul-

1 Johann Künzle, Chrut und Uchrut. Praktisches Heilkräuterbüchlein von Joh. Künzle, Kräuterpfarrer in Zizers bei Chur (Schweiz). Feldkirch: Fr. Unterberger 1930. 64 S.

ausgabe des Werkes, in der »alles, was für Schüler nicht paßt«,
weggelassen ist. Seite 3 bringt eine Probe aus den lakonischen
Vorworten, die das Buch auf seinem Wege durch die Hunderttausende geleitet haben. Zur Auflage 140 000–180 000:
»Der liebe Gott hat meinem Büchlein Erfolg verliehen. Das Volk
reißt sich darum, die alten ehrlichen Kräuter kommen wieder zu
Ehren, und die Gütterli [Fläschchen] mit hochmütigen fremden
Namen in Verdacht, Gott zur Ehr' und dem Volk zu Nutz wird
das Schriftchen weiter gedruckt.«
Wer schon ein wenig geblättert oder zwischen den Zeilen zu
lesen gelernt hat, der merkt: *dem Volke zu Nutz, den Medizi-*
nern zum Trutz. Unter der Hand nämlich, aber nur desto stör-
rischer geht es hier wie in aller Volksmedizin gegen die Ärzte.
Ein echtes Paradox, ein nur scheinbarer Widerspruch ist es, daß
die Schweiz, deren Ärzte europäischen Ruf haben, seit Paracelsus das gelobte Land jedweder Volksmedizin, von der fundier-
testen Homöopathie bis zum windigsten Kurpfuscherwesen ist.
Beides hängt gewiß mit dem Überwiegen bäuerischer Bevölkerung zusammen. Dem Bauer ist sein Körper an allen Teilen ein
unentbehrliches Produktionsmittel; jeder Schaden, auch der be-
schränkteste, ist für den in der Landwirtschaft Tätigen schwerer
zu kompensieren als für den Industriearbeiter. Daher das genaue
Gefühl, das der Bauer für seinen Körper bekommt, aber auch die
Eifersucht, mit der er über ihn wacht. Fest steht, daß Pfarrer
Künzle sich beides zu Bundesgenossen gemacht hat. Daß das
Heil und zumal seine eigene Wissenschaft aus dem Bauernstand
kommt und zum Bauernstand will, das zu sagen versäumt er
keine Gelegenheit. Ja, hier, im eigenbrötlerischen Schweizer ist
etwas wie eine Internationale des Bauernstandes zu spüren. So
eifernd er seine Schutzbefohlenen von den Modegecken, Über-
studierten, Schmachtlappen, Stubenhockern in den Städten son-
dert, so generös kann er gelegentlich, wenn's um die Bauern
geht, mit wahrhaft Hebelscher Weltbürgerlichkeit die Erfahrungen jenes Mannes heranziehen, »der verstopft war wie eine
alte Weinflasche; keine Pille und kein Gift half mehr auf die
Länge. Da brachte es das Geschäft mit sich, daß der Mann ein
Vierteljahr unter den Bauern des nördlichen Frankreichs leben
mußte. Dort bekam er kein Fleisch mehr« – vor dem Künzle
auch den Schweizern höllisch einheizt – »aber Milch, viel Ge-

müse, Habermus, Dünnbier.« Und somit ist er am Bauerntische gesund geworden.

Der Kräutermann ist Naturkundiger – gewiß. Aber das felsenfeste Vertrauen in sein Naturwissen gibt er den Leuten erst, indem er ihnen keinen Zweifel über seine Stellung unter den Menschen läßt. Nur darum muß es den Niederen, mit denen er sich solidarisiert, so einleuchtend kommen, daß auch in der Natur das Unansehnlichste gerade das Beste ist, weil seine Apologie des Unkrautes nur die Kehrseite seines sozialen Bekenntnisses ist. »Sämtliche Unkräuter sind nämlich Heilkräuter.« So das »gemeinste und verachtetste« unter ihnen, »der Weg-Wegerich; er gleicht dem armen Taglöhner, der überall unten durch muß und der doch alle hinauflupft, den Graben reinigt und die Regierung wählt, aber selbst in letztere nie hineinkommt« und ist doch in Wahrheit das »beste und häufigste aller Heilkräuter«. Hier ist es der demokratische Bürgerstolz, der den Ton angibt – immerhin einen ziemlich schrillen; bei der Mistel läuft schon Rebellisches unter. »Als lästiges, amtlich verbotenes und gesetzlich unzulässiges, allen Gemeinderäten und Landjägern verfallenes Unkraut« ist sie »in allen 22 Kantonen eigentlich zum Trotz« immer noch da. Und das ist nur ein Glück; schon der Pfarrer Kneipp hat sie den Bäuerinnen in der Regel ans Herz gelegt.

Die Tradition ist die große Erkenntnisquelle, die die Schlichten im Geist vor dem hochmütigen Formelkram der Studierten voraushaben. Pfarrer Kneipp, der die Losung »zurück zur Natur« ausgab, Pater Ludwig, »ehemals Botanik-Professor in Einsiedeln, jetzt verstorbener Jubelgreis«, endlich der Herr selbst, »das vollendetste Muster für das *rein natürliche Leben*, das Ideal eines Menschen« sind von dieser Überlieferung die Stifter, die mit der Offenbarung auch dies gemein hat, daß hin und wieder die Heiden sie zu verkünden wußten. So manches Heilkraut ist schon vor Christi Geburt beglaubigt. Unermüdlich ist dieser Schatz gemehrt worden, und so gibt es fast keine Krankheit, gegen die nicht eine große Anzahl von Mitteln genannt wäre. Meist stehen sie im Verhältnis der Steigerung, werden immer stärker und stärker. Es ist das alte Schema der Volksmedizin: quod ferrum non sanat ... Bisweilen aber wird die Sache geheimnisvoll: dann ist auf einmal das letzte, stärkste von allen Mitteln zugleich das einfachste. Neun Kräuter marschieren gegen das Zahnweh auf, zum Schluß aber heißt es: »Wasche jeden Morgen das Gesicht mit reinem kalten Wasser; trockne es aber erst ab nach fünf Minuten; bringt Leuten Ruh, die sonst kein Mittel mehr finden.« Man braucht nur an die ärztliche Ordination zu denken und sieht im Nu, welche Bewandtnis es eigentlich mit dieser Vielzahl von Mitteln hat. »So und so« sagt der Arzt; das ist seine Diagnose. »Dies und dies« sagt er; das ist seine Vorschrift. Pfarrer Künzle läßt dem Patienten – seinem Instinkt, seinem Glück, seinem Einfall – Spielraum. Auch holt er die Krankheit nicht aus dunkler Körpertiefe an das verletzende Licht der klinischen Wissenschaft: Blutkrankheit, Herzleiden, Augenweh oder Geschwulst – dabei bleibt es. Verschlägt dann das eine Mittel nicht, besteht noch immer Hoffnung auf das zweite oder dritte. Der Kräuterpfarrer aber, der zehn Mittel kennt, weiß mehr und exponiert sich weniger als der Arzt, der eines verschrieben hat. Er erscheint kundiger und liberaler zugleich.

Je länger man sich mit diesem schmalen Bändchen von vier Bogen beschäftigt, desto erstaunlicher wirkt der soziale Takt, die Schärfe des Klassengefühls (von Klassenbewußtsein ist nicht die Rede), die auf Schritt und Tritt Wort und Verhalten des Mannes regeln, der scheinbar nur durch Berg und Täler unter Gottes freiem Himmel sich botanisierend ergeht. Denn als sollte eine schlichte patriarchalische Gesinnung noch besonders ins Licht treten, beginnt das Buch nicht etwa mit den Krankheiten, sondern beschreibend: mit den Heilkräutern. Ehe es seinem offiziellen Zweck nachgeht, holt es gleichsam Atem im Bereich der beschreibenden Naturwissenschaft. Im übrigen wäre nichts aussichtsloser, als dieses kleine Meisterwerk »konstruieren« zu wollen. Konstruierbar ist es so wenig wie eine Speise, und am Ende geben auch ihm nicht Grundstoffe, sondern Zutaten seine Würze. Weiß Gott, daß sie aus dem Vollen geschöpft sind! Das wäre zum Beispiel ein grober Irrtum zu meinen, der Bauernstolz, die Feindschaft gegen die Schulmedizin veranlasse unsern Mann, sich von der Wissenschaft abzukehren. Im Gegenteil. So spröde er sich gegen sie verhält – ihre Primeurs sind ihm gerade gut genug für sein Publikum. Warum sollte man es dem Sennen oder der Magd denn auch vorenthalten, daß Sankt-Benedikts-

Kraut oder Storchschnabel ihre Tugend der Radioaktivität verdanken? Freilich geht es bei dieser Information nicht ohne einen Ausfall gegen »die naseweise Wissenschaft des 18. Jahrhunderts ab, die alles verwarf, was sie nicht begriff«, und die Volksweisheit aus ihren Rechten verdrängen wollte. Die, vielleicht sehr viel naseweisere, Theologie des achtzehnten Jahrhunderts läßt Pfarrer Künzle sich allerdings gern gefallen: »Wie gütig hat doch die göttliche Vorsehung bei Erschaffung der Pflanzen an die Menschen gedacht.« Und die Heilkräuter hat sie dem Menschen überall »in den Weg gestreut, daß er gern oder ungern sie immer zur Hand habe«.

Ein Schuß Deismus, ein Schuß Ionentheorie – solch echtes, rechtes Durcheinander ist die ganze Schrift, Kraut und Rüben ihre Kapitelchen. Man besinne sich aber auf Bauernkalender, Almanache und ähnliche Drucksorten und man wird sich damit abfinden müssen, daß das Volk solche Unordnung in seinen Büchern liebt. Warum? Soviel ist sicher: Gewohnte Unordnung heimelt an; ungewohnte Ordnung wirkt frostig. Und wer gelegentlich Dienstboten mit dem Nachschlagen einer Telephonnummer beauftragt hat, weiß, daß längst nicht alle, die lesen lernten, nachschlagen können. Für die, die es verstehen, sorgt hier ein alphabetisches Verzeichnis der Krankheiten, davon abgesehn aber ist die Zerfahrenheit nur die Kehrseite von dem enzyklopädischen Charakter des Buches, der dieser Art von Schriftstellerei so ausgezeichnet entspricht. Was kommt hier nicht alles vor und über wievieles, das man hier am wenigsten suchen würde, kann man beim Lesen sich seine Gedanken machen? Da stößt man auf Babylon und New York, Kosaken und Bulgaren, Schleierfräulein und Naseherren, Frauenstimmrecht und Majestätsbeleidigung, vermummte Wilderer und Juden, Gesundheitskommissionen und Schutzengel, ganz zu schweigen von den vielen Bekannten, den Toni, Alfred, Jakob, Seppl, den Liseli, Babeli usw. Man betrachte nur einmal den Zug, den die Professoren hier anführen, und wird nicht wissen, ob man es mit einer Doréschen Illustration zum Rabelais zu tun hat oder mit einem Prospekt des rheinischen Karnevals. »Professorentee« heißt es in großen Buchstaben: »So benenne ich den Tee, der hauptsächlich für Leute bestimmt ist, die wie Professoren, Kommandanten, Hauptleute, Prediger, Katecheten, Lehrer, Portiers

an Bahnhöfen, Ausrufer usw., viel und laut sprechen müssen.«
Unstetes Volk sind hier die Professoren, die mit den standfesten
Bauern in dieser Welt es nicht aufnehmen können. Ein andermal
erscheinen sie in Gesellschaft der Bahnbeamten; nicht lauten
Sprechens wegen (obwohl doch Züge oft laut abgerufen werden),
sondern wegen der Nachtarbeit. Beiden werden Luftkurorte ver-
ordnet, »wo weder viel Fremde noch Klaviere und Hunde sind,
aber dafür viel Tannen und rauschende Bäche«. Tannen und
rauschende Bäche: auf ihrem Grunde aber das verklärte Bild des
Schweizer Bauernstandes, um den alle Heilkräuter nur der Kranz
sind. »O glückseliger Bauernstand, dein größter Miststock stinkt
bei weitem nicht so arg wie der Hochmut der Gebildeten. Nicht
umsonst wollte der Herrgott in einem Stalle zur Welt kommen.«
Solche Bücher sind von ihrem Erfolg nicht zu trennen. Sie sind
bestimmt, mit zerfetzten Seiten, Eselsohren, Unterstreichungen,
Tintenflecken den Lebensweg ihrer vielgeplagten Besitzer zu
teilen und bald den Arzt, bald den Lehrer, bald den Dichter und
bald den Humoristen, bald den Pastor und bald den Apotheker
zu machen. Sie können dem Kritiker, dem an dem vielen Ro-
manbrei die Zähne locker geworden sind, zeigen, was zwischen
sie gehört. Denn die Wendigkeit, Anwendbarkeit, die in diesem
banausischen Hausschatz mit Händen zu greifen ist, liegt, tief
verborgen, der großen Dichtung zugrunde. Hier beruht sie auf
der uralten Lehre von den zwei Weltmächten: *Licht und Dunkel,
Ormuzd und Ariman, Chrut und Uchrut*. Sie alle münden in den
Gegensatz: Bauer–Städter. Das ist des Pfarrers Künzle Men-
schenkenntnis, gegen die seine Kräuterkenntnis ein Hund ist.

WISSENSCHAFT NACH DER MODE[1]

An dem vorliegenden Büchlein sind einzig interessant seine gesellschaftlichen Entstehungsgründe. Denn sein wissenschaftlicher
Wert ist null. Aber nicht sein Wert, sondern seine Notwendigkeit steht in Frage.
Diese Notwendigkeit beruht in den Verhältnissen, aus denen die

1 Heinz Kindermann, Das literarische Antlitz der Gegenwart. Halle: Max Niemeyer
Verlag 1930. 104 S.

Schrift kommt. Der Verfasser ist Hochschullehrer. Es hätte nicht der letzten öffentlichen Kämpfe bedurft, um dem Beobachter der Universitäten anzuzeigen, daß ihre Angehörigen unzufrieden mit ihr geworden sind. Man kann dafür viele Gründe ausfindig machen, der nächstliegende ist gewiß, daß sie ihnen keine Sicherheit mehr verspricht. Die Fächer haben wirtschaftlich und geistig aufgehört Gehege zu sein. Weniger als je ist dem Studenten das Fortkommen in seinem Fache gewährleistet. Der Ruf nach geisteswissenschaftlicher Vertiefung des Fachstudiums, der unter diesen Verhältnissen laut wurde, das Streben, der Wissenschaft größere Lebensnähe zu garantieren, ist von dieser Seite nur eine glänzende Luftspiegelung, deren elender Gegenstand das Leben proletarisierter Werkstudenten ist. Die freilich haben den »Kontakt mit der Wirklichkeit«, aber anders, als man ihn sich vorzustellen beliebt. Und doch kann einzig dieser, als der echte, es sein, nach dem die Lebensnähe auch der Wissenschaft sich auszurichten hätte. Gewiß ist, daß die akademische Forschung ein schärferes Bewußtsein der Umwelt, in welcher sie sich vollzieht, nötig hat. Das wird ihr aber nur verschaffen, wer von den nächstliegenden Gegebenheiten ausgeht, nicht wer die ideologische Spiegelwelt, die diese Not in Glanz verwandelt, um einige Reflexe bereichert. Am wenigsten aber wer den naiven Anschluß an den merkantilen Betrieb schon gefunden hat und die »Vertiefung« schöngeistiger Parolen, die Mystik von der »neuen« Jugend, die »Vermittlung des Kunstgenusses« zu seiner Sache gemacht hat. Es ist ein nicht mehr seltener Typ des jüngeren Hochschullehrers, von dem das gilt: der Akademiker, der die »Erneuerung« zu fördern glaubt, indem er die Grenzen seines Faches gegen den Journalismus verschleift. Weltläufig und geschniegelt segelt er herein, um alsbald vor dem wissenschaftlichen Apparat die kümmerlichste Figur zu machen. Wenn Komparsen wie Ginzkey oder Ebermayer, Lersch oder Wildgans von namenlosen Journalisten gefeiert werden, so weiß der Leser, woran er ist; es wird ihm nicht weiß gemacht in einem heiligen Hain, fern von Geschäften, Presse, Politik auf priesterliche Gestalten zu stoßen. Den Verfasser dagegen beherrscht ein fetischhafter Begriff von Dichtung, welcher ihn gegen alle Fragen der Echtheit oder des Niveaus gänzlich stumpf macht. Daß Dichtung wechselnde Funktionen im Dasein der Gesellschaft hat,

kann ihm von seinem Konsumentenstandpunkt aus, für den sie etwas ebenso Abstoßendes wie Chimärisches: ein sakrales Genußmittel darstellt, nicht kenntlich werden. Kein Wunder, daß er an dem wichtigsten Zuge der heutigen Literatur vorbeigeht: der innigen Durchdringung jeder großen dichterischen Leistung mit der schriftstellerischen – mag man nun an Brecht oder Kafka, an Scheerbart oder Döblin denken. Die Synthese eines »Idealrealismus« freilich, für den die Schrift im Namen der »Vollwirklichkeit« und einer sie repräsentierenden neuen Jugend sich einsetzt, beruht ganz und gar auf jenem fetischhaften Begriff der »wahren Dichtung« oder Waren-Dichtung, die »immer begnadet und naturgegeben« sein soll. Synthesen dieser Art sollte man lieber Arrangements nennen. Das lockre Handgelenk, aus welchem sie kommen, ist das des Dekorateurs, wie eine Gesellschaft, die vom Ausverkauf lebt, ihn braucht. Neu ist nur das Katheder als Warenstand. Aber wie elegant fließen nicht die Draperien an ihm herab: »Wie wären Roman, Kurzgeschichte und Novelle der neuen Jugend denkbar ohne das anekdotarische (!) Meisterwerk Wilhelm Schäfers, ohne Federers geheimnisbeseelte Wirklichkeit, ohne Kolbenheyers realistische Vergangenheitsvision, ohne Nabls steil aufragende Sachlichkeit, ohne Strobls greifbare Unheimlichkeitsgestaltung, ohne Hohlbaums Realisierung der Musikalität, ohne Scholz' wirklichkeitsnahe Erfahrungstiefe, ohne Ina Seidels Glauben an die Erlebnisgewalt des Herzens, ohne Frank Thieß' Streben nach einer Art Seelenrealismus, ohne Döblins technisierte Psychologie, ohne Bluncks mythischen Realismus, ohne die religiöse Leidenschaftswelt der Handel-Mazzetti, ohne Ginzkeys lächelnde Resignation und Schaffners neues Sozialempfinden.«
Und wie wäre sie möglich, jene neue Jugend, ohne diese modernen, flotten, wissenschaftlichen Prospekte, in denen die Urteilslosigkeit abwägend, die Oberflächlichkeit gründlich, die Instinktlosigkeit temperamentvoll zu Worte kommt!

Baudelaire unterm Stahlhelm

Ganz elende Schriften haben mit ganz vorzüglichen dies gemein, ihr Wesen im Sprachlichen vollkommen offenkundig und präsent zu haben. Jede dantesche Terzine gäbe in der prosodischen Betrachtung ein Schattenbild von dem, was Faktisches oder Geschehenes in ihr gesagt wird. So gibt jeder Satz eines Peter Klassen[1] das sprachliche Widerspiel der Roheit, mit der der Verfasser treibt, was er für Denken hält. Es kann ihm nicht zugute gehalten werden, daß es nicht eigene Kümmerlichkeit allein, sondern der Verfall einer ganzen Schule ist, was ihn an diesen Punkt gebracht hat. Denn wie man über diese Schule – wir sprechen von der Stefan Georges – auch denken mag, so hat sie in den Schriften eines Hellingrath oder Kommerell doch auch Vorbilder eines in die Sache eingehenden Forschens gegeben. Davon ist in diesem nach Ton und Haltung höchst anspruchsvollen Buch, das einen Ossa von Klischees auf einen Pelion von Haß türmt und damit glaubt, sich zu der Höhe Baudelaires gehißt zu haben, nichts zu spüren. Die Klischees gelten dem »All von Mächten, Schauern, Wuchten« als dessen ›ekstatisch-traumhafter Prophet‹ der »bluthafte Künstlergeist« im »Weiheraum seiner Dichtung« thront; der Haß – hier dürfen wir uns kürzer fassen – gilt Frankreich. Baudelaire, sein »dem deutschen so verwandtes« Denken »aus einer ursprünglichen Mysteriensicht« gespeistes Dasein – und als Pendant der Untermensch, der Franzose, der unfähig ist, »naturhaftes Wachstum anders denn als künstliches Gewirk zu betrachten«, »wie Landschaft und Leib des Menschen ihn erst durch künstliche Beformung und Aufschönung ansprechen«: c'était à trouver wie die Franzosen sagen; und ausgedrückt ist das in einem Deutsch, aus welchem man mit langen Sätzen in die fremde Sprache flüchtet. Der Schwulst, den sich diese Schule geschaffen hat und gegen welchen Marinismus, Euphuismus, Gongorismus hausbackene Varianten einer Umgangssprache scheinen, hat es schwer, gegen das Deutsche sich durchzusetzen. Aber die Mühe ist lohnend. Denn wer würde solche Bücher noch lesen, wenn da statt des ›Lebenstriebs des leibhaften Daseins, des Eros‹ etwa: Liebe, statt der »Schau des

1 Peter Klassen, Baudelaire. Welt und Gegenwelt. Weimar: Erich Lichtenstein Verlag (1931). 150 S.

Beginnlichen« etwa: Einsicht in den Ursprung stünde, und wenn
er unterm »algabalhaft Vornaturischen« oder dem ›weltvernich-
tenden Geistblicke des vom Mächtewind umschauerten Paria‹
überhaupt sich das mindeste vorstellen könnte. Der Referent
kann es (und hat begriffen, daß es sich hier um eine Empfehlung
der Sklaverei vom kosmetischen Standpunkt handelt), aber eben
darum findet er solche Bücher nicht lesenswert. Daß ein Autor,
welcher dergestalt alle Hände voll zu tun hat, überall nach dem
Rechten schauen, aus dem Gestaltenden das »Gestalterische«,
aus dem Nutzen den »Nutz«, aus der Kraftlosigkeit eine »Kräf-
telosigkeit«, dafür dann aus der Menschenweisheit eine »Menschweisheit« machen muß, für Baudelaire nicht viel Zeit übrig
behält, ist klar. Er entschädigt sich durch Exkurse. Die Feststellung beispielsweise, daß »das Vordringen des demokratisch-
freiheitlichen Geistes mit dem Vordringen der Lustseuche Hand
in Hand ging«, wird der Leser sobald nirgend sonst finden.
Es sei denn, er hätte das Pamphlet Baudelaires gegen Belgien zur
Hand und stieße auf den erschütternden Schlußsatz des Dichters, der in jenen Monaten keinen Zweifel über die Natur seiner
Krankheit mehr hegen konnte: »Nous avons tous l'esprit repu-
blicain dans les veines, comme la vérole dans les os, nous
sommes démocratisés et syphilisés.« Über einen Autor, dem
solcher Schrei gut genug ist, die öffentliche Aufmerksamkeit auf
seine armselige Privatmeinung zu lenken, bedarf es keiner weiteren Information. Für die Schule, die ihn sich zog, hat die letzte
Stunde geschlagen.

EIN SCHWARMGEIST AUF DEM KATHEDER: FRANZ VON BAADER[1]

Wenn die philosophischen Leistungen des nachkantischen Idealismus in der zweiten Hälfte des neunzehnten Jahrhunderts der
Nichtachtung anheimfielen – »Zurück zu Kant« hieß das Schlagwort –, so war die Lehre Baaders um diese Zeit schon in Vergessenheit geraten. Kaum, daß der Name noch in den Listen der

1 David Baumgardt, Franz von Baader und die philosophische Romantik. Halle/
Saale: Max Niemeyer-Verlag 1927. VI, 402 S. (Deutsche Vierteljahrsschrift für Literaturwissenschaft und Geistesgeschichte; Buchreihe. 10.)

Philosophiegeschichte geführt wurde; auf die abstrusen, dunklen
Schriften sich einzulassen, war die Versuchung um so geringer,
als schwierige Kontroversen – den Einfluß Schellingscher Gedanken auf Baader, Baaderscher auf Schelling betreffend – sich an
sie anschlossen. Wahrscheinlich um diese Zeit hat die Legende
vom »Naturphilosophen« Baader sich entwickelt. Die Unver-
ständlichkeit wird das tertium gewesen sein, auf Grund dessen
man zwischen Männern wie Ennemoser, Oken, Windischmann
auf der einen Seite und Baader auf der anderen die Gleichung
versuchte. Berichtigt hat diese Einschätzung zunächst nicht ein
historisches sondern ein sachliches Interesse. Ausgehend von der
Lehre Rudolf Steiners war 1915 Max Pulver zu einem intensiven
Baader-Studium vorgedrungen, dessen Ertrag der Auswahlband
des Inselverlages[2] darstellt. Diese Ausgabe ist noch heute die
zugänglichste; die sechzehnbändige der sämtlichen Schriften ist
selten. Im Gegensatze zu Pulver setzt Baumgardt in seinem umfangreichen Werke, das – nach Franz Hoffmann, dem fanatischen aber unselbständigen Schüler Baaders – zum ersten Male
die Gedankenwelt des Philosophen in ihrer ganzen Breite auf-
rollt, sich weniger werbende als wissenschaftliche Ziele.
Im deutlichen Bewußtsein der Gefahr, die gerade hier ein jeder
laufen würde, der, um sich seinem Gegenstande inniger zu
nähern, zum »Konstruieren« schreiten würde, hat der Verfasser
eine höchst schmiegsame, dem Gegenstande glücklich ange-
formte, jede Gewaltsamkeit meidende Darstellung sich zu eigen
gemacht. Wahrscheinlich ist zudem die Haltung Baaders bei aller
Intransigenz in der Formulierung im Grunde zu eklektisch, um
Konstruktionen an ihr nahezulegen. Noch weniger hätte man
sich von einer laufenden kritischen Auseinandersetzung mit
einem Denker zu versprechen, der exegetisch und kommentie-
rend – bald auf den römischen Katholizismus, bald auf Jakob
Böhme, bald auf die griechische Kirche gestützt –, dafür in der
Form aber um so ungebundener und rhapsodischer vorgeht.
Nein, wenn die akademische Zurückhaltung des Verfassers hin
und wieder zu weit gehen sollte, so wäre es dem Physiognomischen gegenüber. »Wenn Baader denken wollte, so bedurfte
er stets – wenigstens in seinem Kopfe – eines unendlichen
Aufwandes. Er bedurfte einer Elektrisirmaschine, einiger Galva-

2 Franz von Baader, Schriften. Ausgew. und hrsg. von Max Pulver, Leipzig 1921.

nischer Batterieen, einiger Scholastiker, der Mystiker ohnehin,
zumal Jakob Böhme's, und auch wohl wo möglich einiger Bände
von Kants Werken.« Baumgardt hat diese vorzügliche Charakteristik Baaders durch Alexander Jung in dessen »Charakteren,
Charakteristiken und vermischten Schriften« gekannt; in einer
Anmerkung verweist er auf sie. Was seine eigene Darstellung
angeht, so ist sie zu tief fundiert, als daß die breitere Verwertung physiognomischen Materials – von Brieffragmenten und
Gesprächsüberlieferungen – ihre wissenschaftliche Dignität hätte
gefährden können. Freilich ist solche Verfahrungsweise, die in
Schriften über Staatsmänner, Dichter oder Kaufleute üblich ist, an
Philosophen selten versucht worden. Aber warum eigentlich nicht?
Für Baader hätte sie als Motto – ich zitiere aus dem Gedächtnis –
das Wort seines Saint-Martin tragen können: »Ce n'est pas la
tête qu'il fault se casser pour saisir la verité, c'est le cœur.«
Ohne daß Baader es geradezu mit dem Epochenreichtum des
Schellingschen Denkerlebens aufnehmen könnte, hat doch auch
sein Philosophendasein die typisch romantische Prägung: auch
sein Weg ist von weithin sichtbaren Stationen seines Innenlebens geteilt, auch er verläuft in jähen Kurven, die ihn jeweils
in neue intellektuelle Landschaften stellen. Mit seinen frühesten
schriftstellerischen Zeugnissen, den Tagebüchern, die Baumgardt
inzwischen an anderer Stelle[3] herausgegeben hat, erscheint Baader als bewegtes leidenschaftliches Kind der Geniezeit. Und die
Gebärde des Sturmes und Dranges hat er – darin F. H. Jacobi
vergleichbar – als Denker durchaus beibehalten und als Mann
sich in die Philosopheme eines Böhme oder Pasqually mit dem
gleichen Enthusiasmus gestürzt, mit dem er als Heranwachsen-
der seinen Stimmungen sich hingab. Nicht immer hat ihn dabei
der extreme Spiritualismus geleitet, der seine Spätzeit bestimmt.
Baader hat wie so viele Romantiker – Novalis, Steffens, G. H.
Schubert – das Bergfach studiert und dabei physikalische und
industrielle Tatsachen und Lehren sich zugeeignet, deren Verbindung mit den romantischen Naturtheorien zunächst ganz
offen geblieben ist. Eine Reise nach England, die er von 1792 bis
1796 mit einem Bruder unternahm, der Ingenieur war, schien
vorübergehend dem Empirismus eines Hobbes oder Godwin die

3 Franz von Baader, Seele und Welt. Franz Baader's Jugendtagebücher 1786–1792.
Eingel. und hrsg. von David Baumgardt, Berlin 1928.

Vorherrschaft in seiner Gedankenentwicklung zu geben. Freilich bleibt diese Wendung in dem Gesamtzusammenhange seines Daseins Episode. Aber kennzeichnend ist an ihr die Gesinnung, die diesen Mann mehr als irgend einen seiner Genossen darauf verwies, allen und selbst seinen spätesten spekulativsten Überzeugungen irgend einen Einfluß auf die Wirklichkeit zu verschaffen. So kommt ein Universalismus zustande, der wie ein romantisches Gegenbild zu dem gedrängt erfüllten Wirkungskreise Goethes erscheinen kann.

Neben den fachlichen Studien begriff sein Interesse das gesamte Gebiet des Okkulten ein. Versuche mit Quellenfindern und Magnetopathen waren ihm ebenso geläufig wie Mutungen und Eisenbahnbauten. Dazu kam eine, nicht nur theoretische, Befassung mit volkswirtschaftlichen Fragen; jahrelang ist er kaufmännischer Leiter einer Glashütte gewesen. Politisch hat er gleichfalls mit Leidenschaft eingegriffen, und die Vermutung, daß der Plan zur Heiligen Alliance von 1815 sein Werk ist, hat vieles für sich, wenn sie sich auch nicht aktenmäßig belegen läßt. Als schließlich Baaders politische Ziele – beherrscht von seiner Lieblingsidee einer Aussöhnung der verschiedenen christlichen Bekenntnisse und vor allem des römisch-katholischen mit dem griechisch-orthodoxen – einen mehr und mehr chimärischen Charakter annahmen, haben sie ihn hart an den Rand des gesellschaftlichen und wirtschaftlichen Ruins geführt. So ist es wohl mehr oder minder mit all diesen Aktionen gewesen: sie hatten keine tonische Wirkung aufs Ganze seiner Lebensführung, wie man sie bei Goethe mutmaßen darf, sie markierten nur immer neue Brennpunkte seiner exzentrischen Geistesart. Es ist in dieser rings ausgreifenden Praxis – so gut wie in seiner verrannten Kritik der griechischen Kunst und seinen nicht minder primitiven Ideen einer christlichen – ein geradezu barbarisches Element unverkennbar. Auch gibt es, wie Jung schön gesagt hat, »in der ganzen deutschen Literatur gewiß keine Sprache, die in dem Grade *barbarisch* und *sinnig zugleich* wäre, als die Baaders«.

Eine »gewisse Symmetrie der angebrachten kleinen Barbareien« mag auch seine Lebensführung geziert haben, vielleicht erklärt das die Unbill, die Baader von seinen Zeitgenossen zu erleiden hatte, und bestimmt macht es Wilhelm v. Humboldts Urteil verständlich, der Baader zu den Menschen zählte, »die sich für über-

zeugt halten, daß man bisher auf einem ganz falschen und oberflächlichen Wege gegangen ist, die eigene und tiefere Ideen über
das Wesen der Dinge zu besitzen meinen, die aber, gerade vielleicht wegen ihrer Tiefe, andern geradezu, besonders bei der
Anwendung auf die leblose Natur, mystisch erscheinen«.
Es ist im Grunde nur eine andere und glückliche Wendung des
gleichen Gedankens, wenn Baumgardt die besondere Figur der
Baaderschen Lehre weniger auf eigentlicher Originalität, denn
»auf einer ... höchst lebendigen und einer frappierend tiefen
Kontrastierung mit sonstigem Denken der Zeit oder der unmittelbaren Vergangenheit« beruhen sieht. Im übrigen mag schon
die Leidenschaft dieser Kontrastierung darauf führen, wieviel
von dem, wogegen Baader sich gewandt hat, in ihm selber lebendig war. Vor allem war es die Aufklärung. Sehr einleuchtend
entwickelt Baumgardt, wie Baader in der Diagnostik der sozialen
Lage der arbeitenden Klassen fast allen Zeitgenossen voraus
war. Denn so romantisch seine Theorie ist, so weltbürgerlich war
die Praxis, die er aus ihr entwickeln wollte. Nicht nur, wo sie
das Verkehrs- oder Hüttenwesen betrifft, sondern genau so in
der kirchlich-religiösen Verfassung. »Wie die Religion ›die Idee
aller Ideen‹, so soll die Kirche ›die Corporation aller Corporationen‹, ›der Bürge alles Idealen sein‹ ... D. h. über alle ›nationalen Schranken‹ hinweg sollte ein solcher Klerus frei als ein
›Geist der Humanität‹ und der Liebe, als ein allen Menschen zu
gewährendes Licht, erst allen verwandten Corporationen, dem
Staat wie der öffentlichen Wohlfahrt und der Wohltätigkeit,
der Wissenschaft wie der Kunst ›zur sichernden Basis und zum
Leiter dienen‹.« Es ist der Tempel Sarastros, mit den »drei Gra-
cien unseres besseren und ewigen Lebens, der Religion, der
Speculation und der Poetik«, der im Fluchtpunkt der Baaderschen
Konstruktionen auftaucht. Darum möchte es wohl auch nicht
buchstäblich zu nehmen sein, was Baumgardt von der Eignung
des Philosophen sagt, »auf dem entscheidenden und schwersten
philosophischen Gang, den auch wir heute wieder zu gehen haben, auf dem Weg zu einem neuen ›Mythos‹ ... als ... *Ansporn*«
zu »helfen«.
Haben wir diesen Weg zu gehen? Täten wir's, würden wir Baaders Lehre, die der Verfasser so fest in ihren Boden gerammt hat,
als Weiser und nicht vielmehr als Marterl am Wege finden?

OSKAR MARIA GRAF ALS ERZÄHLER

Vor zwei Jahren hat Oskar Maria Graf seine schönen Kalender-
geschichten[1] erscheinen lassen. »Geschichten vom Land« hieß der
eine, »Geschichten aus der Stadt« der andere Band, und man hat
zu dieser Einteilung richtig bemerkt, daß sie seinen eigenen
Werdenszwiespalt dokumentiert, »den Bauernsohn vom Starn-
berger See, der in der Stadt München zum Dichter wurde«. Auf
eine festgefügte Gesellschaft nun aber ist er in beiden Lebens-
kreisen nicht mehr gestoßen. Und so sind diese »Kalendergeschichten« weniger Behältnisse einer Moral, die ihnen jeder
Leser entnehmen könnte, als bittend vorgestreckte Hände, denen
man, vorübergehend, schamhaft den »Sinn« wie einen Bettel-
pfennig zustecken möchte. Diese Geschichten waren pointenlos,
entschädigten für billigen Gehalt durch eine lautere und exakte
Beobachtung und waren schüchterne Versuche, die alten Kalendergeschichten in eine Richtung zu lenken, die eine neue Schule
die »epische« nennt. Denn dieser Begriff, der zuerst am Theater
exemplifiziert wurde, hat doch auch für die Prosa seinen guten
Sinn, und da kann man sagen, daß er das Lehrhafte gegen das
Insichgekehrte, den Erzähler gegen den Romancier zur Geltung
bringt. Das mündlich Tradierbare, das Gut der Erzählung, ist
nämlich von anderer Beschaffenheit als das, was den Bestand des
Romans ausmacht. Es hebt den Roman scharf gegen alle übrigen
Formen der Prosa: Märchen, Sage, Sprichwort, Schwank, Witz
ab, daß er aus mündlicher Tradition weder kommt noch in sie
eingeht. Die Geburtskammer des Romans ist, geschichtlich gesehen, die Einsamkeit des Individuums, das sich über seine
wichtigsten Anliegen nicht mehr exemplarisch aussprechen kann,
selbst unberaten ist und keinen Rat geben kann. Die Fähigkeit,
Gehörtes weiterzugeben und im Erlebten den Geist der Geschichte, das Erzählbare zu erwecken, diese simple Gabe, objektiv
und interessant zugleich zu sein, sie ist gebunden an die reine
Erschlossenheit des inneren Menschen. Durch jede, noch die
schlichteste Erzählung geht ein großer Luftzug; wir machen uns
selten einen Begriff davon, wieviel Freiheit dazu gehört, die
kleinste Geschichte zum besten zu geben. Jede Befangenheit

1 Oskar Maria Graf, Kalender-Geschichten. 2 Bde. München: Drei Masken Verlag
(1929). 408 S., 402 S.

raubt dem Erzähler ein Stück seiner Sprachfertigkeit und nicht
nur, wie man meinen möchte, ein Thema. Es ist also eine Lebens-
bedingung des Epischen im neuen Sinne, dies Private, aus welchem der Roman sein Recht nimmt, zu liquidieren. Da nun das
vornehme Sichselbstgenügen, die Sublimierung des Privaten in
jenem Schweigen, an welches der Roman grenzt (während das
Erzählen reihum geht), bei uns ein Privileg des Bildungsromans
ist, so ist es nur natürlich, daß er unsern neuen Epiker provoziert. Geht also der Bildungsroman auf den Aufbau einer Persönlichkeit aus, wird der Epiker es lieber mit ihrem Abbau halten. Im Bildungsroman hat der Held seine Erlebnisse; die formen seine Persönlichkeit. Hier, im epischen Raum, macht die
Versuchsperson Erfahrungen, und die vermindern sie. Das ist
der Fall des Bahnhofsvorstandes Bolwieser[2], den wir in seiner
Maienblüte im Vollbesitze eines Sexus kennen lernen, welcher
sein armseliges Eheleben höchst prunkvoll ausstattet. Wedekind
hätte das Dämonische solch hemmungsloser Sexualität dargestellt. Für Bolwieser kommt es anders. Nicht Abgründe sind es,
die der Trieb ihn hinunterstürzt, nur bescheidene Kellerstufen,
die er ihn Schritt für Schritt abwärts leitet. Da unten liegt dann,
kühl eingelagert wie Kartoffeln, die Moral auf seinem Wege, zu
der die »Kalendergeschichten« nicht immer vordrangen. Natur,
so mag sie lauten, ist gewohnt, mit Material sich zu behelfen,
wie sie's grade hat, und das bewährt sie, wenn's hart auf hart
kommt, selbst am Menschenmaterial. Bolwieser, der sture Spießer, der verstockte Kleinbürger, auch er ist nicht unverwendbar,
man muß ihn nur abbauen, eingehen, verkümmern lassen, so
wird er noch ein ganz handliches Stück im Haushalt Ober-
bayerns, in den er gehört. Er stirbt der Welt und vor allem den
Frauen ab, aber je mehr seine menschlichen Züge schrumpfen,
desto vertrauenerweckender treten die kreatürlichen an ihm
heraus, und am Ende ist der beinah namenlose Fährmann, der
aus dem einstigen Eisenbahner geworden ist, der unfehlbare
Wetterprophet der Umgegend, ohne daß er darum nach Menschen fragt, geschweige von ihnen sich fragen ließe. »›Kalt Wetter wird's‹, sagen die Bauern, wenn der Xaverl seine verhutzelte
Pelzmütze, auf der kleinen Bank vor der Hütte sitzend, aus-

2 Oskar Maria Graf, Bolwieser. Roman eines Ehemannes. München-Berlin: Drei
Masken Verlag A.-G. (1931). 359 S.

bessert. Es braucht noch lange nicht danach auszusehen. –
›Landregen kommt‹, sagen sie, wenn er das Boot nach Feierabend
zudeckt. In der anderen Frühe fällt rundum grauer, endloser
Regen.« Das ist kein Roman, sondern die Geschichte von einem,
der auszog und der die Kunst lernte, niemand mehr im Wege zu
sein. Vielleicht ist es sogar ein Märchen: Die Verwandlung des
Brunststiers ins Wettermännchen.

GRÜNENDE ANFANGSGRÜNDE
Noch etwas zu den Spielfibeln[1]

Vor einem Jahr (13. Dezember 1930) machte die »Frankfurter
Zeitung« ihre Leser mit der ersten Spielfibel von Tom Seidmann-
Freud bekannt. Es wurde dabei der Gedanke, die Fibel spielhaft
aufzulockern, seiner geschichtlichen Entwicklung nach dargestellt
und zugleich ein Hinweis auf diejenigen Umstände gegeben, die
für jene letzte und radikalste Lösung die Voraussetzung waren.
Inzwischen ist das Unternehmen fortgeschritten: es liegt der
zweite Teil der Lese- und der erste Teil der Rechenfibel vor.
Wieder haben die beiden methodischen Leitmotive sich glänzend bewährt: die restlose Aktivierung des Spieltriebs durch die
innigste Verbindung von Schreiben und Zeichnen und die Bestätigung kindlichen Selbstvertrauens durch die Ausweitung der
Fibel zur Enzyklopädie. Es ist bei dieser Gelegenheit an einen
der entscheidenden Sätze aus dem Geleitwort zur ersten Spielfibel zu erinnern: »Sie ist nicht auf ›Aneignung‹ und ›Bewältigung‹ eines bestimmten Pensums gerichtet – diese Art des Lernens
ist nur den Erwachsenen gemäß –, sondern sie trägt dem Wesen
des Kindes Rechnung, für das Lernen, wie alles übrige, von
Natur aus ein großes Abenteuer bedeutet.« Waren auf dieser
Abenteuerfahrt anfangs Blumen und Farben, Kinder und Ländernamen die Inselchen im Meere der Phantasie, so tauchen nun
schon gegliederte Kontinente, die Welt der Baumblätter und der
Fische, der Kaufläden und der Schmetterlinge empor. Und überall ist für Stationen oder Unterkunftshütten gesorgt: das heißt,

1 Tom Seidmann-Freud, Spielfibel 2. Berlin: Herbert Stuffer Verlag 1931. 53 S.;
dies., Hurra, wir rechnen! (Spielfibel 3.) Berlin: Herbert Stuffer Verlag 1931. 60 S.

das Kind hat nicht nötig, bis zur Ermüdung fürbaß zu schreiben, sondern da wartet ein Bild auf seine Unterschrift, dort eine Geschichte auf die in ihr fehlenden Worte, da wieder ein Käfig auf den hineinzuzeichnenden Vogel, oder an anderer Stelle Hund, Esel und Hahn auf ihr Wauwau, Ya und Kickeriki. Gruppierungen und Klassifikationen treten hinzu, hin und wieder schon lexikalischer Art, indem die gemalten Dinge nach den Anfangsbuchstaben, oder realenzyklopädischer, indem sie nach Sachbegriffen in Fächer geschrieben werden. Da sind Kästchen für A B C so gut wie für lederne, hölzerne, metallene, gläserne Dinge, oder für Möbel, Früchte und Gebrauchsgegenstände. Bei alledem wird das Kind niemals vor, immer über den Lehrgegenstand gestellt: als würde es beispielsweise im zoologischen Unterricht nicht vor das Pferd geführt, sondern, als Reiter, darauf gesetzt. So ein Pferd ist hier jeder Buchstabe, jedes Wort und Sache des Zeichnens – das alle Stadien dieses Lehrgangs begleitet – ist es, mit seinen Kurven, wie mit Zaum und Kummet den Widerspenstigen unter die Gewalt des kleinen Reiters zu bringen. Es ist ganz außerordentlich, wie die Verfasserin die Kommandogewalt, die für das kindliche Spiel so entscheidend ist, von Anfang an auch der Zahlenreihe gegenüber zur Geltung bringt. Das Punktschema muß schon nach den ersten paar Seiten abdanken, dann folgen rote oder schwarze Bataillone von Fischen oder Insekten, Schmetterlingen oder Eichhörnchen, und wenn das Kind ans Ende jeder Reihe deren Zahl setzt, so malt es die Ziffer nicht anders, als wenn es einen Sergeanten vor der Riege aufpflanzt.

An jeder Stelle hat man Bedacht genommen, dem Spielenden die Souveränität zu wahren, ihn keine Kraft an den Lehrgegenstand verlieren zu lassen und das Grauen zu bannen, mit dem die ersten Ziffern oder Lettern so gern als Götzen vor dem Kinde sich aufbauen. So erinnert eine ältere Generation zumindest sich gewiß noch des schwer beschreiblichen Eindrucks, den die ersten »angewandten Aufgaben« im Rechenbuch ihr gemacht haben. Welche Kälte verbreitete nicht die falsche Biederkeit dieser Zeilen, in die ein Zahlwort hin und wieder, einer Falltür ähnlich, eingelassen war. Nichts andres waren sie als ein Verrat durch das Vertrauteste und Liebste, was das Kind nach seiner Mutter hatte: die Geschichten. Und darum ist es eine ganze Welt von

Versöhnung, die aus dem schlichten Imperativ dieser Rechenfibel herausklingt: »8 — 6 = 2. Erfinde dazu eine Geschichte und schreibe sie hierher.« Es ist der Charme – und zugleich die hohe pädagogische Leistung – dieser Lehrbücher, auf welche Art sie die Entspannung, die solcher souveränen Haltung entspricht und die das Kind ursprünglich außerhalb von ihnen suchen mag, in sich fassen. Denn schickt es sich nun an, das kaum Gelernte zu verquatschen, Unfug und Widersinnigkeiten mit ihm anzustellen, ist wiederum dies Buch sein bester Freund. Es hat ja weiße Stellen genug zum Bemalt- und Bekritzeltwerden, weite fruchtbare Territorien, auf denen alle Unholde und Lieblinge seines Besitzers geräumig angesiedelt werden können. Ohne Rodungsarbeiten geht es dabei natürlich nicht ab: »Streiche in dieser Geschichte aus

Alle A und a rot
Alle R und r blau
Alle D und d grün
Alle L und l braun.«

Aber zu welchen Festen sieht es nicht nach getaner Arbeit sich eingeladen! Da ziehen sich jene Girlanden durchs Leseland, die schon in der ersten Fibel als Spuren des »Schreibturms« auftauchten, und die Buchstaben geben sich zu karnevalesken Verkleidungen her. »As wer aunmel aun klaunas mēdchan, des hetta auna windarketza. Duasa ketza konnta sprachan«, fängt es in einer Mundart zwischen Althochdeutsch und Räubersprache an; daneben aber ist Platz für die Demaskierung: »Schreibe die Geschichte ab, aber setze für jedes a ein e und umgekehrt; für jedes i ein u und umgekehrt.« Ganz unter der Hand ist damit gleichzeitig eine alte pädagogische Streitfrage entschieden: ob man den Kindern Falsches zur Warnung vormachen dürfe? Antwort: Ja, wenn man übertreibt. Diese erfahrene Vertraute der Kleinsten: die Übertreibung ist es denn auch, die ihre gewaltige Hand schirmend über so viele Seiten dieser Fibel breitet. Oder heißt es die Lüge nicht übertreiben, wenn eine Geschichte anfängt: »Ein Junge mit Namen Eva stand morgens aus dem Schrank auf und setzte sich zum Abendbrot.« Kann man sich wundern, wenn so einer sein Tagewerk damit beschließt, daß er sich Schokoladenplätzchen pflückt, die im Grase wuchsen, bis er hungrig wurde? Bestimmt ist, daß das Kind an solchen Geschich-

ten sich sättigt. Oder wenn eine andere anfängt: Adolf wohnte
bei einem Bauern zusammen mit der kleinen Cäcilie – heißt das
nicht die Weltordnung übertreiben, alle Hauptwörter bis Yuka-
tan und Zauberkasten in der Reihenfolge ihrer Anfangsbuchstaben in die Geschichte eintreten zu lassen? Heißt es am Ende
nicht sogar die Rücksicht auf den ABC-Schützen übertreiben,
ihm Fragebogen vorzulegen wie einem Professor: was tust du
am Montag? Dienstag? Mittwoch? usw. oder ihm einen Tisch
mit liniierten Tellern decken, auf die er seine Lieblingsgerichte
schreiben kann? – Ja. Aber übertrieben ist auch der Struwwel-
peter, übertrieben ist auch Max und Moritz, übertrieben auch
Gulliver. Übertrieben ist Robinsons Einsamkeit und was Alice
im Wunderland sieht – warum sollen nicht Lettern und Ziffern
durch übertriebene Ausgelassenheit sich vor den Kindern beglaubigen? Gewiß werden ihre Anforderungen noch streng
genug werden.
Vielleicht bewahrt der eine oder andere (so wie der Schreiber
dieser Zeilen) noch die Fibel auf, aus welcher seine Mutter lesen
lernte. »Ei«, »Hui«, »Maus« – so mag die erste Seite beginnen.
Es sei nichts gegen diese Fibeln gesagt. Und wie könnte einer,
der aus ihnen lernte, sich gegen sie auflehnen? Was von all dem,
was ihm im späten Leben begegnete, könnte es mit der Strenge
und Sicherheit aufnehmen, mit der diese Züge an ihn herantra-
ten, welche Unterwerfung erfüllte ihn so mit der Ahnung ihrer
unermeßlichen Tragweite wie die Unterwerfung unter die Letter?
Also nichts gegen diese alten Fibeln. Aber es war »der Ernst des
Lebens«, der aus ihnen sprach, und der Finger, der ihre Zeilen
entlangfuhr, hatte die Schwelle eines Reichs überschritten, aus
des Bezirk kein Wanderer wiederkehrt: er war im Bannkreis des
Schwarzaufweißen, von Gesetz und Recht, des Unumstößlichen,
des für die Ewigkeit gesetzten Wesens. Wir wissen heute, was
wir von dergleichen zu halten haben. Vielleicht ist das Elend, die
Rechtlosigkeit, die Unsicherheit unserer Tage der Preis, um den
allein wir das bezaubernd-entzaubernde Spiel mit den Lettern
treiben können, dem diese Fibeln der Seidmann-Freud eine so
tiefe Vernunft abgewinnen.

1932

PRIVILEGIERTES DENKEN
Zu Theodor Haeckers »Vergil«[1]

»Vergil. Vater des Abendlands« heißt ein Buch, in dem Theodor
Haecker die Wahrheiten, Lehren, Mahnungen aus dem Schaffen
Vergils darlegt, die ihm nach dessen zweitausendjähriger Vollendung die zeitigsten scheinen. Der Verfasser, obwohl Katho-
lik, ist Schüler von Kierkegaard, und zwar nicht nur als Theolog
sondern ebensosehr als Polemiker. Ihrer polemischen Absicht
nach ist auch diese Schrift zu betrachten. Es geht Haecker um
zwei Hauptgegenstände: die Auflösung der überkommenen
Wertung, die Vergil in den Schatten Homers stellt, und die
Vernichtung jeder untheologischen, genauer noch: unkatholi-
schen Interpretation des Dichters. So unverwechselbar das Buch
durch die Doppelheit dieser Absicht in der übrigen Jubiläums-
literatur steht, so ist es mit ihren wichtigeren Werken doch
einig in dem einen Bestreben, außerhalb Homers, außerhalb
nicht nur des Griechentums, vielmehr der reinen Dichtung überhaupt den Standort zu suchen. Wie grundlegend sich, gewiß
zum ersten Male seit ein paar hundert Jahren, die Dinge hier
geändert haben, beweist ein Blick in irgendeine der landläufigen
Literaturgeschichten um die Jahrhundertwende: »Vergil«, so
heißt es da schlankweg, »war kein großer Dichter.« Demgegenüber hat sich in den verschiednen Schriften zum Feierjahr eine
höchst positive Einschätzung des Dichters hervorgetan und
auch, daß sie vom Religiösen ihren Ausgang nimmt. »So haben
wir«, schreibt etwa Wjatscheslaw Iwanow, »in der Vergil'schen
Darstellung der Irrfahrten und Kriegsmühen des ›pater Aeneas‹
statt einer ruhm- und leidvollen Heldensage alten Schlages, die
auf eine mythologische Begründung des betreffenden Heroen-
kults hinausliefe, eine Art an Bibelgeschichten gemahnendes
Heiligenleben vor uns, das eine unabsehbare Folge von Taten,
die schon nicht mehr von ihm selbst, sondern erst von den Er-

1 Theodor Haecker, Vergil. Vater des Abendlands. Leipzig: Jakob Hegner 1931.
148 S.

ben seiner Sendung vollbracht worden sind, einleitet und nur
als Auftakt dient zu einer unermeßlichen Schicksalsentfaltung,
angesichts deren er sich nicht so sehr als ihr Urheber denn als
Vorläufer des verheissenen Heils und als Gottes Werkzeug
fühlt.« »Mithin stellt sich Vergils Geschichtsdeutung zeitlich
zwischen die Bibel und des heiligen Augustin Meisterwerk De
Civitate Dei.« Es trifft sich, daß diese Worte eine durchaus
brauchbare Umschreibung von Haeckers Grundkonzeption geben. Ihre weitere Entfaltung bei diesem ist freilich an einen
eigentümlichen Aufbau gebunden. Haeckers Buch besteht aus
Kapiteln, deren die meisten einen Vergilschen Halbvers zum
Motto und zugleich zum Gegenstand ihrer Interpretation haben. Diese ist demnach im wesentlichen Exegese einzelner Re-
dewendungen, ja Worte, wie das bei einem Sprachmystiker, der
Haecker ist, nicht überraschen kann. Ohne Härte geht es bei
keiner Auslegung, geschweige denn der theologischen ab. Sie
kann die dichterische Fügung sprengen, um so zu mächtigeren
Grundgehalten vorzustoßen und doch zugleich dem Text im
Wortkern die fruchtbarste Entfaltung angedeihen zu lassen; sie
kann theologisch sein, ohne die Philologie darum preiszugeben.
Haeckers Deutung aber, die weniger den epischen als den römischen Zusammenhang sprengt, um die Worte in einer allen
philologischen Gehalten fremden Sphäre ad majorem Dei glo-
riam zur Entfaltung zu bringen, ist gewalttätig. (Wäre hier der
Ort, das Haeckersche Lehrgebäude darzustellen, so hätte diese
geschichtsfremde idealistische Sprachmystik ein Hauptinteresse
zu beanspruchen. Selbst diese Darstellung wird ihr im folgenden nicht gänzlich aus dem Wege gehen können.) Das mystisch-
interpretative Verfahren gibt dem Haeckerschen Werk den
Charakter eines Traktats und dazu paßt ebenso die gehobene
Sprache wie die autoritäre Bestimmtheit, mit der christliche
Dogmen oder Dicta an jeden Vers oder Halbvers sich anschließen, sei es, daß die Schlußzeile der Aeneis eine Pascalsche
Wendung bekommt oder in dem berühmten »sunt lacrimae
rerum« der Rechtfertigungsgedanke beschworen oder die »Fülle
der Vergilischen Humanität« interpretiert wird als die Bereitschaft, »das Mysterium zu ehren, also zu glauben an ein göttliches Fatum ohne Beeinträchtigung des freien Willens und der
Verantwortung des Menschen«, um dann genauer bestimmt zu

werden als doppeltes Mysterium, das erfüllt sei »durch das
Christentum im beneplacitum des trinitarischen Gottes, der
Geist ist und Leben, in einem beneplacitum Dei, das unerforsch-
lich, unzugänglich ist wie das alte Fatum, aber nicht dunkel
durch Nacht, sondern dunkel durch Licht, nicht Leiden bringend
aus Willkür, sondern aus Weisheit, nicht bloß vollkommene
Gerechtigkeit, sondern Glut und Flamme der Liebe«. Einige
weitere theologische Reflexionen, so ist das wieder ins Ästhetische zurückgeflossen: »Gott ist wahr und gut und schön; sobald ein Dichter nur an den Saum der Schönheit Gottes rührt,
womit er zugleich auch an den Saum des Wahren und Guten
rührt, ist in seinem Werke notwendig ein Absolutes und Unvergängliches.« Gewiß kann man in diesem Buche Tieferes und
Gründlicheres über Vergil finden. Das ändert nichts daran, daß
die entschlossene Vernachlässigung einer profanen – d. i. eigentlichen – Vergilphilologie den Verfasser ganz außerstand setzt, solche Theologumena als das zu erkennen, was sie sind: Schablonen
aus der Hinterlassenschaft der schöngeistigen Spätromantik.
Man mag die Invektiven, mit denen Haecker den Vergilüber-
tragungen von Rudolf Alexander Schröder entgegentritt, an
mancher Stelle gegründet finden – dennoch ist es unzweifelhaft,
daß dessen »Marginalien eines Vergillesers«, die ungefähr
gleichzeitig mit dem Werk Haeckers erschienen sind, einen besseren Weg gehen. Auch Schröder hat die Bedeutung der pietas
für Vergil erkannt. Indem er sie aber in ihrer historischen Konkretion und Fülle erfaßte, stieß er auf einen neuen und befruch-
tenden Begriff des Synkretismus und war imstande, mit allem,
was er von dem Wert Vergils für seine Nachwelt sagt, auch
etwas über dessen eigenes historisches Bild auszumachen, wogegen Haecker sehr bezeichnender-, aber auch sehr anstößiger-
weise über den individuellen Seelenraum des Dichters, die
anima naturaliter christiana, nie hinauskommt, den Durchblick
auf die römische religio nie gewinnt. So heißt es bei Schröder:
»Gewiss kann eine religiöse Anschauungswelt, die alle irdische
Erscheinung, alles irdische Tun und Lassen in einer kaum merk-
bar erhöhten Geistesebene gleichsam redupliziert erscheinen
lässt, dem gemeinen Sinne zum rohen Animismus, dem des
gläubigen Aufschwungs Unfähigen zu einer Wirrsal mehr oder
minder skurriler Observanzen entarten. Aber dahinter steht

doch ein Gesamtbegriff von weltbewegender und weltbefruch-
tender Tiefe, nämlich der, dass ein Ehrfurcht gebietendes Heilige auch dem Unheiligsten der Erscheinungswelt innewohne...
Der Gottesdienst, der neben Laren und Penaten dem Grenz-
stein, dem Geschäft des Pflügens und Säens, dem Genius der
Eröffnung und des Schliessens und so manchen andern... Fi-
xierungen des schwebend entschwebenden Momentes Kranz
und Spende weihte, mochte nicht in jedem einzelnen Fall oder
in jeder einzelnen Person sich mit dem Bilde einer durchweg
vergeistigten und vergotteten Welt durchdringen. Trotzdem
war dies Weltbild als eine eigene Entelechie jedem seiner einzelnen Bestandteile eingeordnet.« Wie dürr und blaß dagegen
Haecker: »Uns interessieren nicht mehr lebendig – das geht
allein die Wissenschaft an – die äußeren Praktiken der römischen Staatsreligion, noch überhaupt der ganze Götterhimmel,
der in der Hauptsache – außer den Bauerngöttern – bei Vergil
schon schöne Dichtung ist von äußerlich symbolischer Bedeutung nur.« Und in gleichem Zusammenhange, den Gegensatz
von Staatsreligion und Frömmigkeit kennzeichnend: »Im reinen
Geist ist nicht der mögliche Gegensatz zwischen äußerer Frömmigkeit, die keine ist, und innerer, die die äußere verachtet oder
verleumdet, denn in ihm ist alles *innen*: Form wie Inhalt; im
Menschen aber *ist* dieser Gegensatz.« Der unscheinbare Hilfs-
begriff des »reinen Geistes«, der hier auftaucht, verdient Aufmerksamkeit. Denn niemand anders als er ist der Inhaber der
sonderbaren Privilegien, die ein Denken, wie Haecker es praktiziert, kennzeichnen. Es hat sich schon gezeigt, daß dieses Denken autoritär ist. Nun hat es aber mit der Autorität eine besondere Bewandtnis. Stark und unerschütterlich muß sie sein –
gewiß. Aber auch einladend muß sie sein und gewinnend.
Weithin sichtbar, wenn man will eine Veste – aber mit tausend
Toren. Das Besserwissen ist auch eine feste Burg, nur daß man
das Privileg hat, sie allein zu bewohnen.
Es hat in Deutschland immer viele Leute gegeben und gibt
heute besonders viele, die meinen das, *was* sie wissen und daß
sie es wissen, das stelle nun den Hebel der Verhältnisse dar und
von da aus müsse es anders werden. Auf welche Weise aber
diesem Wissen nun etwa Kurs zu geben sei und mit welchen
Mitteln man es könne unter die Leute bringen, darüber haben

sie nur die schattenhaftesten Vorstellungen. Man müsse es eben
sagen, betonen. Ganz fern liegt ihnen der Gedanke, daß ein
Wissen, das keinerlei Anweisung auf seine Verbreitungsmög-
lichkeiten enthält, wenig hilft, daß es in Wahrheit überhaupt
kein Wissen ist. Und sagt man ihnen, daß jedes wahre Wissen
seine Wahrheit historisch daran allererst erprobt, daß es zu
neuen Unwissenden sich auf den Weg macht, so wird man sie
kopfscheu machen. Nichts kennzeichnet ja ihre Hilflosigkeit,
ihren Mangel an Wirklichkeitssinn so kraß wie die klägliche
Unmittelbarkeit, mit der der »reine Geist« in ihnen ohne viel
Federlesen an »den Menschen« sich wendet. »Der Mensch« und
»der Geist« haben in diesen Köpfen eine Gespensterfreund-
schaft geschlossen, und so vereint begegnen sie auch hier. Die
Einleitung bereits erklärt in einer, vielleicht überflüssigen, Verteidigung des »Menschen« oder des »Menschlichen«, die ja
ohnehin alle Ehren von Modewörtern genießen: »Es wird kaum
einer, der die zahllos verschiedenen Arten der Pflanzen und
Tiere betrachtet und eben auf die Verschiedenheit dieser Arten
sein Hauptaugenmerk lenkt, darüber vergessen oder leugnen,
daß es *die* Pflanze und *das* Tier gibt mit ewigen unveränder-
lichen Merkmalen, während es heute wohl solche gibt, die an
eine radikale Wesensänderung des Menschen im Laufe der
Zeiten zu glauben scheinen.« Bei einem scholastisch Geschulten,
wie Haecker es selbstverständlich ist, bedarf eine solche Aussage einer ungewöhnlichen Freiheit von intellektuellen Skru-
peln. Denn nirgends ist die Frage, ob es solche Gattungswesen-
heiten gibt – ob sie ante rem seien, wie das in der Schulsprache
hieß –, mit ähnlicher Erbitterung ausgefochten worden wie im
Universalienstreit, den die Nominalisten gegen die Realisten
führten. Man wird nun eine so angelegentliche Parteinahme
post festum seitens des Verfassers, zumal an dieser Stelle,
vielleicht kurios finden. Doch nur, solange man nicht erfaßt hat,
was sie zum Schutze der besagten Privilegien leistet. Und damit
kehren wir nochmals zu »dem Menschen«, wie »der Geist« ihn
schaut, zurück. »Wir müssen sagen«, so heißt es in späterem
Zusammenhange, »daß der abendländische Mensch seit über
2000 Jahren das Prinzipat gehabt hat über alle anderen Völker
und Rassen; das will, auf die letzte Formel gebracht, sagen, daß
er die *prinzipielle* Möglichkeit, die er faktisch oft genug nicht

verwirklichte, gehabt hat, alle anderen Menschen zu *verstehen*,
worin eingeschlossen ist seine faktische und seine mögliche
politische Herrschaft. Und diese Möglichkeit und Wirklichkeit
hat er gehabt durch seinen ›Glauben‹.« Es ist nicht unsere
Schuld, wenn der Verfasser das realpolitische Äquivalent seiner
»Idee des Menschen« in so peinliche Nähe rückt: jenes, im drastischen Sinne privilegierte, Verständnis der nichtabendländi-
schen Völker, welches gekennzeichnet ist durch das Ineinander-
wirken von Ausbeutung und Mission. So pflegt nun einmal die
Kontrebande auszuschauen, die in das Musselin des reinen
Geistes gewickelt, die Reisenden nach Wolkenkuckucksheim mit
sich führen.
Am allerwenigsten sollte die Theologie ein solches Wolkenkuckucksheim sein. Es sind denn auch in der Tat theologische
Denker gewesen, die gerade in unserer Generation erschienen,
um den Kampf gegen die Idolatrie des Geistes aufzunehmen:
der Jude Franz Rosenzweig von der Sprache, der Protestant
Florens Christian Rang von der Politik her. Nun hält allerdings
auch Haecker sich für einen Sprachdenker so gut wie er ein
Politiker ist, wennschon er vielleicht vorzieht, nicht dafür zu
gelten. Aber das eben schließt ihn aus der Reihe der echten
theologischen Denker aus, daß er die Philosophie der Sprache
wie der Politik vom Geiste aus handhaben zu können meint,
ohne weder mit der Philologie noch mit der Ökonomie näher
sich einzulassen. Freilich – und so erst rückt der Sachverhalt ins
rechte Licht – bei Rosenzweig und vollends bei Rang handelt
es sich um häretisch gestimmte Männer, denen es nichts Un-
mögliches ist, die Tradition auf ihrem eigenen Rücken zu befördern, statt sie seßhaft zu verwalten. Der Moderantismus ist es,
der Haecker um die Frucht seiner Bemühungen bringt. Denn
was hilft ein noch so radikaler Rückgang auf die Quellen, die
noch so große Kunst der Auslegung, wenn das Bewußtsein selber an die Konvention sich klammert, deren verräterischstes
Kennzeichen in diesem Falle die dilettantische Fragestellung ist,
was uns Vergil sei. Gewiß entspricht sie aufs Haar der falschen
Unmittelbarkeit, mit der der Geist sich an den Menschen wendet. (Es ist die große politische Bedeutung der Lehre von der
Erbsünde, dieser Art Unmittelbarkeit und Innerlichkeit den
Garaus zu machen.) Wäre Haecker zur echten, mittelbaren

Fragestellung vorgedrungen: was die Geschichte der Vergilschen Dichtung und ihrer Erforschung in einem Zeitpunkt uns
lehrt, da beide ihren unfreiwilligen Abschluß zu finden drohen,
er hätte seine glänzenden schriftstellerischen Gaben unter Beweis gestellt, ohne die Aufmerksamkeit auf seine sehr bescheidenen denkerischen zu lenken. An Vorbildern auf solchem
Wege fehlte es nicht. Man denke an die wissenschaftliche Bescheidung, mit welcher Bezold das »Fortleben der antiken Götter im mittelalterlichen Humanismus« untersucht hat und wird
verstehen, wieviel bedeutsamer nicht allein Vergil sondern die
Scholastik in einer Darstellung der Einbettung des Dichters in
das mittelalterliche Schrifttum zu ihrem Recht gekommen wären,
indessen Haeckers Formeln im Grunde nur jene wiederholen,
mit denen einst der »Zauberer Vergilius« beschworen wurde.
»Ein der Theologie entleerter Humanismus wird nicht standhalten«, sagt der Verfasser. Aber der Spaß geht zu weit, einem
Zeitalter, dem dieser Humanismus denkerisch und tatsächlich
gleich kompromittiert ist, den Thomismus zu dessen Rettung
anzuempfehlen. Haecker lebt in einem elfenbeinernen Turm,
aus dessen oberstem Fenster er schmälend herausblickt. Und
das schlimmste ist, daß der Grund, auf dem dieser Turm errichtet ist, nachgibt. Wie ist es anders möglich, daß einer den Begriff
des »adventistischen Heidentums« wie eine landläufige Redens-
art handhabt und doch nichts spürt von dem auf ihn und unsere
Tage Zukommenden, das ein Adventistisches ist, auch wenn es
marschiert; daß einer »eine bloß philologisch-ästhetische Erklärung Vergils« als »ein Falsum, eine Zersetzung des Ganzen,
ausgeführt durch zersetzte Geister« bezeichnet und dennoch
nirgends Worte für die barbarischen Bedingungen findet, an
welche jeder heutige Humanismus gebunden ist. Es ist die
Unaufrichtigkeit und der Hochmut der Geistigen, die an dieser
Unstimmigkeit schuld sind; dieselben Züge, die es ihnen erlauben, die Bezeichnung als »Geistige« ohne Schamröte und aus
keinem anderen Grund hinzunehmen, als weil sie nicht imstande
sind, sich Rechenschaft von ihrer Stellung im Produktionsprozeß
zu geben. Täten sie's: ein Essayist vom Range Haeckers könnte
nicht umhin, das Problem jeder wahrhaft aktuellen Vergilinter-
pretation – die Möglichkeit des Humanisten in unserer Zeit –
ins Auge zu fassen. Und die Betrachtung der Privilegien, kraft

deren es einer noch ist, würde ihn von deren härtester Ablagerung befreien: jenem privilegierten Wissen um den rechten Weg, das die verhängnisvollste Metamorphose des Bildungsprivilegs darstellt.

Gottfried Keller, Sämtliche Werke. Hrsg. von Jonas Fränkel. Bd. 1: Gesammelte Gedichte, 1. Bern, Leipzig: Verlag Benteli AG. 1931. XXXIII, 352 S.

Nach langer Pause ist nun wieder ein Band der großen kritischen, von Jonas Fränkel besorgten Keller-Ausgabe erschienen. Es wird nach allem, was wir über die bewegte Geschichte der Edition wissen, keine Ruhepause gewesen sein. Vielmehr darf man in diesem Neubeginn – möge es ein gutes Vorzeichen werden, daß man ihn mit dem »ersten Bande« eröffnete – den Sieg in harten Kämpfen, nicht zum wenigsten gegen die Krise, die auch die Schweiz nicht ausließ, erblicken. Ein unscheinbarer Vermerk auf der Innenseite des Titels: »Herausgegeben mit Unterstützung des Kantons Zürich«, läßt hoffen, daß das Unternehmen nunmehr gesichert bleibt. Wenn es einen neueren deutschen Schriftsteller gibt, an welchem ernsthafte Textkritik und echte Philologentreue Entdeckerarbeit leisten können, dann ist es Keller. Im vorliegenden Gedichtband ist der Text auf Grund der Handschriften und Korrekturbogen im Nachlaß an 91 Stellen geändert worden. Über die folgenden werden wir laufend weiter berichten.

Hans Hoffmann, Bürgerbauten der alten Schweiz. Frauenfeld: Huber u. Co. (1931). 114 S.

Das solide mit vierundsechzig guten Tafeln ausgestattete Werk gibt einen Überblick über die Entwicklung der öffentlichen Profanbauten in der Schweiz. Rathäuser und Stadtwachen, Zoll- und Kornhäuser, Zunftgebäude, Schützenhäuser usw. werden in pragmatischen Beschreibungen vorgestellt. Der Verfasser gibt weniger eine eigentliche Entwicklung dieser Bautypen als eine

Chronik ihrer Abfolge, gelangt aber damit doch zu einem
abschließenden Überblick, demzufolge drei Eigenschaften die
schweizerische Baukunst auszeichnen: »Derbe Kraft, ein leichter
Schuß an regelwidriger Phantasie und dabei doch ein Einschlag
von Nüchternheit, von Pedanterie.«

NIETZSCHE UND DAS ARCHIV SEINER SCHWESTER

Der Baron Friedrich von Schennis, den Else Lasker-Schüler in
den »Gesichten« so unvergeßlich beschrieben hat, gab hin und
wieder eine Geschichte zum besten, die gewiß nicht als verbürgt
gelten darf, aber selbst wenn sie erfunden sein sollte, das
Grauen fühlbar macht, das wohlbeschaffene Leute bei dem Gedanken an den Betrieb des Nietzsche-Archivs während der
ersten Jahre beschlich. Er schilderte die langgezogene Tafel, die
– mit dem oberen Ende an eine Estrade stoßend – zur Feier
eines der letzten Geburtstage Nietzsches im Weimarer Haus,
dessen obersten Stock er bewohnte, gedeckt war. Ein violetter
Vorhang habe jene Estrade von dem Raume getrennt, in dem
das Festmahl stattfand, gegen dessen Schluß aber, berichtete
Schennis, habe der Vorhang sich auseinandergetan, und in
einem Sessel sei der Kranke, gekleidet in ein togaähnliches
Gewand, sichtbar geworden. Anstößige Episoden, von denen
die greifbarste die Auslieferung Nietzsches an den Scharlatan
Langbehn gewesen ist, hatten einen Kreis Kundiger frühzeitig
mit Argwohn gegen die Haltung erfüllt, in welcher die Schwe-
ster – »die stadtbekannte Schwester des weltberühmten Bruders«, wie S. Friedlaender sie genannt hat – das Erbe des
Denkers antrat. Das erste Alarmsignal gab dann Bernoullis
Buch »Franz Overbeck und Friedrich Nietzsche« und der dieser
Publikation sich anschließende Prozeß, den noch heute eine
Anzahl unkenntlich gemachter Stellen in der Originalausgabe in
die Erinnerung rufen. Hand in Hand mit der Aufklärung jener
Machenschaften, die den vorbildlichen Overbeck zu diskreditieren bestimmt waren, gingen die Aufschlüsse über die Fahr-
lässigkeiten und Willkürakte in der Herausgabe und Verwal-
tung von Nietzsches Nachlaß. Anläßlich der Debatte über die

Schutzfrist für Werke der Kunst und Literatur hat dann »Die
Literarische Welt« die Forderung nach einer Lex Nietzsche erhoben, die den schriftstellerischen und künstlerischen Nachlaß
ganz allgemein gegen unverantwortliche Behandlung durch Erben sicherzustellen hätte. In diese Reihe gegen das Archiv
gerichteter Aktionen sind die Schriften Podachs einzubeziehen[1].
Das heißt aber nicht, daß sie Kampfschriften wären, vielmehr
nur, daß die Lage auch in diesem engen Sektor der Zeitgeschichte so kritisch geworden ist, daß jede gewichtige Äußerung von vornherein die Waagschale findet, in die sie fällt. Im
übrigen mußte gerade der Kampf gegen den Geist des Archivs
aus den letzten deutschen Begebenheiten neuen Anstoß erhalten. Nirgends ist während der wilhelminischen Ära die Mobil-
machung provinziellen Spießertums, das heute seine politischen
Früchte zeigt, sorgfältiger als im Archiv vorbereitet worden.
Wenn also der Kampf gegen diese Stelle zuerst einen lediglich
privaten Charakter zu haben schien, sodann einen juristischen
gewonnen hat, so ist zur Zeit sein politischer schon erkennbar.
Dem vor allem, dem in dem neuen Podachschen Werk die Do-
kumentensammlung zur südamerikanischen Expedition Bernhard Försters vorliegt. An der Seite dieses Förster – Führerin
eher als Geführte – ist 1884 Elisabeth Förster-Nietzsche nach
Paraguay aufgebrochen, um dem Nibelungentum eine Stätte
auf Erden zu erobern, wie sie im Geiste später im Werk des
Bruders ihm eine sichern wollte. Die Folge von beschämenden
Vorfällen, die jene Kolonialprojekte zum Scheitern brachten,
stellt der Verfasser eindringlich dar. Auch sonst fällt manch
neues Licht auf die Menschen, die in Nietzsches näherer Umgebung auftauchten, aber selten ist es ein sonniges. Alle, von
denen hier die Rede ist, Mutter und Schwester, Rohde, Peter
Gast, Langbehn, haben, wenn sie ihm überhaupt je gewachsen
gewesen sind, in dem oder jenem Stadium seiner Entwicklung
sich von ihm trennen müssen, und ob dem die äußere Entfremdung nun hinzutrat oder nicht, qualvoll sind diese Stationen unter allen Umständen geblieben. Nietzsche empfand sie zu-

1 E. F. Podach, Nietzsches Zusammenbruch. Beiträge zu einer Biographie auf Grund
unveröffentlichter Dokumente. Heidelberg: Niels Kampmann (1930). 166 S. – Erich
F. Podach, Gestalten um Nietzsche. Mit unveröffentlichten Dokumenten zur Geschichte
seines Lebens und seines Werks. Weimar: Erich Lichtenstein Verlag (1932). 208 S.

gleich als solche auf dem Wege der »Exstirpation des deutschen Geistes zugunsten des ›deutschen Reiches‹«. Das hat nicht gehindert, daß man ihn seinerseits zum Reichsgründer gestempelt hat. Und auch das hat Podach erkannt, daß der schlechten sakralen Stilisierung des Nietzsche-Bildes die Herabwürdigung Overbecks haarscharf entsprach: »Was und wie über Overbeck von einem K. Strecker und R. M. Meyer bis Kurt Hildebrandt geschrieben wurde, stellt eine schlechthin unerreichbare Höchstleistung plumpester Dienstbeflissenheit vor dem Archiv und eine beispiellose Ignoranz dar.« — »Die würdigste Gestalt, mit der Nietzsche in nahe Berührung kam, der Mann, dem der Spruch ›Warum Gelehrte edler als Künstler sind‹ gewidmet zu sein scheint, der bei aller mehr selbstaufgezwungenen als naturgegebenen Dämpfung das besaß und unerbittlich zur Geltung brachte, was Nietzsche von dem tüchtigen Gelehrten forderte, ›die Instinkte eines tüchtigen Militärs im Leibe‹, der Denker, der von Nietzsche leidenschaftlich aufgewühlte Probleme vor ihm, selbständig mit unbestechlicher Nüchternheit absteckte, ... dieser Mann wurde in der deutschen Nietzsche-Literatur bestenfalls als ein in Basel zurückgelassener Geldverwalter Nietzsches hingestellt.« Die Katastrophe stellte die innere Rangordnung der Umgebung sogleich äußerlich dar. Overbeck als einziger ging nach Turin. Die Situation dieser Katastrophe hat Podach in einem ersten Buch »Nietzsches Zusammenbruch« festgehalten. Es mag dahingestellt bleiben, ob dessen Ergebnisse, der Versuch, Nietzsches Wahnsinn psychogen verständlich zu machen, unbedingt zwingend sind. Sicher ist, daß sie den Versionen über die Krankheitsentstehung, die von der Umgebung des Archivs ausgehen, insbesondere der berühmten »Haschischpsychose« überlegen sind. Wenn aber noch unlängst wieder der Versuch gemacht worden ist, Podachs Thesen durch solche Konstruktionen zu beseitigen[2], so geschah das wohl nicht nur, um der Folgerung aus dem Wege zu gehen, ›daß hier ein Mensch durch seine gedankliche Hybris wahnsinnig geworden sei‹, sondern aus Scheu, die Abgründe, die in jenen letzten Wochen von Nietzsches Existenz sich auftaten, irgendwie seinem Gedankenmassiv mit einzubegreifen.

2 Paul Cohn, Um Nietzsches Untergang. Beiträge zum Verständnis des Genies. Mit einem Anhang von Elisabeth Förster-Nietzsche: Die Zeit von Nietzsches Erkrankung bis zu seinem Tode. Hannover: Morris-Verlag (1931). 159 S.

Denn es sind Abgründe, die ihn auf immer vom Geist der
Betriebsamkeit und des Philistertums trennen, der im Nietzsche-
Archiv der herrschende ist.

HUNDERT JAHRE SCHRIFTTUM UM GOETHE

Die folgende Bibliographie einiger wichtiger oder kennzeichnender Schriften über Goethe macht wissenschaftliche Ansprüche
ebensowenig, als sie solchen genügt. Vielmehr mußte die folgende Auswahl notwendig willkürlich ausfallen. Dies wäre vielleicht unverzeihlich, bestünde ihre Absicht darin, dem Leser, auf
welchem Umweg immer, Goethe und sein Werk näherzubrin-
gen. Dies ist aber in keiner Weise der Fall, vielmehr obwaltete
hier einzig das Bestreben, von der im einzelnen und dem einzelnen nicht mehr übersehbaren Fülle von literarischen Auswirkungen dieses dichterischen Lebens und Wirkens einen Begriff
zu geben. Daher waren nicht nur Goethes Werke, Briefe, Gespräche beiseite zu lassen, sondern ebenso die der ihm Nächst-
stehenden und der »Klassiker« überhaupt, dagegen neben gewissen Standardwerken, die die Vergegenwärtigung Goethes
oder aber die wissenschaftliche Erforschung seines Werkes zum
Ziel haben, vor allem die peripheren Werke mit zu berücksich-
tigen. Sollte der Laie bei manchen der folgenden Titel nicht auf
seine Kosten kommen, so wird dafür hin und wieder der Goe-
theforscher oder der Kulturhistoriker Anlaß finden, von dem
oder jenem Buche Notiz zu nehmen.

> Denn die Tatsache läßt sich in Deutschland nicht wegleugnen: je
> mehr über einen Schriftsteller geschrieben wird, um so weniger
> dringt er in das Bewußtsein der Menge.
> *Ludwig Geiger: Der Goethekult. Deutsche Revue, September 1901.*

AUS DEM APPARAT DES GOETHEFORSCHERS

*Über Goethe. Literarische und artistische Nachrichten. Herausgege-
ben von A. Nicolovius. Leipzig, 1828.*
Erster Versuch einer Goethe-Bibliographie mit einem Kompendium der wichtigsten Urteile über Goethe. In der letzteren

Hinsicht gestützt auf Varnhagen v. Enses »Goethe in den Zeugnissen der Mitlebenden zum 28. August 1823«. Berlin, 1823.

Goethe im Urteile seiner Zeitgenossen. Zeitungskritiken, Berichte, Notizen über Goethe und seine Werke. Gesammelt und herausgegeben von Julius W. Braun. Eine Ergänzung zu allen Ausgaben von Goethes Werken. Drei Bände. Berlin, 1883–5.
Grundlegendes Quellenwerk für das Studium von Goethes, in ihrer Tiefe gemeinhin überschätzten, Wirkung auf das Deutschland seiner Zeit.

Zur Kenntnis der Goethe-Handschriften von Dr. phil. Carl Burkhardt, Geh. Hofrat, Großherzogl. Sächs. Archivdirektor und Herzogl. Sächs. Gemeinschaftl. Archivar. Wien, 1899.
Enthält die Faksimiles von fünfzig Handschriften von Personen, die von Goethe als Schreiber beschäftigt wurden. Wichtiges Werk für die Chronologie der Handschriften.

Katalog der Sammlung Kippenberg. Drei Bände. Leipzig, 1928.
Die Sammlung stellt den reichsten Fonds von Manuskripten Goethes und seines Kreises, Zeichnungen und Bildwerke aller Art dar, der außerhalb des Weimarer Archivs existiert. Der großartig ausgestattete Katalog ist eine Art Kulturgeschichte der oberen Zehntausend des Deutschland um die Wende des 18. Jahrhunderts.

Goethe als Benutzer der Weimarer Bibliothek. Ein Verzeichnis der von ihm entliehenen Werke. Bearbeitet von Elise von Keudell. Herausgegeben mit einem Vorwort von Professor Dr. Werner Deetjen. Weimar, 1931.
Kein Werk gibt so wie dieses Titelregister einen Begriff von dem hochqualifizierten Instrumentarium, das für Goethe je länger je mehr notwendige Bedingung seiner dichterischen Arbeiten geworden ist.

Chronik von Goethes Leben. Zusammengestellt von Flodoard Freiherr v. Biedermann. Leipzig.
Versuche zu Zeittafeln des Goetheschen Lebens sind schon vor Biedermann, vor allem von Saupe, unternommen worden. Dem heutigen Leser wird dieses Inselbuch am nächsten liegen. Kein

Werk über Goethe hat der Phantasie des Lesenden mehr zu
sagen als diese schlichte Zusammenstellung von Namen und
Daten.

Zur Physiognomie Goethes

*Elegie, September 1823. Goethes Reinschrift mit Ulrike v. Levetzows
Brief an Goethe und ihrem Jugendbildnis. Herausgegeben von Bernhard Suphan, Weimar. Verlag der Goethe-Gesellschaft, 1900. Schriften
der Goethe-Gesellschaft 15. Band.*
Die Handschriften, von denen u. a. die der Marienbader Elegie
und die des Westöstlichen Divan in vollendeten Nachbildungen
der Goethe-Gesellschaft vorliegen (Faksimile der Divan-Hand-
schrift, herausgegeben von Burdach, Wien 1911, Schriften der
Goethe-Gesellschaft 26. Band) sind die einzigen uns überkommenen Zeugen von Goethes Ausdrucksbewegung.

*Goethes äußere Erscheinung. Literarische und künstlerische Doku-
mente seiner Zeitgenossen. Herausgegeben von Emil Schäffer. Leipzig, 1914.*
Der ikonographische Teil des Buches ist weniger reichhaltig als
Schulte-Strathaus. Dennoch hat das Werk durch die reiche
Auswahl literarischer Beschreibungen von Goethes Erscheinung
seinen Wert behalten.

*Goethes biographisches Schema in getreuer Nachbildung seiner Hand-
schriften. Herausgegeben von George Witkowski. Leipzig, 1922.*
Faksimile-Reproduktion des Oktavheftes, in welchem Goethe
am 11. Oktober 1809 auf einzelnen mit Jahreszahlen über-
schriebenen Blättern Stichworte zu Dichtung und Wahrheit zu
notieren begann. Das Buch gibt einen Einblick in technische
Kunstgriffe, wie sie auch sonst bei Goethe begegnen. Wie denn
der Dichter, um sich zur Vollendung einer Faustlücke zu bewegen, ein dem Umfang des fehlenden Teils entsprechendes Bün-
del leeren Papiers seinem Faust-Manuskript einverleibte.

*Die Bildnisse Goethes. Herausgegeben von Ernst Schulte-Strathaus.
München o. J. (Propyläen-Ausgabe von Goethes sämtlichen Werken.
Erstes Supplement. Die Bildnisse Goethes.)*
Komplette Ikonographie sämtlicher Bildnisse, zu denen Goethe

gesessen hat, beruhend auf den Vorarbeiten von Rollet und
Zarncke.

Früheste Betrachtungen über Goethe

*Goethe aus näherem persönlichen Umgange dargestellt. Ein nachge-
lassenes Werk von Johannes Falk. Leipzig, 1832.*
Enthält lockere Charakteristiken von Goethes Mutter, Goethes
Humor etc., dazu Gespräche, besser Interviews mit dem Dichter.

*Charakter und Privatleben Goethes. Erste und zweite Mitteilung. In:
Bibliothek der ersten Weltkunde. Herausgegeben von H. Malten.
3. Band. 7.–9. Teil. Aarau, 1833.*
Übersetzung eines Aufsatzes aus der Edinburger Revue. Lebendige, unbefangene und detaillierte Darstellung mit vorzüglicher Kennzeichnung der imperialen Haltung von Goethes letzter Lebensperiode. Von seinem erhabenen Gipfel herab »hat
er die Wogen tausend verschiedener Meinungen aufeinander
folgen und zu seinen Füßen sich bekämpfen, hat er mehrere
Dichterdynastien sich der Reihe nach entthronen, hat er zwanzig philosophische Systeme der öffentlichen Meinung sich bemächtigen und wieder ins Nichts zusammenstürzen sehen. Er
hat ihre Unmacht, die ihn nicht zu erschüttern vermochte, ver-
lacht, weil er, der Patriarch, durch keinen gewagten Schritt den
Streichen sich ausgesetzt, unter denen die meisten Reputationen
erliegen.«

*Unterhaltungen zur Schilderung Goethescher Dicht- und Denkweise.
Ein Denkmal von Carl Friedrich Göschel. 3 Bände. Schleusingen,
1834–1838.*
Göschel war ein religiös gestimmter Hegelianer, und das Buch
stellt eine mehr oder weniger lose Aneinanderreihung erbau-
licher und ästhetischer Betrachtungen dar, denen gemeinsam ist
die Tendenz, Goethe mit dem Glauben zu versöhnen.

Über den Goetheschen Briefwechsel. G. G. Gervinus. Leipzig, 1836.
In dieser Schrift macht der Verfasser zum ersten Male die Reserve kenntlich, mit der er als Vertreter des stämmigsten deut-

schen Liberalismus Goethe gegenübertritt und welche Grundlage
seiner sehr kritischen Darstellung Goethes im 5. Bande der
»Geschichte der deutschen Dichtung« wurde. Gerade aus seinen
Vorbehalten gegen Goethes spätere Weimarer Periode wurde
Gervinus der erste, dem das Phänomen von Goethes Alters-
dichtung in das Blickfeld trat.

Goethe im Wendepunkt zweier Jahrhunderte. Von Karl Gutzkow.
Berlin, 1836.
Die Schrift wurde durch Wolfgang Menzels Ausfälle gegen
Goethe hervorgerufen. Mit mancherlei politischen Vorbehalten
bereitet sie jene Apologie des Dichters unter dem Gesichtspunkt
des Genius vor, die später in die Plattitude ausmündete. »Wenn
sich die junge Generation an seinem Werke bildete, so konnte
sie kein Mittel finden, das so sonnig die Nebel des Augenblicks
zerteilte, kein Fahrzeug, das sie über die wogenden Fluten
widerspenstiger Angriffe so sicher hinüber führte. Die Zeit der
Tendenz kann beginnen, wenn man über das Talent im reinen
ist.«

Goethe, zu dessen näherem Verständnis. Von C. G. Carus. Beigegeben
ist eine Reihe bisher ungedruckter Briefe Goethes an den Heraus-
geber. Leipzig, 1843.
Findet den Zugang zu Goethe von der romantischen Naturphilosophie her und steht daher unter den älteren Schriften gewissen Goethe-Interpretationen der Gegenwart, insbesondere
den jüngsten Resultaten der Faustforschung, am nächsten. Von
Carus zieht sich über Bachofen eine unterirdische Tradition, die
mit den unten genannten Versuchen von Klages auf bedeutende
Art wiederum auf die Auslegung Goethes zurückführten.

Goethe vom menschlichen Standpunkt. Carl Grün. Darmstadt, 1846.
Der erste Versuch kritischer Stellungnahme zum Goetheschen
Humanismus. »Die Goethesche Praxis des Humanismus...
bleibt in der Theorie stecken. Die Praxis wird ästhetisch ideali-
siert, sie wird nicht praktisch ausgeübt, sie kann es nicht werden.«

*Göthes Wilhelm Meister in seinen sozialistischen Elementen ent-
wickelt von Ferdinand Gregorovius. Königsberg, 1849.*
Lebendige und selbständige Studie, die unter dem Einfluß der
Bewegung von 1848 Goethes politische Haltung kritisch erörtert.
»Göthes politische Indifferenz verleitet ihn ... zu der wunder-
lichsten Illusion und dem abenteuerlichsten Unterfangen, seine
sociale Demokratie unter beliebigen staatlichen Formen, mögen
sie auch absolutistisch sein, realisieren zu wollen ... Der Dichter
vergaß hier, daß aus den sittlichen wie den ideellen Elementen
der Gesellschaft erst der Staatsorganismus sich gestaltet und
daß der Staat nimmer auf einem entgegengesetzten Principe
ruhen kann als das der Gesellschaft, welche er als die oberste
Einheit zusammenschließt.«

*Goethe als Staatsmann. In: Preußische Jahrbücher 10. Band. Berlin,
1862.*
Ausführliche, noch heute grundlegende Studien, deren Verfasser, Adolf Schöll, der Herausgeber von Goethes Briefwechsel
mit Frau von Stein ist.

*Goethes Theaterleitung in Weimar in Episoden und Urkunden darge-
stellt von Ernst Pasqué. 2 Bände. Leipzig, 1863.*
Sehr materialreiche Darstellung der Beziehungen, in denen die
wichtigsten weimarischen Schauspieler oder Schauspielgäste zur
Hofbühne und zu Goethe gestanden haben.

*Goethe als Kriegsminister von Adolf Stern. In: Die Grenzboten,
57. Jahrgang. 1898.*
Vorzügliche Monographie, die Goethes zähe diplomatische und
schließlich von Erfolg gekrönte Bemühungen darstellen, den
weimarischen Heeresetat zu vermindern.

Fernand Baldensperger. Goethe en France. Paris, 1904.
Eines der grundlegenden Werke für die von Baldensperger
begründete Richtung der vergleichenden Literaturwissenschaft.
Die Auswirkung der Goetheschen Dichtungen wird, mit besonderer Beziehung auf den Werther und auf den Faust, in den

verschiedenen Dichterkreisen der Romantiker, Naturalisten und Parnassiens durch das 19. Jahrhundert verfolgt.

Goethe als Seelenforscher von Ludwig Klages. In: Jahrbuch des Freien Deutschen Hochstifts 1928. Im Auftrag der Verwaltung herausgegeben von Ernst Beutler. Frankfurt a. M.
Versuch, die Lehre des Verfassers vom Unterschiede der Erscheinungswelt von der Welt der Tatsachen für die Deutung der Goetheschen Denkweise, zumal in seinen naturwissenschaftlichen Forschungen, fruchtbar zu machen. Goethe stellt sich als erster »Erscheinungsforscher« dar. In einer Anmerkung gibt dieser Essay eine hochbedeutsame Perspektive auf die Farbenlehre.

Zu Goethes Sprache

Goethes Sprache und ihr Geist. Von Dr. E. Joh. Aug. O. L. Lehmann. Berlin, 1852.
Stilistische Analyse der Goetheschen Sprache auf Grund eines genauen Inventars ihrer grammatikalischen Besonderheiten.

Zur Sprache des alten Goethe. Ein Versuch über die Sprache des Einzelnen von Ernst Lewy. Berlin, 1913.
Wie der Verfasser im Vorwort mitteilt, eine abgelehnte Habilitationsschrift. In jedem Falle ein bedeutendes Werk der vergleichenden Schriftwissenschaft, deren Prinzipien auf die Sprache des alten Goethe hier in der Weise angewandt werden, daß deren Verwandtschaft mit den verschiedenen fremden Sprachtypen ans Licht tritt. Nicht selten kann der Autor sich auf die wichtige Studie »Wort und Bedeutung in Goethes Sprache von Ewald A. Boucke«, Berlin 1901, stützen.

Goethes Wortschatz. Ein sprachgeschichtliches Wörterbuch zu Goethes sämtlichen Werken von Prof. Paul Fischer, Geh. Studienrat. Leipzig, 1929.
Standardwerk in zwei Abteilungen. Teil 1) Deutsches Wörterbuch, Teil 2) Fremdwörterbuch. Gibt genauen Einblick in Goethes überwältigend großen Wortschatz.

GOETHEKULT

Gedanken über Goethe von Viktor Hehn. Berlin, 1887.
Die Goethehuldigung des römisch gestimmten Kreises um Gregorovius. Der hervorragende Ruf dieses Buches hält einer kritischen Nachprüfung nur in wenigen Kapiteln stand, am wenigsten in dem umfangreichen »Goethe und das Publikum. Eine Literaturgeschichte im Kleinen«. Dieser erste Versuch einer Geschichte der Goethe-Literatur, die wohl das ernsthafteste Desiderat dieses Goethejahres gewesen wäre, wird durch das Ressentiment entstellt, das zumal in der Behandlung Börnes zum Durchbruch kommt.

Rudolph Huch: Mehr Goethe. Leipzig und Berlin, 1899.
Journalistische Variante des Goethekultes, zugleich ein Dokument des Jugendstils in der Literatur. Die Zukunftsperspektive der »einzig noch vorhandenen Kaufmanns- und Soldatenschule« vor Augen, glaubt der Verfasser, das deutsche Volk zu Goethe zurückführen zu können.

Goethe-Kalender auf das Jahr 1906. Zu Weihnachten 1905 herausgegeben von Otto Julius Bierbaum. Leipzig, 1905.
Mit diesem Kalender beginnt die Folge der Goethes Werk und Lebenskreis mehr oder weniger geschmackvoll verzettelnden Publikationen, aus denen der eilige Schöngeist seinen Bedarf an Zitaten und Erbauungssprüchen decken konnte. Es ist der Geist dieser Kalender, zu welchem die bekannten Goethe-Porträts von Carl Bauer das Gegenstück im Monumentalstil darstellen.

Dante und Goethe. Dialoge von Daniel Stern (Marie Gräfin d'Agoult). Übersetzt von ihrer Enkelin Daniela Thode. Heidelberg, 1911.
Führt, wie aus dem Titel ersichtlich, in den mannigfach verzweigten Kreis deutscher Italien- und Goetheschwärmer um Liszt und Wagner. Die Dialoge, die hier zwischen idealen Partnern in blasser, feierlicher Sprache geführt werden, lehnen sich an die Bilderwelt eines Feuerbach an. In diesem Kontext überraschen um so mehr die scharf formulierten Reflexionen, in denen das bittere Lebensschicksal der Verfasserin nachklingt.

Das Buch von der Nachfolge Goethes. Berlin, 1911.
Verfasser ist Eugen Guglia. – Das Werk ist ein Nachzügler der
»Lichtstrahlen« oder »Harmonien«, wie sie im Biedermeier aus
den Klassikern kompiliert wurden.

GOETHEGEGNERSCHAFT

*Goethe als Mensch und Schriftsteller. Aus dem Englischen bearbeitet
und mit Anmerkungen versehen von Friedrich Glover. Braunschweig,
1823.*
Das Buch erschien pseudonym. Die Angabe »Aus dem Englischen« ist fingiert. Verfasser ist C. H. G. Köchy. Das Werk enthält im ersten Teil u. a. die apokryphe Dissertation über die
Flöhe. Der zweite Teil enthält in 38 Paragraphen Anekdoten aus
Goethes Leben, durchsetzt mit höhnischen und obszönen Anspielungen. Bezeichnend das Motto: »Garstiger Mensch, wie
erschrecken Sie mich.«

*Faust. Der Tragödie dritter Theil in drei Akten. Treu im Geiste des
zweiten Theiles des Götheschen Faust gedichtet von Deutobold
Symbolizetti Allegoriowitsch Mystifizinsky. Tübingen, 1862.*
Der Verfasser Friedrich Theodor Vischer vollstreckt hier in
Form der Parodie das Verdikt, das er in theoretischer Form
gegen den Faust in seiner »Kritischen Bemerkung über den
ersten Teil von Goethes Faust, namentlich den Prolog im Himmel. Von Fr. Vischer. Zürich 1857« ausgesprochen hat. Er
schließt mit dem Chorus mysticus:
»Das Abgeschmackteste / Hier wird es geschmeckt / Das Aller-
vertrackteste / Hier ward es bezweckt / Das Unverzeihliche /
Hier sei es verzieh'n / Das ewig Langweilige / Zieht uns
dahin.«

*Goethe und kein Ende. Rede bei Antritt des Rectorates der Königl.
Friedrich Wilhelms-Universität am 15.10.1892 gehalten von Emil
Du Bois-Reymond, Berlin.*
Reaktion der mechanistisch-materialistischen Schule gegen den
von Helmholtz in der Generalversammlung der Goethe-Gesellschaft in Weimar 1892 unternommenen Versuch, Goethes
naturwissenschaftliche Betrachtungsweise zur Geltung zu bringen. »Vom Darwinismus . . . von der Entstehung des Menschen

aus dem Chaos, aus dem von Ewigkeit zu Ewigkeit mathematisch bestimmten Spiel der Atome, von dem eisigen Weltende – von diesen Bildern, welche unser Geschlecht so unfühlend ins Auge faßt, wie es sich an die Schrecknisse des Eisenbahnfahrens gewöhnte – hätte Goethe sich schaudernd abgewandt.«

Goethe. Von P. J. Möbius. 2 Bände. Leipzig, 1903.
Legt die Schablone »Genie und Wahnsinn« an Goethe an, wobei der Verfasser in der Wahl der Belege nicht wählerisch ist. Seinen besonderen Akzent erhält das Buch durch Möbius' Bekenntnis zu den Gallschen Methoden.

Aus dem Lager der Goethe-Gegner. Mit einem Anhang. Ungedruckte Briefe an Börne. Von Dr. Michael Holzmann. Berlin, 1904.
Wichtigstes Quellenwerk für die Kenntnis der gegen Goethe gerichteten Angriffe. Enthält Notizen über und Auszüge aus Spaun, Spann, Pustkuchen, Grabbe, Müllner, Glover, Schütz, Menzel, Hengstenberg, Knapp, Görres, Börne. Zu vergleichen Julian Hirsch: Die Genesis des Ruhms, und das inhaltreiche, wenn auch unseriöse Buch: Der unbegabte Goethe. Die Anti-Goethe-Kritik aus der Goethe-Zeit. Wien o. J.

OKKULTISCHES

Fausts Vermächtnis. Geister-, Seelen- und Körperwelt. Volkstümlich, zur Förderung allgemeiner Bildung, Menschenliebe und Duldsamkeit. Karlsruhe, 1892.
Mystisch-theurgisches Kompendium im Stile der Blavatsky. Verfasser Friedrich Behrends, dessen Bild ein würdiger Herr mit Vollbart, im Sammetjäckchen, Melone auf dem Kopfe, auf einem Plüschsessel vor südlicher Landschaft sich dem Titel gegenüber befindet.

Goethes Vermächtnis. Else Frucht. Zwei Bände. München und Leipzig.
Im Anschluß an die kabbalistische Faustdeutung von Ferdinand August Louvier sucht die Verfasserin nachzuweisen, daß der Schlüssel zu diesem Werke von Goethe in seinem Garten an der Ilm vergraben wurde, wobei das Gartenhaus den Tempel darstellt, unter dem sich der Schlüssel befinde. An zahllosen

Stellen des zweiten Bandes entdeckt die Verfasserin Anspielungen auf diesen Tatbestand.

Theodor Hammacher: Von den Mysterien. Phantasien, Lieder und Sprüche mit Weissagungen des Bakis, Hexeneinmaleins und Oberons Goldener Hochzeit.
Die beliebte Geheimniskrämerei hat hier Goethesche Zeilen in Verschen eigener Provenienz verflochten. Spielerei eines Dilettanten, der, wie er sagt, »in Gegenwart und im Umgange mit den Göttern sich anmaßte, von dem Nektar ihrer Tafel zu kosten«.

CURIOSA

Der Roman eines Dichterlebens. 1. bis 3. Abteilung. Goethes Jugendjahre. Goethes Männerjahre. Goethes Greisenalter. Von K. Th. Zianitzka. Drei Bände. Leipzig, 1863.
Der erste der Goetheromane, dem später andere gefolgt sind, wie Klara Hofer »Frühling eines deutschen Menschen, die Geschichte des jungen Goethe«, Leipzig, oder Albert Trentini »Goethe, der Roman von seiner Erweckung«, München 1926.

Goethe als Feuerwehrmann. In: Für Feuerwehren von Ludwig Jung, Vorsitzender des Bayerischen Landes-Feuerwehr-Ausschusses. Heft VI. München und Leipzig, 1886.
Goethes Beteiligung an den Löscharbeiten bei einem Weimarer Brandunglück, nach Urkunden.

Goethe-Gedenkbuch. Blütenlese aus den Werken des Dichters von Arthur v. Wyl nebst reinen Blättern zum Eintragen selbstgewählter Lieblingsstellen oder solcher von Freundeshand. Nürnberg o. J.
Um 1900. Entfesselt alle Schrecken des Poesiealbums und steigert sie mit Hilfe von Illustrationen Goethescher Dichtung sowie von Ansichtskarten in Buntdruck. Unter den Illustratoren Wold, Friedrich, W. v. Kaulbach u. a.

Quid boni periculosive habeat Goethianus liber qui affinizitates electivae inscribitur scripsit Henricus Schoen. Lutetiae Parisiorum MDCCCII.
Moralphilosophische Abhandlung, im wesentlichen Kompilation

der verschiedenen in der Literatur vorfindlichen Urteile über die
»Wahlverwandtschaften«. Mit einem Kapitel über die französische Übersetzung des Werkes: »Goethiis et Interpretum decend genus«.

*Goethe-Predigten. Von Julius Burggraf weil. Pastor prim. an St.
Ansgari in Bremen. Bearbeitet und herausgegeben von Carl Rösener,
Pastor zu St. Andreas in Erfurt. Gießen 1913.*
Hier vermählt sich das gestaltlose Goetheideal des Bildungsphilisters mit der auf ihren tiefsten Stand gesunkenen Kanzelberedsamkeit. »So kommt denn herbei, ihr beiden gewaltigsten
Gestalten Goethes, Faust und Mephistopheles, gefolgt hernach
von Iphigenia und Orestes! Der Geist eures Dichters hat ein
Recht auf unsere Kanzel!«

*Biogenetische Analyse des Faust. In: Adrien Turel: Wiedergeburt der
Macht aus dem Können. München, 1921.*
Aus einer »Arbeitsgemeinschaft für biogenetische Psychologie«
entstandene Faustdeutungen auf freudianischer Grundlage und
in feuilletonistischer Form.

Intermezzi Scandalosi aus Goethes Leben. Berlin, 1925. (Privatdruck.)
Enthält Eingaben Goethes an Kreis- und Polizeibehörden in
Sachen seiner Dienstboten. Licht auf die hier berührten problematischen Verhältnisse wirft ferner Anton Kippenbergs »Stadelmanns Glück und Ende«, Privatdruck der »Stadelmann-Gesellschaft«. Stadelmann war Diener bei Goethe.

DAS POPULÄRE GOETHEBILD

*Goethes Leben und Schriften. Von G. H. Lewes. Übersetzt von Dr.
Julius Frese. Zwei Bände. Berlin, 1857.*
Die erste breite Goethe-Biographie, seinerzeit wirklich einem
Bedürfnis entsprechend, da der Verfasser mit Recht sagen
konnte: »Die Bücher über Goethe sind zahllos; aber es ist kein
einziges darunter, das über die äußeren Verhältnisse, in denen
er sich bewegte, den gewünschten Aufschluß gäbe.« Hausbakken, ohne jedes Verständnis für Goethes Altersdichtung.

Lessing, Schiller, Goethe, Jean Paul. Vier Denkreden auf deutsche
Dichter von Moritz Carrière. Gießen, 1862.
Legt die Schablone fest, nach welcher Goethes Leben zu einem
Bestandstück der allgemeinen Bildung wurde, wie die »Sämt-
lichen Werke« zu dem des Bücherschranks und das Stielersche
Bildnis zu dem der guten Stube.

Goethe, sein Leben und seine Werke. Von Alexander Baumgartner
S. J. Drei Bände. Zweite vermehrte und verbesserte Auflage. Freiburg
im Breisgau, 1885–6.
In derber, durch keinerlei Euphemismen beschwerter Sprache
setzt sich der Verfasser mit dem auseinander, was ihm vom
Standpunkt seiner Konfession und seines Ordens als Goethes
sinnliches Heidentum erscheint. Daneben ein Kompendium Weimarer Klatschgeschichten aus der Goethezeit.

Goethe. Sein Leben und seine Werke. Von Dr. Albert Bielschowski.
Zwei Bände. München, 1896.
»Es ist ... der milde, geschmackvoll sublimierte Psychologismus
dieser Betrachtungsweise, der dem Zeitgeist von 1895 und noch
von 1910 sympathisch entgegenkam und diesem Buche seinen
starken Erfolg verschaffte«, schreibt Rudolf Unger in seinen
»Wandlungen des literarischen Goethebildes seit hundert Jahren«.

Goethe, der Mann und das Werk. Von Eduard Engel. Mit 32 Bild-
nissen, 8 Abbildungen und 12 Handschriften. 2. Auflage. Berlin,
1912.
Bezeichnet den Tiefstand der populären Goethe-Literatur. Von
jener »Selbständigkeit« des Urteils, die das beste Kennzeichen
des Banausen ist.

Goethe, Geschichte eines Menschen. Von Emil Ludwig. Volksausgabe
in einem Band. Stuttgart und Berlin, 1924.
Das Werk befriedigte bekanntlich die Bedürfnisse des breite-
sten Publikums. Es ermöglichte dem Leser, wenn nicht sich in
Goethe zurecht, so gewiß einen kleinen Goethe in sich selbst
vorzufinden.

DAS PHILOSOPHISCHE GOETHEBILD

Goethe und seine Werke. Von Carl Rosenkranz. Zweite verbesserte und vermehrte Auflage. Königsberg, 1856.
Als erster hat Rosenkranz sich die Aufgabe gesetzt, ein geistiges Gesamtbild Goethes aufzustellen. Sein Buch besteht aus nachträglichen Niederschriften ohne Konzept gehaltener Vorlesungen und ist, wiewohl auf den Grundlinien Hegelscher Philosophie beruhend, lebendig und impulsiv. Der Menge der Nachfolger überlegen schon durch den Grundsatz, »die Beurteilung der Form nie von der Entwicklung des Inhaltes zu trennen«. Und so fließen denn auch die Inhalte nicht nur der Goetheschen Dichtung, sondern der gleichzeitigen Geschichtsschreibung (Niebuhrs), der Religionsphilosophie (Strauß'), des Journalismus (Gutzkows) in sein Werk ein.

Herman Grimm: Goethe-Vorlesungen an der Königl. Universität. Zwei Bände. Berlin, 1877.
Nach Rosenkranz die erste bedeutende Gesamtdarstellung, im wesentlichen bei den Höhepunkten des Goetheschen Schaffens verweilend. Grimm führt eine bilderreiche, dabei aber präzise und originale Sprache. Als letztes der Goethewerke hat es noch Anteil an einer lebendigen Tradition. Grimm war es, dem Marianne von Willemer im hohen Alter als erstem das Geheimnis ihrer Mitverfasserschaft am Divan anvertraute.

Houston Stewart Chamberlain: Goethe. München, 1912.
Unter den Darstellungen, die es mit Goethe als Vorbild zu tun haben, die bemerkenswerteste. In Goethe »erklimmt die uns allen gemeinsame Natur vollbedächtig eine höhere Stufe und legt dort dauernde Grundlagen; hier können und sollen wir alle bauen, auf daß wir höher zu stehen kommen«.

Goethe. Von Georg Simmel. Leipzig, 1913.
Die spannungsreichste und für den Denker spannendste Darstellung, die Goethe gefunden hat. Wenn Franz Mehring als erster das soziologische Material für eine zukünftige Goethe-Darstellung zusammengetragen hat, so finden sich bei Simmel die wertvollsten Hinweise auf deren dialektische Struktur.

Max Kommerell: Der Dichter als Führer in der deutschen Klassik.
Berlin, 1928.
Eine der originalsten und kühnsten Darstellungen von Goethes
Person mit besonderer Berücksichtigung seiner freundschaft-
lichen und gegnerischen Beziehungen zu den Zeitgenossen. Entwirft im Sinne Stefan Georges ein Bild des weimarischen Mu-
senhofes ohne Frauen.

Franz Mehring: Zur Literaturgeschichte von Calderon bis Heine.
Herausgegeben von Eduard Fuchs. Mit einer Einleitung von August
Thalheimer. Berlin, 1929.
Enthält die ersten Versuche einer Darstellung Goethes vom
Standpunkt des historischen Materialismus mit einer Fülle von
wertvollen Betrachtungen über die gesellschaftliche Struktur des
damaligen deutschen Bürgertumes. In anderer Weise hat Meh-
rings Versuche fortgesetzt Walter Benjamin in seinem Beitrag
»Goethe« in der großen Enzyklopädie des Sowjets.

FAUST IM MUSTERKOFFER

> Es existiert eine Art Muckertum im Goethekultus, das
> nicht von Produzierenden, sondern von wirklichen
> Philistern, vulgo Laien, betrieben wird. Jedes Gespräch
> wird durch den geweihten Namen beherrscht, jede neue
> Publikation über Goethe beklatscht – er selbst aber
> nicht mehr gelesen, weshalb man auch die Werke nicht
> mehr kennt, die Kenntnis nicht mehr fortbildet. Dies
> Wesen zerfließt eines Teils in blöde Dummheit, andern
> Teils wird es wie die religiöse Muckerei als Deckmantel
> zur Verhüllung von allerlei Menschlichem benutzt, das
> man nicht merken soll. Zu alledem dient eben die große
> Universalität des Namens.
>
>   *Gottfried Keller im Jahre 1884*

Nichts kann so abgeschmackt und unverfroren sein, daß der
historisch Unterrichtete es nicht an eine Erscheinung knüpfen
könnte, die zu ihrer Zeit etwas Rechtschaffenes darstellte. In
Goethes Jugend beherrschten die »schönen Wissenschaften« die

Katheder. Was uns als deutlich unterschieden vor Augen steht, Moralphilosophie, Ästhetik, Soziologie, Geschichte der Literatur, konnte damals gut und gern in einem Kolleg behandelt werden. Wenn uns das rückständig und oberflächlich erscheint, so ist es damals wahrscheinlich Vorbedingung der unbefangenen Auseinandersetzung mit den Gedanken gewesen, die von England und Holland aus durch Shaftesbury und Hemsterhuys herrschend wurden. Mag man im Werther den Nachklang dieser Geistesbewegung finden, so war sie jedenfalls für Goethe mit diesem Werk abgeschlossen. Und je älter er wurde, desto deutlicher tritt bei ihm nicht allein die entschiedenste Abneigung gegen die Schöngeisterei, sondern eine Produktionsweise an den Tag, welche seine Werke ein für allemal jeder empfindsamen, nun gar rhetorischen Betrachtungsweise entrückt. Diese späteren Dichtungen, in denen Goethe dem Lauf seiner Phantasie willentlich Dämme und Stauwerke härtester Realien in den Weg setzte, der westöstliche Diwan, die Wanderjahre, der zweite Teil des Faust, boten denn auch der gewohnten, auf Genuß statt auf produktive Aneignung gerichteten eklektischen Betrachtungsweise so große Schwierigkeiten, daß die Goethe-Literatur der ersten 25 Jahre sie aus dem Spiele ließ. Und das ist nicht der einzige lehrreiche Sachverhalt, der bei einer Betrachtung der bisherigen Goethe-Literatur, ganz besonders aber der Faustliteratur, zu gewinnen gewesen wäre. Damit steht der Leser des neuen Faustkommentars von Eugen Kühnemann[1] vor der ersten Merkwürdigkeit des in jedem Sinne und nicht zum wenigsten seinem Umfange nach monströsen Buches: auf seinen mehr als tausend Seiten keine einzige Auseinandersetzung mit den Ergebnissen der Faustforschung, in seinem Register keinerlei Verweis auf Fischer, auf Witkowski oder Burdach. In der Tat, so vereinfachen sich die Dinge. Dementsprechend heißt es dann wirklich: »Der zweite Teil, der sich auf das klarste in fünf Akte gliedert und damit dem regelrechten Theaterstück näher steht als der erste, bietet sich von vornherein weit mehr als sein Vorgänger dar als das Werk eines durchgehenden und in klarster Bewußtheit durchgeführten Gedankens und Plans. Jeder der fünf Akte ist eine kleine Welt für sich, aber alle gehören

1 Eugen Kühnemann, Goethe. 2 Bde. Leipzig: Insel-Verlag 1930. 524 S., 595 S.

sie doch als ein richtiges Planetensystem zu derselben Welt
Einer Sonne. Die Sonne ist der dichterische Faustgedanke.«
Da ist im Jahre 1919 ein schmächtiges Bändchen erschienen.
Leicht hätte Kühnemann es einsehen können, denn es ist von
einem seiner engeren Kollegen, dem Professor für klassische
Philologie an der Universität Breslau, Konrat Ziegler verfaßt.
Das heißt »Gedanken über Faust II«[2], und darin entwickelt der
Autor, wie brüchig und willkürlich die Komposition dieses Dramas sei, wie Goethe immer wieder unter dem Einfluß hetero-
gener Stimmungen und Geschäfte vom Grundplan abgewichen
sei, wie wenig daher die überkommene Schätzung dieses Buches
sich halten lasse. Der Verfasser ist, wie gesagt, Philologe, und
»wer in philologischer Methode denkt«, sagt Kühnemann so
von oben herab, »bleibt Philologe, auch wenn er Gegenstände
behandelt, die herkömmlich zur Philosophie gerechnet werden«.
Es ist daher zweifelhaft, ob er seinen Kollegen, den Verfasser
dieses querköpfigen, skeptischen Werkes, der für sich selbst
nichts geltend machen kann, als daß er Faust II sehr aufmerksam und nachdenklich durchlas, jener »Lehrstühle des deutschen
Geistes« wert erklären würde, die »bekleidet werden von Männern, die vollwertige Philosophen und zugleich Männer des
sicheren künstlerischen Verstandes und selber künstlerische Ge-
stalter sind«. Wie dem nun sei, dieser Ziegler hat jedenfalls den
Blick auf einige Dinge gelenkt, die die Einsicht in die Größe der
Dichtung nur fördern. Wir folgen ihm um so lieber, als er uns
den Weg weisen wird, die Übermacht der Kühnemannschen
Redebataillone mit ihren Schwatzregimentern und Faselkolon-
nen, den flatternden Phrasen zu ihren Häuptern und den Blech-
kapellen an ihrer Spitze im Rücken zu fassen.
Ein Hauptbedenken Zieglers betrifft die Vorbereitung des He-
lena-Akts. Aus den Entwürfen weist er nach, wie lange Goethe
mit dem Gedanken sich getragen hat, den Faust »in des Olym-
pus hohlem Fuß« bei der Persephone die Helena von den Toten
sich losbitten zu lassen, und wie er dann am Ende resignierend
auf die Gestaltung dieses Vorwurfs verzichtet habe, dergestalt
sein Werk der größten dramaturgischen Unstimmigkeit preis-
gebend. Dieses Zieglersche Problem ist der Angelpunkt der

2 Konrat Ziegler, Gedanken über Faust II. Stuttgart: J. B. Metzlersche Verlagsbuchhandlung 1919. 75 S.

neuesten Faustforschung. Wenn das höchst bedeutsame Werk[3],
von dem nunmehr die Rede sein soll, später als Kühnemanns
Machwerk erschienen ist, so hat das wenig zu besagen, denn
Gottfried Wilhelm Hertz, sein Verfasser, hat den Faden nur,
freilich mit seltenem Glück, da aufgenommen, wo andere ihn
fallen ließen. Kurz und gut, ein ungeheures Ringen des greisen
Goethe steht da, wo Kühnemann »das Werk eines durchgehenden und in klarster Bewußtheit durchgeführten Gedankens
und Plans« sieht. Und wie das nun einmal die Art des echten
Philologen ist (auch wenn er, wie G. W. Hertz, am Reichs-
finanzhof amtiert), entwickelt er das atemraubendste Geschehen aus zwei Versen:

> In eurem Namen, Mütter, die ihr thront
> Im Grenzenlosen, ewig einsam wohnt,
> Und doch gesellig! Euer Haupt umschweben
> Des Lebens Bilder, regsam, ohne Leben.
> Was einmal war, in allem Glanz und Schein,
> Es regt sich dort; denn es will ewig sein.
> Und ihr verteilt es, allgewaltige Mächte,
> Zum Zelt des Tages, zum Gewölb' der Nächte.
> Die Einen faßt des Lebens holder Lauf,
> Die Andern sucht der kühne Magier auf.

Die beiden Zeilen, die hier entscheiden, haben eine Variante
gehabt, in der sie lauten:

> Die einen faßt des Lebens holder Lauf,
> Die andern sucht getrost der Dichter auf.

Was zwischen diesen beiden Fassungen liegt, ist nicht nur ein
Teil vom Schicksal der Faustdichtung, sondern ein Stück Geschichte der Faustforschung selbst. Die spiritualistische Interpretation der Dichtung, wie Kuno Fischer, wie auch noch Witkowski sie vertritt, war nicht imstande, das hier bestehende
Spannungsverhältnis zu ermessen. Es bedurfte dazu der engsten
Beziehung des Faust auf Goethes naturwissenschaftliche Studien. Goethe gehörte zur Familie jener großen Geister, für welche es im Grunde eine Kunst im abgezogenen Sinne nicht gibt,
ihm war die Lehre von den Urphänomenen der Natur zugleich
die wahre Kunstlehre, wie es für Dante die Philosophie der

3 Gottfried Wilhelm Hertz, Natur und Geist in Goethes Faust. Frankfurt a. M.:
Verlag Moritz Diesterweg 1931. VIII, 234 S. (Deutsche Forschungen. 25.)

Scholastik und für Dürer die Theorie der Perspektive war. Was bei Goethe mit diesen Versen im Streit lag, das ist das ästhetisch-spiritualische Scheinwesen der Helena. Auf der einen Seite ihr Wirklichsein, auf der anderen Seite ihre Erscheinung – so stand sie im Geiste Goethes lange mit sich selbst im Zwiespalt. Gesiegt hat ihr wirkliches Sein. Während sie ursprünglich »als lebendig im Hause des Menelaus empfangen werden« sollte, tritt sie nunmehr, wie wiederum Goethe selbst schreibt, »wahrhaft lebendig« oder als die »wahre« auf. Solches Leben ihr zu verschaffen, war nun allerdings die Losbittung aus der Unterwelt nicht imstande. Was an ihre Stelle trat, wie die Einverleibung des Homunkulus in den lebendigen Ozean und damit in den Ozean des Lebendigen »den natürlichen Vorgang, wodurch ein Geist sich den menschlichen Körper erwirbt«, vorbildete, so daß der Zuschauer sich jetzt sagen mußte, »daß er nicht mehr – wie einst am Kaiserhofe – das unwirkliche Gespenst der Griechenkönigin, sondern diese selbst in ihrer vollen antiken Realität vor Augen habe«, mag man bei Hertz nachlesen. Und unbedingt wird man ihm zustimmen, wenn er darlegt, warum denn Goethe das Leben der Helena für seinen dritten Akt weder dem Magier noch dem Dichter verdanken wollte. »In der Zwischenzeit von der Urkonzeption des Motivs im Winter 1827/28 bis zum Neubeginn der Arbeit im Spätsommer 1829 hatte den Faustdichter ... sein alter Hang zur Naturphilosophie von neuem gepackt, und so konnte er sich mit dem ästhetischen Bilde nicht mehr begnügen;« gerade damals hielt er sich »mit Bewußtsein in der Region, wo Metaphysik und Naturgeschichte übereinandergreifen, also da, wo der ernste treue Forscher am liebsten verweilt«. Nicht minder aber ist das Verweilen die Haltung des wirklichen Philologen, der auch seinerseits, wie Goethe, wiederum vom Naturforscher, es gesagt hat, den Phänomenen »sich innigst identisch macht«. Und welch erstaunliche Funde dergestalt sich ihm in die Hand schmiegen, dafür als letztes Beispiel die Interpretation, die Hertz für die berühmten Verse von den Müttern findet und in der er sie als die Urphänomene anspricht:

> Die einen sitzen, andre stehn und gehn,
> Wie's eben kommt. Gestaltung, Umgestaltung,
> Des ewigen Sinnes ewige Unterhaltung.

»Der Sitz des Gesteins, die Beweglichkeit des Tierreichs, das Aufwärtsstreben der an die Scholle gefesselten Pflanzenwelt« – so werden »die Bewohner der Mütterwelt hier eingeteilt ... in drei große Gruppen — in augenfälliger Übereinstimmung mit den Gegenständen der drei Naturreiche: dem beweglichen, zur Ortsveränderung befähigten Tiere; der zwar an ihrem Platze haftenden, doch aufrecht auf der Bodenfläche stehenden Pflanze; dem Gestein, dessen Vorkommen oder Ort die Sprache mit Vorliebe bezeichnet als seinen Sitz.«

Um nun aber, wie angesagt, unseren bramarbasierenden Radoteur im Rücken zu fassen, bedarf es nur noch des Entschlusses, ihn zu Worte kommen zu lassen. Was weiß er von den Müttern? »Im gestaltenden, sich umgestaltenden Wandel der Gebilde erfüllt sich der ewige Sinn der Wahrheit als immer derselbe ... Zu den Müttern«, heißt es von Faust, »muß er vordringen, — den wesenhaften Wurzeln des Seins, den ewigen sinngebenden Gewalten und Gestalten letzter Wahrheit, deren Erscheinungen die Gegenstände der Wirklichkeit sind. Wer das Tiefste begreift, mag als höchste Gestalt dieser Wesenheiten die Schönheit in ihrer reinsten Erscheinung, die griechische Schönheit in ihrem höchsten Bild neu hervorzuzaubern.« Anstatt die Konfusion dieser letzten Sätze in ihrer reinsten Erscheinung rückblickend aufzudecken, wenden wir uns vorwärts, der Deutung der Helena zu, um zu hören, »was Goethe mit seiner Helenatragödie getan hat«: »Er erfaßt die Antike in germanischer Seele, und zwar in der Gestalt der germanischen Seele, die nur durch die Bildung des Christentums möglich wurde und überall das Seelisch-Tiefste und Letzte sucht ... Natur und Geist des Menschenlebens sind zur Einheit gekommen und dadurch vollkommene Schönheit geworden. Die Aufgabe der Form erhebt sich hier für den Künstler in ihrem höchsten Sinn ...: der geistige Sinn des Menschenlebens tritt in seiner letzten Tiefe hervor. Der Geist der Helenadichtung ist damit auf das genaueste bezeichnet.«

Das zu lesen macht Mut und man wagt danach, auf das Genaueste auch den Geist dieser Interpretation zu bezeichnen: er besteht in der innersten Überzeugung, daß die Unterschiede zwischen Goethe und Kühnemann nicht ins Gewicht fallen. So breit ist nämlich die Unterlage für die Geisteswissenschaft, die

der Verfasser gestiftet zu haben erklärt: »Das Höchste wäre
erreicht, wenn ein solches Buch als tüchtiges Stück Leben in sich
selbst bestünde, auch wenn man im übrigen nicht davon wüßte,
wer Herder, Kant, Schiller, Goethe gewesen sind.« Von diesem
Leben aber wissen wir etwas. Wir wollen es auch verraten.
Jahrelang hat Kühnemann als Austauschprofessor die Universitäten der Erde bereist. Dem Schluß seines Vorwortes entnimmt man einige Namen: New York, Los Angeles, St. Louis,
Riga. Nun ist er zurück von der großen Tour und wir lernen
(durch die Vermittlung des Verlages, der in Deutschland die
besten Editionen Goethes herausgebracht hat) den Koffer kennen, aus dem der Verfasser im Auslande Herder, Kant, Schiller,
Goethe bemustert vorlegte. Jeder Kaufmann erträumt sich ein
Monopol. Sehr verständlich, daß Kühnemann mit aller Ruhe
eine Ordnung der Dinge ins Auge faßt, da seine Bücher das
Wissen darum entbehrlich machen, »wer Herder, Kant, Schiller,
Goethe gewesen sind«. Der deutsche Soldat, so erzählte man,
trug seinen Faust im Tornister. Nun hat ihn der Reisende abge-
löst. Kühnemann kennt den internationalen Markt. Hoffen wir,
daß die unschätzbaren Realien, die die Goethesammlung des
Verlegers bilden, nicht da enden, wo der Autor den deutschen
Idealismus ausbot.

PESTALOZZI IN YVERDON
Zu einer vorbildlichen Monographie[1]

»Erzieher der Menschheit zu Iferten« – so heißt es auf Pestalozzis Grabstein mit der schönen, klaren Gliederung seiner
Lebensperioden. Das Institut zu Yverdon, die letzte große
Gründung Pestalozzis, stand, wie wohl jedes seiner Werke,
unter einer eigenen Paradoxie. Als Pestalozzi, fast sechzigjäh-
rig, von Münchenbuchsee fortging, galt ihm sein praktisches
Wirken für abgeschlossen. Für Iferten hatte er eine Kommission
ernannt, der die Leitung der Schule obliegen sollte. Als aber

1 Alfred Zander, Leben und Erziehung in Pestalozzis Institut zu Iferten. Nach
Briefen, Tagebüchern und Berichten von Schülern, Lehrern und Besuchern. Aarau:
Verlag H. R. Sauerländer u. Co. [1932]. X, 214 S.

unter deren Mitgliedern eines der maßgebenden sich zurückzog
– und dies Ereignis ließ nicht lange auf sich warten – fiel alles
wieder auf Pestalozzis Schultern zurück. Da stand er nun in
seinem siebenten Jahrzehnt und auf der Höhe seines Ruhms,
eine gewaltige Autorität, ein Lehrer Europas, und dennoch war
und blieb es seine Sache, wie in der Frühzeit, auf dem Neuhof,
einem werdenden Gemeinwesen von seiner Wirtschaftsordnung
bis zu seinen Andachten aus dem Gröbsten herauszuhelfen.
Wohl möglich, daß die von jeher zerrissene Persönlichkeit des
Mannes unter der Wirkung solcher Widersprüche ihre schroff-
sten, aber auch erhabensten Formationen annahm. Es kennzeichnet die Zuverlässigkeit und Treue von Zanders Arbeit,
daß sich in seiner Schilderung das Institut gewissermaßen als
die Projektion eines großen Charakters in einem begrenzten
Gemeinwesen darstellt. Und von keiner Seite dürfte dieses
Gemeinwesen fesselnder, ja zuletzt von keiner auch noch heute
pädagogisch lehrreicher sein.
Iferten war ein pädagogischer Kongreß in Permanenz. Seine
Abgeordneten – Schüler, Lehrer, Besucher – kamen aus aller
Welt. Aus Hannover, München, Königsberg, Würzburg so gut
wie aus Klagenfurt oder Wien, Paris, Marseille, Orleans, Mai-
land, Neapel, Madrid, Malaga, Riga, Smyrna, London, Phila-
delphia, Baltimore und Kapstadt. Im Unterricht wie in allen
Erziehungsmaßnahmen sah Pestalozzi niemals anderes als Versuche, und ein jeder hatte zu ihm Zutritt. Nicht nur daß Fremde
im Laufe des Unterrichts eintraten, um ein Weilchen zuzuhören,
– die Lehrer selbst waren mehr als einmal angewiesen, unter
die Lernenden sich einzureihen. Erwachsene auf den Schulbän-
ken zu finden, war daher ein ganz gewöhnlicher Vorfall. Man
hört in den Quellen hin und wieder Klagen über solche Bela-
stung des Unterrichts. Viel üblicher, aber auch viel kennzeichnender war offenbar, daß die Lernenden mühelos den Fremden
unter sich aufnahmen. Es handelt sich ja nicht um Klassen in
unserem Sinne. »Die beständige Bewegung der Zöglinge während des Unterrichtes, ihr Sitzen, Stehen, Gehen und Kommen,
das Bilden und Lösen von Schülergruppen hat manchen Besucher überrascht.« Nicht selten waren ganz verschiedene Ar-
beitszirkel in ein und demselben Raum vereint und die vielen
repetierenden Abteilungen, so berichtet man, machten in dem

Saale ein Gesumme wie die Bienen in einem Bienenstock. Gewiß
hat Pestalozzis Natur, die unberechenbare Abfolge seiner Impulse, der blitzartige Liebesblick aus den Augen, die oft wie
Sterne hervortraten, ringsum Strahlen werfend, oft wieder
zurück, als blickten sie in eine innere Unermeßlichkeit, dann
wieder sein plötzliches Verstummen im Zorn — gewiß hat all
dies Anteil an dem großartigen, bisweilen die Grenze des Er-
träglichen hart streifenden Bereitschaftszustand aller Glieder
dieses Internats, in dem es keine Ferien gegeben hat. Der andere
Ursprung dieser Ordnung aber war die Not. Die Lebensver-
hältnisse in Iferten waren spartanisch. »Sein Vermögen sei ein
Schrank auf der Hausflur, ein Pult im Zimmer, wo die Kleinen
wohnen, ein Stuhl und ein Bett im Schlafsaal der Kleinen«,
schreibt ein Lehrer. In solchem Zimmer schliefen sechzig Kinder.
Und wenn sie des Morgens um sieben nüchtern und ungewaschen aus der ersten Unterrichtsstunde kamen, dann stellten sie
sich vor eine der langen hölzernen Röhren im Hof, wo jedem
Schüler aus einem Loch ein Strahl von kaltem Wasser entgegenschlug. Waschbecken gab es nicht. Aber das ist nun wieder eine
der großen fruchtbaren Paradoxien von Pestalozzi, daß dies
Spartanische gänzlich frei von allen kriegerischen Ambitionen
war; keines der Ressentiments, die sich heute hinter dem Ideal
der Wahrhaftigkeit so gern verbergen, hatte da eine Stelle. Die
Gesinnung in Iferten war die spartiatische der eben sich befreienden Bürgerklasse. Die Härte, die die Kinder dort zu spüren hatten, war niemals die von Menschen, sondern nur die
von Holz, Stein, Eisen oder irgendeinem der Materialien, mit
deren Bearbeitung sie späterhin ihre Stelle unter den Mitbür-
gern in Ehren sollten einnehmen können. »Gymnastique industrielle« nannte Pestalozzi den Werkunterricht, den er so dem
Humanismus, wie er ihn verstand, aufs engste verband. Und
das war überhaupt die Art des alten Pestalozzi, zu problematischen Erscheinungen, wie die »Buchgelehrsamkeit« der neuen
Humanisten ihm eine sein mochte, Stellung zu nehmen. Statt
gegen sie zu streiten, modifizierte er sie im stillen. Er war ein
großer Ironiker: Wir haben gar keinen Anlaß, in der Belohnung,
die er jährlich seinen besten Schützen unter den Kindern zu-
dachte, etwas anderes als eine sehr hintergründige Maßnahme
zu sehen: sie bekamen Schäfchen zu hüten.

Im Jahre 1808, zur Zeit der Blüte des Instituts, schreibt Pestalozzi an Stapfer: »Freund, aber wir glaubten, ein Korn zu säen, um den Elenden in unserer Nähe zu nähren, und wir haben einen Baum gepflanzt, dessen Äste sich über den Erdkreis ausbreiten.« So schlägt er den Bogen, wahrhaft einen Regenbogen, über seiner Lebensarbeit. Er hatte den Neuhof, wo er, unbekannt, an den Kindern der Armen getan hatte, was er in Iferten, vor den Augen der Gelehrtesten und der Herrschenden, an den Kindern der Reichen tat, nicht vergessen. »Seine alte Sehnsucht war es, eine Schar armer, verwahrloster Kinder um sich zu sammeln, um ihnen Vater sein zu können. Statt dessen mußte er Direktor eines weltberühmten Institutes werden. Wie litt er oft unter diesem Verzicht, wie träumte er gerne von seiner Armenschule! Der greise Pestalozzi war überglücklich, als Schmid 1818 es zustande brachte, eine Armenanstalt in der Nähe von Iferten, in Clindy, zu gründen.« Das ist es, was man sich vergegenwärtigen soll, wenn die Rede von Pestalozzi und mehr noch von »Persönlichkeitserziehung« ist. Denn er meinte es anders als seine Nachbeter. Sein Bild von der Persönlichkeit war nicht gewonnen im Umgang mit den Kindern der privilegierten Schichten. Ihn hatten die Armen und Gebrechlichen gelehrt, wie unbequeme Züge sie haben und vor allem in wie sehr ungelegenen Augenblicken sie sich Bahn brechen kann. Diese unwirsche, spröde, ja bedrohliche Persönlichkeit, die er so gründlich in sich selbst zu spüren hatte, war es, deren Hervorbrechen er mit unablässiger Aufmerksamkeit, ja mit Zittern erwartete. Pestalozzi hatte nichts Beispielhaftes. Was er den Kindern, ohne welche er nicht leben konnte, gab, war nicht sein Beispiel, sondern die Hand: die Handbietung, um mit einem seiner Lieblingsworte zu sprechen. Diese Hand lag immer bereit, ob sie bei Spiel und Arbeit half oder unversehens an die Stirn eines vorübergehenden Kindes fuhr. Davon enthält seine Lehre manches, das Beste aber die Praxis, der er in Iferten mit betonter Ausschließlichkeit seine letzte Kraft widmete. Mehr läßt sich denn auch über das Verdienst des Werkes, das dieser Praxis erstmals wirklich nachging, nicht sagen.

DER IRRTUM DES AKTIVISMUS
Zu Kurt Hillers Essaybuch »Der Sprung ins Helle«[1]

Seit geraumer Zeit setzt Hiller sich publizistisch für eine Reihe
von höchst erstrebenswerten Dingen ein: für die Verhütung
kommender Kriege, für ein neues Sexualstrafrecht, für die Abschaffung der Todesstrafe, für die Bildung einer linken Ein-
heitsfront. Die allgemeine Absicht seines Schreibens gibt dem
Verfasser Anspruch auf Sympathie. Man täte unrecht, aus den
mancherlei Entgleisungen in der Sache und der öfteren Willkür
der Form viel Wesens zu machen. Nun stellt aber die vorliegende Sammlung, die Arbeiten des Verfassers aus der jüngeren
Vergangenheit präsentiert, im Grunde nur die mannigfache
Abwandlung einer einzigen und zwar irrigen These dar. Weil
der Verfasser keineswegs mit ihr allein steht – so sehr er Mut
und Ehrlichkeit vor vielen, die auf dem gleichen Holzweg sind,
voraus hat –, soll über diese These einiges gesagt sein.
Sie statuiert den Anspruch der Geistigen auf die Herrschaft
oder: die »Logokratie«. Wenn wir nicht irren, war es gegen
Ende 1918, und zwar im »Rate der geistigen Arbeiter«, daß sich
die Parole, für welche Hiller so begeistert kämpft, zum ersten
Mal nachdrücklich hören ließ. Seitdem ist er ihr treu geblieben.
Daß er damit im heutigen Parteibetriebe nur die Stellung eines
Außenseiters einnehmen kann, ist selbstverständlich, und mit
dieser Feststellung beginnt er seine Vorrede. Ebenso selbstverständlich, daß er »am schärfsten die Partei angreifen muß, der
er sich am nächsten weiß: die kommunistische«. Der Tatbestand, den Hiller so fixiert, ist, wie bekannt, für große Mengen
Intellektueller heute typisch. Es soll auch nicht geleugnet werden, daß er zwei Seiten hat. Die eine, die spröde Haltung, die
die kommunistische Partei, wie jede andere, gegen Intellektuelle
an den Tag legt, wird bei Hiller zum Gegenstande heftiger
Polemik. Sie soll hier aus dem Spiel bleiben. Der anderen aber,
der Art von Führung, welche man beansprucht, also dem Credo
des Aktivismus, hat man näher zu treten. Nicht so, als wolle
man den Geistigen den Anspruch auf die Herrschaft streitig

1 Kurt Hiller, Der Sprung ins Helle. Reden, offne Briefe, Zwiegespräche, Essays,
Thesen, Pamphlete gegen Krieg, Klerus und Kapitalismus. Leipzig: Wolfgang Richard
Lindner Verlag (1932). 336 S.

machen. Das uferlose Meer der Meinung über solche Fragen wollen wir nicht befahren. Wir ziehen vor, festen Boden unter den Füßen zu behalten und festzustellen: Man hat sich im Kreise Hillers ein Bild von »Herrschaft« zurecht gelegt, das keinerlei politischen Sinn besitzt, es sei denn, zu verraten, wie selbst die deklassierte Bourgeoisie sich von gewissen Idealen ihrer Glanzzeit nicht trennen kann. Nichts zeigt das deutlicher als die Revue der Partner, auf die man in den zahlreichen Polemiken des Bandes stößt. Da trifft man Coudenhove, F. W. Foerster, Schauwecker, von Schoenaich – Führer derselben Art wie der Verfasser, Persönlichkeiten, die einer – wie immer sonst man auch zu ihnen stehen mag – zehnmal besiegen, widerlegen kann, ohne deshalb um Handbreit seinem Ziele näher zu kommen. Kurz Couloirpolitiker, die nicht einmal den Korridor von einem Parlament zur Verfügung haben. Wo der Verfasser aber sonst auf Gegner stößt – die Sozialdemokratie, das Papsttum, den Militarismus –, auch da sucht er sie nirgends auf historischem Terrain, wo sie die Massen in Bewegung setzen, sondern in einem eristischen Utopien auf, wo nur »Zielsetzungen« einander gegenüberstehen, um die sich freilich dann alles säuberlich gruppiert. Nur daß es die Ordnung einer Sammlung ist, nicht einer Schlacht. Wenn Hiller seine Absage an die Parteiführer formuliert, so räumt er ihnen manches ein; sie mögen »in Wichtigem wissender sein . . ., volksnäher reden . . ., sich tapferer schlagen« als er, eins aber ist ihm sicher: daß sie »mangelhafter denken«. Wahrscheinlich, was kann das aber helfen, da politisch nicht das private Denken, sondern, wie Brecht es einmal ausgedrückt hat, die Kunst, in anderer Leute Köpfe zu denken, entscheidend ist. Oder mit Trotzki zu reden: »Wenn die erleuchteten Pazifisten den Versuch unternehmen, den Krieg mittels rationalistischer Argumente abzuschaffen, wirken sie einfach lächerlich. Wenn aber die bewaffneten Massen beginnen, Argumente der Vernunft gegen den Krieg anzuführen, dann bedeutet das das Ende des Krieges.« Es fehlen bei Hiller, neben problematischen Auseinandersetzungen mit dem dialektischen Materialismus, nicht eindeutige Solidaritätserklärungen an die Adresse der Sowjets. Darum ist es besonders auffallend, daß eine der wichtigsten Episoden der Oktoberrevolution, nämlich die Sabotage des neuen Regimes durch breite Massen der

Intelligenz, gar keinen Mißklang in seine Zukunftsträume geworfen hat.

Kurz, mit Lichtenberg mag man annehmen, daß die Hunde, die Wespen und die Hornissen, wenn sie mit menschlicher Vernunft begabt wären, vielleicht sich der Welt bemächtigen könnten; die Geistigen, obwohl sie mit solcher Vernunft begabt sind, können es nicht. Sie können nur dahin arbeiten, daß die Macht in die Hände derer gelangt, die diese Sonderspezies Mensch – die nichts ist als ein Stigma am geistverlassenen Körper des Gemeinwesens — so schnell wie möglich zum Verschwinden bringen. Es handelt sich mit anderen Worten darum, der Gesellschaft jene vorbehaltlose Vernünftigkeit und damit jenen Sinn in jeder ihrer zahllosen Funktionen zu geben, welcher die pathologischen Stauungen liquidiert, deren Symptom das Dasein der Geistigen ist. Es steht damit nicht anders wie mit dem »Schöpferischen« oder dem »Produktiven«: von Haus aus nichts als Ausdruck von menschenwürdigen Beziehungen zwischen Menschen, sind sie in dem Grade, da sie im Leben der Gemeinschaft abgestorben sind, verdinglicht, als Embleme am Privatmann aufgetreten. Diese Privatleute als solche — nicht als »Angehörige gewisser Berufszweige«, sondern als »Repräsentanten eines gewissen charakterologischen Typus«, will Hiller die Geistigen definiert wissen — diese somit schon per definitionem amorphe Menge von Privatleuten politisch, etwa in einem Parlament der Geistigen, an die Spitze stellen zu wollen, ist eine ausgemachte Donquichotterie. Heute kann sie noch liebenswürdig, morgen schon schädlich sein.

GOETHEBÜCHER, ABER WILLKOMMENE

Jedes in diesem Jahre über Goethe eingesparte Wort ist ein Segen und darum nichts mehr zu begrüßen als lakonische Jubiläumsbücher. Zwei dieser Art, ungleich an Wert, aber lobenswert beide, seien hier vorgestellt. Von Goethe-Spezialisten sind sie verfaßt. Beide aber haben sie diesen nicht immer empfehlenden Ursprung durch geistvolle Konzeption und gewissenhafte Durchführung gerechtfertigt. So reicht denn das eine über Spe-

zialistentum weit in die volkstümliche Breite hinaus, das andere
durch gedrungene Faktizität in die philosophische Tiefe hinab. Wir sprechen von dem »Goethe, ein Bilderbuch« von Rudolf Payer-Thurn[1] und der »Chronik von Goethes Leben« von
Flodoard von Biedermann[2]. Beiden Büchern ist weiter gemeinsam Gründlichkeit in Verbindung mit Grundsatzlosigkeit. Das
ist eine fruchtbare Kombination. So wie die Chronik unter die
einzelnen Jahreszahlen, in die sie übersichtlich rubriziert ist,
die verschiedensten Fakten von den epochalen Begegnungen
oder Werken bis zu den abgelegensten Kuriositäten begreift,
hat auch das Bilderbuch sich vielfach vom Porträt und der
Lokalansicht emanzipiert, um Handschriften, Bücher, die Goethe
las oder die er verfaßte, Handzeichnungen aus Italien und
Deutschland, Illustrationen seiner Werke, die Todesanzeige seiner Enkelin, das Gedenkblatt, mit welchem er die Gratulationen
zu seinem fünfzigjährigen Dienstjubiläum bedankte, selbst seinen Reisewagen zu bringen. Wenn dem Kundigen vieles unter
diesen Bildern bekannt ist, so haben hübsche farbige Tafeln, die
dem Bande beigegeben sind, das Verdienst, die Aufmerksamkeit des Unkundigen auf ihn zu lenken, und da ein ordentlicher
Apparat Erläuterungen zu den Tafeln gibt, so kann er aus diesem Werk auch sehr viel angenehmere und solidere Belehrung
schöpfen als aus den schablonierten Literaturgeschichten fürs
deutsche Haus. Um aber auf die Biedermannsche »Chronik«
zurückzukommen, so kann so kundig überhaupt niemand sein,
daß er das Buch nicht mit reichem Gewinn wieder und wieder
vornehmen könnte. Im Gegenteil, je mehr der Leser von Goethe
kennt, desto tiefer wird diese Zusammenstellung, die sich in
allem ausschließlich an Namen und an Daten hält, seine Phantasie bewegen. Es gab bisher etwas ähnliches wohl nur in der
von H. G. Gräf besorgten Ausgabe der Gedichte Goethes in
zeitlicher Folge. Wem dort die eine oder andere Episode dieses
Lebens durch die bloße Konfiguration der Verse, die in ihr entstanden, bildhaft wurde – man denke nur an jene ungeheure
Folge, die durch das Gedicht an den »Aufgehenden Vollmond«,

1 Rudolf Payer von Thurn, Goethe. Bilderbuch. Sein Leben und Schaffen in 444 Bildern erläutert. Leipzig: G. Schulz Verlag [1931]. 192 S. Abb., mehr Taf., 24 S.
2 Flodoard Frh. von Biedermann, Chronik von Goethes Leben. Leipzig: Insel Verlag
[1931]. 86 S. (Insel-Bücherei. 415.)

die Divanzeilen »Nicht mehr auf Seidenblatt« in Dornburg nach
dem Tode Karl Augusts entstand – der ist zum Studium dieser
Chronik vorbereitet.

*Cherry Kearton, Die Insel der fünf Millionen Pinguine. (Über-
setzt von Magda Kahn.) Stuttgart: J. Engelhorns Nachf. (1932).
189 S.*

In diesen Zeiten kann man sich Leute vorstellen, die, wenn es
ihnen gelingt, der Arbeit für einige Tage oder Wochen den
Rücken zu kehren, am liebsten auch Ferien vom Mitmenschen
nehmen. Denen wird dann in ihrem entlegenen Winkel ein
Tierbuch die angenehmste Reiselektüre sein. Da es nicht jeder-
manns Sache ist, zu Thompsen oder London zu greifen, so
werden auch lockerere Bücher wie das vorliegende zu ihrem
Recht kommen. Besonders wenn sie stofflich so viel Interesse
erwecken können wie die felsige Insel der Südsee, auf welcher
Kearton das Leben der Pinguine studierte.
Wer die Pinguine nicht aus einem zoologischen Garten kennt,
dem sind sie vielleicht aus dem Brehm ein Begriff, und wer den
Brehm nicht gelesen hat, hat doch vielleicht schon von der
»Insel der Pinguine« etwas gehört, auf die Anatole France eine
seiner bedeutendsten Satiren verlegt hat. Satirisch kann man
die sachlichen Aufzeichnungen von Kearton nun zwar nicht
nennen; die Komik aber, die diese Tiere durch ihren gleichsam
natürlichen Anthropomorphismus für den Menschen haben,
kommt bei ihm vollauf zu ihrem Recht. Und zwar auf liebenswürdige Weise. »Mehr als einmal«, so heißt es im Vorwort,
»wenn ich meine Pinguine betrachtete und sie, den Kopf schief
auf die Seite gelegt, auch ihrerseits gedankenvoll nach mir her-
schauten, fragte ich mich, ob es der Naturforscher sei, der den
Pinguin, eine merkwürdige Vogelart, studierte, oder ob nicht
vielmehr sie die Naturforscher seien, die das merkwürdigste
aller Geschöpfe – den Menschen – studierten.«
Wie die Insel der Pinguine heißt, verrät der Verfasser nicht. Sie
ist eines von den zehntausenden oder den hunderttausenden
von Felsenriffen, die zwischen den Küsten Afrikas und Austra-

liens liegen, und der Forscher hat seine Einsamkeit nur mit seiner Frau und einem Jungen vom Kap geteilt, den er als Diener mitnahm. Sonst gibt es da wohl noch einen Leuchtturmwärter – ein Leuchtturm ist auf die Karte der ungenannten Insel eingezeichnet – aber der spielt keine Rolle. Im übrigen fehlt dieser Weltabgeschiedenheit, was der Romantiker von ihr am allerersten sich erträumt – die Stille. Die Nacht zumindest ist von ununterbrochenen Schreien der Pinguine und unzähliger anderer Vögel erfüllt. Der Verfasser aber, den wir auf den zahlreichen Fotos, die dem Band beigegeben sind, kennen lernen, macht, wie es sich gehört, mehr den Eindruck eines Trappers als eines Romantikers. Das hat ihn jedoch nicht gehindert, auch einige bildnerisch ganz außergewöhnlich schöne Fotos nach Hause zu bringen. Eins der vollkommensten umspannt den Raum vom Horizonte zum Zenit, wie er mit unermeßlichen Vogelscharen erfüllt ist. Die Pinguine selber aber erscheinen nicht nur in Massen – gleichsam auf Meetings – sondern auch in Porträtstudien, die eines Hoffotografen würdig wären, wie denn Kearton eine ganze Anzahl von Originalen oder Charakterköpfen unter ihnen entdeckt haben will: den Richter, den Landstreicher, Charlie Chaplin, den Cherub und viele andere.

Das Buch enthält eine Fülle von Geschichten, die manchen Leser auf Rätsel in der Tiernatur führen werden. Der Verfasser seinerseits hat sich mehr an die bunte Mannigfaltigkeit der Erscheinung gehalten. Sein Buch ist launig. Vielleicht kommt die Distanz zu den Tieren darüber zu kurz. Aber immer wieder fühlt der Leser sich durch die Naivität und Frische der Betrachtungen entschädigt: »Kennzeichnend für Tiere ist, daß sie es nicht mögen, wenn man über sie lacht … Ich bin jedoch geneigt, die Pinguine für die einzige Ausnahme von dieser Regel zu halten. Wenn man über sie lacht – und wer könnte schließlich umhin, über sie zu lachen? – so legen sie den Kopf auf die Seite und sehen einen an … Nach einer Weile pflegen sie dann in ihrer jeweiligen Beschäftigung fortzufahren, ab und zu aber blicken sie immer wieder auf, wie um zu sehen, ob ihnen noch immer Huldigungen dargebracht werden.« Was dies betrifft, sind sie mit dem Verfasser bestimmt zufrieden gewesen.

ERLEUCHTUNG DURCH DUNKELMÄNNER
Zu Hans Liebstoeckl, »Die Geheimwissenschaften im Lichte
unserer Zeit«[1]

> Verhältnismäßig langsam tastet sich die Tagespresse auf
> den okkulten Gebieten vorwärts; sie bekommt gewöhn-
> lich erst recht spät Kenntnis vom Wandel der Dinge,
> dem Ehemann gleichend, der von der Untreue seiner
> Frau zuletzt erfährt, ist (sie) über das Wesen über-
> sinnlicher Erkenntnis, ganz im Widerspruch zu sonstiger
> journalistischer Fixigkeit und Tüchtigkeit, noch immer
> sehr mangelhaft informiert.
>
> *Liebstoeckl, a. a. O., S. 9.*

Von jeher gab es eine Literatur, die neben dem Bildungsdrang
zugleich dem Glückshunger breiter Volksschichten Befriedigung
versprach. Man fand sie in den Papierläden der Kleinstadt so
gut wie in denen engbevölkerter Großstadtviertel. Sie führten
in die »Geheimnisse der Liebeskunst«, das »Siebente Buch
Mosis«, den »Schlüssel zum Erfolge« oder die »Ägyptische
Traumdeutung« ein. Aus namenlosem Dunkel hat sie im Laufe
der letzten Jahrzehnte ihren Weg in die erleuchteten Auslagen
von anspruchsvollen Sortiments gefunden, die den Vertrieb
okkulter Schriften zu ihrer Spezialität machen. Einige Veränderungen brachte diese Rangerhöhung mit sich. Denn wenn die
kleinen Hefte, welche unseren Blick als Jungen auf sich zogen,
für Schichten bestimmt gewesen waren, welche, von der höheren
Bildung ausgeschlossen, eben darum glaubten, durch die Magie
des Blicks oder die Kunst, mit Glück in der Lotterie zu spielen,
mit einem Schlage sich über sie hinausschwingen zu können, so
wenden sich die neueren an Kreise, welche an ihrer Bildung irre
wurden. Die Dummheit, die Gerissenheit und Roheit, die beide
Gattungen von Schriften teilen, hindert nicht, daß sie in dem
sich gründlich unterscheiden, wessen sie ihre Leserschaft versichern: den kleinen Mann nämlich des Aufstiegs in höhere
Schichten, den gemachten dagegen der alleinigen Realität des
Geistigen und der Bedeutungslosigkeit der Wirtschaftskämpfe.
Nicht jeder freilich wagt in dieser Hinsicht sich so sehr ins De-

1 Hans Liebstoeckl, Die Geheimwissenschaften im Lichte unserer Zeit. Zürich, Leipzig,
Wien: Amalthea-Verlag (1932). 432 S.

tail wie der Verfasser der »Geheimwissenschaften im Lichte
unserer Zeit«, der erklärt, es könne, »seit die Menschheit dank
dem Spiritismus wieder um okkulte Dinge weiß, doch wohl
sein, daß solch ein armer, durch seinen Zwangsbeitrag an die
Genossenkassa, an den Bolschewismus gefesselter Proletarier,
eines Tages in seiner elenden Stube klopfen hört ... Das Klopfen an der Wand des armen Mannes will seit jenem Tage nicht
aufhören. Es wird sogar immer schlimmer und dadurch ganz
besonders unheimlich, daß es, wenn man den Klopfgeist etwas
fragt, ganz präzise mit Ja oder Nein antwortet ... Bei hellich-
tem Tage zupft es am Ärmel, kneift am Ohr oder wirft plötzlich
Gegenstände scharf vorbei; ein Tisch schwebt in der Luft, allen
Behauptungen der Wissenschaft zum Trotze, die von Schwer-
kraft spricht; ein Buch blättert sich von selbst auf, ein Licht-
schein wird sichtbar, die Schritte eines Unsichtbaren schlürfen
durch die Stube, eine Tür geht ganz von selbst auf, und es
scharrt an der Schwelle, als ob ein Pudel Einlaß suchte. Fragt der
Genosse heimlich die Madame oder die Kartenaufschlägerin ...,
so bekommt er meist eine Antwort, die er nicht versteht ... Der
Herr Betriebsrat aber lacht laut auf; er lacht allerdings nicht
lange, denn schließlich kann auch der freisinnigste Herr Betriebsrat, der die höchsten Freidenkergrade mühelos erreicht
hat, nicht anders, als zugeben, daß hier, wahrhaftig, bei vollem
Licht und voller Besinnung, etwas wie ein Spuk am Werke ist.
Ich habe Arbeiter kennengelernt, die, obzwar parteigetreue
Sozialisten, heimlich spiritistische Zirkel besuchten und sich
nicht davon abbringen ließen, mich zu benachrichtigen, wenn
neue Phänomene und Kundgebungen zu verzeichnen waren.«
(S. 351 f.) Wieviel Verlaß auf die Geister ist, die derart in der
Mietskaserne gegen den Betriebsrat aufgeboten werden, darüber wird sich freilich der Unternehmer keine Illusionen machen, vielmehr geneigt sein, im stillen Wolfskehls melancholische Frage zu wiederholen: »Sollte man von den Spiritisten nicht
sagen, daß sie im Drüben fischen?« Mit noch größerem Geschick
tun das die Anhänger Steiners, welche den Verfasser jener bemerkenswerten Zeilen zu den ihren zählen. Zugleich setzen sie
ein weit höheres Bildungsniveau voraus, als der nackte Spiritismus es tut, und eben darum konnten sie ihn im Verlauf der
letzten Jahre in den Kreisen überflügeln, die neuerdings ins

Obskurantentum ihr Hoffen setzen. Denn wenn die »Magie« der guten, alten Groschenhefte ein letztes, kümmerlichstes Abfallprodukt bedeutenderer Überlieferungen war, so hängt die »Anthroposophie« samt den ihr nahestehenden Charlatanerien vielmehr mit der »allgemeinen Bildung« der neueren Zeiten zusammen, und zwar als deren Zersetzungsprodukt.

Wer unternimmt, sich von der Krise Rechenschaft zu geben, in welche die allgemeine Bildung in den letzten Jahrzehnten eingetreten ist, wird inne werden, daß die Entfremdung Europas von den Werken und den Traditionen seiner Blütezeit, die Verkümmerung der Geisteswissenschaften, das Aussterben der Kenntnis der alten Sprachen den Vorgang doch nur unzureichend charakterisieren. Denn die allgemeine Bildung verschwindet nicht spurlos, sondern unterliegt, genau betrachtet, vielmehr der Zersetzung. Sie ist zur Zeit an einem Punkte angekommen, wo die Zerfallsprodukte, mit denen sie die geistige Atmosphäre schwängert, schon bestimmbar sind. Der Blut- und Strahlenzauber in seinen hundertfältigen Spielarten ist nur das eine von zwei Elementen, die im Zerfall zutage treten und von denen keines für sich allein sich recht verstehen läßt. Das salbungsvolle Kauderwelsch der falschen Propheten – um zunächst bei diesen zu verbleiben – ist unschwer als Rückstand der großen humanistischen Philosophie erkennbar, die im Programm der allgemeinen Bildung mit der exakten Forschung sich verbunden hatte. Unter diesen Propheten sind die der Anthroposophie weitaus die anspruchsvollsten. Sie haben es nicht nur wie der Spiritismus mit Geisterwelten, nicht nur wie die Mystik mit übersinnlichen Anschauungsformen und nicht nur wie die Astrologie mit Gestirnen zu tun, sondern mit allen Wissenschaften insgesamt. Und daß sie zu neuen Resultaten auf der ganzen Linie kommen, ist nicht zu bestreiten. So als Anthropologen: »War der physische Leib des Menschen auf dem alten Saturn ein Wärmeleib, so ist er zur alten Sonnenzeit ein Luftleib geworden, der, gashaft, einen weiteren Zustand der Verdichtung darstellt.« (S. 61.) So als Historiker: »Ohne Sinn sind diese grandiosen Platzsuchen und Platzwechsel der Völker (d. i. die Völkerwanderung) keineswegs gewesen, schon deshalb nicht, weil sie mit der Ätherverteilung auf der Erde zusammenhingen.« (S. 228.) So als Physiker: »Einstein hat ihm (dem Äther)

die Türe der Physik wohl vor der Nase zugeschlagen, aber das
Vorhandensein von Molekeln, das Einstein, Smoluchowsky und
Soedberg als erwiesen annahmen, macht den Leuten, die den
Äther aus der Physik hinauswarfen, wenigstens, soweit ihr
logisches Denken in Frage kommt, wenig Ehre.« (S. 297.) Wenn
nun auch, wie man sieht, Plänkeleien, hier mit Einstein, dort mit
Eduard Meyer, dann wieder mit Dessoir unterlaufen, so ist bei
Steiner so gut wie bei Krishnamurti oder Bo-Yin-Ra die große
Harmonie das Ein und Alles, in dem die Einzelheiten unter-
tauchen. Will man nun dieser Einzelheiten in den bizarren
Formen habhaft werden, in welche der Verfall der allgemeinen
Bildung sie versetzt hat, muß man sich an den Gegenpol verfügen. Daß er nicht weniger magnetisch auf die Massen wirkt
als die verschiedenen magischen Initiationen, kann man aus
dem beliebten »Frag mich was« entnehmen, auch aus der Rubrik
»Wissen Sie eigentlich, daß . . .«, welche seit Jahren zum eisernen Bestande gewisser Tagesblätter gehört. Die Streuung und
das Durcheinander der exakten Tatsachen, wie sie in solchen
Spielereien zum Vorschein kommt, ist nicht so sinnlos, wie es
auf den ersten Blick erscheint. Zumindest gibt es eine große
Wirtschaftsmacht, die sie in ihren Dienst stellt: die Reklame.
Man durchblättere den Inseratenteil der illustrierten Wochen-
schriften: auf jeder Seite schlagen einem berühmte Männer und
Landschaften, kulturhistorische und technische Daten, klassische Lebensregeln und statistische Tabellen, chemische und
physiologische Sätze entgegen. Es ist die Ware, die auf solche
Weise die Welt des Wissens und des Geistes sich als Hinter-
grund drapiert, um desto lockender auf ihm sich abzuheben.
Kein Wunder, daß das merkantile Amerika es war, das hier den
ersten Schritt ins Große tat, indem es seine Sender stundenweise
einzelnen großen Firmen und Konzernen vermietet, die auf ihre
Kosten die größten Virtuosen, die beliebtesten Humoristen sich
produzieren lassen – zum höheren Ruhme ihrer Fabrikate. In
Europa begnügt die Warenproduktion sich noch mit billigeren
Kräften: sie stellt die allgemeine Bildung in ihren Dienst, um ihr
Erzeugnis nicht allein in dem Bedürfnis, sondern auch im Gei-
stesleben ihrer Kundschaft zu verankern. So viel über das
unterirdische Wechselspiel der neueren Reklametechnik und
Geheimwissenschaft, die beide mit dem Zerfall der allgemeinen

Bildung ihren Aufschwung nahmen. Wenn die eine die Kunst
versteht, die Ware zum Arkanum zu machen, so weiß die andere
das Arkanum als Ware abzusetzen: so gut wie eine Zigarette
als der beste Seelenarzt kann Steiners »Goetheanum« als soli-
des Unternehmen angesehen werden und die von ihm in Umlauf
gesetzte Geheimwissenschaft ist ein Markenartikel, der keineswegs verlegen ist, die gesamte Weltgeschichte zu seiner Propaganda heranzuziehen.

Damit fällt vielleicht auch ein Licht auf den zunächst gewiß
befremdlichen Eifer, mit dem die Geheimwissenschaft über ihren
Platz in der Presse wacht. Man beginnt zu verstehen, warum
der Meister sich »über die Presse und ihre Bedeutung für die
Geisteswissenschaft« Gedanken machte, sofern nämlich »die
Journalisten nur die Kraft hätten, sich von Vorurteilen und
ihrem Hang zu Flüchtigkeiten freizumachen« (S. 369). Da nun,
wie der Verlagsprospekt bekannt gibt, mit diesem Buche ein
Mann auf den Plan tritt, »der als Musik- und Theaterkritiker
europäischen Ruf genießt«, mag die Geheimlehre dieses neuen
journalistischen Verbindungsmannes sich freuen. Der Leser aber
wird mit einiger Wehmut an die veralteten Broschüren zurück-
denken, die für zehn Pfennig Glück im Spiele oder in der Liebe
in Aussicht stellten und sich gestehen, wieviel lauterer sie
erscheinen als ein Schrifttum, das Ophir und Atlantis, Buddha
und Christus, Totenbuch und Sohar aufbietet, um die Barbarei
an jenen Platz zu stellen, den vor hundert Jahren die Bildung
einnahm.

JEMAND MEINT
Zu Emanuel Bin Gorion, »Ceterum Recenseo«[1]

> Jeder kann seine eigene Meinung haben, aber manche
> verdient Prügel.
>
> *Chinesisches Sprichwort*

Wenn Cato maior im Senat seiner Rede die Worte anschloß:
»Ceterum censeo Carthaginem esse delendam«, so war es das

---

1 Emanuel Bin Gorion, Ceterum Recenseo. Kritische Aufsätze. Neue Folge. Berlin:
Morgenland-Verlag 1932. 174 S.

erste Mal nur eine Meinung. Beim vierten oder fünften Mal
war es ein Tick, beim zehnten Mal war es eine Losung und nach
einigen Jahren der Anfang der Zerstörung Karthagos geworden. Auf Catos Wort spielt der Verfasser eines Bandes von
Kritiken mit einer Wendung an, die im Mund eines Prager
Gymnasiasten verzeihlich wäre. Ein Polemiker – und Bin Gorion hält sich für einen – hätte dieses Diktum besser verwerten
können. Es läßt sich viel aus ihm lernen. Jeder Polemiker hat
sein Karthago und anfangs gar nichts in der Hand als seine
Meinung. Wie schmiedet er sie aber zur Waffe um? Zum Instrumente der Zerstörung, die er plant? Er leiht ihr seine
Stimme, seine Gegenwart; er stattet sie mit allem Inkommen-
surablen, Zufälligen seines privaten Daseins aus. Für ihn, den
wirklichen Polemiker, gibt es zwischen Persönlichem und Sach-
lichem gar keine Grenze. Nicht nur was die Erscheinung seines
Gegners angeht, sondern vor allem, und noch mehr, die eigene.
Ja – man erkennt ihn daran, daß er sein moralisches und
intellektuelles, sein publizistisches und sein privates Leben der
öffentlichen Meinung so deutlich macht wie ein Akteur sein
Dasein auf der Bühne. Ihm ist die Kunst vertraut, die eigene
Meinung so virtuos und bis in ihre letzten Konsequenzen zu
verfolgen, daß der gesamte Vorgang umschlägt und die fast
idiosynkratische Betonung der privaten Standpunkte, Vorurteile
und Interessen zu einer schonungslosen Invektive gegen die
herrschende Gesellschaft wird.
Kritik von dieser Haltung strebt seit jeher – ihre Linie von
Swift bis Karl Kraus beweist es schlagend – zum politischen
Pamphlet. Um diese große Überlieferung fortzusetzen, fehlt
dem Verfasser jegliche Befugnis. Es soll hier nicht von einer
Ignoranz in allen öffentlichen Dingen die Rede sein, die man
bei einem Publizisten immer störend, bei einem Kritiker von
Trotzkis Memoirenbande als durchaus unerträglich empfinden
muß. Den Strategen des Bürgerkriegs in Rußland nennt Bin
Gorion einen charakterlosen »Mannequin der roten Tracht«.
So unverschämt das ist, so wird man dem Verfasser immerhin
zugute halten können, daß nicht politische Verblendung ihn
beseelt. Denn ahnungsloser kann man nicht gut sein, als sich
Bin Gorion mit der Meinung darstellt, »daß Kommunismus
keine Erfindung der Neuzeit ist, sondern seit jeher gelehrt und

von den Edlen aller Zeiten praktiziert wurde«. Es ist aber dieser
provokatorische Ton nicht nur in den politischen Betrachtungen
der herrschende. Er zählt zum Reich der »Pseudo-Dichter« »etwa George und Rilke, auch Hofmannsthal, Hesse«. Nach der
Begründung fragt man ihn vergeblich.

Gewiß, man wird auch manchmal »seiner Meinung« sein. »Der
Philister«, sagt Hebbel, »hat oft in der Sache recht, aber nie in
den Gründen.« Und mögen nun die Ambitionen eines Schreibers noch so nobel sein – das Stück Philister, welches in ihm
steckt, bricht immer durch. Bisweilen recht robust. So heißt es
hier: »Echte Kunst wirkt erhebend und adelnd; die Pseudo-Kunst fördert noch den Glauben an die Materie.« Oder: »Kunst
ist Natur und bildet sich ungefragt und ungerufen: Schund
wird auf Bestellung gefertigt.« Nicht genug an der Gedankenlosigkeit dieses Kriteriums – hat Hebbel nicht viele seiner schönsten Erzählungen auf Bestellung geschrieben und ist Goldschnitt-Lyrik besser, wenn sie keinen Verleger findet? – so
fährt der Autor fort: »Das eine wächst, das andere wird fabriziert: das eine ist Butter, deren Ursprung in der Natur ist, das
andere Margarine, die künstlich hergestellt wird.« Wenn hier
der Ausdruck läppisch und gesucht ist, ist der Gemeinplatz, den
er deckt, nur um so breiter: die sture Gegenüberstellung von
Schriftstellerei und Dichtung, die am Tiefstand der heutigen
Kritik mitschuldig ist. Kurz, eine Herabwürdigung des »Literarischen« ganz im Sinne der Reaktion, mit welcher der Verfasser auf seine eigene Weise kokettiert. Sein Bild vom »echten
Dichter«, das dem Horizont der Lesekränzchen haargenau entspricht, beweist das. Wenn diesem nämlich »jedes Gedicht, das
er formt ... Ausdruck eines inneren Erlebnisses, einer Ergriffenheit, eines Erstaunens oder einer Erkenntnis« ist, so geht
»der Pseudo-Dichter ... aus nicht vom Leben und nicht von der
latenten Musik, die in der Natur vorhanden ist, sondern er
schöpft aus bereits bestehender Literatur und bewegt sich nur
im Kreise von Vorstellungen, Gedanken und Formeln, die vor
ihm schon ihre endgültige Prägung erhalten haben«. Falls diesen gänzlich müßigen Bestimmungen irgendein Sinn zukommt,
ist es der, Schriftstellerei und Dichtung zu entzweien: der ersten
als dem unbeträchtlichen Bezirk profaner Schreiber einen Tempelhain zu konfrontieren, in dem der »echte Dichter« seines

Amtes waltet. In Wahrheit läßt sich keine große Dichtung – in ihrer Größe! – ohne das Moment des Technischen verstehen. Dieses aber ist ein schriftstellerisches. So viel von den »Attacken«.

Die »Apologien« sind belanglos. Wären sie es nicht durch ihre Haltung, so durch die Objekte. Der Verfasser hat weder die Autorität, die die Polemik, noch jene Tradition und Bildung, welche die fundierende Kritik verlangt. Die hohe Schule dieser letzteren ist im Schrifttum der Romantiker zu finden. Kritik erscheint in ihm als die Entfaltung der Wahrheit, welche in den Werken schlummert. Es wird ihr bildliche Figur verliehen, indem sie derart innig mit der Beschreibung sich verbindet, daß in den berühmten Mustern dieser Gattung jede Meinung des Rezensenten so vernichtet scheint wie nach der klassischen Ästhetik der Stoff im Kunstwerk. Und nicht umsonst hat diese Blüte der Kritik um 1800 sich an den Meisterwerken Shakespeares, Calderons, Cervantes' entfaltet. Nicht wie die Kletterrose sich am Stamm emporrankt, sondern wie eine jener seltenen Blüten, welche hin und wieder aus einer immergrünen stachligen und wie für die Unsterblichkeit gepanzerten Kaktee brechen. Im Kommentar hat dieses kritische Verfahren seine Grenzform. Die kurzen Stückchen, die hier unterm Titel »Apologien« eingeordnet sind, sind, ob sie Joseph Wittig oder Emil Strauß, Oskar Loerke oder Hans Voß gelten, unbeträchtlich. Sie sind wohlmeinend. Die Meinung aber ist das Rohmaterial des Kritikers. Man sieht es ungern, wenn er mit ihm auftrumpft. Noch weniger gerne, wenn er einer Zeit, welche sich so nicht bange machen läßt, den nahen Untergang in Aussicht stellt.

STRENGE KUNSTWISSENSCHAFT
Zum ersten Bande der »Kunstwissenschaftlichen Forschungen«[1]
⟨Erste Fassung⟩

Als Wölfflin 1898 sein Vorwort zur »Klassischen Kunst« schrieb, erklärte er mit einer Geste, die die Kunstgeschichte, wie damals Richard Muther sie verstand, beiseite schob: »Das

1 Kunstwissenschaftliche Forschungen. (Schriftleitung: Otto Pächt.) Bd. 1. Berlin: Frankfurter Verlags-Anstalt 1931. 246 S., 48 Tafeln.

Interesse des modernen Publikums... scheint sich heutzutage
wieder mehr den eigentlich künstlerischen Fragen zuwenden zu
wollen. Man verlangt von einem kunstgeschichtlichen Buche
nicht mehr bloß die biographische Anekdote oder die Schilderung der Zeitumstände, sondern möchte etwas erfahren von
dem, was Wert und Wesen des Kunstwerks ausmacht... Das
Natürliche wäre, daß jede kunstgeschichtliche Monographie
zugleich ein Stück Ästhetik enthielte.« »Um dieses Ziel sicherer
zu erreichen«, so heißt es dann weiter, »ist dem ersten, historischen Teil zur Gegenprobe ein zweiter systematischer beigegeben.« Diese Disposition ist umso bezeichnender, als sie nicht
nur die Absichten sondern auch die Grenzen des damals so
epochemachenden Versuchs erkennen läßt. Und in der Tat hat
Wölfflins Unternehmen, durch die formale Analyse, welche er
in die Mitte des Verfahrens stellte, der trostlosen Verfassung
abzuhelfen, in welcher seine Disziplin am Ende des neunzehnten Jahrhunderts sich befand, nicht durchgegriffen. Er hat den
Dualismus zwischen einer flachen, universalhistorischen Geschichte der Kunst »aller Völker und Zeiten« und einer akademischen Ästhetik aufgezeigt, ohne ihn doch ganz zu überwinden.

Wie sehr die universalhistorische Auffassung der Kunstgeschichte, in deren Zeichen der Eklektizismus freies Spiel hatte,
die echte Forschung in Fesseln schlug, gibt erst der heutige
Stand der Dinge zu erkennen. Und zwar nicht nur in der Kunstwissenschaft. »Für die Gegenwart«, heißt es in einer programmatischen Auseinandersetzung des Literarhistorikers Walter
Muschg, »darf gesagt werden, daß sie in ihren wesentlichen
Arbeiten nahezu ausschließlich auf die Monographie gerichtet
ist. Der Glaube an den Sinn einer Gesamtdarstellung ist in dem
heutigen Geschlecht in hohem Maß verloren. Statt dessen ringt
es mit Gestalten und Problemen, die es in jener Epoche der
Universalgeschichten hauptsächlich durch Lücken bezeichnet
sieht.« »Die Abkehr vom unkritischen Realismus der Geschichtsbetrachtung, das Verwelken der makroskopischen Konstruktionen« sind in der Tat die wichtigsten Signaturen der
neuen Forschung. Denn ganz entsprechend Sedlmayrs programmatischer Artikel, der das vorliegende Jahrbuch eröffnet: »Die
werdende Phase der Kunstwissenschaft wird in bisher nicht

gekannter Weise die *Erforschung einzelner Gebilde* in den Vordergrund stellen müssen. Nichts ist im gegenwärtigen Stadium so wichtig wie eine verbesserte Erkenntnis des einzelnen Kunstwerks, und nirgends versagt die bestehende Kunstwissenschaft so sehr wie vor dieser Aufgabe ... Sobald das einzelne Kunstwerk als eine eigene, noch unbewältigte Aufgabe der Kunstwissenschaft angesehen wird, steht es in mächtiger Neuheit und Nähe vor uns. Früher bloß Medium der Erkenntnis, Spur eines anderen, das aus ihm erschlossen werden sollte, erscheint es jetzt als eine in sich ruhende *kleine Welt* eigener und besonderer Art.«

Es folgen, dieser Ankündigung entsprechend, denn auch drei streng monographische Arbeiten. Andreades stellt die Hagia Sophia als Synthese zwischen Orient und Okzident dar; Otto Pächt entwickelt die historische Aufgabe Michael Pachers; und Carl Linfert behandelt die Grundlagen der Architekturzeichnung. Diesen Arbeiten ist gemein eine überzeugende Liebe zur Sache und eine nicht minder überzeugende Sachkenntnis. Ihre Verfasser haben nichts zu schaffen mit dem Typus des Kunsthistorikers, »der eigentlich überzeugt war, daß man Kunstwerke nicht erforschen (sondern nur ›erleben‹) sollte, es aber doch – nur schlecht – tat«. Sie wissen ferner, daß man nur vorwärts kommen kann, wenn man von einem Bedenken des eignen Tuns – einer neuen Bewußtheit – nicht eine Hemmung, sondern eine Förderung der wissenschaftlichen Arbeit erwartet. Denn eben diese Arbeit hat es nicht mit Gegenständen des Genusses, formellen Problemen, gestalteten Erlebnissen und wie die anderen Schablonen aus der Erbschaft einer schöngeistigen Kunstbetrachtung heißen mögen, zu tun; für sie ist die formale Aufnahme der gegebenen Welt durch den Künstler »kein Auswählen, sondern jedesmal ein Vorstoß in ein Erkenntnisfeld, das bis zum Augenblick dieser formalen Bewältigung noch nicht ›vorlag‹ ... Diese Auffassung wird nur durch eine Denkart möglich, für die der Anschauungsspielraum selbst mit der Zeit und gemäß den Wendungen seiner geistigen Lenkung veränderlich ist, für die aber keinesfalls so etwas wie stets gleichartig vorhandene Dinge anzunehmen sind, deren formale Ausprägung nur ein wechselnder ›Stildrang‹ bei gleichbleibendem Anschauungsumkreis bestimmt.« Denn »nie darf uns etwas liegen an ›Formproblemen‹ für sich, als wäre je eine Form als Ausfluß eines bloßen Formproblems, oder anders gesagt: eine Form um ihres Reizes willen entstanden«.

Andacht zum Unbedeutenden, mit der die Brüder Grimm so unverwechselbar den Geist wahrer Philologie zum Ausdruck brachten, eignet auch dieser Art von Kunstbetrachtung. Aber was beseelt diese Andacht, wenn nicht die Bereitschaft, die Forschung bis zu jenem Grunde vorzutreiben, aus dem auch dem »Unbedeutenden« – nein, gerade ihm – Bedeutung zuwächst. Der Grund, auf den die Forschung solcher Männer stößt, ist der konkrete des geschichtlichen Gewesenseins. Das »Unbedeutende«, das sie beschäftigt, ist nicht Nuance neuer Reize noch auch Merkmal, mit dem man früher Säulenformen so bestimmte wie Linné die Gewächse, sondern es ist das Unscheinbare oder auch Anstößige (beides ist kein Widerspruch), das in den wahren Werken überdauert und der Punkt ist, an welchem der Gehalt für einen echten Forscher zum Durchbruch kommt. Man lese eine Untersuchung wie sie Hubert Grimme (der diesem Kreis nicht angehört) vor Jahren über die Sixtinische Madonna publiziert hat um zu erkennen, was ein solches auf die unscheinbarsten Daten des Gegenstandes aufgebautes Studium noch einem abgegriffenen Objekte abgewinnt. Und so ist, ihrer Materialbestimmtheit wegen, nicht Wölfflin Ahnherr dieses neuen Typs von Kunstgelehrten sondern Riegl. Die Untersuchung Pächts über Pacher »ist ein neuer Versuch jener großen Darlegungsform, die Alois Riegl als einen Übergang vom Einzelgegenstand auf seine geistige Funktion so meisterhaft beherrscht hat, besonders in seiner Untersuchung ›Das holländische Gruppenporträt‹«. Ebenso ließe sich an dessen »Spätrömische Kunstindustrie« erinnern. Und zwar vor allem, weil sie beispielhaft erkennen läßt, daß eine nüchterne und dabei unerschrockene Forschung niemals die lebendigen Anliegen ihrer Gegenwart verfehlt. Der Leser, welcher heute Riegls Hauptwerk liest, das beinah gleichzeitig mit dem eingangs angeführten Wölfflins ist, erkennt rückblickend, wie da unterirdisch schon die Kräfte sich bewegen, welche ein Jahrzehnt später im Expressionismus zutage traten. So darf man auch von Pächts und Linferts Studien vermuten, daß die Aktualität sie früher oder später einholen wird.

Ob es nun freilich zweckmäßig ist, diese strenge Kunstwissenschaft als eine »zweite« der ersten – nämlich positivistischen – gegenüberzustellen, wie Sedlmayr in seinem einleitenden Aufsatz es versucht, das unterliegt methodischen Bedenken. Denn Forschung, wie sie hier geübt wird, ist gerade auf die Hilfswissenschaften – malerische Technik, Motivgeschichte, Ikonographie – so angewiesen, daß es irreführend wirken kann, ihr diese als die »erste Kunstwissenschaft« gewissermaßen zum Pendant zu geben. Auch sonst erweist es sich an diesem Aufsatz, wie schwierig es für eine Forschungsrichtung wie die hier vertretene ist, zu rein methodischen Bestimmungen ganz ohne ein vorgegebenes Material zu kommen. Schwierig. Aber auch nötig? Ist es angezeigt, dies neue Wollen so beflissen unter das Patronat der Phänomenologie und der Gestalttheorie zu stellen? Leicht könnte es dabei geschehen, daß man auf der einen Seite einbüßt, was man, in etwa, auf der anderen gewinnt. Gewiß – der Hinweis auf »Sinnschichten« in den Werken, auf ihren »physiognomischen Charakter«, auf ihren »Richtungssinn« ist in der Polemik gegen die positivistische Kunstklitterung und selbst noch in der gegen die formale Analyse zu verwerten. Doch für die Selbstverständigung der neuen Forschungsweise leistet er nichts Rechtes. Sie hätte mehr von der Erkenntnis zu erwarten, daß der Bedeutungsgehalt der Werke, je entscheidender sie sind um desto unscheinbarer und inniger, an ihren Sachgehalt gebunden ist. Sie hätte es mit der Bezogenheit zu tun, die zwischen dem historischen Prozeß und Umbruch auf der einen Seite und dem Zufälligen, Äußerlichen, ja Kuriosen des Kunstwerks auf der andern die wechselseitige Erhellung stiftet. Denn wenn sich als die bedeutungsvollsten grade jene Werke erweisen, deren Leben am verborgensten in ihre Sachgehalte eingegangen ist – man denke an Giehlows Deutung der »Melencolia« Dürers – so stehen im Verlaufe ihrer Dauer in der Geschichte diese Sachgehalte einem Forscher um so viel deutlicher vor Augen, je mehr sie aus der Welt verschwunden sind.

Was das besagt, ist schwerlich deutlicher zu machen als es in Linferts Arbeit, die den Band beschließt, heraustritt. »Architekturzeichnung«, erklärt sie von ihrem Gegenstande, »ist ein Grenzfall.« Eben der Grenzfall aber ist es, in dessen Durchfor-

schung die Sachgehalte ihre Schlüsselposition am entschiedensten geltend machen. Betrachte man die Tafeln, die in Fülle
der Arbeit Linferts beigegeben sind. Die Unterschriften weisen
Namen, die dem Laien, zum Teil wohl auch dem Fachmann,
unbekannt sind. Und nun die Bilder selbst. Man kann nicht
sagen, daß sie Architekturen *wieder*geben. Sie *geben* sie allererst. Und seltener der Wirklichkeit des Planens als dem Traum.
So stehen hier die wappenhaften Prunkportale eines Babel, die
Feenschlösser, die Delajoue in eine Muschel bannte, die Nippesarchitekturen Meissoniers, Boullées Bibliotheksentwurf, der
wie ein Bahnhof, Juvaras Idealprospekte, die wie Blicke in den
Speicher eines Gebäudehändlers aussehen. Eine ganz neue,
unberührte Welt von Bildern, die einem Baudelaire höher als
alle Malerei gestanden hätte. Hier aber übt sich an ihnen eine
Technik der Beschreibung, der es glückt, in diesem undurch-
forschten Grenzgebiet die aufschlußreichsten Sachbestimmun-
gen zu treffen. Es gibt ja, offenkundig, eine Darstellung von
Bauten mit rein malerischen Mitteln. Von ihr wird die Architekturzeichnung genau geschieden und die nächste Annäherung an
unbildmäßige, also vermutlich echt architektonische Darstellung
von Bauten in den topographischen Plänen, Prospekten und
Veduten gefunden. Da auch hier gewisse »Fehler« sich allen
naturalistischen Fortschritten zum Trotz bis spät ins achtzehnte
Jahrhundert erhalten haben, nimmt Linfert eine eigentümliche
architektonische Vorstellungswelt an, die sich stark von der der
Maler unterscheidet. Es gibt vielerlei Anzeichen für ihr Vorhandensein. Das wichtigste ist, daß die Architektur gar nicht in
erster Linie »gesehen« wurde, sondern als objektiver Bestand
vorgestellt und von dem der Architektur sich Nähernden oder
gar in sie Eintretenden als ein Umraum sui generis ohne den
distanzierenden Rand des Bildraums gespürt wurde. Also
kommt es bei der Architekturbetrachtung nicht auf das Sehen,
sondern auf das Durchspüren von Strukturen an. Die objektive
Einwirkung der Bauten auf das vorstellungsmäßige Sein des
Betrachters ist wichtiger als ihr »gesehen werden«. Mit einem
Wort: die wesentlichste Eigenschaft der Architekturzeichnung
ist »keinen Bildumweg zu kennen«.
Soweit das Formale. Dieses aber durchdringt in Linferts Analysen sich aufs engste mit der historischen Gegebenheit. Seine

Untersuchung handelt »von einem Zeitraum, in dem die Architekturzeichnung den prinzipiellen und entschiedenen Ausdruck
zu verlieren anfing«. Wie aber wird dieser »Verfallsprozeß«
hier transparent! Wie tun die architektonischen Prospekte sich
auseinander, um in ihren Kern Allegorien, Bühnenbilder, Denksteine aufzunehmen! Und jede dieser Formen weist nun ihrerseits verkannte Gegebenheiten, die vor diesem Forscher in ihrer
ganzen Konkretion erscheinen: Die Hieroglyphik der Renaissance, die visionären Ruinenphantasien Piranesis, die Tempel
der Illuminaten, wie wir sie aus der »Zauberflöte« kennen. Hier
zeigt es sich, daß nicht der Blick fürs »große Ganze« oder die
»umfassenden Zusammenhänge«, wie ihn die Mittelmäßigkeit
für sich in Anspruch nimmt, das Zeichen des neuen Forschers
ist sondern das Zuhausesein in Grenzgebieten. Die Männer,
die in diesem Jahrbuch sprechen, repräsentieren diesen Typus
in seiner Strenge. Sie sind die Hoffnung ihrer Wissenschaft.

STRENGE KUNSTWISSENSCHAFT
Zum ersten Bande der »Kunstwissenschaftlichen Forschungen«[1]
⟨Zweite Fassung⟩

Als Wölfflin 1898 sein Vorwort zur »Klassischen Kunst«
schrieb, erklärte er mit einer Geste, die die Kunstgeschichte, wie
damals Richard Muther sie vertrat, beiseite schob: »Das Interesse des modernen Publikums ... scheint sich heutzutage wieder
mehr den eigentlich künstlerischen Fragen zuwenden zu wollen.
Man verlangt von einem kunstgeschichtlichen Buche nicht mehr
bloß die biographische Anekdote oder die Schilderung der Zeitumstände, sondern möchte etwas erfahren von dem, was Wert
und Wesen des Kunstwerks ausmacht ... Das Natürliche wäre,
daß jede kunstgeschichtliche Monographie zugleich ein Stück
Ästhetik enthielte.« »Um dieses Ziel sicherer zu erreichen«, so
heißt es dann weiter, »ist dem ersten, historischen Teil zur
Gegenprobe ein zweiter systematischer beigegeben.« Diese
Disposition ist um so bezeichnender, als sie nicht nur die Ab-

1 Kunstwissenschaftliche Forschungen. (Schriftleitung: Otto Pächt.) Bd. 1. Berlin:
Frankfurter Verlags-Anstalt 1931. 246 S., 48 Tafeln.

sichten, sondern auch die Grenzen des damals so epochemachenden Versuchs erkennen läßt. Und in der Tat hat Wölfflins
Unternehmen, durch die formale Analyse der niederschlagen-
den Verfassung abzuhelfen, in welcher seine Disziplin am Ende
des neunzehnten Jahrhunderts sich befand und die dann später
Dvorák in dem Nachruf auf Riegl so genau kennzeichnen
sollte, nicht völlig durchgegriffen. Wölfflin hat zwar den Dualismus zwischen einer flachen, universalhistorischen »Geschichte
der Kunst aller Völker und Zeiten« und einer akademischen
Ästhetik aufgezeigt, ihn aber doch nicht gänzlich überwunden.
Wie sehr die universalhistorische Auffassung der Kunstgeschichte, in deren Zeiten der Eklektizismus freies Spiel hatte,
die echte Forschung in Fesseln schlug, gibt erst der heutige
Stand der Dinge zu erkennen. Und zwar nicht nur in der Kunstwissenschaft. »Für die Gegenwart«, heißt es in einer programmatischen Auseinandersetzung des Literarhistorikers Walter
Muschg, »darf gesagt werden, daß sie in ihren wesentlichen
Arbeiten nahezu ausschließlich auf die Monographie gerichtet
ist. Der Glaube an den Sinn einer Gesamtdarstellung ist in dem
heutigen Geschlecht in hohem Maß verloren. Statt dessen ringt
es mit Gestalten und Problemen, die es in jener Epoche der
Universalgeschichten hauptsächlich durch Lücken bezeichnet
sieht.« »Die Abkehr vom unkritischen Realismus der Geschichtsbetrachtung, das Verwelken der makroskopischen Konstruktionen« sind in der Tat die wichtigsten Signaturen der neuen Forschung. Dem ganz entsprechend Sedlmayrs programmatischer
Artikel, der das vorliegende Jahrbuch eröffnet: »Die werdende
Phase der Kunstwissenschaft wird in bisher nicht gekannter
Weise die *Erforschung einzelner Gebilde* in den Vordergrund
stellen müssen ... Sobald das einzelne Kunstwerk als eine
eigene, noch unbewältigte Aufgabe der Kunstwissenschaft angesehen wird, steht es in mächtiger Neuheit und Nähe vor uns.
Früher bloß Medium der Erkenntnis, Spur eines anderen, das
aus ihm erschlossen werden sollte, erscheint es jetzt als eine in
sich ruhende *kleine Welt* eigener und besonderer Art.«
Es machen dieser Ankündigung gemäß drei streng monographische Arbeiten den Hauptbestand des neuen Jahrbuchs aus.
Andreades stellt die Hagia Sophia als Synthese zwischen Orient

und Okzident dar; Otto Pächt entwickelt die historische Aufgabe Michael Pachers, und Carl Linfert behandelt die Grundlagen der Architekturzeichnung. Diesen Arbeiten ist gemein eine überzeugende Liebe zur Sache und eine nicht minder überzeugende Sachkenntnis. Ihre Verfasser haben nichts zu schaffen mit dem Typus des Kunsthistorikers, der eigentlich davon durchdrungen war, »daß man Kunstwerke nicht erforschen (sondern nur ›erleben‹) sollte, es aber doch – nur schlecht – tat«. Sie wissen ferner, daß man nur vorwärtskommen kann, wenn man von einem Bedenken des eignen Tuns – einer neuen Bewußtheit – nicht eine Hemmung, sondern eine Förderung der wissenschaftlichen Arbeit erwartet. Denn eben diese Arbeit hat es nicht mit Gegenständen des Genusses, formalen Problemen, gestalteten Erlebnissen und wie die anderen Begriffe aus der Erbschaft einer überwundenen Kunstbetrachtung heißen mögen, zu tun; für sie ist die formale Aufnahme der gegebenen Welt durch den Künstler »kein Auswählen, sondern jedesmal ein Vorstoß in ein Erkenntnisfeld, das bis zum Augenblick dieser formalen Bewältigung noch nicht ›vorlag‹ ... Diese Auffassung wird nur durch eine Denkart möglich, für die der Anschauungsspielraum selbst mit der Zeit und gemäß den Wendungen seiner geistigen Lenkung veränderlich ist, für die aber keinesfalls so etwas wie stets gleichartig vorhandne Dinge anzunehmen sind, deren formale Ausprägung nur ein wechselnder ›Stildrang‹ bei gleichbleibendem Anschauungsumkreis bestimmt.« Denn »nie darf uns etwas liegen an ›Formproblemen‹ für sich, als wäre je eine Form als Ausfluß eines bloßen Formproblems, oder anders gesagt: eine Form um ihres Reizes willen entstanden«.

»Andacht zum Unbedeutenden«, mit der die Brüder Grimm so unverwechselbar den Geist wahrer Philologie zum Ausdruck brachten, eignet auch dieser Art von Kunstbetrachtung. Aber was beseelt diese Andacht, wenn nicht die Bereitschaft, die Forschung bis zu jenem Grunde vorzutreiben, aus dem auch dem »Unbedeutenden« – nein, gerade ihm – Bedeutung zuwächst. Der Grund, auf den die Forschung solcher Männer stößt, ist der konkrete des geschichtlichen Gewesenseins. Das »Unbedeutende«, das sie beschäftigt, ist nicht Nuance neuer Reize noch auch Merkmal, mit dem man früher Säulenformen so bestimmte wie Linné die Gewächse, sondern es ist das Unscheinbare, das

in den Werken überdauert und der Punkt ist, an welchem der
Gehalt für einen echten Forscher zum Durchbruch kommt. Und
so ist ihrer geschichtsphilosophischen Verspannungen wegen
nicht Wölfflin Ahnherr dieses neuen Typs von Kunstwissenschaft, sondern Riegl. Die Untersuchung Pächts über Pacher »ist
ein neuer Versuch jener großen Darlegungsform, die Alois Riegl
als einen Übergang vom Einzelgegenstand auf seine geistige
Funktion so meisterhaft beherrscht hat«. Gerade Riegl belegt
zudem auf beispielhafte Art, daß eine nüchterne und dabei
unerschrockene Forschung niemals die lebendigen Anliegen ihrer
Gegenwart verfehlt. Der Leser, welcher heut sein Hauptwerk –
die »Spätrömische Kunstindustrie« – liest, das beinahe gleichzeitig mit dem eingangs angeführten Wölfflins ist, erkennt
rückblickend, wie da unterirdisch schon die Kräfte sich bewegen, welche ein Jahrzehnt später im Expressionismus zutage
traten. So darf man auch von Pächts und Linferts Studien vermuten, daß die Aktualität sie früher oder später einholen
wird.
Im übrigen hat Riegl auch methodisch in einem kurzen Aufsatz
»Kunstgeschichte und Universalgeschichte«, der 1898 erschienen
ist, die ältere Art universalhistorischer Betrachtung gegen eine
neue Kunstwissenschaft abgegrenzt, der er selber die Wege
bahnte. Es ist das jene eingehende Ausdeutung des Einzelwerks,
die, ohne irgendwo sich zu verleugnen, auf die Gesetze und
Probleme der Kunstentwicklung im ganzen stößt. Diese Forschungsrichtung hat alles von der Erkenntnis zu erwarten, daß
der Bedeutungsgehalt der Werke, je entscheidender sie sind, um
desto unscheinbarer und inniger, an ihren Sachgehalt gebunden
ist. Sie hätte es mit der Bezogenheit zu tun, die zwischen dem
historischen Prozeß und Umbruch auf der einen Seite und dem
Zufälligen, Äußerlichen, ja Kuriosen des Kunstwerks auf der
anderen die wechselseitige Erhellung stiftet. Denn wenn sich als
die bedeutungsvollsten gerade jene Werke erweisen, deren
Leben am verborgensten in ihre Sachgehalte eingegangen ist –
man denke an Giehlows Deutung der »Melencolia« Dürers –
so stehen im Verlaufe ihrer Dauer in der Geschichte diese Sachverhalte einem Forscher um so viel sinnfälliger vor Augen, je
mehr sie aus der Welt verschwunden sind.
Was das besagt, ist schwerlich deutlicher zu machen, als es in

Linferts Arbeit, die den Band beschließt, heraustritt. »Architekturzeichnung«, erklärt sie von ihrem Gegenstande, »ist ein Grenzfall«. Schon in der »Spätrömischen Kunstindustrie« erwies sich ja der Grenzfall – denn das ist die Goldschmiedekunst, die sich dem Kunstgewerbe beizählt – als Ausgangspunkt der bedeutsamsten Überwindung der konventionellen Universalhistorie mit ihren sogenannten »Höhepunkten« und »Verfallsperioden«. Den gleichen Ansatz hat ja schließlich auch Wölfflin genommen, wo er das Barock, in dem noch Burckhardt nur ein Zeugnis des Verfalls sehen wollte, als erster positiv verstanden hat. Und damit nicht genug, hat Dvoráks Forschung über den Manierismus aufgezeigt, welche historischen Aufschlüsse einer spiritualistischen Entstellung der leergewordenen Schemen der reinen Klassik sich abgewinnen lassen. An alledem ist die periodenfeste Universalhistorie vorbeigegangen. Und doch ist es der von ihr verschmähte Grenzfall, in dessen Durchforschung die Sachgehalte ihre Schlüsselposition am entschiedensten geltend machen.

Betrachte man die Tafeln, die in Fülle der Arbeit Linferts beigegeben sind. Die Unterschriften weisen Namen auf, die dem Laien, zum Teil wohl auch dem Fachmann unbekannt sind. Und nun die Bilder selbst. Man kann nicht sagen, daß sie Architekturen *wieder*geben. Sie *geben* sie allererst. Und seltener der Wirklichkeit des Planens als dem Traum. So stehen hier die wappenhaften Prunkportale eines Babel, die Feenschlösser, die Delajoue in eine Muschel bannte, die Nippesarchitekturen Meissoniers, Boullées Bibliotheksentwurf, der wie ein Bahnhof, Juvaras Idealprospekte, die wie Blicke in den Speicher eines Gebäudehändlers anmuten. Eine ganz neue unberührte Welt von Bildern, die einem Baudelaire höher als alle Malerei gestanden hätte.

Die Analyse dieser Formwelt aber durchdringt bei Linfert sich aufs engste mit der historischen Gegebenheit. Seine Untersuchung handelt »von einem Zeitraum, in dem die Architekturzeichnung den prinzipiellen und entschiedenen Ausdruck zu verlieren anfing«. Wie aber wird dieser »Verfallsprozeß« hier transparent? Wie tun die architektonischen Prospekte sich auseinander, um in ihren Kern Allegorien, Bühnenbilder, Denksteine aufzunehmen! Und jede dieser Formen weist nun ihrer-

seits verkannte Gegebenheiten, die vor diesem Forscher in ihrer
ganzen Konkretion erscheinen: die Hieroglyphik der Renaissance, die visionären Ruinenphantasien Piranesis, die Tempel
der Illuminaten, wie wir sie aus der »Zauberflöte« kennen. Hier
zeigt es sich, daß nicht der Blick fürs »Große Ganze« oder für
die »umfassenden Zusammenhänge«, wie ihn einst die behäbige
Mittelmäßigkeit der Gründerzeit für sich in Anspruch nahm,
das Merkmal des neuen Forschergeistes ist. Vielmehr hat er den
strengsten Prüfstein darin, in Grenzbezirken sich daheim zu
fühlen. Das ist es, was den Mitarbeitern des neuen Jahrbuches
ihren Platz in der Bewegung sichert, die heute von den germanistischen Studien Burdachs bis zu den religionshistorischen der
Bibliothek Warburg die Randgebiete der Geschichtswissenschaft
mit frischem Leben erfüllt.

Hermann Gumbel, Deutsche Sonderrenaissance in deutscher Prosa. Strukturanalyse deutscher Prosa im sechzehnten Jahrhundert. Frankfurt am Main: Verlag Moritz Diesterweg 1930. XII, 268 S. (Deutsche Forschungen. Heft 23.)

Die breit angelegte und sehr solide Studie von Hermann Gumbel hat es mit der Stilkritik der deutschen Prosa in einer ihrer wenigst erforschten Epochen zu tun. Sie entschädigt sich für die Sprödigkeit ihres Gegenstandes, indem sie sich zum Programm einer ›Stilforschung als geistiger Physiognomik‹ bekennt. In drei Ansätzen geht der Autor an die Verwirklichung dieses Vorhabens. Nachdem er die grammatisch-syntaktische Struktur der deutschen Schriftsprache fürs sechzehnte Jahrhundert, und zwar im engsten Anschluß ans Lateinische, verfolgt hat, wendet er sich der primitiven Seite seiner Quellen zu, um schließlich in einer Reihe kunstwissenschaftlicher Begriffe seine Befunde zu unterbauen. Dabei umfassen seine Untersuchungen die ganze Breite des damaligen Schrifttums; die Prosa der Schwankbücher so gut wie der Chronisten oder der Prediger. Darüber hinaus bemächtigt er sich der volksmäßigen Untergründe der ganzen Bewegung. Ihrem besonderen Studium gilt das zweite Kapitel »Die primitive Struktur«.

»Reicht überhaupt« – so erklärt der Verfasser im Anschluß an Burdach – »die ›inwendige Kunstform‹ tiefer hinab ›in die Sphäre des Halbbewußten, Unbewußten als der typische Gedankengehalt künstlerischer Hervorbringungen‹, dann dürfte für jene Zeit nichts so entscheidend sein als eine Neubelebung, ein Aufblühen, ein Finden des Unbewußten. Und wenn eine Sehnsucht nach Primitivität überhaupt bewußt werden konnte, so nur auf Grund einer Ernüchterung, Aufklärung, Übersättigung, so nur als Wiedererwachen unmittelbarer Triebe und eines ursprünglicheren Verhältnisses zum Leben des primitiven Fühlens, das sich vor allem im Lebensstil und in der Lebenspraxis der Allgemeinheit und der Unterschicht zeigen müßte.« Die Stadtflucht der augusteischen Dichter ebensowohl wie die evan-

gelische Verheißung »So Ihr nicht werdet wie die Kinder ...«
stellt der Verfasser in der Aktualität dar, die ihnen damals neu
verliehen schien. Sodann geht er zu dem Versuche über, das
Bild der primitiven Prosa jener Zeit näher durch Analogien zu
bestimmen, welche sie zur Kindersprache aufweist. Grundlegend
aber bleibt ihm immer das Nachwirken eines magischen Sprachlebens bis in die kunstvollsten Erzeugnisse der damaligen Literatur; ein Sprachleben, in das er wesentlich im Anschluß an
Cassirers »Philosophie der symbolischen Formen« (I) und die
»Begriffsform im mythischen Denken« des gleichen Autors ein-
zudringen sich bemüht.

Kennzeichnend für die Gumbelsche Methode ist sodann vor
allem eine Analyse der damaligen Zeichensetzung, die den
zweiten Teil des Werkes abschließt. »Ein allgemeines Wort
darüber, wie wichtig gerade die Interpunktion für die Struk-
turerkenntnis einer Sprache ist, dürfte nach allem Gesagten
und in einer Zeit unnötig sein, in der die Forderung doch All-
gemeingut wird, daß Stilbegriffe ihre Verbindlichkeit und Gel-
tungskraft gerade bis in die unscheinbarsten Außenformen bewähren.« Auch in der Zeichengebung sucht er den Impuls des
Neuen nachzuweisen. »An die Stelle der Teilungen, des Sinn-
hackens und des stoßweisen Trennens« ist »die organisch-
körperliche Apperzeptionsform getreten. Da sind es jetzt Glieder und Gelenke, für die man sinnvoll den Vergleich mit dem
›leib‹ braucht.«

Die Darstellung gipfelt in einer Analyse der »formalen Struktur«. Hier zeigt sich der Verfasser sehr besorgt, diejenigen
kunstwissenschaftlichen Begriffe, in welchen er die Renaissance-
gestalt der deutschen Prosa zu erfassen trachtet, von dem Ver-
dachte unzulässiger Verallgemeinerung zu reinigen. Denn in
der Tat begegnen seine Formulierungen nicht selten denen
Heinrich Wölfflins; ja gegen Ende taucht ein Schematismus auf,
der den Kategorien, in die Wölfflin den Gegensatz von Renaissance und Barock gespannt hat, andere nebenordnet, die der
Leser in Gumbels kritischer Betrachtung deutscher Prosaisten
des gleichen Zeitraums bereits kennen lernte. Um so größeren
Wert legt der Verfasser auf die Tatsache, daß seine eigene
Analyse solche polaren Stilbegriffe lediglich an Studien im
eigenen Material gewonnen hat; Studien, die sich von denen

Wölfflins auch methodisch unterscheiden. Denn während Wölfflin ja bekanntlich in der Spannung seiner Grundbegriffe den Gegensatz von Renaissance und Barock umfaßt, hat Gumbels Ableitung der »Benennungen keine Erleichterung, Antriebe und Stützen erhalten aus der Analyse und konstruktiven Einbeziehung des absoluten Gegentyps«. »Der Blickpunkt und die Richtung der Betrachtung und Analyse – die hier das eigentlich Entscheidende sind – bleibt also durchaus im Bereich ›deutsche Renaissanceprosa‹ festgelegt, die Steigerungen, Gegenstücke und Gegensätze sind Relationen hierzu und stören die Überwölbung des einen Zeitstiles, der einen Stilzeit auch dann nicht, wenn wir in ihnen deutlich selbst jenes Moment namhaft machen können, das man sich mit dem Wort ›barock‹ zu bezeichnen gewöhnt hat.«

Damit ist der Verfasser einer Forschungsart treu geblieben, die, wie er eingangs erklärt, »in notwendig ganz langsamer und zäher Arbeit an den kleinsten, ›unwesentlichsten‹ Außenseiten ansetzt und von ihnen aus mühsam das Ganze *aufdröselt*«. Diesen Charakter der Mühseligkeit verleugnet die eindringliche und behutsame Studie freilich nicht immer. Vielleicht kommt mancher Leser in die Lage, sich zu fragen, ob die asketische Bescheidung des Verfassers nicht ihren besten Lohn noch ausstehen und von einer Fortsetzung zu erwarten habe, die bestimmt ist, diesen Bestandsaufnahmen ihre innere geschichtliche Bedeutung zuzuordnen.

MEMOIREN AUS UNSERER ZEIT

Schlichters Buch[1], das erste eines auf drei Bände angelegten Memoirenwerks, hebt sich scharf gegen den Hauptbestand der in den letzten hundert Jahren an den Tag getretenen Autobiographien ab. Es trägt die deutlichen Symptome der Krise, die das Ideal ergriffen hat; Symptome, die interessanter sind als die literarischen Veranstaltungen, welche hier hin und wieder sie zu vertuschen getroffen werden. Mehr als man annimmt,

1 Rudolf Schlichter, Das widerspenstige Fleisch. Berlin: Ernst Rowohlt Verlag 1932. 368 S.

unterliegt der autobiographische Bericht kanonischen Vorstellungen über Natur und Sinn der Lebensalter. Grade der erste Lebensraum, die Jugend – die der Verfasser hier von sich erzählt – erschien dem Humanismus als bevorzugt; es ist bekannt, wie zwanglos in seinem Ideenhimmel sich der Jüngling bewegt; wie sehr dagegen der Greis aus seinem Gestaltenreiche herausfällt. In idealischer Frische entsteigt im neunzehnten Jahrhundert – in den Bildungsromanen so gut wie in den autobiographischen – das anmut-, unschuldsvolle Kind dem Nichts, um erst im Spiel, sodann im Dichten und im Denken, Welt und Erfahrung gleichsam an sich zu ziehen. Wenn irgendwo der Geist des deutschen Humanismus lebensnah, dem Kantischen entrückt gewesen ist, so war es in der konkretesten Moral der Lebensalter, derzufolge denn auch, als die Krisis heraufzog, die Jugendbewegung als letztes Fort des Idealismus geblieben ist. Im übrigen ist nur natürlich, daß, je weiter sein Verfall gediehen ist, umso ausschließlicher durchformte Memoirenwerke Epigonensache wurden. Einem ganz andern Typus aber ist angehörig, was hin und wieder vor der klassischen Epoche derart auftaucht. Kommt man von der Lektüre Schlichters beispielsweise zu Karl Philipp Moritzens »Anton Reiser«, so fühlt man sich sofort auf bekanntem Boden; ja, man glaubt nun erst zu verstehn, was eigentlich in diesem neuesten autobiographischen Versuch ans Licht will. Ans Licht – und zwar aus tiefster Finsternis. Denn dies vor allem ist die Signatur dieser vorklassischen, heute antiklassischen Autobiographie, daß nicht die Menschwerdung des zeit- und raumentbundenen Genius – »Dichtung und Wahrheit« darf man so umschreiben – das Thema ist, sondern die Rettung der Kreatur, welche aus einem vorgeburtlichen Schlachten- und Schreckensraum gleichsam ins Helle der Geburt geflüchtet scheint. Fügt man hinzu, daß das chaotische Gemächt, das noch im Raum von Anton Reisers oder Schlichters Kindheit waltet, mit tausend hergeschneiten Einzelheiten – Musik und Prügeln, Mobiliar und Wetter, Ameisen und Vokabeln – innigste Verbindung eingeht, so hat man auf das wichtigste mindestens hingedeutet. Bekanntlich stellen Frömmelei und Sexualität das Muster dieser seltsamen Legierung jeder Moderne mit der ihr zubestimmten Vorwelt dar. Und so entspricht dem, was für Reisers Kindheit der Pietismus war, in Schlichters recht genau der Fetischismus. Mit einem Wort: die Psychologie des Kindes ist nichts Fixiertes. Grade das kindliche Verhalten ist bezeichnet durch unerschöpfliche Vermittelungen des zeit- und urgeschichtlichen Moments. Aufs innigste ist Schlichters Kinderwelt verschweißt mit jenen finstren und skurrilen Seiten des ausgehenden neunzehnten Jahrhunderts, seinem »Lebensstil«. Da gibt es eine Tante Wilhelmine Nirk. In ihrem »Reitkostüm von dunkelblauer Farbe mit Wespentaille, die vorne herunter mit einer Reihe Perlmutterknöpfen besetzt war ... hochschäftige gelbe Schnürstiefel aus feinem Chevreauleder mit dünnen hohen Pompadourabsätzen« an den Füßen, mit weißen Glacéstulpenhandschuhen und Reitpeitsche ausgestattet, trug sie dem jungen Schlichter etwas von jener Welt zu, für welche sich Marcel Proust durch Odette entflammte. Man darf nicht fragen, was Stuttgart mit Paris zu schaffen hat. Denn sicher ist, daß in beider Kindheit, der des württembergischen Kleinbürgersohns und jener des Pariser Elegants, die Städte sich aufs seltsamste verpuppen, so daß beim Klang der rue de Parme Proust Veilchenduft entgegenschlug, Schlichter aber – von der Stuttgarter Festtafel her – nach Jahren noch »der Geruch von Salzkartoffeln ... das Symbol der Großstadt« gewesen ist. Der Reichtum des Lokalkolorits ist es, von dem dergleichen Stellen einen Vorschmack geben können. Und welcher Lokale: das Dörfle des Karlsruher Apachenviertels, das Nonnengäßle, wo die Armut seiner Heimatstadt ansässig war, Zuffenhausen und Bieringen, die Glaiche und G'staire der Flößerei auf der Nagold, die Trassen der Pforzheimer Bahn und die Quartiere des Bäckermeisters Heugle und des Posamentiers Dirrlam stehen in der Prallheit ihres Dialekts, im Gewimmel ihrer Bewohner, in der Drastik ihrer Gerüche da. Und neben dem Volkstümlichen mobilisieren diese Schilderungen einen gelehrten oder auch quacksalberischen Wortschatz. Diese Welt ist mit ihren suspekten Konzeptionen, ihren prekären Aspirationen soweit wie möglich von aller Heimatkunst entfernt, und was bleibt dem »widerspenstigen Fleisch« da übrig, als auch seinerseits ein Fremdwörterbuch zu studieren, in welchem Exhibitionismus und Sodomie, Sadismus und Koprophilie keine geringe Rolle spielen. Es ist ein vielspältiges, ja ein wimmelndes Leben, das hier beschrieben ist. Und wenn der Ekel, wie man behaup-

tet hat, die tiefsten atavistischen Verwandtschaftsformen auf-
zeigt, versteht man den sehr gut, den der Verfasser vor dem
tausendfachen Tiergewimmel im Unterholz der Wälder gefühlt
zu haben bekennt. Und auch dies entspricht der Form des
Gewimmels, daß die gleichen Figurationen – in diesem Fall die
sexuellen – immer wieder an den heterogensten Stellen auftauchen. Es ist überhaupt ein Buch, in dem alle Elemente im
Widerstreit, einander trennend, pressend, quetschend an den
Tag treten. Es krabbelt und wuselt wie auf Breughelschen Höl-
lenbildern, es schwillt und strotzt wie Hexenbrüste und Huren-
schenkel bei Hans Baldung Grien. Die Ketzer – Manichäer und
Karpokratianer – sind Zeitgenossen dieses württembergischen
Gärtnersohnes. Sein Mittagstisch wird dem angehenden Fabrikarbeiter im Handumdrehen zur »Freßhölle« und in den
Fenstern seiner mütterlichen Straße sitzen Gestalten vom Blocks-
berg. So also in einer finstren Wolke von Trabanten tritt hier
die Kindheit auf den Plan. Weniger der nächtliche Wald als die
französische Revolution ist hier die Geisterlandschaft, in der die
Weisungen der Kolportage die einzige Rettung sind. Karl Marx
wird Ahnherr von Karl May. So weit der junge Schlichter. Der
erwachsene aber baut vor, wenn auch nur mit Worten: Mit vor-
gebauten Worten: dem Motto. »Per Evangelica dicta deleantur
nostra delicta. Meßbuch der katholischen Kirche.« Mag das
Bekenntnis lauten wie's will. Die Haltung eines Buches, das mit
so schonungslosen Angaben über die dem Verfasser Nächst-
stehenden zu deren Lebzeiten erscheint, entspricht immer noch
besser dem Kommunistischen Manifest als dem Missale.

KIERKEGAARD
Das Ende des philosophischen Idealismus

Der letzte Versuch, Kierkegaards Gedankenwelt ungebrochen
zu übernehmen oder weiterzuführen, ging von der »Dialektischen Theologie« Karl Barths aus. Die Wellen dieser theologischen Bewegung berühren sich in ihren Ausläufern mit den
von Heideggers existenziellem Denken hervorgerufenen Kreisen. Der vorliegende Versuch – Theodor Wiesengrund-Adorno:

Kierkegaard[1] – geht an den Gegenstand von einer ganz anderen
Seite heran. Kierkegaard wird hier nicht fortgeführt, sondern
zurück: Zurück ins Innere des philosophischen Idealismus, in
dessen Bannkreis die eigentlich theologische Intention des Denkers zur Ohnmacht verurteilt blieb.

Wiesengrunds Fragestellung ist somit, wenn man will, eine
historische. In ihrer Bearbeitung aber erweist er, aus welch
höchst aktuellen Interessen heraus seine methodisch so vor-
sichtige Untersuchung entsprungen ist. Sie führt zu einer Kritik
des deutschen Idealismus, dessen Enträtselung von seiner Spätzeit ausgeht. Denn Kierkegaard ist ein Spätling. Die von Wiesengrund sehr glücklich charakterisierte Zwitternatur seiner
schriftstellerischen Erscheinung, die seine Produkte so oft zu
Bastarden von Dichtung und Erkenntnis zu machen scheint, gibt
Aufschluß über die verborgensten Elemente des Idealismus, die
in ihm wirken. Im ästhetischen Idealismus der Romantik nämlich kommen die mythischen Elemente des absoluten Idealismus
überhaupt zum Vorschein. Und deren logische und historische
Darstellung bildet in Wiesengrunds Untersuchung den Mittelpunkt.

Der Verfasser zeigt das Mythische nicht nur in der Existenzial-
philosophie von Kierkegaard, sondern in »jeglichem Idealismus
des absoluten Geistes« auf. Nirgends jedoch – selbst nicht beim
späten Schelling und bei Baader – hat es in derart originalen,
zeitgeprägten, aufschlußreichen Formationen seinen Niederschlag gefunden wie bei Kierkegaard. Die sehr präzise und
erschöpfende Aufdeckung und Beschreibung dieser Formationen
gibt manchen Seiten der Untersuchung etwas von einer Phan-
tasmagorie. Nie aber geht die Einsicht oder Schlagkraft – wie
das in der »Kulturgeschichte« oft der Fall ist – auf Kosten
kritischer Genauigkeit. Und doch wird keine Kulturgeschichte
dieses 19. Jahrhunderts es an Bildkraft mit den Konstellationen
aufnehmen können, in die hier, aus dem Zentrum seines Denkens, Kierkegaard bald mit Hegel, bald mit Wagner, bald mit
Poe, bald mit Baudelaire tritt. Dem Aufriß in der Breite des
Jahrhunderts entspricht der in die Tiefe der Vergangenheit.

1 Theodor Wiesengrund-Adorno, Kierkegaard. Konstruktion des Ästhetischen. Tübingen: Verlag von J. C. B. Mohr (Paul Siebeck) 1933. 166 S. (Beiträge zur Philosophie
und ihrer Geschichte. 2.)

Pascal und die Allegorienhölle des Barock sind hier der Vorhof
jener Zelle, in der Kierkegaard der Trauer sich anheimgibt, und
die er mit seiner falschen Freundin Ironie teilt.

Diese Bilderwelt, in deren Labyrinthen und Spiegelungen Kierkegaards wesenhafteste Erfahrungen liegen, hat er selber aber
als etwas Geringes, Willkürliches, Idiosynkratisches empfunden;
und der ganze hochmütige Anspruch seiner Existenzialphiloso-
phie beruht auf der Überzeugung, in ihr, als dem Bezirk des
»Innerlichen«, der »reinen Geistigkeit«, den Schein durch die
»Entscheidung«, die existentielle, kurz die religiöse Haltung
überwunden zu haben. Hier wird nun Wiesengrund in einer eindringlichen Analyse des Existenzialbegriffs zum unbestechlichen
Kritiker Kierkegaards. Der »trügerischen Theologie der paradoxen Existenz« schaut er bis auf den Grund. Und so erkennt er
›die ‚Tiefe‘ Kierkegaards, will man an dem vielmißbrauch-
ten Begriff festhalten, keinesfalls darin, unter der Hülle idealistischer Denkformen einen absoluten religiösen Ursinn wieder-
hergestellt zu haben‹. Vielmehr hat Kierkegaard als Ursinn des
Idealismus selber »in dessen historischem Untergang mythischen Gehalt aufgehen lassen als einen zugleich historischen«.

So bekommt die Kierkegaardsche Innerlichkeit ihren bestimmten Ort in der Geschichte und Gesellschaft. Ihr Modell ist das
bürgerliche Interieur, in welchem historische und mythische
Züge ineinandertreten. Mit gutem Griff hat Wiesengrund eine
Anzahl von faszinierenden Beschreibungen derartiger Innen-
räume dem Werke Kierkegaards entnommen. In ihnen erweist
sich die Innerlichkeit als »das geschichtliche Gefängnis des urgeschichtlichen Menschenwesens«. Es ist aber nicht, wie Kierkegaard meinte, der »Sprung«, der, mit der Zauberkraft des
»Paradoxen«, den Menschen aus dieser Gefangenschaft befreit.
Nirgends greift Wiesengrund vielmehr tiefer, als wo er, die
Schablonen der Kierkegaardschen Philosophie mißachtend, in
deren unauffälligsten Relikten, den Bildern, Gleichnissen, Allegorien den Schlüssel sucht. Es ist die aus chinesischen Märchen
überlieferte Bewegung eines Verschwindens (des Malers) in
dem (selbstgemalten) Bilde, das er als letztes Wort dieser Philosophie erkennt. Das Selbst wird »als Verschwindendes gerettet
durch Verkleinerung«. Dieses Eingehen ins Bild ist nicht Erlösung; aber es ist Trost. Der Trost, dessen Quelle die Phantasie

ist »als Organon bruchlosen Übergangs von Mythisch-Historischem in Versöhnung«.

In diesem Buch liegt viel auf engem Raum. Leicht möglich, daß die späteren des Verfassers einmal aus diesem hier entspringen werden. In jedem Fall gehört es zu der Klasse jener seltenen Erstlingswerke, in denen ein beflügelter Gedanke in der Verpuppung der Kritik erscheint.

BRIEFE VON MAX DAUTHENDEY[1]

»Ich bin deutscher Schriftsteller und habe in Europa in Petersburg, Berlin, München, London, Stockholm, Paris, Venedig und Sizilien Literatur, Malerei und Musik studiert.« So schreibt, Oktober 1897, Dauthendey – und zwar aus Mexiko, das die Reihe seiner außereuropäischen Reiseziele eröffnet. Japan und Neu-Guinea, Colorado und Niederländisch-Indien sollten folgen.

Also ein Reisebrief-Buch? Kaum. Denn eine andere Exotik spricht aus ihm viel kräftiger als die entlegener Länderstriche, welche dieser Dichter gern in den gleichen satten Farben schildert, mit denen schon die Heimat ihn berauscht. Was diesem Buch den Hauptreiz gibt, das ist, um es mit einem Wort zu sagen, die Exotik des Jugendstils. Die Briefe, die es bekannt macht, sind ein außerordentlich wertvolles Dokument dieser von den Historikern noch vernachlässigten Geistesbewegung. Bereits die Namen, die in ihnen – wenn auch selten als Adressaten – eine Rolle spielen, deuten darauf hin: Klinger und Munch, Sattler und Böcklin unter bildenden Künstlern und unter Dichtern Wille und Dehmel, Schlaf und Scheerbart, Strindberg und Przybyszewski.

Gelegentlich taucht auch George auf, mit einer kurzen Bemerkung, die die Wiedergabe lohnt: »Stefan George« – so heißt es 1893 – »lebt meist in Paris und ist auf der Durchreise von Wien hier. Er sagte mir unter anderem, meine Sachen wären das einzige, was jetzt in der ganzen Literatur als vollständig neu

1 Max Dauthendey, Ein Herz im Lärm der Welt. Briefe an Freunde. München: Albert Langen/Georg Müller 1933. 231 S.

dastehe. Es wäre eine eigenartige Kunst, die reicher genießen
lasse als Musik und Malerei, da sie beides zusammen sei.«
Derart naive Formeln sind durchaus nicht ohne Wert – von dem
der Seltenheit ganz abgesehen. Man begegnet ihnen nur an
versteckten Stellen, in der Frühzeit von geistigen Bewegungen.
Sie sagen vieles von dem, was später zu verdecken die Aufgabe
gereifterer Formeln ist.

So sammelte sich damals unterm Zeichen der neuromantischen
Bewegung nicht nur die wiederkehrende Bereitschaft für die
Sprache der großen Dichtung – Klopstocks, Hölderlins – und
mithin nicht nur die Revolte gegen Plattheiten der Naturalisten,
sondern auch ein starkes Aufgebot des Bürgertums, mit dem
zum letzten Mal der Versuch gemacht wurde, die Dichtung in
dem Kreis der übrigen Reiz- und Genußprodukte festzuhalten.
Daher denn das Paradoxon des Jugendstils, in dem ein hoher
idealischer Elan sich nur in üppigen und schwelgerischen oder
morbiden und gebrochenen Situationen und Stimmungen zum
Ausdruck bringen kann: ein Paradoxon, das sowohl am Drama
von Ibsen sich bewährt wie an der Lyrik Georges. In ihrer Haltung und im Lebensstil entspricht dem die Bohème, in deren
Kreis Max Dauthendey heraufkam und die heute in Nebeln
einer Vorzeit zu liegen scheint. »Euch Lieben hätte ich«, so
schildert er ein abendliches Fest bei Dehmel, »gern das Vergnügen gegönnt, diese Tafel zu sehen, wie sie angebrochen
war, und in der schwellenden Üppigkeit die strotzende silberne
Bowle wie eine schwere Silberdolde in der Mitte, und die Rubin-
gläser und die grünen venezianischen Drachengläser und dazwischen die satten, roten Orangen auf dem Kristall und dem
Damast, und mitten zwischen dem Metall und Glas hohe bleiche
Orchideen, blaßlila und in feuchtem Schmelz und stolz auf-
gestiegen und schwer gebeugt.« Die Flammenlinie des Jugendstils ist's, die in diesen Blüten aufzüngelt und nicht anders muß
die Tafel gewesen sein, an der Ejlert Lövborg »in Schönheit
sterben« wollte.

Dauthendey aber, der bei aller Feinnervigkeit gewichtige Re-
serven an Lebenskraft und Lebenslust besaß, fand einen Aus-
weg, der ihn bald in klarere Gesellschaft und in bessere Luft
entrückte. Er fand ihn als der Träumer, der er war, indem er
seinem Traum zu Schiffe folgte. So sah er weit mehr als die

halbe, so schrieb er die »geflügelte« Erde und kam in die Gesellschaft jenes großen Planetenbürgers, der Paul Scheerbart hieß
und der in einer Sprache, die so klar und farblos ist wie Glas,
die größten Linsen zur Vorschau in die Zukunft geschliffen hat.
Nun blieb zwar Dauthendey ein Träumer, während Scheerbart
bei seiner Linsenschleiferei – wie einst Spinoza – Weiser
wurde. Doch viel von den Geschöpfen, welche jener in der
Zukunft oder im Weltraum sichtete, spricht aus den Sätzen,
die, in einem dieser Briefe, die mexikanische Reise vorbereiten:
»Ihr habt mir immer gesagt, daß Mexiko zu heiß sei. Für eine
tiefe und ernste Kunst kann wohl keine noch so große Hitze
ein Hindernis sein. Die Abende und Nächte auf den Bergen
werden uns große Eingebungen schenken, und wir werden von
den Bergen auf die Erde niederblicken wie Könige im Reich der
Kunst. Und wir sind dann Kinder vom Herz des Weltalls. Ich
kann mir auf diesen Bergen nur große Bauten und breite einfache Architektur und große Statuen denken. Und dort kann
nichts Kleines sein.«
So kündet der noch ungestalte Wunsch, Werke zu schaffen, die
weiter reichen als Werke einzelner, sich an. Er greift noch tau-
melnd aus, nach Plänen einer »neuen Religion für die Massen«,
einer »neuen Sprache«. Das heißt nur, daß die Zeit für die
Erfüllung noch nicht gekommen war und das erklärt die weiten
Fahrten, auf denen der Dichter die eigene Sehnsucht zu betäu-
ben suchte. Bei einer dieser »Studienfahrten« wurde er durch
den Krieg, der ausgebrochen war, von seiner Heimat abgeschnitten. Mehr als drei Jahre harrte er auf Java, bald auf das Ende
jenes Krieges, bald auf eine Chance, nach Europa zu gelangen.
Die Briefe dieser Jahre sind durchzogen von dem Verlangen,
seine Frau und Würzburg, seine Vaterstadt, zu sehen. Die zeit-
genössischen Ereignisse in ihrem Wechsel spiegeln sich in ihnen
kaum. Doch desto schärfer werfen kommende bisweilen ihren
Schatten auf die Blätter.
»Aus diesem Krieg ersteht Europa nie mehr zur alten Macht ...
Die Erde häutet sich. Das alte Europa verblutet. Der alte Erdteil
Asien ist an der Reihe, aufzuleben und die Führung der Erde zu
übernehmen. Was hilft es, wenn Deutschland auch siegt! Die
Welt ist nicht bloß ein Futterplatz. Wir haben kein leitendes
Ideal mehr. Das Christentum ist abgestorben. Hier in Asien

feiert man wenigstens das Leben als ein geräuschloses tägliches
heiliges Fest.«

Zwei Monate vor Waffenstillstand ist dann Dauthendey gestorben. Als er auf seine Reise ging, da war die Erde eine Farben-
kugel, um die die luftigen Schleier neuer Sprache und neuer
Dichterinbrunst flatterten. Doch als die Reise endete, da war
die gleiche Erde rot gefärbt und in der Luft standen die Flug-
geschwader, Bomben auf sie herabzuwerfen. Das Leben hatte
aufgehört, geräuschlos zu sein und selbst der Tod, es sei denn,
daß man ihm in den Bergwäldern Tosaris begegnete, wo die
Erde dies schwärmerische Leben mütterlich mit einem frühzei-
tigen Ende lohnte.

*Marc Aldanov, Eine unsentimentale Reise. Begegnungen und
Erlebnisse im heutigen Europa. Mit einem Vorwort von Balder
Olden. (Übersetzung von Woldemar Klein.) München: Carl
Hanser Verlag [1932]. 218 S.*

Die »Unsentimentale Reise«, die Aldanov mit dem Leser macht,
spielt nicht nur eines billigen Kontrastes wegen auf die »emp-
findsame« des Lawrence Sterne an. Die beiden haben einiges
Verwandte. Denn so gewiß Aldanov seine Reisen im Auto oder
im Expreß gemacht hat –, dem Leser kommt es manchmal vor,
als wenn ihm der Verfasser in einer Postkutsche Gesellschaft
leiste. Umständlich, aber unbefangen setzt man die chronique
scandaleuse unseres Erdteils ihm auseinander wie vor hundert
Jahren ein kluger, weitgereister Privatier den Reisegefährten in
der Diligence die Händel der Welt auf seine Art erläutert hätte.
Und auf dem Kutschbock dieser Aldanovschen Kalesche sitzt
höchstselber die Vernunft. Doch, wie er selbst an einer Stelle
sagt: »Schlimm ist nur, daß die Vernunft es nicht eilig hat.« So
ist denn zu befürchten, daß wir selber und unser wohlbeschla-
gener Reisemarschall nicht vor Einbruch der Dunkelheit ankommen ...

Doch wenn die Reise auch beschaulich ist –, empfindsam ist sie
wirklich nicht. Von allen Illusionen, welche dazu nötig wären,
hat der Autor nicht eine mehr. Aus Balder Oldens Vorrede zu

dem Band kann man entnehmen, in wieviel wissenschaftlichen und dichterischen Obliegenheiten und auf wieviel Schauplätzen von Europa und von Asien der Verfasser sie abzulegen Anlaß gefunden hat. Demungeachtet geht es etwas weit, Aldanovs Journalismus als »Äternalismus« und sein Werk als eines, auf welchem »künftige Weltbetrachtung« fuße, darzustellen. Aldanov stellt vielmehr den altvertrauten Typus des skeptischen Betrachters dar. Sein Buch hat Einzelzüge sowie Anekdoten, die sich im »Garten Epikurs« von France mit allen Ehren sehen lassen könnten. Wie alle echten Skeptiker entdeckt er in der Geschichte je und je das gleiche. Und was das fait divers, die Anekdote beleuchtet, ist ein solches in der Tat in vielen oder in den meisten Fällen: die kleine oder große Differenz, welche der Zufall zwischen Planen und Gelingen, zwischen Theorie und Praxis, zwischen Wollen und Bewirken legt. So wie die alten Götter – eben nach der Lehre des Epikur – sich in den »Intermundien« aufhalten, jenen leeren Räumen zwischen den Welten, wo sie nichts ausrichten können, so ist der Sitz des skeptischen Betrachters in jenen Intermundien der Weltgeschichte, die man Zufall nennt. Daher die Fülle von psychologischen Details, von kleinen, oft pittoresken Zwischenfällen, die hier der spanischen und irischen Revolution, dem Wirken Gandhis und der englischen Geschichte dieser letzten Jahre abgewonnen werden. Und da sich der Verfasser offenkundig unter Berufspolitikern am wohlsten fühlt, braucht es nicht zu verwundern, daß das beste Kapitel dieses Buches Genf behandelt.

Für das, was sich auf dieser Bühne abspielt, sind ganz gewiß die Intermundien, in denen der müßige Betrachter sich verbirgt, die beste Loge. Nachdenklich grübelt Aldanov: »Vielleicht war es immer so? Wahrscheinlich. Auf dem Berliner, den Wiener Kongressen gab es vergoldete Uniformen statt Gehröcke. In Genf hat man keinen Talleyrand und keinen Bismarck. Aber das Durchschnittsniveau, sowohl geistig wie moralisch, ist weder niedriger noch höher.« Leicht wird man die Genugtuung begreifen, mit der der Autor einen Vorgänger der eigenen Skepsis gegen diese Genfer Veranstaltungen in Voltaire entdeckt. Was der vom Optimismus überhaupt – und nun gar dem im Reich der Politik – gehalten hat, kann jeder im »Candide« finden, wenn er es nicht vorzieht, das »Sendschreiben des chinesischen Kaisers« zu lesen, mit dem Voltaire das kindliche Projekt Rousseaus für einen ewigen Frieden aufnahm. Es sind in diesem Buch die besten Seiten, die sich an Voltaire inspirieren, welcher heute als Zeuge einer Zeit erscheint, in der das Bürgertum noch nicht am Zuckerbrot des Optimismus sich die Zähne verdorben hatte.

AM KAMIN
Zum 25jährigen Jubiläum eines Romans[1]

Von Oscar Wilde erzählt man: Einmal fand er sich in einem Kreis von Leuten, und die Rede war von der Langeweile. Jeder hatte ein Sprüchlein; Wilde schwieg bis zuletzt. Erwartungsvoll sah man ihn an. Da sagte er: »Wenn ich mich langweile, dann nehme ich mir einen guten Roman, setze mich ans Kaminfeuer und schaue ihm zu.«
In der Tat, diese beiden passen gut zueinander: ein loderndes Kaminfeuer und ein aufgeschlagener Roman. Und weil wir einen solchen in Händen halten — jetzt, 25 Jahre nach dem ersten Erscheinen, ist das Hauptwerk Bennetts übersetzt —, wollen wir, ohne ihn zu schließen, einen Blick ins Kaminfeuer werfen. So phantasielos ist ja keiner, daß ihm beim Blick in den Kamin nicht etwas einfällt. Wir wollen sehen, warum das Schauspiel, das er eröffnet, uns ein Gleichnis des Romans ist.
Der Leser von Romanen hält es anders als der, der sich in ein Gedicht vertieft oder der einem Drama folgt. Er ist vor allem einsam, wie nicht nur der Mann im Publikum, sondern auch der, der ein Gedicht liest, es nicht ist. Der eine ist in die Masse eingesackt und nimmt an ihrer Stellungnahme teil, der andere bereit, an einen Partner sich zu wenden und seine Stimme dem Gedicht zu leihen. Der Leser des Romans ist einsam, und für eine gute Weile. Mehr als das: in dieser Einsamkeit bemächtigt er sich seines Stoffes eifersüchtiger, ausschließlicher als jene beiden anderen. Er ist bereit, ihn gleichsam spurlos sich zu eigen

1 Arnold Bennett, Konstanze und Sophie oder Die alten Damen. ([Roman.] Aus dem Englischen übers. von Daisy Bródy.) 2 Bde. München: R. Piper u. Co. (1932). 414 S., 459 S.

zu machen, ja ihn förmlich zu verzehren. Denn er vernichtet, er verschlingt den Stoff wie Feuer Scheiter im Kamin. Die Spannung, die das Werk durchzieht, gleicht sehr dem Luftzug, der die Flammen im Kamin ermuntert und ihr Spiel belebt.

Dies Gleichnis zeigt ein anderes Bild, als man es meist in der Erörterung des Romans als Gattung erkennen wollte. Jene geht in Deutschland von Friedrich Schlegel aus. So blieb es denn nicht ohne Folgen, daß dieser nichts als die Kunstform im Roman – die Formen eines Cervantes oder eines Goethe – erkennen wollte, keinesfalls jedoch das breite Fundament des Epischen. Dies Fundament teilt der Roman mit der Erzählung, und am meisten tritt es bei den Engländern zutage: Scott, Dickens, Thackeray, Stevenson und Kipling bleiben auch als Romancier vor allem Erzähler. Erzähltes strömt durch sie ins Buch und strömt auch als Geschichte wieder aus ihm aus. Flaubert dagegen, der in dieser Sache den Widerpart verkörpert, mochte noch so oft sich seine Sätze selbst mit lauter Stimme vorlesen: die rhythmische Vollkommenheit, die er derart zu prüfen dachte, schließt den Leser nur um so schalldichter ins Innere seiner grandiosen Werke ein. Satz drängt in ihnen sich in der Tat an Satz wie Stein an Stein im Mauerwerk. Mehr hat es nicht bedurft, um – sehr zum Nutzen der anspruchsvollen Impotenz – die Mystik der »Konstruktion« mit ihrem Widerhall sonorer »Prosodie« in Kurs zu setzen. Wenn aber der Roman ein Bau ist, dann viel weniger im Sinn des Architekten als der Magd, die Hölzer im Kamin aufschichtet. Nicht haltbar, sondern brennbar soll er sein.

In einem Raum von mehr als fünf Jahrzehnten hat Bennett die Ereignisse geschichtet. Gleich locker bauen sich im gleichen Raum Generationen aufeinander: drei. Und diese ruhen sanft auf der Asche der vorangegangenen. Kaufleute waren es, die in den Five Towns ansässig waren. Ihr Geschlecht hat sich für jene fünf Jahrzehnte in zwei Schwestern verkörpert, deren jüngere kinderlos sterben wird, indes die ältere nur einen liebenswürdigen, verwöhnten Erben beider Vermögen hinterlassen wird. Die Five Towns, wo sie ihre Wiege und, am gleichen Fleck, dann später ihre Bahre zu stehen haben, sind unentbehrlich, »einzig in ihrer Art. Vom Norden bis zum Süden der Grafschaft stellen nur sie Zivilisation, angewandte Wissenschaft, organi-

sierte Fabrikationsmethoden und das ganze Jahrhundert vor –
bis man nach Wolverhampton kommt. Sie sind einzigartig und
unentbehrlich, weil man ohne die Five Towns nicht Tee aus
Tassen trinken, ohne ihre Hilfe keine Mahlzeit mit Anstand
verzehren kann. Deswegen ist die Architektur der Five Towns
ein Aufbau von Brennöfen und Schloten; deswegen ist ihre
Atmosphäre so schwarz wie der Schmutz und Dreck auf ihren
Straßen; deswegen brennt und raucht es dort die ganze Nacht,
so daß Longshaw manchmal schon mit der Hölle verglichen
wurde.« Bennett eröffnet diese Hölle nicht wie Dickens die
Hölle des frühindustriellen London im »Raritätenladen« sichtbar
macht. Das Dasein seiner beiden Schwestern ist gegen sie abgedichtet; wenn er das nicht sagt, macht er es sinnbildlich, indem
er sie in einem Modenmagazin aufwachsen läßt, für das sie
beide schon von Anfang an bestimmt gewesen sind. Um welchen Preis weicht späterhin die jüngere dieser Bestimmung aus,
und wie sehr scheint die Kraft, die sie aus diesem Hause reißt,
der, die es schließlich untergräbt, verwandt. Denn gegen Ende
des Romans beginnt die Stadt, in der die Väter es begründet
haben, ihr Gesicht zu ändern. Die Daseinsform, in welcher
Arbeit und Genuß sich einst die Waage hielten, das Geschäft
rentabel, das Leben lebenswert gestalteten, stirbt aus. Der
Schatten der Konzerne und der Trusts beginnt sich über die
Five Towns zu lagern; gegen den Anfang des Jahrhunderts
haben Konkurrenten, die mit Plakaten, mit Grammophonen
und mit Schleuderpreisen ins Feld rücken, die alte Kaufmann-
schaft zurückgeschlagen. Das Leben der Schwestern fällt in eine
Zeitenwende. Eine, die ältere, hält dem Hergebrachten noch
Treue, übernimmt den Laden, bringt ihren Sohn zur Welt und
hütet das Haus, in dem sie dreißig Jahre später die Schwester,
welche heimkehrt, zu sich nimmt.
Mit diesem Hause hat es seine eigene Bewandtnis. Es ist der
Schoß, in dem sich der Reichtum der Familie gebildet hat. Allmählich, in Jahrzehnten, ist es aus drei Wohnungen zu einem
einzigen Labyrinth geworden, in dem Wirtschaftsräume, Laden
und Behausung zu einem Bau verschmolzen sind, der dem Komfort nicht viel, doch um so mehr der unverrückbaren Gewohnheit bietet. An diesem Haus hat der Erzähler einen von seinen
dichterischen Zauberstreichen verübt, an denen der Roman so

reich ist. Es ist, trotz all der Schicksalstage, die der beiden
Frauen darin harrten, doch im Grund nie etwas anderes als der
Bereich, in dem das Dasein der beiden spielenden Geschwister
und der beiden alten Frauen sonderbar, schwer unterscheidbar,
ineinander spielt. »Das Gefühl der geräumigen Düsternis jener
unteren Regionen, einer Düsternis, die oben an der Küchen-
treppe begann und in den unübersichtlichen Winkeln der Vor-
ratskammern oder aber ohne allen Übergang in der Alltäglichkeit von Brougham Street endete – dieses eigenartige Gefühl,
das Konstanze und Sophie in ihren Kinderjahren erworben hatten, geleitete sie fast unvermindert bis ins späte Alter hinein.«
Es ist ein trockenes Material, an dem sich das brennende Interesse des Lesers nährt. Was heißt das? »Ein Mann, der mit fünfunddreißig stirbt«, hat Moritz Heimann einmal gesagt, »ist auf
jedem Punkt seines Lebens ein Mann, der mit fünfunddreißig
stirbt.« Ich weiß nicht, ob das richtig ist; ich glaube und hoffe,
es ist falsch. Doch im Roman ist es vollkommen richtig; ja,
man kann das Wesen der Romanfigur nicht besser bezeichnen
als mit diesem einen Satz. Er sagt, daß sich der Sinn ihres
Lebens nur erst von ihrem Tode her erschließt. Nun aber sieht
der Leser im Roman Figuren, an denen er den »Sinn des Lebens«
abliest. Er muß daher, so oder so, im voraus gewiß sein, daß er
ihren Tod erlebt. Zur Not wohl nur im übertragenen Sinn: das
Ende des Romans; doch besser schon, im eigentlichen. Wie geben sie ihm zu erkennen, daß der Tod schon auf sie wartet,
und ein ganz bestimmter, und dies an einer ganz bestimmten
Stelle? Das ist die Frage, die den Leser so unwiderstehlich an
seinen Roman bannt wie jene Flamme im Kamin ans Scheitholz.
Er macht sich eigentlich mit dem Tod identisch, und er beleckt
den Handelnden alsbald; wie Flammenzungen nämlich, die den
Ast umspielen, ehe er endlich Feuer fängt.
Er soll zu Asche werden. Darum heißt dies Buch, das mit der
Mädchenzeit der Schwestern einsetzt, dennoch »die Geschichte
der alten Damen«. Bennett erzählt in einer Einleitung, die leider
der deutschen, sprachlich mustergültigen Übersetzung fehlt, wie
der Gedanke an dies Werk ihm lange, bevor er an die Arbeit
ging, einmal beim Anblick einer alten Frau kam, die sein Pariser Stammlokal betrat. Gedanken, wie die traurige Erscheinung
sie in ihm weckte, kann sich jeder machen. Ihm aber wurden sie

zum Ursprung eines Lebens, das so gedichtet war, daß nichts
von ihm verloren ging.

»Niemand«, sagt Pascal, »stirbt so arm, daß er nicht etwas
hinterläßt.« Auch an Erinnerungen – nur daß die nicht immer
einen Erben finden. Der Romancier tritt diese Erbschaft an. Und
selten ohne tiefe Melancholie. Denn was die Überlebende der
Schwestern hier von der Toten meint: »Sie hatte überhaupt
nichts vom wirklichen Leben gehabt«, das pflegt die Summe aus
der Hinterlassenschaft zu sein, die an den Romancier fällt. Ein
ganzes Liebesschicksal hat die Tote in weltgeschichtlichem Dekor
durchlebt. Wie arm erscheint es doch in dem Gedächtnis, das
ihm der Dichter stiftet. Manchmal ahnt es die Lebende voraus.
»Manchmal, in einem leeren Augenblick, überkam sie der Gedanke: ›Wie sonderbar, daß ich hier bin, daß ich gerade das tue,
was ich tue.‹ Aber der regelmäßige Gang ihres Lebens riß sie
gleich wieder mit. Zum Schluß des Jahres 1878, des Ausstel-
lungsjahres, nahm ihre Pension schon zwei Stockwerke statt des
einen ursprünglichen ein.«

Das Werk ist in vier Bücher eingeteilt; sein letztes ist überschrieben »Was das Leben bringt«. Und dessen beide Schlußkapitel heißen »Sophies Ende« und »Konstanzens Ende«. Das
ist von allen Gaben, die es bringt, die sicherste: das Ende. Das
zu sagen, braucht es Romane freilich nicht. Doch ist nicht darum
der Roman bedeutend, weil er uns fremdes Schicksal darstellt,
sondern weil dies unter der Flamme, die es frißt, die Wärme an
uns abgibt, welche wir aus unserm eigenen nie gewinnen. Das,
was den Leser immer wieder zu ihm zwingt, ist seine höchst
geheimnisvolle Gabe, ein fröstelndes Leben am Tod zu wärmen.

RÜCKBLICK AUF STEFAN GEORGE
Zu einer neuen Studie über den Dichter[1]

Stefan George schweigt seit Jahren. Indessen haben wir ein
neues Ohr für seine Stimme gewonnen. Wir erkennen sie als
eine prophetische. Das heißt nicht, daß George das historische

---

1 Willi Koch, Stefan George. Weltbild, Naturbild, Menschenbild. Halle/Saale: Max
Niemeyer Verlag (1933). VIII, 114 S.

Geschehen, noch weniger, daß er dessen Zusammenhänge vorausgesehen hätte. Das macht den Politiker, nicht den Propheten. Prophetie ist ein Vorgang in der moralischen Welt. Was
der Prophet voraussieht, sind die Strafgerichte. Sie hat George
dem Geschlecht der »eiler und gaffer«, unter welches er versetzt
war, vorausgesagt. Die Weltnacht, deren Nahen ihm die Tage
verdüsterte, ist neunzehnhundertvierzehn angebrochen. Und
daß er ihr Ende noch nicht ermißt, hat er in einem vielsagenden
Titel seines letzten Gedichtbuchs ausgesprochen: »Einem jungen
Führer im ersten Weltkrieg.« Neue Lichter und Schatten haben
in den tiefgeschnittenen Zügen dieses Hauptes sich angesiedelt.
Und noch kennen wir nicht den Feuerschein, mit welchem die
Geschichte seine Züge am Tage, da sie ihren Ausdruck für die
Ewigkeit erhalten, beleuchten wird.
Es wohnt aber in diesem Dichter selbst ein Gegenspieler des
Propheten. Je deutlicher die Stimme des letzteren vernehmbar
wird, desto ohnmächtiger sinkt die des andern – die Stimme
eines Reformators – in sich zusammen. George, dem die eigene
strenge Zucht, und angeborener Spürsinn für das Nächtige,
Vorwissen um die Katastrophe gegeben hat, vermochte doch als
Führer oder Lehrer nur schwächliche und lebensfremde Regeln
oder Verhaltungsweisen vorzuschreiben. Die Kunst galt ihm als
jener »Siebente Ring«, mit dem noch einmal eine Ordnung, die
schon in allen Fugen nachgab, zusammengeschmiedet werden
sollte. Kein Zweifel, daß sich diese Kunst als streng und triftig,
der Ring als eng und kostbar erwiesen hat. Doch was er faßte,
war die gleiche Ordnung, die – wenn auch mit viel weniger edlen Mitteln – den alten Mächten aufrecht zu erhalten am Herzen
lag. George ist es darum nicht gelungen, seine Dichtung dem
Bannkreis von Symbolen zu entziehen, die keineswegs – wie
die von Hölderlin – gleich Quellen, die aus dem Erdreich einer
großen Überlieferung gesickert waren, an die Oberfläche traten.
Vielmehr ist die Symbolik dieses Werks sein Brüchigstes. Sie
ist im Kern nicht unterschieden von dem Aufgebot, das zu der
Zeit, in dem der »Kreis« sich um den Meister zusammenfand,
Barrès in Frankreich an den ganzen Stamm symbolischer Vorstellungen und Bilder ergehen ließ, die er in Volk und Kirche
antraf. Sein Aufgebot hat den Charakter einer Abwehr, oft
einer verzweifelten. So scheint der Schatz der in Georges Dich-

tung eingesenkten geheimen Zeichen heute schon als ärmstes, ängstlich bewahrtes Eigentum des »Stils«.

In seiner großen Besprechung des »Siebenten Rings« im Jahrbuch »Hesperus« hat als erster Rudolf Borchardt das dichterische Vermögen von George abzuschätzen gesucht. Und ohne dieser Frage mehr Bedeutung, als ihr in dem Gesamtzusammenhange dieser Erscheinung gebührt, zuzugestehen, hat er auf eine nicht geringe Anzahl machtloser und verfehlter Strophen den Blick gelenkt. In den fünfundzwanzig Jahren, die seit jener Veröffentlichung dahingegangen sind, hat der Blick für solche Ausfallserscheinungen sich verschärft. Es will aber im Grunde das Gleiche sagen, wenn etwas wie ein »Stil« in den Gedichten Georges mit einer Drastik sichtbar geworden ist, die bisweilen ihren Gehalt verdrängt und in den Schatten stellt. Stücke, in denen seine Kraft versagte, fallen meist genau mit denjenigen zusammen, in welchen dieser Stil Triumphe feiert. Es ist der Jugendstil; mit andern Worten der Stil, in dem das alte Bürgertum das Vorgefühl der eignen Schwäche tarnt, indem es kosmisch in alle Sphären schwärmt und zukunftstrunken die »Jugend« als Beschwörungswort mißbraucht. Hier taucht, zunächst nur programmatisch, zum ersten Mal die Regression aus der sozialen in die natürliche und biologische Realität auf, welche seitdem wachsend sich als Symptom der Krise bestätigt hat. Das biologische Idol verbindet in der Idee des »Kreises« sich dem kosmischen. Daraus entsteht dann später die Figur des mythischen Vollenders Maximin. Man hat von den gequälten Ornamenten, die damals Möbel und Fassaden überzogen, gesagt, sie stellten den Versuch vor, Formen, die erstmals in der Technik zum Durchbruch kamen, ins Kunstgewerbliche zurückzubilden. Der Jugendstil ist in der Tat ein großer und unbewußter Rückbildungsversuch. In seiner Formensprache kommt der Wille, dem, was bevorsteht, auszuweichen, und die Ahnung, die sich vor ihm bäumt, zum Ausdruck. Auch jene »geistige Bewegung«, welche die Erneuerung des menschlichen Lebens erstrebte, ohne die des öffentlichen zu bedenken, kam auf eine Rückbildung der gesellschaftlichen Widersprüche in jene ausweglosen, tragischen Krämpfe und Spannungen hinaus, die für das Leben kleiner Konventikel bezeichnend sind.

Einzig geschichtliche Besinnung, die weit über den Rahmen

literarhistorischer Behandlung hinausgreift, kann zu Schlüssen
über die Gestalt und über das Werk gelangen, welche vor vierzig Jahren die »geistige Bewegung« ins Leben riefen. Auch ist
es unbestreitbar, daß das Werk von Koch aus diesem Rahmen
mit Entschiedenheit heraustritt. Es ist daher auch nirgends jenen
tristen Schablonen pflichtig, welche gerade in der literarhistorischen Behandlung Georges so oft begegnen. Historische Gesichtspunkte jedoch sind dieser neuen Arbeit gänzlich fremd.
Sie tritt befangen, in der Überzeugung von einer »ewigen«
Geltung der Gehalte, die es bedingen, an Georges Werk. Doch
dies geschieht dann, andererseits, mit soviel Umsicht und methodischer Gewissenhaftigkeit, daß ihre Leistung einen Platz
behauptet, von dem sie nichts sobald verdrängen wird.
Methode dieser Arbeit ist: die »Analyse eines dichterischen
Werkes, die den Ausdruck nur zu verstehen vorgibt, weil sie
den Gehalt verstanden zu haben glaubt«. Und ihre Leistung:
eine aufschlußreiche Periodisierung dieses Werkes, die auf den
– selbstverständlich eng verschränkten – Phasen beruht, in
denen sich Georges Weltbild entfaltet hat. Grundlage dieser
Untersuchung ist ihm die schreckliche Allgegenwart, mit der
dem Dichter George sich in aller tieferen Erfahrung der Natur
das Chaos selbst als Grundkraft des Geschehens vor Augen
stellt.

> Unholdenhaft nicht ganz gestalte kräfte:
> Allhörige zeit die jedes schwache poltern
> Eintrug ins buch und alles staubgeblas
> Vernahm nicht euer unterirdisch rollen.

Von früh auf aber hat sie dieser Dichter vernommen. Wie
er im Sinn der christlichen Symbolik zunächst, jedoch vergeblich, sich bemüht, den Bann, der ihm entgegenwirkt, zu
brechen und dann mit dem Erscheinen Maximins ihn von sich
genommen und Versöhnung sich geschenkt fühlt – das macht
den Gegenstand von Kochs Betrachtung. Im Sinne einer
neueren theologischen Umschreibung des Objekts der Religion
stellt der Verfasser die Naturerfahrung Georges unter dem
Begriff des »Andern« vor. Es ist ihm leicht, mit einigen
zwingenden Belegen das Düstere, Chthonische, das von dort-
her ursprünglich als das Herrschende den Dichter ansprach,

aufzuweisen. Zugleich gewinnt er so die Fühlung mit Problemen, wie sie dem neuen Stande seiner Wissenschaft entsprechen.
Er nimmt darauf Bezug, daß im besonderen seit der jüngeren
Romantik der Blick mancher Dichter auf die Erschließung
der Welt von ihrer chthonischen Seite her gerichtet gewesen
sei. »Über die dichterische Behandlung dieses Problems fehlen
noch die grundlegenden Arbeiten. Die Ursache dafür ist in
der Tatsache zu sehen, daß die Literaturwissenschaft in der
Hauptsache bis jetzt eine formal-ästhetische Wissenschaft war,
sei es, daß ihre Bemühungen auf die ›Gestalt‹ als individuelle, ideelle oder soziologische Größe, oder auf das ›Künstlerische‹ als Anwendung der Sprache abzielten. Der tatsächliche
›Boden‹ einer Dichtung und damit auch für die sie betrachtende
Wissenschaft ist aber immer im Religiösen zu suchen, aus dem
sich Idee, Motiv, Gestalt und Sprache des Dichters erst als
Folge ergeben.« Daß mit einer Formulierung, in der das Sprachliche als »Folge« des Religiösen erscheint – da es in Wahrheit
doch dessen Medium darstellt – auch der gewissenhaftesten
Forschung Grenzen gesetzt sind, die, je größer ihr Objekt, sich
um so enger erweisen müssen, daran gemahnt die unvermittelte
Gewaltsamkeit, mit der Kochs Studie abbricht. Das aber kann
nicht hindern, auf die sehr wertvollen Feststellungen hinzuweisen, welche er im Verlauf ihr abgewinnt.
Es handelt sich dabei in immer neuen Wendungen um Georges
Ringen mit der ihm eigenen Naturerfahrung. »Georges Bild der
Natur als eines dämonischen Wesens«, schreibt Koch, »ist in
seinem bäuerlichen Naturgefühl verwurzelt.« Mit diesen Worten streift der Autor die Zusammenhänge, die ihm den Blick in
die geschichtliche Werkstatt hätten eröffnen können, in der
Georges Dichtung entstanden ist. Der Bauernsohn, dem die
Natur eine überlegene Macht ist, »die er nie bezwingt, der er
höchstens einige Gewohnheiten absieht, mit der er im Kampfe
lebt, gegen die er sich verteidigen und schützen muß« – ihm
bleibt sie auch als einem Literaten, einem Bewohner großer
Städte, welcher er geworden ist, in aller ihrer Macht und allem
ihrem Schrecken gegenwärtig. Die Hand, welche sich nicht mehr
um den Pflug ballt, ballt sich noch im Zorne gegen sie. In dieser
unversöhnlichen Gebärde durchdringen sich die Kräfte seines
Ursprungs und die des späteren, von diesem Ursprung weit

abgelegenen Lebens, das er führte. Die Natur erscheint ihm
»verkommen – an der Grenze völliger ›Entgottung‹ angelangt.
Deshalb ist es ›Weltnacht‹, in der nur noch schwach vernehmbar (›starr und müde‹) gestaltgebende Kräfte wahrgenommen
werden.« Der Verfasser hat vollkommen recht, einen Quell-
punkt der dichterischen Kraft Georges in den beiden berühmten
Strophen aus dem »Siebenten Ring« zu suchen:

> Und wenn die grosse Nährerin im zorne
> Nicht mehr sich mischend neigt am untern borne·
> In einer weltnacht starr und müde pocht:
> So kann nur einer der sie stets befocht
>
> Und zwang und nie verfuhr nach ihrem rechte
> Die hand ihr pressen· packen ihre flechte·
> Dass sie ihr werk willfährig wieder treibt:
> Den leib vergottet und den gott verleibt.

Daß aber der Griff, mit dem diese Flechte der natura naturans
gepackt sein will, die Ordnung und die Umordnung der menschlichen Verhältnisse ist, und sonst nichts — besonders nicht der
Kult des Maximin —, das ist die Einsicht, die erst das kritische
Vermögen des Forschers hätte befreien können.
Denn es ist in aller Erkenntnis, nicht in der Kritik allein – wie
Hegel schon gelehrt hat – das Salz Verneinung. Handeln läßt
sich aus vorbehaltloser Bejahung heraus; denken nicht. So kann
denn auch die »Annäherung an das Werk«, welche soeben unter
dem Titel »Die ersten Bücher Stefan Georges« Eduard Lachmann[2] erscheinen läßt, es nicht weit bringen. Doch sein Buch
läßt keinen Vergleich mit Kochs wertvoller Studie zu. In einem
selbst im Schrifttum um George bemerkenswerten Maße fehlen
dem Autor Distanz und jede Fähigkeit, die Werke des Dichters
anders zu bewerten als vollendete, ja anders ihnen sich zu
nähern, als in solchem Sinn sie wertend. Die leeren Zeremonien,
die einmal von einem Lothar Treuge vorm Altar des Kreises in
Versen sind begangen worden, tauchen nun hier, am Ende der
Bewegung, nochmals in Prosa auf. Schranke wird diese Schran-
kenlosigkeit in der Bejahung aber auch Besonnenen. Die Aus-

2 Eduard Lachmann, Die ersten Bücher Stefan Georges. Eine Annäherung an das
Werk. Berlin 1933.

einandersetzung mit der dichterischen Figur, die in Gestalt des
Maximin die Schwellengottheit vor dem Spätwerk von George
bildet, kommt bei Koch nicht mehr zustande. Vielmehr trägt
der Verfasser kein Bedenken, dem »Maximin-Erlebnis« als dem
»Kern der Georgeschen *Religion*« mit dieser Meinungsäuße-
rung zu begegnen: »Die psychologische und die geistesgeschichtliche Erklärungsmethode muß durch eine Phänomenologie des
religiösen Bewußtseins ergänzt, ja auf diese muß alles gegründet
werden. *Denn das religiöse Verantwortungsgefühl ist der nicht
psychologisch und nicht geschichtlich erklärbare Anstoß zum
Maximin-Mythus.*«

So tritt von neuem dieser Sachverhalt ans Licht: Georges großes
Werk ist zu Ende gegangen, ohne im Zeitraum, den sein Wirken ausgefüllt hat, auf seinen echten und ihm zugeborenen
Kritiker gestoßen zu sein. Es tritt in einem Schwarm von Jün-
gern fast unkenntlich, doch ohne Anwalt, vor den Richtstuhl
der Geschichte. Freilich nicht ohne Zeugen. Welcher Art sie
sind? Sie finden sich in einer Jugend, welche in jenen Gedichten
gelebt hat. Nicht in der, die sich im Namen ihres Meisters auf
Kathedern eingerichtet hat, und nicht in der, welche in seiner
Lehre Befestigungen ihrer Position im Machtkampf der Parteien
gefunden hat. Nein, vielmehr in der, welche an ihrem besten
Teil schon darum ihr Zeugenamt vorm Richtstuhl der Geschichte
versehen kann, weil sie tot ist. Die Verse, die ihr auf den Lippen
lagen, entstammten nicht dem »Stern des Bundes«, selten dem
»Siebenten Ring«. Sie fand in jener Priesterwissenschaft der
Dichtung, die in den »Blättern für die Kunst« gehütet wurde,
nie einen Nachhall der Stimme, die »das Lied des Zwergen«
oder die »Entführung« getragen hatte. Ihr waren die Gedichte
von George ein Trostgesang. Trost in Betrübnissen, für die er
heute schwerlich mehr ein Herz, Gesang in einer Weise, für die
er heute schwerlich mehr ein Ohr hat.

»George hat die nur ästhetische Lebenshaltung durch ihre He-
roisierung für sich und für solche, die sein Werk wirklich verstehen, aus der Welt geschafft« – so heißt es, zweideutig genug,
bei Koch. Denn aus der Welt schaffte er mit der Haltung auch
das Leben. Die große Regression des Jugendstils führt dahin,
daß sogar das Bild der Jugend zu einer Mumie einschrumpft,
deren Züge nicht weniger von Ejlert Lövborg als von Maximin

besitzen. Beide sterben in Schönheit. Das Geschlecht, welchem
die reinsten und vollkommensten Gedichte von George ein
Asyl gegeben haben, war zum Tode vorbestimmt. Jene Verfinsterung, die mit dem Krieg nur über seinem Haupte zusam-
menzog, was lange schon in seinem Herzen braute, schien ihm
so wie dem Dichter, dessen Verse es erfüllten, als Inbegriff aller
Naturgewalt. George war ihm keinesgewegs der »Künder« von
»Weisungen«, sondern ein Spielmann, der es bewegte wie der
Wind die »blumen der frühen heimat«, welche draußen lächelnd
zum langen Schlummer luden. Der große Dichter ist George
diesem Geschlecht gewesen, und er war es als Vollender der Decadence, deren spielerische Gebarung sein Impuls verdrängte, um
in ihr dem Tod den Platz zu schaffen, den er in dieser Zeitenwende zu fordern hatte. Er steht am Ende einer geistigen Bewegung, die mit Baudelaire begonnen hat. Mag sein, daß diese Feststellung einmal nur eine literarhistorische gewesen ist. Inzwischen ist sie eine geschichtliche geworden und will ihr Recht.

GELEHRTE REGISTRATUR
Zu Georg Ellingers »Geschichte der neulateinischen Lyrik in den Niederlanden«[1]

Das vorliegende Werk stellt die erste Abteilung des dritten
Bandes von Ellingers »Geschichte der neulateinischen Literatur
Deutschlands im sechzehnten Jahrhundert« dar. Es weist also
einerseits zurück auf die beiden umfangreichen Bände, deren
erster die Geschichte dieser Lyrik in Italien und im deutschen
Humanismus, deren zweiter sie insbesondere in dem Deutschland der ersten Hälfte des sechzehnten Jahrhunderts verfolgt;
es weist dann andererseits voraus auf seine zweite Abteilung, in
der der Autor die neulateinische Lyrik des älteren und des jüngeren Scaliger einer gesonderten Betrachtung unterziehen will.
Wie man sieht, ist die Kontinuität dieser Darstellungen eine

1 Georg Ellinger, Geschichte der neulateinischen Literatur Deutschlands im sechzehnten Jahrhundert. Bd. 3, Abt. 1: Geschichte der neulateinischen Lyrik in den Nieder-
landen vom Ausgang des fünfzehnten bis zum Beginn des siebzehnten Jahrhunderts.
Berlin und Leipzig: Walter de Gruyter u. Co. 1933. VIII, 334 S.

durchaus imponierende. Man wünschte, von ihrer wissenschaftlichen Haltung das gleiche sagen zu können. Leider ist das nicht
möglich. Nirgends gelingt es dem Verfasser – ja, nirgends hat
er auch wohl nur geplant – in dem entlegenen Stoffgebiet, das
er behandelt, eigene Wege zu bahnen. Die ausgetretenen aber,
die er bis hinein in jenes zu verlängern sich bemüht, erweisen
sich auf diesem steinigen Gelände noch bündiger als auf anderem als die falschen. Ellinger glaubt, es mit mehr oder minder
vollkommener Lyrik im modernen Sinn – besser: im Sinn des
vorigen Jahrhunderts – zu tun zu haben; mit Gedichten, in
denen sich ein individuelles Erlebnis oder eine individuelle
Stimmung derart niedergeschlagen habe, daß sich der Leser mit
dem eigenen Gefühl in das Gedichtete des Dichters zu versetzen,
es innerlich sich anzueignen vermöge. Ob eine solche Auffassung von Lyrik sich im allgemeinen als stichhaltig erweist, kann
hier außer Betracht bleiben. Denn daß sie angesichts der neulateinischen der Humanisten untauglich ist, ergibt sich schon aus
deren Funktion. Diese war keine dichterische, sondern im
strengsten Sinne literarisch: bildungs-, staats- oder religions-
politisch. Es ist ein Unding, so wie der Verfasser es hier versucht, an diese Produktionen gewissermaßen unverbindlich, mit
der Haltung des Schöngeistes, der in einer Blütenlese blättert,
heranzutreten, um sodann ein Urteil nach eigenem Geschmacke
über sie zu fällen. Ein Unding ferner, zu glauben, daß mit einigen sehr summarischen Hinweisen auf die niederländische
Geschichte dieses Zeitraums das wissenschaftlich Angezeigte
geleistet sei.
Erfahrungsgemäß will ein Problem, je spröder es sich darstellt,
desto entschiedener nach jenen eigentümlichen Methoden studiert sein, die sich mit der strengsten Anpassung an seine
besonderen Gegebenheiten bilden. Diese besonderen Gegebenheiten aber erweisen gerade bei den sprödesten Materien sich
stets als die von Grenzgebieten. Ein Grenzgebiet ist auch die
neulateinische Dichtung der Humanisten. Ihre Geschichte liegt
an der Stelle, wo die Grenzen einer Geschichte der klassischen
Philologie, einer Geschichte der politischen und theologischen
Ideen, einer Geschichte des gelehrten Unterrichts, einer Geschichte der Hochschulen und – gewiß erst an letzter Stelle –
einer Geschichte der Dichtung ineinanderlaufen. Pragmatisch

sie abzuhandeln, ist ein hoffnungsloses Unternehmen. Wie
vielmehr Bachofen das Mutterrecht, Riegl die spätrömische
Kunstindustrie, Giehlow die Emblematik der Renaissance und
kürzlich erst Hertz den Faust zweiter Teil behandelt hat – nämlich als Konfinium, als Grenzgebiet – so einzig wäre auch die
neulateinische Lyrik der Humanisten zu erfassen.

Das hätte zur Voraussetzung, daß sie, bevor sich die Betrachtung einzelnen Poeten zuwendet, als ein kollektives Phänomen
gesichtet würde. Den Nachdruck auf die »Würdigung« der einzelnen Dichter zu verlegen, ist genau so abwegig wie den Prüfstein der Erlebniswahrheit oder der Natürlichkeit des Ausdrucks
an ihre Produktionen anzulegen. Abwegig aber nicht nur im
Zusammenhang dieser Forschungen. Ellingers Werk ist vielmehr
überhaupt, sowohl methodisch wie auch gegenständlich hinter
dem heutigen Stand der Wissenschaft zurückgeblieben. Es geht
nicht an, die Darstellung der großen geistigen Bewegung, die die
Allegorik ausmacht und zu der wir Studien gründlicher Kenner
haben, durch den Hinweis auf »die Figuren an den Gebäuden
und auf den Plätzen«, durch die »die Bürger ... an allegorische
und mythologische Vorstellung gewöhnt worden« waren, zu ersetzen. Genau so wenig geht es an, nach dem was Cysarz, Hüb-
scher, Günther Müller gezeigt haben, in dem Barockstil weiterhin nur die Entartung klassischer Vollkommenheit zu sehen.

So bleibt der wissenschaftliche Ertrag der fleißigen, gewiß auf
umfangreiche Quellenstudien gestützten Arbeit unbeträchtlich
und nur das melancholische Gefühl, so zwecklos einen großen
Aufwand vertan zu sehen.

KLEINER MANN AUS LONDON[1]

Der kleine Mann aus London macht seine Badereise. Es lohnt
sich, sie zu schildern, denn es ist, seit zwei Jahrzehnten, genau
die gleiche. Und neben Stevens, dem Familienvater, lohnen auch
Frau und Kinder die Beschreibung. Wie gehen sie in dieser
Badereise nicht alle auf! Und wie entfalten sie alles, was farbig,

1 R[obert] C[edric] Sherriff, Badereise im September. Roman. Deutsch von Hans
Reisiger. Berlin: S. Fischer Verlag (1933). 342 S.

liebenswert an ihnen sein mag, so unscheinbar und zuverlässig
wie Teeblumen auf einer Wasserfläche ihre bunten Ränder.
Liebenswürdig ist die Angst, mit der Frau Stevens Jahr für
Jahr dem Wagenwechsel in Chapham Junction entgegensieht;
und pittoresk in ihrer Unbeholfenheit die große, alljährliche
Begrüßung der Frau Huggett, die das Haus »Seeblick« in Bognor
führt, durch die auf ihrer Schwelle stehende Familie. Diese
Familie ist in allen ihren Gliedern bewandert in der Kunst, sich
ihr Vergnügen auf denkbar praktische Manier zu schaffen und
andererseits nicht weniger geschickt, aus ihrer praktischen Ge-
schäftigkeit sich eine Art Vergnügen zu gestalten. Vor allem
aber hat es seinen Zauber für diese Handvoll Menschen, Jahr
für Jahr sich dichter in Gewohnheit einzuspinnen. Vielleicht
spielt mit, daß dieses simple und bescheidene Familienleben vor
bedeutenderem, bewegterem Hintergrunde etwas Enges und
Ärmliches bekommen könnte, indessen es vor dem soliden, den
ihm Landschaft und Gesellschaft dieses kleinen Seebades geben,
selbst hin und wieder einen Anflug von Abenteuer und Exotik
annimmt. Wie weniges gehört dazu! Ein grauer und sturm-
bewegter Tag am Meer. Auf der Promenade war man eben
noch beisammen; da fehlt die Mutter. Auf den Wellen, in der
Ferne – ist das nicht ihr blauer Hut? Er ist es nicht. Nach wenigen Schritten wird die Mutter in dem nahen, verglasten Unter-
stand gesichtet. Aber so wenige Sekunden sind genug gewesen,
das Bild einer Familienkatastrophe auf den Prospekt von Bognor hinzuzaubern.
Wenn Sommerwochen an der See als hohe Zeit der Träumereien und Versunkenheit in Geltung stehen, so werden sie nicht
bald einen verläßlicheren Schilderer als Sherriff finden. Er ist
ein Meister jener flüchtigen Gebilde, die man »Tagträume«
genannt hat. Und sind es die Geschöpfe, die er darstellt, denn
weniger? Wer verstünde sich vielmehr auf solche Träumereien
besser als der kleine Mann aus unseren großen Städten? Das
Leben hat ihm mehr versagt, als es ihm gab; er hat gelernt, in
seine Arbeit in Büro und Garten, ins Zeitunglesen und ins
Stadtbahnfahren viel tröstliche Traumstückchen einzulegen.
Tröstlich noch, wenn sie traurig sind. Herr Stevens kann nicht
ohne Traurigkeit des Tags gedenken, da der Fußballklub nach
jahrelanger treuer Arbeit, die er für dessen Sache geleistet hat,

das Protokoll in andere Hände legte. Doch eben diese Traurigkeit, die den Gekränkten selten, aber dann unabweisbar, über-
kommt, spinnt dieses Mißgeschick mit jedem Jahr zärtlicher
seinem Lebenslaufe ein.

Das ist ja wohl das Geheimnis des kleinen Mannes: das meiste
wird ihm »Stoff zum Träumen«. Die Kraft oder das Werkzeug,
es zu etwas anderem zu gestalten, besitzt er nicht. Sogar die
seltenen Male, da ihm Gelegenheit geboten scheint, das Schicksal fest in seine beiden Hände zu nehmen, lassen nichts zurück
als Dunst. Und dieser Dunst verbindet auf dem langen, einsamen Herbstspaziergang des Herrn Stevens sich mit dem Mor-
gendunst, aus welchem sich die Stimme der Erinnerung zu ihm
findet: »›Nicht etwa als ob wir irgendwie mit Ihnen unzufrieden
wären, Herr Stevens – im Gegenteil, wir betrachten Sie als
einen unserer wertvollsten Mitarbeiter. Aber wir müssen mit
der Zukunft rechnen: wir haben schwerste Konkurrenz zu gewärtigen. Wir müssen neue Märkte finden, und Herr Wolsey hat
ausgedehnte Erfahrungen im Detailhandel. Wir sind überzeugt,
daß Herr Wolsey ein Mann ist, unter dem Sie ausgezeichnet werden arbeiten können.‹ – Das eine Wort im letzten Satz – das
Wort ›unter‹ – hatte ihn wie ein Peitschenschlag getroffen. – Für
einen Augenblick hätte er ihnen am liebsten empört den Fehde-
handschuh hingeworfen und um seine Entlassung gebeten – aber
dann fiel ihm ein, was im Fußballklub geschehen war – und hier
ging es um seine Lebensstellung – nicht nur um Sport –, und der
Direktor hatte auch gleich wieder von etwas ganz Alltäglichem
gesprochen – – .« So geht der kleine Mann in kräftigen Schuhen
durchs regennasse Gras im Wald und nimmt sein Leben durch.

Früher einmal war der *Schäfer* der Held der Idylle; heute ist es
der *kleine Mann*. Und die besondere Art seiner Naturverbun-
denheit verrät, wie einst die schäferliche, einiges über den Zustand der Gesellschaft, aus dem sie stammt. Ein kleiner, senti-
mentaler Vorbehalt, ein Trick, kennzeichnet dies Verhältnis zur
Natur. »Über allen« – so schildert Sherriff seine kleinen Leute
vom Strand von Bognor – »lag ein Geist fröhlicher, ungezwun-
gener Freiheit . . . niemand fragte danach, wer oder was seine
Mitmenschen wären: lächelten sie, so lächelte man auch –, rede-
ten sie, so redete man auch – redete von dem, was hier um einen
her war, und nicht von dem, was hinter oder vor einem lag.«

Nun – eben diese Haltung ist es, welche heute in jenen Schichten der Gesellschaft, die nicht gerne, was vor und hinter ihnen liegt, betrachten mögen, die Neigung zur Idylle gefördert hat. Auch dieses Publikum zieht vor, mit dem, was es um sich herum gewahrt, sich zu befassen. Besonders, wie wir auch in Deutschland wissen, mit jenen kleinen Angestellten, die seit kurzem in die Romane eingezogen sind. Sie haben da bisweilen – und gewiß bei Sherriff – fast die Rolle übernommen, die im achtzehnten Jahrhundert die Bewohner Otahaitis und, noch später, die schwarzen Kinder der Natur auf den Plantagen, auf denen Onkel Tom zu Hause war, gespielt haben. Die in dem Kampfe der Interessen und Ideen Verwickelten neiden – so scheint es manchmal – dem kleinen Mann die Möglichkeit, sich seinen grauen Alltag mit alltäglichen Träumen zu vergolden.

Deutsch in Norwegen
»Die Meister« – deutsches Lesebuch für norwegische Gymnasien

Die Völker haben gewöhnlich nur ein unklares Bewußtsein davon, wie sie sich ineinander spiegeln. Durchaus getreu ist diese Spiegelung niemals. Am meisten sind sie sich augenblicklich in ihren technischen und sportlichen Leistungen gegenwärtig. Unschärfer wird der Befund, je mehr es auf künstlerische und literarische Bereiche zugeht. Nur allzu selten stößt man hier auf gültige Zeugnisse dessen, was vom eigenen Volk in dem Bewußtsein eines fremden lebendig ist. Das vorliegende deutsche Lesebuch für norwegische Gymnasien stellt ein solches Zeugnis dar.

Es läßt in jeder Hinsicht einen Schluß auf weit und ernsthaft vorgetriebene deutsche Studien an diesen Schulen zu. Der Umfang des Buches ist imponierend: siebenunddreißig Bogen deutscher Gedichte, poetischer und geschichtlicher Prosa. Noch kennzeichnender für die Gründlichkeit, mit der man an den Stoff herangeht, sind beigegebene sprachliche, biographische, statistische und kartographische Erläuterungen. Diese alle auch ihrerseits in deutscher Sprache gehalten.

Es wäre verfehlt, ein Buch wie das vorliegende kurzerhand nach literarischen Maßstäben oder auch nach pädagogischen Erfordernissen, die für deutsche Schulen gelten, zu beurteilen. Stets sind die Funktionen eines gegebenen Schrifttums in fremdem Land nach gewissen Seiten umfassender als die Aufgaben des gleichen Schrifttums in seinem eigenen. Norwegische Schüler sind darauf angewiesen, den deutschen Texten, mit denen man sie vertraut macht, viele Realien zu entnehmen, die den deutschen geläufig und vertraut sind. Daher bringt man gerade für den dritten und letzten Teil des Buches, der die »Historische Prosa« umfaßt, dem im Programm des Lesebuchs enthaltenen Rückgang auf die Quellen besonderes Vertrauen entgegen. Je ferner nämlich nach Kolorit und Stil die Texte unseren modernen stehen, desto greifbarer lassen sich die Realien, die in sie eingesenkten Sachgehalte, an ihnen aufweisen.

Wie dem nun sei – die Auswahl dieses dritten Teils erfolgte leider lediglich an Hand des Stoffs. Die Quellentreue dagegen ist vollständig preisgegeben. Weder Juliana von Stockhausen noch Zdenko von Kraft, weder Wychgram noch Haenisch können als Meister bezeichnet werden. Gerade in diesem Teile hätte es sich darum gehandelt, Quellen, die in Briefwechseln und Gedenkreden, Tagebüchern und Chroniken reichlich fließen, zu ihrem Rechte kommen zu lassen. Freilich sind sie dem Zugriff weniger parat; doch hätte die bedeutende anthologische Arbeit, die Hofmannsthal und Borchardt im Rahmen der Bremer Presse geleistet haben, hinreichende Anhaltspunkte gegeben. Mit unbestreitbarem Gewinn würde Loewenbergs Aufsatz über die Grimmschen Märchen der Vorrede zu diesem Buch selbst Platz gemacht haben. Die Darstellung Beethovens »nach« H. v. d. Pfordten gibt sehr viel weniger, als was Stücken aus Gesprächen oder dem Heiligenstädter Testament zu entnehmen gewesen wäre. Und Haenischs Aufsatz über August Bebel würde man nicht ungern durch eine von dessen Reichstagsreden vertreten sehen.

Bei solcher Durchführung des Quellenprinzips hätte sich ein Nebengewinn ergeben, der nicht zu verachten ist: nämlich eine gewisse bibliographische Unterweisung des Lesenden. Mehr als geschah hätte sich jedenfalls hier tun lassen; in den sehr genauen und begrüßenswerten »Erläuterungen«, die einen eigenen Band ausmachen, ist die bibliographische Seite zu kurz gekommen. Um so dankenswerter ist andererseits die Beigabe von »Liedern mit Klavierbegleitung« in einem zweiten Heft.

Es ist ein guter Gedanke gewesen, die erste Berührung mit den Dichtungen einer fremden Sprache unter das Protektorat der Musik zu stellen. Und dazu fügt sich ausgezeichnet, daß die Auswahl auch dem Volkslied eine Stelle eingeräumt hat. Ja, gern gäbe man für weitere Stücke im Sinn des »Wunderhorns«, fürs »Bucklichte Männlein«, für Rückerts »Bäumlein, das andere Blätter hat gewollt« den neuesten Teil der Auswahl preis. Die Gefahr allzu geringer Sprödheit gegen das, was jeweils als modern in Geltung steht und die für Bücher solcher Art stets fühlbar ist, besteht auch bei der Prosaauswahl. So sehr die Weite zu begrüßen ist, in die man mit ihr eintritt – selbst Meisterleistungen des Journalismus aus der »Frankfurter Zeitung« und anderen Blättern haben Platz gefunden – so wenig kann man es verstehen, wie Sudermann, Frenssen oder Bloem in eine engere Wahl von noch nicht dreißig deutschen Prosaisten geraten konnten. Dagegen vermißt man nicht nur den »Armen Mann im Tockenburg«, dessen Prosa, in seiner Lebensbeschreibung, den schönsten Volksliedern an die Seite zu stellen ist, nicht nur Ernst Moritz Arndt mit seinen nie genug geschätzten Märchen, sondern sogar Johann Peter Hebel, dessen »Kannitverstahn« mit Recht zum eisernen Bestand der deutschen Lesebücher zählt, von seinem »Herrn Charles« und seinem »Unverhofften Wiedersehen« zu schweigen.

Das hindert natürlich nicht, daß unter den verbleibenden Stücken sogar dem Kenner dies oder jenes wenig bekannte und bemerkenswerte begegnen kann. Auch ist die Sammlung vielfältig genug, um ihre schließliche Bestimmung durch den Lehrer zu erfahren, der sie handhabt. Wichtiger als das alles ist der Beitrag, den sie zum Bild des deutschen Schrifttums, wie es sich in norwegischen Augen darstellt, liefert. Und da liegt der Vergleich mit einem Panorama nahe, in dem die prächtigen Alpengipfel ein wenig zu massiv und zu gedrängt sich aneinander reihen, dergestalt, daß Blicke in die Täler nur selten glücken. Dabei verstehen wir unter diesen Tälern das Fundament des Volkstums, aus dem die Gipfel künstlerischer Schöpfung sich erheben. Wenn für die hoffentlich bald bevorstehenden Neuauflagen dieses Lesebuches ein Wunsch bleibt, so der: den

Blick des Lesers hin und wieder in die geheimeren Schluchten namenlosen oder doch unscheinbaren Schrifttums hinabzuziehen, die sich zwischen den klassischen Höhen auftun.

»Die Meister«, ein Lesebuch für Gymnasien, wurde herausgegeben von Josef Georg Lappe bei Fabritius und Sonners Forlag, Oslo. Dazu erschienen: »Erläuterungen und biographischer Nachtrag zum Lesebuch«; sowie: »Lieder mit Klavierbegleitung«. Beide Heftchen haben den gleichen Herausgeber.

RÜCKBLICK AUF 150 JAHRE DEUTSCHER BILDUNG
Zu dem Buch »Die Problematik des ästhetischen Menschen in der
deutschen Literatur« von K. J. Obenauer[1]

Die Fragen, denen Obenauer sich zugewandt hat, stehen im
Mittelpunkt der neuesten deutschen Literaturgeschichte, sofern
sie ihrem Gegenstand mit lebendigem Zeitbewußtsein sich nähert. Die vielgenannten Prägungen, in denen Schiller das Recht
der Anmut gegen den uneingeschränkten Anspruch der Würde,
welchen Kant vertritt, erhebt, mit denen Goethe der schönen
Seele des Pietismus den ästhetischen Adelsbrief verlieh, die
Romantik die Ironie als Blüte der männlichen Besonnenheit
feierte, und der schöne Schein, der noch bei Keller sein Lebens-
recht dem Alltag abzutrotzen sucht — sie alle gehören der geistigen Auseinandersetzung an, die seit der klassischen Bewegung nicht mehr zum Stillstand gekommen ist.
Was der Volksmund mit einer ebenso bündigen wie weither-
zigen Wendung als »Lebenskunst« anerkennt, das hat in der
deutschen Bildungsgeschichte der letzten anderthalb Jahrhunderte seine historische Problematik. Mit ihr hat der Verfasser
es zu tun. Und zwar ist seine Darstellung in der Hauptsache
eine literarhistorische, »mehr konkrete Seelen- als konstruktive
Geistesgeschichte, d. h. weniger Geschichte einer abstrakten
Idee als einer ganz bestimmten Form des Menschen«. »Beiträge
zur geheimeren Seelengeschichte der letzten Jahrhunderte«
nennt der Verfasser sie in einer vielleicht nicht ganz unbeab-
sichtigten Anlehnung an Geister- und Liebesromane des Biedermeier. Jedenfalls fehlt es auch seiner Darstellung nicht an weit-
gespannten Verflechtungen, überraschenden Zwischenspielen
und bedeutungsvollen Entwirrungen.
Er hat es auf sich genommen, das Schicksal der humanistischen
Bildungsidee im Wandel ihrer gesellschaftlichen Bedingtheit
aufzuzeichnen. Er läßt erkennen, »wie sehr in den vergangenen

---

1 K[arl] J[ustus] Obenauer, Die Problematik des ästhetischen Menschen in der deutschen Literatur. München: C. H. Beck'sche Verlagsbuchhandlung 1933. X, 412 S.

Jahrhunderten ästhetische Kultur, die Formwerdung des Volkes bedeutete, doch immer an die Entwicklungshöhe einzelner Stände gebunden war«. Der ganze hier visierte Zeitraum bekommt derart seine Gliederung und Profilierung. Es öffnet sich die Kluft zwischen den Ardinghello und Hyperion, die in den großen Resten der Antike den Aufruf der Vergangenheit an ihre, die eigene Gegenwart vernahmen, und jenen Klassizisten, die in Rom nur darum eine letzte Sehnsucht stillten, weil sie die Kunst um der Kunst willen suchten. Die Haltung des späten Goethe, der »in den letzten Büchern der Lehrjahre an die hohe ästhetische Kultur des Adels positiv anknüpft«, hebt sich von den in Rousseaus Farben gehaltenen Sozialgemälden Jean Pauls ab. Und Büchners politisch genährte Verzweiflung, die im Spiel Leonces und Lenas ihre Zuflucht sucht, wird ganz mit Recht in eine andere Landschaft eingetragen als die, in der die schwelgerische Schönheit der Lucinde zu Hause ist.

Nicht ohne Sinn für Schwellen und Nuancen ist der Verfasser diesen Gebilden und Bewegungen nachgegangen. Und ohne Auseinandersetzungen zu suchen, weiß er die eigene Haltung scharf genug von der der früheren Forscher abzuheben. »Niemand«, so sagt er, »wünscht im unklaren darüber gelassen zu werden, wo die *Grenzen der ästhetischen Lebensidee* liegen. Diese ins Bewußtsein zu erheben, ist heute die Aufgabe. Wir haben nur noch geringe Sympathien für diesen Typus, wir können selbst Kierkegaard zustimmen, der den ästhetisch Lebenden in nihilistischer Schwermut enden läßt.«
– Leider sind die Zitate nicht immer genau. So lautet der Schluß von Georges »Jahrhundertspruch« (S. 403) richtig: »In jeder ewe / Ist nur ein gott und einer nur sein künder.«

DER EINGETUNKTE ZAUBERSTAB
Zu Max Kommerells »Jean Paul«[1]

Als Stefan George für seinen Kreis die maßgebliche Auslese aus der Überlieferung deutscher Dichtung in drei Bänden zusam-

1 Max Kommerell, Jean Paul. Frankfurt am Main: Vittorio Klostermann (1933). 420 S.

menstellte, bestimmte er einen von diesen Bänden Jean Paul.
Die Anwartschaft der deutschen Leser auf das Bild Jean Pauls,
das diese Wahl regiert hat, hat sich jahrzehntelang gedulden
müssen. Gestalten, deren Bedeutung für das Deutschtum mittelbarer ist als Jean Paul, besitzen längst ihr Standbild in der
vielumstrittenen Folge von Werken, welche von Georges Schülern errichtet wurden. Kommerell zählt zu diesen nur noch
mittelbar. Im engeren Sinne ist sein Lehrer Friedrich Wolters.
Und ein gewisser Abstand von dem Gründer der Schule mag
eine unerläßliche Bedingung für eine gültige Darstellung von
Jean Paul gewesen sein. Spröder als andere erweist sich dieser
Dichter dem Kanon von Begriffen und von Bildern, nach dem
die Schüler (nicht selten allzu wendig) verfahren sind.
Mit einem Buche über den »Dichter als Führer in der deutschen
Klassik« hat Kommerell schon vor zwei Jahren unverkennbar
die Distanz bezeichnet, die seine Arbeit nicht nur von der der
Gesinnungsfreunde, sondern nicht weniger von der zünftigen
trennt. Und so bedenklich jenes frühere Unternehmen erscheinen
mußte, sofern es den Versuch darstellte, die Klassiker zu
Stiftern eines heroischen Zeitalters der Deutschen zu machen,
so hat es dem Verfasser doch verschafft, worauf seit langem
unter den deutschen Literarhistorikern kaum einer Anspruch
machen konnte: Autorität. Am unverkennbarsten bewährte sie
sich in der Meisterschaft physiognomischer Darstellung, in der
Spannkraft einer Erkenntnis, die nicht nur die Charaktere, sondern auch, und vor allem, die geschichtlichen Konstellationen
ausmaß, in denen sie einander begegneten. Solcher Konstellationen gibt es nun im Leben Jean Pauls nur eine einzige.
Darum bedeutet für das Können des Verfassers dieser sein
neuer Gegenstand die stärkste Belastungsprobe. Er hat sie bestanden. Und sein Werk erhebt, zumal an einen Referenten,
der auch hier entscheidend sich von der Gesinnung des Verfassers geschieden sieht, den Anspruch, getreu in seinen großen
Linien kopiert zu werden. Das wird nicht hindern, einen anderen Umriß Jean Pauls mit leichten Strichen anzudeuten.
Jene einmalige geschichtliche Konstellation im Leben von Jean
Paul war seine Begegnung mit den Herren und Dichtern Weimars. Vorahnend mag er sie in der Vorrede zur »Unsichtbaren
Loge« als seine »schönern Leser« angeredet haben, »deren

geträumte, zuweilen erblickte Gestalten ich wie Genien auf den Höhen des Schönen und Großen wandeln und winken sah«. Es ist bekannt, daß man ihn wenig gastlich am Fuße dieser Höhen empfangen hat. Nicht viele seiner Weimarer Begegnungen haben Gestalt gewonnen; die handlichste, nicht zufällig, diejenige mit Goethe, der als Tischnachbar des Dichters auf eine Äußerung, welche sich Jean Paul über das Tragische erlaubte, eine Viertelstunde verstimmt den Teller drehte. Kommerell geht wenig auf das anekdotische Beiwerk dieser Lebensperiode ein. Der alte Nerrlich ist da ausführlicher gewesen und hat Züge festgehalten, die einem heutigen Betrachter Stoff zu triftigen Gedanken geben könnten. Hier einer dieser Züge: »Zu den Hofconcerten durften im Saal nur Edelleute erscheinen, während für die Bürgerlichen die Galerie reserviert war; als nun Jean Paul bedeutet wurde, daß auch er Zutritt zum Saale erhalten würde, falls er einen Degen anlege, weigerte er sich, da er hierin eine Degradierung sah.« Solche Züge wird man bei Kommerell vergeblich suchen. Doch ist er gleich in seinem Element, wo er Gestalten im Pathos ihrer Distanz, im Feuer ihres Gespräches darzustellen hat. »Wer heute«, schreibt er, »von den Schöpfungen ausgehend, geneigt ist, den Schüler über den Lehrer zu setzen, vergegenwärtige sich beider Gestalt, wie sie in Herders Studierstube auf Stühlen sitzen und Gespräch führen: der eine von moloch-artiger Beweglichkeit, wenig seiner Würde achtend, wässerigen Auges und riesiger Kinderstirn, der andere mit dem Ausdruck angeborenen Priestertums im Gesicht, der durch die fast weibliche Lieblichkeit des Mundes und durch die Musik in allem, was aus diesem Munde kam, gemildert war . . . und mit den dunklen Augen, deren unheilbare Traurigkeit schon damals an den Blick eines trauernden Demeterhauptes erinnert haben mag.«

In unmittelbarer Nähe solcher Vergegenwärtigungen ist im Verfasser der Gedanke entsprungen, der vor allen anderen der Keim zu seiner bedeutungsvollen Konzeption gewesen sein mag. Es handelt sich um die Idee des Humoristen, auf welchen das Kapitel »Vorgänger« eine perspektivische Rückschau eröffnet. Der Humorist ist ein anthropologischer Typus, und das über ihm waltende Gesetz das »der unpassenden Verkörperung«. Er ist das Geschöpf des ersten Witzes, »den diese Witzbolde nicht

machen, sondern der sie macht«. Die falsche Verkörperung ist
das Erlebnis des Humoristen, das, als verhängnisvolle Schickung,
hinweggescherzt werden muß. »Für den Philosophen«, setzt der
Verfasser hinzu, »ist das im-Leib-Stecken kein Schicksal, sondern ein Schein... Hätte da... der Humorist als lachender
Philosoph den tiefern Welternst von beiden?« Das geht auf
Fichte. Die Philosophie der »Wissenschaftslehre« hat Jean Paul
in ein und demselben ungeheuren Witz zu sprengen und sich
zuzueignen gesucht. Leibgeber sei ihr Schöpfer (eine seiner
Romanfiguren also). Der habe nämlich den Fichte selbst erst
»setzen« müssen, der dann Verfasser der Wissenschaftslehre
geworden sei. Drei Dinge wären es, die im Humoristen zusammentreten: das Ausquartiertsein aus dem eigenen Leib, die
Versatilität des Ich, das in jedem Fremden Quartier beziehen
kann, und das Denken, das Rahmen und Inhalt dieses Vorgangs
zugleich ist. »Das Erlebnis der Unentrinnbarkeit des Ich und das
Erlebnis der verfänglichen Dehnbarkeit des Geistes sind nur
scheinbar Widersprüche.« Diese Dehnbarkeit geht in das Gren-
zenlose. Nicht nur die vielfältigen Bälge, die das Ich als Humorist bezieht, nicht nur die schönen Traumgestalten, in denen es
sich für die Ewigkeit Quartier bereitet, ohne je in der Zeit in
ihnen zu Hause zu sein, nehmen den Dichter auf. Der Weltraum
selbst liegt ihm nicht ferner, ist ihm auch nicht unwirtlicher als
sie. Denn »Jean Paul dachte sich nicht, wie manche Denker, in
die Welt, sondern weg von der Welt«. Mit dem Luftschiffer
Giannozzo gewinnt er seinen größten Abstand von ihr.
In dieser dünnen Atmosphäre hat später Paul Scheerbart, der
Verfasser des »Kometentanzes« und der »Astralen Novelletten«, sich heimisch gemacht. Und dessen Freund Mynona hat
in der exzentrischen Spannung des Ich als »schöpferische Indifferenz« den Ruhepunkt erblickt, um den die Weltwaage
balanciert. Nicht umsonst hat er in einer brauchbaren Auswahl »Jean Paul als Denker« sprechen lassen. Es wäre unge-
recht zu leugnen, daß auch Kommerell diese Dimension des
Humors gesichtet hat. »Jean Paul entdeckt«, so sagt er, »in der
alles in sich ziehenden, brechenden, sich selbst ausmessenden
Ichheit die bejubelte Unendlichkeit der neuen Dichtung.« Jedoch
nicht diese Räume, die der Fernblick, sondern die dunkleren,
die sich der Tiefsinn am liebsten wählt, sind der Betrachtung

des Verfassers die gelegeneren. Und sehr bezeichnend deutet
er das Schicksal des Humoristen, das Jean Paul für sich nieder-
kämpfte, auf eine deutsche Gefahr: »die Gefahr einer philosophisch überreizten Selbstbesinnung, also die Gefahr eines Jahrhunderts. Bewußtseinsfrevel ist die Sache, zu der Jean Paul ...
die Gestalt erfand.«
Von hier ist's nur ein Schritt – wenn auch ein Fehltritt – bis
zur Diffamierung des Denkens selbst. Zwar ist, wie man erst
kürzlich sehr mit Recht bemerkt hat[2], jene Bewußtheit, aus
welcher der deutsche Idealismus und Jean Paul mit ihm speku-
liert, »nicht geschärfter Verstand oder Helle der Vernunft ...,
sondern Lust und Qual ästhetischer Selbstbespiegelung«. Aber
wie nahe liegt nicht die Verwechslung! Wie doppelt nah dem
Autor, dreifach nah der Zeit! Kommerell ist ihr nicht anheim
gefallen. Er schließt sie auch nicht aus. Er scheint zu zögern. Er
sucht die Überwindung dieses Zweifels in der heroischen Geisteshaltung. »Die Traumgestalten Jean Pauls«, so schrieb er
schon vor Jahren, »scheinen nur solange blutlos bis ihre irdischen Brüder über unsern Boden gehen.« Und nun rückt er entschlossener seinen Dichter in die Nähe Nietzsches. So gelingt
ihm zum mindesten das eine: dem Humor nach seiner destruk-
tiven Seite gerecht zu werden. Es fallen scharfe Worte über jene
bequemen Geister, die Aussicht haben, »in den ewigen Vorrat
deutschen Humors zu kommen, und noch den dürftigsten
Scherz bejauchzt zu sehen«, weil sich ›ja hinter ihm ein goldenes
Gemüt verbirgt‹. Solche bequemen Geister haben es aufgebracht,
daß dieser Humor dem Dichter »das Schicksal eines Kleist oder
Hölderlin erspart habe. Näher gemustert, war dieser Humor
selbst etwas, vor dem sich Jean Paul zu schützen hatte, und
lange nicht die gelindeste unter seinen innern Vernichtungskräften.« Schoppe, der Denker, den der Irrsinn packt, lehrt,
»was ein Denkerlebnis ist«, und stiftet seinem Dichter, nach
Kommerell, die Verwandtschaft mit Nietzsche.
So führt der Verfasser die Geschichte des Lachens bis zu
Nietzsche herab. Weit unanfechtbarer und hochbedeutend ist
die Wendung, mit der er sie bis zu Sokrates herauführt. Tragweite und Niveau des Werkes sind kürzer kaum zu vermitteln

2 K[arl] J[ustus] Obenauer, Die Problematik des ästhetischen Menschen in der deutschen Literatur. München 1933.

als mit folgendem Zitat, das lang ist: Man mag »Sokrates den
ersten Humoristen nennen, von dem die Welt weiß. Darin daß
er sich selbst mit Humor behandelte, lag das Empörende seiner
Erscheinung für die Griechen. Nicht daß es ihm an Schätzung
seiner selbst gefehlt hätte... Aber die Selbstachtung der Griechen bezog sich auf die Gestalt... Sokrates stellte das Ehrwür-
dige in sich weit von sich weg: mit ›sich‹ im griechischen Sinn:
nämlich mit seiner Gestalt spielte er, ja gab sie preis. Das war
unerhört... Sokrates in Athen und Jean Paul in Weimar. Zwei
große Störenfriede und enfants terribles, umso unausstehlicher,
je mehr sie bewegten und bedeuteten! Einen Menschen, der von
sich selbst absah, konnte die attische Herrenschicht oder konnten die Weimarer Herren-im-Geist als Hofnarren um sich leiden – wenn er aber die andern übersah und aufwog? Niemand
liebt die geistige Aufhebung des Raumes in dem er sich selbst
befindet, noch weniger, wenn er selbst ihn unter Mühen geschaffen hat, am wenigsten, wenn dieser selbe Johann Wolfgang
Goethe heißt. Und auch die Weimarer waren, da sie sich zu einer
Art geistigen Herrentums erzogen hatten, betont humorlos. So
bot die Geschichte den Stoff zu zwei großen Komödien... die
eine ist geschrieben worden und heißt: die Wolken des Ari-
stophanes. Die andre wurde bloß gelebt.«
Gelebt aber wurde sie im Biedermeier. Das ist, für den Verfasser, der Augenblick, in dem das Bürgertum aufhört »Symbole
zu haben, und der reinen Innerlichkeit anheimfällt... Erst mit
dieser gibt es auch die reine Äußerlichkeit. Zwischen beidem
liegt der Stil. Man mag das Biedermeier lieben oder schelten:
es ist das Bürgertum als Stil – nach ihm besteht es ohne solchen
weiter.« Das ist nun eine sonderbare Perspektive auf die letzten
Drittel des neunzehnten Jahrhunderts: Zeitraum eines »stillo-
sen« Bürgertums. Lassen wir sie beiseite, um zu fragen: was
sagt denn Kommerell, wenn er das Biedermeier mit einem warmen und mit einem kalten Worte einen »Stil« nennt? Nichts
Entschiedenes und nichts Entscheidendes. Er steht hier an der
Grenze des Bereichs, das der heroischen Geschichtsbetrachtung
faßlich ist. Der Zeitgeist, den Jean Paul wie keiner sonst beim
Namen rief, muß hier als Lückenbüßer sein Dasein fristen.
Kommerell läßt ihn nicht zu Worte kommen. Er scheut, ihn zu
vernehmen, und er hat recht. Was dieser Zeitgeist anzusagen

hat, ist der Zusammenbruch der Forderung, die die Klassik an
das deutsche Bürgertum gestellt hat. Diese Forderung hieß: Versöhnung mit dem Feudalismus durch ästhetische Erziehung und
im Kult des schönen Scheins. Daß nicht der Trotz des Bürgertums, vielmehr der Anspruch der Reaktion es war, an welchem
die klassischen Forderungen zunichte wurden, tut zu dieser Sache nichts. Das klassische Gesetz der Menschenbildung hat
Goethe Mignon ins Lied gelegt: »So laßt mich scheinen, bis ich
werde.« Der Lebenslauf des Apothekers Henoch Marggraf, der
letzte, den Jean Paul geschildert hat, ein undurchdringliches
Gewebe aus Betrug und Wahn, das er um sich und andere
spinnt, erscheint als böses Zerrbild jenes Beschwörungsverses.
Und nicht umsonst ist es ein Fürstenthron, welchen der Apotheker sich vorgaukelt und den anderen. Die Goetheschen
Schutzgöttinnen des Scheins – Ottilie, Mignon, Helena – sind
versunken, und eine ganz andere Scheinwelt ist es, in der das
Bürgertum des Biedermeier unter Jean Pauls Protektorat sich
einrichtet. Als Protektor hat es ihn in der Tat empfunden, und
sein Erfolg, dem bei Kommerell keine Deutung zuteil wird, hat
hier seinen Grund. Freilich ist es dem Verfasser gelungen, dieser Scheinwelt des Biedermeier von einer Seite sich zu nähern.
Daß alles Geistige hier ins Geisterhafte überzugehen trachtet,
Spiegel- und Wachsfigur, nicht nur in den Ritter- und Räuber-
büchern, sondern auch bei Jean Paul zu Gerätschaften des
Verhängnisses werden, spricht er aus. Diese Zersetzungserschei-
nungen, die dem Aufschwung des spekulativen Idealismus der
oberen in den niederen Ständen entsprechen, hat er im Werk
Jean Pauls auf das geistvollste nachgewiesen. Aber die Tagseite
des Scheins, die innigst zu dieser seiner Nachtseite gehört, der
schöne Schein, der im Biedermeier nicht mehr, wie in der Klassik,
sich selbst genug tut, sondern als Gegenstück zum Blendwerk
dies zerstreut, der Schein des Zaubermärchens berührt ihn
kaum. Vielleicht weil dieser tröstliche aus Schichten kam, an
welche die heroische Geschichtsbetrachtung ungern sich verliert.
Es sind die volkstümlicher Überlieferung.
Die Kunst des Biedermeier ist von solchen Überlieferungen
durchdrungen, und Jean Pauls Zettelkasten war deren Archiv.
Kommerell hat die offenkundige Verwandtschaft dieses gewiß
barocken Dichters mit der Barockzeit der deutschen Dichtung

keiner Ausdeutung gewürdigt. Und doch ist hier ein Tatbestand
gegeben, an welchem weder die Betrachtung seines Werks noch
seiner Zeit vorübergehen kann. Das Biedermeier sah die Auferstehung der blutigen oder geisterhaften Vorgänge der barok-
ken Bühne im Schicksalsdrama. Es sah die Nachblüte der die
Dinge verwandelnden, dem eigenen Wesen zu sinnbildlichem
Gebrauch sie entfremdenden Allegorie im Zauber- und Feen-
märchen. Es hörte die opernhafte Sprache der Barockpoeten in
einer Art Spieldosen-Lyrik nachklingen. Das alles vereinigt sich
in Jean Paul. »Ein Nachzügler über Jahrhunderte weg« – so
folgt nicht nur der Apotheker Marggraf dem Don Quichote,
sondern Jean Paul dem Genius der deutschen Barockdichtung.
Nur daß, wie im Märchen von »Schwan kleb an«, eine unabsehbare Kette von kleinen Leuten und vor allen Dingen Klein-
bürgerinnen Deutschlands sich an ihn gehängt hat. Ins Blumige,
Anspruchslose und Gefällige haben sich die Motive des Barock,
die einst in der gelehrten Dichtung prunkten, umgebildet. Das
hindert nicht, daß sie der Zeit als Erbe, als Überlieferung zu-
gefallen sind. Keiner hat üppiger mit ihr geschaltet als Jean
Paul. Dies breite souveräne Schaffen macht den Blick in seinen
Fundus unerläßlich.
Nicht die Gestalt, der Wandel ist's, dessen Geschöpfe unerschöpflich sich der Dichtung aus diesem Fundus zur Verfügung
stellen. Sein Wesen ist das der Phantasie, die die Gestalt der
Umgestaltung zuführt. Dies nicht ohne sie dabei zu entstalten.
Entstaltendes Geschehen ist der Stoff Jean Paulscher Dichtung.
Es ist die Stelle, an der sie mit der Traumwelt sich berührt. So
viel die Ahnung von diesem wolkigen Kern vermitteln kann, so
viel – nicht mehr – enthüllt sich dem Verfasser. Er streift die
Sache und spricht von »zarten, buntgefärbten Grenzen«, welche
die Wirklichkeit des Dichters hat. Er sagt sie, wenn auch nur im
Bilde, aus: »Die kleinste seiner Dichtungen ist erschaffen, sobald eine Farbe des Gefühls das Gewebe eines Vergleiches
tränkt.« Und in der Tat: die Phantasieanschauung – der Gegensatz aller gestaltenden Einbildung – ist in der Welt der Farbe
zu Hause. Aller Form nämlich, allem Umriß, den der Mensch
wahrnimmt, entspricht er selbst mit dem Vermögen, ihn hervorzubringen. Der Körper im Tanz, die Hand in ihren Gesten
bildet ihn nach und eignet ihn sich an. Dies Vermögen aber hat

an der Farbe seine Grenze; der Menschenkörper kann die Farbe nicht erzeugen. Er entspricht ihr nicht schöpferisch, sondern empfangend: im farbig schimmernden Auge. Reine Farbe ist das Medium der Phantasie, nicht der strenge Kanon des gestaltenden Künstlers. Ihre Wolkenheimat, in der Formen sich weniger gestalten als entstalten, ist das Reich des Wandels. »Wo ist denn das hin«, sagt Jean Paul, »das gefärbte Gewölk, das seit dreißig Jahren an diesem Ich vorüberzog und das ich Kindheit, Jugend, Leben hieß?« Was aber auf der einen Seite Spiel scheint, neigt sich auf der anderen zum Heiligen. Die Kunst, die unterm Walten reiner Phantasie sich der Gestalt entfremdet, nimmt damit vielleicht nur Bilder des tausendjährigen Reichs vorweg. Kommerell irrt sich nicht, wenn er erklärt: »Im Ganzen genommen sind Jean Pauls Urteile chiliastisch, weshalb Herder es liebte, seine Namen Johannes und Richter sinnbildlich zu nehmen.« Und, unverwischbar in der Prägung, bezeichnet der Verfasser zuletzt als das Verhältnis Jean Pauls zu Goethe dies: »Wo bleibt Jean Paul? Er behielt anders Recht – nicht wie ein Führer, sondern wie ein weises Kind oder eine heilige alte Frau.«

Jean Paul war ein Geschöpf, welches »mit Staat, Sitte, Beruf, Weib und Geschäft bloß in der Form der Niederlage bekannt werden konnte«. Dafür ist ihm »der eingetunkte Zauberstab« zuteil geworden, der »die Form an der materiellen Welt mit einem Schlage« ändert. Der Zauberstab, von dem die Rede ist, ist der der Phantasie; die Feuchte, die ihn benetzt, die des Humors, den man aus unergründlicher Quelle sprudelnd sich denken mag. Zu Füßen eines biedermeierlich geblümten Felsens springt sie auf. Gelehnt an eine himmelblaue Göttin lagert dort der Dichter mit den melodischen Händen. Was ihm die Muse eingibt, zeichnet ein Flügelkind neben ihm auf. Verstreut umher liegen Harfe und Laute. Zwerge im Schoß des Berges blasen und geigen. Am Himmel aber geht die Sonne unter. So hat Lyser einmal die Landschaft gemalt, in deren buntem Feuer die Gestalten Jean Pauls wandeln und sich verwandeln. Bei Kommerell zeichnet das Dichterhaupt nackt von dem grauen Hintergrund der Ewigkeit sich ab.

NEUES ZUR LITERATURGESCHICHTE

*Joseph A. von Bradish, Goethes Erhebung in den Reichsadelsstand
und der freiherrliche Adel seiner Enkel. Heft 1. Leipzig: Alfred
Lorentz 1933. 240 S. (Veröffentlichungen des Verbandes deutscher
Schriftsteller und Literaturfreunde in New York. Wissenschaftliche
Folge.)*

Die Schrift legt eine ungewöhnlich wertvolle Aktensammlung
vor. Erscheint sie als ein Nachtrag zum Goethejahr, so hebt ihre
Bedeutung sie über die große Masse der Jubiläumsschriften
entschieden heraus. Sie umfaßt zwei Zyklen von Dokumenten,
jeder von einer kurzen sachdienlichen Einleitung eröffnet. Der
erste umfaßt den Aktenvorgang, der in Goethes Erhebung in
den Adelsstand durch Joseph II., deutscher Kaiser, mündete;
der zweite die Schriftstücke, die 78 Jahre später in Sachsen-
Weimar zur Erhebung seiner Enkel in den Freiherrnstand, sowie die späteren, welche Wolfgang von Goethe die Anerkennung dieses Standes in Preußen gesichert haben. Halten die
Urkunden der ersten Sammlung sich im Rahmen eines Jahres,
so erstrecken die der zweiten sich über fünf. Man wäre in
Verlegenheit zu sagen, welche von beiden aufschlußreicher ist.
Die erste atmet nach Haltung und Sprache noch die Luft des
Römischen Kaisertums deutscher Nation; das Geschäft, das
zwischen Wien und Weimar abgeschlossen wurde, hat ein ganz
anderes Gesicht als die behutsamen Verhandlungen, deren
Schauplatz auf das Großherzogtum Sachsen-Weimar beschränkt
blieb. Und weiter ist bezeichnend, wie betriebsam der Enkel
sich verhält, wie ungemein gemessen dagegen Goethe dem
Vorgang, der ihn angeht, von weitem folgt. Es gibt nicht viele
Episoden in Goethes Leben, die dem Betrachter einen höheren
Begriff von Goethes Lebenskunst und Umsicht, einen gediege-
neren von der Schwierigkeit der Verhältnisse geben können, in
die er in Weimar eintrat. Wenn es nicht in der Absicht des
Autors lag, einen Beitrag zu Goethes sozialer Physiognomie zu
liefern, so tritt sie wie von selbst in den Exzerpten, welche die
Aktensammlung einleiten, ans Licht. Und je heller dies Licht
um so rätselhafter jene Physiognomie. Die seiner Enkel ist es
dagegen weniger. Ihr fünfjähriger Kampf um die »Anerken-

nung« des angeblichen Goetheschen Freiherrntitels hat einen
tragikomischen Anflug. Die beiden Brüder blieben die Letzten
des Geschlechts, dessen erbliche Würde sie über die des Dichters zu erhöhen unternommen hatten.

Georg Keferstein, Bürgertum und Bürgerlichkeit bei Goethe. Weimar:
Verlag Hermann Böhlaus Nachf. 1933. XII, 286 S. (Literatur und
Leben. 1.)

Der Titel dieser Arbeit verspricht viel; sie selbst hält wenig.
Man mag ihren unglücklichen Ausgangspunkt dafür verantwortlich machen. Dieser besteht in der Entgegensetzung von
Künstlertum und bürgerlicher Existenz, für die der Autor — was
er nicht verschweigt — Thomas Manns Werken und Essays
verpflichtet ist. Nun hat zwar Mann — zumal in der Studie über
»Goethe und Tolstoi« — gelegentlich auf solche Kategorien
zurückgegriffen, aber doch nicht ohne Aufbietung seiner ganzen schriftstellerischen Behutsamkeit. In Manns Romanen vollends handelt es sich in der Erscheinung des Künstlers um eine
interessante, gesellschaftlich jedoch bedenkliche Variante des
bürgerlichen Typus, deren Konfrontation mit anderen Varianten des gleichen Typs gewissermaßen eine Auseinandersetzung
innerhalb der Bourgeoisie darstellt. Es bedarf keines Worts,
daß Goethes geschichtliche Position ihn hoch über eine solche
hinausrückt. Ohne ihr im übrigen nachzugehen, läßt sich feststellen, daß seine Gestalt — in ihren bürgerlichen wie in ihren
unbürgerlichen Zügen — zur Erscheinung nur an jenen geschichtlichen Verhältnissen kommen kann, die den Lebendigen lebens-
groß umgaben. Die Auseinandersetzung zwischen Feudalität
und Bürgertum, deren Feuerschein aus dem Westen auf
Deutschland fiel, ist ausschlaggebend für die Bestimmung der
gesellschaftlichen Bedeutung Goethes. Der Verfasser, der Goethes Riesenreich aufs Gradnetz des gesunden Menschenverstandes zu projizieren sucht, fördert sie nicht. Eine durch keinerlei
geschichtliche Reflexion getrübte Vulgärpsychologie des Bürgers
ist die Grundlage seiner Betrachtung. Konfuse Gegensätze —
etwa zwischen »Philister« und »kapitalistischem Bourgeois« —
wechseln mit Halbwahrheiten wie: »Das Drama geht immer
aufs Außerordentliche«; »Der Handwerker verkörpert das

Wesen des bürgerlichen Menschen am reinsten«; »Die strenge
Formgebung der Klassik« steht »dem Bürgertum näher ... als
die formlose Romantik«. Daß dieses Bürgertum aus Gelehrten
und Viehhändlern, Advokaten und Hofmeistern, Pastoren und
Manufakturbesitzern, Beamten und Handwerkern, Landwirten
und Krämern bestanden, daß es um die Jahrhundertwende
Strömungen und Krisen der verschiedensten Natur gekannt,
Goethe sie vielfältig in sich bewegt hat – von all dem vermittelt
diese Schrift nichts oder wenig. Wie psychologische und soziale,
so gehen normative und geschichtliche Kategorien durcheinander
und bringen sich gegenseitig um jene Spannkraft, die der Erkenntnis unerläßlich ist. Die Wurzel des Übels freilich mag
tiefer stecken: in einer apologetischen Nebenabsicht, deren
Zwecken – so lauter sie sein mögen – man die Gestalt des
Dichters nur ungern dienstbar gemacht sieht.

*Hermann Schneider, Vom Wallenstein zum Demetrius. Untersuchun-
gen zur stilgeschichtlichen Stellung und Entwicklung von Schillers
Drama. Stuttgart: Verlag W. Kohlhammer 1933. VIII, 104 S. (Tübinger germanistische Arbeiten. 18.)*

Schneiders Untersuchungen sind aus zwei Jahrzehnten akademischer Lehrtätigkeit hervorgegangen. Ihre Methode ist einleuchtend und solid. Es überrascht nicht, daß sie einer Reihe von
Arbeiten des Tübinger germanistischen Seminars den Weg
vorgezeichnet hat. Der Verfasser erklärt, den Anstoß zu seinen
Forschungen durch das eigentümliche »Fremdheitsgefühl« erfahren zu haben, das für seine Generation – geschweige denn
für die späteren – Schillers Dramen umwittert. Er kann sich
für diese unbestreitbare Wahrnehmung zudem auf das gewichtige Zeugnis von Dilthey berufen. Mit kritischem Verstande
spürt er die Ursachen dieses Fremdheitsgefühls auf. Wenn er
freilich in der Vorrede es als seine letzte Absicht erklärt, dies
Gefühl im heutigen Publikum abzumildern, so ist nicht leicht
ersichtlich, worauf diese Hoffnung sich gründet. Zwar stellen
seine Analysen, die in der des »Demetrius« gipfeln, die aus-
gereifteren Teile dieses Dramas als diejenige Stätte dar, an der
zum ersten Male die in Schiller sich befehdenden Stilelemente
des Shakespeareschen Historiendramas und der französischen

Tragödie einem Ausgleich nahegekommen sind. Aber wenn das richtig ist – der Verfasser verficht es mit guten Gründen – so fällt doch diese Synthese eben aus dem Schillerschen Lebenswerke, wie es von der Bühne zu uns spricht, heraus. – Wie dem auch sei, die Arbeit – nüchtern und ohne weite Perspektiven, wie sie vorliegt – kann sich getrost neben der Mehrzahl jener geisteswissenschaftlichen Untersuchungen sehen lassen, die heute im Schwange gehen. Deren Ansprüche sind gewiß größer, ihre Ergebnisse aber vielfach geringer als die der vorliegenden Betrachtungen. Daß sie von der literarischen Analyse aus auf den Theaterpraktiker Schiller ein Licht werfen, ist ihr besonderes Verdienst. Der Verfasser hat also recht, wenn er sagt, er fürchte nicht den Einwand, »solche Untersuchungen seien vor 20 Jahren am Platz gewesen, heute habe man andere Mittel und Methoden, um stilgeschichtliche Fragen zu lösen. Es gibt viele Arten, einer so merkwürdigen Erscheinung wie dem Schillerschen Dramenstil nahezukommen; ich will nur zeigen, daß ein entstehungsgeschichtliches und vergleichendes Verfahren in die Lage setzt, vieles zu verstehen, manches wohl auch zu entschuldigen. Es ist oft ein seltsames Bild, das hier vom Schaffen des Dramatikers erwächst. Man ist gewohnt, sich das Verhältnis von Intuition und Willensleistung, von Eigenem und Angeeignetem anders vorzustellen. Es gibt doch offenbar mehr Erlernbares und Erlerntes in der dichterischen Kunst, als man gemeinhin annimmt.«

Günther Voigt, Die humoristische Figur bei Jean Paul. Halle/Saale: Max Niemeyer Verlag 1934. 98 S.

Vor kurzem hat Kommerell in einem umfangreichen Buch Jean Pauls Gestalt im Spiegel seiner Humoristen aufzufangen gesucht und ihn dabei vor einem weiten und bedeutsamen Hintergrund dargestellt. Jean Paul gefolgt von Schoppe, Leibgeber, Roquairol, Marggraf und seinen übrigen Trabanten erschien als Sachwalter ihrer »unpassenden Verkörperung«. Auch Voigt ist nicht entgangen, daß die humoristische Person bei Jean Paul ein »Spiegelbild des Dichters« ist. Der Hintergrund aber, den er in diesem Spiegel zu fangen sucht, ist weniger der ewiger Verhältnisse und Mißverhältnisse im Reiche der Gestalt als –

seinen eigenen Worten nach – ein geisteswissenschaftlicher, der der Bestimmung »des mit Jean Paul erreichten Grades des Humors« dient. Zur Lösung dieser Frage bringt die Einleitung der Schrift, in der Geschichte und Funktion der humoristischen Literatur im achtzehnten Jahrhundert erörtert werden, wertvolle Ansätze. Hier interessiert zumal das Unternehmen, das Frühwerk von Jean Paul gewissermaßen als abgekürzte Wiederholung eines Entwicklungsganges dargestellt zu sehen, der in Formen der Satire (Wieland), des utopisch-rhapsodischen Humors (Hamann) und des elegischen (Hippel) die Elemente gestellt hatte, aus denen dann die Meisterwerke Jean Pauls die Synthese gewonnen haben. Zutreffend hält, in dieser Einleitung, der Autor den Versuchen, allgemein Jean Paul als Typ des Humoristen überhaupt zu fassen, entgegen, dieser Typus sei »nichts anderes als eine konstante Form für wechselnde geistesgeschichtliche Gehalte. Und die ›Gestalt‹ des Humoristen bei Jean Paul ist mithin nicht von dem ›Typus‹, sondern von ihrem Gehalt her zu erfassen.« – Wir wagen nicht zu sagen, daß es dem Verfasser geglückt sei, dies vorzügliche Programm nach seinem ganzen Umfang auszufüllen. Es hätte dazu eines echten historischen Horizonts bedurft, der ja niemals mit dem der bloßen Literatur-, ja auch nur der bloßen Geistesgeschichte zusammenfällt. Insbesondere Jean Pauls Werk aber greift in Tiefen des Volkstums und der Tradition hinab, die von den zeitgenössischen romantischen Philosophen nur trübe und verschwommen gespiegelt werden. Nichtsdestoweniger sind sie es, vor denen der Schluß der ernsten und gediegenen Arbeit das Bild des Dichters zu beschwören sucht. Sie mündet nämlich in eine theologische Interpretation. »Der Dichter Jean Paul tritt ... aus dem Kreise der Poeten der Zeit in den Kreis des Theologen, des Mystikers.« So der Verfasser. Die Apotheose, die er seinem Dichter dergestalt zuteil werden läßt, ist auf die Untersuchungen gestützt, die Benjamin in seinem »Ursprung des deutschen Trauerspiels« über die Allegorie angestellt hat. Kein Kenner des Jean Paulschen Stils kann zweifeln, daß die Allegorie ihm wesensverwandt ist. Doch hätte das nicht hindern, vielmehr nahelegen müssen, aus der geschichtlichen Bestimmung, die die allegorische Betrachtungsweise in der genannten Schrift gefunden hat, Handhaben für die andersartige des Jean Paulschen

Standorts zu gewinnen. Leider hat Voigt das nicht unternehmen wollen. Er hat zu kurz gegriffen und sich so um seine besten Chancen oft betrogen. Was hier als theologische Quintessenz einer großen Dichtung erscheint, ist viel weniger das eigentliche Bekenntnis des Poeten als vielmehr die Materie seines Schaffens, die er in seiner Dichtung nicht verklärt, sondern überwunden hat. Die »ganze mitverwandte Welt«, die Jean Paul, wie, nach einem schönen Worte, alles Vollendete ausspricht, ist gewiß weniger die der Schellingschen Spekulation als die irdische, bunte und kümmerliche, reiche und bedrückte des deutschen Lesepublikums um achtzehnhundert, dem Jean Paul eine Habe, die es vergessen hatte, aus der Zeitenferne ans Herz legte.

Paul Binswanger, Die ästhetische Problematik Flauberts. Untersuchung zum Problem von Sprache und Stil in der Literatur. Frankfurt am Main: Vittorio Klostermann Verlag (1934). 183 S.

Unter den Romanciers des vergangenen Jahrhunderts hat keiner, wenn nicht durch sein Werk so durch seine Lehren, eingreifender auf seine Nachfolger gewirkt als Flaubert. Daß diese Wirkung eine apokryphe war, die selten eingeräumt, nie zur Debatte gestellt worden ist, macht die Darstellung jener Lehren nur wünschenswerter. Zu wünschen bleibt sie auch heute noch. Sie insbesondere – leider nicht sie allein – läßt Binswangers Studie zu wünschen übrig. Denn – um es kurz zu sagen – der Verfasser, der nirgends die geschichtliche Bedingtheit Flauberts erkannt hat, war eben darum außerstande, seine geschichtliche Tragweite zu erfassen. Nun mag es allenfalls für einen Ausleger der »Madame Bovary« oder »Salammbô« angehen, sie aus der geschichtlichen Bedingtheit, der sie in Flaubert entstammen, zu entrücken er wird dabei nicht viel ausrichten, aber auch nicht viel versehen können. Für einen Interpreten des Flaubertschen Denkens mußte die Sache sehr viel böser ausgehen. Abstand in dergleichen Untersuchungen ist ja nicht nur ein methodisches, sondern ein moralisches Erfordernis. Ihr Mangel macht sie nicht allein wissenschaftlich unergiebig; er entstellt sie. Denn nichts ist unerfreulicher als Impotenz, die sich den Schein der Kraft zu geben sucht. Binswanger, dem die wahre Kraft

geschichtlicher Erkenntnis abgeht, gibt sich diesen Schein. Wie –
das erraten wir. Denn sein Verfahren wurde je und je von
denen praktiziert, die eines Gegenstandes der Geschichte sich
ohne Abstand zu versichern suchten: sie modernisieren ihn.
Binswanger modernisiert Flaubert; er glaubt, in seine Ästhetik
neues Licht zu bringen, indem er sie in die Sprache der Existen-
tialphilosophie überträgt. In Wahrheit setzt er ihr nur Lichter
auf; flackernde und beirrende, die freilich noch hell genug sind,
um die zahllosen Gebrechen des Sprachleibs, in den Flauberts
Denken hier entstellt wird, aufdringlich zu machen. Möglich,
daß es den regen aber primitiven philosophischen Interessen
des Verfassers entspricht, mitten im neunzehnten Jahrhundert
mit dem Schaffen Flauberts das düstere Zeitalter der Moderne
anbrechen zu lassen. Das kann uns nicht dafür entschädigen,
daß er nicht den Schatten eines Grundes für diese erstaunliche
Chronologie anführt. Plötzlich, in der Mitte des neunzehnten
Jahrhunderts, ist die Naivität der früheren Zeiten verwichen.
»In welcher Weise auch der Dichter, gleich dem Menschen jener
noch eben nahen und nun plötzlich verwichenen Zeiten, an die
Dinge des Lebens rühren … mochte, er trat damit noch ungezwungen ein, fand aus sich heraus und wies hinüber in die
werthafte Welt der Dinge, die in ihrem schauplatzmäßigen Vorhandensein, in ihren Vorfällen und Ereignissen, auch die ge-
meinschaftlich wirkliche, in ihrem Grund unwandelbar war, die
irgend positiv oder negativ betont zur Wirklichkeit hinstand
oder in Sage, Märchen, Fabel sie umspann.« An dieser sonderbaren Zeitenwende erhebt sich das Werk Flauberts, in dem wir
es »mit einem epochalen künstlerischen Vorstoß in das Ganze
des Lebens zu tun haben …, der, nur recht zur Anschauung
gebracht, wohl geeignet ist, das gesamte literarische Schaffen
des Jahrhunderts unter neuen hier anrührenden Gesichtspunkten erscheinen und sich rein in sich selbst abschatten zu lassen«.
Diesen Vorstoß jedoch verdanken wir nach dem Verfasser einer
Gabe, die er als selten darstellt, die es aber gewiß nicht halb
so sehr ist wie die Gabe, sie zu entdecken, die dem Autor eignet.
Kurz Flauberts Leistung beruht, nach Binswanger, auf einer
»existentiellen Veranlagung«, welche es dem Dichter gestattet,
die Welt – nein, keineswegs, vielmehr: »diese gegenständliche
Welt, diese gemeinschaftliche Welt der Gegenstände, noch so

wie sie als Wirklichkeit ist« – zu überschauen. Darin begründen sich schließlich, nach Binswanger, die Tendenzen von Flauberts Persönlichkeit, »die, in der Weise einer eigentümlich bewußten Erhobenheit zu einer großen Sache wie auch zugleich in einer unverkennbaren Versteifung im *Obliegen* und in der Vertretung dieser Sache« zu denken geben müssen. Freilich dürfte das Nachdenken über diese Probleme noch unfruchtbarer sein als das über den, der sie stellt, welches man getrost den Lesern seiner Schrift überlassen kann.

Ronald Peacock, Das Leitmotiv bei Thomas Mann. Bern: Paul Haupt 1934. 68 S. (Sprache und Dichtung. Forschungen zur Sprach- und Literaturwissenschaft. Heft 55.)

Obwohl diese Schrift nur 68 Seiten zählt, ist sie zu umfangreich. Mit langatmigen Klarstellungen, die die Form, umständlichen Klitterungen, die den Inhalt der Mannschen Werke betreffen, steht der Autor sich selbst im Wege. Denn er hat etwas zu sagen. Wenn er seinen Überlegungen die straffe Gestalt eines Essays gegeben hätte, so hätte er ihnen mehr Ehre erwiesen, als sie von dieser laxeren Fassung erwarten dürfen. Halten wir immerhin fest, daß das Leitmotiv bei Thomas Mann mehr als ein technischer Kunstgriff, die in ihm liegende Anspielung auf die Wagnersche Musik hintergründig und die Tradition des Protestantismus für diese Rolle der Musik im Werke nicht ohne Bedeutung ist. Der Autor ist ins Zentrum vorgestoßen, aus dem das Werk von Thomas Mann sich speist; seine Erörterung der Ironie beweist es. »Es liegt«, sagt Peacock, mit Bezug auf die staatsbürgerliche und pädagogische Bemühtheit seines Autors, »eine Ironie in diesem Ringen nach positiver Haltung, nach tapferer Bejahung des Lebens, nach dem Willen zum Leben bei lebhaftester Beschäftigung mit fragwürdigen und todesverwandten Dingen.« Daß zu diesen Dingen an erster Stelle für ihn das Dichten selbst zählt, ist Thomas Mann auszusprechen ja nicht müde geworden. Darin liegen, wie Peacock richtig gesehen hat, Ursprung und Sinn seines Schaffens, dessen solidestes Leitmotiv Ironie ist.

IWAN BUNIN

Bunin ist ein Repräsentant des alten Rußland, dem er durch
sein Schaffen und seine literarische Laufbahn verbunden ist. Im
Jahre 1908 erhielt er von der russischen Akademie den Pusch-
kin-Preis, ihre höchste Auszeichnung. Bekanntlich ist diese
Würde ihm neuerdings durch die Verleihung des Nobelpreises
im internationalen Maßstab bestätigt worden. Von deutschen
Lesern ist Bunin schon längst und zumal als Novellist geschätzt
gewesen.

Sein bekanntestes Buch »Der Herr aus San Francisco«[1] ist eine
Sammlung trauriger oder satirischer, in jedem Fall herber Geschichten, die einen nachhaltigen Eindruck hinterlassen hatten.

Dem vorliegenden Werk[2] haben Jugenderinnerungen des Verfassers zum Vorwurf gedient. Es erhebt sich nur selten über
den stofflichen Reiz, den man dem – heute schon entlegenen –
Gegenstande nicht absprechen kann. Der Verfasser stammt aus
einer alten Adelsfamilie und ist auf dem großen Gute seines
Vaters herangewachsen. Den patriarchalischen Verhältnissen,
aus denen er kommt, hat er, wie der Familie, wie der Landschaft,
seine ganze Liebe bewahrt. In diese friedliche Umwelt tritt die
dichterische Berufung, die in den Jünglingsjahren an den Verfasser ergeht, als überwältigendes Geschehen ein, das dem
Jüngling den Blick auf alle Sorgen und Probleme des späteren
Daseins verstellt. Bunin erinnert sich dieses Geschehens nicht
ohne eine oft gerührte Ironie. Aber sei es die unvollkommene
Gestaltung des Stoffes im Urtext, sei es eine öfters nachlassende
Übersetzung – es fehlt dieser Ironie die Frische, dieser Rührung
die Diskretion.

Häufig begnügt sich Bunin, in sehr kurzen Kapiteln Stimmungen
des Augenblicks aufleben zu lassen. Das ist, wenn es überhaupt
eine Form ist, eine sehr anspruchsvolle. Zu ihr passen nicht
offenkundige Lässigkeiten. Selbst in einem Durchschnittsroman
liest man ungern im Verlauf einundderselben Handlung »Die
Nacht war angebrochen«, auf der unmittelbar darauffolgenden

1 Iwan Bunin, Der Herr aus San Francisco. Novellen. Übersetzt von Käthe Rosenberg. Berlin 1922.
2 Iwan Bunin, Im Anbruch der Tage. Arssenjews Leben. (Übertragen von J. Stein-
berg. Berlin 1922.

Seite »Die Nacht war noch nicht angebrochen« (Seite 242/243). Im Zuge einer getragenen, ja manchmal rhetorischen Darstellung ist solch ein Verfahren anstößig. Diese Jugenderinnerungen fügen dem Ruhm Bunins nichts hinzu.

A. Pinloche, Fourier et le socialisme. Paris: Librairie Félix Alcan 1933. 198 S.

In der ersten Septemberhälfte des vorigen Jahres hat man, in kleinem Kreise, das hundertste Jubiläum der Gründung der Fourierschen »phalanstères« gefeiert. Diesem Anlaß verdankt das vorliegende Buch seine Entstehung und aus gedachtem Kreise ist es hervorgegangen. Es ist ein apologetischer Versuch; seinem Verfasser ist vor allem angelegen, Fouriers Verdienste im Gegensatz zur Schule Saint-Simons auf der einen, im Gegensatz zum Marxismus auf der anderen Seite zu unterstreichen. Der subjektive Einschlag ist unverkennbar und angenehm der Freimut, mit dem er zum Vorschein kommt. Der Verfasser, heute Professeur Honoraire à la Faculté des Lettres von Lille, leugnet nicht, es seien eigene Erfahrungen der harten Jugendzeit gewesen, die sein Herz der Lehre Fouriers erschlossen haben. »Nous nous sentions peut-être plus porté vers l'illustre ›sergent de boutique‹ par nos propres souvenirs de ›garçon de boutique‹ ayant connu comme lui toutes les duretés du prolétariat commercial, et plus tard, le sort réservé à l'intrus, malgré les promesses des *Droits de l'Homme*, qui ose encore se frotter aux fils barbelés de certaines citadelles de privilégiés sociaux.« Im Rahmen objektiver Argumentationen ist es der Geist der kapitalistischen Initiative, den er den Saint-Simonisten zum Vorwurf macht, indessen ihn Marx vor allem der materialistischen Ideen wegen, die er dem Klassenkampfe anvertraut, abstößt. Sind die Saint-Simonisten »gros brasseurs d'affaires soutenus par la puissance des banques«, so ist, was den Marxismus auszeichnet, nach Meinung des Verfassers, Intoleranz und, schlimmer noch, »la *haine*, dirigée contre quiconque n'y souscrit pas intégralement«. Diese letztere Kluft dem Leser drastisch zu machen, hat Pinloche einige Auszüge aus dem kommu-

nistischen Manifest dem Buch beigegeben. Dessen wertvollster
Teil jedoch ist in der Blütenlese aus Fouriers eigenen Schriften
und in Schriften seiner Anhänger zu erblicken. Bekanntlich ist
die ideale Gesellschaftsordnung nach Fouriers Überzeugung in
der Natur angelegt; sie läßt sich im Verfolg ihrer aufmerksamen
Pflege und Wartung finden. Jedes gewaltsame Vorgehen des
Menschen ist nur imstande, die Spuren zu verwischen, die in
ihr Arkadien geleiten können. Der Autor hat sich bemüht, einen
Aufriß dieser Lehre zu geben, in dem ihre oft utopischen und
pittoresken Elemente zugunsten ihrer konstruktiven zurück-
traten. Der utopische Kern allerdings, welcher der Vorstellung
einer gegen die Politik indifferenten Arbeit am Aufbau der
Gesellschaft anhaftet, tritt in diesen Proben nur um so drasti-
scher hervor. Ohne den Studien von Gide, Bouglé, Bourgin und
anderen Abbruch zu tun, behauptet die sorgfältige Arbeit als
Einführung in Fourier ihren Wert.

*Arnold Hirsch, Bürgertum und Barock im deutschen Roman.
Eine Untersuchung über die Entstehung des modernen Welt-
bildes. Frankfurt a. M.: Joseph Baer u. Co. 1934. 240 S.*

Es ist ein in doppeltem Sinne vernachlässigtes Gebiet, dessen
sich Hirsch angenommen hat. Einmal ist die Romanliteratur des
deutschen Barock überhaupt bisher wenig durchforscht worden;
eine Fülle ihr angehöriger Werke werden bei Hirsch zum ersten
Mal bibliographisch registriert. Zweitens hat die Periode des
Übergangs zwischen Barock und Rokoko, die an bedeutenden
Hervorbringungen nicht reich ist, ihrer Sprödigkeit wegen nur
selten eine eingehendere Behandlung erfahren; und Hirsch ist
es gerade um diese Übergangsperiode zu tun.
Sache der wissenschaftlichen Routine ist es, den spröden Stoff
wie jeden anderen abzuhaspeln; Sache der echten Wissenschaft
dagegen, dem Stoff die Sprödigkeit durch eine Verschiebung
der Fragestellung zu nehmen. Es gibt ja keinen, der bei einer
angemessenen nicht fähig wäre, intensivste Teilnahme zu finden.
Hirsch hat für eine solche jedenfalls zu werben gesucht. Er hat
nach den gesellschaftlichen Bedingungen der neuen Prosalitera-

tur gefragt, die in Gestalt des politischen Romans und des
Schäfer-Romans vor 1700 in Deutschland auftaucht. Bezüglich
des ersteren hat er erkannt, daß für das aufstrebende Bürgertum »die rationale Gestaltung des Diesseits nicht an die Hof-
karriere gebunden« ist. »Was für den Adligen der Hof ist, das
wird für das Bürgertum nun der Staatsdienst, das politische
Leben.« Und so erscheinen die »politischen Staatsromane« der
Weise und der Riemer als weitschichtige Anweisungen für zukünftige Beamte des aufgeklärten Absolutismus. Entsprechend
hat Hirsch auch dem Schäfer-Roman seinen sozialen Standort
anzuweisen gesucht und diesen im kleinen Landadel gefunden,
der, wenn nicht immer den Verfasser, so jedenfalls stets den
Schauplatz dieser Erzählungen stellt; seine geringere Verfloch-
tenheit mit den Hofkreisen erlaubte ihm, früher von den politischen und theologischen Denkformen des Hochbarock sich zu
lösen.

Mit diesen Feststellungen hat Hirsch sich wertvolle Ausgangs-
punkte für eine Stilanalyse seines Gegenstandes gesichert.
Wenn diese dennoch kein eingreifendes Ergebnis gezeigt hat,
so ist daran ein Anlagefehler schuld, der bereits aus der Formulierung des Titels ersichtlich ist. Dieser stützt sich auf den
Begriff des »modernen Weltbilds«. Man ersieht ohne weiteres,
daß mit dieser Kategorie an Präzision verlorengehen muß, was
Hirsch durch die gesellschaftliche Fragestellung sich gesichert
hat. Der Begriff des »modernen Weltbilds« entspricht dem
vielberufenen des »modernen Menschen«, der ja bekanntlich
vom heiligen Franziskus – den Thode vor zwanzig Jahren als
seinen ersten Vertreter bezeichnet hat – bis zu den Pietisten –
die kürzlich von Gebhardt in gleichem Sinne vorgestellt worden
sind – haltlos durch die Geschichtsepochen schwankt. So scharf
Hirsch seinen Gegenstand nach rückwärts profiliert, so unzureichend zeigt sich die Bestimmung seiner Entwicklungsrichtung
aufs »Moderne«. Sie führt zu einer Stilanalyse, deren Unzulänglichkeit sich bereits in ihren Stichworten verrät. »In diesen
Gesellschaftsszenen bringt das Einzelne nicht ... mahnend eine
religiöse Weltdeutung zu Bewußtsein. Das Einzelne ist ›bloß‹
der selbstverständliche Niederschlag des unmittelbaren Besitzes.« »Der Realismus, der seine Wirklichkeit selbstverständlich,
ruhig und sicher besitzt, ist das bestimmende Lebensgefühl der

bürgerlichen Kultur des 18. Jahrhunderts, die dem Menschen in
der Bearbeitung diesseitiger Lebensaufgaben einen neuartigen
Lebensinhalt anbietet.«
Über so nichtssagende Formulierungen könnte man hinwegge-
hen, legten sie nicht eine grundsätzliche Feststellung greifbar
nahe: Innerhalb der Stilgeschichte ist die Entgegensetzung von
Stil und Natur unter keinen Umständen statthaft. Es kann vielmehr im geschichtlichen Ablauf stets nur ein Stil den anderen
ablösen. In der Spannung zwischen verschiedenen Stilen bewegt sich eine geschichtliche Dynamik, die sich in keinerlei Realismus je beruhigt. Realismus ist nichts als der Anspruch, mit
dem von dieser oder jener Seite her jeder Stil der Natur gegen-
übergetreten ist. Die entscheidende Aufklärung über das literarische Rokoko, die man dem Gegenstandsbereich dieser Studie
nach hätte erwarten dürfen, hat der Autor mit seinem Begriff
des neuen Realismus vereitelt. Sie wird dennoch, nicht zuletzt
wegen ihrer soliden bibliographischen Grundlagen, bei künftigen Untersuchungen zu Rate zu ziehen sein.

*Lawrence Ecker, Arabischer, provenzalischer und deutscher
Minnesang. Motivgeschichtliche Untersuchung. Bern: Haupt
1934. IV, 236 S.*

Der Untertitel dieser Schrift kennzeichnet sie als »eine motivgeschichtliche Untersuchung«. Ihr Hauptteil besteht dementsprechend aus monographischen Studien über eine Fülle von
Motiven, die zwischen den verschiedenen Ausprägungen des
Minnesangs vermitteln. Die zahlreichen Zitate aus dem Arabischen sind in deutscher, die aus dem Provenzalischen in der
Original-Sprache mit anschließender Übersetzung gegeben. Dem
Autor dieser umfangreichen Materialsammlung kommt es darauf an, Argumente für den arabischen Ursprung des Minnesangs zu versammeln. Das Dunkel, das heute über der Früh-
geschichte des Minnesangs noch liegt, hofft er, mit seiner Be-
trachtung zu lichten. Er versucht, einen kulturgeographischen
Aufriß der Sache zu geben und ist geneigt, die Landschaft
Katalonien für die wichtigste Etappe der Wanderung zu halten,

welche die Motive des Minnesangs von Südspanien nach Poitou führte. Im Verlauf dieser Darlegungen fallen Streiflichter auf die Kultur des Islam und auf die Rolle, welche er den Frauen einräumt. Es ergibt sich, daß gerade in dieser Hinsicht der Kontrast, den die bisherige Forschung zwischen dem christlichen und islamitischen Mittelalter hat aufzeigen wollen, näherer Prüfung nicht standhält.

DIE DEUTSCHE BALLADE

Die vorliegende »Sammlung deutscher Balladen von Bürger bis Münchhausen«[1] ist weniger unmittelbarem Genuß zu Gefallen, denn als Instrument der Forschung entstanden. Hat der bekannte Balladendichter von Münchhausen das Vorwort geschrieben, so ist die Auswahl das Werk einer Arbeitsgemeinschaft der neueren Abteilung des Berliner germanistischen Seminars. Die gebotenen Texte haben wissenschaftlichen Übungen über die Ballade zugrunde gelegen. Den Niederschlag derselben halten Einleitung und Nachwort fest. Die Einleitung legt den Schwerpunkt weder auf eine klassifizierende Typenlehre noch auf eine ästhetische Wesensbestimmung der Ballade. Sie hat es vielmehr – ohne jene Fragestellungen geradezu auszuschalten – vor allem mit einer Geschichte der Gattung zu tun. Dabei ist nicht nur ihr Ursprung bis zu Ossian und Herder zurückverfolgt worden; auch die weniger beachteten Elemente, welche die dem Bänkelsang verwandte Romanze zur Entstehung der Ballade beitrug, sind zu ihrem Recht gekommen. »Die ganze gestellte Theaterwelt der Gespensterfurcht, des Kirchhofgrauens, des Blutrausches, der Ritterromantik, des Mondscheinzaubers vermischt sich mit dem alten Rokokogetändel der Elegien oder Idyllen mit ihrer mehr oder weniger verhüllten Laszivität und zielt auf die Abschreckungswirkung der aufklärerischen Moral.« Es sind demnach die mannigfachsten zeitgeschichtlichen Bewegungen, die die Balladenform bestimmen. Wenn ein Stück wie

1 Sammlung deutscher Balladen von Bürger bis Münchhausen. Mit einem Vorwort von Börries, Freiherrn von Münchhausen. Halle/Saale: Max Niemeyer Verlag 1934 XII, 136 S.

die »Lenore« von Bürger schon die Stimmungen des Sturms und
Drangs in sich trägt, so ist Höltys »Nonne« noch wesentlich
vom volkstümlichen Romanzenton bewegt, der die Atmosphäre
elegisch, die Vorgänge aber derb zeichnet. Von hier aus mustert
die Sammlung die deutsche Produktion bis ins erste Viertel des
20. Jahrhunderts, um vor derjenigen Richtung Halt zu machen,
die im Gefolge Wedekinds zum zweiten Male Mittel des Bän-
kelsangs – anders gesprochen des Kabaretts – zu verwerten
sucht. Daß dabei unterwegs auch epigonale Stücke mitgenommen werden, rechtfertigt sich durch die erwähnte Zweckbestim-
mung des Buches. Neben mittelmäßigen Gedichten von Simrock,
Dahn oder Geibel aber stehen die bedeutsamen der Droste,
C. F. Meyers, Hebbels, die oft kaum bekannter sind. Zu erwähnen sind schließlich die gelegentlichen motivischen Parallelen –
Lore-Lay, Kaiser Otto in Quedlinburg, Heide-Balladen – sowie
die sorgfältigen Nachweise des Apparats.

Das Gartentheater

Im Jahre 1926 hat Artur Kutscher in der Festschrift »Die Ernte«
für Muncker sich mit der Geschichte des Naturtheaters befaßt.
Das war einer der ersten Versuche auf diesem abgelegenen
Gebiet der Theatergeschichte. Aus Kutschers Schule ist denn
auch die neueste Studie aus verwandtem Bereich hervorgegangen[1].
Die Studie grenzt ihren Gegenstand, das *Hecken- und Gartentheater*, streng gegen das *Naturtheater* ab. In dem letzteren,
das durch Goethe in Tiefurt verwirklicht wurde, erblickt sie den
geschichtlichen Erben des Gartentheaters. In Tiefurt wurde zum
ersten Male eine dramatische Handlung »in die freie, zur Bühne
erhobene Landschaft« gestellt »und auf die der ungefesselten
Natur innewohnenden Kräfte bezogen«. Demgegenüber ist das
Gartentheater, wie schon der Name andeutet, in einer diszipli-
nierten Natur zu Hause. Die architektonische Gartenkompo-

---

1 Rudolf Meyer, Hecken- und Gartentheater in Deutschland im XVII. und XVIII.
Jahrhundert. Emsdetten: Verlags-Anstalt Heinr. u. J. Lechte 1934. VIII, 298 S.
(Die Schaubühne. 6.)

sition, die ihre Heimat in Frankreich hat und durch Le Nostre
vertreten ist, war der gegebene Rahmen dieser Bühne. Ihre Be-
nutzung stellte gewöhnlich nur einen unter vielen Punkten
eines höfischen Festprogramms dar. Der Garten selbst wird im
Barock ein Festraum. »Der französische Garten ist ein Palais,
das paradoxerweise in Laubwerk, aber nach den Regeln des
klassischen Stiles errichtet ist.« In ihm hatte das Gartentheater
seinen vorgegebenen Ort, und zwar in der Gestalt eines Bosketts.

»Das Boskett ist ein in sich abgeschlossener Teil des Gartens,
nach außen verschlossen und nur durch bestimmte Eingänge
zugänglich, in seinem Innern zu einem Saal, einem Labyrinth,
einer Grotte, einem Schauraum plastischer Bildwerke ausgestal-
tet, mit Springbrunnen, Wasserspielen, Figuren und seltenen
Pflanzen geschmückt.« Oder in der Sprache der Zeit zu reden:
»Solche Lust-Plätze (hier sind Bosketts ganz allgemein gemeint)
werden nun größten Theils also formiret/ daß man auf denselbigen alle die jenige Plaisir mit Panckenten/ Täntzen/ Schau- und
andern Spielen haben könne/ vor welche in grossen Schlössern
auch besondere Säle und Zimmer angeordnet werden. Also
werden erstlich rechte Theatra formiret aus geschnittenen Hek-
ken/ damit man auf einer von Rasen gemachten Erhöhung so
wohl die Scenen als die Anzieh-Kammern formiret. Gegenüber
machet man um einen raumlichen Platz von Rasen übereinan-
der erhöhete Bäncke/ darauf eine gute Zahl Zuschauer sitzen
können. Die Herrschafft sitzet alsdann entweder auf dem Platz
vor den Zuschauern/ oder nach Belieben und zur Abwechselung
hinter denselbigen in besondern Cabinetten/ so aus dem Busch
gehauen/ und mit Hecken-Werck zierlich ausgekleidet/ auch mit
Oeffnungen gegen dem Theatro versehen werden.« Diese Stelle
ist einem der deutschen Theoretiker der Gartenkunst entnommen, nämlich Leonhard Christoph Sturms »Vollständiger An-
weisung/ grosser Herren Palläste untadelich/ und nach dem heutigen Gusto anzugeben« (Augsburg 1718). Mit Recht verweist
der Verfasser im Zusammenhang der Theoretiker der Gartenkunst auf die Meister der sogenannten »Architektur, die nie
gebaut wurde«. In der Tat hätte ein eingehenderer Hinweis auf
die Architekturzeichnung, deren Blütezeit wie die der Gartentheater ins Spätbarock fällt, diesem Gegenstand vermutlich neue

434   Kritiken und Rezensionen · 1934

Aufschlüsse abgewonnen. Den Weg, der da zu beschreiten wäre, hat kürzlich Carl Linfert gewiesen[2].

Die Beschränkung, die der Verfasser der vorliegenden Schrift in der geistesgeschichtlichen Analyse sich auferlegt, wäre dem Leser vielleicht weniger empfindlich, wenn er sein Buch nicht mit einer Fülle von archivarischem Kleinkram überlastet hätte. Wenn schon die Geschichte der Gartentheater, wie der Verfasser einsichtig feststellt, an dem großen Zusammenhang der Theatergeschichte keinen Teil hat, vielmehr eng mit der Entwicklung des höfischen Schaugepränges verbunden ist, so ist ihr doch mit Exkursen über die hunderte kleiner Dynasten, in deren Herrschaftsbereich Gartentheater entstanden sind, nicht gedient. Der Verfasser versucht den extrem positivistischen Wissenschaftsbegriff, von dem er in diesen Exkursen ausgeht, in einigen einleitenden Absätzen dem Leser näher zu bringen. Er verwahrt sich dagegen, »daß moderne Gesichtspunkte, gesellschaftskritische Ansichten des Tages in vergangene Jahrhunderte ... hineinprojiziert werden«. Er verspricht »alle modernen Vorurteile bei Seite zu lassen«. Aber diese höchst allgemeinen Formulierungen können ein Verfahren nicht decken, das mit den »Vorurteilen« auch Forschungsergebnisse ausscheidet. Wenn der Verfasser z. B. das steinerne Theater im Garten, das Ruinentheater »allein aus antikisierenden Bauvorstellungen, die von einer unhistorisch gerichteten Empfindsamkeit beherrscht werden«, zu erklären sucht, so hätten ihn schon die Feststellungen Borinskis in seinem Werk »Die Antike in Poetik- und Kunsttheorie« über die Bedeutung der Grotte und Ruine im Barock eines Besseren belehren können. Ebensowenig stichhaltig ist der Pragmatismus, der den italienischen Ursprung des Gartentheaters auf die Gunst des südlichen Himmels zurückführt, da doch der Verfasser selber die Feststellung macht, das Gartentheater sei den spanischen Schloßgärten immer fremd geblieben.

Ungeachtet dieser methodischen Fehler, ist die Arbeit durch die Fülle ihrer Nachweise und nicht zuletzt durch den gediegenen bibliographischen Anhang verdienstlich.

2 Carl Linfert, Die Grundlagen der Architekturzeichnung. In: Kunstwissenschaftliche Forschungen. Bd. 1. Berlin 1931. S. 133–246.

Georges Laronze, Le Baron Haussmann. Paris: Librairie Félix Alcan 1932. 260 S.

Für eine soziologische Charakteristik des zweiten Kaiserreichs gibt es kaum einen günstigeren Ausgangspunkt als das Studium der Aktivität, die der Seinepräfekt Baron Haussmann als Städtebauer an Paris entfaltet hat. Haussmann war ein Arrivist im Dienst eines Usurpators. Bei Napoleon III. verbanden sich die merkantilen und militärischen Momente, welche auf eine Umgestaltung des Stadtbildes drängten, mit dem Bestreben, seine Friedensherrschaft in Monumenten zu verewigen. In Haussmann fand er eine Kraft wie er sie brauchte. Mit Recht nennt Laronze den Baron einen »réalisateur«. Von allen Titeln wird man ihm diesen am wenigsten streitig machen können. Im übrigen bemüht sein neuer Biograph sich um eine vorwiegend pragmatische Lebensbeschreibung, die ihre Hauptverdienste in der Charakteristik von Haussmanns Aufstieg hat. Frühzeitig und geschickt genug hat er die Präsidentschaft, dann das Kaisertum Napoleons vorbereitet, um späterhin den höchsten Vertrauensposten in seiner Nähe einzunehmen. Die urbanistische Wirksamkeit, die er auf diesem Posten ausübte, ist von gewissen Autoren abfälliger, damit aber auch prägnanter als von seinem gegenwärtigen Biographen gekennzeichnet worden (Man schlage die eingehende Charakteristik der Ära Haussmann bei L. Dubech und P. d'Espézel, »Histoire de Paris«, Paris 1926, nach.) Dagegen erhalten die politischen und administrativen Hintergründe dieser urbanistischen Tätigkeit bei Laronze das gebührende Licht. Derart treten vor allem die polizeilichen Interessen dieses gewaltigen Bauvorhabens zu Tage, dem die Zeitgenossen nicht umsonst den Namen »l'embellissement stratégique« gegeben haben. Die Quellen reden da eine deutlichere Sprache als die Festreden, mit denen der Präfekt die neuen Straßenzüge einzuweihen pflegte. Unter Louis Philippe bereits hatte man Teile der Stadt mit Holz gepflastert, »um der Revolution den Baustoff zu entziehen. Aus Holzblöcken«, schrieb damals Gutzkow aus Paris, »lassen sich keine Barricaden mehr machen.« Aber wie rückständig erscheint dieser Eingriff, verglichen mit der radikalen Operation von Haussmann, der schnurgerade Straßenzüge quer durch Paris legte, um die Kasernen mit den Arbeitervierteln zu verbinden, und der diese Straßenzüge so breit anlegte, daß keine Barrikade sie mehr sperren konnte. Freilich erschöpft sich die »geheime Geschichte« der letzten Reorganisation von Paris nicht in diesen Zusammenhängen. Was Hegemann so glänzend für Berlin geleistet hat – die Verklammerung der Bau- und der Sozialgeschichte einer Stadt – bleibt für das Haussmannsche Paris noch zu leisten. Laronze verrät nur eben genug, um die Bedeutung der Sache ahnen zu lassen; er zeigt, wie sich die Rechtsprechung des Kassationshofs in den Dienst einer Opposition gegen den Präfekten stellt, in der die Gegner des Regimes – Legitimisten und Republikaner – sich zusammenfinden. – Der Autor hat die Laufbahn Haussmanns dann eingehend über seinen Sturz hinaus verfolgt. Und das ist dankenswert. Die Mißgriffe und Fehlspekulationen, die sich zu Ende seines Lebens häufen, zeigen, wieviel für Haussmann daran gelegen war, seinem Wirken den glänzenden Rahmen zu schaffen, in dem es sich so lange behaupten konnte. Außerhalb dieses Rahmens, im Milieu der Bank- und Finanzleute seiner Tage ist es das eines Großbourgeois aus der Blütezeit des Imperialismus. Tatkräftige Borniertheit ist der Kern des Mannes, dessen Pläne, so großartig sie waren, unbestreitbar der Perspektive in Vergangenheit und Zukunft ermangelten. Seine Vorstellung von den Aufgaben des Urbanismus war kaum gediegener als sein Gefühl für die geschichtliche Schönheit und Würde seiner Vaterstadt.

Julien Benda, Discours à la nation européenne. Paris: Librairie Gallimard (1933). 239 S. (Les Essais. 8.)

Es wird sobald sich keiner finden, der nicht ein – zumindest ästhetisches – Gefallen an der sonderbaren Spielart des Rationalismus hätte, den Julien Benda in seinen Schriften zum Ausdruck bringt. Es ist ein Rationalismus, der weniger auf die rationellen Meriten der ratio als auf eine desinteressierte Liebe zu ihr gegründet scheint. Die ratio – von Hause aus doch wohl eine fürs Wirkliche – hat bei Benda ihre Schönheit, ihre Würde, fast möchte man hinzufügen: ihren Zweck in sich. Auf alle

Fälle hat sie, nach Benda, eine eigene Kaste ihr zugeschworner Diener zur Verfügung. Das sind die clercs. Die clercs haben sich mit den Angelegenheiten der Öffentlichkeit im Sinn der ratio zu befassen. Mögen sie Anwälte oder Künstler, Journalisten oder Naturforscher sein – als Geistige haben sie den Dienst der ratio zu versehen. Und zur Zeit ist deren oberstes Anliegen die Erschaffung der nation européenne. Warum gerade dieser? Und warum soll das Friedensreich, das Benda in dieser Form herbeiruft, so enge Grenzen haben? Die Leser seines »Discours« werden das sehr bald herausfinden, wenn auch der Verfasser es kaum ausdrücklich sagt.

Dies Friedensreich ist nämlich nach dem imperium romanum geformt, wie das katholische Mittelalter es plante. Die Grenzen dieser neuen nation européenne sind die Grenzen des abendländischen Katholizismus. Dessen Heraufkunft in seiner neuen verweltlichten Gestalt ist nun leider, nach Benda, an eine Reihe von Verhaltungs- und Denkweisen geknüpft, die samt und sonders denen zuwiderlaufen, die den clercs seit hundert Jahren die gewohnten sind. Das heißt, daß der Verfasser ihnen Umkehr predigt. Unter seinen Sermonen gibt es beherzigenswerte. Kennzeichnend für die Unabhängigkeit, Treffsicherheit der Formulierungen ist es, wenn der Autor folgendermaßen sich an die Geistigen wendet: »Clercs de toutes les nations, si vous voulez faire l'Europe, il vous faudra mourir à la religion barbare de l'invention, de la création, de l'originalité. Allez au fond de vous-mêmes et vous reconnaîtrez que l'idée de création implique nécessairement l'idée de violence, de discontinuité, de chose imposée au monde par un acte arbitraire. Le dieu créateur qu'adore la bible devait devenir nécessairement le dieu des armées ... Il ne s'agit point, ici, de déshonorer la puissance créatrice; il s'agit d'enseigner que d'autres sont au-dessus d'elle. Vous ne ferez une terre de paix qu'en proclamant, avec les Grecs, que la sublime fonction des dieux n'est pas d'avoir créé le monde, mais, sans plus rien créer, d'y avoir porté de l'ordre, d'avoir fait un Cosmos.« Diesen Ausführungen, und so manchen entsprechenden, sollte man ihren pädagogischen Wert nicht absprechen. Sie sind geeignet, die Intelligenz zur Revision einiger allzu unbedenklich gehandhabter Maßstäbe zu veranlassen. Damit ist aber ihr politischer Wert noch keineswegs

nachgewiesen. Und in der Welt der Abstraktionen, aus der
Benda nie heraustritt, ist ein solcher Ausweis auch nicht be-
schaffbar. So muß er folgerecht den Lösungen Bendas fehlen.
Und wüßten wir es nicht, die Eleganz dieser Lösungen wäre
ganz geeignet, es uns ahnen zu lassen. Der Verfasser ist mit
seinen Gegebenheiten genau vertraut; er fügt sie ohne jeden
Fehlgriff so zusammen, wie die vielförmigen Stücke eines
Puzzle. Nur: sind die Gegebenheiten, an denen er seinen Scharfsinn bewährt, die Gegebenheiten des Wirklichen? Daran müssen
wir zweifeln. Er vereinfacht die Aufgabe in der bedenklichsten
Weise. Er kümmert sich nämlich grundsätzlich nur um Meinungen, Ansichten, Theorien. Er versteht es, die seinigen den gegnerischen gegenüber zur Geltung zu bringen. Nie aber kümmert
er sich um die Zustände, Wirklichkeiten, Machtfaktoren, die
diesen Anschauungen zugrunde liegen. Aus diesem Buche, wie
aus seinen früheren, nimmt man den Eindruck mit, es sei ihm
an Veränderungen der ersteren eigentlich weniger gelegen als
an einer einwandfreien Ausrichtung der letzteren. Wiederholt
weist er auf die Geltung des mittelalterlichen imperium romanum hin, das doch »zumindest in der Theorie« die nationalen
Sonderinteressen in Schranken gehalten und »wenigstens dem
Buchstaben nach« die blutigen Auseinandersetzungen zwischen
Völkern in Acht und Bann getan habe. Dieses zunächst nur
eben schrullig anmutende Interesse an einem sauberen Mei-
nungs- und Gesinnungsbestande bei den Geistigen – deren
reale Einfluß- geschweige Lebensmöglichkeiten in der heutigen
Gesellschaft Benda keiner Prüfung unterzieht – tritt in ein
weniger angenehmes Licht an Stellen, an denen Benda mit
Nachdruck die mittelalterliche Solidarität der Geistigen – nicht
etwa, wie es im Sinne seiner Grundauffassung möglich wäre,
dem Unrecht oder der Gewalt sondern – dem Laien gegenüber
mit Beifall darlegt. Die nationalen Unterschiede jener früheren
clercs, so sagt Benda, traten gegenüber anerkannten Idealen
und Methoden zurück, »surtout s'ils comparaient ces méthodes
et ces idéaux avec ceux des laïcs. L'opposition des uns aux
autres... était beaucoup moins réelle à leurs yeux que l'opposition d'eux tous au monde des fonctionnaires et des marchands.« Diese Opposition ist in der Tat ebenso unablöslich von
der mittelalterlichen Schlüsselstellung der clercs als unvereinbart

mit der gesellschaftlichen Ordnung der Gegenwart, in der vielmehr das Kloster als ihr letztes Refugium ihren Anachronismus zum Ausdruck bringt.

Zwar ist es nicht zu leugnen, daß seit Ende des achtzehnten Jahrhunderts in Europa es an Versuchen nicht gefehlt hat, die Privilegien der clercs den Laien gegenüber innerhalb der säkularisierten Ordnung zu bewahren. Und im Verlauf des neunzehnten Jahrhunderts hat man die allgemeine Bildung nicht nur im Interesse der Massen sondern ebenso in dem der geistigen Oberschichten proklamiert, deren besonderes Privileg nun nicht mehr dem Gläubigen sondern dem Kleinbürger plausibel zu machen war. Dann eben nannte man den letzteren »gebildet«, wenn ihm dasselbe plausibel war. Benda scheint nicht zu ahnen, daß dieses Privileg nur noch ein befristetes Dasein zu hoffen hat. Jedem Kenner der russischen Erziehungsmethoden ist klar, welche Chancen das polytechnische Bildungsziel dem Ziel der allgemeinen Bildung gegenüber aufweist; jeder Beobachter der deutschen Ereignisse ist über die Krise im Bilde, in der das Ideal der allgemeinen Bildung sich dort zersetzt. Unter solchen Umständen ist es nicht möglich, die Geistigen in Europa, wie Benda es tut, als einen fest umrissenen – und vor allem fest gegründeten – Stand anzusehen. Vielmehr ist sein ideologisches Fundament – das geistliche der christianitas, wie das weltliche der Bildung – schwankender als je. Und gerade dem verdankt das Raisonnement von Benda seine unheimliche Geschliffenheit und Glätte, daß es sich an einen wendet, der nicht mehr da ist.

BRECHTS DREIGROSCHENROMAN[1]

Acht Jahre

Zwischen Dreigroschenoper und Dreigroschenroman liegen acht
Jahre. Das neue Werk hat sich aus dem alten entwickelt. Aber
das geschah nicht in der versponnenen Weise, in der man sich
das Reifen des Kunstwerks gewöhnlich vorstellt. Denn diese
Jahre waren politisch entscheidende. Ihre Lektion hat der Verfasser sich zu eigen gemacht, ihre Untaten hat er beim Namen
genannt, ihren Opfern hat er ein Licht aufgesteckt. Er hat einen
satirischen Roman großen Formats geschrieben.
Zu diesem Buch hat er weit ausgeholt. Weniges ist von den
Grundlagen, weniges von der Handlung der Oper geblieben.
Nur die Hauptpersonen sind noch dieselben. Sie waren es ja, die
vor unseren Augen begannen in diese Jahre hineinzuwachsen
und ihrem Wachstum so blutig Platz schufen. Als die Dreigroschenoper zum ersten Mal in Deutschland über die Bühne
ging, war ihm der Gangster noch ein fremdes Gesicht. Inzwischen hat er sich dort heimisch gemacht und die Barbarei eingerichtet. Erst spät weist ja auf Seiten der Ausbeuter die Barbarei jene Drastik auf, die das Elend der Ausgebeuteten schon
zu Beginn des Kapitalismus kennzeichnet. Brecht hat es mit beiden zu tun; er zieht darum die Epochen zusammen und weist
seinen Gangstertypen Quartier in einem London an, das den
Rhythmus und das Aussehen der Dickenszeit hat. Die Umstände
des Privatlebens sind die früheren, die des Klassenkampfes die
heutigen. Diese Londoner haben kein Telephon, aber ihre Polizei hat schon Tanks. Am heutigen London, hat man gesagt,
zeigt sich, daß es für den Kapitalismus gut ist, wenn er sich eine
gewisse Rückständigkeit bewahrt. Dieser Umstand hat für
Brecht seinen Wert gehabt. Die schlechtgelüfteten Kontore,

1 Bertolt Brecht, Dreigroschenroman. Amsterdam: Verlag Allert de Lange 1934.
494 S.

feuchtwarmen Badeanstalten, nebligen Straßen bevölkert er mit
Typen, die in ihrem Auftreten oft altväterisch, in ihren Maßnahmen immer modern sind. Solche Verschiebungen gehören
zur Optik der Satire. Brecht unterstreicht sie durch die Freiheiten, die er sich mit der Topographie von London genommen hat.
Das Verhalten seiner Figuren, das er der Wirklichkeit abgelauscht hat, ist, so darf sich der Satiriker sagen, um vieles
unmöglicher als ein Brobdingnag oder London, das er in seinem
Kopf erbaut haben mag.

Alte Bekannte

Jene Figuren traten also von neuem vor ihren Dichter. – Da
ist Peachum, der immer den Hut aufbehält, weil es kein Dach
gibt, von dem er nicht gewärtigt, daß es ihm über dem Kopfe
zusammenstürzt. Er hat seinen Instrumentenladen vernachläs-
sigt und ist einem Kriegsgeschäft mit Transportschiffen näher-
getreten, in dessen Verlauf seine Bettlergarde in kritischen
Augenblicken als »erregte Volksmenge« Verwertung findet. Die
Schiffe sollen im Truppentransport während des Burenkriegs
eingesetzt werden. Da sie morsch sind, gehen sie mit der Mannschaft unweit der Themsemündung zugrunde. Peachum, der es
sich nicht nehmen läßt, zu der Trauerfeier für die ertrunkenen
Soldaten zu gehen, hört dort mit vielen anderen, unter denen
auch ein gewisser Fewkoombey ist, eine Predigt des Bischofs
über die biblische Mahnung, mit dem anvertrauten Pfunde zu
wuchern. Vor bedenklichen Folgen des Lieferungsgeschäfts hat
er sich zu diesem Zeitpunkt bereits durch Beseitigung seines
Partners gesichert. Doch begeht er den Mord nicht selbst. Auch
seine Tochter, der Pfirsich, streift kriminelle Verwicklungen –
aber nur so, wie es für eine Dame sich machen läßt: in einer
Abtreibungssache und einem Ehebruch. Wir lernen den Arzt
kennen, dem sie den Eingriff zumutet, und aus seinem Mund
eine Rede, die ein Gegenstück zu der des Bischofs ist.
Der Held Macheath stand in der Dreigroschenoper seinen Lehr-
jahren noch sehr nahe. Der Roman rekapituliert sie nur kurz;
er ehrt das Schweigen über ganzen »Gruppen von Jahren...,
das die Biographien unserer großen Geschäftsleute auf vielen

Seiten so stoffarm macht«, und er läßt es dahingestellt, ob am
Anfang der Verwandlungen, in deren Abfolge aus dem Holz-
händler Beckett der Großkaufmann Macheath geworden ist,
der Raubmörder Stanford Sills, genannt »Das Messer«, gestanden hat. Klar ist nur so viel, daß der Geschäftsmann treu
zu gewissen früheren Freunden steht, die den Weg in die
Legalität nicht gefunden haben. Das trägt seinen Lohn in sich,
da diese durch Diebstahl die Warenmengen beschaffen, die der
Ladenkonzern von Macheath konkurrenzlos billig vertreibt.
Macheath' Konzern bilden die B-Läden, deren Inhaber – selbständige Existenzen – nur zur Abnahme seiner Ware und zur
Zahlung der Ladenmiete an ihn verpflichtet sind. In einigen
Zeitungsinterviews hat er sich über »seine entscheidende Entdeckung des menschlichen Selbständigkeitstriebes« geäußert.
Allerdings stehen sich diese selbständigen Existenzen schlecht,
und eine von ihnen geht in die Themse, weil Macheath aus
geschäftlichen Gründen die Warenzufuhr zeitweilig einstellt. Es
kommt Mordverdacht auf; es entsteht eine Kriminalsache. Aber
diese Kriminalsache geht bruchlos in den satirischen Vorwurf
ein. Die Gesellschaft, die nach dem Mörder der Frau sucht,
welche Selbstmord begangen hat, wird niemals imstande sein,
ihn in Macheath zu erkennen, der nur seine vertraglichen Rechte
ausgeübt hat. »Die Ermordung der Kleingewerbetreibenden
Mary Swayer« steht nicht nur in der Mitte der Handlung, sie
enthält auch deren Moral. Die ausgemergelten Ladeninhaber,
die Soldaten, die auf lecken Schiffen verstaut werden, die Ein-
brecher, deren Auftraggeber den Polizeipräsidenten bezahlt –
diese graue Masse, die im Roman den Platz des Chors in der
Oper einnimmt – stellt den Herrschenden ihre Opfer. An ihr
üben sie ihre Verbrechen aus. Ihr gehört Mary Swayer an, die
man zwingt, ins Wasser zu gehen, und aus ihrer Mitte ist
Fewkoombey, der zu seinem Erstaunen wegen Mordes an ihr
gehängt wird.

Ein neues Gesicht

Der Soldat Fewkoombey, dem im Vorspiel in einem Verschlage
Peachums »die Bleibe« angewiesen und dem im Nachspiel in

einem Traum »das Pfund der Armen« offenbart wird, ist ein
neues Gesicht. Oder vielmehr kaum eines sondern »durchsichtig
und gesichtslos« wie die Millionen es sind, die Kasernen und
Kellerwohnungen füllen. Hart am Rahmen ist er eine lebens-
große Figur, die ins Bild zeigt. Er zeigt auf die bürgerliche Ver-
brechergesellschaft im Mittelgrund. Er hat in dieser Gesellschaft
das erste Wort, denn ohne ihn würde sie keine Profite machen;
darum steht Fewkoombey im Vorspiel. Und er steht im Nachspiel, als Richter, weil sie sonst das letzte behalten würde. Zwischen beiden liegt die kurze Frist eines halben Jahrs, die er
hintrödelt, während deren aber gewisse Angelegenheiten der
Oberen sich so weit und so günstig entwickelt haben, daß sie mit
seiner Hinrichtung enden, die von keinem »reitenden Boten des
Königs« gestört wird.
Kurz vorher hat er, wie gesagt, einen Traum. Es ist der Traum
von einer Gerichtsverhandlung, in der es sich um ein »besonderes Verbrechen« dreht. »Weil niemand einen Träumer davon
abhalten kann zu siegen, wurde unser Freund Vorsitzender des
größten Gerichts aller Zeiten, des einzig wirklich notwendigen,
umfassenden und gerechten... Nach langem Nachdenken, das
allein schon Monate dauerte, beschloß der Oberste Richter, den
Anfang mit einem Mann zu machen, der, nach Aussage eines
Bischofs in einer Trauerfeier für untergegangene Soldaten, ein
Gleichnis erfunden hatte, das zweitausend Jahre lang von allerlei Kanzeln herab angewendet worden war und nach Ansicht
des Obersten Richters ein besonderes Verbrechen darstellte.«
Diese Ansicht beweist der Richter, indem er die Folgen des
Gleichnisses namhaft macht und die lange Reihe von Zeugen
vernimmt, die über *ihr* Pfund aussagen sollen.
»›Hat Euer Pfund sich vermehrt?‹ fragte der Oberste Richter
streng. Sie erschraken und sagten: ›Nein.‹ ›Hat er‹ – es ist von
dem Angeklagten die Rede – ›gesehen, daß es sich nicht vermehrte?‹ Auf diese Frage wußten sie nicht gleich, was sie sagen
sollten. Nach einer Zeit des Nachdenkens trat aber einer vor,
ein kleiner Junge... ›Er muß es gesehen haben; denn wir haben
gefroren, wenn es kalt war, und gehungert vor und nach dem
Essen. Sieh selber, ob man es uns ansieht oder nicht.‹ Er steckte
zwei Finger in den Mund und pfiff, und... heraus... trat eine
Frauensperson und glich genau der Kleingewerbetreibenden

Mary Swayer.« Als dem Angeklagten nun angesichts einer so
belastenden Beweisaufnahme ein Verteidiger bewilligt wird –
»Aber er muß zu Ihnen passen« sagt Fewkoombey – und Herr
Peachum als solcher sich vorstellt, präzisiert sich die Schuld des
Klienten. Er muß der Beihilfe bezichtigt werden. Weil er, sagt
der Oberste Richter, seinen Leuten dieses Gleichnis in die Hand
gegeben hat, das auch ein Pfund ist. Anschließend verurteilt er
ihn zum Tode. – Aber an den Galgen kommt nur der Träumer,
der in einer wachen Minute begriffen hat, wie weit die Spuren
der Verbrechen zurückführen, denen er und seinesgleichen zum
Opfer fallen.

Die Partei des Macheath

In den Handbüchern der Kriminalistik werden Verbrecher als
asoziale Elemente gekennzeichnet. Das mag für deren Mehrzahl
zutreffen. Für einige aber hat die Zeitgeschichte es widerlegt.
Indem sie viele zu Verbrechern machten, wurden sie zu sozialen
Vorbildern. So steht es mit Macheath. Er ist aus der neuen
Schule, während sein ebenbürtiger, lange ihm verfeindeter
Schwiegervater noch zur alten zu zählen ist. Peachum versteht
es nicht aufzutreten. Seine Habgier versteckt er hinter Familien-
sinn, seine Impotenz hinter Askese, seine Erpressertätigkeit
hinter Armenpflege. Am liebsten verschwindet er in seinem
Kontor. Das kann man von Macheath nicht sagen. Er ist eine
Führernatur. Seine Worte haben den staats-, seine Taten den
kaufmännischen Einschlag. Die Aufgaben, denen er zu entsprechen hat, sind ja die mannigfachsten. Sie waren für einen Führer nie schwerer als heutzutage. Es genügt nicht, Gewalt zur
Erhaltung der Eigentumsverhältnisse aufzubieten. Es genügt
nicht, die Enteigneten selbst zu deren Ausübung anzuhalten.
Diese praktischen Aufgaben wollen gelöst sein. Aber wie man
von einer Balletteuse nicht nur verlangt, daß sie tanzen kann,
sondern auch, daß sie hübsch ist, so verlangt der Faschismus
nicht nur einen Retter des Kapitals sondern auch, daß dieser
ein Edelmensch ist. Das ist der Grund, aus dem ein Typ wie
Macheath in diesen Zeiten unschätzbar ist.
Er versteht es, zur Schau zu tragen, was der verkümmerte Klein-

bürger sich unter einer Persönlichkeit vorstellt. Regiert von
hunderten von Instanzen, Spielball von Teuerungswellen, Opfer
von Krisen sucht dieser Habitué von Statistiken einen Einzigen, an den er sich halten kann. Niemand will ihm Rede stehen,
Einer soll es. Und der kann es. Denn das ist die Dialektik der
Sache: will er die Verantwortung tragen, so danken ihm die
Kleinbürger mit dem Versprechen, keinerlei Rechenschaft von
ihm zu verlangen. Forderungen zu stellen, lehnen sie ab, »weil
das Herrn Macheath zeigen würde, daß wir das Vertrauen zu
ihm verloren haben«. Seine Führernatur ist die Kehrseite ihrer
Genügsamkeit. Die befriedigt Macheath unermüdlich. Er versäumt keine Gelegenheit hervorzutreten. Und er ist ein anderer
vor den Bankdirektoren, ein anderer vor den Inhabern der
B-Läden, ein anderer vor Gericht und ein anderer vor den Mitgliedern seiner Bande. Er beweist, »daß man alles sagen kann,
wenn man nur einen unerschütterlichen Willen besitzt«, zum
Beispiel das Folgende:
»Meiner Meinung nach, es ist die Meinung eines ernsthaft
arbeitenden Geschäftsmannes, haben wir nicht die richtigen
Leute an der Spitze des Staates. Sie gehören alle irgendwelchen
Parteien an und Parteien sind selbstsüchtig. Ihr Standpunkt
ist einseitig. Wir brauchen Männer, die über den Parteien stehen, so wie wir Geschäftsleute. Wir verkaufen unsere Ware an
Arm und Reich. Wir verkaufen Jedem ohne Ansehen der Person
einen Zentner Kartoffeln, installieren ihm eine Lichtleitung,
streichen ihm sein Haus an. Die Leitung des Staates ist eine
moralische Aufgabe. Es muß erreicht werden, daß die Unternehmer gute Unternehmer, die Angestellten gute Angestellten,
kurz: die Reichen gute Reiche und die Armen gute Arme sind.
Ich bin überzeugt, daß die Zeit einer solchen Staatsführung
kommen wird. Sie wird mich zu ihren Anhängern zählen.«

Plumpes Denken

Macheath' Programm und zahlreiche andere Betrachtungen hat
Brecht kursiv setzen lassen, so daß sie sich aus dem erzählenden
Text herausheben. Er hat damit eine Sammlung von Anspra-
chen und Sentenzen, Bekenntnissen und Plädoyers geschaffen,

die einzig zu nennen ist. Sie allein würde dem Werk seine Dauer
sichern. Was da steht, hat noch nie jemand ausgesprochen, und
doch reden sie alle so. Die Stellen unterbrechen den Text; sie
sind – darin der Illustration vergleichbar – eine Einladung an
den Leser, hin und wieder auf die Illusion zu verzichten. Nichts
ist einem satirischen Roman angemessener. Einige dieser Stellen beleuchten nachhaltig die Voraussetzungen, denen Brecht
seine Schlagkraft verdankt. Da heißt es zum Beispiel: »Die
Hauptsache ist, plump denken lernen. Plumpes Denken, das
ist das Denken der Großen.«
Es gibt viele Leute, die unter einem Dialektiker einen Liebhaber
von Subtilitäten verstehen. Da ist es ungemein nützlich, daß
Brecht auf das »plumpe Denken« den Finger legt, welches die
Dialektik als ihren Gegensatz produziert, in sich einschließt und
nötig hat. Plumpe Gedanken gehören gerade in den Haushalt
des dialektischen Denkens, weil sie gar nichts anderes darstellen als die Anweisung der Theorie auf die Praxis. *Auf* die
Praxis, nicht *an* sie: Handeln kann natürlich so fein ausfallen
wie Denken. Aber ein Gedanke muß plump sein, um im Handeln zu seinem Recht zu kommen.
Die Formen des plumpen Denkens wechseln langsam, denn sie
sind von den Massen geschaffen worden. Aus den abgestor-
benen läßt sich noch lernen. Eine von diesen hat man im Sprichwort, und das Sprichwort ist eine Schule des plumpen Denkens.
»Hat Herr Macheath Mary Swayer auf dem Gewissen?« fragen
die Leute. Brecht stößt sie mit der Nase auf die Antwort und
setzt über diesen Abschnitt: »Wo ein Fohlen ersoffen ist, da
war Wasser.« Einen anderen könnte er überschreiben: »Wo
gehobelt wird, gibt es Späne.« Es ist der Abschnitt, in dem
Peachum, »die erste Autorität auf dem Gebiet des Elends«, sich
die Grundlagen des Bettelgeschäfts vor Augen führt.
»Es ist mir auch klar«, sagt er sich, »warum die Leute die Gebrechen der Bettler nicht schärfer nachprüfen, bevor sie geben.
Sie sind ja überzeugt, daß da Wunden sind, wo sie hingeschla-
gen haben! Sollen keine Ruinierten weggehen, wo sie Geschäfte
gemacht haben? Wenn sie für ihre Familien sorgten, sollten da
nicht Familien unter die Brückenbögen geraten sein? Alle sind
von vornherein überzeugt, daß angesichts ihrer eigenen Le-
bensweise allüberall tödlich Verwundete und unsäglich Hilfs-

bedürftige herumkriechen müssen. Wozu sich die Mühe machen
zu prüfen. Für die paar Pence, die man zu geben bereit ist!«

Die Verbrecher-Gesellschaft

Peachum ist seit der Dreigroschenoper gewachsen. Vor seinen
unbetrüglichen Blicken liegen die Bedingungen seiner erfolgreichen wie die Fehler seiner mißglückten Spekulationen. Kein
Schleier, nicht die mindeste Illusion verhüllt ihm die Gesetze
der Ausbeutung. Damit beglaubigt sich dieser altmodische,
kleine weltabgewandte Mensch als ein höchst aktueller Denker.
Er könnte sich ruhig mit Spengler messen, welcher gezeigt hat,
wie unbrauchbar die humanitären und philanthropischen Ideologien aus den Anfängen des Bürgertums für den heutigen
Unternehmer geworden sind. Die Errungenschaften der Technik
kommen eben in erster Linie den herrschenden Klassen zugute.
Das gilt von den fortgeschrittenen Denkformen so gut wie von
den modernen Bewegungsformen. Die Herren im Dreigroschenroman haben zwar keine Autos, aber sie sind sämtlich dialektische Köpfe. Peachum zum Beispiel sagt sich, daß Strafen auf
Morden stehen. »Aber auf dem Nichtmorden«, sagt er sich,
»stehen auch Strafen und furchtbarere ... Ein Herunterkom-
men in die Slums, wie es mir mit meiner ganzen Familie drohte,
ist nicht weniger als ein Inszuchthauskommen. Das sind Zuchthäuser auf Lebenszeit!«
Der Kriminalroman, der in seiner Frühzeit bei Dostojewski viel
für die Psychologie geleistet hat, stellt sich auf dem Höhepunkt
seiner Entwicklung der Sozialkritik zur Verfügung. Wenn
Brechts Buch die Gattung erschöpfender verwertet als Dostojewski, so kommt das unter anderem daher, daß darin – wie in
der Wirklichkeit – der Verbrecher sein Auskommen in der
Gesellschaft, die Gesellschaft – wie in der Wirklichkeit – ihren
Anteil an seinem Raub hat. Dostojewski ging es um Psychologie; er brachte das Stück Verbrecher, das im Menschen steckt,
zum Vorschein. Brecht geht es um Politik; er bringt das Stück
Verbrechen, das im Geschäft steckt, zum Vorschein.
Bürgerliche Rechtsordnung und Verbrechen – das sind nach
der Spielregel des Kriminalromans Gegensätze. Brechts Ver-

fahren besteht darin, die hochentwickelte Technik des Kriminalromans beizubehalten, aber dessen Spielregel auszuschalten.
Das Verhältnis zwischen bürgerlicher Rechtsordnung und Verbrechen wird in *diesem* Kriminalroman sachgemäß dargestellt.
Das letztere erweist sich als ein Sonderfall der Ausbeutung, die
von der ersteren sanktioniert wird. Gelegentlich ergeben sich
zwischen beiden zwanglose Übergänge. Der nachdenkliche Peachum stellt fest, »wie die komplizierten Geschäfte oft in ganz
einfache, seit urdenklichen Zeiten gebräuchliche Handlungswei-
sen übergehen! ... Mit Verträgen und Regierungsstempeln fing
es an und am Ende war Raubmord nötig! Wie sehr bin gerade
ich gegen Mord! ... Und wenn man bedenkt: daß wir nur
Geschäfte miteinander gemacht haben!«
Es ist natürlich, daß in diesem Grenzfall des Kriminalromans
der Detektiv nichts zu suchen hat. Die Rolle, die ihm der Spielregel nach als Sachwalter der gesetzlichen Ordnung zufällt,
übernimmt hier die Konkurrenz. Was sich zwischen Macheath
und Peachum abspielt, ist ein Kampf zweier Banden und ein
gentlemen's agreement das happy end, das die Verteilung der
Beute notariell festlegt.

Die Satire und Marx

Brecht entkleidet die Verhältnisse, unter denen wir leben, ihrer
Drapierung durch Rechtsbegriffe. Nackt wie es auf die Nachwelt gelangen wird, tritt das Menschliche aus ihnen heraus. Leider wirkt es entmenscht. Aber das ist nicht dem Satiriker zuzuschreiben. Den Mitbürger zu entkleiden ist seine Aufgabe.
Wenn er ihn seinerseits neu ausstaffiert, ihn wie Cervantes im
Hund Berganza, wie Swift in der Pferdegestalt der Houyhnhnms, wie Hoffmann in einem Kater vorstellt, so kommt es
ihm im Grunde dabei doch nur auf die eine Positur an, wo derselbe nackt zwischen seinen Kostümen steht. Der Satiriker hält
sich an seine Blöße, die er ihm im Spiegel vor Augen führt.
Darüber geht sein Amt nicht hinaus.
So begnügt sich Brecht mit einer kleinen Umkostümierung der
Zeitgenossen. Sie reicht im übrigen gerade aus, um die Kontinuität mit jenem neunzehnten Jahrhundert herzustellen, das

nicht nur den Imperialismus sondern auch den Marxismus hervorgebracht hat, der so nützliche Fragen an diesen zu stellen hat. »Als der deutsche Kaiser an den Präsidenten Krüger telegraphierte, welche Aktien stiegen da und welche fielen?« »Natürlich fragen das nur die Kommunisten.« Aber Marx, der es zuerst unternahm, die Verhältnisse zwischen Menschen aus ihrer Erniedrigung und Verneblung in der kapitalistischen Wirtschaft wieder ans Licht der Kritik zu ziehen, ist damit ein Lehrer der Satire geworden, der nicht weit davon entfernt war, ein Meister in ihr zu sein. In seine Schule ist Brecht gegangen. Die Satire, die immer eine materialistische Kunst war, ist bei ihm nun auch eine dialektische. Marx steht im Hintergrund seines Romans – ungefähr so wie Konfuzius und Zoroaster für die Mandarine und Schahs, die in den Satiren der Aufklärung unter den Franzosen sich umsehen. Marx bestimmt hier die Weite des Abstandes, den der große Schriftsteller überhaupt, besonders aber der große Satiriker seinem Objekt gegenüber einnimmt. Es war immer dieser Abstand, den die Nachwelt sich zu eigen gemacht hat, wenn sie einen Schriftsteller klassisch nannte. Vermutlich wird sie sich im Dreigroschenroman ziemlich leicht zurechtfinden.

Wilhelm Platz, Charles Renouvier als Kritiker der französischen Kultur. Bonn, Köln: Ludwig Röhrscheid 1934. VIII, 128 S. (Studien zur abendländischen Geistes- und Gesellschafts-Geschichte. 5.)

Renouvier war entschiedener Idealist. Er hält »mit der ganzen Glut seines Temperamentes daran fest, daß jemand, der ganz vernünftig denkt, damit zugleich moralisch *handelt*«. Daß dieses vernünftige Denken keine ausreichende gesellschaftliche Definition bei ihm erfahren hat, zeigt am besten seine Auseinandersetzung mit den zeitgenössischen Sozialisten, die man bei Platz gut nachlesen kann. Sie hat im wesentlichen Defensivcharakter. Besonders deutlich wird das, wenn er Louis Blanc gegenüber für den Menschen »la chance de son lot dans la vie et de ses libertés naturelles« dem Mechanismus der Zwangsarbeit gegenüber in Anspruch nimmt. Verteidigung der individuellen Freiheit gegen die rationalen Vorschläge der Utopisten ist sein oberstes Anliegen. Von da ist es nur ein Schritt zur Verteidigung der herrschenden Eigentumsordnung. Renouvier tut ihn: »On doit donc considérer la propriété ou droit d'appropriation, comme une sorte d'extension de ce qui constitue la personne même ou de droit inhérent à la nature; et la propriété, une fois déterminée, doit être inviolable au même titre que la personne dont elle est un développement externe.« Die Gesellschaftskritik Renouviers erscheint bei Platz im Rahmen seiner Kulturkritik überhaupt, die Auseinandersetzungen mit der Monarchie, dem Christentum, dem Positivismus, der Lamarckschen Evolutionslehre, endlich auch mit der ihm zeitgenössischen Dichtung einschließt. Zumal der letzteren gegenüber wird die seinem Eklektizismus drohende Gefahr der Unfruchtbarkeit akut. Renouviers Reflexionen erheben sich schwerlich über die des damaligen Lesepublikums. Platz kennzeichnet denn auch am Schluß die Gefahr, die Renouviers Philosophie nicht immer zu meistern wußte: »in Höhen, wo sie zu einem edlen Pathos wird«, sich zu verlieren.

VOLKSTÜMLICHKEIT ALS PROBLEM
Zu Hermann Schneider, »Schiller. Werk und Erbe«[1]

Um wissenschaftlich »möglichst weiten Kreisen der Leser« nahezukommen – wie Hermann Schneiders »Schiller« es beabsichtigt – braucht es mehr als Wissen. Am besten belehren uns darüber die großen Popularisatoren der modernen Physik. Sie mischen den Leser ins Spiel und geben ihm die Gewißheit, daß er vorwärtsgebracht wird. Diese Gewißheit braucht durchaus nicht am Stoff zu haften – kein Leser wird praktische Verwendung für die Relativitätstheorie haben. Aber etwas anderes kommt ihm zugute: mit dem Wissen eignet er sich ein Denken an, das nicht nur ihm neu ist. Einmal im Leben, und sei es auf kurze Zeit, nimmt er den Standpunkt ein, auf dem die Avant-

---

1 Hermann Schneider, Schiller. Werk und Erbe. Stuttgart und Berlin: J. G. Cotta'sche Buchhandlung Nachfolger 1934. X, 116 S.

garde der heutigen Wissenschaft steht. Das ist das Entscheidende.

Man darf sagen, daß jede popularisierende Arbeit verloren ist,
die eine solche Fühlung der Laien mit der Vorhut nicht herzustellen vermag. Die Physik verfügt gerade heute über die glänzendsten Popularisatoren – wie Eddington –, weil sie sich in
einer Revolution befindet und die Parolen der Avantgarde auf
ihrem gesamten Gebiet vernommen werden. Auf der anderen
Seite besagt das, daß nicht jedweder Gegenstand des Wissens
zu jeder Zeit popularisiert werden kann. Nicht die sachliche
Schwierigkeit, sondern das Fehlen der historischen Konstellation bildet unter Umständen das wirkliche Hindernis. Daran
können dann natürlich auch Jubiläen nichts ändern.

Hermann Schneider, der in seinen 1933 erschienenen soliden
und lesenswerten Studien »Vom Wallenstein zum Demetrius«
(siehe »Frankfurter Zeitung«, Literaturblatt vom 29. Juli 1934)
bekannte, den Anstoß zu seinen Untersuchungen von dem
eigentümlichen »Fremdheitsgefühl« empfangen zu haben, das
den heutigen Leser vor Schiller befällt, gedenkt diesmal, zum
175. Geburtstag Schillers »die im Grunde doch dünne Scheidewand« dieses Gefühls niederzulegen. Dabei will er es sich
nicht leicht machen. »Mit dem vollendeten, himmelblau bläß-
lichen Schiller haben uns nun fünf Vierteljahrhunderte lang Fest-
redner, Schulmeister und Familienbücher gelangweilt«, meint
er. Dieses summarische Urteil beweist aber nur, daß mit einer
gewissen Unbekümmertheit – die ohne Zweifel eine Bedingung
populärer Darstellung ist – das Fruchtbare und Interessante am
Problem Schiller sich im Augenblick schwer vergegenwärtigen
läßt. Fällt doch in jene hundertfünfundzwanzig Jahre gerade
diejenige Epoche, die heute bei einer Schiller-Diskussion besondere Beachtung erheischen würde: das große Schiller-Jubiläum von 1859, bei dem die Züge des Schiller-Bildes zum erstenmal aus dem Hintergrund des höfischen Weimar gelöst und
in das Licht des deutschen Bürgerlebens gestellt wurden. Damals
war Schiller populärer als je zuvor: die Avantgarde des Bürgertums hatte ihm ihre Parole entnommen, und eben darum konnte
die bürgerliche Wissenschaft ihn einem breiten Publikum darstellen.

Wenn der Verfasser geringschätzig über diese Epoche hinweg-

gleitet, wenn er die Geschichte von Schillers Ruhm, die nach den
interessanten Fingerzeigen in Julian Hirschs »Genesis des
Ruhmes« noch immer ein Desideratum der Wissenschaft bleibt,
beiseite läßt, so ist das gewiß zu verstehen; denn hätte er es
nicht so gehalten, so wäre die Unmittelbarkeit seines Textes
gefährdet worden. Nur daß diese leider ins Leere führt. Und
das ist gerade da mit Händen zu greifen, wo die Arbeit ihre
besten Grundlagen hat – etwa in dem Kapitel über Schillers
Dramenstil. Die von außen gesetzte Nötigung, zu populären
Angaben über einen »Schiller-Stil« zu kommen, ist natürlich
nicht der geeignete Weg, der Bühnengeschichte der einzelnen
Schillerschen Dramen, die der Verfasser genau kennt, Aufschlüsse abzugewinnen.

So ist zum Schluß der Wunsch nicht ganz abzuweisen, der
Verlag hätte die durch seine eigene Jubelfeier, die mit dem
Schiller-Jubiläum zusammenfällt, nahegelegte Schrift über Schil-
ler und Cotta für einen, wenn auch beschränkteren Kreis von
Lesern herausgebracht. Man möchte hoffen, daß er es nach-
holt.

PROBLEME DER SPRACHSOZIOLOGIE
Ein Sammelreferat

Ist von der Sprachsoziologie als einem Grenzgebiet die Rede,
so denkt man zunächst wohl nur an ein Gebiet, das jenen Wissenschaften gemeinsam ist, an die das Wort unmittelbar erinnert: der Sprachwissenschaft und der Soziologie. Tritt man dem
Problemkreis näher, ergibt sich, daß er auf eine ganze Anzahl
anderer Disziplinen übergreift. Um hier nur solche Fragen zu
erwähnen, die die Forschung letzthin besonders beschäftigt
haben und daher Gegenstand des folgenden Berichts sind, so
gehört die Einwirkung der Sprachgemeinschaft auf die Sprache
des Einzelnen als Kernproblem der Kinderpsychologie an; die
immer noch zur Verhandlung stehende Frage des Verhältnisses
von Sprache und Denken ist, wie sich zeigen wird, ohne die
Materialien der Tierpsychologie kaum in Angriff zu nehmen;
die neuen Auseinandersetzungen über Hand- und Lautsprache
sind der Ethnologie verpflichtet; und endlich hat die Psycho-

pathologie mit der Lehre von der Aphasie, der schon Bergson weittragende Aufschlüsse abzugewinnen suchte, auf Fragen, die für die Sprachsoziologie von Bedeutung sind, Licht geworfen.

Am ungezwungensten und sinnfälligsten berühren die Kardinalprobleme der Sprachwissenschaft so gut wie der Soziologie einander in der Frage nach dem Ursprung der Sprache. Und unbeschadet der methodischen Vorbehalte, welche vielfach ihr gegenüber erhoben werden, konvergieren in diesem Punkt zahlreiche ihrer wichtigsten Untersuchungen. Zumindest wird sich diese Fragestellung als Fluchtpunkt erweisen, auf den die verschiedensten Theorien sich ungezwungen ausrichten lassen. Zunächst ein Wort über die Vorbehalte. Wir entnehmen es dem Standardwerk von Henri Delacroix »Le langage et la pensée«, das eine Art Enzyklopädie der allgemeinen Sprachpsychologie darstellt. »Ursprünge pflegen, wie man weiß, im Dunkel zu liegen ... Die Sprachgeschichte führt nicht zu den Ursprüngen zurück, da Sprache ja die Vorbedingung der Geschichte darstellt. Die Sprachgeschichte hat es immer nur mit sehr entwickelten Sprachen zu tun, die eine gewichtige Vergangenheit, von welcher wir nichts wissen, hinter sich haben. Der Ursprung von bestimmten Sprachen ist nicht identisch mit dem Ursprung der Sprache selbst. Die ältesten bekannten Sprachen ... haben nichts Primitives. Sie zeigen uns nur die Veränderungen, denen die Sprache unterworfen ist; wie sie entstanden ist, das lehren sie uns nicht ... Die einzige Grundlage, über welche wir verfügen, ist die Analyse der Bedingungen der Möglichkeit der Sprache, sind die Gesetze sprachlichen Werdens, die Beobachtung über die Entwicklung der Sprache ... Das Problem muß also vertagt werden.«[1] An diese vorsichtigen Überlegungen schließt der Autor ein kurzes Résumé der Konstruktionen, mit denen seit jeher die Forscher diese Kluft des Nichtbekannten zu überbrücken versucht haben. Unter diesen ist es die populärste, die ungeachtet ihrer primitiven Form, die längst der wissenschaftlichen Kritik erlag, den Zugang zu zentralen Fragen der gegenwärtigen Forschung darstellt.

»Der Mensch erfand sich selbst Sprache! – aus Tönen lebender Natur« sagt Herder. Und damit greift er nur auf Überlegungen

1 Henri Delacroix, Le langage et la pensée. Paris 1930, S. 128/129.

des siebzehnten Jahrhunderts zurück, dessen geschichtliche Bewegtheit er als erster ahnte und das in seinen Spekulationen
über die Ursprache und den Ursprung aller Sprache von Hankamer[2] in einem beachtenswerten Werk behandelt wurde. Man
braucht nur Gryphius und die anderen Schlesier, Harsdoerffer,
Rist und ihre Nürnberger Gefolgsleute aufzuschlagen, um zu
erkennen, welche Resonnanz in jenem Zeitraum die rein phonetische Seite der Sprache gefunden hat. Von jeher ist im übrigen
für jede weniger kritische Überlegung die onomatopoetische
Theorie vom Ursprung der Sprache die nächstliegende gewesen.
Demgegenüber hat die wissenschaftliche Kritik die Bedeutung
des onomatopoetischen Faktors wesentlich einzuschränken gesucht, ohne damit freilich in jedem Betracht schon das letzte
Wort zum Ursprungsproblem überhaupt gesprochen zu haben.
Eine besondere Abhandlung ist dieser Frage unlängst von Karl
Bühler gewidmet worden. Dort heißt es von der Sprache: »Herder und andere haben behauptet, daß sie ehemals dem Malen
diente.«[3] Diese Behauptung hat Bühler zu seinem Gegenstand
gemacht und sich bemüht, diejenigen Umstände aufzuweisen,
die den gelegentlichen onomatopoetischen Anwandlungen der
Sprachen einen gewichtigen Riegel vorschoben. Wenn er dabei
im Vorübergehen auf sprachgeschichtliche Tatsachen verweist
und Lazarus Geigers Behauptung aufnimmt, daß die Sprache
»erst in ziemlich späten Schichten einer gewissen Neigung, den
Objekten schildernd nahezutreten«[4], überführt werden kann, so
ist Bühlers Beweisführung doch vor allem systematischer Art.
Es kommt ihm nicht in den Sinn, die onomatopoetischen Möglichkeiten der menschlichen Stimme zu leugnen. Er schlägt sie
vielmehr so hoch wie irgend denkbar an. Nur daß die Liste dieser Möglichkeiten ihm im ganzen als eine von »versäumten
Gelegenheiten« erscheint. Die onomatopoetische Aktivität der
historischen Sprache ist, wie Bühler feststellt, von einer Ein-

2 Paul Hankamer, Die Sprache, ihr Begriff und ihre Deutung im sechzehnten und
siebzehnten Jahrhundert. Bonn 1927.
3 Karl Bühler, L'onomatopée et la fonction représentative du langage (in: Psychologie du langage, par H. Delacroix u. a. Paris 1933, S. 103); siehe auch: Karl Bühler,
Sprachtheorie. Die Darstellungsfunktion der Sprache. Jena 1934, S. 195–216.
4 L[azarus] Geiger, Ursprung und Entwicklung der menschlichen Sprache und Vernunft. Stuttgart 1868, Band I, S. 168.

wirkung auf die Totalität des Wortes verbannt. Nur an einzelnen Stellen seines Innern kann sie zum Ausdruck kommen. So heute. Und so war es auch früher: »Denken wir uns links den Weg, der zur Herrschaft des onomatopoetischen Prinzips führt, rechts den zur symbolischen Repräsentation leitenden. Niemand bestreitet, daß alle bekannten Sprachen, selbst die der heutigen Pygmäen, onomatopoetische Elemente nur eben dulden. Mithin ist es durchaus unwahrscheinlich, daß man etwa eine gewisse Zeit lang die linke Straße verfolgt habe, um dann umzukehren, so daß – wie man es nach dem Zeugnis aller bekannten Sprachen anzunehmen gezwungen wäre – die Spuren der ersten Tendenz vollkommen verwischt worden wären.«[5] So gelangt Bühler zur Ansicht, die Charles Callet in einem ansprechenden Bilde festgehalten hat: »Onomatopoetische Prägungen erklären keine einzige Sprache; höchstens erklären sie die Empfindungsweise, den Geschmack einer Rasse oder eines Volkes...Sie finden sich in einem durchgebildeten Idiom, wie Lampions und Papierschlangen sich am Tage eines Volksfestes im Laub eines Baumes finden können.«[6] Stimulierender als die vorsichtigen Überlegungen Karl Bühlers haben auf die wissenschaftliche Debatte gewisse Varianten der onomatopoetischen Theorie gewirkt, die Lévy-Bruhl in seinen Untersuchungen zur Geisteshaltung der Primitiven zu begründen gesucht hat. Nachdrücklich verweist er auf die Drastik ihrer Sprache; er spricht von deren zeichnerischem Habitus, auf dessen Ursprünge noch zurückzukommen sein wird. »Das Bedürfnis zeichnerischer Beschreibung kann seinen Ausdruck... in dem Verfahren finden, das die deutschen Entdeckungsreisenden das der ›Lautbilder‹ nannten, das heißt in Zeichnungen und Abbildungen des Gemeinten, die mit der Stimme zustande kommen. Die Sprache der Ewe, sagt Westermann, verfügt über außerordentlich zahlreiche Mittel, einen Eindruck unmittelbar durch Töne wiederzugeben. Dieser Reichtum rührt von ihrer fast unwiderstehlichen Neigung, alles Hörbare nachzumachen. Desgleichen alles, was man sieht, und überhaupt, was wahrgenommen wird... in erster Linie die Bewegungen. Aber diese

5 Bühler, L'onomatopée, a. a. O., S. 114.
6 Charles Callet, Le mystère du langage. Les sons primitifs et leurs évolutions. Paris 1926, S. 86. (Paléolinguistique et préhistoire.)

stimmlichen Nachahmungen oder Reproduktionen, diese ›Lautbilder‹ erstrecken sich ebenfalls auf Töne, Farben, Geschmacks-
wahrnehmungen und taktische Eindrücke ... Man kann hier
nicht von onomatopoetischen Schöpfungen im strengen Sinn
reden. Es handelt sich mehr um beschreibende Stimmgebärden.«[7] Die Auffassung der primitiven Sprachen als beschreibender Stimmgebärden eröffnet nach der Überzeugung dieses
Forschers erst das Verständnis für die magischen Qualitäten,
die ihr im Sinn der Primitiven eignen und deren Darlegung das
Zentrum seiner Theorie der primitiven Sprachen ausmacht.
Die Lehrmeinungen Lévy-Bruhls haben weit über Frankreich
hinaus gewirkt und auch in Deutschland einen Niederschlag
gefunden. Es genügt, hier an die Sprachphilosophie Ernst
Cassirers[8] zu erinnern. Ihr Versuch, die primitiven Sprachbe-
griffe, statt sie der Form der logischen Begriffe zu vergleichen,
vielmehr mit der Form der mythischen Begriffe zusammenzu-
fassen, ist offenbar von Lévy-Bruhl beeinflußt. »Was beide,
die mythischen und die sprachlichen Begriffe, von den logischen
Begriffen unterscheidet und was sie zu einer selbständigen
›Gattung‹ zusammenzunehmen gestattet, das ist zunächst der
Umstand, daß in ihnen beiden ein und dieselbe Richtung der
geistigen Auffassung sich zu bekunden scheint, die der Richtung, in der unsere theoretische Denkbewegung verläuft, ent-
gegengesetzt ist ... Hier herrscht ... statt der Erweiterung der
Anschauung vielmehr deren äußerste Verengung; statt der
Ausdehnung, die sie allmählich durch immer neue Kreise des
Seins hindurchführt, der Trieb zur Konzentration; statt ihrer
extensiven Verbreitung ihre intensive Zusammendrängung. In
dieser Sammlung aller Kräfte auf *einen* Punkt liegt die Vorbedingung für alles mythische Denken und alles mythische
Gestalten.«[9] Es ist die gleiche Konzentration und Zusammen-
drängung, die Lévy-Bruhl veranlaßt hat, den Sprachen der
Primitiven einen besonderen Zug ins Konkrete zuzuschreiben.
»Da hier alles in Bildbegriffen zum Ausdruck kommt, ... so

7 Lucien Lévy-Bruhl, Les fonctions mentales dans les sociétés inférieures. Paris 1918,
S. 183.
8 Ernst Cassirer, Philosophie der symbolischen Formen. 3 Bde. Berlin 1923–1929.
9 Ernst Cassirer, Sprache und Mythos. Ein Beitrag zum Problem der Götternamen.
Leipzig, Berlin 1925, S. 28/29.

muß der Wortschatz dieser ›primitiven‹ Sprachen über einen
Reichtum verfügen, von dem die unsrigen uns nur noch einen
sehr entfernten Begriff geben.«[10] Und wiederum die gleichen
Komplexe sind es, in denen die Sprachmagie der Primitiven
wurzelt, welcher Cassirer seine Aufmerksamkeit besonders zugewandt hat. »Man hat ... die mythische Auffassung als ›komplexe‹ Auffassung bezeichnet, um sie durch dieses Kennzeichen
von unserer theoretisch-analytischen Betrachtungsweise zu schei-
den. Preuß, der diesen Ausdruck geprägt hat, weist z. B. darauf
hin, daß in der Mythologie der Cora-Indianer ... die Anschauung des Nachthimmels und des Taghimmels als *Ganzes* der
Anschauung der Sonne, des Mondes und einzelner Sternbilder
vorausgegangen sein müsse.«[11] So Cassirer; so aber auch Lévy-
Bruhl, der in der gleichen Richtung weitergeht und von der
Welt des Primitiven sagt, sie kenne keine Wahrnehmung, »die
nicht in einem mystischen Komplex begriffen sei; kein Phänomen, das nur ein Phänomen, kein Zeichen, das nur Zeichen sei:
wie könnte ein Wort nichts als ein Wort sein? Jede Gegen-
standsform, jedes plastische Bild, jede Zeichnung hat mystische
Qualitäten: der sprachliche Ausdruck, der ein mündliches Zeichnen ist, hat sie mithin notwendig ebenfalls. Und diese Macht
kommt nicht nur den Eigennamen zu, sondern allen Wörtern,
gleichviel von welcher Art sie sind.«[12]
Die Auseinandersetzung mit Lévy-Bruhl hatte zwischen zwei
Ausgangspunkten die Wahl. Man konnte die Unterscheidung,
die er zwischen der höheren und der primitiven Mentalität zu
fundieren sucht, durch die Kritik an jenem überkommenen Begriff der höheren erschüttern, der die Züge eines positivistischen
trägt; man konnte aber auch die besondere Prägung in Zweifel
ziehen, die der Begriff der primitiven Mentalität bei diesem
Forscher gefunden hat. Den ersten Weg ging Bartlett in seiner
»Psychology and primitive culture«[13]; den zweiten Leroy in
seiner »Raison primitive«. Leroys Schrift ist von vornherein
dadurch interessant, daß er die induktive Methode mit höchster
Präzision handhabt, ohne sich die positivistische Denkweise zu

10 Lévy-Bruhl, a. a. O., S. 192.
11 Cassirer, Sprache und Mythos, a. a. O., S. 10/11.
12 Lévy-Bruhl, a. a. O., S. 198/199.
13 F. C. Bartlett, Psychology and primitive culture. Cambridge 1923.

eigen zu machen, die für Lévy-Bruhl den nächstliegenden
Maßstab zur Beurteilung der Erscheinungen abgibt. Seine Kritik
weist zunächst auf die Schwankungen hin, mit welchen die
sprachlichen Äquivalente einer »primitiven« Geisteshaltung im
Laufe der ethnologischen Forschung bestimmt worden sind. »Es
ist noch nicht lange her, daß der Begriff des Primitiven in Umriß
und Gebaren einen sagenhaften Pithekanthropus vor Augen
stellte, dem die Sorge um seine Nahrung näher lag als ›mystische Partizipationen‹. Diesem Wilden, dessen Sprache den
onomatopoetischen Äußerungen des Gibbon nahestehen mußte,
wollte man nur beschränkte sprachliche Ausdrucksmittel zuge-
stehen; und in der angeblichen Dürftigkeit seines Wortschatzes
erblickte man ein Kennzeichen der primitiven Mentalität...
Heute dagegen weiß man, daß die Sprachen der Primitiven sich
durch Reichtum des Vokabulars sowie durch Formenfülle auszeichnen; und nun gilt wieder dieser Reichtum als ein Zeichen,
gewissermaßen als ein Brandmal des ›primitiven‹ Verhaltens.«[14]
Im übrigen ist es Leroy in diesem sprachtheoretischen Zusammenhang weniger darum zu tun, die tatsächlichen Aufstellungen
bei Lévy-Bruhl als ihre Interpretation durch diesen Autor
anzufechten. So sagt er über den Versuch, die auffallende Konkretion der Sprache einer primitiven Geisteshaltung zur Last zu
legen: »Wenn der Lappe besondere Wörter hat, um ein-, zwei-,
drei-, fünf-, sechs- und siebenjährige Rentiere zu bezeichnen;
wenn er zwanzig Wörter für Eis, elf für Kälte, einundvierzig für
die verschiedenen Arten von Schnee hat; sechsundzwanzig
Verben für die verschiedenen Arten von Frost und Tauwetter,
so ist dieser Reichtum nicht das Ergebnis einer besonderen
Absicht, sondern der vitalen Notwendigkeit einen Wortschatz
zu schaffen, der den Erfordernissen einer arktischen Zivilisation
entspricht. Nur weil in Wirklichkeit für sein Verhalten harter,
lockerer oder schmelzender Schnee verschiedenwertige Umstände darstellen, unterscheidet der Lappe sie sprachlich.«[15]
Leroy wird nicht müde, das Bedenkliche eines Vergleichs von
bloßen Sitten, Vorstellungsweisen, Riten mit den entsprechen-

14 Olivier Leroy, La raison primitive. Essai de réfutation de la théorie du prélogisme.
Paris 1927, S. 94.
15 Leroy, a. a. O., S. 100.

den zivilisierterer Völker ins Licht zu rücken; er drängt darauf, die ganz besonderen Verhältnisse der Wirtschaftsform, der Umwelt, der Sozialverfassung zu untersuchen, in deren Rahmen manches, was auf den ersten Blick im Gegensatz zu einem rationalen Verhalten zu stehen scheint, als zweckentsprechend sich zu erkennen gibt. Er tut dies mit um so viel größerem Recht, als das Bestreben, in sehr divergenten sprachlichen Erscheinungen von vornherein Symptome prälogischen Verhaltens nachzuweisen, den Blick auf einfachere, darum aber nicht minder aufschlußreiche Verhaltungsweisen versperren kann. Demnach zitiert er gegen Lévy-Bruhl, was Bally über die besondere Sprache sagt, die Kaffernfrauen sprechen, wenn sie unter sich sind: »Ist es so sicher, daß dieser Fall anders liegt als der eines französischen Gerichtsvollziehers, der, wenn er zu Haus ist, so spricht, wie alle andern Leute sprechen, wenn er aber ein Protokoll aufsetzt, ein Kauderwelsch schreibt, das viele seiner Mitbürger nicht verstehen?«[16]

Das bedeutende Werk von Leroy ist von rein kritischer Natur. Sein Einspruch zielt, wie schon bemerkt, zuletzt gegen den Positivismus, zu dem ihm der »soziologische Mystizismus« der Schule Durkheims nur das unvermeidliche Korrelat zu sein scheint. Besonders greifbar wird diese Haltung in dem Kapitel über »Zauberei«, das der psychologischen Auswertung gewisser magischer Vorstellungen bei den Primitiven mit einer ebenso einfachen wie überraschenden Reflexion sich widersetzt. Der Autor fordert Feststellungen über den Grad von Wirklichkeit, beziehungsweise von Evidenz, den die Objekte des Zauberglaubens für die Gemeinschaft, die ihm anhängt, haben. Für diese Gemeinschaft – doch vielleicht nicht nur für die allein. Leroy macht das Zeugnis geltend, das Europäer von gewissen magischen Begebenheiten geliefert haben. Mit Recht hält er es hier für schlüssig. Denn wenn auch dieses Zeugnis auf entstellten, etwa durch Suggestion veränderten Wahrnehmungen beruhen mag, so wäre damit die spezifisch primitive Bedingtheit solchen Glaubens widerlegt. Wenn also Leroy nichts ferner liegt, als eine eigene Lehre zu umreißen, so blickt an mehr als einer Stelle sein Bestreben durch, die ethnologischen Befunde vorerst gegen

16 Charles Bally, Le langage et la vie. Paris 1926, S. 90.

jedwede Interpretation offen zu halten, einschließlich der romantischen und von gewissen Theologen begünstigten, derzufolge
die sogenannten »Primitiven« nichts sind als eine abgesunkene
Spezies des ursprünglich integren Menschenwesens oder – vor-
sichtiger gesagt – verkommene Nachfahren hoher Kultur-
epochen.

Indessen ist nicht anzunehmen, daß mit Leroys scharfsinniger
und oft begründeter Kritik die Lehren Lévy-Bruhls spurlos
aus der Debatte verschwinden werden. Mit keinem ihrer Gegenstände kann sich die Soziologie methodisch abkapseln; an ihrer
jedem sind eine Reihe von Disziplinen interessiert. Und an dem
hier verhandelten der Wortmagie nicht zum wenigsten die Psy-
chopathologie. Nun aber ist unleugbar, daß Lévy-Bruhls Auffassung – daher auch die große Beachtung, welche sie gefunden
hat – mit den wissenschaftlichen Problemstellungen dieses Ge-
bietes die denkbar engste Fühlung unterhält. Die Lehre von der
Wortmagie ist ja bei ihm nicht abzulösen von dem Hauptsatz
seiner Lehre, die Geltung des Identitätsbewußtseins sei bei den
Primitiven eingeschränkt. Einschränkungen des Identitätsbewußtseins – wie immer man sie auch erklären mag – sind in
Psychosen häufig anzutreffen. Und wenn bei Lévy-Bruhl von
einer Zeremonie die Rede ist, in der von Angehörigen ein und
desselben Stamms zu gleicher Zeit ein und derselbe Vogel
geopfert werde – ein Vogel, der ausdrücklich als der gleiche an
den verschiedenen Stellen bezeichnet wird –, so ist das eine Art
von Überzeugung, die weder im Traum noch in der Psychose
vereinzelt dasteht. Die Identität – nicht Gleichheit oder Ähnlichkeit – von zwei verschiedenen Objekten oder Situationen ist
ihnen vollziehbar. In dieser Feststellung bleibt ein Vorbehalt
freilich eingeschlossen. Sind wir nicht wie der Psychose die
psychologische, so der primitiven Mentalität (und damit vielleicht mittelbar auch der Psychose) die historische Erklärung
schuldig? Diese hat Lévy-Bruhl nicht versucht. Und bedenk-
licher als seine Konfrontation zwischen primitiver und geschichtlicher Geisteshaltung, die Leroy rückgängig machen will, dürfte
bei Lévy-Bruhl das Fehlen der Vermittlung zwischen beiden
erscheinen. Die verhängnisvollste Einwirkung der Schule Frazers
auf sein Werk liegt darin, daß sie ihm die geschichtliche Dimension verschlossen hat.

In der Kontroverse der beiden Forscher ist ein Punkt von besonderer Tragweite. Es handelt sich um das Problem der Gebärdensprache. Ihr wichtigstes Vehikel ist die Hand: die Sprache der Hand, nach Lévy-Bruhl die älteste, auf die wir stoßen. Leroy ist hier viel zurückhaltender. Nicht nur erblickt er in der Gebärdensprache eine weniger pittoreske als konventionelle Ausdrucksform, sondern er sieht ihre Verbreitung selbst als Folge sekundärer Umstände an, so der Notwendigkeit, auf weite Strecken, über die der Schall nicht trägt, sich zu verständigen oder sich angesichts des Wildes auf der Jagd lautlos mit einem Partner ins Benehmen zu setzen. Nachdrücklich macht er geltend, daß die Gebärdensprache nicht ausnahmslos verbreitet sei, als Glied in einer Kette frühester Ausdrucksbewegung, welche zur Sprache führt, demnach nicht dienen könne. Den Aufstellungen Lévy-Bruhls gegenüber, die vielfach zu weit zu gehen scheinen, hat Leroy leichtes Spiel. Nicht ganz so läge es, wenn man mit Marr die einfachere und nüchternere Überlegung anstellt: »Tatsächlich war der Urmensch, der keine artikulierte Lautsprache beherrschte, froh, wenn er irgendwie auf einen Gegenstand hinweisen oder ihn vorzeigen konnte, und dazu verfügte er über ein besonders diesem Behufe angepaßtes Werkzeug, über die Hand, die den Menschen so sehr von der übrigen Tierwelt auszeichnet... Die Hand oder die Hände waren die Zunge des Menschen. Handbewegungen, Mienenspiel und in einigen Fällen überhaupt Körperbewegungen erschöpften die Mittel sprachlichen Schaffens.«[17] Von hier aus kommt Marr zu einer Aufstellung, welche die phantastischen Elemente der Theorie von Lévy-Bruhl durch konstruktive ersetzen will. Es sei nämlich, so meint er, »völlig undenkbar, daß die Hand, ehe Werkzeuge sie als Erzeugerin materieller Güter ablösten, als Erzeugerin eines geistigen Werts, der Sprache, ersetzt werden und daß damals schon eine artikulierte Lautsprache an die Stelle der Handsprache treten konnte.« Es mußte vielmehr »der Grund zur Schöpfung der Lautsprache« »durch irgendeinen produktiven Arbeitsprozeß« gelegt werden. »Ohne die Art der genannten Arbeit genauer zu bestimmen, kann man schon jetzt ganz allgemein den Satz verfechten, daß die Ent-

17 N[ikolaus] Marr, Über die Entstehung der Sprache (in: Unter dem Banner des Marxismus 1 [1926], S. 587/588).

stehung der artikulierten Sprache selbst nicht erfolgen konnte
vor dem Übergang der Menschheit zur produktiven Arbeit mit
Hilfe künstlich bearbeiteter Werkzeuge.«[18]
Marrs Schriften haben eine Anzahl neuer, zum größten Teil
befremdender Ideen in die Sprachwissenschaft einzuführen gesucht. Da diese Ideen einerseits von zu großer Tragweite sind,
um übergangen werden zu dürfen, auf der andern Seite jedoch
zu umstritten erscheinen, als daß ihre Debatte an dieser Stelle
am Platz wäre, so ist es zweckmäßig, die straffe Skizze, die
Vendryes von ihnen gegeben hat, heranzuziehen. »Diese Theorie«, sagt Vendryes, »ist im Kaukasus entstanden, dessen Sprachen Marr besser als irgendein anderer kennt. Er hat versucht,
sie zu gruppieren und ihre Verwandtschaften zu ermitteln. Diese
Arbeit führte ihn über den Kaukasus hinaus, und er hat feststellen zu können geglaubt, daß diesen Sprachen eine überraschende Verwandtschaft mit dem Baskischen eignete. Daraus
hat er geschlossen, daß die Sprachen des Kaukasus und das
Baskische, die in bergigen, Einfällen wenig ausgesetzten Gegenden sich erhalten haben, heute die isolierten Reste einer
großen Sprachfamilie darstellen, die vor der Einwanderung der
Indoeuropäer in Europa gesessen hat. Er hat vorgeschlagen,
diese Sprachfamilie als die japhetitische zu bezeichnen... In
unvordenklichen Zeiten hätten die Völkermassen dieser Sprachfamilie als ununterbrochene Kette verwandter Stämme sich von
den Pyrenäen... bis in die entferntesten Gegenden von Asien
gezogen. In diesem gewaltigen Gebiet seien die japhetitischen
Sprachen die Vorgänger der indoeuropäischen gewesen... Die
Tragweite dieser Hypothese ist offenkundig.«[19]
Marrs Lehre verleugnet nirgends ihre Beziehungen zum dialektischen Materialismus. Entscheidend ist in dieser Hinsicht ihr
Bestreben, die Geltung des Rassen-, ja des Volksbegriffs in der
Sprachwissenschaft zugunsten einer auf den Bewegungen der
Klassen begründeten Sprachgeschichte außer Kraft zu setzen.
Die indoeuropäischen Sprachen, meint Marr, seien überhaupt
nicht die Sprachen irgendeiner besonderen Rasse. Sie stellen
vielmehr »den historischen Zustand, die japhetitischen den vor-
historischen ein und derselben Sprache dar... Wo auch immer

18 Marr, a. a. O., S. 593.
19 J. Vendryes, Chronique (in: Revue celtique, Band XLI, 1924, S. 291/292).

die indoeuropäische Sprache entstanden ist, ihre Träger waren nur eine bestimmte herrschende Klasse ... und mit ihr, mit einer derartigen herrschenden Klasse verbreitete sich allem Anschein nach nicht eine konkrete fertige indoeuropäische Sprache, oder eine gemeinsame Ursprache, die es nie gegeben hat, sondern eine neue typologische Formation der Sprachen, die den Übergang vermittelte von den vorgeschichtlichen, japhetitischen zu den geschichtlichen indoeuropäischen Sprachen.«[20] Somit erscheint als das Wesentliche im Leben der Sprache die Verbindung ihres Werdens mit bestimmten sozialen, wirtschaftlichen Gruppierungen, die den Gruppierungen von Ständen und Stämmen zugrunde liegen. Es entfällt die Möglichkeit, von ganzen Volkssprachen in der Vergangenheit zu reden. Vielmehr sind typologisch verschiedene Sprachen bei ein und demselben nationalen Gebilde zu beobachten. »Mit einem Wort, es ist unwissenschaftlich und entbehrt des realen Bodens, wenn man an die eine oder andere Sprache einer sogenannten nationalen Kultur herantritt als an die von der Masse gebrauchte Muttersprache der gesamten Bevölkerung; die nationale Sprache als eine von Ständen und Klassen unabhängige Erscheinung ist vorerst noch Fiktion.«[21]

Die landläufige Sprachwissenschaft, darauf kommt der Autor immer wieder zurück, sei wenig geneigt, die soziologischen Probleme aufzusuchen, die in den Sprachen unterdrückter Bevölkerungsschichten verborgen liegen. In der Tat ist bemerkenswert, wie selten die Sprachwissenschaft, einschließlich der jüngsten, dem Studium der Argots sich zugewandt hat, es sei denn mit rein philologischen Interessen. Ein Werk, das solchem Studium die Wege wiese, liegt, wenig beachtet, seit nun zwanzig Jahren vor. Wir sprechen von Alfredo Niceforos »Génie de l'argot«. Der methodische Grundgedanke des Werkes besteht in der Abgrenzung des Argots gegen die Umgangssprache des niederen Volkes; den soziologischen Kern der Schrift aber macht gerade die Charakteristik dieser letzteren aus. »Die Umgangssprache des gemeinen Volks ist in gewissem Sinne ein Klassenmerkmal, auf das die Gruppe, der es eignet, stolz ist; sie ist gleichzeitig eine von den Waffen, mit deren Hilfe das Volk, das

20 Marr, a. a. O., S. 578/579.
21 Marr, a. a. O., S. 583.

unterdrückt ist, die Herrscherklasse angreift, an deren Stelle es sich setzen will.«[22] »Mehr als in anderen Zusammenhängen kommt gerade in dem Ausdruck, den der Haß hier findet, die ganze strotzende, gesammelte Kraft in der Sprache des gemeinen Volkes zur Geltung. Von Tacitus hat Victor Hugo gesagt, daß seine Sprache eine tödliche Ätzkraft hat. Aber liegt nicht in einem einzigen Satze der niederen Volkssprache mehr Ätzkraft und mehr Gift als in der gesamten Prosa des Tacitus?«[23] Die niedere Umgangssprache erscheint demnach bei Niceforo als ein Klassenmerkmal und ist eine Waffe im Klassenkampf. »Methodisch ist ihr beherrschendes Kennzeichen einerseits in der Verschiebung der Bilder und der Worte in der Richtung der materiellen Drastik zu suchen, andrerseits in der Neigung, analogisch Übergänge von einer Idee zur anderen, von einem Wort zum anderen zu bahnen.«[24] Schon 1909 hat ja Raoul de la Grasserie[25] auf die volkstümliche Tendenz hingewiesen, im Ausdruck des Abstrakten Bilder aus der Welt des Menschen, des Tiers, der Pflanze und selbst der unbelebten Dinge zu bevorzugen. Der Fortschritt bei Niceforo liegt darin, daß er den Argot (das Wort im weiteren Sinne verstanden) in seiner Funktion als Instrument des Klassenkampfes erkennt.

Einen vermittelteren Zugang zur Soziologie hat die moderne Sprachwissenschaft in der sogenannten Wort-Sach-Forschung gefunden. Ihrer Einführung galt die von Rudolf Meringer gegründete Zeitschrift »Wörter und Sachen«, die gegenwärtig in ihrem 16. Jahrgang steht. Das Verfahren des von Meringer geleiteten Forscherkreises unterscheidet sich von dem überkommenen durch ganz besonders eingehende Berücksichtigung der von den Wörtern bezeichneten Sachen. Dabei steht oft das technologische Interesse im Vordergrund. Wir haben von dieser Schule sprachwissenschaftliche Studien über die Bodenbestellung und Brotbereitung, über das Spinnen und Weben, über Gespann und Viehzucht – um nur die primitiveren Wirtschaftsvorgänge

22 Alfredo Niceforo, Le génie de l'argot. Essai sur les langages spéciaux, les argots et les parlers magiques. Paris 1912, S. 79.
23 Niceforo, a. a. O., S. 74.
24 Niceforo, a. a. O., S. 91.
25 Raoul de la Grasserie, Des parlers des différentes classes sociales. Paris 1909. (Etudes de psychologie et de sociologie linguistiques.)

zu nennen[26]. Wenn oft das Augenmerk dabei zunächst weniger der Sprachgemeinschaft als ihren Produktionsmitteln gilt, so ergibt sich der Übergang von diesen zu jener doch zwangsläufig. Abschließend sagt Gerig in seiner Studie: »Wörter und Sachen wandern zusammen... Durch Vermittlung der wandernden Arbeitskräfte kann auch das Wort getrennt von der Sache weiterdringen... Diese wandernden Arbeitskräfte sind zum Teil und waren schon früher ein so bedeutender Faktor im Wirtschaftsleben jedes Landes, daß eine Fülle technischer Ausdrücke mit ihnen von Land zu Land wandern mußte. Alle Studien landwirtschaftlicher und handwerklicher Terminologien werden sich mit dem Umfang dieser Einwirkung näher zu befassen haben... Mit den Arbeitern verpflanzen sich nicht nur Wörter ihrer Heimat in die fremden Gegenden, sondern fremde Ausdrücke kehren mit ihnen in die Heimat zurück.«[27]

Den Gegenständen und Problemen, die in solchen Arbeiten historisch erörtert werden, begegnet die Forschung aber auch in deren heutiger aktueller Gestalt. Diese erhalten sie nun nicht allein durch die Wissenschaft, sondern entschiedener noch durch die Praxis. An erster Stelle stehen hier die Normungsbestrebungen der Techniker, die an der Eindeutigkeit ihres Vokabulars besonders interessiert sind. Um 1900 nahm der Verband deutscher Ingenieure die Arbeit an einem umfassenden technologischen Lexikon auf. In drei Jahren waren über dreieinhalb Millionen Wortzettel gesammelt. Aber »1907 berechnete der Vorstand, daß vierzig Jahre erforderlich seien, um bei derselben Besetzung der Schriftleitung das Manuskript des Technolexikons druckfertig zu machen. Die Arbeiten wurden eingestellt, nachdem sie eine halbe Million verschlungen hatten.«[28] Es hatte sich ergeben,

26 Walther Gerig, Die Terminologie der Hanf- und Flachskultur in den franko-provenzalischen Mundarten. (Wörter und Sachen, Beiheft 1), Heidelberg 1913.

Max Lohss, Beiträge aus dem landwirtschaftlichen Wortschatz Württembergs nebst sachlichen Erläuterungen. (Wörter und Sachen, Beiheft 2), Heidelberg 1913.

Gustave Huber, Les appellations du traîneau et de ses parties dans les dialectes de la Suisse romane. (Wörter und Sachen, Beiheft 3), Heidelberg 1916.

Max Leopold Wagner, Das ländliche Leben Sardiniens im Spiegel der Sprache. (Wörter und Sachen, Beiheft 4), Heidelberg 1921.

27 Gerig, a. a. O., S. 91.

28 Eugen Wüster, Internationale Sprachnormung in der Technik, besonders in der Elektrotechnik. Berlin 1931.

466 Kritiken und Rezensionen · 1935

daß ein technologisches Wörterbuch die Ausrichtung auf die Sachen in Gestalt einer systematischen Ordnung zugrunde zu legen hat; die alphabetische ist für diesen Gegenstand überholt. Weiter ist erwähnenswert, daß diese neuesten Grenzprobleme der Sprachwissenschaft in deren jüngstem Abriß ausführlich zu Worte gekommen sind. In der Abhandlung »Die Stellung der Sprache im Aufbau der Gesamtkultur«[29] hat Leo Weisgerber – derzeitiger Herausgeber der »Wörter und Sachen« – den Zusammenhängen zwischen Sprache und materieller Kultur eingehende Beachtung zukommen lassen. Übrigens gehen von den Normungsbestrebungen der Technik die ernsthaftesten Bemühungen um eine Weltsprache aus, deren Idee freilich einen Jahrhunderte alten Stammbaum hat. Dieser wiederum stellt, zumal in seinen logistischen Ästen, einen Gegenstand dar, der einer gesonderten Betrachtung auch für den Soziologen wert wäre. Der Wiener Kreis der »Gesellschaft für empirische Philosophie« hat der Logistik neue Antriebe gegeben.
Man findet darüber neuerdings bei Carnap[30] eingehende Auskunft. Der Soziologe, der sich nach den Befunden der Logistiker umsieht, wird von Anfang an im Auge behalten, daß deren Interesse sich ausschließlich auf die Darstellungsfunktionen von Zeichen richtet. »Wenn wir«, heißt es bei Carnap, »sagen, daß die logische Syntax die Sprache als einen Kalkül behandelt, so ist damit nicht gesagt, ... die Sprache sei nichts weiter als ein Kalkül. Es ist nur gesagt, daß die Syntax sich auf die Behandlung der kalkülmäßigen, d. h. formalen Seite der Sprache beschränkt. Eine eigentliche Sprache hat darüber hinaus andere Seiten.«[31] Die Logistik hat es mit der Darstellungsform der Sprache als einem Kalkül zu tun. Das Eigentümliche ist, daß sie trotzdem beansprucht, ihren Namen – Logistik – zu Recht zu tragen. »Nach üblicher Auffassung sind Syntax und Logik ... im Grunde Theorien sehr verschiedener Art ... Im Unterschied zu den Regeln der Syntax seien die der Logik nicht-formal. Dem-

---

29 Leo Weisgerber, Die Stellung der Sprache im Aufbau der Gesamtkultur. 2. Teil, II. Sprache und materielle Kultur (in: Wörter und Sachen. Kulturhistorische Zeitschrift für Sprach- und Sachforschung, Bd. XVI, 1934, S. 97–138).
30 Rudolf Carnap, Logische Syntax der Sprache. (Schriften zur wissenschaftlichen Weltauffassung. Band 8), Wien 1934.
31 Carnap, a. a. O., S. 5.

gegenüber soll hier die Auffassung ... durchgeführt werden,
daß auch die Logik die Sätze formal zu behandeln hat. Wir werden sehen, daß die logischen Eigenschaften von Sätzen ... nur
von der syntaktischen Struktur der Sätze abhängen ... Der Unterschied zwischen den syntaktischen Regeln im engeren Sinn
und den logischen Schlußregeln ist nur der Unterschied zwischen
Formregeln und Umformungsregeln; beide aber verwenden
keine andern als syntaktische Bestimmungen.«[32] Die hier angekündigte Beweiskette wählt ihre Glieder allerdings nicht in der
Wortsprache. Vielmehr arbeitet Carnaps »Logische Syntax« mit
sogenannten Koordinatensprachen, unter denen er zwei so her-
ausgegriffen hat, daß die erste – es ist die »Sprache« der elementaren Arithmetik – nur logische, die zweite – die »Sprache« der
klassischen Mathematik – auch deskriptive Zeichen umfaßt. Die
Darstellung dieser beiden Kalküle bildet die Grundlage für eine
»Syntax beliebiger Sprachen«, die mit der allgemeinen Wissenschaftslogik zusammenfällt. In deren Überlegungen wird die
Übersetzbarkeit in die formale Redeweise, also in syntaktische
Sätze als »Kriterium« erwiesen, das die echten wissenschafts-
logischen Sätze auf der einen Seite natürlich von den Protokoll-
sätzen der empirischen Wissenschaft, auf der andern Seite jedoch
von den sonstigen »philosophischen Sätzen« – man mag sie
metaphysische nennen – trennt. »Die Sätze der Wissenschaftslogik werden als syntaktische Sätze ... formuliert; aber dadurch
wird kein neues Gebiet ... aufgetan. Denn die Sätze der Syntax
sind ja teils Sätze der Arithmetik, teils Sätze der Physik, die nur
deshalb syntaktische Sätze genannt werden, weil sie auf sprachliche Gebilde ... bezogen werden. Reine und deskriptive Syntax
ist nichts anderes als Mathematik und Physik der Sprache.«[33]
Ergänzend gehört zu der so definierten Aufteilung der Philosophie in Wissenschaftslogik und Metaphysik die weitere Bestimmung der Logistiker: »Die vermeintlichen Sätze der Metaphysik ... sind Scheinsätze; sie haben keinen theoretischen Gehalt.«[34]
Die logische Syntax der Sprachen ist nicht erst von den Logisti-
kern zur Debatte gestellt worden; vor ihnen hat Husserl einen

32 Carnap, a. a. O., S. 1/2.
33 Carnap, a. a. O., S. 210.
34 Carnap, a. a. O., S. 204.

ersten, gleichzeitig mit ihnen einen zweiten Ansatz[35] gemacht,
diese Probleme zu klären. Was bei Husserl als »reine Grammatik« auftritt, heißt in dem mehrfach auf ihn rückverweisenden
Fundamentalwerk Bühlers »Sematologie«. Ihr Programm er-
heischt »eine Beschäftigung mit den Axiomen, die ... aus dem
Bestande der erfolgreichen Sprachforschung ... durch Reduktion
zu gewinnen sind. D. Hilbert nennt dies Vorgehen axiomatisches
Denken und fordert es ... für alle Wissenschaften.«[36] Wenn
Bühlers axiomatisches Interesse zuletzt auf Husserl zurückver-
weist, so zitiert er als Werkmeister einer »erfolgreichen Sprachforschung« an der Schwelle seines Buches Hermann Paul und de
Saussure. Dem ersten gewinnt er die Einsicht ab, welche Förderung selbst der bedeutendste Empiriker von einer sachgerechte-
ren Fundierung der Sprachwissenschaft zu erwarten hätte, als
Paul sie zu geben wußte; sein Versuch, dies Fundament auf
Physik und Psychologie zu reduzieren, gehört einer überwundenen Epoche an. Der Hinweis auf de Saussure visiert nicht sowohl
dessen grundlegende Unterscheidung einer linguistique de la
parole von einer linguistique de la langue als dessen »Metho-
denklage«. »Er weiß, daß die Sprachwissenschaften das Kernstück einer allgemeinen Sematologie ... ausmachen ... Nur vermag er dieser erlösenden Idee noch nicht die Kraft abzugewinnen, um ... zu erklären, daß schon in den Ausgangsdaten der
Linguistik nicht Physik, Physiologie, Psychologie, sondern lin-
guistische Fakta und gar nichts anderes vorliegen.«[37]
Um diese Fakta aufzuweisen, konstruiert der Verfasser ein
»Organonmodell der Sprache«, mit dem er gegenüber dem Individualismus und Psychologismus des vergangenen Jahrhunderts
die durch Platon und Aristoteles fundierte objektive Sprachbe-
trachtung wieder aufnimmt, die den Interessen der Soziologie
weit entgegenkommt. Am Organonmodell der Sprache weist
Bühler ihre drei Urfunktionen als Kundgabe, Auslösung und
Darstellung auf. So die Termini seiner im Jahre 1918 erschiene-

35 Edmund Husserl, Logische Untersuchungen. Band II. Untersuchungen zur Phänomenologie und Theorie der Erkenntnis. Halle 1901.
Edmund Husserl, Méditations Cartésiennes. Introduction à la phénoménologie. Tra-
duit de l'allemand par Gabrielle Peiffer et Emmanuel Lévines. Paris 1931.
36 Bühler, Sprachtheorie, a. a. O., S. 20.
37 Bühler, a. a. O., S. 9.

nen Arbeit über den Satz[38]. In der neuen »Sprachtheorie« heißt es statt dessen: Ausdruck, Appell und Darstellung. Der Schwerpunkt des Werkes liegt auf der Behandlung des dritten Faktors. »Wundt hat vor einem Menschenalter die menschliche Lautsprache mitten hineingestellt unter alles, was bei Tieren und Menschen zum ›Ausdruck‹ gehört ... Wer sich zur Einsicht durchgerungen hat, daß Ausdruck und Darstellung verschiedene Strukturen aufweisen, sieht sich ... vor die Aufgabe gestellt, eine zweite vergleichende Betrachtung durchzuführen, um die Sprache mitten hineinzustellen unter alles andere, was mit ihr zur Darstellung berufen ist.«[39] Es wird sogleich von dem Fundamentalbegriff, auf den Bühler mit dieser Betrachtung gerät, zu sprechen sein. – Welche Bedeutung hat aber in dem erwähnten Organonmodell der Begriff der Auslösung oder des Appells?

Bühler geht dem im Anschluß an Brugmann[40] nach, der sich die Aufgabe gestellt hatte, analog zu den Aktionsarten, die beim Verbum zu unterscheiden sind, Zeigarten, deren Verschiedenheit an den Demonstrativpronomina zum Ausdruck kommt, nachzuweisen. Diesem Ansatze folgend, weist der Autor der Auslösungs-, Appell- oder Signalfunktion des Sprechens eine eigene Ebene zu, die er als Zeigfeld definiert. In welcher Weise er dessen Zentrum durch die Markierungen des »Hier«, des »Jetzt« und des »Ich« bestimmt, wie er den Weg der Sprache vom realen Gegenstand des Hinweisens zur »Deixis am Phantasma« begleitet – das entzieht sich kurzer Zusammenfassung. Genug, »daß der Zeigefinger, das natürliche Werkzeug der demonstratio ad oculos zwar ersetzt wird durch andere Zeighilfen ... Doch kann die Hilfe, die er und seine Aequivalente leisten, niemals schlechterdings wegfallen und entbehrt werden.«[41] Auf der anderen Seite ist eine Einschränkung ihrer Tragweite am Platze. »Man begegnet heute da und dort einem modernen Mythos über den

38 Bühler, Kritische Musterung der neueren Theorien des Satzes (in: Indogermanisches Jahrbuch, Bd. 6, Jg. 1918).

39 Bühler, Sprachtheorie, a. a. O., S. 150.

40 Karl Brugmann, Die Demonstrativpronomina der indogermanischen Sprachen. Eine bedeutungsgeschichtliche Untersuchung. Leipzig 1904. (Abhandlungen der philologisch-historischen Klasse der Königl. Sächsischen Gesellschaft der Wissenschaften, Bd. 22, Nr. 6.)

41 Bühler, Sprachtheorie, a. a. O., S. 80.

Sprachursprung, der ... das Thema von den Zeigwörtern so
aufnimmt ..., daß sie als die Urwörter der Menschensprache
schlechthin erscheinen ... Es muß aber betont werden, daß
Deixis und Nennen zwei scharf zu trennende Wortklassen sind,
von denen man z. B. für das Indogermanische nicht anzunehmen
berechtigt ist, die eine sei aus der anderen entstanden ... Man
muß ... Zeigwörter und Nennwörter voneinander trennen, und
ihr Unterschied kann durch keine Ursprungsspekulation aufgehoben werden.«[42]
Die Bühlersche Theorie der Nennwörter ist wie die der Zeigwörter eine Feldtheorie. »Die Nennwörter fungieren als Symbole
und erfahren ihre spezifische Bedeutungserfüllung ... im synse-
mantischen Umfeld. Es ist ... eine Zweifelderlehre, die in diesem
Buche vorgetragen wird.«[43] Dessen Bedeutung liegt nicht zum
wenigsten in der besonderen Fruchtbarkeit, die Bühlers in metho-
dischem Interesse ermittelte Kategorien innerhalb der geschichtlichen Betrachtung entwickeln. Es ist der größte Prozeß der
Sprachgeschichte, der seinen Schauplatz in jenen Feldern findet. »Man kann sich im großen Entwicklungsgang der Menschensprache Einklassensysteme deiktischer Rufe als das erste
vorstellen. Dann aber kam einmal das Bedürfnis, Abwesendes
einzubeziehen, und das hieß, die Äußerungen von der Situa-
tionsgebundenheit zu befreien ... Die Enthebung einer sprachlichen Äußerung aus dem Zeigfeld der demonstratio ad oculos
beginnt.«[44] Genau in dem Ausmaße aber, wie »sprachliche
Äußerungen frei werden ihrem Darstellungsgehalt nach von den
Momenten der konkreten Sprachsituation, unterstehen die
Sprachzeichen einer neuen Ordnung, sie erhalten ihre Feldwerte
im Symbolfeld«[45]. Die Emanzipierung der sprachlichen Darstellung von der jeweils gegebenen Sprechsituation stellt den Gesichtspunkt dar, unter dem der Verfasser den Sprachursprung
einheitlich zu begreifen sucht. Er bricht mit der ostentativen
Zurückhaltung, die in der französischen Schule – man denke an
Delacroix – diesem Problem gegenüber die Regel ist. Dem modernen »Mythos vom Ursprung der Sprache«, den er auf Grund

42 Bühler, a. a. O., S. 86 ff.
43 Bühler, a. a. O., S. 81.
44 Bühler, a. a. O., S, 379.
45 Bühler, a. a. O., S. 372.

der Erkenntnisse seiner Sprachtheorie für die nächste Zukunft ankündigt, wird man mit Interesse entgegensehen.

Wenn die dargestellten Forschungen näher oder ferner einer fortschrittlichen Gesellschaftswissenschaft sich zuordnen lassen, so ist es unter den gegenwärtigen Verhältnissen selbstverständlich, daß auch rückläufige Tendenzen sich geltend zu machen suchen. Wir lassen es dahingestellt, ob es ein Zufall ist, daß diese seltener an der Soziologie der Sprache sich versuchen. Man wird kaum leugnen können, daß Wahlverwandtschaften zwischen gewissen wissenschaftlichen Disziplinen auf der einen, politischen Attitüden auf der andern Seite bestehen. Rassenfanatiker zählen unter den Mathematikern zu den Seltenheiten. Und auch am entgegengesetzten Pol des orbis scientiarum, in der Sprachwissenschaft, scheint sich die konservative Haltung, die als solche häufig begegnet, zumeist mit jener vornehmen Gelassenheit zu paaren, deren menschliche Würde die Brüder Grimm so ergreifend ausgeprägt haben. Selbst ein Werk wie das von Schmidt-Rohr »Die Sprache als Bildnerin der Völker«[46] hat sich dieser Tradition nicht ganz entziehen können, wiewohl es nationalistischen Gedankengängen so weit entgegenkommt, als irgend mit ihr vereinbar ist. Der Verfasser hat sein Werk in zwei große Teile gegliedert, deren erster »Das Sein«, deren zweiter »Das Sollen« betitelt ist. Das hindert freilich nicht, daß die Haltung des zweiten Teils, dessen Forderung sich in dem Satz konzentriert, »Volk« – das ist das Naturgegebene – »soll Nation« – das ist sprachlich begründete Kultureinheit – »werden«, die Haltung des ersten Teils auf das nachhaltigste beeinflußt. Und zwar tritt dies in Gestalt jenes Irrationalismus zutage, der in der nationalistisch gerichteten Literatur die Regel ist. Er drängt dem Verfasser eine voluntaristische Sprachphilosophie auf, in der Willkür und Schicksal als Nothelfer eintreten, ehe noch die Erkenntnis aus dem Studium des geschichtlichen Sprachlebens sich für die Aufgaben einer echten Sprachphilosophie vorbereitet hätte. Die vergleichende Analyse des Wortschatzes der verschiedenen Sprachen erweist sich als zu schmale Grundlage der universalen Thematik, die der Verfasser sich vorgesetzt hat. So gelingt es ihm nicht, seine Gesamtansichten zu

46 Georg Schmidt-Rohr, Die Sprache als Bildnerin der Völker. Wesens- und Lebenskunde der Volkstümer. Jena 1932.

derjenigen Konkretion zu bringen, die wir in den besten Arbeiten des Archivs »Wörter und Sachen« finden. Der folgende Satz bezeichnet nicht nur die Grenzen der gesellschaftlichen, sondern gleich einschneidend auch die der sprachtheoretischen Erkenntnisse von Schmidt-Rohr, der zwar von Humboldt einiges, von Herder aber nichts gelernt hat: »Im Körper, im Volk vollzieht sich ein höheres Leben als in der Einzelzelle. Menschheit ist demgegenüber in der Tat nichts als die Summe aller Völker, wenn man will aller Menschen, aber nicht Summe im Sinne einer Ganzheit. Menschheit ist wesentlich nur ein Sprachbegriff, ein Sprachbegriff, der seine denkwirtschaftliche Bedeutung hat, ein Sprachbegriff, der die Gesamtheit der Menschen und ihre Eigenart zusammenzugreifen und abzusondern erlaubt vom Reiche der Tiere, von der Tierheit.«
Derart weitmaschige Spekulationen werden an Tragweite durch Spezialstudien auf eng umrissenen Gebieten übertroffen. In die vorderste Phalanx zeitgenössischer Forscher läßt ein Autor wie Schmidt-Rohr sich viel weniger einordnen als Köhler oder Bühler mit ihren Einzeluntersuchungen zur Schimpansensprache. Denn diese Forschungen kommen, mittelbar zwar, aber entscheidend, Hauptproblemen der Sprachwissenschaft zugute. Und zwar ebensowohl der alten Frage nach dem Ursprung der Sprache wie der neueren nach dem Verhältnis von Sprache und Denken. Es ist das besondere Verdienst von Wygotski, den Ertrag dieser Forschungen über die Schimpansen in seiner Bedeutung für die Grundlagen der Sprachwissenschaft dargestellt zu haben. Wir dürfen unmittelbar an die Lehre von Marr anschließen, derzufolge die Handhabung von Werkzeugen der Handhabung von Sprache müsse vorangegangen sein. Da nun die erstere nicht ohne Denken möglich ist, so heißt das, es müsse eine Art von Denken geben, die früher sei als das Sprechen. Dieses Denken ist in der Tat neuerdings mehrfach gewürdigt worden; Bühler belegte es mit dem Namen des Werkzeugdenkens. Das Werkzeugdenken ist unabhängig von der Sprache. Es ist ein Denken, das sich in verhältnismäßig ausgebildeter Gestalt, – über die man das Nähere bei Köhler[47] findet – beim Schimpansen nachweisen läßt. »Das Vorhandensein eines menschenähnlichen Intellekts bei gleichzeitigem Fehlen einer auch

47 W. Köhler, Intelligenzprüfungen an Menschenaffen. Berlin 1921.

nur einigermaßen in dieser Hinsicht menschenähnlichen Sprache und Unabhängigkeit der intellektuellen Operationen ... von ihrer ›Sprache‹«[48] – das ist die wichtigste Feststellung, die Köhler seinen Schimpansen abgewinnt. Wenn so die Linie der frühesten Intelligenz – des Werkzeugdenkens – von den einfachsten improvisierten Auskunftsmitteln bis zur Erzeugung des Werkzeuges führt, welches nach Marr die Hand für Aufgaben der Sprache freimacht, so entspricht diesem Lehrgang des Intellekts allerdings auf der andern Seite ein Lehrgang des gestischen oder akustischen Ausdrucksvermögens, welches aber als ein vorsprachliches ganz und gar im Banne des reaktiven Verhaltens bleibt. Gerade die Unabhängigkeit der frühesten »sprachlichen« Regungen vom Intellekt führt im übrigen aus dem Bereich der Schimpansensprache in den weiteren der Tiersprache überhaupt. Es kann kaum bezweifelt werden, daß die emotionell-reaktive Funktion der Sprache, um die es sich hier im wesentlichen handelt, »zu den biologisch ältesten Verhaltungsformen gehört und mit den optischen und Lautsignalen der Führer in Tierverbänden in genetischer Verwandtschaft steht«[49]. Das Ergebnis dieser Überlegungen ist die Fixierung des geometrischen Punktes, an dem die Sprache im Schnittpunkt einer Intelligenz- und einer gestischen (Hand- oder Laut-) Koordinate ihren Ursprung hat.

Die Frage nach dem Ursprung der Sprache hat ihre ontogenetische Entsprechung im Umkreis der Kindersprache. Die letztere ist im übrigen geeignet, Licht auf die phylogenetischen Probleme zu werfen, wie das Delacroix in seiner Arbeit »Au seuil du langage« sich zu Nutze gemacht hat. Delacroix geht von einer Bemerkung des englischen Schimpansenforschers Yerkes aus, der gemeint hat, wenn der Schimpanse außer seinem Intelligenzgrad einen akustisch-motorischen Nachahmungstrieb besäße, wie wir ihn bei den Papageien kennen, so würde er sprechen können. Delacroix wendet sich gegen diese Aufstellung mit Hinweis auf die Psychologie der Kindersprache. »Das Kind«, erklärt er, »lernt nur darum sprechen, weil es in einer Sprachwelt lebt und jeden Augenblick sprechen hört. Der Spracherwerb setzt einen sehr umfassenden und stetigen Anreiz voraus. Er hat die

---

48 L. S. Wygotski, Die genetischen Wurzeln des Denkens und der Sprache (in: Unter dem Banner des Marxismus 3 [1929], S. 454).
49 Wygotski, a. a. O., S. 465.

menschliche Gesellschaft zur Bedingung. Im übrigen entspricht
das Kind dem in gleich umfangreichem Maße. Es lernt nicht nur
die Sprache, die man zu ihm, sondern ebensowohl die, welche
man in seiner Gegenwart spricht ... Es lernt in der Gesellschaft,
und es lernt allein. Diese Bedingungen fehlen dem Experiment
von Yerkes ... Und wenn sein Tier, das sogar bisweilen in einer
menschlichen Umwelt lebt, im Gegensatz zum Kind gleichgültig
gegen die Laute verbleibt, welche die Menschen in seiner Gegenwart vernehmen lassen, und die Sprache nicht bei sich im Stillen
lernt, so muß das seinen guten Grund besitzen.«[50] Kurz: »Der
menschliche Gehörsinn ist ein intellektueller und sozialer, welcher auf dem bloß physischen fundiert ist. Den größten Bezirk,
auf welchen der Gehörsinn sich bezieht, stellt beim Menschen die
Welt der sprachlichen Beziehungen dar.« Woran der Autor die
aufschlußreiche Bemerkung knüpft: »Daher ist der Gehörsinn so
besonders leicht den Auswirkungen des Beziehungswahns ausgesetzt.«[51] Die akustisch-motorische Reaktion, die dem Spracherwerb beim Menschen zugrunde liegt, ist demnach von der des
Papageien grundverschieden. Sie ist eine sozial gerichtete. »Sie
besteht in einer Ausrichtung auf das Verstandenwerden.«[52]
Schon Humboldt hat ja die Absicht, verstanden zu werden, an
den Beginn der artikulierten Verlautbarung gestellt.
Die Einsicht in die Kindersprache wurde in den letzten Jahren
entscheidend durch die Forschungen von Piaget[53] gefördert. Die
sprachpsychologischen Untersuchungen an Kindern, die Piaget
mit Umsicht und Ausdauer vorgenommen hat, sind für eine
Reihe von Streitfragen von Bedeutung geworden. Nur im Vorübergehen sei auf die Ausführungen hingewiesen, mit denen
Weisgerber in seinem schon erwähnten Überblick die Ermitte-
lungen Piagets gegen Cassirers Sprachmythologie[54] verwertet.
Der gegenwärtige Zusammenhang verlangt vor allem, auf Piagets Begriff der egozentrischen Kindersprache einzugehen. Die
Kindersprache, so behauptet Piaget, bewegt sich in zwei ver-

---

50 Henri Delacroix, Au seuil du langage (in: Psychologie du langage, a. a. O., S. 14/
15).
51 Delacroix, a. a. O., S. 16.
52 Delacroix, a. a. O., S. 16.
53 Jean Piaget, Le langage et la pensée chez l'enfant. (1. Bd.) Neuchâtel (1923).
54 Weisgerber, a. a. O., S. 32.

schiedenen Bahnen. Sie existiert als sozialisierte Sprache auf der einen, als egozentrische auf der andern Seite. Diese letztere ist eigentliche Sprache nur für das sprechende Subjekt selbst. Sie hat keine mitteilende Funktion. Vielmehr haben Piagets Protokolle bewiesen, daß diese Sprache in ihrem stenographisch aufgezeichneten Wortlaut solange unverständlich bleibt, als nicht die Situation, in welcher sie veranlaßt wurde, mitgegeben wird. Weiter aber ist diese egozentrische Funktion nicht ohne enge Beziehung zum Denkvorgang aufzufassen. Dafür spricht der bedeutsame Sachverhalt, daß sie am häufigsten bei Störungen im Ablauf eines Verhaltens, bei Hindernissen in der Lösung einer Aufgabe sich bemerkbar macht. Das hat Wygotski, der seinerseits mit ähnlichen Methoden wie Piaget an Kindern Versuche vornahm, zu wichtigen Schlüssen geführt. »Unsre Untersuchungen«, sagt er, »zeigten, daß der Koeffizient egozentrischer Sprache bei ... Erschwerungsfällen rasch fast auf das Doppelte des normalen Koeffizienten Piagets ansteigt. Unsere Kinder zeigten jedesmal, wenn sie auf eine Schwierigkeit trafen, eine Steigerung der egozentrischen Sprache ... Wir halten deshalb die Annahme für berechtigt, daß die Erschwerung oder Unterbrechung einer glatt verlaufenden Beschäftigung ein wichtiger Faktor bei der Erzeugung der egozentrischen Sprache ist ... Das Denken tritt erst in Aktion, wenn die bis dahin störungslos verlaufende Tätigkeit unterbrochen wird.«[55] Mit andern Worten: die egozentrische Sprache nimmt im Kindesalter genau den Platz ein, der späterhin dem eigentlichen Denkvorgang vorbehalten bleibt. Sie ist Vorläuferin, ja Lehrerin des Denkens. »Das Kind lernt die Syntax der Sprache früher als die Syntax des Denkens. Die Untersuchungen Piagets haben unzweifelhaft bewiesen, daß die grammatikalische Entwicklung des Kindes seiner logischen Entwicklung vorangeht.«[56]

Von hier aus ergeben sich Korrekturen der Ansätze, die der Behaviorismus zur Lösung des Problems »Sprache und Denken« unternommen hat. In dem Bemühen, eine Theorie des Denkens im Rahmen ihrer Lehre vom Verhalten zu konstruieren, haben die Behavioristen begreiflicherweise auf das Sprechen zurückgegriffen und im Grunde ohne etwas Neues zutage zu fördern,

55 Wygotski, a. a. O., S. 612.
56 Wygotski, a. a. O., S. 614.

vielmehr im wesentlichen sich darauf beschränkt, die umstrittenen Theorien Lazarus Geigers, Max Müllers und anderer sich zu eigen zu machen. Diese Theorien laufen darauf hinaus, das Denken als eine »innere Rede« zu konstruieren – eine Rede, die in einer minimalen Innervation des Artikulationsapparats bestünde, welche nur schwer und nicht ohne Hilfe besonders präziser Meßinstrumente sich feststellen ließe. Von der These, daß Denken objektiv lediglich ein inneres Sprechen sei, ist Watson dazu übergegangen, ein Mittelglied zwischen Sprache und Denken zu suchen. Dieses Mittelglied erblickt er in einer »Flüstersprache«. Dagegen hat Wygotski darauf hingewiesen, alles, was wir vom Flüstern der Kinder wissen, spreche »gegen die Annahme, daß das Flüstern einen Übergangsprozeß zwischen äußerer und innerer Sprache darstelle«[57]. Es ergibt sich aus dem oben Gesagten, in welchem Sinne die behavioristische Theorie durch die Untersuchungen über die egozentrische Kindersprache zu berichtigen sind. Wertvolle Auseinandersetzungen mit dem Behaviorismus sind, wie hier kurz angemerkt sei, neuerdings bei Bühler[58] zu finden. Im Anschluß an Tolmans »Purposive behavior in animals and men«[59] besteht er darauf, im Sprachursprung neben dem Reiz dem Signal eine entscheidende Stelle einzuräumen.

So führt bei Watson die improvisierte Reflexion auf Sachverhalte der Phonetik nicht weiter. Dagegen sind der gleichen Reflexion beträchtliche Aufschlüsse abzugewinnen, wo sie methodisch vorgenommen wird. Das ist durch Richard Paget geschehen. Dieser Forscher geht von einer zunächst recht überraschenden Definition der Sprache aus. Er faßt sie als eine Gestikulation der Sprachwerkzeuge. Primär ist hier der Gestus, nicht der Laut. Auch ändert sich der erstere nicht mit Verstärkungen des letzteren. In den meisten europäischen wie in den indischen Sprachen kann alles im Flüsterton gesprochen werden, ohne an Verständlichkeit einzubüßen. »Die Verständlichkeit des Gesprochenen erfordert keineswegs eine Inanspruchnahme des Kehlkopfmechanismus und die Erschütterung der Luft in den vokalischen Resonnanzböden des Gaumens, des Mundes oder der Nase, wie

57 Wygotski, a. a. O., S. 609.
58 Bühler, Sprachtheorie, a. a. O., S. 38.
59 E. C. Tolman, Purposive behavior in animals and men. New York 1932.

das beim Sprechen mit erhobener Stimme der Fall ist.«[60] Nach
Paget ist das phonetische Element ein auf dem mimisch-gesti-
schen fundiertes. Daß er mit dieser Anschauung sich in einem
Brennpunkt der gegenwärtigen Forschung befindet, ergibt sich
aus dem Werk des Jesuitenpaters Marcel Jousse. Es kommt zu
durchaus verwandten Ergebnissen: »Der charakteristische Ton
ist nicht notwendigerweise onomatopoetischer Art, wie man dies
allzu oft behauptet hat. Die Aufgabe des Tons ist es vielmehr
zunächst, die Bedeutung einer bestimmten mimischen Gebärde
zu vervollkommnen. Aber er ist lediglich Begleiterscheinung,
akustische Unterstützung einer optischen, in sich verständlichen
Gebärdensprache. Allmählich trat zu jeder charakteristischen
Gebärde ein ihr entsprechender Ton. Und wenn solche durch
Mund und Kehle vermittelte Gestikulation weniger ausdrucks-
voll war, so war sie auch minder anstrengend, forderte weniger
Energie als die Gebärde des Körpers oder selbst der Hand. So
kam sie mit der Zeit zur Vorherrschaft ... Das vermindert aber
nicht ... die außerordentliche Bedeutung, die in der Erforschung
des Ursprungssinnes dessen liegt, was man bisher als die Wurzeln bezeichnete. Wurzeln nämlich wären in diesem Sinne nichts
anderes als akustische Transponierungen alter spontaner mimischer Ausdrucksbewegungen.«[61] Aufschlußreich versprechen in
diesem Zusammenhang eingehende Protokolle über das sprachliche Verhalten dreier Kinder zu werden, die Bühler in Aussicht
stellt und denen er den sehr bezeichnenden Befund entnommen
hat, daß »die to-Deixis Brugmanns ... wirklich von Dentallauten
übernommen wird«[62]. Hierzu vergleiche man Paget: »Das un-
hörbare Lächeln wurde zu einem ausgestoßenen oder geflüster-
ten ›haha‹, der Gestus des Essens wurde ein hörbares (geflüster-
tes) ›mnya mnya‹, der des Einschlürfens kleiner Mengen Flüssig-
keit wurde der Ahnherr unseres heutigen Wortes ›Suppe‹!
Endlich trat die wichtige Entdeckung hinzu, daß die brüllenden
oder grunzenden Kehllaute sich mit der Mundbewegung verbinden ließen, und die geflüsterte Sprache wurde, wenn sie mit
einem Kehllaut verbunden war, auf zehn- bis zwanzigmal so

60 Richard Paget, Nature et origine du langage humain. Paris 1925, S. 3.
61 Frédéric Lefèvre, Marcel Jousse, une nouvelle psychologie du langage (in: Les
cahiers d'Occident, Band I, 10, S. 77).
62 Bühler, a. a. O., S. 219.

großen Abstand als vorher hörbar und verständlich.«[63] So
schließt sich, nach Paget, die Artikulation als Gestus des Sprach-
apparates dem großen Umkreis der körperlichen Mimik an. Ihr
phonetisches Element ist der Träger einer Mitteilung, deren
ursprüngliches Substrat eine Ausdrucksgebärde war.

Mit den Aufstellungen von Paget und Jousse tritt der überholten
onomatopoetischen Theorie, die man als eine mimetische im
engeren Sinne bezeichnen kann, eine mimetische in sehr viel
weiterem Sinne entgegen. Es ist ein großer Bogen, den die Theorie der Sprache von den metaphysischen Spekulationen Platons
bis zu den Zeugnissen der Neueren wölbt. »Worin also besteht
die wahre Natur der gesprochenen Sprache? Die Antwort, vor-
gebildet bei Platon, angeregt ... von dem Abbé Sabatier de
Castres 1794, formuliert von Dr. J. Rae aus Honolulu 1862,
im Jahre 1895 von Alfred Russell Wallace erneuert ... und
schließlich vom Verfasser der gegenwärtigen Abhandlung wieder
aufgenommen, geht dahin, daß die gesprochene Sprache nur eine
Form eines fundamentalen animalischen Instinktes ist: des Instinkts mimischer Ausdrucksbewegung durch den Körper.«[64]
Hierzu ein Wort von Mallarmé, das als Motiv Valérys »L'âme
et la danse« zugrunde liegen mag: »Die Tänzerin«, heißt es bei
Mallarmé, »ist nicht eine Frau, sondern eine Metapher, die aus
den elementaren Formen unseres Daseins einen Aspekt zum
Ausdruck bringen kann: Schwert, Becher, Blume oder andere.«
Mit solcher Anschauung, die die Wurzeln des sprachlichen und
tänzerischen Ausdrucks in ein und demselben mimetischen Vermögen erblickt, ist die Schwelle einer Sprachphysiognomik be-
schritten, die weit über die primitiven Versuche der Onoma-
topoetiker hinausführt, ihrer Tragweite wie ihrer wissenschaftlichen Dignität nach. An dieser Stelle muß es genügen, auf das
Werk hinzuweisen, das diesen Problemen ihre derzeit vorge-
schrittenste Gestalt abgewonnen hat: die »Grundfragen der
Sprachphysiognomik« von Heinz Werner[65]. Es läßt erkennen,
daß die Ausdrucksmittel der Sprache so unerschöpflich wie ihre
Darstellungsfähigkeit sind. In gleicher Richtung hat Rudolf

63 Paget, a. a. O., S. 12/13.
64 R. A. S. Paget, L'évolution du langage (in: Psychologie du langage, a. a. O.,
S. 93).
65 Heinz Werner, Grundfragen der Sprachphysiognomik. Leipzig 1932.

Leonhard[66] gearbeitet. Diese physiognomische Phonetik eröffnet Ausblicke auch in die Zukunft der Sprachentwicklung: »Merkwürdig«, heißt es bei Paget, »und ein Zeichen dafür, wie außerordentlich langsam die menschliche Entwicklung vonstatten geht, ist, daß der zivilisierte Mensch bisher nicht gelernt hat, auf Kopf- und Handbewegungen als Ausdruckselemente seiner Meinungen zu verzichten... Wann werden wir lernen, auf jenem wunderbaren Instrument der Stimme so kunstvoll und so rationell zu spielen, daß wir eine Reihe von Tönen von gleicher Reichweite und gleicher Vollkommenheit besitzen werden? Fest steht: wir haben diesen Lehrgang noch nicht durchgemacht... Noch sind alle bestehenden Produktionen der Literatur und Beredsamkeit nur elegante, einfallsreiche Gestaltungen formaler oder phonetischer Sprachelemente, die ihrerseits völlig wild und unkultiviert sind, wie sie sich auch auf natürlichem Wege ohne jedwede bewußte Einwirkung der Menschheit gebildet haben.«[67]

Dieser Ausblick in eine Ferne, in der die Einsichten der Sprachsoziologie nicht dem Begreifen der Sprache allein, sondern ihrer Veränderung zugute kommen, mag den vorliegenden Überblick abschließen. Im übrigen ist es bekannt, daß mit Bestrebungen, wie Paget sie zum Ausdruck bringt, die Sprachsoziologie auf alte und bedeutungsvolle Neigungen zurückgreift. Die Bemühungen um eine technische Vervollkommnung der Sprache haben seit jeher in den Entwürfen einer lingua universalis ihren Niederschlag gefunden. In Deutschland ist Leibniz ihr bekanntester Repräsentant, in England gehen sie bis auf Bacon zurück. Was Paget auszeichnet, ist die Weitherzigkeit, mit der er die Entwicklung der gesamten sprachlichen Energien ins Auge faßt. Wenn andere über der semantischen Funktion der Sprache den ihr innewohnenden Ausdruckscharakter, ihre physiognomischen Kräfte vergessen haben, so scheinen diese Paget einer ferneren Entfaltung nicht minder wert und fähig als jene erste. Er bringt damit die alte Wahrheit zu Ehren, die erst vor kurzem Goldstein um so eindrücklicher formulieren konnte, als er ihr auf dem Umweg induktiver Forschung in seinem abgelegenen Spezial-

66 Rudolf Leonhard, Das Wort. Berlin-Charlottenburg [1932]. (Entr'act-Bücherei. 1/2.)
67 Paget, Nature et origine du langage humain, S. 14/15.

gebiet begegnete. Die Sprache eines von der Aphasie betroffenen
Patienten gilt ihm als lehrreichstes Modell für eine Sprache, die
nichts als Instrument wäre. »Man könnte kein besseres Beispiel
finden, um zu zeigen, wie falsch es ist, die Sprache als ein Instrument zu betrachten. Was wir gesehen haben, ist die Entstehung der Sprache in den Fällen, in denen sie nur noch zum
Instrument taugt. Auch beim normalen Menschen kommt es
vor, daß die Sprache nur als Instrument gebraucht wird ... Aber
diese instrumentale Funktion setzt voraus, daß die Sprache im
Grunde etwas ganz anderes darstellt, wie sie auch für den Kranken ehemals, vor der Krankheit, etwas ganz anderes dargestellt
hat ... Sobald der Mensch sich der Sprache bedient, um eine
lebendige Beziehung zu sich selbst oder zu seinesgleichen herzustellen, ist die Sprache nicht mehr ein Instrument, nicht mehr ein
Mittel, sondern eine Manifestation, eine Offenbarung unseres
innersten Wesens und des psychischen Bandes, das uns mit uns
selbst und unseresgleichen verbindet.«[68] Diese Einsicht ist es, die
ausdrücklich oder stillschweigend am Anfang der Sprachsoziologie steht.

*Jacques Maritain, Du régime temporel et de la liberté. Paris:
Desclée de Brouwer et Cie (1933). X, 272 S.*

Eine Auseinandersetzung mit den Schriften von Maritain ist
außerhalb des Katholizismus sinnlos. Der Autor schließt sich
derart eng an die Gesellschafts- und Geschichtsphilosophie der
katholischen Kirche an, daß eine Debatte mit ihm einer mit
kirchlichen Autoritäten gleichkommt. Im übrigen verschweigt
Maritain nirgends, von diesen und insbesondere von den scholastischen Denkern bestimmt zu sein. Der erste Teil des vorliegenden Buchs »Une philosophie de la liberté« macht sich zur
Aufgabe, der moralischen Hierarchie des Katholizismus, an deren Spitze der Heilige steht, im gegenwärtigen gesellschaftlichen
Dasein Raum zu schaffen. Der Befreiung durch die Technik wird
die Befreiung durch Askese gegenübergestellt. Im ersteren Falle

68 Kurt Goldstein, L'analyse de l'aphasie et l'étude de l'essence du langage (in: Psychologie du langage, a. a. O., S. 495/496).

unternimmt der Mensch es, das Naturgeschehen im Sinn der physikalisch-chemischen Gesetzlichkeiten zu beeinflussen; im zweiten Fall ist es sein inneres Universum, dem der Mensch die Gesetzlichkeiten der Vernunft (verbunden mit den Ordnungen der Gnade) auferlegt. Man kann dem Verfasser nicht den Vorwurf machen, daß er die Probleme hinter konzilianten Formulierungen verbirgt. Vielmehr sind Auslassungen wie die folgende für ihn kennzeichnend: »Une cité terrestre capable de mettre à mort pour crime d'hérésie montrait un plus grand souci du bien des âmes et une idée plus haute de la noblesse de la communauté humaine, ainsi centrée sur la vérité, qu'une cité qui ne sait plus châtier que pour des crimes contre les corps; étant supposé qu'on me châtie, on honore plus ma qualité d'homme en me brûlant pour mes idées qu'en me pendant ou guillotinant pour un acte de mes mains.« – Der zweite Teil bringt unter dem Titel »Religion et culture« Ergänzungen des früheren gleichnamigen Buches des Verfassers. Die Frage nach dem konkreten politischen Ideal des katholischen Christen wird aufgeworfen; dieses Ideal wird, mit einer gewissen ideologischen Reserve gegen die kapitalistische Wirtschaftsordnung, vor allem aber mit einer polemischen Wendung gegen den Kommunismus, als das einer inneren Erneuerung gekennzeichnet. – Der dritte Teil des Buches beschäftigt sich mit der dieser Erneuerung entsprechenden Erneuerung der politischen Mittel und einer Kritik der Gewalt. Er enthält eine mit gewissen Einschränkungen versehene Apologie Gandhis und führt auch im übrigen näher als die vorangehenden scholastischen Diskussionen an die gegenwärtige politische Sachlage heran. Maritain muß sich die Schwierigkeiten einer katholischen Renaissance eingestehen: »En fin de compte le vocabulaire chrétien est ainsi devenu pour de vastes portions de la classe ouvrière quelque chose de tellement étranger, que d'engager seulement le dialogue est à présent tout un problème.« Aber, so meint der Autor, zur Zeit der Jungfrau von Orléans war es um die irdischen Dinge auch nicht besser bestellt. Und so darf man auch heute hoffen. »Des saints ... peut-être surgiront au milieu de ces masses.«

1936

Pariser Brief ⟨1⟩
André Gide und sein neuer Gegner

Ein denkwürdiges Wort von Renan: »Über Gedankenfreiheit verfügt nur der, der sicher sein kann, daß, was er schreibt, ohne Folgen bleibt.« So zitiert Gide. Wenn das Wort zutrifft, so verfügt der Verfasser der »Nouvelles Pages de Journal«[1] ebenso wenig über Gedankenfreiheit wie sein Gegner Thierry Maulnier[2]. Beide sind sich über die Folgen ihres Schrifttums im klaren und schreiben, um Folgen herbeizuführen. Wenn wir beiden das gleiche Interesse zuwenden, so berechtigt dazu weniger die Bedeutung des Jüngeren als die Entschiedenheit, mit der er seinen Standort angesichts eines Gide und ihm gegenüber bezogen hat. In dem Augenblick, da Gide den Kommunismus zu seiner Sache macht, bekommt er es mit den Faschisten zu tun.

Nicht als ob nicht schon andere Gide gestellt hätten. Sein Weg ist aufmerksam seit 1897 verfolgt worden, da er mit einem berühmten Artikel in der »Ermitage« Barrès entgegengetreten war, der mit den »Déracinés« eben damals dem Nationalismus Dienste geleistet hat[3]. Später wurde die religiöse Entwicklung des Protestanten Gide literarisch verfolgt und von keinem genauer als von seinem Freund, dem katholischen Kritiker Charles Du Bos. Daß Gides »Corydon«, der die Päderastie nach ihren naturgeschichtlichen Bedingungen und Analogien darstellte, einen Sturm hervorrief, ist nicht schwer verständlich. So kam es, daß Gide gewohnt war, auf Opposition zu stoßen, als er 1931, in dem ersten Band seiner Tagebücher seinen Weg zum Kommunismus beschrieb.

Mit einer Fülle von Glossen und Polemiken reagierte das bürger-

1 André Gide, Nouvelles pages de journal (1932–1935). Paris 1936.
2 Thierry Maulnier, Mythes socialistes. Paris (1936).
3 Gide darf heute auf diesen Artikel zurückverweisen. In dem genannten Tagebuchband heißt es: »War Barrès nicht der Apologet einer gewissen Art von Gerechtigkeit, die sich heute als die von Hitler erweist? Und ist es nicht leicht gewesen vorherzusehen, daß diese schönen Theorien im Augenblick, da jemand anders sich ihrer bemächtigen würde, sich gegen uns selbst kehren würden?«

liche Schrifttum auf diesen Band. Daß das »Echo de Paris« (das
den »Croix de Feu« nahesteht) unter der Feder von François
Mauriac dreimal auf dieses eine Buch zurückkam, kann von dem
Aufsehen, das Gide hervorrief, eine Vorstellung geben. Die
Debatte war zu ausgebreitet, auch zu erbittert, um durchweg
Niveau zu halten. Ihren geistigen Höhepunkt hatte sie in der
»Union pour la Vérité«, in der Gide einem Kreis von bedeutenden Schriftstellern Rede und Antwort gestanden hat[4]. Sie war
noch nicht zur Ruhe gekommen, als in diesem Jahre die »Nouvelles Pages de Journal« erschienen.
Soweit Gide selber die Diskussion bestimmte, hat sie sich vielfach um die Frage gedreht, wieweit er mit seiner Wendung sich
selber treu bleibe oder einen Bruch mit der Gedankenwelt seines
Mannesalters vollziehe. Gide konnte sich – und er tat das im
ersten Band seiner Tagebücher – auf die Leidenschaft berufen,
mit der er von jeher die Sache des Individuums zu der seinen
gemacht habe; eine Sache, von der er erkannt hat, daß sie heute
im Kommunismus ihren berufenen Anwalt besitzt. Der neue
Band der Tagebücher enthält mehrere Notizen, die eine verbor-
genere doch darum nicht unwichtigere Kontinuität in Gides Entwicklung erkennen lassen. Gide berührt diese Kontinuität, wenn
er der »Apologie der Bedürftigkeit« (S. 167) gedenkt, die sich
durch sein gesamtes Werk zieht. Sie hat den mannigfachsten
Ausdruck gefunden, und reicht von dem unvergeßlichen Frühwerk, der »Rückkehr des verlorenen Sohnes«[5] bis zu dem jüngsten, den »Nouvelles Nourritures«[6], in dem wir lesen: »Jeder
ausschließliche Besitz ist mir zuwider geworden; ich finde mein
Glück im Fortgeben, und der Tod wird mir nicht viel aus der
Hand nehmen. Von allem, was er mich wird entbehren lassen,
wird mir das Entbehrteste sein, was überall ausgeteilt und natürlich, keinem zu eigen und aller Besitztum ist. Was aber den
Rest angeht, so ist mir ein Mahl in der Herberge lieber als zu
Hause der am besten bestellte Tisch, ein öffentlicher Park lieber
als der schönste Park hinter Mauern, ein Buch, das ich beim

4 Die Debatten sind unter dem Titel »André Gide et notre Temps«, Paris [1935],
erschienen.
5 Das Buch ist in deutscher Übersetzung von Rilke in der Reihe der Inselbücher erschienen.
6 André Gide, Les nouvelles nourritures. [Paris] (1935).

Spaziergehen mitnehmen kann, lieber als die kostbarste Ausgabe, und sollte ich mir ein Kunstwerk allein ansehen müssen,
so würde, je schöner das Werk ist, desto sicherer die Traurigkeit
meine Freude beim Ansehen überwiegen.« (S. 61)
Gide hat für die Apologie der Bedürftigkeit die verschiedensten
Formen gefunden. Sie alle fallen im Grunde mit der Entfaltung
jener Bedürftigkeit zusammen, die unverstellt sichtbar zu machen
dem jungen Marx (dem Verfasser der »Heiligen Familie«) als die
Aufgabe der Gesellschaft erschienen ist; sie alle erscheinen Gide
als Spielarten des Bedürfnisses, das der Mensch nach dem Menschen hat. Wenn Gide sich im Lauf seines Schaffens vielen Formen der Schwäche zugewandt hat, wenn er in seiner Studie über
Dostojewski, die in mancher Hinsicht ein Selbstporträt ist, die
Schwäche als »ein Ungenügen des Fleisches, eine Unruhe, eine
Anomalie« in den Mittelpunkt stellt, so hat er es immer wieder
mit der einen, des äußersten Anteils werten Schwäche zu tun,
die den Menschen auf den Menschen verweist.
Gide beliebt solche Schwäche mitunter selbst an den Tag zu
legen. Aber was ihn dazu bestimmt, ist nicht Schwäche. Es ist
eher Berechnung. Er begibt sich in dies Inkognito, weil es ihn
einiges über Welt und Menschen wird lehren können. Und so
schrieb er im Mai 1935: »Man kann Tolstois Verzicht auf die
Künstlerschaft aus dem Nachlassen seiner schöpferischen Kräfte
erklären. Hätte sich eine zweite Anna Karenina in seinem Innern
gestaltet, so hätte er sich – vieles spricht dafür – weniger mit
den Duchoborzen beschäftigt und weniger abschätzig über die
Kunst gesprochen. Aber er spürte, daß er am Ende seiner literarischen Laufbahn stand: der dichterische Drang schwellte nicht
mehr sein Denken ... Wenn mich heute soziale Fragen beschäftigen, so auch, weil der Dämon des Schaffens sich von mir zurückzieht. Jene Fragen nehmen den Platz nur ein, weil dieser ihn
bereits räumte. Warum soll ich mich überschätzen? Warum nicht
an mir selbst feststellen, was ich an Tolstoi unbedingt als eine
Ausfallserscheinung betrachte?« (La Nouvelle Revue Française,
Maiheft 1935, S. 665)
Wir wollen dem Autor hier nicht entgegnen. Die Frage nicht
aufwerfen, ob denn Schöpferkräfte keinen vorübergehenden
Schlummer kennen? (Gide selbst sagt das in seinen »Nouvelles
Pages«); ob sie nicht ganz undämonisch zu Werk gehen kön-

nen? (die »Nouvelles Nourritures« zeigen es); ob sie nicht auf
geschichtliche Schranken stoßen? (Gides »Faux Monnayeurs«
legen es für den Roman nahe.) Wir lassen Gide in seinem Inkognito einer aufschlußreichen Begegnung entgegengehen. Es ist
die Begegnung mit Maulnier, der die obigen Sätze Gides in der
»Action Française« zitiert und fortführt: »Kein Lob und kein
Tadel kann diesen befremdlichen Zeilen etwas hinzufügen. Es
ist, wie wir glauben, fast ohne Beispiel, daß ein Schöpfer mit
solchem Geständnis hervortritt. Auch meinen wir, daß der
Scharfblick, die Bescheidenheit und der rückhaltlose Mut gegen
sich selbst, die einer so unbarmherzigen Diagnose zugrunde liegen, ein Anrecht auf unseren Respekt haben. Aber wir können
uns nicht darauf beschränken, hier Respekt zu bezeigen. Diese
tragische Offenheit ist reich an Aufschlüssen, die zu verschweigen wir nicht das Recht haben.«
Mit diesen Sätzen holt Maulnier zu einer umfassenden Kritik an
Gide aus. Es ist eine Kritik, die viel Licht auf die faschistische
Position und besonders auf den Kulturbegriff des Faschismus
wirft. Die »Kultur« dem Kommunismus preisgegeben und verraten zu haben – das ist die Anklage, die Maulnier gegen Gides
letzte Werke erhebt.
Die Ausbildung des Kulturbegriffs scheint einem Frühstadium
des Faschismus anzugehören. Jedenfalls war das in Deutschland
der Fall. Unverzeihlicherweise hat die revolutionäre deutsche
Kritik vor 1930 es unterlassen, den Ideologien eines Gottfried
Benn oder eines Arnolt Bronnen die nötige Aufmerksamkeit zuzuwenden. Wie diese zu den Vorläufern des deutschen Faschismus, so wäre, bestünde nicht die »Front Populaire«, Maulnier
heute schon denen eines französischen zuzurechnen. Der baldi-
gen Vergessenheit wird er wohl in keinem Falle entgehen. Denn
je mehr der Faschismus erstarkt, desto weniger kann er grade
auf Maulniers Spezialgebiet qualifizierte Intelligenzen brauchen.
Die meiste Aussicht eröffnet er subalternen Naturen. Er sucht
Handlanger des Propagandaministers. Darum wurden Benn und
Bronnen verabschiedet.
Die Reaktion, die Maulnier vertritt, ist eine spezifisch faschistische und von der katholischen eines Claudel, von der bürgerlichen eines Bordeaux, von der mondainen eines Morand, von
der philiströsen eines Bedel unterschieden. Er findet seine Genos-

sen vorwiegend in der jüngeren Generation[7]. In der älteren sind
entschiedene Faschisten, wie Léon Daudet oder Louis Bertrand,
vereinzelt. Was Maulnier zum Faschisten macht, ist die Einsicht,
daß die Position der Privilegierten sich nur noch gewaltsam behaupten läßt. Die Summe ihrer Privilegien als »die Kultur« vorzustellen, darin erblickt er seine besondere Aufgabe. Es versteht
sich daher von selbst, daß er eine Kultur, die nicht auf Privilegien begründet ist, als undenkbar hinstellt. Und das Leitmotiv
seiner Aufsätze ist, das Schicksal der abendländischen Kultur als
unlösbar an das der herrschenden Klasse gebunden zu erweisen.
Maulnier ist nicht Politiker. Er wendet sich an die Intellektuellen,
nicht an die Massen. Die unter den ersteren herrschende Konvention verbietet (in Frankreich noch) die Berufung auf die
nackte Gewalt. Maulnier ist zu besonderer Vorsicht genötigt,
wenn er an die nackte Gewalt appelliert. Er darf eigentlich diesen
Appell nur vorbereiten. Das tut er ziemlich geschickt, wenn er
proklamiert, es sei Sache einer »Synthese der Tat«, innere und
äußere Realität selbst dann zusammenzuzwingen, wenn eine
»dialektische Synthese« unmöglich bleibt (S. 19). Etwas deutlicher erklärt er sich mit dem an die kapitalistische Zivilisation
(der ja immer das Scheingefecht der Faschisten gilt) gerichteten
Vorwurf, sie habe angesichts der materiellen und der geistigen
Probleme, vor welche das Zeitalter sie gestellt habe, die Kraft
nicht aufgebracht, »sich ihre Unlösbarkeit einzugestehen« (S.
8).
Die Notwendigkeit, keine Argumente gegen die Privilegierten zu
liefern, stellt den Schriftsteller, zumal den Theoretiker, heute
vor ungewöhnliche Schwierigkeiten. Maulnier hat die Courage,
mit diesen Schwierigkeiten kurzen Prozeß zu machen. Sie sind
zum Teil moralischer Art. Der Sachwalter des Faschismus hat
viel gewonnen, wenn er die moralischen Kriterien aus dem Wege
geräumt hat. Dabei erweist er sich in der Wahl seiner Mittel
nicht anspruchsvoll. Es ist ein rohes Geschäft; der Begriff kann
sich keine Handschuhe dafür anziehen. Er packt zu, und zwar
folgendermaßen: »Die Zivilisation . . . ist die Einsetzung und die
Ordnung der Kunstgriffe und der Fiktionen, die jeder Umgang
von Menschen untereinander bedingt, das System der nützlichen

7 Vgl. Pierre Drieu La Rochelle, Socialisme fasciste. Paris 1934.

Konventionen, die künstliche, lebensnotwendige Hierarchie in ihrer ganzen Größe und Unentbehrlichkeit. Die Zivilisation ist die Lüge ... Wer nicht gewillt ist, ... in dieser Lüge die Grundbedingung jeden menschlichen Fortschritts und jeder menschlichen Größe anzuerkennen, gesteht, daß er ein Gegner der Zivilisation selber ist. Zwischen der Zivilisation und der Aufrichtigkeit muß man wählen.« (S. 210) So Maulnier in dem gegen Gide gerichteten Aufsatz seines Essaybandes. Es ist um dieses Diktum der schäbige Glanz, der den abgegriffenen Paradoxen von Oscar Wilde schon recht lange eignet, und man könnte es leicht bis zu dessen »Verfall der Lüge« zurückverfolgen.

Man würde damit, einmal, erkennen, wie ungleiche Früchte die Samen aus einem und demselben Leben bisweilen haben. Derselbe Mann, der seinen Ästhetizismus, den verweslichsten Teil seiner Produktion, vom Faschismus rezipiert findet, gab in dem Augenblick, da er der Gesellschaft, die er sein Lebtag amüsiert hat, als ihr Verächter sich gegenüberstellte, dem jungen André Gide ein Leitbild, das sein ferneres Leben bestimmte[8]. Man würde sich zweitens Rechenschaft davon geben, wie tief die faschistische Ideologie der Dekadenz und dem Ästhetizismus verpflichtet ist, und warum sie in Frankreich so gut wie in Deutschland oder Italien Pioniere unter den extremen Artisten findet.

Welche Bestimmung hat die Kunst in einer Zivilisation zu erwarten, die auf der Lüge aufgebaut ist? Sie wird deren ungelöste – und unter Beibehaltung der Eigentumsordnung unlösbare – Widersprüche in ihrer engeren Sphäre zum Ausdruck bringen. Der Widerspruch in der faschistischen Kunst ist, nicht anders als der der faschistischen Wirtschaft oder der des faschistischen Staates, ein Widerspruch zwischen Praxis und Theorie. Die faschistische Kunsttheorie trägt die Züge des reinen Ästhetizismus: die Kunst ist nur eine der Masken, hinter denen, wie Maulnier es formuliert, »nichts als die animalische Natur des Menschen, das nackte und von allem entblößte Menschentier des Lukrez« (S. 209) steht. Vorbehalten ist diese Kunst den Wissenden, der Elite, »die Nutznießer der gesamten Zivilisation ist, an der sie«, wie Maulnier sehr lichtvoll sagt, »den Parasiten,

8 Von der Bedeutung, die Wilde für ihn hatte, zeugt Gides »Nachruf auf Wilde« von 1910.

den Erben und die nutzlose Blüte darstellt« (S. 211). So sieht die
Sache in der Theorie aus. Die faschistische Praxis bietet ein anderes Bild. Die faschistische Kunst ist eine der Propaganda. Ihre
Konsumenten sind nicht die Wissenden, sondern ganz im Gegenteil die Düpierten. Es sind ferner zur Zeit nicht die Wenigen,
sondern die Vielen oder zumindest sehr Zahlreichen. Es ist
danach selbstverständlich, daß die Charakteristika dieser Kunst
sich durchaus nicht mit denen decken, die ein dekadenter Ästhetizismus aufweist. Niemals hat die Dekadenz ihr Interesse der
monumentalen Kunst zugewendet. Die dekadente Theorie der
Kunst mit deren monumentaler Praxis zu verbinden, ist dem
Faschismus vorbehalten geblieben. Nichts ist lehrreicher als diese
in sich widerspruchsvolle Kreuzung.

Der monumentale Charakter der faschistischen Kunst hängt mit
ihrem Massencharakter zusammen. Aber keineswegs unmittelbar. Nicht jede Massenkunst ist eine monumentale Kunst: die
der Hebelschen Erzählungen für den Bauernkalender so wenig
wie die der Lehárschen Operette. Wenn die faschistische Massenkunst eine monumentale Kunst ist – und das ist sie bis in
den literarischen Stil hinein – so hat das eine besondere Bedeutung.

Die faschistische Kunst ist eine Propagandakunst. Sie wird also
für Massen exekutiert. Die faschistische Propaganda muß, weiterhin, das ganze gesellschaftliche Leben durchdringen. Die faschistische Kunst wird demnach nicht nur *für* Massen, sondern
auch *von* Massen exekutiert. Danach läge die Annahme nahe,
die Masse habe es in dieser Kunst mit sich selbst zu tun, sie
verständige sich mit sich selbst, sie sei Herr im Hause: Herr in
ihren Theatern und ihren Stadien, Herr in ihren Filmateliers und
in ihren Verlagsanstalten. Jeder weiß, daß das nicht der Fall ist.
An diesen Stellen herrscht vielmehr »die Elite«. Und sie wünscht
in der Kunst keine Selbstverständigung der Masse. Denn dann
müßte diese Kunst eine proletarische Klassenkunst sein, durch
die die Wirklichkeit der Lohnarbeit und der Ausbeutung zu
ihrem Recht, das heißt auf den Weg ihrer Abschaffung käme.
Dabei käme aber die Elite zu Schaden.

Der Faschismus ist also daran interessiert, den funktionalen
Charakter der Kunst derart einzuschränken, daß keine verändernde Einwirkung auf die Klassenlage des Proletariats – das

den größten Teil der von ihr erreichten und einen kleineren der
sie exekutierenden Kader ausmacht – von ihr zu befürchten ist.
Diesem kunstpolitischen Interesse dient die »monumentale Gestaltung«. Und zwar tut sie das auf doppelte Art. Erstens
schmeichelt sie der bestehenden wirtschaftsfriedlichen Ordnung,
indem sie sie ihren »Ewigkeitszügen« nach, das heißt als un-
überwindlich darstellt. Das Dritte Reich rechnet nach Jahrtausenden. – Zweitens versetzt sie die Exekutierenden ebenso wie
die Rezipierenden in einen Bann, unter dem sie sich selber
monumental, das heißt unfähig zu wohlüberlegten und selbständigen Aktionen erscheinen müssen[9]. Die Kunst verstärkt so die
suggestiven Energien ihrer Wirkung auf Kosten der intellektuellen und aufklärenden. Die Verewigung der bestehenden Verhältnisse vollzieht sich in der faschistischen Kunst durch die
Lähmung der (exekutierenden oder rezipierenden) Menschen,
welche diese Verhältnisse ändern könnten. Mit der Haltung,
die der Bann ihnen aufzwingt, kommen, so lehrt der Faschismus,
die Massen überhaupt erst zu ihrem Ausdruck.
Das Material, aus dem der Faschismus seine Monumente, die er
für ehern hält, aufführt, ist vor allem das sogenannte Menschenmaterial. Die Elite verewigt ihre Herrschaft in diesen Monumenten. Und diese Monumente sind es allein, dank deren das
Menschenmaterial seine Gestaltung findet. Vor dem Blick der
faschistischen Herren, der, wie wir sahen, über Jahrtausende
schweift, ist der Unterschied der Sklaven, die aus Blöcken die
Pyramiden errichtet haben, und der Massen von Proletariern,
die auf den Plätzen und Übungsfeldern vor dem Führer selbst
Blöcke bilden, ein verschwindender. Man versteht daher Maulnier gut, wenn er die »Baumeister und Soldaten« als Vertreter
der Elite zusammenstellt (besser freilich Gide, wenn er die
neuen römischen Monumentalbauten als »architektonischen Journalismus« [Nouvelles Pages, S. 85] durchschaut).
Der Ästhetizismus Maulniers ist, wie angedeutet, kein improvi-
sierter Standpunkt, welchen der Faschismus nur eben in der
Debatte kunsthistorischer Fragen bezieht. Der Faschismus ist auf
diesen Standpunkt überall da angewiesen, wo er dem Augen-

9 Bannend wirkt nicht nur die faschistische Stilisierung der Massenkünste (man vergleiche die deutschen Festaufzüge mit den russischen), sondern ebenso der Rahmen der
verschiedenen »Gemeinschaften« und »Fronten«, in dem sie sich abspielen.

schein näher zu treten wünscht, ohne sich mit der Realität einzulassen. Eine Anschauungsweise, die den Funktionswert der Kunst aus dem Wege räumt, wird sich auch sonst empfehlen, wo ein Interesse besteht, den Funktionscharakter einer Erscheinung aus dem Blickfelde zu beseitigen. Das ist, wie sich gerade bei Maulnier erkennen läßt, in hervorragendem Maße bei der Technik der Fall. Der Grund ist leicht einzusehen. Die Entwicklung der Produktivkräfte, unter denen neben dem Proletariat die Technik steht, hat die Krise heraufgeführt, welche auf die Vergesellschaftung der Produktionsmittel drängt. Mit an erster Stelle ist diese Krise demnach eine Funktion der Technik. Wer sie unsachgemäß, gewaltsam, unter Beibehaltung der Privilegien zu lösen gedenkt, der hat viel Interesse daran, den Funktionscharakter der Technik so unkenntlich wie möglich zu machen.

Man kann da zwei Wege einschlagen. Sie führen in entgegengesetzte Richtungen, sind aber von verwandten Ideen bestimmt: nämlich eben ästhetischen. Den einen finden wir bei Georges Duhamel[10]. Er führt dazu, die Rolle der Maschine im Produktionsprozeß entschlossen beiseite zu lassen und die Kritik an ihr an die verschiedenen Bedenken und Unzuträglichkeiten zu knüpfen, die für den Privatmann mit dem fremden oder eigenen Gebrauch von Maschinen verbunden sind. Duhamel kommt zu einer reservierten Beurteilung des Automobils, zu einer resoluten Ablehnung des Films, zu dem halb spaßhaft, halb ernst gemeinten Vorschlage, es möchten von Staats wegen für fünf Jahre alle Erfindungen untersagt werden. Der Proletarier wendet sich gegen den Unternehmer; der Kleinbürger hat es mit der Maschine. Duhamel ergreift im Namen der Kunst gegen die Maschine Partei. Es versteht sich, daß die Dinge für den Faschismus ein wenig anders liegen. Die großbürgerliche Denkweise seiner Mandanten hat in den Intellektuellen, die sich zu seiner Verfügung hielten, ihre Spur hinterlassen. Einer von ihnen war Marinetti. Er zuerst spürte instinktiv, daß eine »futuristische« Betrachtung der Maschine dem Imperialismus nützt. Marinetti begann als Bruitist, er proklamierte den Lärm (die unproduktive Aktivität der Maschine) als ihre bedeutungs-

10 Georges Duhamel, Scènes de la vie future, Paris 1930, und L'humaniste et l'automate, Paris 1933.

vollste. Er endete als Mitglied der königlichen Akademie, das im äthiopischen Krieg die Erfüllung seiner futuristischen Jugendträume gefunden zu haben gestand[11]. Ihm folgt, ohne sich darüber im klaren zu sein, Maulnier, wenn er gegen Gorkis »Neuen Humanismus« erklärt, was den Hauptwert der Entdeckungen in Technik und Wissenschaft ausmache, sei »nicht sowohl ihr Resultat und ihr möglicher Nutzen ... als ... ihr poetischer Wert« (S. 77). »Marinetti«, schreibt Maulnier, »berauschte sich an der Höhe der Maschinen, an ihrer Bewegung, an dem Stahl, an ihrer Präzision, an ihrem Lärm, an ihrer Schnelligkeit – kurz an allem, was an der Maschine als Selbstwert angesehen werden kann und nicht teil an ihrem Werkzeugcharakter hat... Er beschränkte sich und hielt sich mit Absicht an ihre unverwertbare Seite, das heißt an ihre ästhetische.« (S. 84)

Maulnier hält diese Position für so fundiert, daß er kein Bedenken hat, die Sätze, in denen sich Majakowski mit Marinettis Anschauung von der Maschine befaßt, als ein Kuriosum zu zitieren. Majakowski spricht die Sprache des gesunden Menschenverstandes: »Die Ära der Maschine verlangt nicht Hymnen zu ihrem Preis; sie verlangt im Interesse der Menschheit gemeistert zu werden. Der Stahl der Wolkenkratzer verlangt nicht kontemplative Versenkung, sondern entschlossene Verwertung im Wohnungsbau... Wir werden nicht den Lärm suchen, sondern die Stillen organisieren. Wir Dichter wollen in den Waggons reden können.« (S. 83 f.) Die würdige, weil reservierte und nüchterne Haltung von Majakowski ist unvereinbar mit dem Bestreben, der Technik einen »monumentalen« Aspekt abzugewinnen. Sie legt schlüssiges Zeugnis gegen Maulniers Behauptung ab, der Kollektivismus der Russen habe »den Ingenieur zum geistigen Herrscher« (S. 79) gemacht. Das ist eine technokratische Umdeutung. Sie fälscht die polytechnische Ausbildung des Sowjetbürgers in technokratisch geleitete Fronarbeit um. Und sie ist eine technokratische Umdeutung auch in anderm Sinne: sie liegt gerade dem Technokraten nahe.

Nun wird niemand entschiedener als Maulnier den Vorwurf von sich abweisen, technokratisch zu denken. Diese Denkweise wird ihm vielmehr unvereinbar mit der artistischen scheinen.

11 Vgl. Marinettis Manifest zum äthiopischen Krieg.

Seine Definition der Kunst könnte ihm auf den ersten Blick
ein Recht dazu geben. Sie lautet: »Es ist die eigentliche Mission
der Kunst, die Gegenstände und die Geschöpfe unbrauchbar zu
machen.« (S. 86) Lassen wir es bei dem ersten Blick nicht
bewenden. Sehen wir näher zu! Es gibt eine unter den Künsten,
welche Maulniers Definition auf besonders exakte Weise Genüge
tut. Diese Kunst ist die Kriegskunst. Sie verkörpert die faschistische Kunstidee ebenso durch den monumentalen Einsatz an
Menschenmaterial wie durch den von banalen Zwecken gänzlich
entbundenen Einsatz der ganzen Technik. Die poetische Seite
der Technik, die der Faschist gegen die prosaische ausspielt, von
der die Russen ihm zu viel Wesens machen, ist ihre mörderische.
So kommt der Sinn des Satzes »Alles was primitiv, spontan,
unschuldig ist, ist uns allein darum schon hassenswert« (S. 213)
voll zur Geltung.

Dieser Satz findet sich im letzten Abschnitt des Essays, in dem
sich Maulnier mit Gide auseinandersetzt. Verdient die Fähigkeit,
so verräterische Reaktionen hervorzurufen, nicht Dank? Hat
Gide nicht die Idealfigur in sich verkörpert, die er in der Tage-
bucheintragung vom 28. März 1935 herausruft: den inquiéteur
– den Beunruhigung Stiftenden? In der Tat hat er sich zum
Sprecher derer gemacht, die den faschistischen Autor wie nichts
anderes beunruhigen.

Das sind die Massen, und zwar die lesenden. »Durch die gigan-
tischen Bestrebungen zugunsten aller Stufen des Unterrichts,
durch die Beseitigung jeder Barriere zwischen den verschiedenen
Bildungsniveaus..., durch die erstaunlich schnelle Verminde-
rung des Analphabetentums..., durch den unmittelbaren
Appell an die literarische Erfindungsgabe aller, und selbst der
Kinder..., durch all das schenkt Ihr« – so wandte sich Jean
Richard Bloch auf dem Pariser Schriftstellerkongreß von 1935
an die Vertreter der Sowjetunion – »dem Schriftsteller... die
wunderbarste Gabe, die er sich erträumt hat: Ihr schenkt ihm
ein Publikum von 170 Millionen Lesern.«

Das ist ein Danaergeschenk für den faschistischen Schriftsteller.
Der Elite, der Maulnier beispringt, ist ein Kunstgenuß, der nicht
von allen Seiten durch das Bildungsmonopol vor störenden
Elementen geschützt wäre, eine Undenkbarkeit. Die Abschaffung des Bildungsmonopols an und für sich wäre Maulnier

schon beängstigend genug. Und nun sagt ihm Gorki, daß gerade
die Kunst an dieser Abschaffung mitzuwirken berufen sei.
Er sagt ihm, in der Sowjetliteratur gebe es keinen grundsätzlichen Unterschied zwischen einem populär-wissenschaftlichen
und einem künstlerisch wertvollen Buch. Und Maulnier kann
mit diesem, durch die modernsten Vulgarisatoren des westlichen
Schrifttums, einen Frank, einen de Greif, einen Eddington,
einen Neurath längst demonstrierten Satz nichts Besseres anfangen, als ihn in seine Schilderung der »Barbarei« einzubeziehen, »in deren Dienst sich Gorki gestellt hat« (S. 78).
Maulnier weicht auch hier keinen Finger breit von seinem Gedanken ab, die Kultur als die Summe der Privilegien darzustellen. Vielleicht macht sie in dieser Darstellung keine gute
Figur. Aber indem Maulnier die Konfrontation der imperialistischen Kultur mit der sowjetrussischen sucht, muß er das in
Kauf nehmen. Er kann es nicht ändern, daß der konsumptive
Charakter, den die erstere hat, sich gegen den produktiven der
zweiten abhebt. Die angestrengte Betonung des Schöpferischen,
die uns aus der Kulturdebatte geläufig ist, hat vor allem die
Aufgabe, davon abzulenken, wie wenig das derart »schöpferisch« erzeugte Produkt seinerseits dem Produktionsprozesse
zugute kommt, wie ausschließlich es dem Konsum verfällt. Der
Imperialismus hat einen Zustand herbeigeführt, in dem das
Gedicht, das als »göttlich« gerühmt wird, sich solches Lob von
Rechts wegen mit der Mehlspeise teilt.
Maulnier kann auf das »Schöpferische« um keinen Preis verzichten. »Der Mensch«, schreibt er, »fabriziert etwas, um es zu
benutzen; aber er schafft, um zu schaffen.« (S. 86) Wie trüge-
risch die tote und undialektische Trennung von Schaffen und
Fabrizieren ist, die der Ästhetik des Schöpferischen zugrunde
liegt, erweist die polytechnische Bildung der Sowjets. Diese
Bildung ist ebensowohl imstande, den Fabrikarbeiter im Rahmen eines Produktionsplanes, den er übersieht, einer Produk-
tionsgemeinschaft, welche sein Leben trägt, einer Produktionsweise, die er verbessern kann, zu einer schöpferischen Arbeit zu
führen, wie sie den Schriftsteller durch die Genauigkeit der
Aufgaben, die sie ihm stellt, das heißt durch das bestimmte
Publikum, das sie ihm gewährleistet, zu einer Produktion veranlaßt, die dank der Rechenschaft, welche der Verfertiger von

seiner Prozedur geben kann, auf den Ehrennamen des Fabrikats Anspruch hat. Und gerade der Schriftsteller sollte sich erinnern, daß das Wort »Text« – vom Gewebten: textum – einmal ein solcher Ehrenname gewesen ist. Die werdende polytechnische Menschenbildung vor Augen, wird er ungerührt von dem Wortführer der Elite bleiben, der ihm erzählt, daß »von der kollektivistischen Gesellschaft jene allzu flüchtigen Augenblicke, in denen der Mensch einem Dasein sich zu entziehen vermag, das wie vor grauen Zeiten fast gänzlich dem Lebensunterhalte gewidmet ist, ... als eine Desertion angesehen werden« (S. 80). Wem verdankte der Mensch es, wenn diese Augenblicke so flüchtig waren? Der Elite. Wer hat ein Interesse, die Arbeit selber menschenwürdig zu machen? Das Proletariat.

Bei seinem Aufbauwerk kann es ohne weiteres auf das verzichten, was Maulnier die »Privilegien der Innerlichkeit« (S. 5) nennt, aber niemals auf den, der diese Privilegien so fühlt und so beschreibt, wie es Gide unterm 8. März 1935 tut: »Heute kommt mir, drückend und tief im Innern, das Gefühl einer Minderwertigkeit zum Bewußtsein: ich habe mir nie mein Brot verdienen müssen; ich habe nie unter dem Druck der Bedürftigkeit gearbeitet. Ich habe die Arbeit allerdings immer so sehr geliebt, daß mein Glück lediglich dadurch nicht beeinträchtigt worden wäre. Auch will ich auf das folgende hinaus. Es wird eine Zeit kommen, wo es als ein Mangel wird angesehen werden, solche Arbeit nicht gekannt zu haben. Die reichste Phantasie kann sie nicht ersetzen; die Unterweisung, die sie erteilt, kann nie wieder eingeholt werden. Eine Zeit kommt herauf, in der sich der Bürger dem einfachen Arbeiter unterlegen fühlt. Für einige ist diese Zeit schon gekommen.« (Nouvelles Pages, S. 164 f.)

Noch beunruhigender als daß es im Osten ein Publikum von 170 Millionen Lesern gibt, ist für Maulnier, daß in Frankreich Schriftsteller leben, die daran denken. André Gide hat sein letztes Buch »Les Nouvelles Nourritures« den jungen Lesern der Sowjetunion gewidmet. Der erste Absatz dieses Buches lautet:

»Du, der du kommen wirst, wenn ich die Geräusche der Erde nicht mehr höre und meine Lippen ihren Tau nicht mehr trinken – du, der du, später, vielleicht mich lesen wirst – für dich

schreibe ich diese Seiten; denn vielleicht wird es dich nicht genug
erstaunen zu leben; dich wird das betäubende Wunder, das dein
Leben ist, nicht nach Gebühr überwältigen. Mir scheint manchmal, das wird mein Durst sein, mit dem du trinken wirst, und
was dich über das andere Geschöpf, das du streichelst, dich
neigen heißt, sei mein eigenes Begehren, heute.« (Nouvelles
Nourritures, S. 9)

PARISER BRIEF ⟨2⟩
Malerei und Photographie

Wenn man an Sonn- und Feiertagen bei erträglichem Wetter in
den Pariser Stadtvierteln Montparnasse oder Montmartre spazieren geht, so stößt man in geräumigen Straßenzügen stellenweise auf Paravants, die, aneinandergereiht oder auch zu kleinen Irrgärten kombiniert, zum Verkauf bestimmte Gemälde
tragen. Man findet da die Sujets aus der guten Stube: Stilleben
und Marinestudien, Akte, Genrebilder und Interieurs. Der
Maler, der nicht selten romantisch, mit Schlapphut und Sammet-
joppe ausstaffiert ist, hat sich neben seinen Bildern auf einem
Feldstühlchen eingerichtet. Seine Kunst wendet sich an die
promenierende Bürgerfamilie. Diese ist vielleicht mehr von
seiner Gegenwart oder seinem imponierenden Aufzuge angetan
als von den ausgestellten Gemälden. Dennoch hieße es wahrscheinlich den Spekulationsgeist dieser Maler überschätzen, wollte man meinen, sie stellten ihre Person in den Dienst der Kun-
denwerbung.
Es sind gewiß nicht diese Maler, die man bei den großen Debatten im Auge hatte, die in letzter Zeit um die Lage der Malerei geführt worden sind[1]. Denn ihre Sache hat nur insofern
mit der Malerei als Kunst zu tun als auch deren Produktion
mehr und mehr für den Markt im allgemeinsten Sinne be-

1 Entretiens, L'art et la réalité. L'art et l'état. [Mit Beiträgen von Mario Alvera,
Daniel Baud-Bovy, Emilio Bodrero u. a.] Paris: Institut international de Coopéra-
tion intellectuelle (1935). – La querelle du réalisme. Deux débats par l'Association des
peintures et sculptures de la maison de la culture. [Mit Beiträgen von Lurçat,
Granaire u. a.] Paris: Editions socialistes internationales 1936.

stimmt ist. Doch haben die gehobenen Maler nicht nötig, sich in eigener Person auf den Markt zu stellen. Sie verfügen über Kunsthändler und Salons. Immerhin stellen ihre ambulanten Kollegen noch etwas anderes zur Schau als die Malerei im Stande ihrer tiefsten Erniedrigung. Sie zeigen, wie verbreitet eine mittlere Fähigkeit ist, mit Palette und Pinsel umzugehen. Und insofern haben sie in den erwähnten Debatten doch ihren Platz gehabt. Er wurde ihnen von André Lhote eingeräumt, welcher sagte: »Wer sich heutzutage für Malerei interessiert, der beginnt früher oder später selbst zu malen ... Von dem Tage an jedoch, wo ein Amateur selber zu malen anfängt, hört die Malerei auf, die gleichsam religiöse Faszination auf ihn auszuüben, die sie dem Profanen gegenüber besitzt.« (Entretiens, S. 39) Geht man der Vorstellung von einer Epoche nach, in der sich einer für Malerei interessieren konnte, ohne auch nur auf den Gedanken zu kommen, selber zu malen, so gerät man auf die des Zunftwesens. Und wie es oft dem Liberalen – Lhote ist ein im besten Sinne liberaler Geist – bestimmt ist, daß der Faschist seine Gedanken zuende denkt, so hören wir von Alexandre Cingria, daß das Unglück mit der Aufhebung der Zunftordnung, das heißt mit der französischen Revolution begonnen habe. Nach dieser Aufhebung hätten die Künstler sich unter Nichtachtung jeder Disziplin aufgeführt »wie die wilden Tiere« (Entretiens, S. 96). Und was ihr Publikum angeht, die Bürger, so verloren sie, »nachdem 1789 sie aus einer Ordnung entlassen hatte, die in politischer Hinsicht auf Hierarchie, in geistiger auf einer intellektuellen Wertordnung errichtet gewesen war«, »zunehmend das Verständnis für jene uninteressierte, lügnerische, amoralische und nutzlose Produktionsform, von der die künstlerischen Gesetze bestimmt werden« (Entretiens, S. 97).
Man sieht, der Faschismus hat auf dem Venezianer Kongreß eine offene Sprache geführt. Daß dieser Kongreß in Italien tagte, machte sich genau so deutlich bemerkbar, wie es den Pariser kennzeichnete, daß er von der Maison de la culture einberufen worden war. Soweit der offizielle Habitus dieser Veranstaltungen. Wer im übrigen die Reden näher studiert, dem begegnen auf dem Venezianer Kongreß (der ja ein internationaler gewesen ist) wohlüberlegte, durchdachte Betrachtungen über die Lage der Kunst, während andererseits unter den Teil-

nehmern der Pariser Tagung nicht alle ohne Ausnahme dazu
gekommen sind, die Debatte von Schablonen ganz freizuhalten. Kennzeichnend ist immerhin, daß zwei der wichtigsten
Venezianer Redner an dem Pariser Kongreß teilnahmen und in
seiner Atmosphäre sich zu Hause zu fühlen vermochten, nämlich Lhote und Le Corbusier. Der erstere nahm dort die Gelegenheit zu einem Rückblick auf die Venezianer Tagung wahr.
»Wir sind damals«, sagte er, »unser sechzig zusammengekom-
men, um ... in diesen Fragen etwas klarer zu sehen. Ich möchte
nicht wagen zu behaupten, daß es einem einzigen unter uns
wirklich gelungen sei.« (La querelle, S. 93)
Daß in Venedig die Sowjet-Union gar nicht, Deutschland lediglich in einer Person, wenn auch in der Thomas Manns, vertreten
gewesen ist, bleibt bedauerlich. Man würde aber in der Annahme irren, die vorgeschobeneren Positionen wären darum
völlig verwaist gewesen. Skandinavier wie Johnny Roosval,
Österreicher wie Hans Tietze, von den genannten Franzosen zu
schweigen, hielten sie wenigstens zum Teil besetzt[2]. In Paris
hatte die Avantgarde ohnehin den Vorrang. Sie setzte sich aus
Malern und Schriftstellern zu gleichen Teilen zusammen. Auf
diese Weise betonte man, wie notwendig es ist, der Malerei eine
vernünftige Kommunikation mit dem gesprochenen und ge-
schriebenen Wort zurückzugewinnen.
Die Theorie der Malerei hat sich als eine Spezialität von ihr
abgespalten und ist zur Sache der Kunstkritik geworden. Was
dieser Arbeitsteilung zu Grunde liegt, ist das Schwinden der
Solidarität, die die Malerei einst mit den öffentlichen Anliegen
verbunden hat. Courbet war vielleicht der letzte Maler, in dem
diese Solidarität sich ausprägt. Die Theorie seiner Malerei gab
nicht nur auf malerische Probleme Antwort. Bei den Impressionisten hat der Argot der Ateliers die echte Theorie schon zurückgedrängt, und von da führt eine stetige Entwicklung bis zu
dem Stadium, das einen klugen und informierten Beobachter zu

2 Andererseits stieß man in Venedig auf Rückstände förmlich musealen Charakters aus
verschollenen Denkepochen. So definierte beispielsweise Salvador de Madariaga: »Die
wahre Kunst ist das Erzeugnis einer in verschiedenen Verhältnissen möglichen Kombination des Gedankens mit dem Raum; und die falsche Kunst ist das Ergebnis einer
solchen Kombination, bei der der Gedanke das Kunstwerk beeinträchtigt.« (Entretiens,
S. 160)

der These führen konnte, die Malerei sei »eine vollkommen esoterische und museale Angelegenheit geworden, das Interesse an ihr und ihren Problemen ... nicht mehr vorhanden«. Sie sei »beinahe ein Überbleibsel aus einem vergangenen Zeitraum und ihr verfallen zu sein ... persönliches Mißgeschick«[3]. Solche Vorstellungen verschuldet weniger die Malerei als die Kunstkritik. Diese dient nur scheinbar dem Publikum, in Wahrheit dem Kunsthandel. Sie kennt keine Begriffe, nur einen Slang, der von Saison zu Saison wechselt. Es ist kein Zufall, daß der jahrelang maßgeblichste Pariser Kunstkritiker, Waldemar George, in Venedig als Faschist auftrat. Sein snobistisches Kauderwelsch kann nur solange Geltung haben wie die heutigen Formen des Kunstgeschäfts. Man versteht, daß er dazu gelangt ist, das Heil der französischen Malerei von einem »Führer« zu erwarten, der kommen müsse (vgl. Entretiens, S. 71).

Das Interesse der Venezianer Debatte haftet an denen, die sich um eine kompromißlose Darstellung der Krise der Malerei bemüht haben. Das gilt in besonderer Weise von Lhote. Seine Feststellung: »Wir stehen vor der Frage nach dem *nützlichen* Bilde« (Entretiens, S. 47), zeigt, wo wir den archimedischen Punkt der Debatte zu suchen haben. Lhote ist sowohl Maler als Theoretiker. Als Maler kommt er von Cézanne her; als Theoretiker arbeitet er im Rahmen der Nouvelle Revue Française. Er steht keineswegs auf dem äußersten linken Flügel. Nicht nur dort also fühlt man die Nötigung, über den »Nutzen« des Bildes nachzudenken. Loyalerweise kann dieser Begriff nicht den Nutzen im Auge haben, den das Bild für die Malerei oder für den Kunstgenuß hat. (Über deren Nutzen soll ja vielmehr mit seiner Hilfe gerade entschieden werden.) Im übrigen kann freilich der Begriff des Nutzens nicht weit genug gefaßt werden. Man würde sich jeden Weg verbauen, wollte man lediglich den unmittelbarsten Nutzen, den ein Werk durch sein Sujet haben kann, ins Auge fassen. Die Geschichte zeigt, daß die Malerei allgemeine soziale Aufgaben oft durch Wirkungen, die von mittelbarer Art sind, bewältigt hat. Auf sie wies der Wiener Kunsthistoriker Tietze hin, wenn er den Nutzen des Bildes so definiert: »Die Kunst verhilft zum Verständnis der Realität ...

---

3 Hermann Broch, James Joyce und die Gegenwart. Rede zu Joyce's 50. Geburtstag, Wien-Leipzig-Zürich 1936, S. 24.

Die ersten Künstler, die der Menschheit die ersten Konventionen der Gesichtswahrnehmung auferlegten, haben ihr einen ähnlichen Dienst geleistet, wie jene Genies der Prähistorie, die die ersten Worte gebildet haben.« (Entretiens, S. 34) Lhote verfolgt die gleiche Linie in historischer Zeit. Jeder neuen Technik, bemerkt er, liegt eine neue Optik zu Grunde. »Man weiß, von welchen Delirien die Erfindung der Perspektive begleitet gewesen ist, die die entscheidende Entdeckung der Renaissance war. Als erster stieß Paolo Uccello auf ihre Gesetze und er konnte seinen Enthusiasmus so wenig beherrschen, daß er mitten in der Nacht seine Frau weckte, um ihr die ungeheure Botschaft zu bringen. Ich könnte«, fährt Lhote fort, »die verschiedenen Etappen der Entwicklung der Gesichtswahrnehmung von den Primitiven bis heute am einfachen Beispiel des Tellers erläutern. Der Primitive hätte ihn, wie das Kind, als Kreis gezeichnet, der Zeitgenosse der Renaissance als Oval, der Moderne endlich, den Cézanne repräsentieren möge, ... als eine außerordentlich komplizierte Figur, von der man sich einen Begriff machen kann, indem man den unteren Teil des Ovals abgeflacht und eine seiner Seiten aufgebläht denkt.« (Entretiens, S. 38) Sollte der Nutzen solcher malerischen Errungenschaften – wie man dies vielleicht einwenden könnte – nicht der Wahrnehmung sondern nur ihrer mehr oder weniger suggestiven Reproduktion zu gute kommen, so würde er sich selbst dann auf außerkünstlerischem Felde beglaubigen. Denn solche Reproduktion wirkt durch zahlreiche Kanäle – den der gewerblichen Zeichnung wie den des Reklamebildes, den der volkstümlichen wie den der wissenschaftlichen Illustration – auf das Produktions- und Bildungsniveau der Gesellschaft ein.

Der Elementarbegriff, den man sich so vom Nutzen des Bildes machen kann, ist durch die Photographie erheblich erweitert worden. Diese erweiterte Gestalt ist seine aktuelle. Die gegenwärtige Debatte hat ihren Höhepunkt an den Stellen, an denen sie, die Photographie in die Analyse einbeziehend, deren Verhältnis zur Malerei klärt. Wenn das in Venedig nicht geschah, so holte Aragon in Paris das Versäumte nach. Es bedurfte, wie er später erzählt, einiger Courage dazu. Ein Teil der anwesenden Maler sah in dem Unternehmen, Gedanken zur Geschichte der Malerei auf die Geschichte der Photographie zu gründen, eine

Beleidigung. »Man stelle sich«, schließt Aragon, »einen Physiker vor, der sich beleidigt fühlt, weil man ihm von Chemie spricht.«[4]

Vor acht bis zehn Jahren hat man begonnen, die Geschichte der Photographie zu erforschen. Wir haben eine Anzahl, meist illustrierter, Arbeiten über ihre Anfänge und ihre frühen Meister[5]. Es ist aber einer der jüngsten Publikationen vorbehalten geblieben, den Gegenstand im Zusammenhang mit der Geschichte der Malerei zu behandeln. Daß dies im Geiste des dialektischen Materialismus versucht worden ist, ergibt eine neue Bestätigung der höchst originalen Aspekte, die diese Methode zu eröffnen vermag. Gisèle Freunds Studie »La photographie en France au dix-neuvième siècle«[6] stellt den Aufstieg

4 Louis Aragon, Le réalisme à l'ordre du jour. In: Commune, sept. 1936, 4, série 37, p. 23.

5 Vgl. u. a. Helmut Theodor Bossert und Heinrich Guttmann, Aus der Frühzeit der Photographie 1840–1870, Frankfurt am Main 1930; Camille Recht, Die alte Photographie, Paris 1931; Heinrich Schwarz, David Octavius Hill, der Meister der Photographie, Leipzig 1931; ferner zwei wichtige Quellenwerke: Disderi, Manuel opératoire de photographie, Paris 1853; Nadar, Quand j'étais photographe, Paris 1900.

6 Gisèle Freund, La photographie en France au dix-neuvième siècle, Paris 1936. – Die Verfasserin, eine deutsche Emigrantin, hat mit dieser Arbeit an der Sorbonne promoviert. Wer der öffentlichen Disputation beiwohnte, die den Abschluß der Prüfung bildet, mußte einen starken Eindruck von dem Weitblick und der Liberalität der Examinatoren mit nach Hause nehmen. – Ein methodischer Einwand gegen das verdienstliche Buch sei gestreift. »Je größer«, schreibt die Verfasserin, »das Genie des Künstlers ist, desto besser reflektiert sein Werk, und zwar gerade kraft der Originalität seiner Formgebung, die Tendenzen der ihm gleichzeitigen Gesellschaft.« (Freund, S. 4) Was an diesem Satz bedenklich scheint, ist nicht der Versuch, die künstlerische Tragweite einer Arbeit mit Beziehung auf die gesellschaftliche Struktur ihrer Entstehungszeit zu umschreiben; bedenklich ist nur die Annahme, diese Struktur erscheine ein für allemal unter dem gleichen Aspekt. In Wahrheit dürfte sich ihr Aspekt mit den verschiedenen Epochen ändern, die ihren Blick auf sie zurücklenken. Die Bedeutung eines Kunstwerks mit Rücksicht auf die gesellschaftliche Struktur seiner Entstehungszeit definieren, kommt also viel mehr darauf hinaus, die Fähigkeit des Kunstwerks, zu der Epoche seiner Entstehungszeit den ihr entlegensten und fremdesten Epochen einen Zugang zu geben, aus der Geschichte seiner Wirkungen zu bestimmen. Solche Fähigkeit hat z. B. Dantes Gedicht für das zwölfte Jahrhundert, hat Shakespeares Werk für das elisabethanische Zeitalter an den Tag gelegt. – Die Klarstellung dieser methodischen Frage ist umso wichtiger als die Formel von Freund geradenwegs auf eine Position zurückführt, die ihren drastischsten und zugleich fragwürdigsten Ausdruck bei Plechanow gefunden hat, der erklärt: »Je größer ein Schriftsteller ist, desto stärker und einsichtiger hängt der Charakter seines Werks vom Charakter seiner Epoche ab oder mit anderen Worten (Sperrung vom Referen-

der Photographie im Zusammenhang mit dem Aufstieg des Bürgertums dar und exemplifiziert diesen Zusammenhang in besonders glücklicher Weise an der Geschichte des Portraits. Ausgehend von der unter dem ancien régime am meisten verbreiteten
Portraittechnik, der kostspieligen Elfenbeinminiature, zeigt die
Verfasserin die verschiedenen Verfahren auf, die um 1780, das
heißt sechzig Jahre vor Erfindung der Photographie, auf eine
Beschleunigung und Verbilligung, damit auf eine weitere Verbreitung der Portraitproduktion hinzielten. Ihre Beschreibung
des Physiognotrace als eines Mittelgliedes zwischen Portrait-
miniature und photographischer Aufnahme hat den Wert einer
Entdeckung. Die Verfasserin zeigt dann weiter, wie die technische Entwicklung ihren der gesellschaftlichen angepaßten Standard in der Photographie erreicht, durch die das Portrait den
breiteren Bürgerschichten erschwinglich wird. Sie stellt dar, wie
die Miniaturisten die ersten Opfer der Photographie in den
Reihen der Maler wurden. Sie berichtet endlich über die theoretische Auseinandersetzung zwischen Malerei und Photographie
um die Jahrhundertmitte.
Im Felde der Theorie konzentrierte sich die Auseinandersetzung
zwischen Photographie und Malerei um die Frage, ob die
Photographie eine Kunst sei. Die Verfasserin macht auf die
eigentümliche Konstellation aufmerksam, die bei der Beant-
wortung dieser Frage zum Vorschein kommt. Sie stellt fest, wie
hoch dem künstlerischen Niveau nach eine Anzahl der frühen
Photographen gestanden haben, die ohne künstlerische Prätentionen zu Werke gingen und mit ihren Arbeiten nur einem
engen Freundeskreise vor Augen kamen. »Der Anspruch der
Photographie, eine Kunst zu sein, wurde gerade von denen
erhoben, die aus der Photographie ein Geschäft machten.«
(Freund, S. 49) Mit anderen Worten: der Anspruch der Photographie, eine Kunst zu sein, ist gleichzeitig mit ihrem Auftreten
als Ware.
Der Sachverhalt hat seine dialektische Ironie: das Verfahren,
das später bestimmt war, den Begriff des Kunstwerks selbst in
Frage zu stellen, indem es durch dessen Reproduktion seinen

ten): desto weniger läßt sich in seinen Werken jenes Element ausfindig machen, das man
das ›persönliche‹ nennen könnte.« (Georges Plekhanov, Les jugements de Lanson sur
Balzac et Corneille. In: Commune, déc. 1934, 2, série 16, p. 306.)

Warencharakter forcierte, bezeichnet sich als ein künstlerisches[7].
Diese spätere Entwicklung setzt mit Disderi ein. Disderi wußte,
daß die Photographie eine Ware ist. Aber diese Eigenschaft
teilt sie mit allen Produkten unserer Gesellschaft. (Auch das
Gemälde ist eine Ware.) Disderi erkannte darüber hinaus,
welche Dienste die Photographie der Warenwirtschaft zu leisten
imstande ist. Er als erster benutzte das photographische Verfahren, um Güter, welche dem Zirkulationsprozeß mehr oder
weniger entzogen gewesen waren, in denselben hinein zu reißen. So in erster Linie die Kunstwerke. Disderi hatte den klugen
Gedanken, sich ein staatliches Monopol auf die Reproduktion
der im Louvre versammelten Kunstwerke geben zu lassen.
Seither hat die Photographie immer zahlreichere Ausschnitte
aus dem Feld optischer Wahrnehmung verkäuflich gemacht. Sie
hat der Warenzirkulation Objekte erobert, die ehedem so gut
wie nicht in ihr vorkamen.

Aus dem Rahmen, den Gisèle Freund sich gesteckt hat, fällt
dieser Entwicklungsgang bereits heraus. Sie hat es vor allem mit
der Epoche zu tun, in der die Photographie ihren Siegeszug
antritt. Es ist die Epoche des juste milieu. Die Verfasserin kennzeichnet dessen ästhetischen Standpunkt, und es hat in ihrer
Darstellung einen mehr als anekdotischen Wert, daß für einen
der damals gefeierten Meister die exakte Darstellung von Fisch-
schuppen ein Hochziel der Malerei war. Diese Schule sah ihre
Ideale über Nacht von der Photographie verwirklicht. Ein
zeitgenössischer Maler, Galimard, verrät das naiv, wenn er in
einem Bericht über Meissoniers Bilder schreibt: »Das Publikum

<hr>

7 Eine ähnlich ironische Konstellation im gleichen Feld ist die folgende. Die Kamera
ist als hochgradig standardisiertes Werkzeug dem Ausdruck nationaler Eigentümlichkeiten in der Form ihres Produkts nicht viel günstiger als ein Walzwerk. Sie macht die
Bildproduktion in vordem ungekanntem Maße von nationalen Konventionen und
Stilen unabhängig. Sie beunruhigte dadurch die Theoretiker, die auf solche Konventionen und Stile eingeschworen sind. Die Reaktion ließ nicht auf sich warten. Schon
1859 heißt es in der Besprechung einer photographischen Ausstellung: »Der besondere
Nationalcharakter tritt ... handgreiflich in den Werken der verschiedenen Länder
heraus ... Niemals wird ein französischer Photograph ... mit einem seiner englischen
Kollegen zu verwechseln sein.« (Louis Figuier, La photographie au salon de 1859,
Paris 1860, S. 5) Und genau so nach über siebenzig Jahren Margherita Sarfatti auf
dem Venezianer Kongreß: »Eine gute Portraitphotographie wird uns auf den ersten
Blick die Nationalität – nicht etwa des Photographierten sondern – des Photographen
verraten.« (Entretiens, S. 87)

wird uns nicht widersprechen, wenn wir unsere Bewunderung... für den feinsinnigen Künstler zum Ausdruck bringen,
der ... uns dies Jahr ein Bild geschenkt hat, das es der Genauigkeit nach mit den Daguerreotypien aufnehmen kann.«[8] Die
Malerei des juste milieu wartete nur darauf, sich von der
Photographie ins Schlepptau nehmen zu lassen. Es ist daher
nicht erstaunlich, daß sie für die Entwicklung des photographischen Handwerks nichts, nichts Gutes jedenfalls, zu bedeuten
hatte. Wo wir es unter ihrem Einfluß finden, stoßen wir auf
Versuche der Photographen, mit Hilfe von Requisiten und
Statisterie, die sie in ihren Ateliers versammelten, den Historien-
malern es gleichzutun, die damals auf Louis-Philippes Geheiß
Versailles mit Fresken versahen. Man schrak nicht davor zurück, den Bildhauer Kallimachus zu photographieren, wie er
beim Anblick einer Akanthuspflanze das Korinthische Kapitäl
erfindet; man stellte die Szene, wie »Leonardo« die »Mona
Lisa« malt, und diese Szene photographierte man. – In Courbet
hatte die Malerei des juste milieu ihren Widerpart; mit Courbet
kehrt sich, für eine gewisse Zeit, das Verhältnis zwischen Maler
und Photograph um. Sein berühmtes Bild »Die Woge« kommt
der Entdeckung eines photographischen Sujets durch die Malerei
gleich. Courbets Epoche kannte weder die Groß- noch die
Momentaufnahme. Seine Malerei zeigt ihr den Weg. Sie rüstet
eine Entdeckungsfahrt in eine Formen- und Strukturwelt aus,
die man erst mehrere Lustren später auf die Platte zu bringen
vermochte.
Courbets besondere Stellung liegt darin, daß er der letzte war,
der versuchen konnte, die Photographie zu überholen. Die
Späteren suchen ihr zu entgehen. So zuvörderst die Impressionisten. Das gemalte Bild entschlüpft der zeichnerischen Armatur;
es entzieht sich dadurch in gewissem Maße der Konkurrenz
durch die Kamera. Die Probe auf das Exempel machen die
Versuche, in denen die Photographie um die Jahrhundertwende
es ihrerseits den Impressionisten nachtut. Sie greift zu den
Gummidrucken; es ist bekannt, wie tief sie mit diesem Verfahren gesunken ist. Aragon hat den Zusammenhang scharf erfaßt:
»Die Maler ... haben im photographischen Apparat einen Konkurrenten gesehen ... Sie haben versucht, es anders zu machen

8 Auguste Galimard, Examen du salon de 1849, Paris o. J., S. 95.

als er. Das war ihre große Idee. Eine wichtige Errungenschaft der Menschheit so zu verkennen, ...mußte...schließlich... eine reaktionäre Verhaltungsweise bei ihnen zur Folge haben. Die Maler sind mit der Zeit – und das gilt am meisten von den begabtesten –... wahre Ignoranten geworden.«[9]

Aragon ist den Fragen, die die jüngste Geschichte der Malerei aufgibt, 1930 in einer Schrift nachgegangen, die er »Die Herausforderung der Malerei«[10] überschrieben hat. Herausforderer ist die Photographie. Die Schrift gilt der Wendung, die die vordem den Zusammenstoß mit der Photographie meidende Malerei dazu führte, ihr die Stirn zu bieten. Wie sie das tat, stellte Aragon im Anschluß an die Arbeiten seiner damaligen surrealistischen Freunde dar. Man griff zu verschiedenen Verfahrungsweisen. »Ein Stück Photographie wurde in ein Gemälde oder in eine Zeichnung hineingeklebt; oder in eine Photographie wurde etwas hineingezeichnet bzw. hineingemalt.« (Aragon, S. 22) Aragon nennt noch andere Prozeduren. So die Behandlung von Abbildungen, denen durch Ausschneiden die Form anderer als der abgebildeten Dinge verliehen wird. (Man kann eine Lokomotive aus einem Blatt ausschneiden, auf dem eine Rose abgedruckt ist.) In diesem Verfahren, das seinen Zusammenhang mit dem Dadaismus erkennen läßt, glaubte Aragon eine Gewähr für die revolutionäre Energie der neuen Kunst zu besitzen. Er konfrontierte sie mit der hergebrachten. »In der Malerei geht es längst komfortabel her; sie schmeichelt dem kultivierten Kenner, der sie bezahlt. Sie ist Luxusgegenstand... An diesen neuen Versuchen erkennt man, daß die Maler sich von ihrer Domestizierung durch das Geld freimachen können. Denn diese Klebetechnik ist arm an Mitteln. Und ihr Wert wird noch lange verkannt werden.« (Aragon, S. 19)

Das war 1930. Aragon würde diese Sätze heute nicht mehr schreiben. Der Versuch der Surrealisten, die Photographie »künstlerisch« zu bewältigen, ist fehlgeschlagen. Der Irrtum der kunstgewerblichen Photographen mit ihrem spießbürgerlichen Credo, das den Titel von Renger-Patzschs bekannter

9 La querelle, S. 64. Vgl. die bösartige These Dérains: »Die große Gefahr für die Kunst ist das Übermaß von Kultur. Der wahre Künstler ist ein unkultivierter Mensch.« (La querelle, S. 163)
10 Louis Aragon, La peinture au défi, Paris 1930.

Photosammlung »Die Welt ist schön« bildet, war auch der ihre.
Sie verkannten die soziale Durchschlagskraft der Photographie
und damit die Wichtigkeit der Beschriftung, die als Zündschnur
den kritischen Funken an das Bildgemenge heranführt (wie wir
das am besten bei Heartfield sehen). Aragon hat sich mit
Heartfield letzthin beschäftigt[11]; er hat auch sonst die Gelegenheit wahrgenommen, auf das kritische Element in der Photographie hinzuweisen. Heute sichtet er dieses Element selbst im
scheinbar formalen Werk eines Kameravirtuosen wie Man Ray.
Mit Man Ray, führte er in der Pariser Debatte aus, gelingt es
der Photographie, die Malweise der modernsten Maler zu re-
produzieren. »Wer die Maler, auf die Man Ray anspielt, nicht
kennt, würde seine Leistung gar nicht vollständig würdigen
können.« (La querelle, S. 60)
Dürfen wir von dieser spannungsreichen Geschichte der Begegnung von Malerei und Photographie mit der liebenswürdigen
Formel Abschied nehmen, die Lhote in Bereitschaft hält? Ihm
erscheint unbestreitbar, »daß der vielberedete Ersatz der Malerei durch die Photographie in der Erledigung dessen Platz
greifen kann, was man als ›die laufenden Geschäfte‹ bezeichnen
möchte. Der Malerei aber verbleibt sodann die geheimnisvolle
Domäne des ewig unantastbaren Reinmenschlichen.« (La querelle, S. 102) Leider ist diese Konstruktion nichts als eine Falle,
die hinterm liberalen Denker einschnappt und ihn wehrlos an
den Faschismus liefert. Wieviel weiter reichte der Blick des unge-
schlachten Ideenmalers Antoine Wiertz, der vor bald 100 Jahren aus Anlaß der ersten photographischen Weltschau geschrieben hat: »Vor einigen Jahren ist uns, der Ruhm unseres Zeitalters, eine Maschine geboren worden, die tagtäglich das Staunen unserer Gedanken und der Schrecken unserer Augen ist. Ehe
noch ein Jahrhundert um ist, wird diese Maschine der Pinsel,
die Palette, die Farben, die Geschicklichkeit, die Erfahrung, die
Geduld, die Behendigkeit, die Treffsicherheit, das Kolorit, die
Lasur, das Vorbild, die Vollendung, der Extrakt der Malerei
sein... Glaube man nicht, daß die Daguerreotypie die Kunst
töte... Wenn die Daguerreotypie, dieses Riesenkind, herangewachsen sein wird; wenn all seine Kunst und Stärke sich wird

11 Louis Aragon, John Heartfield et la beauté révolutionnaire. In: Commune, mai
1935, 2. S. 21.

entfaltet haben, dann wird der Genius es plötzlich am Genick
packen und rufen: Hierher! Mir gehörst Du jetzt! Wir werden
zusammen arbeiten.«[12] Wer die großen Gemälde von Wiertz
vor sich hat, weiß, daß der Genius, von dem er spricht, ein
politischer ist. Im Blitz einer großen sozialen Inspiration, so
meint er, müssen einst Malerei und Photographie verschmelzen.
Diese Prophetie enthielt eine Wahrheit; nur daß es nicht Werke
sondern Meister sind, in denen sich solche Verschmelzung vollzogen hat. Sie gehören der Generation von Heartfield an und
sind durch die Politik aus Malern zu Photographen geworden.
Die gleiche Generation hat Maler wie George Grosz oder Otto
Dix hervorgebracht, die auf das gleiche Ziel hingearbeitet haben. Die Malerei hat ihre Funktion nicht verloren. Man darf
sich nur nicht die Aussicht auf sie verstellen, wie z. B. Christian
Gaillard es tut. »Wenn soziale Kämpfe«, so sagt er, »das Sujet
meines Œuvres sein sollten, so müßte ich visuell von ihnen
ergriffen sein.« (La querelle, S. 190) Das ist für den Zeitgenossen faschistischer Staaten, in deren Städten und Dörfern »Ruhe
und Ordnung« herrschen, eine sehr problematische Formulierung. Sollte er nicht den umgekehrten Vorgang an sich erfahren? Wird sich sein soziales Ergriffensein nicht in visuelle Inspiration umsetzen? So ist es bei den großen Karikaturisten
gewesen, deren politisches Wissen ihrer physiognomischen Wahrnehmung sich nicht weniger tief eingesenkt hat, als die Erfahrung des Tastsinns der Raumwahrnehmung. Den Weg haben
Meister wie Bosch, Hogarth, Goya, Daumier gewiesen. »Unter
die wichtigsten Werke der Malerei«, schreibt der jüngstverstor-
bene René Crevel, »hat man immer die zählen müssen, die,
eben indem sie eine Zersetzung aufwiesen, Anklage gegen die
erhoben, die für sie verantwortlich waren. Von Grünewald bis
Dali, vom verfaulten Christ bis zum verfaulten Esel[13] ... hat
die Malerei immer ... neue Wahrheiten zu finden vermocht, die
nicht Wahrheiten der Malerei allein waren.« (La querelle,
S. 154)
Es liegt in der Natur der westeuropäischen Situation, daß die
Malerei gerade da, wo sie souverän an die Sache geht, eine
zerstörende, reinigende Wirkung hat. Vielleicht kommt das in

12 A. I. Wiertz, Œuvres littéraires, Paris 1870, S. 309.
13 Ein Bild von Dali.

einem Land, das noch[14] demokratische Freiheiten hat, nicht so
deutlich wie in einem Lande zum Vorschein, wo der Faschismus
am Ruder ist. Dort gibt es Maler, denen das Malen verboten
ist. (Und selten hat das Sujet, meistens die Malweise den Künstlern das Verbot zugezogen. So tief wird der Faschismus von
ihrer Art zu sehen getroffen.) Zu diesen Malern kommt Polizei,
um zu kontrollieren, ob sie seit der letzten Razzia nichts gemalt
haben. Sie gehen nachts ans Werk, bei verhängten Fenstern.
Für sie ist die Versuchung »nach der Natur« zu malen gering.
Auch sind die fahlen Landstriche ihrer Bilder, die von Schemen
oder Monstren bevölkert werden, nicht der Natur abgelauscht,
sondern dem Klassenstaat. Von diesen Malern war in Venedig
nicht die Rede; leider auch nicht in Paris. Sie wissen, was heute
an einem Bild nützlich ist: jede öffentliche oder geheime Marke,
die zeigt, daß der Faschismus im Menschen auf ebenso unüber-
windliche Schranken gestoßen ist wie er sie auf dem Erdball
gefunden hat.

14 Noch: Anläßlich der großen Cézanne-Ausstellung setzte sich das Pariser Blatt
»Choc« die Aufgabe, mit dem »Bluff« Cézanne Schluß zu machen. Die Ausstellung sei
von der französischen Linksregierung veranstaltet worden, »um die Kunstgesin-
nung des eigenen, ja aller anderen Völker in den Schmutz zu ziehen«. So die Kritik.
Im übrigen gibt es Maler, die für alle Fälle vorgesorgt haben. Sie halten es mit
Raoul Dufy, der schreibt, wenn er ein Deutscher wäre und den Triumph Hitlers zu
feiern hätte, so würde er das tun wie gewisse Maler des Mittelalters religiöse Bilder
gemalt hätten, ohne darum gläubig gewesen zu sein (vgl. La querelle, S. 187).

1937

Recherches philosophiques. Fondées par A. Koyré, H.-Ch. Puech, A. Spaier. Bd. 4, 1934. Paris: Boivin et Cie., Editeurs, 1935. VI, 530 S.

Der vorliegende Sammelband ist der vierte der unter dem Titel »Recherches philosophiques« veröffentlichten. Der Vorzug dieser Jahrbücher, die seit 1932 erscheinen, ist, die französische Philosophie in internationalem Rahmen zu zeigen. Früher geschah das mit Hilfe eingehender Referate über die Philosophie des Auslandes (Deutschland wurde u. a. von Dubislav bearbeitet). Im vorliegenden Bande ist die Rubrik »Ausländische Philosophie« fortgefallen; aber gerade der Zusammenhang mit der deutschen Forschung ist nicht beeinträchtigt worden. So behandelt die kritische Bibliographie, die ein Drittel des Gesamtumfangs einnimmt, in der Rubrik »Sozialwissenschaften« ausschließlich deutsche Bücher. Weiterhin hat man im bibliographischen Teil dem phänomenologischen Schrifttum einen besonderen Abschnitt vorbehalten. Und auch er behandelt, wie das nicht überraschen kann, ausschließlich deutsche Neuerscheinungen. Besonders sind die an Scheler sowie die an Heidegger anschließenden anthropologisch interessierten Autoren berücksichtigt. – Den Abhandlungteil eröffnet der Beitrag des Mitherausgebers A. Spaier über die »Komplexe des Individualismus und der Hingabe sowie deren Wurzel in den Instinkten«. Führt die anthropologische Orientierung, die gegenwärtig das französische Denken fühlbar beeinflußt, bei Spaier in die Richtung der Charakterologie, so zeigt sie sich in Caillois' »Analyse und Kommentar eines Beispiels freier Ideenassoziation« psychoanalytisch bestimmt. Verwandte Interessen kennzeichnen den wertvollen Beitrag Klossowskis »Das Böse und die Verleugnung des Nebenmenschen in der Philosophie des Marquis de Sade«. In anderen Beiträgen, die sich mit dem Problem der Geschichtlichkeit auseinandersetzen, prägt sich die ontologisch und metaphysisch bestimmte Richtung der Anthropologie aus. Hierher gehören an erster Stelle Sterns »Interpretation des Aposteriori«

und Weils Beitrag »Über das Interesse an der Geschichte«, die
erste um den Begriff der Erfahrung, der zweite um den der
ratio zentriert. A. Marcis Arbeit »Die Zeit und die Person«
gründet in einem Idealismus, der von Heideggerscher Prägung
noch frei und dem Spiritualismus verwandt ist. Der Aufsatz
berührt sich in der Fragestellung mit Minkowskis Buch »Le
temps vécu«. Dieser hat zum vorliegenden Band »phänomenologische Untersuchungen« beigesteuert. – Unter den historischen
Beiträgen sind neben der erwähnten Studie zu Sade an erster
Stelle Groethuysens Mitteilungen aus Diltheys Nachlaß, sowie
Löwiths Untersuchung über »Hegel, Marx und Kierkegaard« zu
nennen, die einer kritischen Haltung zu anthropologischer
Philosophie förderlich sind.

*F[élix] Armand et R[ené] Maublanc, Fourier. 2 Bde. Paris Edi-
tions Sociales Internationales 1937. 264 S., 264 S.*

Fourier ist sein Lebtag darauf aus gewesen, in seiner Schreibweise dem Publikum entgegenzukommen. Vor allem bemüht er
sich, seiner »papillonne«, seiner Zerstreuungssucht so weit wie
möglich sich anzupassen. Er greift dabei zu Prozeduren, die an
Jean Paul erinnern (mit dem ihn in der Tat eine tiefe Verwandtschaft verbindet); in schrullenhafter Weise durchsetzt er
den Text mit Prologen und Präambeln, Postambeln, Korolla-
ren, Appositionen und Intermezzi, schafft sich dazu neue, im
üblichen Schriftvorrat unbekannte Zeichen, Kennmarken einer
besonderen philosophischen Gruppenbildung. Mit alledem hat
er eine fortlaufende Lektüre seiner Bücher sehr erschwert und
anthologische Versuche an seinem Werk so gut wie nicht leicht
ein anderer legitimiert. Sie sind des öfteren unternommen worden; ein neuerer von A. Pinloche wurde an dieser Stelle im
Jahre 1934 (S. 291 f.) angezeigt.
Die Anthologie von Armand und Maublanc unterscheidet sich
von den früheren auf die vorteilhafteste Weise. Sie geht in der
Zerschlagung des Textes weiter, als dies bisher geschehen ist. Das
erweist sich als sehr berechtigt. Nicht nur weil derart, befördert
durch Stichworte, Losungen oder Thesen, mit denen die Heraus-

geber die Fragmente betitelt haben, der anziehende Eindruck,
den Fourier seinen Schriften zu geben getrachtet hat, in der Tat
zustande kommt; das Verfahren wird weiterhin durch die Kom-
positionstechnik von Fourier nahegelegt. Dieser merkwürdige
Mann ist in seiner Schriftstellerei etwas rückständig gewesen.
Man stößt bei ihm, genau wie bei den an den gradus ad Parnas-
sum geschulten Schriftstellern und Rhetoren des siebzehnten
Jahrhunderts, auf eine Fülle stereotyper Wendungen, mit denen
er bei jeder Gelegenheit seinen Text bereichert – Wendungen,
die freilich nicht der klassischen Konvention, sondern seinen
eigenen Studierheften entnommen sind. Diesen Wiederholungen
war aus dem Wege zu gehen, und das ist den Herausgebern
gelungen.

M[aublanc] hat schon durch eine Edition der Fourierschen
Erotologie bewiesen, daß er besonderes Verständnis für die
Exzentrizitäten dieses Autors besitzt. Indem er diesen »romanhaften Elementen« – so nennt er sie in der Einleitung – in der
Auswahl einen besonders großen Platz einräumt, führt er den
Leser an diejenige Seite Fouriers heran, die die anziehendste
auch für Marx und Engels gewesen ist. Fourier erscheint in der
Tat in dieser Auswahl als der Schriftsteller, welcher seine
»kolossale Anschauung vom Menschen ... der bescheidenen Mittelmäßigkeit des Restaurationsmenschen mit naivem Humor
gegenüberstellt«. Diese Worte enthalten für viele der Fourierschen Divagationen den Schlüssel, und man kann sich mit den
Herausgebern fragen, ob nicht Fourier selber zuzeiten sie sich so
zurechtgelegt habe. Jedenfalls verbirgt ihr Humor eine uner-
bittliche Kritik an seinen Zeitgenossen. (Ähnlich ist ein satiri-
sches Element oft im Humor Daumiers aufgehoben.) Unter den
drei Hauptteilen der Anthologie haben die Herausgeber den
mittleren der Kritik der gesellschaftlichen Ordnung vorbehalten,
die Fourier, ausgehend von seinen Erfahrungen als Verkäufer,
geübt hat. Von den beiden übrigen befaßt sich der eine mit
Fouriers »Philosophie générale«, der andere mit der »Utopie
phalanstérienne«. Das Spannungsverhältnis, in dem der erste
zum dritten Abschnitt, der Deismus des Metaphysikers zu dem
Hedonismus des Utopisten steht, kann dem Historiker zu denken geben. In Fourier, der, wie die Einleitung bemerkt, eigentlich ein Mann des achtzehnten Jahrhunderts gewesen ist, mag

dieses Jahrhundert, das einen Bayle neben einem Swedenborg, einen Basedow neben einem Sade hervorgebracht hat, ihm in seiner Widersprüchlichkeit konzentriert erscheinen.

Helmut Anton, Gesellschaftsideal und Gesellschaftsmoral im ausgehenden 17. Jahrhundert. Studien zur französischen Moralliteratur im Anschluß an J.-B. Morvan de Bellegarde. Breslau: Priebatsch 1935. 126 S.

Hansjörg Garte, Kunstform Schauerroman. Eine morphologische Begriffsbestimmung des Sensationsromans im 18. Jahrhundert von Walpoles »Castle of Otranto« bis Jean Pauls »Titan«. Leipzig: Carl Garte 1935. 179 S. (Dissertation Leipzig.)

Oskar Walzel, Romantisches. I. Frühe Kunstschau Friedrich Schlegels. II. Adam Müllers Ästhetik. Untersuchungen. Bonn a. Rh.: Ludwig Röhrscheid-Verlag 1934. 253 S. (Mnemosyne. Arbeiten zur Erforschung von Sprache und Dichtung. 18.)

Alain, Stendhal. Paris: Les Editions Rieder 1935. 108 S.

Hugo von Hofmannsthal, Briefe 1890–1901. Berlin: S. Fischer Verlag (1935). 352 S.

Hermann Blackert, Der Aufbau der Kunstwirklichkeit bei Marcel Proust, aufgezeigt an der Einführung der Personen in »A la recherche du temps perdu«. Berlin: Junker und Dünnhaupt 1935. 134 S. (Neue deutsche Forschungen. 45; Abt. Romanische Philologie, Bd. 2.)

Hermann Broch, James Joyce und die Gegenwart. Rede zu Joyces 50. Geburtstag. Wien: Herbert Reichner 1936. 32 S.

Antons Schrift, die den Stempel einer Dissertation trägt, gibt nichts als eine Sammlung von Exzerpten aus den Werken des Moraltheoretikers Morvan de Bellegarde (1648–1734). Sie ist in unsicherem, teilweise fehlerhaftem Deutsch geschrieben.
Mit der Schrift *Gartes* hat eine Gattung, die nach der positivistischen Epoche der Literaturwissenschaft für ausgestorben gelten

konnte, einen interessanten Nachfahr erhalten. Einzelne Exemplare von dieser Gattung mögen noch in Erinnerung stehen; genannt sei R. M. Werners Buch »Lyrik und Lyriker«, das gegen Ende des vorigen Jahrhunderts eine Klassifizierung der gesamten Lyrik nach genera und species unternahm. Absicht und Gegenstand paßten da zueinander so schlecht wie möglich. Die gleiche Absicht paßt zu einem veränderten Gegenstand bei G[arte] so gut wie möglich. Und das, weil der Schauerroman, entgegen der vom Verf[asser] gegebenen Versicherung, durchaus keine Kunstform ist. Der Schauerroman gehört einer Gattung des Schrifttums an, die – wie Reise-, Erbauungs- oder Jugendliteratur – sich zureichend nicht in ästhetischen, sondern nur in gesellschaftlichen Kategorien erfassen läßt. Einer solchen Erfassung leistet eine beschreibende Klassifikation der Gattung wertvolle Dienste. G[arte] nimmt sie unter einfachen und konkreten Kriterien vor. Und weil er diese, ohne rechts oder links zu blicken, unmittelbar aus dem noch sehr unerschlossenen Stoff geschöpft hat, so muß man ihnen nicht nur Sachgemäßheit, sondern auch eine gewisse Originalität zubilligen. Sie inventarisieren den Schauerroman nach Hergang, Figuren und Schauplatz. Dabei ist G[arte]s glücklichster Griff die Aufteilung des letzteren in die Dreiheit Tartarus, Welt und Elysium. Auch weiterhin wird vernünftig und drastisch spezifiziert. Wenn wir im Begriffskreis des Tartarus u. a. Gang und Treppe, Friedhof, gotisches Schloß, Uhren und Falltüren finden, so in dem des Elysiums die Einsiedelei, die melancholische Landschaft, Arkadien, das Gartenhäuschen. – Die Vertrautheit mit Jean Paul, dessen Werk dem volkstümlichen Schrifttum und gewiß auch dem Schauerroman verpflichtet ist, ist förderlich für G[arte] gewesen. Dagegen ist sein Versuch, den »Titan« selbst als Schauerroman darzustellen, wohl nur aus der Absicht begreiflich, für diesen letzteren das Prädikat »Kunstform« in Anspruch zu nehmen. Dieser Versuch ist abwegig. Abzulehnen ist er viel weniger im Interesse irgendwelcher hierarchischer Ordnungen, die innerhalb der Literatur einen engeren Bereich der Kunstformen bestimmen mögen, als im Interesse des Schauerromans selbst. Er vereitelt nämlich dessen Deutung (und damit auch die gewisser ihm verwandter Dichtungen wie des »Titan«). Zu dieser Erkenntnis hätte der Verf[asser] gelangen können, wenn er der klassifizierenden Methode die ihr zukommende untergeordnete Rolle belassen hätte. Statt dessen sucht er seine Untersuchung zu einer Definition vorzutreiben, die notwendig nichtssagend ausfallen muß. »Ein Geschehen«, heißt es, »vergegenwärtigt sich im Roman nur mit Hilfe von Figuren, und sein Ablauf kann nur in Episoden oder Teilgeschehen mittels wechselnder Leitfiguren verdeutlicht werden.« – Es hätte einer Blickwendung auf die gesellschaftlichen Grundlagen des Schauerromans in der Zeit vom Aufstieg des Bürgertums bis zum Biedermeier bedurft, um aus der verdienstlichen Arbeit mehr als eine Vorstudie zu machen. Ganz von selbst hätten sich damit die historischen Fluchtlinien in die Vergangenheit und in die Zukunft verfolgen lassen: sie führen in der einen Richtung zum Ritterroman, zum Detektivroman in der anderen.

Walzels Schrift zerfällt in zwei Abhandlungen, die gegenständlich durch mannigfache sachliche und personale Beziehungen zusammenhängen. Die »Frühe Kunstschau Friedrich Schlegels« behandelt u. a. das Verhältnis des jungen Schlegel zu Hemsterhuis, dessen Physiognomie in der eigentümlichen Atmosphäre zwischen Sturm und Drang und Romantik, in der sie von W[alzel] gezeichnet wird, gut zur Geltung kommt. Dabei wird die Weltauffassung des Sturms und Drangs als eine haptisch gerichtete der optisch gerichteten der Romantik entgegengestellt. – Die Abhandlung über »Adam Müllers Ästhetik« ist nicht nur historisch interessant. Sie berührt in der Darstellung der »vermittelnden Kritik« Müllers, die sich zur Aufgabe machte, ohne Hinzuziehung von Wertmaßstäben zu bestimmen, »welche Erscheinungen der Kunst geschichtlichen Verstehens würdig sind, welche nicht« eine Debatte, die auch heute noch nicht zum Abschluß gekommen ist. – W[alzel]s Studien sind akademisch im besten Sinne, unter eingehender Berücksichtigung der Literatur verfaßt und scheinen, nach ihrem merkwürdigen Schlußsatz zu urteilen, dem Bildungsideal des vorigen Jahrhunderts die Treue halten zu wollen. »Er baute«, heißt es von Adam Müller, »mit an dem einen Gedanken, den dieses Jahrhundert vielleicht am dringlichsten durchzusetzen strebte, an dem Gedanken eines Dritten Reichs, wie es den Gesinnungsgenossen Ibsens vorschwebte.«

Alains Buch setzt Bekanntschaft mit Stendhal voraus. Es ent-

wickelt Überlegungen, die aus jahrelangem vertrauten Umgang
mit seinen Schriften erwachsen sind. Diese Überlegungen sind
um einige wenige Motive gruppiert. »Der Ungläubige«, »Der
honnête homme«, »Der Politiker«, »Der Liebhaber«, »Der
Dilettant« und »Der Schriftsteller« machen sechs Portraitstu-
dien, die A[lain] seinem Modell abgewinnt. Von ihrer Meisterschaft mögen einige Reflexionen über den Politiker Stendhal
zeugen. A[lain] konfrontiert dessen Verfahren am Beispiel der
»Chartreuse de Parme« mit dem der landläufigen Historiker,
die über die Kunst verfügen, »furchtbare Vorfälle zu berichten,
ohne an sie zu glauben, ja ohne auch nur an sie zu denken«.
Demgegenüber gibt es in der »Chartreuse« – das zeigt A[lain] –
kaum ein Geschehen, ja kaum eine Haltung, der nicht das Brandmal von dem aufgedrückt ist, was eine Despotie aus dem Menschen macht. Stendhal erweist sich als politischer Physiognom,
der die Gewalt der Herrschaftsverhältnisse noch in der Art und
Weise zum Ausdruck bringt, in der eine Bettlerin ihr Almosen
entgegennimmt. Sie tut es bei Stendhal mit Worten, die, wie
A[lain] sagt, »gewiß nie gesprochen wurden, die aber in dem
Verhalten stecken«. Und weiter diese, die Kunst Stendhals im
Zentrum treffende Maxime seines Auslegers: »Die Überlegungen (des politischen Romanciers) haben von dem auszugehen,
was laut nie gesagt werden wird.« Weiterhin sieht A[lain],
daß dies Nie-Gesagte in Stendhals Sinn weniger geheimnisvolle
Vorgänge des Innenlebens als geheimgehaltene Pläne betrifft.
Damit stößt der Verf[asser] auf das Militärische in Stendhals
Ingenium, das eine Wahlverwandtschaft zwischen ihm und
Napoleon, den er bewundert hat, stiften mag. »Niemals vielleicht – um mich genau zu fassen: seit Platon nicht – hat es
einen Autor gegeben, der seine eigenen Argumente mit derart
militärischer Strenge Revue passieren läßt.« In ähnliche Richtung weist dieses Wort: »Die unverwechselbare Genialität des
Romanciers Stendhal steckt zunächst darin, daß sämtliche Figuren seiner Bücher von Hause aus als gleich vor ihm stehen.« Die
eigene politische Schulung hat A[lain] in den Stand gesetzt, dem
Politiker Stendhal die aktuellsten Aufschlüsse abzugewinnen.
Dafür mag dieser letzte Beleg zeugen: »Es scheint mir sehr
beachtenswert, daß die Herrschaft der Despoten so wie deren
beständige Konspiration untereinander ... hier nicht als Folge

eines ungeheuerlichen Hochmuts dargestellt wird, nein, sie erscheinen lediglich als strikte Notwendigkeit derjenigen, die ihre
Privilegien aufrecht erhalten wollen.«

Die Auswahl der Briefe *Hofmannsthals* reicht bis zum Jahr
1901. Sie stellt ein Gegenstück zu der ebenfalls dem Nachlaß
entnommenen Gedichtsammlung dar, die vor derselben Jahres-
schwelle haltmacht. Die Briefe geben einen Einblick in das Verhältnis des Dichters zum Elternhaus; sie sind weiter ein Zeugnis
seiner frühesten literarischen Relationen. Mehrere Briefe –
darunter ein besonders schöner, der von H[ofmannsthal]s erster,
so folgenreicher Begegnung mit Otway erzählt, – haben Leopold von Andrian zum Adressaten. Mehrere sind dem Briefwechsel mit Schnitzler entnommen. Andere, von den interessantesten, hat Hermann Bahr empfangen, dem besonders wichtige
Mitteilungen über H[ofmannsthal]s umfassende, aber seit jeher
reservierte Beziehungen zu Frankreich gewidmet sind. 1900
tritt H[ofmannsthal] mit Rodin, Maeterlinck und Jules Renard
in Verbindung, und gleichzeitig berichtet er Bahr über den
Jugendstil, der damals in Paris herrschte. Weiterhin findet man
in diesen Briefen Motive, die aus dem späteren Leben des
Dichters bekannt sind, oft in besonders unverstellter Fassung.
So kommt eine der Unterweisungen, welche der junge Mann aus
vornehmem Hause bei Goethe fand oder zu finden glaubte,
gelegentlich der Lektüre von »Dichtung und Wahrheit« in
diesem Satze zum Ausdruck: »Es tut einem eben völlig genug,
wenn man in großer Art darüber belehrt wird, daß gewisse
Dinge eben nicht gut sind und einfach ignoriert werden müssen.«
Die Lebensluft der österreichischen Aristokratie macht sich in
diesen Blättern auch sonst geltend. Bald sind es Manöverbe-
richte, die mit den Wendungen ihres kultiviertesten Nachfahren
ein Bild von der Daseinsweise des Offizierskorps geben, bald
Briefe an hohe Gönner, deren diplomatische Abfassung eine
Vorstellung davon gibt, wie sich die gesellschaftliche Elite des
Landes um 1900 mit Kulturfragen auseinandersetzte. Besonders
aufschlußreich sind die Briefe, die auf H[ofmannsthal]s Habili-
tationsabsichten Bezug haben. Leider sucht man in den spärlichen Anmerkungen, die dem Bande beigegeben sind, über diesen wie zahlreiche andere Sachverhalte vergebens Aufschluß.
Eine Einleitung vermißt man gleichfalls, und selbst von der

Nennung des Herausgebers ist abgesehen worden. Zu ihren
Ungunsten sticht die Edition dieser wichtigen und schönen Briefe
von den treuen und respektvollen Briefausgaben ab, an die uns
das 19. Jahrhundert gewöhnt hatte.

Blackerts Marburger Dissertation hat die modisch nächstliegende
Auffassung ihres Gegenstandes – eine Zersetzung der Lebens-
erscheinung durch die ratio als Charakteristikum von Prousts
Werk zu erweisen – mit Einsicht und Mut vermieden. Da sie
andererseits aber den gesamten Komplex dieses Werks selbständig nicht zu bewegen vermochte, so erhält dessen positive Auslegung etwas Gewaltsames. Sie kommt bisweilen einer erbaulichen
Betrachtung allzu nah. Sie ist mit umso größerem Vorbehalt
aufzunehmen, als der Verf[asser] seine auf den Kern von
Prousts Schaffen gerichteten Fragen ausschließlich auf Grund
formaler Analysen glaubt beantworten zu können. Dazu führt
ihn ein schemenhafter Begriff vom Kunstwerk, das durch die Bezeichnung »Kunstwirklichkeit« nicht greifbarer wird. In der Tat
ist ein Hauptzug dieser »Kunstwirklichkeit« das Vermögen,
»sich gegen jede wirkende Wirklichkeit abzusperren«. Der Autor
hängt gänzlich von den ästhetischen Theorien des deutschen
Idealismus ab. Ihn »interessiert nicht, *was* Proust gesehen und
dargestellt hat, sondern *wie* er es dargestellt hat«. – Das formale Gesetz von Prousts Werk erblickt der Verf[asser] in
einer dem Roman bisher unbekannten Bestimmung seines gesamten Blickfeldes durch das schreibende und zudem unter der
Arbeit in Entwicklung befindliche Ich. Man wird ihm nicht
zugeben können, daß die damit eröffneten Einsichten wesentlich
über die von Curtius in seiner Darstellung des Proustschen
Perspektivismus gegebenen hinausgehen; B[lackert]s Verdienst
liegt allenfalls in einer stärkeren Betonung des zeitlichen Ele-
ments. Wenn er sich im übrigen gegen jede psychologische Interpretation jenes Ichs verwahrt, so scheint er nicht abgeneigt, ihm
eine existentielle angedeihen zu lassen. In ihr sucht er den
aufbauenden, gleich weit vom Intellektualismus wie vom Impressionismus entfernten Charakter des Werks von Proust. Es
»ist Form gewordene neue Wirklichkeitsexistenz..., eine Weltanschauung jeder menschlichen Existenz überhaupt«. Wenn
schließlich in solchen Gedankengängen das Werk in die Nachbarschaft der Action Française gerückt wird, so muß man sich

fragen, ob dieser Versuch, die tiefste Schicht in Proust aufzuweisen, geglückt ist.

Die Auseinandersetzung mit dem Werk von James Joyce wird
durch die Schrift *Brochs* wohl nur wenig gefördert werden. So
zutreffend einzelne Umschreibungen sind, mit denen sie auf dies
Werk Bezug nimmt, so bestätigt sie doch die alte Wahrheit, daß
bloßer Enthusiasmus umso weniger Einsicht gewährleistet, je
mehr Bedeutung sein Gegenstand hat. B[roch] erblickt im »Ulys-
ses« von Joyce das »Totalitätskunstwerk« unserer Zeit. Er
sucht, dieses Buch als »zeitgerecht« zu erweisen. Diesem Versuch dienen eine Reihe mehr oder minder glücklicher Einfälle,
die das Verfahren von Joyce dem Leser durch Analogien in der
Malerei (Futurismus), der Physik (Relativitätstheorie), der
Seelenkunde (Psychoanalyse) verständlich zu machen bestrebt
sind. Es spielt der richtige Gedanke hinein, daß »das Dichterische in die Sphäre der Erkenntnis zu heben«, eine gerade
unserer Zeit zufallende Aufgabe sei. Hätte sich der Verf[asser]
die Mühe genommen, die technische Position von Joyce innerhalb der heutigen Romanproduktion zu bestimmen, so hätte
er einen Beitrag zur Lösung dieser Aufgabe geleistet. Er hat sich
dagegen vielfach mit Improvisationen begnügt, wie sie z. B.
der Vergleich zwischen Joyce und Picasso darstellt. Das wird
teilweise in der beiläufigen Veranlassung dieser Schrift begründet sein. Es kommt hinzu, daß die methodische Schulung des
Autors für die Behandlung seines schwierigen Gegenstandes
nicht ausreicht. Seine Definition der totalitätserfassenden Dichtung, »die über jeder empirischen oder sozialen Bedingtheit
steht und für die es gleichgültig ist, ob der Mensch in einer
feudalen, in einer bürgerlichen oder in einer proletarischen Zeit
lebt«, beweist das.

EIN DEUTSCHES INSTITUT FREIER FORSCHUNG

Als die Zerstreuung der deutschen Gelehrten im Jahre 1933 einsetzte, gab es kein Gebiet, auf dem heimisch zu sein, ihnen ein ausschließendes Ansehen hätte verschaffen können. Dennoch waren Europas Blicke auf sie gerichtet, und es sprach aus ihnen mehr als Teilnahme. In diesen Blicken hatte eine Frage gelegen, wie sie denen gilt, die von einer ungewöhnlichen Gefahr angetreten, von einem neuen Schrecken heimgesucht worden sind. Es dauerte eine gewisse Zeit bis die Betroffenen in ihrem eigenen Innern das Nachbild dessen fixiert hatten, was vor ihnen aufgetaucht war. Fünf Jahre sind aber eine geraume Frist. Der einen und selben Erfahrung zugewandt, von jedem auf seine Art und auf seinem Felde genutzt, mußten sie einer Gruppe von Forschern genügen, sich und andern von dem Rechenschaft zu geben, was ihnen, als Forschern, widerfahren war und was ihre Arbeit künftig bestimmen werde. Nicht zuletzt schuldeten sie diese Rechenschaft vielleicht denen, die ihnen im Exil ihr Vertrauen und ihre Freundschaft erwiesen hatten.

Die Gruppe, von der die Rede ist, hat sich in der deutschen Republik um das Frankfurter »Institut für Sozialforschung« zusammengefunden. Man kann nicht sagen, daß sie von Hause aus eine Fachschaft gebildet hätte. Der Leiter des Instituts, Max Horkheimer, ist ein Philosoph, ein Ökonom, Friedrich Pollock, sein nächster Mitarbeiter. Neben ihnen stehen als Psychoanalytiker Fromm, als Volkswirtschaftler Grossmann, als Philosophen Marcuse und Rottweiler, der letztere zugleich als Musikästhetiker, als Literarhistoriker Löwenthal, und einige andere. Der Gedanke, in dem sich diese Gruppierung vollzogen hatte, ist, »daß die Lehre von der Gesellschaft sich heute nur im engsten Zusammenhange mit einer Reihe von Disziplinen, vor allem mit Nationalökonomie, Psychologie, Geschichte und Philosophie entwickeln kann«. Auf der andern Seite ist den genannten Forschern das Bestreben gemeinsam, die Arbeit ihrer jeweiligen Disziplin an dem Stande der gesellschaftlichen Entwicklung und ihrer Theorie auszurichten. Was hier in Frage steht, läßt sich schwerlich als Lehrmeinung, gewiß nicht als System darlegen. Es erscheint am ehesten als Niederschlag einer alle Überlegungen durchdringenden, unveräußerlichen Erfahrung. Sie besagt, daß die methodische Strenge, in der die Wissenschaft ihre Ehre sucht, ihren Namen nur dann verdient, wenn sie nicht nur das im abgeschiedenen Raume des Laboratoriums sondern auch das im freien der Geschichte bewerkstelligte Experiment in ihren Horizont einbezieht. Diese Notwendigkeit haben die letzten Jahre den aus Deutschland stammenden Forschern näher gelegt als sie sich's wünschen konnten. Sie hat sie dahin geführt, den Zusammenhang zu betonen, in dem ihre Arbeit mit der realistischen Richtung der europäischen Philosophie steht, wie sie sich im 17. Jahrhundert vornehmlich in England, im 18. Jahrhundert in Frankreich, im 19. in Deutschland entwickelt hat. Einem Hobbes und Bacon, einem Diderot und Holbach, einem Feuerbach und Nietzsche stand die gesellschaftliche Tragweite ihrer Forschung vor Augen. Diese Tradition hat von neuem Autorität, ihre Fortführung erhöhtes Interesse gewonnen.

Die Solidarität der gelehrten Welt hat in den großen Demokratien, zumal in Frankreich und in Amerika, diesen deutschen Forschern mehr gegeben als eine Freistätte. In Amerika ist ein »Institute for Social Research« der Columbia University, in Frankreich ein »Institut des Recherches Sociales« der Ecole Normale Supérieure angeschlossen. Wo noch freie wissenschaftliche Diskussion zum Austrag kommt, wird sie in diesem Arbeitskreise verfolgt. Vieles spricht dafür, diese Diskussion von den allerjüngsten Parolen und Redeformen wieder auf die noch unbereinigten Grundfragen europäischer Philosophie zurückzuführen. Daß sie noch unbereinigt sind, hängt mit dem sozialen Notstande eng zusammen.

Dies ist das Motiv einer Debatte über den Positivismus – die »empirische Philosophie« wie man heute sagt – die in den letzten Jahren von dem Institut geführt wurde. Die Wiener Schule der Neurath, Carnap, Reichenbach stellte seinen Hauptpartner dar. Schon 1932 wies Horkheimer in »Bemerkungen über Wissenschaft und Krise« auf die für den Positivismus so charakteristische Neigung hin, die bürgerliche Gesellschaft als ewig anzusetzen und ihre Widersprüche – die theoretischen sowohl wie die

praktischen – zur Bagatelle zu machen. Drei Jahre später stellt
der Essai »Zum Problem der Wahrheit« diese Betrachtung auf
eine breitere Grundlage. Die Untersuchung faßt den gesamten
Zusammenhang der abendländischen Philosophie ins Auge, da
denn die unkritische Unterwerfung unter das Bestehende, die
den Relativismus des positiven Forschers wie seinen Schatten
begleitet, im Ursprunge bei Descartes »in der Verbindung des
universalen methodischen Zweifels ... mit seinem aufrichtigen
Katholizismus« erscheint (Zeitschrift für Sozialforschung, Jahrgang IV, Heft 3, S. 322). Wieder zwei Jahre später heißt es:
»Theorie im traditionellen, von Descartes begründeten Sinn, wie
sie im Betrieb der Fachwissenschaften überall lebendig ist, organisiert die Erfahrung auf Grund von Fragestellungen, die sich
im Zusammenhang mit der Reproduktion des Lebens innerhalb
der gegenwärtigen Gesellschaft ergeben.« (ZfS, VI, 3, S. 625)
Genau genommen heißt den Positivismus kritisieren, den wissenschaftlichen »Betrieb« in Augenschein nehmen. Nicht zufällig
hat er sich den Anliegen der Humanität entzogen und wurde es
ihm so leicht, den Dienstvertrag mit den Gewalthabern abzu-
schließen. »Der Leerlauf gewisser Teile des Universitätsbetriebs
sowie nichtssagender Scharfsinn, metaphysische und nichtmeta-
physische Ideologienbildung haben ... ihre gesellschaftliche Bedeutung, ohne ... den Interessen irgendeiner nennenswerten
Mehrheit der Gesellschaft wirklich gemäß zu sein.« (ZfS VI, 2,
S. 261)
Welche Hoffnung könnten zumal die exilierten Gelehrten auf
den Betrieb setzen, da doch seine positivste Funktion, die internationalen Beziehungen unter den Forschern zu wahren, heute
so vielfältig unterbunden ist. Einzelnen Zweigen der Wissenschaft, wie der Psychoanalyse, sind ganze Länder verschlossen;
Lehren der theoretischen Physik sehen wir geächtet; die Autar-
kie bedroht den geistigen Austausch, wäre es nur aus materiellen
Gründen; die Kongresse, die ihn zu unterhalten bestrebt sein
mögen, sind unausgetragener politischer Spannungen voll. Die
Theorie ist zum hölzernen Pferd geworden und die universitas
litterarum ein neues Troja, in dem die Feinde des Denkens und
der Vernunft ihrem Versteck zu entsteigen begonnen haben.
Um so mehr kommt es darauf an, dem Übergewicht aktueller
Verhältnisse über den Gang des Forschungsberichtes durch des-

sen eigene Aktualisierung entgegenzutreten. Dieses Vorhaben ist den Beiträgen der »Zeitschrift für Sozialforschung«[1] gemeinsam. Auf was es genauer zielt, darüber gibt eine Auseinandersetzung mit dem Pragmatismus Auskunft, der solche Aktualisierung auf seine eigene, in Wahrheit überaus problematische Weise, vorweggenommen hatte.

Eine Theorie der wissenschaftlichen Erkenntnis konnte gerade in Amerika am Pragmatismus noch weniger vorbeigehen als am Positivismus. Von letzterem unterscheidet der Pragmatismus sich vor allem durch die Anschauung vom Verhältnis, in dem die wissenschaftliche Theorie zur Praxis steht. Nach dem Positivismus kehrt die Theorie der Praxis den Rücken; nach dem Pragmatismus hat sie sich an ihr auszurichten. Die Bewährung der Theorie in der »Praxis« gilt dem Pragmatismus als Kriterium für ihre Wahrheit. Demgegenüber bildet für den kritischen Denker »die Bewährung, der Nachweis, daß Gedanken und objektive Realität übereinstimmen, selbst einen historischen Vorgang, der gehemmt und unterbrochen werden kann« (ZfS IV, 3, S. 346). Der Pragmatismus versucht vergeblich sich über den geschichtlichen Tatbestand hinwegzusetzen, indem er die erste beste »Praxis« zur Richtschnur des Denkens macht. Der kritischen Theorie dagegen sind »die Kategorien des Besseren, des Nützlichen, Zweckmäßigen« (ZfS VI, 2, S. 261), mit denen er operiert nicht ohne weiteres annehmbar. Sie richtet ihre Aufmerksamkeit besonders auf denjenigen Punkt, an dem die wissenschaftliche Begriffsbildung beginnt, sich der ihr eingesenkten, der gesellschaftlichen Praxis zugedachten kritischen Erinnerung zu entäußern, um sich zu deren Verklärung herbeizulassen. »In dem Maß, als an die Stelle des Interesses für eine bessere Gesellschaft ... das Bestreben trat, die Ewigkeit der gegenwärtigen zu begründen, kam ein hemmendes und desorganisierendes Moment in die Wissenschaft.« (ZfS I, 1/2, S. 3) Solches Bestreben neigt dazu, hinter dem Schein begrifflicher Strenge sich zu verbergen; ihm auf die Spur zu kommen, war die Absicht, in der einige erkenntniskritische und wissenschaftliche Grundbegriffe – die Begriffe der Wahrheit, des Wesens,

1 Zeitschrift für Sozialforschung. Hrsg. im Auftrag des Instituts für Sozialforschung von Max Horkheimer. Leipzig: Verlag von C. L. Hirschfeld 1932 f.; seit Jahrgang 2, Heft 2: Paris: Librairie Félix Alcan 1933 ff.

der Bewährung, des Egoismus, der »Natur« des Menschen – in der Zeitschrift behandelt wurden.

Erlittenes Unrecht legt Selbstgerechtigkeit nahe. Das hat noch für jede Emigration gegolten. Das heilsamste Mittel dagegen wird sein, im erlittenen Unrecht das Recht zu suchen. Man wird es nicht von den Intellektuellen behaupten, daß sie das Kommende vorhergesehen und noch weniger, daß sie ihm den Weg verlegt hätten. Von der »positiven« Wissenschaft, die so oft zum Komplizen der Gewalttat und der Roheit geworden ist, über die Inhaber ihrer Katheder hinaus, müssen die Blicke sich auf die »freie Intelligenz« richten. Sie beanspruchte ein Primat, das ihr so nicht zusteht. Worauf es für die freiheitlichen Forscher derzeit ankommt, ist Einblick in die ihnen eigenen, ihnen vorbehaltenen Möglichkeiten, den Rückzug der Humanität in Europa zum Stehen zu bringen. Dazu bedürfen sie »nicht der akademischen Belehrung über ihren sogenannten Standort« (ZfS VI, 2, S. 275). Das ist auf der andern Seite ebensowenig mit Schlagworten getan, sie mögen kommen woher sie wollen. »Der Intellektuelle, der bloß in aufblickender Verehrung die Schöpferkraft des Proletariats verkündigt . . ., übersieht«, daß der Mangel einer theoretischen Anstrengung, die ihn auf vielleicht nützliche Weise in »zeitweiligen Gegensatz zu den Massen . . . bringen könnte, diese Massen blinder und schwächer macht, als sie sein müssen« (ZfS VI, 2, S. 268). Nicht die Verklärung des Proletariats kann den imperialen Nimbus zerstreuen, mit dem sich die Anwärter auf das Jahrtausend umgeben haben. In dieser Einsicht liegt der Gegenstand einer kritischen Theorie der Gesellschaft bereits angedeutet.

Die Arbeiten des Instituts für Sozialforschung konvergieren in einer Kritik des bürgerlichen Bewußtseins. Diese Kritik vollzieht sich nicht von außen, sondern als Selbstkritik. Sie haftet nicht an der Aktualität sondern richtet sich auf den Ursprung. Den weitesten Rahmen haben ihr die Arbeiten von Erich Fromm abgesteckt. Seine Forschungen gehen auf Freud zurück, weiter auf Bachofen. Freud hat am Sexualtrieb die zahlreichen ineinander verschobenen Schichten aufgewiesen. Seine Entdeckungen sind geschichtliche; aber sie betreffen die Vorgeschichte öfter als die historischen Epochen der Menschheit. Fromm stellt mit Nachdruck die Frage nach den geschichtlichen Variablen des

Sexualtriebs. (Analog haben andere Forscher des Kreises die Frage nach den geschichtlichen Variablen der menschlichen Wahrnehmung aufgeworfen.) Von der Vorstellung »natürlicher« Triebstrukturen macht Fromm einen sehr zurückhaltenden Gebrauch; worauf es ihm ankommt, ist die Bedingtheit der sexuellen Bedürfnisse in historisch gegebenen Gesellschaften festzustellen. Dabei scheint es ihm irrig, diese jeweils als homogen zu setzen. »Die abhängige Klasse muß in stärkerem Maße als die herrschende ihre Triebe unterdrücken.« (Studien über Autorität und Familie. Forschungsberichte aus dem Institut für Sozialforschung. Paris 1936. S. 101 [Schriften des Instituts für Sozialforschung, hrsg. von Max Horkheimer, Bd. 5].)

Fromms Untersuchungen sind der Familie als der Transmission zugewandt, kraft deren sexuelle Energien die Sozialverfassung, soziale Energien die Sexualverfassung beeinflussen. Durch die Analyse der Familie wird er auf Bachofen zurückgeführt. Er nimmt dessen Theorie der polaren Familienordnung, der matrizentrischen und der patrizentrischen, auf, die seinerzeit von Engels und von Lafargue zu den größten historischen Errungenschaften des Jahrhunderts gezählt wurde. Die Geschichte der Autorität, soweit sie die der zunehmenden Integration des gesellschaftlichen Zwanges durch das Innenleben des Individuums ist, fällt im wesentlichen mit der der patrizentrischen Familie zusammen. »Die Autorität des Familienvaters selbst gründet zuletzt in der Autoritätsstruktur der Gesamtgesellschaft. Der Familienvater ist zwar dem Kind gegenüber (zeitlich gesehen) der erste Vermittler der gesellschaftlichen Autorität, ist aber (inhaltlich gesehen) nicht ihr Vorbild, sondern ihr Abbild.« (a. a. O., S. 88) An der Verinnerlichung des sozialen Zwangs, die in der extrem patrizentrisch verfaßten Familie, wie sie sich in der Neuzeit herausbildet, eine immer düsterere Note, einen immer lebensfeindlicheren Charakter bekommt, hat Fromms Kritik ihren wichtigsten Gegenstand. Ihren Maßstab enthält sein Aufsatz »Die sozialpsychologische Bedeutung der Mutterrechtstheorie«, in dem es heißt: »Wenn auch schon die fortgeschrittensten französischen Aufklärungsphilosophen der patrizentrischen Gefühls- und Denkstruktur entwachsen sind, so wird doch zum eigentlichen Träger ... matrizentrischer Tendenzen jene Klasse, bei der die Antriebe zu einem ganz der

Arbeit gewidmeten Leben im wesentlichen von einem ökonomischen und nur zum Teil von einem verinnerlichten Zwang ausgehen.« (ZfS III, 2, S. 225)
Auf die Theorien von Fromm macht Horkheimer in einem
Essai über die Bewußtseinslage der Führer im Befreiungskampfe
des Bürgertums die Probe. Der Verfasser nennt seine Untersuchung über »Egoismus und Freiheitsbewegung« einen Beitrag
zur »Anthropologie des bürgerlichen Zeitalters«. Die Betrachtung führt die Geschichte der bürgerlichen Emanzipation in
großem Bogen von Cola di Rienzo bis Robespierre. Den Radius
des Bogens bestimmt eine Überlegung, deren Verwandtschaft
mit den oben wiedergegebenen zutage liegt. »Je reiner die bürgerliche Gesellschaft zur Herrschaft kommt ... desto gleichgül-
tiger und feindseliger stehen sich die Menschen ... gegenüber.«
Aber »die Kritik am Egoismus paßt besser in das System dieser
egoistischen Wirklichkeit als seine offene Verteidigung, denn
es beruht in steigendem Maß auf der Verleugnung seines Charakters«. »In der Neuzeit wird das Herrschaftsverhältnis ökonomisch durch die scheinbare Unabhängigkeit der wirtschaften-
den Subjekte, philosophisch durch den ... Begriff einer absoluten Freiheit des Menschen verdeckt und durch Bändigung und
Ertötung der Lustansprüche verinnerlicht.« (ZfS V, 2, S. 165,
169, 172) Zu den bedeutsamsten Stellen des Essais gehören
diejenigen, an denen der Autor unternimmt, die Spiritualisie-
rung, den oratorischen festlichen, auch asketischen Überschwang,
der den revolutionären Bewegungen des Bürgertums gemeinsam
ist, auf die »schon während der Bewegung von außen nach
innen« (ZfS V, 2, S. 188) gerichteten Energien der entfesselten
Massen zurückzuführen. Besonders geschieht das mit Rücksicht
auf die französische Revolution. Die Massen, die sie als geschichtliche Triebkraft einsetzte, waren am Ende weit entfernt
davon, ihre Ansprüche befriedigt zu sehen. »Robespierre ist ein
bürgerlicher Führer ... Das Prinzip der Gesellschaft, das er vertritt, enthält ... den Widerspruch zu seiner Idee einer allgemeinen Gerechtigkeit. Die Blindheit gegen diesen Widerspruch
drückt seinem Charakter trotz aller leidenschaftlichen Vernünftigkeit den Stempel der Phantastik auf.« (ZfS V, 2, S. 209) Wie
sehr zuletzt der Terror dieser Phantastik verhaftet ist und
welche Verinnerlichung es ist, die als Grausamkeit manifest zu

werden vermag – das klärt sich in einer historischen Perspektive, die in die Aktualität unserer Tage ausläuft. In der Tat führt eine Reihe von weiteren Studien die gleichen Motive an Erscheinungen der Gegenwart durch. Hektor Rottweiler studiert den Jazz als gesellschaftlichen Symptomkomplex; Löwenthal geht der Vorgeschichte der autoritären Ideologie bei Knut Hamsun nach; Kracauer untersucht die Propaganda der totalitären Staaten. Gemeinsam ist den gedachten Studien, an den Werken der Literatur und Kunst die Technik der Produktion einerseits, die Soziologie der Rezeption andrerseits aufzuweisen. Sie kommen so an Gegenstände heran, die sich einer Kritik vom bloßen Geschmack her nicht leicht erschließen.

Im Zentrum einer wissenschaftlichen Arbeit, die sich ernst nimmt, stehen Methodenfragen. Die hier berührten bilden zugleich dasjenige eines weiteren, dem des Instituts für Sozialforschung konzentrischen Problemkreises. Im freiheitlichen Schrifttum ist derzeit viel vom deutschen »Kulturerbe« die Rede. Das ist angesichts des Zynismus verständlich, mit dem deutsche Geschichte zurzeit geschrieben, deutsche Habe zurzeit verwaltet wird. Aber es wäre nichts gewonnen, wenn auf der andern Seite unter den drinnen Schweigenden oder denen, die draußen das Wort für sie führen dürfen, die Süffisanz der Erbberechtigten sich hervortäte, der Bettlerstolz eines andern omnia mea mecum porto zum guten Ton würde. Denn die geistigen Besitztümer sind derzeit um nichts besser gewährleistet als die materiellen. Und es ist Sache der Denker und Forscher, welche noch eine Freiheit der Forschung kennen, von der Vorstellung eines ein für alle Mal verfügbaren, ein für alle Mal inventarisierten Bestandes an Kulturgütern sich zu distanzieren. Ihnen besonders muß es am Herzen liegen, einen kritischen Begriff der Kultur dem »affirmativen Kulturbegriff« (ZfS VI, 1, S. 54 ff.) entgegenzusetzen. Dieser letztere entstammt, wie manch anderer falscher Reichtum, der Zeit des imitierten Renaissancestiles. Demgegenüber den technischen Bedingungen kulturellen Schaffens, seiner Aufnahme und seines Überdauerns nachzugehen, schafft, auf Kosten bequemer Übereinkommen, einer echten Überlieferung Platz.

Der Zweifel am »affirmativen Kulturbegriff« ist ein deutscher Zweifel und jenen wohl beizuzählen, welche an dieser Stelle (Maß und Wert, I,4) scharfgeprägt und gewichtig zum Aus-

druck kamen. »Die Niederlage der Demokratie«, hieß es da,
»ist deshalb so gefährlich, weil der Geist auf den sie sich be-
ruft, in Agonie liegt.« In diesem Satz liegt angedeutet, wovon
die Rettung des Kulturerbes am Ende abhängt. »Alles schon
Erreichte«, so ergibt es das Fazit der Gegenwart, »ist ihr nur
als ein Verschwindendes und Bedrohtes gegeben«. (ZfS VI, 3,
S. 640) Lassen sich aus dem Zerfallsprozeß der demokratischen
Gesellschaft noch die Elemente aussondern, die – ihrer Frühzeit
und ihrem Traum verbunden – die Solidarität mit einer kommenden, mit der Menschheit selbst, nicht verleugnen? Die deutschen Forscher, welche ihr Land verlassen haben, hätten nicht
viel gerettet und wenig zu verlieren gehabt, würde ihnen nicht
auf diese Frage ein Ja zu Antwort. Der Versuch, den Lippen der
Geschichte es abzulesen, ist kein akademischer.

*Max Brod, Franz Kafka. Eine Biographie. (Erinnerungen und
Dokumente.) Prag: Verlag Heinr. Mercy Sohn 1937. 288 S.*

Das Buch ist durch den fundamentalen Widerspruch gekennzeichnet, der zwischen der These des Verfassers einerseits, seiner
Haltung andererseits obwaltet. Dabei ist die letztere danach
angetan, die erstere einigermaßen zu diskreditieren, zu schweigen von den Bedenken, die sich gegen diese sonst erheben. Die
These ist, daß Kafka sich auf dem Wege zur Heiligkeit befunden habe (S. 65). Die Haltung des Biographen ihrerseits ist die
vollendeter bonhommie. Der Mangel an Distanz ist ihre mar-
kanteste Eigentümlichkeit.
Daß sich *diese* Haltung zu *dieser* Ansicht des Gegenstandes
finden konnte, beraubt das Buch von vornherein seiner Autorität. *Wie* sie es tat, das illustriert z. B. die Redewendung, mit
der (S. 127) »unser Franz« dem Leser auf einem Photo vor
Augen geführt wird. Intimität mit den Heiligen hat ihre bestimmte religionsgeschichtliche Signatur; nämlich den Pietismus.
Brods Haltung als Biograph ist die pietistische einer ostentativen Intimität; mit anderen Worten die pietätloseste, die sich
denken läßt.
Dieser Unreinlichkeit in der Ökonomie des Werkes kommen

Gepflogenheiten zugute, die der Verfasser sich in seiner Berufstätigkeit hat erwerben mögen. Jedenfalls ist es kaum möglich,
die Spuren journalistischen Schlendrians bis hinein in die Formulierung seiner These zu übersehen: »Die Kategorie der Heiligkeit ... ist überhaupt die einzig richtige, unter der Kafkas
Leben und Schaffen betrachtet werden kann.« (S. 65) Ist es
nötig, anzumerken, daß Heiligkeit eine dem Leben vorbehaltene Ordnung ist, der das Schaffen unter gar keinen Umständen
zugehört? und bedarf es des Hinweises darauf, daß das Prädikat der Heiligkeit außerhalb einer traditionell begründeten
Religionsverfassung einfach eine belletristische Floskel ist?
Es fehlt Brod jedes Gefühl für die pragmatische Strenge, die
von einer ersten Lebensgeschichte Kafkas zu fordern ist. »Von
Luxushotels wußten wir nichts und waren dennoch unbeschwert
lustig.« (S. 128) Infolge eines auffallenden Mangels an Takt, an
Sinn für Schwellen und Distanzen fließen Feuilletonschablonen
in einen Text ein, der durch seinen Gegenstand zu einiger Hal-
tung verpflichtet wäre. Das ist minder der Grund als ein Zeugnis
dafür, wie sehr jede originäre Anschauung von Kafkas Leben
Brod versagt geblieben ist. Besonders anstößig wird dieses
Unvermögen, der Sache selbst gerecht zu werden, wo Brod
(S. 242) auf die berühmte testamentarische Verfügung zu
sprechen kommt, in der Kafka ihm die Vernichtung seines
Nachlasses auferlegt. Hier wenn irgendwo wäre der Ort gewesen, grundsätzliche Aspekte von Kafkas Existenz aufzurollen.
(Er war offenbar nicht gewillt, vor der Nachwelt die Verantwortung für ein Werk zu tragen, um dessen Größe er doch
wußte.)
Die Frage ist seit Kafkas Tod vielfach erörtert worden; es lag
nahe, hier einmal innezuhalten. Allerdings hätte sie für den
Biographen die Einkehr bei sich selbst mit sich geführt. Kafka
mußte den Nachlaß wohl dem vertrauen, der ihm den letzten
Willen nicht würde tun wollen. Und weder der Testator noch
auch sein Biograph würden bei solcher Betrachtung der Dinge
zu Schaden kommen. Aber sie verlangt die Fähigkeit, die
Spannungen zu ermessen, von denen Kafkas Leben durchzogen
war.
Daß diese Fähigkeit Brod abgeht, erweisen die Stellen, an denen
er unternimmt, Kafkas Werk oder Schreibweise zu erläutern.

Es bleibt da bei dilettantischen Ansätzen. Die Sonderbarkeit in
Kafkas Wesen und Schreiben ist gewiß nicht, wie Brod meint,
eine »scheinbare« und ebenso wenig kommt man den Darstellungen Kafkas mit der Erkenntnis bei, daß sie »nichts als wahr«
(S. 68) sind. Derartige Exkurse über Kafkas Werk sind danach
angetan, Brods Auslegung seiner Weltanschauung von vorne-
herein problematisch zu machen. Wenn Brod von Kafka aus-
sagt, daß dieser etwa auf der Linie von Buber gestanden habe
(S. 241), so heißt das, den Schmetterling in dem Netz zu suchen,
über das er im Hin- und Herflattern seinen Schatten wirft. Die
»gleichsam realistisch-jüdische Deutung« (S. 229) des »Schlosses«
unterschlägt die abstoßenden und die grauenhaften Züge, mit
denen die obere Welt bei Kafka ausgestattet ist, zugunsten einer
erbaulichen Auslegung, die gerade dem Zionisten suspekt sein
müßte.
Gelegentlich denunziert sich diese Bequemlichkeit, die ihrem
Gegenstande so wenig ansteht, selbst einem Leser, der es nicht
genau nimmt. Es ist Brod vorbehalten geblieben, die vielschich-
tige Problematik von Symbol und Allegorie, die ihm für die
Auslegung Kafkas erheblich scheint, am Beispiel des »stand-
haften Zinnsoldaten« zu illustrieren, der ein vollgültiges Symbol darum vorstelle, weil er nicht nur »viel ... in die Unendlichkeit Verlaufendes ausdrückt«, sondern »uns auch mit seinem
persönlich detaillierten Schicksal als Zinnsoldat« (S. 237) nahe-
kommt. Man möchte wohl wissen, wie sich das Davidsschild
im Lichte einer solchen Symboltheorie ausnimmt.
Ein Gefühl für die Schwäche seiner eigenen Kafka-Interpreta-
tion macht Brod gegen die von andern empfindlich. Daß er das
nicht so törichte Interesse der Surrealisten an Kafka wie die
teilweise bedeutenden Auslegungen der kleinen Prosa durch
Werner Kraft mit einer Handbewegung beiseiteschiebt, wirkt
nicht angenehm. Darüber hinaus sieht man ihn bemüht, auch
die künftige Kafka-Literatur zu entwerten. »So könnte man
erklären und erklären (man wird es auch noch tun), doch notwendigerweise ohne Ende.« (S. 69) Der Akzent, der auf der
Klammer liegt, fällt ins Ohr. Daß die »vielen privaten akziden-
tellen Mängel und Leiden Kafkas« zum Verständnis seines Werkes mehr beitragen als ›theologische Konstruktionen‹ (S. 213),
hört man von dem jedenfalls nicht gern, der Entschlossenheit

genug besitzt, seine eigene Darstellung Kafkas unter dem Begriff der Heiligkeit vorzunehmen. Die gleiche wegwerfende Gebärde gilt allem, was Brod bei seinem Zusammensein mit Kafka störend vorkommt – der Psychoanalyse ebenso wie der dialektischen Theologie. Sie erlaubt es ihm, Kafkas Schreibweise der »erlogene[n] Exaktheit« Balzacs (S. 69) zu konfrontieren (wobei er nichts anderes als jene durchsichtigen Rodomontaden im Sinn hat, die von Balzacs Werk und seiner Größe gar nicht zu trennen sind).

Das alles stammt nicht aus Kafkas Sinn. Brod verfehlt allzu oft die Fassung, die Gelassenheit, die diesem eigen war. Es gibt keinen Menschen, sagt Joseph de Maistre, den man nicht mit einer maßvollen Meinung für sich gewinnen kann. Brods Buch wirkt nicht gewinnend. Es überschreitet das Maß sowohl in der Art, in welcher er Kafka huldigt, als in der Vertrautheit, mit der dieser von ihm behandelt wird. Beides hat wohl in dem Roman sein Vorspiel, dem seine Freundschaft zu Kafka als Vorwurf diente. Ihm Zitate entnommen zu haben, stellt unter den Mißgriffen dieser Lebensbeschreibung keineswegs den geringsten dar. Daß in diesem Roman – »Zauberreich der Liebe« – Fernerstehende eine Verletzung der Pietät gegen den Verstorbenen sehen konnten, wundert den Verfasser, wie er gesteht. »Wie alles mißverstanden wird, so auch dies ... Man entsann sich nicht, daß Platon sich auf ähnliche, allerdings weit umfassendere Art sein ganzes Leben lang seinen Lehrer und Freund Sokrates als lebendig weiterwirkend, als mitlebenden, mitdenkenden Wegbegleiter dem Tode abgetrotzt hatte, indem er ihn zum Helden fast aller Dialoge machte, die er nach des Sokrates Tod schrieb.« (S. 82)

Es ist wenig Aussicht, daß Brods »Kafka« einmal unter den großen gründenden Dichterbiographien, in der Reihe des Schwabschen Hölderlin, des Franzos'schen Büchner, des Bächtoldschen Keller, wird genannt werden können. Desto denkwürdiger ist sie als Zeugnis einer Freundschaft, die nicht zu den kleinsten Rätseln in Kafkas Leben gehören dürfte.

Eine Chronik der deutschen Arbeitslosen
Zu Anna Seghers Roman »Die Rettung«[1]

Den Versuchen der Schriftsteller, über das Dasein und die
Lebensbedingungen der Proletarier zu berichten, haben Vorurteile im Wege gestanden, die nicht an einem Tage zu überwinden gewesen sind. Eines der nachhaltigsten sah im Proletarier
den »einfachen Mann aus dem Volke«, der im Gegensatz nicht
sowohl zum gebildeten als zum differenzierten Angehörigen
einer höheren Schicht steht. Im Unterdrückten ein Kind der
Natur zu sehen, war im achtzehnten Jahrhundert der aufstei-
genden Bürgerklasse das Naheliegende gewesen. Nach dem Sieg
dieser Klasse konfrontierte sie dem Unterdrückten, dessen Platz
sie selbst inzwischen an das Proletariat abgetreten hatte, nicht
mehr die feudale Entartung, sondern die eigene Gestuftheit, die
nuancierte bürgerliche Individualität. Die Form, in der sie
ausgestellt wurde, war der bürgerliche Roman; sein Gegenstand
das inkalkulable »Schicksal« des Einzelnen, dem gegenüber
jede Aufklärung sich als unzulänglich erweisen sollte.
Um die letzte Jahrhundertwende haben einige Romanciers
dieses bürgerliche Privileg angetastet. Es ist nicht zu leugnen,
daß unter anderen Hamsun mit dem »einfachen Menschen« in
seinen Büchern aufgeräumt hat und daß seine Erfolge zum Teil
auf der sehr komplexen Natur seiner kleinen Leute vom Lande
beruhen. Danach erschütterten gesellschaftliche Vorgänge das in
Rede stehende Vorurteil. Der Krieg brach aus, und in den
Nachkriegsjahren wuchs der Psychiatrie in der Rentenneurose
eine Disziplin zu, in der der »Mann aus dem Volke« mehr als
ihm lieb sein konnte zu seinem Rechte kam. Einige Jahre
später und die Massenarbeitslosigkeit kam ins Land. Mit dem
neuen Elend zeichneten sich neue Gleichgewichtsstörungen, neue
Wahnvorstellungen und neue Abnormitäten im Verhalten der
von ihm Betroffenen ab. Aus Subjekten der Politik wurden sie
zu oft pathologischen Objekten der Demagogen. Mit dem
»Volksgenossen« erlebte der »einfache Mann aus dem Volk«
seine Auferstehung – geknetet aus dem Stoff der Neurotischen,
der Unterernährten und Mißgeschickten.

1 Anna Seghers, Die Rettung. Roman. Amsterdam: Querido Verlag 1937. 512 S.

In der Tat fand der Nationalsozialismus eine Bedingung seines
Wachstums in der Erschütterung des Klassenbewußtseins, der
das Proletariat mit der Arbeitslosigkeit ausgesetzt wurde. Das
neue Buch von Anna Seghers hat es mit diesem Vorgang zu
tun. Es spielt in einem Montandorf in Oberschlesien und erzählt von dem, was sich dort nach der Stillegung seiner Grube
abspielt. Obenhin gesehen ist es wenig genug. Denn auch hier
herrscht das Unrecht, und die Empörung ist selten. »Selbst die
allerrotesten, allerwildesten, welche diese ganze unerträgliche
Welt zerschlagen wollten, sagten offen: ›Jetzt kommen die
Kohlrüben wieder dran‹ oder ›Mit dem Radio ist es Essig‹.
Ihnen aber standen solche Worte garnicht zu, dachte Bentsch, in
ihrem Munde waren sie sinnlos.« (S. 97) Bentsch hat die Stimme
von Anna Seghers. Er ist in ihrer Erzählung die Hauptperson.
Man lernt ihn als einen älteren gesetzten Grubenarbeiter kennen, der nichts auf seinen Herrgott und seinen Pfarrer kommen
läßt. Er ist von Hause aus kein politischer Kopf, und ein radikaler am allerwenigsten. Man muß ihm zugeben: er geht seinen
Weg allein. Viele müssen ihn heute allein gehen. Auch Proletarier, die gleich wenig von der tauben Subtilität des Bürgers
haben wie von der verlogenen Simplizität des »Volksgenossen«.
Es ist übrigens ein langer Weg. Er führt Bentsch in das Lager
der Klassenkämpfer.
Sehr behutsam berührt das Buch den politischen Sachverhalt.
Er ist dem Wurzelwerk zu vergleichen. Wo die Verfasserin es
mit zarter Hand aushebt, haftet an ihm der Humus der privaten
Verhältnisse – nachbarschaftlicher, erotischer, familiärer.
Diese Proletarier müssen bei ihrem immer geringeren Einkom-
men zugleich ein immer geringeres Erleben strecken. Sie ver-
fangen sich in nichtssagende Gepflogenheiten; sie werden umständlich; sie führen über jeden Pfennig ihres eingeschränkten
psychischen Haushalts Buch. Danach halten sie sich an Exalta-
tionen schadlos, zu denen fragwürdige Raisonnements oder
fadenscheinige Genüsse sie schnell bereitfinden. Sie werden labil,
sprunghaft und unberechenbar. Ihr Versuch, so zu leben wie
andere Leute, entfernt sie nur immer mehr von denen, und es
geht ihnen wie ihrem Findlingen, dem Bergarbeiterdorf, wo sie
zu Hause sind. »Die Menschen hatten auch an sonderbaren
Stellen begonnen, die Erde umzugraben, um ein paar Bohnen zu

ziehen oder Rhabarber, aber gerade dadurch wurde Findlingen
einem richtigen Dorf immer unähnlicher.« (S. 100)
Zu jedem Segen der Arbeit kommt der, daß sie die Wonne des
Nichtstuns erst spürbar macht. Die Müdigkeit des Feierabends
nennt Kant einen höchsten Genuß der Sinne. Müßiggang ohne
Arbeit ist eine Qual. Zu jeder Entbehrung der Arbeitslosen tritt
sie hinzu. Sie unterliegen dem Zeitlauf als einem Inkubus, von
dem sie wider ihren Willen geschwängert werden. Sie gebären
nicht, haben aber exzentrische Gelüste wie Schwangere. Jedes
einzelne von ihnen ist aufschlußreicher als ganze Enqueten über
die Arbeitslosen. »Wenn seine letzten Gäste weg waren, hatte
Bentsch immer den Wunsch, selbst auf die Straße zu laufen und
seine Küchentür nicht von innen, sondern von außen zuzu-
schließen. Dieser Wunsch kam ihm aber selbst so sonderbar und
sinnlos vor, daß er immer rasch gähnte oder sagte: ›Na, endlich‹«. (S. 115) Wievieler Heimatlosigkeit die Erzählerin in
dieser Küche Quartier gemacht hat, ist zum Erstaunen. Sie ist
das Gegenstück zu der ›großen, wenig benutzten Fläche des
Bismarckplatzes‹ (S. 320), über der der ›steife und gelbliche‹
Himmel (S. 44) steht. Dort hat einer so wenig ein Dach über
dem Kopf wie hier. Darum kann Bentsch sich nicht entschließen,
zu Bett zu gehen, und er sitzt oft in der dunklen Küche als säße
er auf einer Bank auf dem Bismarckplatz. Dann geht es ihm
durch den Kopf, daß es seit Kriegsausbruch fünfzehn Jahre
sind. »Die waren schnell vergangen. Er erschrak nicht; er war
nur immer erstaunt, daß das alles gewesen war. Er wunderte
sich. Einer mußte doch wissen, wer er war. Wieso hatte Er nichts
anderes mit ihm vorgehabt?« (S. 115)
Während der Gedanke der Ausgesteuerten noch immer um ihre
Grube kreist, hat, ohne daß sie viel darum wüßten, ein entscheidender Vorgang eingesetzt. Draußen in der Welt geht es
nicht mehr um einen Montanbetrieb mehr oder weniger. Es geht
um das Bestehen des Kapitalismus selbst. Die Nationalökono-
men beginnen, der Lehre von der strukturellen Arbeitslosigkeit
nachzugehen. Die Lehre aber, die die Leute aus Findlingen sich
anzueignen haben, lautet: um wieder in die Grube fahren zu
dürfen, müßt ihr den Staat erobern. Unendliche Schwierigkeiten
hat diese Wahrheit auf dem Wege in die Köpfe zu überwinden.
Sie ist erst bis zu wenigen vorgedrungen. Für die steht Lorenz,

ein junger Arbeitsloser, der vor seiner Ermordung die leuchtende
Spur in dem grauen Dorf hinterläßt, die Bentsch niemals vergessen wird.
Diese wenigen sind die Hoffnung des Volkes. Anna Seghers
berichtet von ihm. Es bildet aber nicht ihre Leserschaft. Noch
weniger kann es heute zu ihr sprechen. Nur sein Flüstern kann
zu ihr dringen. Das Bewußtsein davon verläßt die Erzählerin
nicht einen Augenblick. Sie erzählt mit Pausen wie einer, der
auf die berufenen Hörer im Stillen wartet und, um Zeit zu
gewinnen, manchmal innehält. »Je später auf den Abend, desto
schöner die Gäste.« Diese Spannung durchzieht das Buch. Es ist
weit entfernt von der Promptheit der Reportage, die nicht viel
nachfragt, an wen sie sich eigentlich wendet. Es ist ebenso weit
entfernt vom Roman, der im Grunde nur an den *Leser* denkt.
Die Stimme der Erzählerin hat nicht abgedankt. Viele Geschichten sind in das Buch eingesprengt, welche darin auf den *Hörer*
warten.
Nicht die Gesetzlichkeit des Romans, in dem die episodischen
Figuren im Medium einer Hauptfigur vorkommen, wirkt sich in
der Gestaltenfülle des Buches aus. Dieses Medium – das »Schicksal« – fehlt. Bentsch hat kein Schicksal: hätte er eines, so wäre
es in dem Augenblick abgeschafft, wo er, am Schluß der Geschichte, unter den künftigen Illegalen als ein namenloser verschwunden ist. Der Bekanntschaften, die der Leser macht, wird
er zuvörderst als Zeugen eingedenk sein. Es sind Märtyrer im
genauen Wortsinn (martyr, griechisch: der Zeuge). Der Bericht
von ihnen ist eine Chronik. Anna Seghers ist die Chronistin
der deutschen Arbeitslosen. Die Grundlage ihrer Chronik ist
eine Fabel, die, wenn man so will, den romanhaften Einschlag
des Buches bildet. Am neunzehnten November 1929 werden
unter 53 Verschütteten sieben, die noch am Leben sind, aus
einem Stollen geborgen. Das ist »die Rettung«. Sie stiftet den
Verband, den diese sieben bilden. Die Erzählerin folgt ihnen mit
einer stummen Frage: welche Erfahrung wird neben der bestehen, die die Verlorenen im Schacht gemacht haben, als sie
drunten das letzte Wasser und das letzte Brot mit einander
teilten? Werden sie die Solidarität, die sie in der Naturkata-
strophe bewährt haben, in der Katastrophe der Gesellschaft
bewähren können? – Sie sind noch nicht aus dem Hospital

entlassen, als die dumpfen Anzeichen dieser Katastrophe zu ihnen dringen. »Sie machen's vielleicht wie drüben in L. Lohnt sich nicht mehr. Stillegungsantrag.« (S. 31)

Der Antrag wird gestellt und nach ihm verfahren. »Sechsundzwanzig Wochen lang kriegt man elf Mark fünfunddreißig Erwerbslosenunterstützung, dann kriegt man acht Mark achtzig. Sechsundzwanzig Wochen mindestens, kommt auf die Stadt an, das war die Krise, dann kommt die Wohlfahrt, macht sechs Mark fünfzig, pro Kind zwei Mark im Monat Zuschlag. Nachher kommt nichts anderes mehr.« (S. 94) Das erfahren die Leser aus dem Buche, die Betroffenen aus dem Mund einer Katharina, die als das Mädchen aus der Fremde durch die Erzählung geht. Sie ist von auswärts in mehr als einem Sinn. Und so gleicht diese vom »ungewohnten Klang« einer ruhigen Stimme getragene Auskunft einem Urteile, das aus weiter Ferne über die Arbeitslosen gesprochen wird. Es bestimmt weiterhin das Leben, das sie aus der Grube gerettet haben.

In seinen trüben Verlauf fällt der erste Jahrestag der Begebenheit, die »die Rettung« heißt und den Untergang eben der Geretteten mit sich führt. »Ist es erst ein Jahr her?« heißt es. Den Arbeitslosen scheint dieses Jahr länger als die, da sie ihre Schicht machten. Sie sitzen in der Kneipe bei Aldinger. »›Bentsch, Du hast Dir die Zunge an uns fusselig geredet. Daß wir ja aus diesem Rattenloch herauskommen. Wenn Du gewußt hättest, daß es hier draußen wird, wie es geworden ist, hättest Du Dich dann auch angestrengt?‹ ›Ja.‹ Er hatte sich das noch nie überlegt, aber er wußte das doch. ›Ja?‹ sagte Sadovski erstaunt. Nebenan an den Tischen horchten sie auch scharf hin. ›Ganz gewiß will man immer wieder raus. Mit allen andern zusammen sein.‹ Bentsch machte eine Bewegung mit dem Arm über die, die herum saßen.« (S. 219/20) Kaum weniger stumm als die stumme Frage, von der die Rede war, ist die Antwort, welche ihr so zuteil wird.

Es unterscheidet die Chronik von der Geschichtsdarstellung im neueren Sinne, daß ihr die zeitliche Perspektive fehlt. Ihre Schilderungen rücken in nächste Nähe derjenigen Formen der Malerei, die vor der Entdeckung der Perspektive liegen. Wenn die Gestalten der Miniaturen oder der frühen Tafelbilder dem Betrachter auf Goldgrund entgegentreten, so prägen sich ihm

ihre Züge nicht weniger ein als hätte der Maler sie in die Natur
oder in ein Gehäuse hineingestellt. Sie grenzen an einen ver-
klärten Raum, ohne an Genauigkeit einzubüßen. So grenzen
dem Chronisten des Mittelalters seine Charaktere an eine verklärte Zeit, die ihr Wirken jäh unterbrechen kann. Das Reich
Gottes ereilt sie als Katastrophe. Es ist gewiß diese Katastrophe
nicht, die die Arbeitslosen erwartet, deren Chronik »die Rettung« ist. Aber sie ist etwas wie deren Gegenbild, das Herauf-
kommen des Antichrist. Dieser äfft bekanntlich den Segen nach,
der als messianischer verheißen wurde. So äfft das dritte Reich
den Sozialismus nach. Die Arbeitslosigkeit hat ein Ende, weil die
Zwangsarbeit rechtens geworden ist. Nur wenige Seiten im Buch
der Seghers haben es mit dem »Aufbruch der Nation« zu tun.
Aber das Grauen der Nazikeller ist schwerlich jemals so wie auf
ihnen beschworen worden, die von deren Praktiken nicht mehr
verraten als ein Mädchen erfahren kann, das in einer S. A.-
Kaserne nach ihrem Freunde, der Kommunist war, fragt.
Die Erzählerin hat der Niederlage, die die Revolution in
Deutschland erlitten hat, in die Augen zu sehen gewagt – eine
männliche Fähigkeit, notwendiger als sie verbreitet ist. Diese
Haltung kennzeichnet ihr Werk auch sonst. Sie ist weit entfernt
von der Absicht, sich in Elendsschilderungen hervorzutun. Die
Achtung vor dem Leser, die ihr den billigen Appell an sein
Mitgefühl untersagt, verbindet sie mit der Achtung vor den
Erniedrigten, die ihr Modell waren. Dieser Reserve hat sie es zu
verdanken, daß ihr, wo sie einmal die Dinge beim Namen
nennt, der Sprachgeist des Volkes selber zur Seite tritt. Und
wenn ein Arbeitsloser von auswärts, auf die Findlinger Stempel-
stelle verschlagen, sich an der Feststellung orientiert: »Hier
stank es genau so wie in Kalingen« – so macht sie mit einem
einzigen Griff die Klassengesellschaft selber dingfest. Sie besitzt
vor allem einmal die Mittel, mit der Sprache auf eine Weise
hauszuhalten, die nichts mit der verlogenen Schlichtheit zu
schaffen hat, die in der modernen Heimatkunst üblich ist. Eher
erinnert es an die echte Volkskunst – auf die sich einst der
»Blaue Reiter« berufen hat – wie sie mit geringfügigen Ver-
rückungen des Geläufigen abgelegene Kammern im Alltag frei-
gibt. Als die Polizei die Stube bei Bentsch durchsucht, tauscht
seine Frau einen Blick mit ihm. »Er lächelte ein wenig. Es war,

als seien sie all die Jahre nur zusammengewesen, um für diesen
Augenblick etwas einzuüben.« (S. 498/99) Oder: »Katharina
machte aus zwei nicht drei, so wenig wie die Katze«. (S. 118)
Die Rede ist von der befremdlichen Kreatur, Bentsch's Stief-
tochter, die in seiner Familie zu Gaste ist. Aber nicht behauster
als Melusine, wenn sie auf eine Weile bei einem Manne wohnt.
Es zieht sie in den Palast zurück, der auf dem Grunde der
Quelle errichtet ist. So zieht es Katharina nach Haus. Doch das
Menschenkind hat noch kein Zuhause. Es steht und putzt die
Fenster: »Wo waren denn die Scheiben, die man nicht blank
genug haben konnte, damit ein klares, aber nicht grelles Licht
in alle Winkel der Stube schien, in der der Tisch gedeckt, das
Bett bereit steht, nicht hastig und zum Notbehelf sondern von
jeher und für immer – endlich Katharina!« (S. 118) Sie geht an
einem Abortus ein, den man mit ihr vorhat. Ihren schmalen
Weg hat sie stumm und ehe man es dachte zurückgelegt. Sie
kam, sie wußte sich nicht zu helfen und sie verschwand. Doch
wäre diese Katharina nicht was sie ist und um ihr Bestes ärmer,
stünde sie nicht um soviel wie diesseits der Lebensklugheit auch
jenseits ihrer. Darin ist sie die Schwester des Katherlieschen,
mit der das Märchen so schön zu verstehen gibt, welche Verheißung die klugen Leute an den törichten Jungfrauen haben.
Ihr Lächeln ist mit der Welt nicht stimmig, und sie sind es auch
nicht mit sich. Ihnen eilt nicht, bei sich zu Haus zu sein, solange
das Herz in der Welt nur eine Zuflucht ist, nicht die Mitte.
»Ich muß was erfinden«, denkt Katharina, die gerade eine kluge
Auskunft von Bentsch mitanhört, die an einen Dritten gerichtet
ist, »was ich ihn um Rat fragen könnte. Sie dachte nach. Es fiel
ihr aber nichts ein. Sie hatte keine Hoffnung, die zu scheitern
drohte. Ihr fehlte nichts und sie hatte nichts. Sie hatte nicht das
Geringste vor, wozu sie Rat gebraucht hätte. Sie war völlig
ratlos.« (S. 120) Diese Worte geben den Blick auf die epische
Form des Buches frei. Ratlosigkeit ist das Siegel der inkom-
mensurablen Persönlichkeit, an der der bürgerliche Roman seinen Helden hat. Ihm geht es, wie man gesagt hat, um das Individuum in seiner Einsamkeit, das sich über seine wichtigsten
Anliegen nicht mehr exemplarisch auszusprechen vermag, selbst
unberaten ist und keinen Rat geben kann. Wenn das Buch, sei
es auch unbewußt, dieses Geheimnis streift, so verrät es, wie fast

alle bedeutenden Romanwerke aus den letzten Jahren, daß die Romanform selber im Umbau begriffen ist.

Die Struktur des Werkes gibt dies vielfältig zu erkennen. Ihm fehlt die Gliederung in Episode und Hauptverlauf. Es drängt zu älteren epischen Formen, zu der Chronik, zum Lesebuch. Kurze Geschichten stecken in Fülle darin, bilden oft seinen Höhepunkt. So die vom 19. November 1932, an dem der Jahrestag der Rettung zum letztenmal im Verlauf der Erzählung wiederkehrt. Niemand feiert ihn mehr: Daran wird fühlbar, was er bedeutet hatte. Diesen Arbeitslosen steht er für alles ein, was jemals Licht in ihr Leben getragen hatte. Sie könnten zu diesem Tage sagen, er sei ihr Ostern, ihr Pfingstfest und ihr Weihnachten. Nun ist er in Vergessenheit geraten, und die Verfinsterung ist vollends hereingebrochen. »Die Stunde war längst überschritten, die man gewöhnlich einhielt um den Tag zu feiern. Wirklich, man hat mich vergessen, dachte Zabusch. Oder die wollen unter sich sein. Mit mir ist kein Staat zu machen. ›Knips das Licht an‹, sagte seine Frau. ›Knips selbst an‹, sagte Zabusch. So blieb es unangeknipst.« Schließlich hält er es nicht mehr im Dunkeln aus. Er geht die Findlinger Straße hinunter, öffnet die Tür zur Wirtschaft mit einem Ruck. »›Ein Helles, ein Dunkles?‹ Zabusch gab dem Wirt keine Antwort, er sah sich verstört um. Er glaubte zuerst, er hätte eine falsche Tür gegriffen. Doch in der Findlinger Straße gab es nur den Aldinger. Und Aldinger war es auch selbst, er erkannte ihn wieder. Nur seine Stube war ausgetauscht, kein bekanntes Gesicht. Man fing jetzt zu lachen an . . . ›Nur voran. Ist noch Platz. Setz dich, Kamerad.‹ All diese Naziburschen füllten Stühle und Bänke – diese Eckbank war voriges Jahr nicht gewesen, – mit den breiten Knieen und Ellenbogen von Einheimischen.« (S. 450/ 51) Dieser Sturz, der dem Menschen, den keiner braucht, dessen Tage selbst der Kalender zu zählen aufgibt, dem Verlassenen, der sich im Abgrund aufhält, einen tieferen Abgrund eröffnet: nämlich die strahlende Nazihölle, wo sich die Verlassenheit selbst ein Fest gibt – dieser Sturz konzentriert die Jahre, von denen das Buch erzählt, im Entsetzen eines einzigen Augenblicks.

Werden sich diese Menschen *befreien*? Man ertappt sich auf dem Gefühl, daß es für sie, wie für arme Seelen, nur noch eine

Erlösung gibt. Von welcher Seite sie kommen muß, hat die Verfasserin angedeutet, wo sie in ihrem Bericht auf die Kinder stößt. Die Proletarierkinder, von denen sie spricht, wird kein Leser sobald vergessen. »Damals gab es dort oft solche Art Kinder wie Franz. Irgend jemand brachte sein eigenes mit oder sie kamen von selbst aus der Nachbarschaft oder auch ganz wo anders her, ragten ein wenig über den Tischrand hinaus, auf dem man die Flugblätter faltete, liefen einem zwischen den Beinen herum oder rannten und schnauften, um einen Brief wegzutragen oder einen Stoß Zeitungen, oder jemand, den man gerade brauchte, heranzuholen. Von einem Vater mitgeschleift, ... oder durch Neugierde, oder auch angelockt durch das, was die Menschen anlockt, und vielleicht schon bis zum Tode verbunden.« (S. 440/41) Auf diese Kinder hat Anna Seghers gebaut. Vielleicht wird die Erinnerung an die Arbeitslosen, von denen sie stammen, einmal die an deren Chronistin einschließen. Bestimmt wird in ihren Augen der Abglanz der Scheiben sein, von denen die fensterputzende Katharina träumt – der Scheiben, »die man nicht blank genug haben konnte, damit ein klares, aber nicht grelles Licht in alle Winkel der Stube schien, in der der Tisch gedeckt, das Bett bereit steht, nicht hastig und zum Notbehelf sondern von jeher und für immer«.

Krisenjahre der Frühromantik. Briefe aus dem Schlegel-Kreis. Hrsg. von Josef Körner. 2 Bde. Brünn, Wien, Leipzig: Verlag Rudolf M. Rohrer 1936 f. 548 S., 567 S.

Zwei Bände, an die 600 Briefe umfassend, erschließen den Ausgang der frühromantischen Bewegung und die späteren Lebensjahre der von ihr Erfaßten. Den Grundstock der vorliegenden, von Josef Körner publizierten Sammlung bilden Briefe, die A. W. Schlegel in den Jahren zwischen 1804 und 1812 erhalten hat. Fragmentarisch greift die Publikation über diese Epoche hinaus und führt bis an die Schwelle seines 1845 erfolgten Todes. Sie enthält im übrigen eine große Anzahl von Briefen, deren Schreiber A. W. Schlegel selber gewesen ist.
Für die gesamte Ausgabe sind drei Bände vorgesehen. In der

Tat enthalten die beiden vorliegenden nichts als die Dokumente: ihre Erläuterung und Registrierung ist einem dritten Bande vorbehalten. Man wird an einem eigenen Band keinesfalls zuviel haben, um das vorliegende Quellenwerk aufzuschließen. Solange er aussteht, hat eine Anzeige nur vorläufigen Charakter. Wollte sie übrigens wie auch immer beschränkte Stichproben aus einem künftigen Personen- oder Sachregister geben, so würde sie eine geraume Anzahl von Seiten einnehmen. Das Material ist ungemein dicht und wiewohl meist privater Art, äußerst vielschichtig. Einen großen – manchmal leidigen – Raum belegen die Briefe der Sophie Bernhardi, geborenen Tieck. Deren Leitmotiv ist der langjährige Scheidungsprozeß, mit dem eine nicht geringe Anzahl bedeutender Zeitgenossen befaßt worden ist. A. W. Schlegel, durch eine eidliche Aussage Fichtes in den Prozeß verwickelt, erwehrt sich des Philosophen in einem Schreiben, das zu den pittoreskesten Dokumenten der deutschen Briefliteratur gehört.

Dergleichen Arabesken nachzuziehen, die nicht minder verschlungenen der Friedrich Schlegelschen Konversion, der Erziehung der Staelschen Söhne zu verfolgen, wird zunächst dem Herausgeber vorbehalten bleiben. Eine Fülle skurriler, nicht selten gehässiger Randnoten, mit denen die Korrespondenten des Kreises die Vorgänge in anderen literarischen Gruppen des damaligen Deutschland – die Aufführung des Tell, das Erscheinen der Wahlverwandtschaften, die Entwicklung der Goethischen Kunstlehre, schließlich das Abtreten der Großen: Schillers, Kleists, Goethes – begleiten, wird bald in Dissertationen ihren Einzug halten. Die spätere Abdichtung dieses Kreises wirkt niederdrückend; bisweilen führt sie zu schrulligen Formulierungen. »Dichten Sie, schreiben Sie guter theurer Bruder«, so wendet sich die Schwägerin Dorothea an August Wilhelm, »Eure Werke werden die Pyramiden seyn die aus den Trümmern der Zeit allein stehen bleiben, und der Nachwelt zeigen werden: hier hat ein edles Volk gewohnt.« (Brief vom 23. Juli 1809.) Dem Nachwuchs gegenüber bekundet sich diese Abdichtung besonders unglücklich. Die echte Leidenschaft für deutsches Altertum hat Friedrich Schlegel nicht gehindert, ebenso ungereimt wie abschätzig von den Brüdern Grimm zu reden.

Keinesfalls wird man übersehen – das klingt in der zitierten

Äußerung Dorotheas an –, daß der größte Teil dieser Dokumente aus der Zeit der napoleonischen Herrschaft stammt. Sie
zeigen die Epoche der Entmachtung des deutschen Volkes nicht
so durchaus von den Ausstrahlungen deutscher Geistesmacht
überblendet, wie es für das auf Weimar allein eingestellte Auge
der Fall sein mag. Die Schwierigkeiten der brieflichen Kommunikation im Innern Deutschlands, die in zahlreichen Schreiben berührt werden, geben für sich allein ein Bild von der
Desorganisation des bürgerlichen Lebens. Weiter sind da die
unmittelbaren Reaktionen auf die Tyrannei; nirgendwo spontaner als bei Friedrich Schlegel. Ein schöner Brief von Clausewitz
gehört in den gleichen Zusammenhang. Endlich sind es nicht
zuletzt politische Umstände, die sich in der Diaspora der ersten
romantischen Schule abzeichnen – einer Diaspora, die diese
Jahre in Kontrast zu den Zeiten treten ließ, da die Schule ihre
Heerschau in Jena abhielt. Friedrich Tieck, der Bildhauer, hungert in Rom; Friedrich Schlegel führt in Köln einen verzweifelten Existenzkampf, bis er in Wien bei Metternich unterkommt;
eine weltbürgerliche Existenz, wie sein Bruder sie auf Schloß
Coppet bei Frau v. Stael führte, war außerhalb des Goethischen
Bannkreises nur in der Fremde möglich.
Es liegt in der Natur einer solchen Briefsammlung, daß das
spezifische Gewicht des Ganzen selten das ihrer Teile ist. Dem
ungeachtet sind unter diesen Briefen einzelne von besonderer
menschlicher, andere von besonderer geschichtlicher Bedeutung.
Wenige lassen sich dem beide vereinenden an die Seite stellen,
mit dem August Ludwig Hülsen – der Schüler Fichtes, der
Freund Fouqués – im Jahre 1803 auf die eben sich abzeich-
nende reaktionäre Wendung der Brüder Schlegel reagiert. Er
hat es mit ihren Forschungen über das Rittertum zu tun. »Be-
hüte uns der Himmel«, so schreibt er warnend, »daß die alten
Burgen nicht wieder aufgebaut werden. Sagt mir, lieben Freunde, wie soll ich Euch darin begreifen. Ich weiß es nicht ... Ihr
mögt die glänzen[d]ste Seite des Ritterwesens hervorsuchen, sie
wird so vielfach wieder verdunkelt, wenn wir es im Ganzen nur
betrachten wollen. Friedrich möge nach der Schweitz reisen und
unter andern nach Wallis. Die Kinder erzählen ihm noch von
den ehemaligen Zwingherrn, indem sie die stolzen Burgen
benennen, und das Andenken ihrer Tyrannen erscheint in den

Trümmern unverwüstlich. Aber dieser Betrachtung bedarf es
gar nicht. Es ist genug daß dies Wesen mit keiner göttlichen
Anordnung des Lebens bestehen kann. Viel lieber möchte man
auch wünschen, daß der große Haufe, den wir Volk nennen, uns
Gelehrte und Ritter sämmtlich auf den Kopf schlüge, weil wir
unsre Größe und Vorzüge auf sein Elend allein gründen können. Armenhäuser, Zuchthäuser, Zeughäuser und Waisenhäuser
stehen neben den Tempeln, in welchen wir die Gottheit verehren wollen ... Es ist freilich nicht zuförderst Dein Studium
gewesen, die gesellschaftlichen Formen auf die ursprüngliche
und ewig bleibende zurückzuführen, und in ihnen daher das
Nothwendige und Zufällige ... zu unterscheiden. Aber einem
Manne von Deiner Kritik liegt diese Betrachtung eben so nahe,
als irgend eine literärische Erscheinung ... Sprechen wir vom
Menschen so liegt an uns allen *qua* Philosophen und Künstler
durchaus gar nichts; denn das Leben eines einzigen in seinen
Anfoderungen an die Gesellschaft – möge er der elendeste auch
seyn – ist bei weiten mehr werth, als der höchste Ruhm, den
wir als Gelehrte und Ritter uns erklingen und erfechten mögen ... Für eine beobachtende Intelligenz würde in der ungebil-
de[t]sten Gesellschaft noch immer mehr Göttliches sichtbar werden, als wir durch Künste und Wißenschaften in ihrer höchsten
Verfeinerung je darstellen können, wenn irgend ein Sohn der
Freiheit ihr Opfer geworden.« (Brief vom 18. Dezember 1803.)
Der Brief gehört zu den seltenen Dokumenten, in denen das
Grundmotiv der Aufklärung mit jenem unvergleichlichen Klan-
ge vibriert, den es über dem Resonanzboden der Romantik
annimmt. Er denunziert die Unmündigkeit des deutschen Bürgertums, die in diesen »Krisenjahren« zum Verhängnis der
Frühromantik geworden ist. In der forcierten voltairianischen
Haltung von August Wilhelm Schlegel tritt diese Unmündigkeit
nur anders zutage als in dem ultramontanen Ausgang von
Friedrich Schlegel. Die Zeit ist noch nicht gekommen, da ein
deutscher Leser über den literargeschichtlichen Aufschlüssen,
über den Bildern der Landschaft oder des Kleinlebens, über den
sprachlichen Schönheiten und den Selbstbildnissen, die ihm in
diesen Briefen begegnen, ihr geschichtliches Zeugnis vergessen
dürfte. Um so dankbarer wird er diesen hochbedeutenden Fund
aus dem Schlosse Coppet entgegennehmen.

Gisèle Freund, La photographie en France au dix-neuvième siècle. Essai de sociologie et d'esthétique. Paris: La Maison des Amis du Livre 1936. 154 S.

Vor acht bis zehn Jahren hat man begonnen, die Geschichte der Photographie zu erforschen. Man kennt eine Anzahl, meist illustrierter Arbeiten über ihre Anfänge und ihre frühen Meister. Es ist dieser jüngsten Publikation vorbehalten geblieben, den Gegenstand im Zusammenhang mit der Geschichte der Malerei zu behandeln. Gisèle Freunds Studie stellt den Aufstieg der Photographie als durch den Aufstieg des Bürgertums bedingt dar und macht diese Bedingtheit in glücklicher Weise an der Geschichte des Porträts einsichtig. Von der unter dem ancien régime am meisten verbreiteten Porträttechnik, der kostspieligen Elfenbeinminiatur ausgehend, zeigt die Verfasserin die verschiedenen Verfahren auf, die um 1780, das heißt sechzig Jahre vor Erfindung der Photographie, auf eine Beschleunigung und Verbilligung, damit auf eine weitere Verbreitung der Nachfrage nach Porträts hinzielten. Die Beschreibung des Physiognotrace als eines Mittelgliedes zwischen Porträtminiatur und photographischer Aufnahme zeigt mustergültig, wie technische Gegebenheiten gesellschaftlich transparent gemacht werden können. Die Verfasserin legt dann weiter dar, wie die technische Entwicklung ihren der gesellschaftlichen angepaßten Standard in der Photographie erreicht, durch die das Porträt breiten Bürgerschichten erschwinglich wird. Sie führt aus, wie die Miniaturisten die ersten Opfer der Photographie in den Reihen der Maler wurden. Sie berichtet endlich über die theoretische Auseinandersetzung zwischen Malerei und Photographie um die Jahrhundertmitte.

Die Frage, ob die Photographie eine Kunst sei, wurde damals mit dem leidenschaftlichen Anteil eines Lamartine, Delacroix, Baudelaire verhandelt, die Vorfrage wurde nicht erhoben: ob nicht durch die Erfindung der Photographie der Gesamtcharakter der Kunst sich verändert habe. Die Verfasserin hat das Entscheidende gut gesehen. Sie stellt fest, wie hoch dem künstlerischen Niveau nach eine Anzahl der frühen Photographen gestanden haben, die ohne künstlerische Prätentionen zu Werke gingen und mit ihren Arbeiten nur einem engen Freundeskreise vor Augen kamen. »Der Anspruch der Photographie, eine Kunst zu sein, wurde gerade von denen erhoben, die aus der Photographie ein Geschäft machten.« (S. 49) Mit andern Worten: der Anspruch der Photographie eine Kunst zu sein, ist gleichzeitig mit ihrem Auftreten als Ware. Das stimmt zu dem Einfluß, welchen die Photographie als Reproduktionsverfahren auf die Kunst selber nahm. Sie isolierte sie vom Auftraggeber, um sie dem anonymen Markte und seiner Nachfrage zuzuführen.

Die Methode des Buches ist an der materialistischen Dialektik ausgerichtet. Seine Diskussion kann ihre Ausbildung fördern. Darum sei ein Einwand gestreift, der nebenher den wissenschaftlichen Ort dieser Forschung näher bestimmen mag. »Je größer«, schreibt die Verfasserin, »das Genie des Künstlers ist, desto besser reflektiert sein Werk, und zwar gerade kraft der Originalität seiner Formgebung, die Tendenzen der ihm gleichzeitigen Gesellschaft.« (S. 4) Was an diesem Satze bedenklich scheint, ist nicht der Versuch, die künstlerische Tragweite einer Arbeit mit Rücksicht auf die gesellschaftliche Struktur ihrer Entstehungszeit zu umschreiben; bedenklich ist nur die Annahme, diese Struktur erscheine ein für alle Mal unter dem gleichen Aspekt. In Wahrheit dürfte sich ihr Aspekt mit den verschiedenen Epochen ändern, die ihren Blick auf das Werk zurücklenken. Seine Bedeutung mit Rücksicht auf die gesellschaftliche Struktur seiner Entstehungszeit definieren, kommt also vielmehr darauf hinaus, seine Fähigkeit, zu der Epoche seiner Entstehungszeit den ihr entlegensten und fremdesten Epochen einen Zugang zu geben, aus der Geschichte seiner Wirkungen zu bestimmen. Solche Fähigkeit hat Dantes Gedicht für das zwölfte Jahrhundert, Shakespeares Werk für das elisabethanische Zeitalter an den Tag gelegt.

Die Klarstellung der hier angedeuteten Frage ist umso wichtiger als die Formulierung von Freund auf eine These zurückzuführen droht, die ihren drastischsten und zugleich fragwürdigsten Ausdruck bei Plechanow gefunden hat. »Je größer ein Schriftsteller ist«, so heißt es in Plechanows Polemik gegen Lanson, »desto stärker und einsichtiger hängt der Charakter seines Werkes vom Charakter seiner Epoche ab, *oder mit anderen Worten* (Sperrung vom Referenten): desto weniger läßt sich in seinen

Werken jenes Element ausfindig machen, das man das ›persönliche‹ nennen könnte.«

*Grete de Francesco, Die Macht des Charlatans. Basel: Benno
Schwabe und Co. (1937). 258 S., 69 Abb.*

Mit welchen Mitteln Personen oder Gruppen Einfluß auf Massen ausüben können, das ist ein verhältnismäßig neuer Gegenstand des Nachdenkens. Vom Altertum bis zum Beginn des vorigen Jahrhunderts war die Redekunst unter diesen Mitteln das
einzige eines näheren Studiums gewürdigte. Im Laufe des genannten Jahrhunderts wurde es durch die Photographie, die
Rotationspresse, den Film und den Rundfunk möglich, Aufforderungen, Informationen und Meinungen nebst Bildern zu
ihrer Bekräftigung immer schneller unter eine immer größere
Zahl von Leuten zu bringen. Das kam unter anderem der Reklame zugute. Je mehr sie sich verbreitete, desto sinnfälliger wurde,
daß die Redekunst ihr Monopol im früheren Umfang verloren
hatte. Wer im Werbefilm für einen Industrieartikel einzutreten
hat, kann vom Marktschreier mehr lernen als von Cicero.
Im Zuge dieser technischen und wirtschaftlichen Entwicklung ist
die Frage: Wie beeinflußt man Massen? akut geworden. Die
Politik sorgt dafür, daß sie es bleibt. Die Untersuchung, welche
Grete de Francesco veröffentlicht, nimmt an dieser Aktualität
teil. Sie hat es mit den Mitteln zu tun, dank deren der Scharlatan
seine Macht ausübt. Ist das Monopol der Redekunst erst einmal
eingeschränkt, so richtet sich der Blick gleich auf Formen der
Massenbeeinflussung, die von je her neben ihr bestanden haben.
Die Geschichte des Scharlatans schreiben heißt, die Vorgeschichte
der Reklame darstellen. Die instruktiven, zu einem großen Teil
bisher unbekannten bildlichen Dokumente, mit denen de Francesco ihr Buch illustriert hat, beweisen das. Der Scharlatan
begegnet auf ihnen als ein Mittelding zwischen Zauberkünstler
und Komödiant; die Bretterbank, auf der er sich produziert,
ist halb Podium, halb Schaubühne. Herolde und Harlekins sind
sein Stab; Fahnen und Baldachine begleiten ihn; Prozessionen
führen ihn durch die Stadt.

Die Verfasserin macht den Leser mit den Gestalten bekannt, die
in diesem Rahmen erschienen sind, welcher heute so bemerkenswerte Bereicherungen erfahren hat. Charakterstudien der Alchimisten Bragadino und Thurneißer stehen neben dem Porträt
Mondors, des Quacksalbers, dessen Ruhm im Namen seines
Spaßmachers Tabarin überdauert; an sie reiht sich die Darstellung Eisenbarths; die Kapitel über die Scharlatane des dix-
huitième siècle, die Cagliostro und Saint-Germain bilden in dem
Werke einen Höhepunkt. Die Entwicklung des Scharlatans
bringt, gewissermaßen versuchsweise, Motive zur Geltung, die
die kommende industrielle und politische Publizität mit ge-
steigertem Nachdruck entfaltet hat. Damit ist die Perspektive
gekennzeichnet, in der der Figur des Scharlatans ihr historischer
Umriß gesichert ist.

Nicht ganz ohne Gefahr für die Bildschärfe unternahm die
Verfasserin es, ihn noch unmittelbarer an uns heranzurücken.
Ein polemisches Interesse bestimmte sie. Sie gedachte, den irre-
geleiteten Massen unter den Heutigen ein Spiegelbild in der
Masse derer zu präsentieren, welche in den vergangenen Jahrhunderten der Macht des Scharlatans unterlegen sind. So kam
sie, aus aktuellen Motiven, dazu, den Scharlatan als Fälscher zu
kennzeichnen. »Die Macht des Charlatans bestand ... darin,
daß er alle Unsicherheiten einer ... Situation durch mannig-
faltige Fälschungen so auszunützen ... wußte, daß eine Wertwelt entstand, in der seine eigenen Unwerte zu Werten wurden.« (S. 97) Diesen Fälschern fällt die »große Mehrheit der
Menschen« (S. 18) anheim – die Halbgebildeten, heißt es gelegentlich (S. 24); aber hat der Begriff vor Einführung des
allgemeinen Schulzwanges einen rechten Sinn? Als Pendant
dieser Masse tritt »die kleine Minderheit der Immunen« (S. 18)
auf den Plan. »Die Immunen«, so heißt es, »waren immer in
der Minderzahl und dennoch gelang es nur ihnen, die unheil-
volle Macht des Charlatans zu erschüttern ..., indem sie ... das
Faktum ihres Lebens und ihrer Handlungen als konkretes
Wahrzeichen einer Wertwelt setzten, über der unangetastet die
Wahrheit thront.« (S. 245)

Der Historiker kennt keine Apotheose und kennt daher auch
nicht den im Vordergrund solcher Darstellungen zu Boden getretenen, unschädlich gemachten Bösewicht, als der hier der

Scharlatan figuriert. Die Beeinflussung der Massen ist keine
Schwarzkunst, gegen die an die weiße Magie der Eliten zu
appellieren wäre. Sie ist eine geschichtliche Aufgabe, und vieles
in dem aufschlußreichen und sachkundigen Buch de Francescos
spricht dafür, daß der Scharlatan ihr zu seiner Zeit und auf
seine Weise entsprochen hat. Gewiß nicht immer auf eine säu-
berliche. Aber die Versuche, profanes Wissen an die Massen
heranzubringen, sind noch niemals desinteressiert gewesen. Dennoch stellten sie einen Fortschritt dar. Oft hat ihm der Scharlatan selbst noch da gedient, wo er am rücksichtslosesten seinem
Vorteil nachging. Ein Cagliostro und Saint-Germain rächten
den dritten Stand an der Herrenkaste. Sie waren authentische
Zeitgenossen von Beaumarchais.

ROMAN DEUTSCHER JUDEN

Während in Deutschland auf unabsehbare Zeit die Bindungen
vernichtet werden, die zwischen dem deutschen Volk und den
deutschen Juden bestanden haben, erscheint ein Roman[1], der
es unternimmt, die Natur dieser Bindungen darzustellen. Er hat
es mit einer wohlsituierten assimilierten Familie zu tun. Der
Familienvorstand ist Architekt; man muß ihn sich aus der Generation der um 1860 Geborenen denken. Seine künstlerischen
Leitbilder sind die der wilhelminischen Epoche; ein Bodo Eb-
hardt, der als Restaurator der Hohkönigsburg wirkte, könnte
für die Figur Modell gestanden haben. Die Frau ist Nichtjüdin;
der Sohn, der 1933 außer Landes ging und Techniker wurde,
gehört seiner Mutter, nicht aber seinem gesetzlichen Vater zu.
Die Nürnberger Gesetze führen die Mutter, ohne allzu viel
Schwierigkeiten, dazu, dem Sohn einen Fehltritt einzugestehen,
der ihm zu einer nichtjüdischen Abkunft verholfen hat.
Der Wunsch, die Geliebte der früheren Jahre zu sich zu nehmen
und die Eltern zum Verlassen der Heimat zu bewegen, führt
diesen jungen Mann 1936 nach Deutschland zurück. Er kommt
zur rechten Zeit, um auf die Machenschaften zu stoßen, die die
Enteignung seines Vaters zum Ziele haben. Das Eingeständnis

1 Stephan Lackner, Jan Heimatlos. Roman. Zürich: Verlag Die Liga (1939). 222 S.

der Mutter erlaubt es ihm, sich als »Arier« zwischen den alten Mann und seine Gläubiger zu stellen. Er widmet sich ganz der geschäftlichen Zukunft. Die erotische scheint ihm verschlossen; der Geliebten wurde die Rassenkunde zu gründlich beigebracht, als daß sie sogleich zu ihren ursprünglichen Gefühlen zurückfände. Später, als Landflüchtige, wird sie sie bewähren. – Eine andere Bindung liegt in der Linie der großen Karriere, die dem Heimgekehrten nach der Aufnahme in den väterlichen Konzern winkt. Diese Bindung – hier schießt in Lackners Roman, wie Paul Heyse es nannte, der Falke auf – ist die an die Tochter eben desjenigen Finanzmagnaten, der der natürliche Vater des unternehmenden Jünglings ist. Nun scheint die banalste Verquickung nahezuliegen: der von Ahnungslosen geschürzte Knoten dürfte sich auf tragische Art entwirren. Es kennzeichnet den sicheren Griff des Verfassers und seine Loyalität, wie er solcher Konstruktion aus dem Wege geht. Die jungen Leute finden einander in unverfälschtem Bewußtsein der Sachlage. »Jan fragte tonlos: ›Dir graust nicht?‹ – ›Mir graust vor nichts auf der Welt. Was habe ich mit Tabuvorschriften der Urmenschen zu schaffen?‹« In dem rassisch gereinigten Vaterlande führen – das ist der satirische Kern der Fabel – die Anforderungen des Geschäftslebens unter Umständen ein blutschänderisches Verhältnis mit sich. Der »scharfe Wind«, der durch Deutschland weht, trägt den Sinn spielend darüber weg.
Zuletzt bleibt freilich auch diese Leistung ohne den entsprechenden Nutzeffekt. Der Heimgekehrte erkennt, daß in Deutschland seines Bleibens nicht länger ist. Er sucht die Jugendfreundin noch einmal auf, wird von einem SS-Detachement aufgespürt und rettet nichts als sein nacktes Leben. Am gleichen Tage endet mit eigener Hand der Mann, der ihm lange als Vater gegolten hat, das seine. »Meine Vorfahren«, so begrüßt er zu Beginn der Erzählung den Heimgekehrten, »saßen seit der Römerzeit am Rhein. Was die hergelaufenen Oesterreicher und Levantiner und Schlawiner, die jetzt in dem armen Reich die Macht an sich gerissen haben, über mich behaupten, das ist mir gleichgültig, es geht mich nichts an. Wir harren aus, hier im Land, bis die Deutschen wieder zu sich selbst finden, oder bis wir zugrunde gehen.« Heute, da der zweite Teil dieser Alternative sich zu erfüllen droht, hat der Roman das Gewicht eines Dokuments. Er findet

seinen Abschluß in einer zweiten Heimkehr, die nicht mehr der
inzwischen selbst emigrierten Jugendgeliebten gilt, sondern dem
Kampf um die Befreiung aller Unterdrückten im Dritten Reich.
Lackners Buch beweist, daß die Schule des Exils einem jungen
Schriftsteller nicht so schlecht anschlägt, wenn er nur Entschie-
denheit und Begabung mitbringt.

*Louise Weiss, Souvenirs d'une enfance républicaine. Paris: Les
Editions Denoel (1937). 244 S.*

Die Verf[asserin] stand als Frauenrechtlerin in der Öffentlichkeit, ehe sie mit literarischen Arbeiten hervortrat. Hinzuweisen
ist auf diejenigen Erfahrungen ihrer Jugend, aus denen ihr
späteres politisches Wirken hervorging. Sie machte sie auf der
höheren Töchterschule. Die Kritik der Lyzealbildung ist das
soziologische Kernstück des Buches. Deren Struktur wurde von
dem 1880 von Camille Sée eingebrachten Gesetz über die
wissenschaftliche Ausbildung der Mädchen bestimmt. Die Ver-
f[asserin] gibt einen pittoresken Abriß der Verhandlungen, die
der Annahme dieses Gesetzes vorausgingen. Man argumentierte
aus den Bedürfnissen der Männer heraus, ohne sich um die
Frauen zu kümmern. In der Kammer: »Wenn die höhere Mädchenbildung der laizistischen Kammermehrheit eines schönen
Tages dringlich erschienen war, so war das Ausschlaggebende
das Bedürfnis der republikanisch gesinnten Gatten – mittelbar
also die Stabilität des Regimes.« Im Senat: »Die jungen Mädchen waren den Senatoren herzlich gleichgültig ... Ist die intellektuelle Emanzipation der Frauen ein Kraftzuwachs für die
Republik? ... Das war die Frage, um die der Streit ging.« Den
Urhebern des Gesetzes, den Männern um Jules Ferry hatten
schöngeistig ausgebildete Hausfrauen vorgeschwebt, die den
beruflichen Konkurrenzkämpfen fernblieben. Die lycéennes dagegen sahen es auf die Aufnahmeprüfungen zur École de Mé-
decine und zur École Centrale ab. Als Studentinnen standen sie
oft den ultrarechten oder ultralinken Parteien näher als der
Mitte, der sie ihre Bildungsmöglichkeiten zu danken hatten.
Die Verf[asserin] durchschaut den gesellschaftlichen Wider-

spruch, der sich in der Lyzealbildung niederschlug: »Der von Camille Sée eingeschlagene Weg erwies sich als Sackgasse... Die Mädchenbildung konnte nicht bei einer der Theorie nach liberalen, interesselosen intellektuellen Schulung stehenbleiben; denn diese stand innerlich zu den Konsequenzen der liberalen Theorie, nämlich der Berufstätigkeit der Frauen in Gegensatz.« In seinen erzählenden Abschnitten eröffnet das Buch eine Fülle von Einblicken in die Denkweise der dem Regierungsapparat der jungen Republik Nahestehenden, insbesondere der liberalen Großbourgeoisie.

Roger Caillois, L'aridité. In: Mesures. Cahiers trimestriels. 15e avril 1938, No. 2. Paris: Librairie José Corti. S. 7–12.

Julien Benda, Un régulier dans le siècle. Paris: Gallimard (1937). 254 S.

Georges Bernanos, Les grands cimetières sous la lune. Paris: Librairie Plon 1938. V, 361 S.

G. Fessard, La main tendue? Le dialogue catholique-communiste est-il-possible? Paris: Editions Bernard Grasset 1937. 248 S.

Der Aufsatz von *Caillois* im Aprilheft von »Mesures« bestätigt, in wie hohem Maße die Vorbehalte, mit denen Adorno[1] die »Mante religieuse« versieht, berechtigt sind. Diese dialectique de la servitude volontaire beleuchtet, unheimlich, verschlungene Gedankengänge, in denen ein Rastignac herumlungert, der nicht mit dem Hause Nucingen, sondern mit der Clique autoritärer Propagandachefs zu rechnen hat. Die namhafte Begabung von C[aillois] hat in diesem Essai einen Gegenstand, an dem sie sich nicht mehr anders bekunden kann als in der Gestalt der Frechheit. Es ist abstoßend, wie die historisch bedingten Charakterzüge des heutigen Bourgeois durch ihre metaphysische Hypostasierung zu einer mit elegantem Griffel umrissenen Remarque am Rande des Zeitalters zusammentreten. Die gedrängten Striche dieses Dessins tragen alle Merkmale pathologischer Grausam-

1 vgl. dieses Heft, S. 410 [T. W. Adorno, Bespr. von Roger Caillois, La mante religieuse, Paris 1937, in: Zeitschrift für Sozialforschung 7 (1938), S. 410 f.].

keit. Sie gibt nun einmal die unabdingbare Grundlage für die
Erschließung des »höheren Sinnes« ab, der der Praxis des Mono-
polkapitals innewohnt, welches seine Mittel »lieber der Zerstörung verschreibt als sie dem Nutzen oder dem Glück zuzuwenden« (S. 9). Wenn C[aillois] sagt, »on travaille à la libé-
ration des êtres qu'on désire asservir et qu'on souhaite ne voir
obéissants qu'envers soi« (S. 12), so hat er ganz einfach die
faschistische Praxis gekennzeichnet. – Es ist traurig, einen
schlammigen breiten Strom aus hochgelegenen Quellen gespeist
zu sehen.

Gerät man auf Formulierungen, wie sie C[aillois] in dem Text
von »Mesures« zum besten gibt: »Il faut ... rappeler que le
royaume des cieux et de la connaissance n'appartient qu'aux
violents, que les portes ne s'en ouvrent pas par un mot magique
et qu'il est nécessaire de les forcer« (S. 10), so kann man sich
nicht erwehren, mit Vergnügen an einen Appell von *Benda*
zurückzudenken: »Clercs de toutes les nations ... allez au fond
de vous-mêmes et vous reconnaîtrez que l'idée de création implique nécessairement l'idée de violence, de discontinuité, de
chose imposée au monde par un acte arbitraire. Le dieu créateur
qu' adore la Bible devait devenir nécessairement le dieu des armées ... Vous ne ferez une terre de paix qu'en proclamant,
avec les Grecs, que la sublime fonction des dieux n'est pas
d'avoir créé le monde, mais, sans plus rien créer, d'y avoir
porté de l'ordre, d'avoir fait un Cosmos.« (Benda, Discours à
la Nation Européenne, Paris 1933.)

In dem soeben erschienenen Buch sucht B[enda] die vorbildlichen
und die typischen Züge des clerc an seinem eigenen Leben zu
statuieren. Exemplarisch erscheint ihm ein Konflikt, in den die
oben berufenen griechischen Ideale des clerc mit den jüdischen
treten. Während ihm die ersten die mönchische Lebensführung
als Leitbild vor Augen stellen, nötigen ihn die andern, sich
innerhalb des Säkulums für die Gerechtigkeit einzusetzen. Da
in der Welt ohne Kompromisse nichts zu erreichen ist, so beeinträchtigt der Kampf für die moralischen Werte die präzise Formulierung der intellektuellen. – Hiernach ist es kaum nötig
anzumerken, daß B[enda] von jeder dialektischen Konzeption
weit entfernt ist. Die Freude an der Etablierung reinlicher
Gegensätze kommt auf die kindlichste Art zu Geltung und ent-

schädigt den Denker reichlich für alle Unstimmigkeiten, welche
sie in sein Leben tragen. Es geht so beschaulich in diesem Leben
zu, daß seine Darstellung fast unausweichlich einige Selbstge-
fälligkeit in sich schließt. Ihrerseits vermehrt die letztere seine
Bereitschaft, die inneren Widersprüche seines Denkens in Kauf
zu nehmen. In der Tat ist die Virtuosität seines Stils der Faden-
scheinigkeit seines Denkens verpflichtet. Indem er beide an
seinem Lebenslauf zur Schau stellt, hat das Buch, wie nicht oft
eines, seinen Lohn und seine Strafe zugleich dahin.

Ziemlich spaßhaft ist zu verfolgen, wie die weitausgreifenden
Veranstaltungen zur Schärfung des intellektuellen und des
moralischen Gewissens auf die Feststellung hinauslaufen, daß
für den clerc ein Sonderfall existiere: ein Land, in dem er, ohne
seinem Beruf allzu untreu zu werden, seine Nation akzeptieren
kann. Es trifft sich, daß es die französische ist (S. 143). Will man
sich vergewissern, wie das zu verstehen ist, so hat man nur eine
Seite zurückzublättern, um zu erfahren, daß – sollte Frankreich
eines Tages dem Faschismus verfallen – B[enda] niemals, wie
es die Art der Emigranten ist, im Ausland, in das er sich alsdann
begeben wolle, gegen die Regierung seines Landes wirken werde.
Diese Behutsamkeit der eigenen Regierung gegenüber hat ihr
Komplement in der etwas rauheren Behandlung des fremden
Volkes. »Je tiens que, par sa morale, la collectivité allemande
moderne est une des pestes du monde et si je n'avais qu'à presser
un bouton pour l'exterminer tout entière, je le ferais sur-le-
champ.« (S. 153.) Der Köhlerglaube an »peuples qui, *en tant
que peuples*, sont avides d'expansion« (S. 170), geht bei B[enda]
mit dem Anspruch auf mathematischen Rigorismus des Denkens Hand in Hand. Kurz, die Dialektik kommt ohne sein
Zutun zu ihren Ehren, indem dieses ritterliche, ja donquichotteske
Eintreten für die unbefleckten Prinzipien sich als der umständ-
lichste Konformismus der Welt entpuppt. B[enda] lehnt es der
herrschenden Klasse gegenüber ab, demagogische Aufgaben zu
übernehmen; er zieht es vor, sich bei ihr um den Posten eines
chef du protocole zu bewerben.

Dazu stimmt, daß der Verfasser, der angeblich an Personen gar
kein Interesse nimmt – denn für ihn zählen nur Ideen! – sein
Buch mit einer Fülle von Anekdoten ausstattet. Sie sind wertvoller als seine Gedankengänge und manchmal sehr aufschluß-

reich. Wenn er z. B. von dem culte de la blague bei Sorel spricht,
so trifft er auf eine Ader, die man heute bei einem Adepten des
Faschismus wie Céline ebenso deutlich zutage liegen sieht wie
bei seinen Wortführern Rosenberg oder Goebbels. – Die Animosität gegen die Romantik, die Findigkeit, die ihren wirklichen,
die Hypochondrie, die ihren vorgeblichen Einfluß aufspürt, verbindet B[enda] mit dem Baron Seillière.

Zu erwähnen ist, daß *Georges Bernanos,* dessen katholische
Romane einen nicht nur für die Orthodoxie bedenklichen Ge-
ruch an sich trugen, mit einem großen Pamphlet gegen Franco
»Les grands cimetières sous la lune« hervorgetreten ist. Das
Buch hat besonders an den Stellen politisches Gewicht, an denen
B[ernanos], der bis Ende 1936 auf Mallorca gelebt hat, sich
mit dem Erzbischof von Palma beschäftigt.

Der Jesuitenpater *Fessard* hat letzthin eine Schrift »Le dialogue
catholique-communiste est-il possible?« veröffentlicht. F[essard]
modelliert seine Haltung an der des Intellektuellen, und man
kann sagen, daß er von Hause aus dem Faschismus mit einiger
Animosität gegenübersteht. Wie weit die Mittel, die er zur Begründung der »existenziellen Entscheidung« in politicis aufbietet, ernstlich für ihn gutsagen können, darüber zu reden
erübrigt sich. Ein Vortrag, der die Position seines Buches zu
befestigen hatte, entwickelt Folgendes: Die Gewalt stellt die
niederste Stufe der sozialen Relationen dar, die Rechtsordnung
die Antithesis der Gewalt und die höhere Stufe; die Eucharistie
die Synthesis spontaner Gewalt und durchdachter Ordnung. Es
ist demnach die Gewalt der Liebe, die das Ideal der menschlichen Gesellschaft verwirklicht. (Das muß ihm die Erotologie
illustrieren: Thesis – geschlechtlicher Besitz; Antithesis – Ehe;
Synthesis – Liebe.) Der Christ müsse sich überall versagen, wo
nicht diese eucharistische Ordnung der menschlichen Verhältnisse
ins Werk gesetzt werde. Sein »double refus« gelte beiden Lagern. – Die Antinomie zwischen materialistischer und idealistischer Dialektik wird synthetisch durch die materialistisch-spiri-
tualistische Konzeption der Fleischwerdung Christi überwunden.
Dem entspricht es, daß das Problem der Familie seine Lösung
bei Gelegenheit der Auferstehung erfahren soll.

Rolland de Renéville, L'expérience poétique. Paris: Gallimard (1938). 196 S.

Der romantischen Dichtung der Deutschen ist eine säkulare Erfüllung wie sie der der Franzosen in Victor Hugo wurde, versagt geblieben. Der einzige E.T.A. Hoffmann ist mit seinem Werk über Deutschland hinausgedrungen. Seine Rezeption in Frankreich war eine stürmische und sie hat nicht lang auf sich warten lassen. Länger brauchten jene Motive, die gleichsam den glühenden bewegten Kern in der deutschen Romantik bildeten, ehe sie ins Bewußtsein Europas eintraten. Er lebt in den poetischen Theorien, die ihre erste Generation entwickelt hatte. Sie erreichten nicht immer die geprägte Form. Und unter den Produkten der deutschen Romantik kann man kaum eines nennen, das ihnen genuggetan hätte. Dennoch sind es am ehesten diese Theorien, dank denen die deutsche Romantik in der Weltliteratur ihre Stelle hat. Dem entspricht es, daß unter den romantischen Meistern Novalis dem Auslande der Vertrauteste ist. Die blaue Blume, die Heinrich von Ofterdingen sucht, wurde zum Inbegriff der Bewegung. Ihr Glanz, der durch den germanischen Nebel dringt, ist der Glanz von Novalis mystischer Theorie. »Die Poesie ist der Held der Philosophie. Die Philosophie erhebt die Poesie zum Grundsatz. Sie lehrt uns den Wert der Poesie kennen. Philosophie ist die Theorie der Poesie. Sie zeigt uns, was die Poesie sei; daß sie eins und alles sei.« (Novalis, Schriften, hrsg. von J. Minor, Bd. 2, Jena 1907, p. 301.) Diese Worte definieren erschöpfend, was Renéville unter der poetischen Erfahrung verstanden wissen will. Er zitiert ,Novalis mehrfach, und mit besonderem Glück im einundsiebenzigsten Aphorismus der Fragmentenfolge »Blütenstaub«: »Dichter und Priester waren im Anfang Eins, und nur spätere Zeiten haben sie getrennt. Der echte Dichter ist aber immer Priester, so wie der echte Priester immer Dichter geblieben.« (l. c., p. 126) Hiermit ist der Kreis der esoterischen Poesie abgesteckt. In Nervals rätselhaftem Sonettzyklus »Les Chimères« hätte Novalis wohl wie in wenigen anderen Werken eine Verkörperung seines poetischen Ideals erkannt. Der Kommentar zum dreizehnten Gedicht dieser Folge bildet einen der Höhepunkte bei Renéville.

Eine Geschichte der esoterischen Poesie gibt es noch nicht. Renéville legt Prolegomena zu ihr vor. Er befaßt sich mit den diese
Dichtung fundierenden Korrespondenzen und geht ihnen so gut
im Tibetanischen Totenbuch wie in der Kabbala, bei Johannes
vom Kreuz wie in den Visionen über Katharina Emmerich, bei
William Blake wie bei Walt Whitman nach. Er berücksichtigt
die Begriffsbildung von Lévy-Bruhl wie die neuen Forschungen in der Kinderpsychologie. Seine Theorie der Bilder ist der
der Archetypen von Jung verwandt. Besonderes Gewicht legt er
auf die prophetischen Qualitäten des Unbewußten. Die Bilderwelt, aus der die Inspirationen stammen, ist eine ewig gegenwärtige; sie erlaubt es dem Geist, die Schranken von Vergangenheit und Zukunft zu überfliegen. »Der Primitive, das Kind, der
Mystiker und der Dichter bewegen sich in einer ewigen Gegenwart.« Wieder wird man an Novalis erinnern dürfen: »Nach
Innen geht der geheimnisvolle Weg. In uns, oder nirgends ist die
Ewigkeit mit ihren Welten, die Vergangenheit und Zukunft.«
(l. c., p. 114) Das Schlußkapitel des Buches, das überschrieben
ist »Die Funktion des Dichters«, klingt in das Bild einer »Kommunikation der himmlischen Sphären« aus, an deren Schauspiel
der Dichter als vates hängt.
Die historischen Kontingenzen spielen in diesen Entwurf nicht
hinein. Das brachte eine programmatische Haltung mit sich, die
sich an manchen Stellen zur Konfession erhebt. Eine eigentliche
Geschichte der esoterischen Dichtung würde im Reich der Inspiration allein nicht verweilen können. Sie dürfte am Hand-
werklichen, ja der Konvention nicht vorübergehen. Von der
provenzalischen Minnedichtung, die durch und durch esoterisch
bestimmt ist, sagt einer ihrer ersten Kenner, Erich Auerbach:
»Alle Dichter des Neuen Stils besitzen eine mystische Geliebte,
ihnen allen geschehen ungefähr die gleichen sehr sonderbaren
Liebesabenteuer, ihnen allen schenkt oder versagt Amore Gaben, die mehr einer Erleuchtung als einem sinnlichen Genuß
gleichen, sie alle sind einer Art geheimer Verbindung angehörig,
die ihr inneres und vielleicht auch ihr äußeres Leben bestimmt.«
Kurz, es hat, neben der Inspiration, gerade in der esoterischen
Dichtung die Faktur ihr gewichtiges Wort mitzusprechen. Nichts
könnte das schlagender illustrieren als der kleine unschätzbare
Bericht, den Renéville von Mallarmés Vorgehen gibt.

Die nächsten Freunde des Dichters wußten, daß er ein poetisches Arbeitsinstrument in Gestalt einer Kartothek sein eigen nannte. Sie bestand aus sehr kleinen Zetteln. Man ahnte nicht, was auf ihnen stand; es war auch durch Fragen nicht zu ermitteln. Eines Tages trat Viélé-Griffin in Mallarmés Arbeitszimmer. Er überraschte den Dichter dabei, wie er ein Blatt seines Zettelkastens zu Rate zog. Einen Augenblick verweilte Mallarmés Blick darauf, dann murmelte er nachdenklich vor sich hin: »Ich wage nicht mehr, ihnen auch nur das zu sagen: ich liefere ihnen damit noch zuviel aus.« Viélé-Griffin trat hinzu und fand, dem Dichter über die Schulter blickend, auf dem Zettel die einzige Silbe ›Quel‹.

Dieser Bericht stammt aus mündlicher Tradition. Er ist eine negative Theologie in nuce. Renéville erkannte mit klarem Blick, daß die Welle, die sich als l'art pour l'art in der Mitte des vorigen Jahrhunderts erhebt, eine esoterische Dichtung ans Licht befördert. Mit einem Buch über Rimbaud hat er begonnen. Er stellt eine Abhandlung über die Weltanschauung von Stéphane Mallarmé in Aussicht. Man darf hoffen, daß seine Untersuchungen sich in Bälde zu einer Geschichte der esoterischen Dichtung in ihrer jüngsten Periode zusammenschließen.

Léon Robin, La morale antique. Paris: Librairie Félix Alcan 1938. 184 S.

Die Schrift hält sich im Rahmen einer philosophischen Dogmengeschichte. Sie behandelt die griechischen Moraltheorien unter dem Gesichtspunkt des doktrinären Gehalts, den sie zu bieten haben. Ein erstes Kapitel befaßt sich mit dem Begriff des Guten von den Sieben Weisen bis Plotin. Das zweite Kapitel ist den Lehren über das Glück und die Tugend gewidmet. Robin hebt hervor, daß eine Problematik wie sie der Kantischen Ethik entspricht, bei den Griechen nicht vorkommt, daß die griechische Ethik überall die Fühlung mit der Lebenskunst im Sinne einer Diätetik der Seele wahrt. Kurz, die Vorstellung von der Tugend bleibt an der vom höchsten Gut ausgerichtet. Robin verfehlt aber nicht, darauf hinzuweisen, wie bescheiden die Anforderungen an dieses Gut oft gewesen sind. (Epikur sieht es darin, nicht zu leiden; Platon in dem Bewußtsein, recht zu tun.) Das dritte Kapitel hat die Moralpsychologie zum Gegenstand: die Lehren von den Seelenvermögen; die Lehre von den Leidenschaften als der Quelle des Bösen; die Diskussion über Schicksal und Willensfreiheit. Hinweise auf die bei den Dichtern und in den Mysterien sich bekundenden ethischen Anschauungen ergänzen die Darstellung.

Albert Béguin, *L'âme romantique et le rêve. Essai sur le roman-tisme allemand et la poésie française. Marseille: Editions des Cahiers du Sud 1937. 2 Bde. XXXI, 304 S., 482 S.*

Der überwiegende Teil des umfangreichen Werkes von Béguin ist Untersuchungen über die deutsche Romantik gewidmet. Wenn sich eine kürzere Charakteristik französischer Romanti-ker anschließt, so sind es nicht die Interessen der vergleichenden Literaturgeschichte (gegen die Béguin, II, p. 320, sich abgrenzt), die diese Anordnung bestimmen. Die deutsche Romantik stellt sich dem Verfasser nicht als Mutter der französischen, wohl aber als das romantische Phänomen par excellence dar, an dem die Initiation in diese Geistesbewegung sich zu vollziehen habe. Für Béguin handelt es sich in der Tat um eine Initiation. Der Gegenstand, schreibt er, interessiert »denjenigen geheimsten Teil unserer selbst ... an dem wir nur noch ein Anliegen spüren, das Anliegen, uns die Sprache der Winke und Vorzeichen zu erschließen, und so des Befremdens habhaft zu werden, mit dem das menschliche Leben *den* erfüllt, der es einen Augenblick in seiner ganzen Seltsamkeit, in seinen Gefahren, seiner Beängsti-gung, seiner Schönheit und seinen traurigen Grenzen ins Auge faßt« (p. XVII). Betrachtungen des Schlußteils gelten der sur-realistischen Dichtung und bestimmen die Ausrichtung des Ver-fassers von Anfang an – ein Hinweis mehr darauf, wie bemüht er ist, aus dem Bereich der akademischen Forschung herauszu-treten. Es ist dem hinzuzufügen, daß er ihr an Strenge in der Handhabung wenn nicht der Methode, so gewiß der Apparatur nichts nachgibt. Das Buch ist vorbildlich gearbeitet, mit Präzision, ohne gelehrten Prunk. Diese Faktur hat Anteil daran, daß es, ungeachtet einer problematischen Grundhaltung, im Detail viel-fach ebenso original wie gewinnend ist.

Die Schwächen des Werkes liegen in seinen loyalen Formulie-rungen klar zutage. Der Autor sagt: »Die Objektivität, die sicherlich das Gesetz der deskriptiven Wissenschaften bilden kann und soll, kann fruchtbar die Geisteswissenschaften nicht

bestimmen. In diesem Bereich schließt jede ›interesselose‹ Forschung einen unverzeihlichen Verrat am eigenen Ich und am
›Gegenstande‹ der Untersuchung ein.« (p. XVII) Hiergegen
wird man keinen Einwand erheben wollen. Der Irrtum entspringt erst da, wo man ein intensives mit einem unvermittelten
Interesse gleichsetzen würde. Das unvermittelte Interesse ist
immer ein subjektives und hat in der Geisteswissenschaft ebensowenig Rechte wie in irgendeiner andern. Die Frage kann sich
nicht unvermittelt darauf richten, ob die romantischen Lehren
über den Traum »richtig« waren; sie sollte vielmehr auf die
geschichtliche Konstellation gehen, aus der die gedachten romantischen Unternehmungen entspringen. In solch vermitteltem
Interesse, das sich in erster Linie auf den historischen Standindex
der romantischen Intentionen richtet, wird unser eigener, aktua-
ler Anteil am Gegenstand legitimer zur Geltung kommen als in
dem Appell an die Innerlichkeit, die sich den Texten unvermittelt zuwendet, um ihnen die Wahrheit abzufragen. Béguins
Buch setzt mit solchem Appell ein und hat damit vielleicht Mißverständnissen Vorschub geleistet.
André Thérive, der im »Temps« die Buchkritik im Sinne der
laizistischen Tradition versieht, bemerkt zu diesem Buch, daß
es von der Meinung abhängt, die wir von der Bestimmung der
Menschheit hegen, ob wir uns damit einverstanden erklären
können, oder es sehr anstößig finden müssen, »wenn der Geist
auf die Finsternisse als auf den einzigen Ort verwiesen wird, an
dem ihm die Freude, die Poesie, die heimliche Herrschaft über
das Universum zufällt« (»Le Temps«, August 1937). Es kommt
vielleicht hinzu, daß der Weg über die Eingeweihten der früheren Zeiten nur dann lockend für den Adepten ist, wenn diese
Autoritäten sind, wenn sie ihm als Zeugen entgegentreten. Das
ist der Fall der Dichter nur ausnahmsweise; es ist gewiß der Fall
der romantischen Dichter nicht. Der einzige Ritter könnte in
strengerem Sinn als ein Initiator verstanden werden. Die Prägung nicht allein seiner Gedanken, sondern vor allem seines
Lebens gestattet das. Mag man weiter an Novalis denken und
an Caroline von Günderode – die Romantiker waren meist zu
sehr in den Literaturbetrieb verflochten, um als »Hüter der
Schwelle« zu figurieren. Das sind Tatbestände, die Béguin oft
auf die geläufigen Verfahrungsweisen der Literaturgeschichte

zurückwerfen. Man wird ihm zugeben, daß sie seinem Thema nicht ganz entsprechen. Das kann gegen sie, es kann auch gegen das Thema sprechen.

Wer eine Analyse vornimmt, so erinnert Goethe, der sehe zu, ob ihr auch eine echte Synthese zugrunde liegt. So anziehend der von Béguin behandelte Gegenstand ist, es ist die Frage, wie die Haltung, in der der Autor sich ihm genähert hat, mit dem Goethischen Rat zu vereinbaren ist. Die Synthesis zu vollziehen, ist das Vorrecht einer geschichtlichen Erkenntnis. Der Gegenstand, wie er im Titel umrissen ist, läßt in der Tat eine historische Konstruktion erwarten. Sie hätte den Bewußtseinsstand des Verfassers und damit den unsrigen nachhaltiger zur Geltung gebracht, als er sich in der zeitgemäßen Berücksichtigung des Surrealismus und der Existenzphilosophie ausweist. Sie wäre darauf gestoßen, daß die Romantik einen Prozeß vollendet, den das 18. Jahrhundert begonnen hatte: die Säkularisierung der mystischen Tradition. Alchimisten, Illuminaten und Rosenkreuzer hatten angebahnt, was in der Romantik zum Abschluß kommt. Die mystische Tradition hatte diesen Prozeß nicht ohne Schädigungen überstanden. Das hatte sich an den Auswüchsen des Pietismus erwiesen, ebenso wie an Theurgen vom Schlage eines Cagliostro und Saint-Germain. Die Korruption der mystischen Lehren und Bedürfnisse war gleich groß in den niederen und höheren Schichten.

Die romantische Esoterik ist an dieser Erfahrung herangewachsen. Sie war eine Restaurationsbewegung mit allen Gewalttätigkeiten einer solchen. In Novalis hatte die Mystik sich endlich schwebend über das Festland der religiösen Erfahrung behaupten können: mehr noch in Ritter. Der Ausgang nicht erst der Spätromantik, sondern schon Friedrich Schlegels zeigt aber die Geheimwissenschaft wieder im Begriff, in den Schoß der Kirche zurückzukehren. In die Zeit der vollendeten Säkularisierung der mystischen Tradition fielen die Anfänge einer gesellschaftlichen und industriellen Entwicklung, von der eine mystische Erfahrung, die ihren sakramentalen Ort verloren hatte, in Frage gestellt wurde. Die Folge war für einen Friedrich Schlegel, einen Clemens Brentano, einen Zacharias Werner die Konversion. Andere wie Troxler oder wie Schindler nahmen zu einer Berufung auf das Traumleben, auf die vegetativen und animalischen Manifestationen des Unbewußten ihre Zuflucht. Sie traten einen strategischen Rückzug an und räumten Gebiete höheren mystischen Lebens, um desto besser das in der Natur angelegte behaupten zu können. Ihr Appell an das Traumleben war ein Notsignal; er wies minder den Heimweg der Seele ins Mutterland, als daß Hindernisse ihn schon verlegt hatten.

Béguin ist zu einer derartigen Anschauung nicht gekommen. Er rechnet nicht mit der Möglichkeit, daß der wirkliche, synthetische Kern des Gegenstandes, wie er sich der historischen Erkenntnis erschließt, ein Licht aussenden könnte, in dem die Traumtheorien der Romantik zerfallen. Diese Unzulänglichkeit hat Spuren in der Methode des Werkes hinterlassen. Indem es sich jedem romantischen Autor gesondert zuwendet, verrät es, daß sein Vertrauen in die synthetische Kraft seiner Fragestellung nicht unbegrenzt ist. Freilich hat diese Schwäche auch ihr Gutes. Sie eröffnet ihm die Möglichkeit, als ein Charakteristiker sich zu bewähren, dem zu folgen oft wahren Reiz hat. Es sind die Porträtstudien, die das Buch, seiner Anlage ungeachtet, lesenswert machen. Bereits deren erste, die die Beziehungen des aufgeweckten G. Ch. Lichtenberg zum Traumleben seiner Mitmenschen und seines eigenen zeichnen, gibt einen hohen Begriff von B[éguin]s Vermögen. Mit der Behandlung Victor Hugos im zweiten Bande liefert er auf wenigen Seiten ein Meisterstück. Je mehr der Leser ins Detail dieser physiognomischen Kabinettstücke eindringt, desto öfter wird er die Korrektur eines Vorurteils finden, das das Buch von Hause aus hätte gefährden können. Eine Figur wie G. H. Schubert läßt gerade in Béguins Darstellung die sehr bedingte Bedeutung gewisser esoterischer Spekulationen der Romantiker mit einer Deutlichkeit hervortreten, die der Loyalität des Historikers um so mehr Ehre macht, je bescheidener der Ertrag ist, den sie seiner unmittelbaren Ausbeute gewähren.

Ferdinand Brunot, Histoire de la langue française des origines à 1900. Bd. 9: La Révolution et l'Empire; 2. Teil: Les événements, les institutions et la langue. Paris: Librairie Armand Colin 1937.

Unter allen Bereichen der Philologie hat der den »Wörtern und Sachen« vorbehaltene das augenfälligste Interesse für die Sozialforschung. Wenn es wahr ist, daß er nur vermittelt bei der Behandlung ihrer Methodenfragen zur Geltung kommt, so ist er von um so größerer Bedeutung für ihre konkreteren Studien. Es ist darum für die Sozialwissenschaft ein Glücksfall, wenn diese Wort- und Sachforschung, der meist enge monographische Grenzen (vgl. Zeitschrift für Sozialforschung 4 [1935], S. 257) gezogen wurden, sich einem Vorgang von solcher gesellschaftlicher Tragweite zuwendet, wie die französische Revolution es ist. Ein Glücksfall ist eine solche Untersuchung auch noch in anderm Sinne. Ihr Gelingen ist an arbeitstechnische Voraussetzungen gebunden, die sich nicht oft einfinden. Von ihnen gibt Brunots Gesamtwerk eine Vorstellung, von dem der neunte Teil »La Révolution et l'Empire« umfaßt. Dieser Teil hat es in einem ersten Halbband »Le français langue nationale« mit dem Kampfe zu tun, in dessen Verlauf die französische Revolution – die die »Sprachpolitik« inauguriert hat – das Französische auf Kosten des Latein und der Dialekte zu fast uneingeschränkter Geltung bei den Ständen und in den Provinzen brachte. Den folgenden Anmerkungen liegt der zweite Halbband zu Grunde »Les événements, les institutions et la langue«. »Die Revolution«, heißt es da, »hat in den Augen der Sprachforscher, die nur der Orthographie, den Formen und der Syntax nachgehen, so gut wie nichts geändert; aber sie hat einen großen Teil des Wortschatzes neu geschaffen.« (S. IX) Kurz, es handelt sich in diesem Halbband um die Wörter und Sachen. Wer deren »Geschichte verfolgen will, für den kann keine Bewegung in der gesamten Geschichte unserer Sprache sich mit diesem wenige Jahre währenden Umsturz messen« (S. X).

Brunots Gesamtwerk, die »Histoire de la langue française des origines à 1900«, hat Ausmaße, wie sie dem Werk eines Einzelnen nur noch selten erreichbar sind. Es umfaßt bis zum vorliegenden Bande neuntausend Seiten. Es stellt eine unerschöpf-

liche Fundgrube dar; es wahrt zugleich durch die Lebendigkeit
seiner Formulierung wie durch die schlagende Aufteilung in
sehr kurze Abschnitte die Signatur seines Ursprungs in einem
Einzelnen. Dieser Einzelne hat nicht Anstand genommen, seinen
Umriß gelegentlich scharf zu profilieren. Bekannt sind Brunots
»Observations sur la Grammaire de l'Académie Française«,
die ihn in Opposition zum Institut de France brachten.
Der vorliegende Band umfaßt zehn Kapitel; die drei umfang-
reichsten von je ungefähr hundert Seiten gelten dem Bürgerkrieg, dem Rechtswesen und dem Wirtschaftsleben. Lafargue
hatte in seinem Essay von 1894 »La langue française avant et
après la Révolution« darauf hingewiesen, daß die älteren Dic-
tionnaires der Académie Française das Vokabular der Heraldik
aufs sorgfältigste, das der Technik so gut wie gar nicht berücksichtigt haben. Im Beginn des Empire drängt die Technik mit
einer stürmischen Nachfrage nach Prägungen gegen die Sprache
an. Brunot behandelt am Schluß seiner Darstellung, der dem
Einfluß des Wirtschaftslebens gewidmet ist, diesen Vorgang.
Seine Feststellungen zu vielen anderen sind nicht weniger anre-
gend. Immerhin handelt es sich in diesem Fall um eine Erscheinung von besonderer gesellschaftlicher Tragweite, nämlich um
die Anfänge des sprachlichen Warenzeichens. So dürfte man
Brunots Ausdruck »L'enseigne verbal« vielleicht wiedergeben.
Die Nachfrage nach sprachlichen Warenzeichen traf mit der
modischen Begünstigung der Antike zusammen. Sprachlich be-
stimmend wurde das Griechische. »Les causes du triomphe du
grec« ist der letzte Abschnitt des Bandes betitelt. Brunot sieht
diese Ursachen im Überraschungseffekt. Er spricht von dem
»monstre grec qui attire en surprenant« (S. 1230). Vielleicht ist
es erlaubt, an die eindrucksvolle Charakteristik zurückzudenken, die Alois Riegl vom Empire gegeben hat. »Beflissene
Unterdrückung ... alles desjenigen«, so stellt er in »Möbel und
Innendekoration des Empire« fest, »was an die zweckliche
Not und den Zwang der technischen Prozeduren gemahnt. Die
Fugen ... werden durch Zierleisten oder Ornamente sorgfältig
maskiert ... Der Empirestil ist grundsätzlich ein Appliquestil.
Am häufigsten findet sich Goldbronze verwendet.« (Alois Riegl,
Gesammelte Aufsätze, Augsburg, Wien 1929, S. 23 f.) Solche
vergoldeten Appliquen sprachlicher Art stellen die gräzisieren-

den Prägungen für die neuen Industrieerzeugnisse dar. Das
»huile conagène«, das von Balzacs César Birotteau auf den
Markt geworfen wird, bleibt ihr beständiges Muster. Sie haben
das Überraschende, auf das Brunot hinweist; sie haben, wie
Riegls Bemerkung erkennen läßt, zugleich etwas Verklärendes.
Sie scheinen den Fetischcharakter der Ware auf ihre eigene Art
zu umspielen. Jedenfalls zeichnet sich die Struktur der Reklame
in ihnen ab.

Die belebende Kraft, die in den Fragestellungen von Brunots
Werk waltet, kommt auch darin zum Ausdruck, wie es sich in
die Tradition der französischen Sprachforschung einreiht. Sie
bekundet sich nicht selten in den Zitaten. Der Gegenstand hat
selbstverständlich lange vor Brunot die Blicke auf sich gezogen.
Im Jahre 1798 weist, auffallend genug in der Ära der Reaktion,
der Dictionnaire der Académie Française auf den Unterschied
hin, der zwischen dem willkürlichen, oft bizarren Sprachgebrauch des beau monde und derjenigen Ausdrucksweise obwaltet, die durch die natürlichen Reaktionen der Wörter zu den
Ideen gebildet werden. Mercier, der geistreiche Schilderer von
Paris unter dem Empire, der bei Brunot vielfach zu Worte
kommt, hat an diese Relationen gedacht, wenn er schrieb, die
Sprache der Convention sei ebenso neu gewesen wie die damali-
ge Position von Frankreich. Eine besonders prägnante Charakteristik der Revolutionssprache entnimmt der Autor dem Quellenwerk von Buchez et Roux, »Histoire parlementaire de la
Révolution française ou journal des Assemblées Nationales«,
41 Bände, Paris 1834–38. Dort heißt es: »Die Geschichte der
Revolten, der Aufstände und des Bürgerkrieges zu kennen, bedeutet nichts; in alledem zeigt die Revolution nur, ... was sie
Äußerliches und Natürliches hat ... Wer aber sein Gefühl so
will von ihr durchdringen lassen, wie sie ihre Zeitgenossen
durchdrungen hat, der muß ihre Schrecken wo anders suchen.
Sie sind in den Worten.« (Brunot, S. X) Und Quinet schrieb,
daß das Wort »conjuration« die gleiche Wirkung habe wie das
Wort »excommunication« im Mittelalter (S. 649).

Die französischen Schriftsteller der Epoche, in der Chenier,
Chateaubriand, Paul-Louis Courier wirkten, sind in diesem
Bande nicht berücksichtigt worden. Vermutlich wird der folgen-
de »La langue classique dans la tourmente« ihnen ihren Platz

einräumen. In Frankreich sind es bekanntlich nicht die Schriftsteller der Linken gewesen, denen das sprachliche Erbe der
französischen Revolution als ersten zufiel; es waren die Schriftsteller der katholischen Opposition, an der Spitze Chateaubriand. Auffallender ist, daß dem Sprachgebrauch der großen
Redner der Revolution bei Brunot keine gesonderte Betrachtung
gewidmet ist. »Die Barnave und Vergniaud«, so schreibt einer
von den Zeitgenossen, »pflanzten den Lorbeer, den die Constant,
die Chateaubriand ernteten ... Die Nationalversammlungen
seit 1789 waren die Akademien, in welchen diese neue Schule
der französischen Literatur sich bildete.« Es liegt im Wesen eines
Quellenwerks wie des Brunotschen, daß es der Geschichte nur
selten verkürzte Perspektiven abzugewinnen neigt. Desto schätz-
barer ist seine Autorität und Hilfe jedem, der das unternehmen
sollte.

*Richard Hönigswald, Philosophie und Sprache. Problemkritik
und System. Basel: Haus zum Falken Verlag 1937. X, 461 S.*

Kant hatte Anstalten getroffen, die Probleme der Philosophie
in einem eng umschränkten, logisch genau abgesteckten Bezirk
zur Entscheidung zu bringen. Er suchte in den Grundlagen der
exakten Wissenschaften das Fundament der Theorie aller Erkenntnis auf. Den Gegner dieser exakten Wissenschaften sah er
im Dogmatismus und insbesondere im dogmatischen Anspruch
der Konfessionen. Die begründete Ablehnung dieses letzteren
ist der Ertrag der kritischen Prüfung, die Kant der Metaphysik
angedeihen ließ. Was die neukantische Schule angeht, so gehört
es zu ihrer Signatur, daß sie den Aufmarschplan des kantischen
Denkens beibehielt, obwohl der Gegner längst in ganz anderer
Richtung zu suchen war. Denn inzwischen hatte sich die Funktion der exakten Wissenschaften, an denen der Kritizismus
groß geworden war, geändert. Der Positivismus erschien als ihr
letztes Wort. In der Jugendzeit des deutschen Bürgertums waren
sie zu einem Weltbild zusammengetreten, dessen geschichtlicher
Aufriß seinen Fluchtpunkt im Reich der Freiheit und des ewigen
Friedens besessen und hinter dem kosmischen Aufriß nicht zu-

rückgestanden hatte, der von Kant nach Laplace war entworfen worden. Der Begriff des Erhabenen ist auf solcher Entsprechung der beiden Reiche aufgebaut. »Man kann das Erhabene«, sagt Kant, »so beschreiben: es ist ein Gegenstand (der Natur), *dessen Vorstellung das Gemüt bestimmt, sich die Unerreichbarkeit der Natur als Darstellung von Ideen zu denken.*« (Kant, Werke, ed. Cassirer, Bd. 5, Berlin 1922, S. 340) Im Weltbild der Helmholtz, Du Bois-Reymond oder Haeckel hatte die Natur aufgehört, den Hebel zur Befreiung des menschlichen Daseins zu bilden. Sie war nicht mehr das Material der Pflicht sondern Instrument einer Herrschaft, die sich um so weiter über den Erdball ausdehnte, je kleiner der Kreis derer wurde, die sie ausübten. Die Völker und Rassen, die dem Zeitalter der Aufklärung in paradiesischer Zerstreuung erschienen waren, rückten zur Kundenmasse auf dem Weltmarkt zusammen. Der Abglanz ihres Ursprungs erlosch in ihnen und damit die Verheißung einer besseren Zukunft, die man vordem an ihm besessen hatte.

Das war die drückende Konstellation, in die die Erneuerung des Kantischen Denkens fiel. Man darf mutmaßen, daß es die stets verleugnete, unbewußte Komplizität mit dem Positivismus gewesen ist, die die Schwäche des Neukantianismus ausmacht. Diese steckt vor allem in seinem Systemgedanken. Nirgends schlägt Kants Originalität reiner durch als in seiner Kritik der Urteilskraft. Dieser Schlußstein seines Systemgewölbes war es, in den kurz vor seinem Tode die Namen der deutschen Klassizistik gegraben wurden. Der Cohenschen Ästhetik fehlt eben diese exakte historische Phantasie. Bei ihm hat der Systemgedanke nur noch den interpretativen Charakter, nicht mehr den planenden. Die Kräfte der Kritik und der Phantasie nehmen im gleichen Maße ab und aus dem gleichen Grund: sich mit dem Bestehenden einzurichten, fällt den Herrschenden immer leicht. Vollends deprimierend wurde das Bild, als die Starrheit, mit welcher Cohen an den strategischen Positionen des achtzehnten Jahrhunderts festgehalten hat, sich lockerte. Cohens Essai »Über das Eigentümliche des deutschen Geistes«, Natorps »Deutscher Weltberuf« markieren hier eine Schwelle. Der altersschwache Kritizismus begann, nach Sprache und nach Geschichte auszugreifen. In deren Namen hatte einst die historische Schule dem

Kritizismus und der Aufklärung insgesamt den Prozeß gemacht. Inzwischen waren Geschichte und Sprachwissenschaft aus ihrer romantischen Periode herausgetreten. Sie waren damit dem Kritizismus nicht näher gerückt. Je entschiedener vielmehr diese Wissenschaften an Strenge es den exakten gleichtun wollten, desto prompter und unauffälliger konnten sie, im Schutze des Alibis, zu dem die Akribie der Quellenstudien ihnen verhalf, den jeweiligen offiziösen Anforderungen entsprechen. Zwei Umstände waren es demgemäß, die die »kritische Philosophie« der Sprache und der Geschichte inauguriert haben: die Verkümmerung des oppositionellen Willens im Bürgertum und die Verkümmerung des geschichtlichen Anspruchs, der in ihm lebte.

Von Natorp führt der Weg über Cassirers »Philosophie der symbolischen Formen« zu Hönigswald. In seinem Verlaufe hat die transzendentale Fragestellung sich allmählich in ein Zeremonial verwandelt, das keinerlei realer Denkleistung mehr zugute kommt. Bei Hönigswald ist aus der transzendentalen Einheit der Apperzeption die Einheit des Kulturbewußtseins geworden, das seinen Niederschlag in der Sprache hat. Die magna charta dieser Anschauungsweise ist die Vorstellung von einem »Kontinuum« – eben dem der Sprache –, auf dem die Gegebenheiten sich sachte verflößen lassen. »Sie umfassen alles, woran trivial ausgedrückt und etwas flüchtig formuliert ›nun einmal nichts zu ändern‹, was eben ›so‹ ist ... Glaube und Staat, Recht, Sittlichkeit, Sprache, Natur, Innenleben usw. Sie alle sind schließlich ›Gegebenheiten‹.« (S. 32) »Kulturschaffend und kulturumhegt« bewegt sich die Menschheit auf diesem Strom dahin.

Das Buch beobachtet einen astronomischen Abstand von allen konkreten sprachwissenschaftlichen Fragestellungen[1]. Soweit es einen Prozeß des Denkens fördert, handelt es sich um ein gründ-

1 Es steht darin im größten Gegensatz zu der fundamentalen »Sprachtheorie« von Bühler, welche drei Jahre vor ihm erschienen ist (siehe Zeitschrift für Sozialforschung 4 [1935], S. 260 f.). Die Untersuchungen über die Tiersprache und die Kindersprache, über mimischen Ausdruck und Aphasie greifen in dem derzeit von ihnen erreichten Standard in die Überlegungen Bühlers ein. Bei Hönigswald ist das nicht der Fall. Das leicht isolierbare Problem der Onomatopoetik mag das veranschaulichen. Die einschlägige Stelle bei Bühler lautet: »Wer die Sprache beiseite schiebt, kann lautmalen nach Herzenslust; die Frage ist einzig und allein, ob und wie man es innerhalb der Sprache zu tun vermag. Es gibt bestimmte Fugen und Spielräume in der Struktur

lich verdinglichtes. Dafür ist Hönigswalds Definition des Menschen kennzeichnend. Daß sie auf den ersten Blick etwas skurril erscheint, wäre gewiß ihr geringster Fehler. Der Begriff des Menschen umfaßt, von der Sprachtheorie her gesichtet, »gewisse organisierte Körper, die possessiv an ›jemanden‹ gebunden sind, jemandem ›gehören‹, genauer auch als organisierte Körper geradezu dadurch bestimmt erscheinen, *daß* sie ›jemandem‹ gehören müssen« (S. 274). Dieser Ansatz könnte zu etwas führen, wenn er nicht sowohl an eine Bestimmung des Menschen als des Besitzes gewandt wäre. Er schließt eine Kritik des Besitzes in seinem landläufigen Sinne ein; er weist auf Schranken in diesem Verhältnis hin, wie der Leib sie seinem Besitzer auferlegt. Diese Seite der Sache hervorzukehren, wäre dem kritischen Denken angelegen. Bei Hönigswald ist das nicht der Fall. Er bewegt sich mit seiner Definition im Kreise: ›jemand‹ ist eben nur ein Mensch. Jemand ist niemand sonst denn ein namhafter. Damit träte das Problem des Namens in die Betrachtung ein. Benennung und Bezeichnung stellen die Pole dar, zwischen denen der Funke überspringt, den die Philosophie der Sprache zu bergen trachtet. Das lehrt ihre Geschichte seit dem »Kratylos«. Das Buch reflektiert auf diese kaum. Es ist ›systematisch‹ in dem fragwürdigen Sinne, der ebensowohl die Rücksicht auf die historischen Bedingungen jeder früheren wie auf die der eigenen Erkenntnis beiseite läßt.

Für diesen Ausfall historischer Perspektiven in seinem Problembereich bietet Hönigswalds begriffliche Bestimmung der Geschichte keine Entschädigung. Sie entspricht in ihrer verbindlichen Glätte dem Formalismus, den sie zu stützen hat. »Schilderung und Bekenntnis«, so heißt es bei Hönigswald, »verknüpfen sich in aller Geschichtsschreibung zu unlösbarer . . .

der Sprache, wo dies geschehen kann; aber das eine kann nicht geschehen, daß diese zerstreuten sporadischen Fleckchen, wo Freiheitsgrade bestehen, durch Fusion zu einem kohärenten Darstellungsfelde werden.« (Karl Bühler, Sprachtheorie, Jena 1934, S. 196). Bei Hönigswald gipfelt die Behandlung des Problems in Feststellungen, die ein Minimum an Verständlichkeit mit einem Maximum an Banalität verbinden. Am Onomatopoetikum »stellt sich . . . die Frage nach den Naturvorgängen zur Erörterung, deren akustische Valenzen in gewissen Worten wiederkehren. Daß und wie sich nun diese Valenzen im Rahmen geschichtlich bestimmter Sprachsysteme darstellen, das erst erscheint als das eigentliche aber auch schwierigste grundsätzliche Problem der Onomatopoese.« (S. 321)

gegenstandsgewisser Gemeinschaft.« (S. 260) Hat man begriffen,
daß es dieser unreinliche Begriff von Geschichte ist, in dem die
›reinlichen Begriffsbestimmungen‹, die ihm vorangehen, konvergieren[2], so ermißt man die Bestimmung des Menschen, von
der die Rede war, in ihrer völligen Nichtigkeit. Der Verfasser
erläutert sie denn auch wie folgt: »Das Wort jemand gewinnt seine Bedeutung im Sinn des ›Menschen‹, sobald der damit gemeinte Erlebnismittelpunkt einen ›unvermittelten‹ Bezug auf ›Wort‹
und ›Kultur‹ d. h. auf die Geschichte ausprägt.« (S. 274).

In solchen Bestimmungen hat man Ausschnitte aus dem »System
der Gegenstände selbst« zu erblicken, wie es sich in der Sprache
gestaltet, »und zwar nach äußerst verwickelten ... Bedingungen.
Die Sprache bestimmt ... den Gegenstand ...; sie gehört zu den
Bedingungen seiner nie erschöpften Bestimmtheit selbst, ähnlich
wie ... die Kausalität.« (S. 23) Eine mehr triste als tragische
Ironie will es, daß dieser Kritizismus, der die Stiftungsurkunde
der Gegenständlichkeit in der Sprache ans Licht gezogen haben
will, bei der Bekanntmachung seiner Funde am Kauderwelsch
sein Genüge findet. Würde z. B. »bedeutet ..., daß die gemein-
schaftsbezogene ›Person‹ selbst nur im Ausblick auf die Qualität
wertbedingter ›Würde‹, also im Ausblick auf die Möglichkeit
ihres ›Handelns‹ bestimmt ist. In diesem Sinne, d. h. als Subjekt
des Handelns befindet sich die Person in funktioneller Abhängigkeit von jenem Wert aller Werte ... Sie wird vermöge ihres
Wissens um jene Bindung an einen höchsten Wert ›frei‹, d. h.
sie gewinnt die ihren Begriff bedingende Valenz der ›Persönlichkeit‹.« (S. 238/39)

Im Angesicht solcher Dunkelheit, in denen die Vokabeln der
praktischen Vernunft ihrer methodischen Armatur beraubt
herumgeistern, erkennt man, daß ihr Schicksal nicht wesentlich
von dem der Geistesfürsten verschieden ist, die in spiritistischen
Zirkeln beschworen werden. Sie müssen, von ihrem Werk ab-

2 Die Definition der historischen Quelle etwa ist folgendermaßen abgefaßt: Ein
Gegenstand »kann Quelle heißen, sofern er nur unter dem Gesichtspunkt einer möglichen Absicht darzustellen bestimmbar erscheint ... Das ... verleiht der Quelle eine
ganz einzigartige Gegenständlichkeit. Diese besteht nur gemäß den Bedingungen derjenigen ›Darstellung‹, der sie als selbst darstellungsbedingte Instanz zur Unterlage
dienen soll. Nur vom Ziel der Darstellung aus, die sich aber wieder auf die Darstel-
lungsqualitäten der Quelle stützt, ist deren gegenständliche Bedeutung zu beurteilen.«
(S. 221/22)

gelöst, zu einer Apotheose herhalten. So die Termini der transzendentalen Philosophie. Wie kam es, daß sie so weit gesunken sind? Kant wollte die Erkenntnis begründen, soweit ihre Struktur in der reinen Vernunft beruhte. Der Anspruch der Epigonen ist nicht so eng. Sie ›begründen‹ alles und jegliches. Ihre Kraft reicht nicht mehr, etwas auszuschließen. Ihrer Begründung wohnt keinerlei kritische Arglist inne, wie sie in der transzendentalen Dialektik Kants so siegreich zum Zuge kommt. Darum taugt dieses epigonale Denken nur zu einer Beschönigung dessen, »was sich nun einmal nicht ändern läßt«. Die Worte, die jedem dienen müssen, konnten in der Tat wie geschaffen scheinen, die Eideshelfer einer so beflissenen Philosophie abzugeben.

Louis Dimier, De l'esprit à la parole. Leur brouille et leur accord. Paris: Editions Spes 1937. 248 S.

Der Leser, den dieses Buch auf den Gedanken brächte, der klassische Rationalismus der Franzosen habe im Felde einer Kritik der Sprache (wenn ein Meister sie übt) mehr Chancen als in dem der Historie und Philosophie, wäre nicht so schlecht beraten. Wenn er mit Dimier im Einklang bleiben will, so dürfte er freilich nicht ins Besondere gehen und etwa von einer erhöhten Eignung der französischen Sprache für eine rationalistische Behandlung reden wollen. Für Dimier gibt es kein wesenhaftes Geprägtsein einer Sprache durch den Gedanken, so wenig wie ein wesenhaftes Geprägtsein des Gedankens durch eine Sprache. Diese Überzeugung gibt Dimiers Vernunftbegriff seine eigentümliche Schwungkraft mit. Es gehe nicht an, aus Grammatiken Kategorien zu schöpfen, die in irgendeinem Sinne solche der Logik wären. »Verständige Leute glauben immer noch, daß das Denken den Abdruck der Sprache trage, deren es sich bedient.« (S. 51 f.) Dimiers Meinung nach steht der Wahrheit nichts mehr entgegen als eine solche Betrachtungsweise. Um sie und die spekulativen Gedankengänge, zu denen sie beinahe unfehlbar führen muß, ein für allemal aus dem Weg zu räumen, hat er sich eine Sprachtheorie zurecht gezimmert, die ein wenig behelfsweise mag entstanden sein.

Die Vernunft hat, wie Dimier meint, nicht die Vollmacht, ihre
Einheit den Sprachen zu proponieren (wie bei einem Böhme
oder Hamann die Offenbarung sie hat). Sie hat aber ihren
Statthalter auf der Erde; ihre Einheit und ihre Notwendigkeit
werden nach Fug und Recht vertreten; nur daß dieses Amt nicht
»der Sprache« zufällt. Die Gebärde hat es, nach Dimier, inne.
Und – sei sie lautlich oder gestisch – die Zeichensprache der
Tiere gäbe den besten Begriff von ihr. Sie schwebt Dimier als
eine Art Muttersprache der Kreatur vor. »Diese Sprache ist eine
universale. Ohne allen Sprachunterricht verstehen die Tiere
einander, und was wir uns von ihrer Sprache zu eigen machen,
richtet sich an die ganze Menschheit. Aber diese Zeichen gelten
nur der Leidenschaft und dem Bedürfnis. Sie sind daher nur
den Tieren ganz angemessen.« (S. 35) Der Mensch muß, diese
Entwicklungsstufe im Rücken lassend, jene Zeichen artikulieren
lernen, um zum Gedanken und zur Reflexion durchzudringen.
»Die Etappen und die Stufung dieser Artikulation sind nicht
mehr von der Natur vorgezeichnet. Daraus folgt, daß hier eine
Wahl stattfindet, deren Ergebnis verschiedenartig ausfallen
kann; aus dieser Besonderung gehen die unterschiedlichen Charaktere der Sprachen hervor.« (S. 37)
Die Stärke des Buches liegt nicht in diesen Thesen. Sie haben
ihr Interesse vor allem dadurch, daß sie einen Begriff von der
Robustheit geben, mit der der Verfasser seinem Rationalismus
Raum schafft, um ihn sodann höchst subtil zu handhaben. Die
Lektüre des Buches ist erfrischend, und nirgends mehr, als wo
man den Quellen dieses Rationalismus am nächsten ist. Nicht
viele Schriften, die heute noch einen Abglanz von der Gelassenheit und der Souveränität bewahrt haben, deren eine rationalistische Geschichtstheorie fähig ist – sie mag so idealistisch sein,
wie sie immer will. Dimiers Buch zählt zu diesen wenigen. Unter der Überschrift »Wie die Grammatik sich mit dem Rassen-
wahn zusammentut, um den Geist in Fesseln zu schlagen« gibt
Dimier eine vergleichende Sprachgeschichte des Neugriechischen.
Er schreibt zugleich die Geschichte des griechischen Freiheits-
kampfes, der Byron und die Romantiker inspirierte. Aber er
tut es vom Standpunkte der Besiegten aus. Und für ihn sind das
nicht sowohl die Türken als die Phanarioten – das heißt diejenigen griechischen Verwaltungsbeamten, Forscher und Schrift-

steller, welche seit der Eroberung Konstantinopels die byzantinische Tradition und mit ihr die lebendige Sprache des Volkes gehütet hatten. Sie hatten den Befreiungskampf vorbereitet. Die Umstände, unter denen er ausbrach, gaben aber den Pallikaren – »Banditen und Polizeimannschaften« – die Führung. »Jede Vorstellung vom alten Griechenland war ihnen fremd. Nichtsdestoweniger machten sie sehr viel Wesens von seiner wiedererwachten Tradition.« (S. 219 f.) In der Wendung, die der griechische Freiheitskampf derart nahm, brachte sich vor dem betörten Europa der Wahn zur Geltung, der heute unwiderstehlich zu werden droht – der Wahn »daß die Völker ... als fertige Wesenheiten zur Welt kommen, daß ihr Prinzip des Daseins von Anfang an und vor aller Geschichte vorhanden sei und daß es seinen Sitz in den Massen habe ... Den Historiker ... macht eine solche Chimäre lachen[1]; das Jahrhundert aber verfiel ihr und ist ihr bis heute hörig. Denn sie entspricht seinem besinnungslosen Drange nach dem ›Natürlichen‹, das angeblich durch alles folgerechte ... Reflektieren verdorben werde. Im Politischen kommt das schließlich darauf hinaus, die geschichtlich gewordenen Nationen so anzusehen als hätten sie den Platz derer usurpiert, die von Gnaden der Natur entstanden sind, und die Geschichte erscheint dergestalt als ein fortgesetztes Attentat der Politik gegen das Volkstum; wir aber hätten das wieder gutzumachen.« (S. 218/19) Die Griechen brachten mit der byzantinischen Tradition – nach Dimier ihrer wirklich lebendigen – damals dem Wahn ihre Sprache selbst zum Opfer. Die im Volke gesprochene verfiel dem Bann; sie wurde an allen Enden im Sinne Homers und Hesiods geschurigelt; sie verlor ihre Spannkraft und ihren Halt.
Wer dächte bei diesem Triumph des Purismus nicht an neuere

---

1 Man findet einen Widerhall dieses Lachens in Betrachtungen, die Gabriel Audisio vor nicht langer Zeit in seinem »Sel de la mer« der Mittelmeerkultur widmete. Es heißt da: »Das Leben stellt uns sozusagen nichts ›Reines‹ dar – weder Menschenrassen noch Gattungen der Tierwelt, noch Edelmetalle.« »Kein europäisches Land weist mehr Blutmischung auf als Italien ... Ich denke an die Goten, an die Normannen, an die Araber; ich denke an die afrikanischen Juden, die sich in Neapel, Sizilien, Genua und Livorno niederließen ... Und ich sage, daß es für Italien ein Glücksfall war, so viele ›Metöken‹ assimiliert zu haben, wie es ein Glücksfall für Frankreich ist.« (Gabriel Audisio, Jeunesse de la Méditerrannée II. Sel de la mer, Paris 1936, S. 87 und S. 108.)

Triumphe der Reaktion, bei denen die romantische Verklärung des Volkes mit der Verwüstung seiner Sprache Hand in Hand geht! Neben der Schärfe des Verstandes und der Lauterkeit des Gefühls hat Dimiers Buch die Aktualität für sich.

Dolf Sternberger, Panorama oder Ansichten vom 19. Jahrhundert. Hamburg: H. Goverts Verlag 1938. 238 S.

Zu den Widersprüchen, die heute in Deutschland nicht vereint sondern provisorisch verklammert werden, gehören die Reaktionen, die die Erinnerung der Ära Bismarck auslöst. Das Kleinbürgertum kam damals in eine Lehre, die sechzig Jahre später vom Nationalsozialismus aufgenommen und überboten wurde. Dagegen hatte das mittlere Bürgertum als Machtfaktor damals noch neben dem großen Platz. Erst als es abgetreten war, fand das Monopolkapital und mit ihm die nationale Erneuerung die Straße frei. Der Nationalsozialismus steht daher ambivalent zu dieser Geschichtsepoche. Er rühmt sich, mit ihrem Schlendrian aufgeräumt zu haben, und er hat recht, wenn er an das Maß mittlerer Sekurität denkt, das den Untertanen damals noch garantiert wurde. Auf der andern Seite weiß die Partei sehr gut, daß sie am wilhelminischen Imperialismus festhält und die Glorie des zweiten Reiches in ihrem dritten zurückstrahlt. Auf diesem Bewußtsein ist ihre Dressur des Kleinbürgers aufgebaut. So gilt hier einmal der Blick nach oben, andererseits der kritische Vorbehalt. (Die Stellung, die die Führer des neuen Reichs denen des alten Heeres gegenüber einnehmen, illustriert diese Ambivalenz ausreichend.)
Denkt man sich diesen Sachverhalt abgespiegelt, das heißt symmetrisch verschoben, so hat man den Aufriß von Sternbergers Buch vor Augen. Ambivalent ist auch dessen Haltung. Aber sie ist es im Gegensinn. Wo er die kritische Sonde an die Epoche legt, da hat er eben die Züge im Auge, in denen man heute mit ihr solidarisch ist. Und wo er sich ihr liebevoll überläßt und sie dem Leser ans Herz zu legen scheint, da hängt er einem soliden und mittleren Standard der bürgerlichen Moral nach, von dem das heutige Deutschland nichts wissen will. Mit

anderen Worten: der Kritiker in Sternberger kann seine Einsichten, der Historiker in ihm seine Sympathien nur mit größter Behutsamkeit an den Tag legen.

Das brauchte kein hoffnungsloses Geschäft zu sein. Aber es war dem Verfasser um mehr zu tun. Er wollte in eine Bresche springen. So üppig die Produktion gleichgeschalteter akademischer Forscher ist, so groß ist der Ausfall auf den Gebieten, die, von der zünftigen Wissenschaft unbeachtet, das Arbeitsfeld einer Avantgarde gewesen sind. Sie bevorzugte die Essaiform in ihren Schriften. Sternberger hat das Erstaunliche unternommen, Form und Thematik dieser Produktion festzuhalten. Wie der Titel des Buches andeutet, wollte er von seinem Forschungsgebiet keine Karte zeichnen sondern es souverän mit dem Blick durchstreifen. Die Abfolge der Kapitel bestätigt das. Im Bemühen, um jeden Preis die Fühlung mit der essaiistischen Produktion festzuhalten, greift der Autor nach vielen Seiten aus. Je weniger er in der Lage gewesen ist, methodisch seinen Gegenstand anzutreten, desto mehr verstieg er sich in seinen Vorwürfen, desto anspruchsvoller und umfassender wurden sie.

Ob die Gesichtseindrücke des Menschen nicht nur von natürlichen Konstanten, sondern auch von historischen Variablen bestimmt werden – das stellt eine der vorgeschobensten Fragen der Forschung dar, von der aus jeder Zollbreit Antwort hart zu erkämpfen ist. Sternberger nimmt das Problem im Vorbeigehen mit. Würde er es exakt visieren und zum Beispiel sagen: das Licht geht nur in solcher Weise in die Erfahrung ein, wie es die geschichtliche Konstellation erlaubt – man würde mit Spannung der Ausführung dieser These entgegensehen. Sternberger sagt das auch (S. 159), aber nur, um auch hier seinen Stein im Brett zu haben. Die entsprechende Fragestellung ist durchsetzt mit Appositionen, Nebensätzen und Parenthesen, in denen ihr Inhalt verloren geht. Er läßt sich zudem von dem gar nicht exponieren, der über das Interesse nichts sagen darf, mit dem diese Frage zusammen geht. Es ist das Interesse an der Erkenntnis, daß die natürlichen Bedingungen menschlicher Existenz durch die Produktionsweise der Menschen verändert werden.

Viel kommt zu Worte, nicht vieles zu seinem Recht. Oft wird man gut tun zurückzublättern, um auf die Stellen zu geraten, an denen Motive wie das des Genres, der Allegorie, des Jugend-

stils in verbindlichen Zusammenhängen entwickelt wurden. So
hat Adorno im Schrifttum von Kierkegaard eine Spätform allegorischer Anschauung nachgewiesen; Giedion hat im historischen
Genre das Bedürfnis des vorigen Jahrhunderts erkannt, seine
konstruktiven Errungenschaften unter der Maske der Imitation
zu bergen; Salvador Dali hatte den Jugendstil im Sinne des
Surrealismus ausgelegt. Allen diesen Themen ist Sternberger
nachgegangen. Aber wenn sie bei ihm Motive bilden, so im
Sinne des Ornaments, das nach Willkür mit ihnen schaltet.
Der Essaiist fühlt sich gern als Künstler. So kann er der Versuchung anheimfallen, die Einfühlung (in die Epoche so gut wie
in eine Denkweise) an die Stelle der Theorie zu setzen. Die
Symptome dieses bedenklichen Sachverhalts sind in Sternbergers Sprache offenkundig. Zu einem gehobenen und prätentiösen
Deutsch findet sich die gezierte Biederkeit, mit der der Familien-
roman der sechziger Jahre sich dem Leser anzuempfehlen liebte.
Diese stilistische Mimikry führt zu den verschrobensten Bildun-
gen. »Da denn überhaupt« ist eine bevorzugte Konstruktion
des Autors; »derart und solchermaßen« gilt ihm als Übergang.
Wendungen wie »es wird Zeit, die Einschaltung zu beschließen«,
»hören wir indessen weiter«, »es würde dem Autor übel an-
stehen« komplimentieren den Leser durch dieses Buch wie durch
eine hochherrschaftliche Zimmerflucht. Seine Sprache steht im
Zeichen der Regression.
Die Regression in entlegene Sphären, die den politischen Eingriff nicht auf sich ziehen, ist in Deutschland verbreitet. Kind-
heitserinnerungen und Rilkekult, Spiritismus und romantische
Medizin lösen als intellektuelle Moden einander ab. Sternberger
hält in der Regression die Motive der Avantgarde fest. Sein
Buch ist ein wahrer Schulfall der Flucht nach vorn. Es gelingt
ihm natürlich nicht, der Kollision mit dem Gegner auszuweichen. Er muß vor allem mit denen rechnen, die ein kritisches
Votum über die Gründerzeit im eigensten Interesse zu scheuen
haben. Der Keim der heutigen Barbarei liegt in ihr bereits ein-
gefaltet. Die Raubtierlust am Geleckten und Säuberlichen bestimmt ihren Schönheitsbegriff von Hause aus. Mit dem Nationalsozialismus ist auf die zweite Jahrhunderthälfte helles Licht
gefallen. In ihr kam der erste Versuch zu Stande, das Kleinbürgertum zur Partei zu machen und für präzise politische Ziele

einzuspannen. Er wurde von Stoecker unternommen, und zwar im Interesse der Großagrarier. Hitlers Mandat kam von einer anderen Gruppe. Sein ideologisches Kernstück blieb dennoch das der Stoeckerschen Bewegung vor fünfzig Jahren. Im Kampf gegen ein inneres Kolonialvolk, das jüdische, sollten sich die geduckten Kleinbürger als Angehörige einer Herrenkaste erkennen und ihrer imperialen Instinkte inne werden. Mit dem Nationalsozialismus trat ein Programm in Kraft, das für die Sphäre des deutschen Hauses, besonders für den Wirkungsbereich der Frau die Ideale der Gründerzeit, vom Weltbrand angeleuchtet, verbindlich machte. In der Rede, die das Oberhaupt der Partei am 18. Juli 1937 gegen die ›entartete Kunst‹ gehalten hat, wurde die Ausrichtung von Deutschlands Kulturniveau an seiner servilsten und subalternsten Schicht proklamiert und von Staats wegen vorgeschrieben. In der Frankfurter Zeitung (19. Juli 1937) nannte Sternberger diese Rede »eine Abrechnung ... mit Gesinnungen und Theorien, die das öffentliche Kunstleben der hinter uns liegenden Epoche bestimmten«. Diese »Abrechnung«, setzte er hinzu, sei »noch nicht beendet«. Er behauptete von ihr außerdem, daß sie »mit den Waffen scharfer Ironie wie mit den Mitteln philosophischer Erörterung« sei geführt worden. Von der vorliegenden Durchforschung ihrer entlegeneren geschichtlichen Hintergründe läßt sich das Gleiche nicht aussagen.

Sternbergers Buch ist verspielt und schwierig. Er sucht das Abgelegene beflissen auf, aber es fehlt ihm der Begriff, der es zusammenfügt. Er vermag nicht, zur Definition vorzustoßen[1].

1 Sternberger befindet sich in der bösen Lage, den Denkprozeß unterbrechen zu müssen, wo er sich als fruchtbar erweisen könnte. Das schädigt auf die Dauer sein Denkvermögen. Wie es mit dem bestellt ist, läßt sich gelegentlich einem einzelnen Satz entnehmen. »Über das, was ohnehin vergangen ist, zu lachen, ist allzu einfach, daher eigentlich als eine Verschwendung des Witzes zu betrachten, während der Witz doch durch Knappheit an Brillanz zu gewinnen pflegt.« (S. 158) – Im ersten Hauptsatz finden sich zwei Verstöße gegen eine klare Gedankenfolge. Einmal ist das »ohnehin« fehl am Ort, da das Lachen die Zeitstelle seines Gegenstandes nicht verändert. Zweitens ist das »einfach« unangemessen. Denn es kann zwar allzu einfach genannt werden, über einen Gegenstand (zum Beispiel einen Trugschluß) zu lachen, der vielmehr in einem schwierigen Denkprozeß sollte ergründet werden. Dagegen kann es niemals »allzu einfach« sein, etwas Nichtiges zum Gegenstand des Gelächters zu machen. Denn das Lachen ist keine Aufgabe, bei der die Überwindung von Schwierigkeiten verdienstlich wäre. – Im Folgenden gäbe die Rede von einer »Verschwendung

Er liebt es um so mehr, die disiecta membra, in die sein Text
zerfällt, dem Leser als bedeutendes Sinnbild auszugeben. Darin
bestärkt ihn eine befremdende Fixierung ans ›Allegorische‹.
Die Allegorie ist von Emblemen umgeben, die ihr als ›Stückwerk‹ zu Füßen liegen. Obwohl nun der Terminus keineswegs
in so belastetem Gebrauche geläufig ist, verwendet ihn Sternberger umstandslos. Er mutet ihm Dinge zu, die es fraglich
machen, ob er überhaupt mit ihm einen klaren Sinn verbindet.
Unter dem Stichwort »Allegorie der Dampfmaschine« versammelt er eine Anzahl Floskeln, die die Lokomotive als adler-
schnell, als Stahlroß, als den Renner auf Schienen preisen. Sie
stiften, so meint er, »eine allegorische Poesie... in dem bestimmten Sinne, daß Elemente der Technik, zusammengefügt
mit solchen der lebenden Natur, in den Metaphern der Sprache
eine neue selbstmächtige Existenz und doppelgesichtige Figur
gewinnen« (S. 26). Mit einer Allegorie hat das nichts zu schaffen. Der Geschmack, an den sich dergleichen richtete, entsprach
dem Bedürfnis, einer Drohung sich zu entziehen. Man suchte
sie in dem »Starren«, »Mechanischen«, das den technischen
Formen eignet. (Sie war in Wahrheit von einer anderen Art.)
Die Beklemmung, die von der Technik ausging, war allgemein.
Und man flüchtete vor ihr gern zu den Kindergruppen von
Ludwig Knaus, zu den Grütznerschen Klosterbrüdern, zu den
Rokokofigurinen von Warthmüller oder zu den Dörflern von
Defregger. Die Eisenbahn lud man in das Ensemble ein – mit
einem Wort: ins Ensemble des Genrebilds. Das Genre belegt
die verunglückte Rezeption der Technik. Sternberger führt den
Begriff des Genres ein; aber er konstruiert ihn aufs Brüchigste.

des Witzes« einen notdürftigen Sinn nur dann ab, wenn ›Witz‹ wie im achtzehnten
Jahrhundert Verstand zu bedeuten hätte. Von einer Verschwendung des Verstandes
ließe sich wohl reden, nur nicht vorstellen, daß das Gelächter des Verschwenders deren
Effekt sein könnte. Aber wahrscheinlich liegt dieser altmodische Sprachgebrauch gar
nicht vor. Mutmaßlich geht vielmehr bei Sternberger die Vorstellung, daß der Witz
knapp sei, mit Mitteln haushält, mit der Vorstellung durcheinander, daß im gedachten
Falle kein Anlaß zum Witzeln sei. Nun ist erstens nicht alles, worüber man lacht,
ein Witz. Zweitens kann man keinesfalls mit Berufung auf die Knappheit, den
Lakonismus des Witzes verlangen, es solle einer doch weniger Anlaß zum Lachen – sei
es auch über Witze – nehmen. – Daß endlich der Witz durch Knappheit an Brillanz zu
gewinnen pflegt, ist zwar deutlich, aber sprachwidrig. Von ›brillant‹ kennt das Deutsche nur eine einzige Ableitung: Brillantine.

»Beim Genre ist«, so meint der Verfasser, »das Interesse des Beschauers ... überall mit im Spiele. Ebenso wie die erstarrte Szene, das lebende Bild, der Ergänzung bedürftig ist, ebensosehr ist dieser interessierte Betrachter begierig, ... mit den herausgeforderten Lüsten oder Tränen die Lücken auszufüllen ..., die das Stückwerk des Bildes vorweist.« (S. 64) Der Ursprung des Genres liegt, wie gesagt, faßlicher. Als es dem Bürgertum nicht mehr gegeben war, die Zukunft nach großen Plänen zu konzipieren, sprach es dem greisen Faust sein »Verweile doch, du bist so schön« nach. Es fixierte im Genre den Augenblick, um das Bild seiner Zukunft loszuwerden. Das Genre ist eine Kunst gewesen, die sich von der Geschichte nichts wissen macht. Seine Vergaffung ins Momentane ist das präziseste Komplement zu dem Wahnbild des tausendjährigen Reichs. Hierin gründet denn auch der Zusammenhang zwischen den ästhetischen Idealen der Gründerzeit und den künstlerischen Hochzielen der Partei[2].

Das theoretische Monopol des Nationalsozialismus ist von Sternberger nicht durchbrochen worden. Es verbiegt ihm seinen Gedankengang, es verfälscht seine Intentionen. Das letztere kommt drastisch zum Vorschein, wo er zu dem Streit um die Vivisektion Stellung nimmt, welcher in die siebziger Jahre fällt. In den Pamphleten, die diese Kontroverse eröffneten, gibt die Entrüstung über bestimmte Verfehlungen der Vivisektoren einem verbissenen Ressentiment gegen die Wissenschaft überhaupt das Stichwort. Die Bewegung gegen die Vivisektion war ein Ableger kleinbürgerlicher Sekten, unter denen später die Impfgegner mit dem Vorstoß gegen Calmette zuerst so entschieden Farbe bekennen sollten. Diese Sekten lieferten »der Bewegung« Zuzug. Darin wird man den Anlaß zu Sternbergers kritischem Vorstoß zu suchen haben. Tierschutzgesetze wurden im dritten Reich in der Tat beinahe ebenso schnell erlassen wie die Konzentrations-

---

2 Sternberger will dem Triumph des Genres bis in die Umwertungsschriften von Nietzsche folgen. Er spricht von einer »Wiederkehr des Genres« an dieser Stelle und hat damit ein konstruktives Moment ergriffen. Er bewältigt es aber nicht. Ihm entgeht die geschichtliche Signatur des »umgekehrten Genres«, mit welchem Nietzsche sich seinen Zeitgenossen entgegenstellte. Diese Signatur liegt im Jugendstil. Gegen die Lebendigkeit, die im Genre haust, setzt der Jugendstil seine mediumistische Blumenkurve; auf der Harmlosigkeit des Alltags läßt er den Blick ruhen, der noch eben in den Abgrund des Bösen tauchte; und dem süffisanten Philistertum stellt er die Sehnsucht gegenüber, deren Arme auf immer leer bleiben.

lager eingerichtet. Vieles ließe sich dafür geltend machen, daß
man in jenen fanatisierten Zirkeln den sadomasochistischen
Charakter im Stadium einer frühen Verpuppung vor sich hat.
Eine Betrachtung, die das visiert, aber von dem Totenkopf-
schmetterling, der indessen aus dieser Puppe auskroch, nichts
wissen darf, muß gewärtig sein, in Irrwegen zu verlaufen. Das
ist bei Sternberger in der Tat der Fall. Er findet nämlich für
seinen Angriff auf die Gegner der Vivisektion keinen anderen
Weg als das Mitleid als solches zu diffamieren. Eine Diffa-
mation des Mitleids dürfte von den Machthabern um so weniger
störend empfunden werden, als der Tierschutz gewiß das letzte
Refugium ist, welches sie dem Mitleid gelassen haben. Sie ließen
ihm in Wahrheit nicht einmal das. Denn für sie gründet sich der
Tierschutz vielmehr auf dem Mystizismus von Blut und Boden.
Der Nationalsozialismus, der so viel Tierisches in dem Menschen
aufruft, sieht sich von Tieren unheimlich dicht umzingelt. Sein
Tierschutz geht aus einer abergläubischen Furcht hervor.
Man hat nicht nötig, mit Schopenhauer im Mitleid die Quelle
der Humanität zu sehen, um eine Definition suspekt zu finden,
nach der »Nächstenliebe von Mitleid ebensosehr unterschieden«
sei »wie Offenbarung von Gefühl« (S. 84). In jedem Fall bliebe
es wünschenswert, von der echten Humanität zu reden, ehe man
die aus dem Mitleid fließende als eine »Genre-Humanität«
(S. 229) belächelt. Wer das Kapitel, das unter dem Namen
»Die Religion der Tränen« diese Dinge abhandelt, nach seinem
philosophischen Gehalt durchgeht, wird wenig mitnehmen. Er
wird sich mit der Behauptung begnügen müssen, daß Mitleid
nichts anderes sei »als die innere Seite oder das Korrelat zu
demjenigen Zorne..., welcher sich beim Betrachter der grau-
samen Szene... einstellt« (S. 87). Der Satz ist dunkel. Desto
klarer ist, daß Mitleid in der Tat eitel Schaum für den ist, der
sich die Hände in Unschuld wäscht.
Das Unverwechselbare an diesem Buch, die Sache, der sich der
Autor verschrieben hat, wird man mit einem Worte bezeichnen
können: es ist die Kunst, Spuren zu verwischen. Die Spur der
Herkunft, die seine Gedanken tragen; die Spur des geheimen Vor-
behalts, der in seinen konformistischen Sätzen steckt; und zuletzt die Spur dieses Konformismus selbst, die sich freilich von
allen am schwersten beseitigen läßt. Die Zweideutigkeit ist

Sternbergers Element. Er erhebt sie zur Methode seiner Nach-
forschungen: »Bedingnisse und Taten, Zwang und Freiheit,
Stoff und Geist, Unschuld und Schuld können in der Vergangenheit, deren unabänderliche Zeugnisse, wenn auch verstreut und unvollständig, vor uns liegen, nicht voneinander
abgeschieden werden. Alles dies ist vielmehr stets ineinander
verwirkt, und das Verwirkte kann beschrieben werden.« (S. 7)
– Mit Sternbergers Gedankengut steht es so: er konfiszierte es
und ihm wurde es konfisziert. Kein Wunder, wenn es zuletzt
konfisziert aussieht – wie man von einer konfiszierten Visage
spricht. Diese Ansichten vom neunzehnten Jahrhundert sind wie
geschaffen, Einsichten des zwanzigsten preiszugeben.

*Encyclopédie Française. Bd. 16 u. 17: Arts et littératures dans
la société contemporaine, I, II. (Dirigé par Pierre Abraham.)
Paris: Comité de l'Encyclopédie Française (1935 f.).*

Die Encyclopédie Française hat den Künsten und Literaturen
der Gegenwart zwei Bände eingeräumt. Das Unternehmen, das
von Lucien Febvre geleitet, durch ein dem ehemaligen Kultus-
minister de Monzie unterstelltes wissenschaftliches Comité kon-
trolliert wird, hat mit einem Universallexikon nichts gemein. Es
macht sich zur Aufgabe, die Fragestellung, die die theoretischen
und praktischen Erfahrungen dem Menschen der Gegenwart
nahelegen, auf möglichst grundsätzliche Weise zu formulieren.
Die Disposition der einzelnen Teile hat daher eine Tragweite,
die es mit der jedes einzelnen der namentlich gezeichneten Beiträge aufzunehmen gewillt ist.
Für den ersten der beiden genannten Bände ist das augenfällig.
Seine Bedeutung liegt darin, die Abhandlung der Materie unter
einem gedoppelten Aspekt vorzunehmen. In seiner ersten Hälfte
behandelt er unter dem Titel »L'Ouvrier, ses matériaux, ses
techniques« die künstlerische und literarische Produktion in
allen den Teilen, die sich nach dem Muster eines Arbeitsvor-
gangs beschreiben lassen. In seiner zweiten Hälfte »L'usager«
hat er es mit dem Konsumenten zu tun. Sie befaßt sich eingehend mit dessen »kollektiven und sozialen«, kursorischer

mit seinen »individuellen« Bedürfnissen. Die künstlerische Rezeption wird also von der Encyclopédie Française nicht, wie das
gemeinhin der Fall ist, als Annex zum Kapitel der Produktion
behandelt, vielmehr genau so eingehend wie jenes. Die positiven
Charaktere, die dieser erste Band aufweist, dürften sich insgesamt auf diese doppelte Fragestellung zurückführen lassen. Die
Abdichtung der Vorgänge in der Produktion von denen der
Rezeption kommt beiden Problemkreisen zugute. Sie erlaubt,
was den ersten angeht, die Erörterung der künstlerischen Verfahrungsweise eingehend und ohne die gefällige Appretur
vorzunehmen, die sich an diesem Thema so gern hervortut.
Sie erlaubt auf der anderen Seite, die Rezeption nach den ihr
eigenen Bedürfnissen zu durchforschen und deren Behandlung
von geläufigen Schablonen, insbesondere der Vorstellung vom
›Kunstgenuß‹ freizuhalten. Die Darstellung der kollektiven
Bedürfnisse, denen die künstlerische Rezeption zu entsprechen
hat, nimmt ein Viertel des umfangreichen Bandes ein. Sie stellt
in der Soziologie der Kunst einen Fortschritt dar.

Die Betrachtung, die den Problemen der Rezeption ihren Platz
einräumt, ohne darum weniger scharf die der Faktur, der
poiesis im Wortsinne zu visieren, wird notwendig rationalistisch
ausfallen. Der Herausgeber hat sich das wirksamste Patronat
einer solchen Betrachtungsweise gesichert. Paul Valéry hat zu
diesem Werk einen »Avant-propos« beigesteuert. Unter Valérys theoretischen Arbeiten zählt dieser kurze Abriß zu den
bedeutendsten; er wird seine Spur in die Kunstwissenschaft tief
eingraben. Seinerseits macht der Herausgeber kein Hehl aus der
rationalen Ausrichtung des Werkes, wenn das auch in diplo-
matischer Form geschieht. Auf das enzyklopädische Unternehmen von Bayle anspielend, sagt er: »Die Philosophie des achtzehnten Jahrhunderts ließ in ihrer Darstellung der Welt das
göttliche Prinzip aus dem Spiel; sie stellte es dem Leser anheim,
es einzuführen, wenn ihm der Sinn danach stand. Die neue
französische Enzyklopädie setzt sich vor ..., der künstlerischen
Betätigung in der Art nachzugehen, daß sie nur die der Nach-
forschung wirklich zugänglichen Elemente dabei in Rechnung
stellt. Sollte der Leser einer Erklärung durch irrationale Faktoren zuneigen, so präjudiziert sie darüber nichts sondern läßt
das offen.« (16·14–12) Etwas intransigenter an anderer Stelle:

»Will man einige Chance haben, in das Wesen des Genies ein-
zudringen, so ist dafür die erste Bedingung, das Wort zu meiden. Denn das bloße Wort verdirbt hier alles. In der Tat ...
hatten wir uns vorgenommen, in diesem Werk das Wort ›Genie‹
nicht zu drucken, und ebensowenig (aus analogen Gründen)
›die Kunst‹ und ›das Schöne‹.« (16·14–11) Wenn das Schlußwort des Herausgebers von diesem Vorsatz abgeht, so geschieht
es, um anzumerken, »daß die Originalität des Genies eher auf
einer quantitativen Zunahme der geistigen Funktionen des
Durchschnittsmenschen als auf einer grundsätzlichen Unter-
schiedenheit von ihm beruht« (16·94–1). In der Linie einer
derart unfetischistischen Ansicht vom Genie und der gesell-
schaftskritischen Einsichten des Unternehmens liegt die Feststellung, daß in der Kunst wie in allen Bereichen elementarer
geistiger Tätigkeit »jeder Konsument auch Produzent ist (oder
doch sein sollte)« (16·94–4). Die Liquidierung grundsätzlicher
und starrer Unterscheidungen zwischen Konsumenten und Produzenten ist im Rundfunk, im Film und in der Presse auf das
vielfältigste zu verfolgen. Hier liegt die positive Seite eines
Prozesses, der sich augenfälliger nach seiner negativen zu präsentieren pflegt, nämlich als Senkung des Produktionsniveaus.
Mit der Konfrontation von producteur und usager hat die
Enzyklopädie Begriffe sich einverleibt, in denen einer der wichtigsten Krisenprozesse in der Funktion der Kunst zur Formulierung kommt. Sie belegt damit, wie wertvoll gerade vorgeschobenste theoretische Fragestellungen für eine allgemeinverständliche Abhandlung bestimmter Wissensgebiete werden können.
Im ersten, dem Produzenten gewidmeten Teil des Bandes
kommen, wie erwähnt, die technischen Verfahrungsweisen der
Kunst zur Sprache. (Eingehend, auch authentisch. Der Grundsatz war, »von ihrem Handwerk die Ausübenden selber sprechen
zu lassen« (16·14–7). Dagegen sollte die Darstellung der »Tendenzen«, welcher der Band 17 gewidmet ist, den Kritikern
vorbehalten bleiben; vgl. 16·14–7.) Dieser Ausrichtung des
Interesses entspricht in dem Abschnitt, der dem Konsumenten
gewidmet ist, die Untersuchung, in welcher Weise jeweils mit
dem Vorgang der Rezeption der menschliche Körper ins Spiel
kommt, und wie diese Rezeption von dem jeweiligen Standard
der Gewohnheiten und Erfahrungen mitbedingt ist, die der

menschlichen Physis geläufig sind. Die technologische und die
anthropologische Fragestellung treten komplementär auf. Der
Herausgeber sagt darüber: »Der Bereich, in dem in der Kunst
Produzent und Konsument einander begegnen und in dem sich
ihre Verständigung vollzieht, ist kein anderer als der des
menschlichen Körpers, wie er in seinen Bedürfnissen und seinen
Insuffizienzen, in seinen Spannungen und seiner Entbindung, in
seiner Atmung und in seinem Zirkulationsprozeß sich darbietet... Die künstlerische Technik hat vielleicht kein anderes
Objektiv, als alles auf ihn zu beziehen, als ihm die endgültige
Kontrolle von allem zu übertragen, was in der Kunst Lebens-
rechte beansprucht... Dem Körper steht in der Kunst ein Veto
zu.« (16·94–4) Was man hier allenfalls vermißt, ist ein Hinweis
darauf, daß der menschliche Körper in seinen Reaktionen und
seinen Bedürfnissen nicht nur einer verhältnismäßig stabilen
natürlichen Umwelt allein erwidert sondern nicht minder präzis
und viel mannigfacher einer gesellschaftlichen Umwelt, in welcher es zu stoßweisen Veränderungen kommen kann. Eben
diese Erkenntnis hat sich in einer Reihe von speziellen Beiträgen
des Werkes ihr Recht verschafft; das macht sein besonderes
Interesse aus.
Die Behandlung von Krisengebieten pflegt einen Prüfstein für
die Methode in der Wissenschaft abzugeben. Unbestritten und
manifest dürfte die Krisis der Malerei sich darstellen. Dem entspricht es, daß eine Untersuchung über die kollektive Rezeption
der zeitgenössischen Malerei zu den aufschlußreichsten des Bandes gehört. Ihre Befunde stammen von Denis, Ozenfant und
Léger. Maurice Denis greift die Frage spontan an und handelt
von der Beeinträchtigung der Malerei durch die Photographie.
»Die Fortschritte der Photographie... haben der Portraitmale-
rei Abbruch getan... Sie haben die Malerei auch aus andern
Bereichen vertrieben... Man kennt in unsern Ausstellungen
nichts mehr, was den großen darstellenden Gemälden (toiles à
sujets) entspräche. Kino und Photographie haben die Historien-
malerei umgebracht. Im letzten Krieg hat der Film die Stelle
eingenommen, die 1870 von den Gemälden und Panoramen
behauptet wurde.« (16·70–1)
Die Krisis, der das Tafelbild unterliegt, betrifft das Fresko noch
wuchtiger. Ozenfant handelt von der »Peinture murale«. Sein

Gegenstand wies ihn vor allem auf diejenigen Krisenursachen
der Malerei, die aus der Architektur entsprungen sind. Stendhal
bemerkte schon 1828: »Ich bin vor acht Tagen in der rue Godot-
de-Moroy gewesen, um Wohnung zu suchen. Mich erstaunte, wie
klein die Zimmer waren. Das Jahrhundert der Malerei, so sagte
ich mir seufzend, ist vorbei. Von nun ab wird nur noch die
Graphik gedeihen können.« Nicht nur die Enge der Wohnungen
sondern das Material, aus dem sie erstellt wurden, dürfte – um
das nebenbei zu sagen – späterhin die Krisis der Malerei befördert haben. Seit der Eisenbeton erfunden wurde, hörte die
Wand auf, den Plafond zu stützen. Ihre funktionale Bedeutung
rückte an die des Verschlags heran. Davon konnte auch die des
Bildes, das an der Wand seine Stelle hatte, auf die Dauer nicht
unbetroffen bleiben. (Auch hier zeigt die Graphik sich krisen-
fester; sie ist nicht darauf angewiesen, sich aufrecht dem Betrachter zu präsentieren.) Je kleiner, so bemerkt Ozenfant, der
Wohnraum geworden ist, desto mehr schrumpft die Zeit, die der
Großstädter in seinen vier Wänden zubringt. »Die Zahl derer,
die über genügend Muße verfügen, stundenlang zu Hause zu
bleiben, wird immer kleiner.« (16·70–3) Die Schnelligkeit der
modernen Verkehrsmittel tut ein übriges; sie führt ein gesteigertes Bedürfnis nach wechselnden Impressionen mit sich[1].
Die Ausführungen, die von Léger »La peinture et la Cité« be-

1 Unter den Ursachen, welche Ozenfant für den Verfall der Malerei bzw. des Freskos
namhaft macht, ist eine bedeutsame nachzutragen. Jahrtausendelang ist die Vertikale
die Achse gewesen, aus der sich der Mensch auf der Erde umsah. Das Flugzeug hat das
Monopol der Vertikale durchbrochen. Welche Tragweite das für die menschliche Sensibilität überhaupt besitzt, ist von Wallon entwickelt worden. Für die Malerei im
besonderen bleiben die Folgen seiner Bestandaufnahme noch darzutun. Diese selbst
lautet folgendermaßen: »Der Gebrauch des Flugzeugs ... hat unsere Sehweise zwangsläufig verändert. Wir kennen seither die Vogelperspektive, Verkürzungen und ungewöhnliche Blickwinkel aller Art. Mit der Verwendung des Flugzeugs verliert die
Vertikale ihre unerschütterliche Fixierung. Was sich auf der Erdoberfläche hin- und
herbewegt, kennt keine anderen Ortsveränderungen als die nach vorn oder hinten,
nach rechts oder links, und ihre Kombinationen. Das Flugzeug fügt dem eine dritte
Dimension hinzu, es kombiniert mit ihnen Verschiebungen in der Vertikale.« Wallon
weist auf die besondere Intensität hin, die die neuen Erfahrungen, welche der Körper mit seiner Lage im Raume macht, durch die Schnelligkeit der mit ihnen verbun-
denen Bewegung gewinnen und setzt hinzu: »Es erscheint hiernach unbestreitbar, daß die
gedachten Erfindungen der Technik ... Wirkungen bis hinein in unser Muskelsystem,
unsere Sensibilität, schließlich unsere Intelligenz haben.« (Henry Wallon, Psychologie
et Technique, in: A la lumière du marxisme, Paris 1935, S. 145 u. S. 147.)

titelt wurden, machen deutlich, wie komplex die Faktoren sind, die auf die Rezeption der Malerei Einfluß haben. Léger denkt an den Kubismus und geht seinem Zusammenhang mit der Großstadt nach. Es versteht sich, daß dabei nicht »Motive« in Rede stehen, welche der oder jener Maler ihr abgewann. Die Stadt figuriert in Légers Erörterungen als Markt. Sie laufen auf den Versuch hinaus, im Kubismus den Lehrgang einer gewissen Plakattechnik darzustellen. »Industrie und Handel haben ... unmittelbar nach dem Kriege entdeckt, daß der reine Farbton, ein leuchtendes Blau, Rot oder Gelb, für sie ein gutes Propagandamittel sein kann ... Es war der Kubismus, der (um 1919) mit dem reinen Farbton auftrat und so den Industriellen die Möglichkeit gab, ihren Feldzug an den Plakatwänden ins Werk zu setzen. Einige Jahre später, und es hielt, auf Bildern der gleichen Schule, der ›Gegenstand‹ seinen Einzug. Die Folge war eine analoge: plötzlich erschienen auf den chromgelben, smaragdgrünen Hintergründen, sozusagen in Großaufnahme, die Objekte, denen die Reklame gegolten hatte ... Im Gefolge der heutigen Maler und Bildhauer haben dann die Fabrikanten und Ladenbesitzer entdeckt, daß die Artikel, mit denen sie handelten, ihre eigene, von jeder praktischen oder dekorativen Funktion unabhängige Schönheit hatten.« (16·70–6) Es heißt dieser Betrachtung nicht Abbruch tun, wenn man sie als ein Aperçu anspricht. Die entscheidende Frage ist ausgefallen: von welcher Art denn eigentlich die jenseits des Dekorativen stehende Schönheit der Ware sei? Auch so aber darf Légers Betrachtung ein Verdienst für sich in Anspruch nehmen: sie vindiziert dem Künstler die Fähigkeit, einem gesellschaftlichen Bedürfnis zu entsprechen, noch ehe es als solches ist formuliert worden. Sie illustriert so ein methodisches Postulat, das von Abraham folgendermaßen umschrieben wird: »Daß der Künstler Prophet – Vates – ist, stellt durchaus keine mystische Hypothese dar, der man mit Mißtrauen zu begegnen hätte ... Niemand will dem Künstler die Fähigkeit zusprechen, in Gott weiß welchem ›Buch des Schicksals‹ zu lesen ... Es handelt sich nur darum, daß ... der Inbegriff der Eigenschaften, die den Künstler machen, ein organisches Bewußtsein von den Bedürfnissen seiner Epoche einschließt ... – Bedürfnisse, die er allein aufzuspüren imstande ist.« (16·94–3/4)

Diese Stichworte mögen eine Vorstellung von dem geben, was
der vorliegende Band leistet, ebenso aber auch von den Grenzen
des Geleisteten. So fruchtbar der Versuch ausgefallen ist, gesellschaftliche Funktionen der Künste auf Grund ihrer technischen
Bedingungen, ihrer Faktur, darzustellen, so wenig ist das Umge-
kehrte in Angriff genommen worden: den heutigen technischen
Standard der Künste auf seine gesellschaftliche Bedingtheit zu
untersuchen. Sie hätte ökonomisch agnosziert und damit die
Untersuchung materialistisch instruiert werden müssen. In kol-
lektiver Arbeit daranzugehen, ist der Augenblick wohl noch
nicht gekommen. Hier eben lag die Grenze dieses Versuchs.
Innerhalb ihrer sich einem maximalen Ertrage genähert zu
haben, rechtfertigt den Anspruch des Unternehmens wie auch
den Aufwand, den es erforderte.
Der zweite Band des Werkes geht der künstlerischen Produktion
der Gegenwart im einzelnen nach und stellt deren Inventar dar.
Er fügt sich als »Dialogue entre l'ouvrier et l'usager« dem Ge-
samtschema etwas künstlich an. Ihn bilden drei Teile, deren
erster von den Werken, deren zweiter von ihrer Darstellung,
deren dritter von den künstlerischen Berufen handelt. Das
wissenschaftliche Gewicht des Bandes ist weitaus geringer als
das des vorhergehenden. Bei der Beschränkung auf die Hervorbringungen der Gegenwart war das nicht zu vermeiden. Das
erhellt schon aus folgender Überlegung: »Man muß sich ein für
allemal darüber klar sein, daß, falls einem Kunstwerk Dauer
beschieden ist, dies niemals die Gründe hat, die der Künstler
oder seine Anhänger dafür hätten mutmaßen können ... So
scheint es unvereinbar mit der Tatsache, Zeitgenosse eines Werkes zu sein, von diesem Werk (sc. historisch) zu handeln. Für
eine Enzyklopädie, die sich vor allem an die zeitgenössischen
Produktionen hält, ergab sich so ... die Notwendigkeit, die
Werke der Gegenwart lediglich mittelbar unter dem Gesichtspunkt ihrer allgemeinen Tendenzen zu behandeln.« (17·06–4)
An die Stelle einer künstlerischen Analyse die von »allgemeinen
Tendenzen« zu setzen, bringt natürlich keine Lösung des inneren
Widerspruchs, den eine jede ›Geschichte der zeitgenössischen
Kunst‹ beinhaltet. Der Band 17 der Enzyklopädie unterscheidet
sich, was diesen seinen Hauptteil betrifft, weder im Material
noch in seinen Gesichtspunkten von ähnlichen Versuchen.

Jean Rostand, Hérédité et racisme. Paris: Gallimard (1939).
128 S.

L'exposé de R[ostand] est remarquable par sa clarté, sa prudence et son courage. Quant à la clarté: l'auteur réussit à
donner un aperçu parfaitement transparent de ce qui est actuel-
lement acquis en fait de la théorie de l'hérédité. Il explique
comment l'activité des chromosomes et des gênes est comprise
par la science; il souligne que l'hypothèse d'une transmission des
propriétés acquises doit dès à présent être écartée. Ce qui peut
être considéré comme le fond héréditaire des races – races dont
l'auteur souligne l'interpénétration sur toute la terre, et particulièrement en Europe – se réduit à un certain nombre de qualités
physiques d'une importance relative. »Il ne suffit pas que des
professeurs germaniques ressuscitent ... les vieilles imaginations
de Gobineau et de Vacher de Lapouge. Il ne suffit pas que ...
Céline mette son lyrisme fécal au service de la plus enfantine
des ›ethnogogies‹. Nous voulons un peu mieux que cela. Nous
réclamons des preuves, des arguments, des faits.« (p. 61) –
Pour la prudence: Rostand est très éloigné de traiter à la légère
les questions eugéniques. Il souligne la nécessité »de dissocier le
mensonge raciste de la vérité eugénique« (p. 67). Cependant,
tout en admettant la portée réelle de ces vérités, il formule des
réserves quant aux propositions pratiques qui leur correspon-
deraient. Il est en droit de mettre ces réserves au compte d'une
méfiance avisée concernant la façon dont de telles mesures
pourraient fonctionner dans la société actuelle. – Ce qu'il y a
de plus méritoire dans ce livre est le courage avec lequel
R[ostand] affronte la théorie biologiste du progrès. Il s'en
prend à Comte qui considérait le progrès biologique comme une
des bases de l'histoire. Voyant infirmée cette théorie par la
biologie même, R[ostand] dit: »Si, demain, toute notre civilisation se trouvait détruite, l'Homme aurait tout à recommencer, il
repartirait du même point d'où il est parti voilà quelques cent
ou deux cent mille ans. Toute son œuvre, tout son labeur, toute sa
souffrance passés lui compteraient pour rien, ils ne lui confé-
reraient aucune avance ... La civilisation de l'Homme ne réside
pas dans l'Homme, elle est dans les bibliothèques, dans les
laboratoires, dans les musées et dans les codes.« (p. 79/80) Rien

d'étonnant qu'une vue tellement dénudée d'illusions rejoint par endroits la verve des grands moralistes français. »Repoussant le stérile vertige de l'infini, sourd au silence effrayant des espaces«, l'Homme »s'efforcera de devenir aussi incosmique que l'univers est inhumain.« (p. 124)

Henri-Irénée Marrou, Saint Augustin et la fin de la culture antique. Paris: E. de Boccard 1938. XV, 620 S.

Marrou beschäftigt sich mit der Technik der geistigen Arbeit in der Zeit der lateinischen Dekadenz. Es zeigt sich, daß der Gegenstand fruchtbar werden kann. Die Schulpraxis des vierten und fünften nachchristlichen Jahrhunderts fordert gewiß Vorurteile heraus. Daß der Verfasser der Beziehung nachgeht, die zwischen ihr und dem Schaffen des heiligen Augustin bestanden hat, beweist, daß er ihnen entgangen ist. Er beschönigt darum die Dinge nicht. Er weist auf, daß der Begriff der Wissenschaft im empirischen Sinn verloren gegangen war; die ›Wissenschaft‹, die man vor Augen hatte, bestand aus Stäubchen von ›Wissenswertem‹. Die Natur fesselte die Aufmerksamkeit nur durch ihre *mirabilia*; die Geschichte nur durch Begebenheiten, die sich in Reden als Illustration bewährt hatten. Niemand dachte an eine Einheit der Wissenschaft, geschweige an mögliche Fortschritte der letzteren. Die Kritik war auf dem Tiefpunkte angelangt: man wußte eine Antwort auf jede Frage. – In der Theorie sollte dem Unterricht der Zyklus der sieben freien Künste zugrundeliegen. In Wahrheit kamen bereits im vierten Jahrhundert die Grammatik und die Rhetorik allein zur Geltung. Marrou gibt eine genaue Darstellung der Unterweisung in diesen Fächern. Er spricht von den Lesestunden, die darum von besonderer Bedeutung waren, weil das Manuskript keine Interpunktion aufwies. Er zeigt, daß der rhetorische Unterricht einen Teil seiner Substanz aus den Abweichungen der verschiedenen Manuskripte untereinander bezog, wie die Schüler sie sich hatten beschaffen können. Er läßt erkennen, daß die Kritik an den Texten eklektisch gehandhabt wurde und die Vorstellung von einer ›authentischen Überlieferung‹ unbekannt war.

Zu den fesselndsten Teilen des Werkes gehört das Kapitel
»Die Bibel und die Literaten der Dekadenz«. Die Technik der
allegorischen Auslegung, in der Augustin für die Bibel Meister
gewesen ist, war gleichzeitig für das profane Schrifttum, z. B.
den Vergil, gebräuchlich. Sie hat aber an der Bibel einen spezi-
fischen Gegenstand, weil das, was in den heiligen Schriften
berichtet wird, nicht allein als im allegorischen Sinne bedeutsam,
sondern auch als im buchstäblichen zutreffend betrachtet wurde.
Bedenkt man, daß auf der andern Seite jedwede Bibelstelle das
Anrecht auf allegorische Auslegungen mit sich führte, so war
von da nur ein Schritt zu der Annahme, daß Gott gewisse biblische Begebenheiten allein um ihrer allegorischen Bedeutung
willen veranstaltet habe. Diesen Schritt hat Augustin zurückgelegt. Und noch bemerkenswerter ist, daß die biblischen loci
bei Augustin (wie die überdeterminierten Elemente des Traums
bei Freud) einer zwei-, drei- und mehrfachen Auslegung fähig
sind. Sie können aber stets nur das strikte Dogma, kein abge-
sondertes Mysterium beinhalten. Marrou gibt von dieser eigentümlichen sakralen Philologie eine sehr gute Vorstellung. – Der
Leser könnte sich die Frage stellen, ob diese Rezeption der Texte
eine Verwandtschaft mit der gleichzeitigen Rezeption von Werken bildender Kunst erkennen läßt. Auf Riegl, der diese letztere
so meisterhaft in der »Spätrömischen Kunstindustrie« analysiert
hat, nimmt Marrou im Vorbeigehen wohl Bezug. Aber den Hinweisen auf die augustinische Ästhetik, die bei Riegl zu finden
sind, geht er nicht nach. Die besondere Struktur der literarischen
Rezeption auf einen »psychischen Atomismus« zurückzuführen,
wie der Verfasser es unternimmt, hat vermutlich ebenso wenig
Wert wie jede ähnliche, historisch unvermittelte – d. h. rein
psychologische – Auswertung. Läßt Marrou die Korrespondenz
außer acht, die zwischen der literarischen und künstlerischen
Rezeption der Epoche bestehen könnte, so finden sich unter
seinen exakten Feststellungen über den Schulbetrieb solche, die
Interesse für das Verständnis damaliger Kunst haben könnten.
So z. B. die folgende Charakteristik der Privatlektüre: »Ein
Zeitgenosse des heiligen Augustin versetzte sich im Geiste in
einen Hörsaal und ging an das Buch, das er in Händen hielt, mit
der Frage heran, was bei seiner lauten Verlesung aus ihm her-
ausgeholt werden könne.«

Unbeschadet der analytischen Methode, in deren Schranken Marrous Arbeit sich hält (die eine thèse ist), bleibt ihm der synthetische Kern seines Gegenstandes durchaus bewußt. Er hebt ihn heraus, wenn er am Schluß die Frage aufwirft, ob nicht die Dekadenz eine wesentliche, d. h. positive Bedingung der Herausbildung eines von Grund auf Neuen gewesen ist. Der Verfasser ist nicht weit entfernt davon, dem heiligen Augustin selbst eine solche Ansicht der Sache beizulegen. Augustin sei der erste Kirchenvater gewesen, dem der Niedergang der antiken Kultur als geschichtliches Phänomen gegenwärtig gewesen sei; der erste, der sich trotz aller technischen Abhängigkeit von dieser Kultur fremd in ihr gefühlt und sich von ihr desolidarisiert habe. Die Senkung ihres Niveaus sei von ihm planmäßig gefördert worden. »Wann immer Augustin sich über Bildungsprobleme vernehmen läßt, es sei über Fragen der Philosophie oder der geistlichen Erudition, geschieht das mit einer beunruhigenden Fülle stillschweigender Vorbehalte. Er bemüht sich, die Anforderungen an die Lernenden zurückzuschrauben und dem Übergang auf ein tieferes Niveau Rechnung zu tragen.« Seine Unterweisung schließt sich weniger an die der Rhetoren als an die elementare der Grammatiker an. – Marrous Werk ist von der Académie des Inscriptions et Belles Lettres preisgekrönt worden.

Georges Salles, Le regard. La collection, Le musée, La fouille, Une journée, L'école. Paris: Librairie Plon (1939). 301 S.
⟨Erste Fassung⟩

Il y a peut-être deux sortes de livres: ceux qui montrent et ceux qui donnent. La perfection n'a rien à voir dans cette différence. Mais il y a différence. Celui qui vous montre une chose vous initie en un aspect du monde. Il se posera votre supérieur qu'il le veuille ou non. Celui qui vous donne la chose pourra s'effacer. (Donner est une façon de se rendre dispensable.) Le livre de Salles est de ceux qui donnent. L'auteur s'y efface pour autant qu'un homme qui déborde d'un sujet peut s'effacer lui-même. Adrienne Monnier a parlé ici-même du »Regard« avant qu'il n'ait paru. Elle a dit ce que ce livre a de charmant, ce qu'il a d'inquiétant aussi. Peut-être est-ce le don qu'il vous propose qui est inquiétant. Mais sa façon de le proposer devra vous rassurer. Et les deux semblent se tenir, en fin de compte.

La particularité essentielle de l'auteur pourrait bien être une ingénuité souveraine dans la réception de l'œuvre d'art. C'est en tout cas le don qu'il voudrait avant tout conférer au public. Un des champs d'expérience de Salles étant le Louvre, il consacre au Musée une de ses réflexions. »Un musée, réellement ›éducatif‹, aura pour premier but d'affiner nos perceptions, ce qui sans doute n'est pas malaisé chez un peuple qui, si on l'y engage, saura apprécier ses poteries ou ses tablaux aussi bien que ses vins.« Si la prise de conscience et le pouvoir d'articulation dans la joie des sens est une vertu française, on peut penser que c'est un programme essentiellement français qui est ainsi défini par l'auteur. Salles, en s'occupant des musées, souligne tout ce qu'ils doivent aux amateurs et aux collectionneurs inconnus. De ces derniers il parle comme on n'en a guère parlé. Inspiré d'une sympathie fraternelle, il célèbre en eux l'instantanéité du coup d'œil et ce sursaut qui les saisit à l'aspect de l'objet unique. C'est l'ingénuité souveraine dans la réception qu'il salue en eux.

Don aux manifestations multiformes. Il y en a une, précieuse entre toutes: être accessible au charme que peut conférer aux œuvres l'action du temps. C'est, au fait, une action sur un double plan. Plan spirituel et plan matériel, dont l'auteur ne semble retenir que le second. Gide, un jour, trouva l'essentiel des chefs d'œuvres dans ce qu'elles sont, par leur survie, assujetties à une action spirituelle du temps. »Les grands auteurs ont ceci d'admirable qu'ils permettent aux générations successives de ne pas s'entendre.« Salles, par contre, insiste bien plutôt sur une action du temps par laquelle les œuvres se verront parachevées dans leur matière. Il confesse d'avoir souvent »préféré à l'individualité précise de l'objet neuf la pièce amortie, que l'âge a tassée dans sa forme essentielle.« C'est bien la façon de voir d'un œil averti. Salles aurait pu faire siens les vers que Hugo a consacrés à cette intervention du temps.

> Non, le temps n'ôte rien aux choses.
> Plus d'un portique à tort vanté

> Dans ses lentes métamorphoses
> Arrive enfin à la beauté.
> . . . .
> C'est le temps qui creuse une ride
> Dans un claveau trop indigent;
> Qui sur l'angle d'un marbre aride
> Passe son pouce intelligent.

»Le Regard«, par nombre de ses formules heureuses évoque un certain côté de Marcel Proust. On n'a guère insisté sur l'élément parisien dans Proust. C'est pourtant une sensibilité toute urbaine qui dégage une odeur de violettes de la grisaille de la rue de Parme ou qui amène le narrateur à étudier le chassé-croisé des trois clochers de Méséglise. De même pour Salles. On n'a qu'à lire son dernier chapitre pour comprendre à quel point sa sensibilité artistique est celle d'un homme coutumier des secousses et des vertiges auxquels expose le tourbillon des métropoles. »Le Regard« est un livre très parisien et qui se veut ainsi. Guettant la »Beauté qui vient de loin et se prolonge«, Salles est travaillé sourdement par le désir d'apprendre »sous quel aspect renaîtra dans la perspective des siècles« ce décor dans lequel il vit – »cet homme en chapeau mou, ce taxi qui démarre, ces grues sur la berge« et lui qui les regarde.

L'auteur, dans un beau chapitre »L'Ecole«, trace, en un croquis puissant et hardi, les contours de ce qu'on pourrait nommer l'histoire de la perception humaine. »*Tout œil est hanté*, le nôtre aussi bien que celui des peuplades primitives. Il façonne à chaque instant le monde au schéma de son cosmos.« Il y a chez Riegl, le magnifique historien des arts mineurs dans la décadence romaine des lumières semblables. Elles ont rarement été reflétées. C'est par elles que »Le Regard« se rattache non seulement aux plus subtiles de nos tentations mais aussi aux plus ardues de nos tentatives. »La vérité«, en effet, »n'est pas dans l'immédiat, elle n'est pas davantage dans l'habituel.« Voilà le langage d'un écrivain pour qui la dialectique n'est pas un concept livresque mais une chose éprouvée dans la vie. Vie craquelée de fissures, traces des heurts auxquels l'expose le mouvement dialectique de l'histoire. »Nous sommes à même, dit Salles, de saisir dans l'actuel ce trouble optique dont nous demandions le secret à l'histoire ... Le renversement visuel, dont nous sommes les témoins, a la marque perturbatrice par laquelle s'annoncèrent les grandes mutations historiques.«

Une sensibilité intransigeante, aux réactions sans appel a donc, chez Salles, sa contrepartie dans un jugement qui, négligeant l'érudition facile, s'engage dans les chemins détournés de la pénétration théorique. De là, peut-être, le charme de ces pages où au regard attentif de l'auteur semblent répondre ces »êtres disparus aux regards familiers« que sont les œuvres.

UNE LETTRE DE WALTER BENJAMIN
AU SUJET DE
»LE REGARD« DE GEORGES SALLES
⟨Zweite Fassung⟩

Je vous écris, encore captivé par le livre que vous m'avez fait emporter. Après vous avoir quittée l'autre jour, je suis entré dans un café et j'ai sorti »Le Regard«. Il faut vous dire que le charme a opéré dès la première page. Le plaisir d'y voir bousculé, par la comparaison entre l'art culinaire et l'Art, bon nombre d'idées reçues y fut sûrement pour quelque chose. La frivolité de ce début ne s'attaque pas à ce qu'il y a de sérieux dans l'œuvre d'art mais bien plutôt à ce qu'il y a de convenu dans notre façon d'en parler. Elle fait, en outre, penser à un auteur qui parlerait sensément des choses de la cuisine, et cela ne doit pas vous déplaire.

La particularité essentielle de Georges Salles pourrait bien être une ingénuité souveraine dans la réception de l'œuvre d'art. C'est en tout cas le don qu'il voudrait avant tout communiquer au public. Qui ne l'approuverait parmi ceux qui sont toujours péniblement frappés par le spectacle qu'offre, dans une exposition, en vogue, le grand public – hâtif dans son parcours, impatient d'en venir au jugement et pauvre dans les termes pour l'énoncer. On ne peut donc que tomber d'accord avec Georges Salles quand, résumant certaines expériences dont le champ a été le Louvre, il est amené à écrire: »Un musée, réellement *éducatif*, aura pour premier but d'affiner nos perceptions, ce qui sans doute n'est pas malaisé chez un peuple qui, si on l'y engage, saura apprécier ses poteries ou ses tableaux aussi bien que ses vins.« Si la prise de conscience et le pouvoir d'articulation dans la joie des sens est une vertu française, on peut penser que c'est un programme essentiellement français qui est ainsi défini par l'auteur.

Ce programme comporterait les aspects les plus divers. Il y en a pourtant un, précieux entre tous: être accessible au charme que peut conférer aux œuvres l'action du temps. (Ici, encore, la comparaison entre les connaisseurs de crus et de créations artistiques ne serait point hors de propos.) L'action du temps, au fait, me paraît s'engager sur un double plan; sur le plan spirituel aussi bien que sur le plan matériel. Et si je voulais chercher querelle à Georges Salles, c'est de ne nous avoir rien dit de la première, puisque je me tiens assuré qu'il ne nous en aurait pas parlé avec un accent moins émouvant que de la seconde. (Gide, un jour, a trouvé l'essentiel des chefs-d'œuvre dans le fait qu'ils sont, par leur survie, assujettis à une action spirituelle du temps. »Les grands auteurs ont ceci d'admirable qu'ils permettent aux générations successives de ne pas s'entendre.«) Georges Salles insiste bien plutôt sur une action du temps par laquelle les œuvres se verront parachevées dans leur matière. Il confesse d'avoir souvent »préféré à l'individualité précise de l'objet neuf la pièce amortie, que l'âge a tassée dans sa forme essentielle«. C'est bien la façon de voir d'un œil rêveur, d'un œil plongé dans les années profondes d'où nous saluent (telle la clarté d'un astre depuis longtemps éteint) ces »êtres disparus aux regards familiers« que sont les œuvres. L'auteur aurait pu faire siens les vers de Victor Hugo:

> Non, le temps n'ôte rien aux choses.
> Plus d'un portique à tort vanté
> Dans ses lentes métamorphoses
> Arrive enfin à la beauté.
> . . . .
> C'est le temps qui creuse une ride
> Dans un claveau trop indigent;
> Qui sur l'angle d'un marbre aride
> Passe son pouce intelligent.

Je crois bien avoir compris combien vous prisez le livre de
Georges Salles. Il me faut donc, en quelque sorte, m'excuser de
le rapprocher d'un auteur dont je sais que vous l'aimez peu.
Il me paraît difficile, cependant, de ne pas évoquer, au sujet du
»Regard« le nom de Proust. On n'a guère insisté sur l'élément
parisien dans Proust. C'est pourtant une sensibilité toute urbaine
qui dégage une odeur de violettes de la grisaille de la rᵘe de
Parme ou qui amène le narrateur à étudier le chassé-croisé des
trois clochers de Méséglise. De même pour Salles. On n'a qu'à
lire son dernier chapitre pour comprendre à quel point sa sensibilité artistique est celle d'un homme accoutumé aux secousses
et aux vertiges auxquels expose le tourbillon des métropoles.
»Le Regard« est un livre très parisien et qui se veut ainsi. Guettant la »Beauté qui vient de loin et se prolonge«, Salles est
travaillé sourdement par le désir d'apprendre »sous quel aspect
renaîtra dans la perspective des siècles« ce décor dans lequel
il vit – »cet homme en chapeau mou, ce taxi qui démarre,
ces grues sur la berge« et lui qui les regarde.
Pourquoi enfin, ne pas vous avouer que j'ai une raison intime
pour aimer ce livre. J'ai connu une suite d'années où les trans-
ports les plus doux m'ont été inspirés par les pièces d'une collection que j'avais rassemblées avec une patience ardente. Depuis
sept ans que j'ai dû m'en séparer je n'ai plus connu cette brume
qui, se formant à l'intérieur de la chose belle et convoitée, vous
grise. Mais la nostalgie de cette ivresse m'est restée. N'ayant eu
ni la force ni le courage de me refaire une collection, un trans-
fert s'est opéré en moi. Grâce à lui des passions qui, autrefois,
allaient vers les pièces qui m'obsédaient se sont tournées vers
une recherche abstraite, vers l'essence de la Collection elle-même.
Ou bien vers ce mystérieux genre d'homme qui, avec Léon Deubel, peut dire: »Je crois … à mon âme: la Chose.« C'est dans le
laboratoire de ces recherches, à côté de certaines pages du »Cousin
Pons« ou du »Magasin de Curiosités« de Dickens que je vais
ranger le livre de Georges Salles. Car il parle des collectionneurs
comme on n'en a guère parlé. Il vous fait, du reste, comprendre
cette chose capitale qu'il ne saurait se former le sens de l'art en
qui ne possède pas au moins une belle chose à lui.
Une sensibilité intransigeante, aux réactions sans appel, a, chez,
Georges Salles, sa contre-partie dans un jugement qui, négli-

geant l'érudition facile, s'engage dans les chemins détournés de la pénétration théorique. »La vérité«, en effet, »n'est pas dans l'immédiat; elle n'est pas davantage dans l'habituel.« Voilà le langage d'un écrivain pour qui la dialectique n'est pas un concept livresque mais une chose éprouvée dans la vie. C'est pourquoi »Le Regard« se rattache non seulement aux plus subtiles de nos tentations mais aux plus ardues de nos tentatives. Je n'en veux pour preuve que le chapitre »L'Ecole«, où Georges Salles trace, en un croquis puissant et hardi, ce qu'on pourrait nommer l'histoire de la perception humaine. »*Tout œil est hanté*, le nôtre aussi bien que celui des peuplades primitives. Il façonne à chaque instant le monde au schéma de son cosmos.« Il y a chez Riegl, le magnifique historien des arts mineurs dans la décadence romaine, des lumières semblables. Georges Salles, en les rapprochant d'un »trouble optique«, d'un »renversement visuel« dont l'art de nos jours nous fait les témoins, donne à ces lumières un éclat nouveau. De tels passages font sentir la réelle profondeur de ce petit livre qui ne cherche point à en prendre l'air.

Georges Salles rappelle ces collectionneurs qui, en vous admettant chez eux, ne font pas étalage de leurs trésors. A peine dirait-on qu'ils les montrent. Ils les donnent à voir.

Anhang

Entwürfe zu Rezensionen

Hugo Falkenheim, Goethe und Hegel. Tübingen: Verlag von I.C.B. Mohr (Paul Siebeck) 1934. VI, 84 S. (Heidelberger Abhandlungen zur Philosophie und ihrer Geschichte. 26.)

Mühselig schleppt der Autor dieser Schrift an der Zitaten Krücke durch eine Gegend sich fort, in welche keinerlei Berufung sondern offenbar der Zufall irgend einer akademischen Aufgabe ihn verschlagen hat. Daß er seinen Eklektizismus als phänomenologische Methode »nach dem Vorbilde Hegels« der genetischen gegenüberstellt, macht ihn natürlich nicht besser. Im übrigen kommt er der Wahrheit mit einem andern Satz näher, der die Direktionslosigkeit zum Programm erhebt: »Schöpferische Ideen«, meint der Verfasser, »pflegen ja zunächst unkompliziert, in den allgemeinsten Zügen ans Licht zu treten; in der differenzierenden Durcharbeitung und Weiterführung durch die Folgezeit gewinnen sie oft ein so verändertes Aussehen, daß man ihre ursprüngliche Gestalt leicht aus den Augen verliert ... Einwandfreie Ergebnisse kann man nur erwarten, wenn man möglichst unschulmäßig auf die einfachen, ewig wahren Grundlinien« des Goetheschen »Wesens zurückgeht, bei ständiger Orientierung an seinen Dichtungen soviel als möglich an Allvertrautes anknüpft.« Damit ist jede wissenschaftliche Fragestellung von vornherein aus dem Gesichtskreis entfernt. Den allgemein vertrauten Zitaten entspricht ein Untersuchungsergebnis, das so nichtssagend ist, daß es einwandfrei zu sein aufhört. Es gipfelt in billige Harmonisierung Goethes und Hegels: »Die zeitweilig getrennten Linien von Goethes und Hegels Lebensauffassung« treffen »im Gedanken der *Entwicklung des Menschen* als unablässigen Ringens und steten Niederkämpfens des Bösen zusammen.« Wie sollte auch eine Arbeit, deren Stoffkreis der geläufigste, deren Fragestellung die unbestimmteste ist, zu irgend welchen erheblichen Einsichten führen können. Ihrem Niveau nach gehört sie dem früher beliebten Anthologientypus der »Lichtstrahlen« an, die immerhin den einen Vorteil besaßen, den Leser mit dem Denker oder Dichter allein zu lassen.

Otto Funke, Englische Sprachphilosophie im späteren 18. Jahrhundert. Bern: Verlag A. Francke 1934. 162 S. (Neujahrsblatt der literarischen Gesellschaft Bern. Neue Folge. Heft 11.)

Die Schrift enthält wertvolle Informationen über die sprachtheoretischen Auffassungen von Harris, Sharpe, Adam Smith, Priestley und Monboddo. Dazu enthält der erste Teil einen Exkurs über die mechanistische und onomatopoetische Sprachtheorie des Franzosen de Brosses. An der Kritik, welche der Verfasser an letzterer übt, gibt er sich als Schüler von A. Marty zu erkennen. Der Schwerpunkt der Abhandlung ruht auf ihrer zweiten Hälfte: der Monographie [über] Horne Tooke als Sprachphilosoph. Er stellt sich als entschiedner Opponent gegen die idealistische Sprachlehre von Harris und Monboddo dar, die ihrerseits als »romantische Erhebung ... gegenüber A. Smith und J. Priestley« gekennzeichnet wird. Tooke seinerseits stellt die Sprachlehre in den Dienst einer radikal sensualistischen Philosophie. Ja er zeigt die eigentümliche Neigung, die Etymologie zur Hauptstütze einer solchen Philosophie zu machen. Seine Etymologien fahnden überall nach den sensualistischen Momenten, die seiner Überzeugung nach die einzig ursprünglichen sind und Abstrakta nur als Verfallsprodukte gezeigt [sic] haben. Gegen diese müsse man denn auch, so erklärt er, »kämpfen wie gegen den katholischen Heiligenkult«.

Walter Benjamin und Theodor W. Adorno

⟨Vorschläge für den Besprechungsteil der
»Zeitschrift für Sozialforschung«⟩

Im Interesse einer übersichtlicheren und gleichmäßigeren Einrichtung des Besprechungsteils macht die Redaktion der Zeitschrift im folgenden einige Vorschläge in der Form von Leitsätzen:

I. Unter den Elementen der Rezension möchten wir Inhaltsangabe und Zitat in den Vordergrund stellen.

II. Zur Kennzeichnung wertloser oder politisch schädlicher Bücher wird in vielen Fällen das Zitat, unter Umständen ein einziges Zitat, ausreichen. In der Besprechung solcher Bücher kann meist auf die Inhaltsangabe verzichtet werden.

III. Je wertvoller ein Buch ist, desto mehr Gewicht ist auf die Wiedergabe seines Inhalts zu legen. Handelt es sich um Werke von theoretischem Charakter, so ist es wünschenswert, ihre grundlegenden Behauptungen in der Gestalt von Thesen darzustellen.

IV. In Ausnahmefällen kommt die Inhaltsangabe auch bei wertlosen beziehungsweise politisch schädlichen Büchern in Frage, vorausgesetzt, daß sie besonders charakteristisch sind.

V. Für den Durchschnitt der Rezensionen möchten wir an der ursprünglichen Form der bibliographie raisonnée festhalten. Die bibliographie raisonnée sollte nicht viel mehr als fünf Zeilen haben. Wenn möglich, sollte sie bei weniger bekannten Verfassern einen bibliographischen Hinweis auf deren bisherige Arbeit enthalten.

VI. Wenn die bibliographie raisonnée für den Durchschnitt der behandelten Bücher ausreicht, so sind zwei, selbst vier Seiten für die Behandlung wichtiger Publikationen nicht zu viel. Die Rezension mittleren Umfangs dagegen fällt erfahrungsgemäß meistens zu lang oder zu kurz aus.

VII. Die vielverbreitete Form der »Würdigung« möchte die Zeitschrift in ihren Besprechungen vermeiden. Diese Form beruht einerseits auf der fiktiven Überlegenheit des Rezensenten als solchen, andererseits auf dem fiktiven Respekt vor dem Buch als solchem. Mit ihr entzieht sich der Referent einer eindeutigen Stellungnahme, ohne doch auf den Anschein der Kritik zu verzichten.

VIII. Neben die Einzelrezension tritt die Sammelbesprechung. Sammelbesprechungen sollten, wenn sie von der Form der bibliographie raisonnée abgehen, einheitlich – als Aufsatz – organisiert werden.

Anmerkungen der Herausgeberin

Im dritten Band wird die literaturkritische Tätigkeit Benjamins dokumentiert. Als ihr Ziel formulierte Benjamin 1930: *d'être considéré comme le premier critique de la littérature allemande* (Briefe, 505). Er verfolgte es mit der Umsicht des *Strategen im Literaturkampf* (Bd. 4, 108). Bestimmt so eine These der *Einbahnstraße* die Position des Kritikers in der literarischen Öffentlichkeit, so erblickten die Herausgeber der Ausgabe darin einen Hinweis, wie der vorliegende Band zu organisieren sei. Es wurden in ihn ohne Rücksicht auf formale und thematische Kriterien von der kurzen Anzeige bis zur Kritik mit Essay- oder Abhandlungscharakter alle Besprechungen literarischer Neuerscheinungen aufgenommen. Die Anordnung der Kritiken und Rezensionen folgt der Chronologie ihrer Erstveröffentlichung. Die nicht oder erst nach Benjamins Tod publizierten Besprechungen wurden, soweit ihr genaues Entstehungsdatum nicht festzustellen war, jeweils am Ende der Jahre eingeordnet, in denen die besprochenen Bücher erschienen sind.

Ausgeschlossen vom dritten Band blieb eine kleine Anzahl von – meist der Frühzeit Benjamins angehörenden – Arbeiten, die zwar einzelnen Büchern gewidmet sind, sich aber nicht auf bestimmte Ausgaben beziehen: so die Essays über Dostojewskis »Idioten« oder über »La porte étroite« von André Gide, die sich im zweiten Band finden. Eine unveröffentlichte Kritik des Goethe-Buchs von Gundolf gehört in die Nähe der Wahlverwandtschaftenarbeit, der Benjamin den Text teilweise integrierte. Zweifellos berühren sich die Buchkritiken eng mit den wenigen Theaterkritiken, die Benjamin verfaßte; da diese jedoch stets auf Aufführungen sich beziehen, schienen sie unter den »Berichten« des vierten Bandes adäquater placiert. – Eine nicht unbeträchtliche Anzahl seiner Kritiken und Rezensionen hat Benjamin nicht zum Druck zu befördern vermocht; sie fanden sich, soweit die Herausgeberin von ihnen Kenntnis hat, im Nachlaß vor. Lediglich eine frühe Besprechung von Ernst Blochs »Geist der Utopie« muß als verschollen gelten.

Die Prinzipien, die der kritischen Textdurchsicht zugrundeliegen, werden im ersten Band der Ausgabe dargestellt; auf diese Angaben muß hier verwiesen werden.

Die Texte des dritten Bandes sind mit ungewöhnlich zahlreichen Verderbnissen überliefert. Daran ist häufig der Publikationsort – Tages- oder Wochenzeitungen – schuld, aber durchaus nicht nur. Der Zustand der erhaltenen Typoskripte, bei denen es sich in der Mehrzahl um Durchschläge der Druckvorlagen für die Erstdrucke handeln dürfte, ist oft auch nicht viel besser: uneinheitliche Orthographie, verwirrende Interpunktionseigenheiten, nicht zählbare Zitationsfehler bestimmen das Bild hier

wie in den Erstdrucken. Hinzukommen nicht gerade seltene eigenmäch-
tige Eingriffe, welche die Redaktionen der Zeitungen und Zeitschriften
vorgenommen haben, in denen die Arbeiten gedruckt wurden.

Vor allem die Materialien des Benjamin-Archivs Theodor W. Adorno,
Frankfurt a. M., boten der Herausgeberin Möglichkeiten zur Korrektur. Neben den nicht allzu zahlreichen Typoskripten, die Benjamin
aufbewahrt hat, ist dort eine fast vollständige Sammlung der Erstdrucke seiner Kritiken und Besprechungen vorhanden; in vielen dieser
Ausschnitte hat Benjamin redaktionelle Änderungen handschriftlich
zurückkorrigiert, seltener auch bloße Druckfehler berichtigt. In einigen
Fällen konnten ähnliche, handschriftlich korrigierte Erstdrucke aus
der Sammlung Gershom Scholem, Jerusalem, an die Stelle von im
Benjamin-Archiv fehlenden Exemplaren treten.

Die Rechtschreibung der Druckvorlagen ist dem heutigen Gebrauch
angeglichen worden, der Lautstand jedoch in keinem Fall verändert
worden. Auch für Benjamin charakteristische Eigenheiten der Orthographie wurden bewahrt. Bei der überaus schwankenden Interpunktion dagegen erschien eine Normalisierung oder auch nur Vereinheitlichung unerlaubt. Benjamin interpungierte so eigenwillig wie un-
methodisch, jede Vereinheitlichung würde den Charakter seiner Texte
nicht unerheblich verändern. Deshalb ist grundsätzlich die Zeichensetzung der jeweiligen Druckvorlage beibehalten worden. Nur in
seltenen Fällen, in denen es Mißverständnisse des Sinns auszuschließen galt, wurde gelegentlich ein Komma gestrichen oder hinzugefügt.
Zitate in den Texten sind nach Möglichkeit geprüft und korrigiert
worden. Im Apparat nicht nachgewiesene Zitate wurden nicht gefunden. – Die beschriebenen Korrekturen wurden stillschweigend
vorgenommen, ebenso die Berichtigung von eindeutigen Druckfehlern.
Im Apparat verzeichnet wurden die redaktionellen Eingriffe, soweit
diese anhand von korrigierten Erstdrucken oder Typoskripten rückgängig gemacht werden konnten. Selbstverständlich sind auch sämtliche Konjekturen, die über Druckfehlerberichtigungen und orthographische Besserungen hinausgehen, ausgewiesen worden.

Eingreifendere Änderungen wurden bei der Bibliographierung der
besprochenen Bücher vorgenommen. In den Druckvorlagen werden
die Titel ganz uneinheitlich verzeichnet: einmal wird der Vorname
des Autors ausgeschrieben, das andere Mal abgekürzt; gelegentlich
wird ein Untertitel angegeben, gelegentlich fällt er fort; während in
der einen Rezension der Verlag vor dem Erscheinungsort steht, folgt
er auf ihn in der nächsten usw. Diese Angaben sind für den gesamten
Band vereinheitlicht und, wenn nötig, vervollständigt worden. Ebenso
wurden die bibliographischen Daten in Besprechungen mit einem
selbständigen Titel, die sich in den Erstdrucken gelegentlich auch in

Klammern im Text selbst finden, einheitlich als Fußnoten gebracht.
Die Art der Titelverzeichnung in den Erstdrucken dürfte kaum auf
Benjamin zurückgehen, eher von den redaktionellen Gepflogenheiten
der jeweiligen Zeitschriften oder Zeitungen bestimmt gewesen sein.
So war es in der »Frankfurter Zeitung« auch Usus, einzelne Begriffe,
Namen und Buchtitel durch Kursivdruck oder Sperrung hervorzu-
heben; solche Hervorhebungen sind stillschweigend getilgt worden.
Beibehalten wurden Hervorhebungen immer dann, wenn nicht auszu-
schließen war, daß sie von Benjamin beabsichtigt waren, oder wenn
sie zum Verständnis eines Textes etwas beizutragen vermögen.

ZUM APPARAT Auch für die Gestaltung des Apparates muß auf die
Angaben im ersten Band verwiesen werden; insbesondere finden sich
dort die Quellen und Materialien beschrieben, welche den Herausgebern der Ausgabe zur Verfügung standen.
Verweise auf die »Gesammelten Schriften« erfolgen nur mit Band-
und – soweit schon möglich – Seitenangabe; Verweise, die lediglich
eine Seitenangabe enthalten, beziehen sich stets auf den vorliegenden
dritten Band der »Gesammelten Schriften«. Der Nachweis »Briefe«
bezieht sich auf die Ausgabe Walter Benjamin, Briefe, herausgegeben
und mit Anmerkungen versehen von Gershom Scholem und Theodor
W. Adorno, 2 Bde., Frankfurt a. M. 1966. Zitate aus unveröffentlichten Briefen werden mit Datum und Empfänger nachgewiesen; im
allgemeinen sind solche Briefe im Frankfurter Benjamin-Archiv in
Abschriften oder Photokopien vorhanden.
Im Teil »Überlieferung« werden sämtliche Abdrucke, Typoskripte
und Manuskripte verzeichnet, die für die Textherstellung benutzt
wurden. Dabei erhielten Zeitschriften- und Zeitungsabdrucke die
Sigle J, Typoskripte die Sigle T und Manuskripte die Sigle M. Ein
hochgestelltes BA hinter der Sigle J bezeichnet Abdrucke, die sich im
Frankfurter Benjamin-Archiv in handschriftlich korrigierten Exemplaren befinden. Entsprechend bezeichnet ein hochgestelltes SSch hinter der Sigle J von Benjamins Hand korrigierte Abdrucke in der
Sammlung Gershom Scholems in Jerusalem. – Die dem Abdruck
in dieser Ausgabe zugrundegelegte Fassung wird als »Druckvorlage«
gekennzeichnet; bei Texten, die nur durch einen Zeugen überliefert
sind, entfällt eine gesonderte Angabe der Druckvorlage.
In den Abteilungen »Lesarten« und »Nachweise« wurden die Seitenzah-
len des vorliegenden Bandes durch Fettdruck hervorgehoben. Die jeweils
folgende Ziffer bezieht sich auf die Zeilenzahl der betreffenden Seite; gezählt werden alle bedruckten Zeilen mit Ausnahme des Kolumnentitels.

9–11 LILY BRAUNS MANIFEST AN DIE SCHULJUGEND

ÜBERLIEFERUNG

J Die freie Schulgemeinde 2 (1911/12), 96–98 (Heft 2/3, Januar/April
'12). – Gezeichnet: *Von einem Primaner der Staatsschule.* Eine »Die
Redaktion« unterzeichnete Fußnote lautet: »Wir beabsichtigen
selbst, uns gegen die Art und Weise zu wenden, wie diese Schrift-
stellerin Ideen, von deren gewissenhaftem und positivem Ausbau
das Heil der zukünftigen Jugend abhängt, und denen wir in ernster
theoretischer und praktischer Arbeit zu dienen uns bemühen, zu
einem billigen Broschüreneffekt benützt. Es ist uns aber besonders
lieb, hier eine Antwort auf Lily Brauns Broschüre aus den Reihen
der von ihr aufgerufenen Schuljugend selbst veröffentlichen zu
können.«

NACHWEISE 9,28 *ist.«*] Lily Braun, Die Emanzipation der Kinder.
Eine Rede an die Schuljugend, München 1911, 21 – 10,27 *Gegenwart«*] a. a. O., 16

12–14 KARL HOBRECKER, ALTE VERGESSENE KINDERBÜCHER, BERLIN
1924

Aus Capri schrieb Benjamin am 16. 12. 1924 an Scholem: *Dann fiel
mir in Neapel ein schönes seltenes deutsches Kinderbuch in die Hände.
Also warum nicht in Jerusalem? Halte doch Ausschau! Von meinem
Berliner Konkurrenten, Meister und neidlosen Förderer meiner Sammlung ist das Buch nun erschienen. Karl Hobrecker: Alte vergessene
Kinderbücher. Ich erhielt kürzlich das Rezensionsexemplar. Der Text
des alten Herrn ist onkelhaft und von einem biederen Humor, der
manchmal gerät wie ein mißglückter Pudding. Die Bilder sind in der
Auswahl z. T. problematisch, in der Ausführung aber, soweit sie
farbig sind, sehr achtbar. Ich werde Dir seinerzeit berichtet haben,
daß der Verleger als er meine Sammlung und ihr Leben bei mir
kennen lernte, trostlos war, den Auftrag nicht an mich gegeben zu
haben.* (Briefe, 359) Benjamin besprach das Buch von Hobrecker
zweimal (s. 14–22); am 22. 12. 1924 berichtete er vom Erscheinen der
beiden Besprechungen (s. Briefe, 366), deren zweite stark gekürzt
worden war.

ÜBERLIEFERUNG

J Das Antiquariats-Blatt. Berichte über Auktionen, Kataloge und
   bibliographische Neuerscheinungen (Berlin), Nr. 22 (Heft 2 der NF),
   Dezember 1924, 4–6.

14–22 »ALTE VERGESSENE KINDERBÜCHER«

ÜBERLIEFERUNG
J »Alte Kinderbücher«, in: Illustrierte Zeitung (Leipzig), Bd. 163,
  Nr. 4161, Weihnachtsnummer 1924, 905 f. – Gekürzter Abdruck
  von T; mit 4 Abb., auf die der Text aber keinen Bezug nimmt.
T Typoskript mit handschriftl. Korrekturen; Sammlung Scholem.
Druckvorlage: T
LESARTEN 14,18 *entdecken*] *entdecken, das* J – 14,21–30 *Ein Buch*
bis *fernhält*]. *Ein Buch, ja, nur eine Buchseite oder gar ein bloßes Bild
im altmodischen, vielleicht von Mutter und Großmutter her überkommenen Exemplar kann den Nährboden bilden, in dem die erste zarte
Wurzel dieses Triebes zur Entwicklung gelangt.* J – 15,1 *tausend*] *Tausenden* J – 15,2 *hunderte*] *Hunderte* J – 15,16 *geselligsten*] *geselligsten
Menschen* J – 15,25 *welche dank der*] *die dank dieser* J – 15,39
ihre] *diese* J – 16,13–16 *Heute* bis *auf.*] fehlt in J – 16,18–17,19 *Selbstverständlich* bis· *geblieben.*] fehlt in J – 17,24–18,3 *Nicht* bis *Lösungen.*] fehlt in J – 18,6 *dahingeben*] *hingeben* J – 18,17 *während*]
während uns J – 18,19–19,10 *»Mir* bis *zuhause.*] fehlt in J – 19,12
Biedermeier] *Biedermeiers* J – 19,12 *vierziger*] *dreißiger* J – 19,18
Tieferblickende] *tiefer Blickende* J – 19,22 *Bohèmeexistenz*] *Bohème-
Existenz* J – 19,23.24 *die* bis *obwohl*] *der* J – 19,25 *ihr*] fehlt in J –
19,31 *seiner*] *der* J – 19,31–20,10 *Das Kolorit* bis *vorstellt.*] fehlt in J –
20,11 *aber*] fehlt in J – 20,11.12 *weniger hier als*] *in der Hauptsache*
J – 20,15 *gibt eine*] *geben* J – 20,16 *eine*] fehlt in J – 20,17 *geborne*]
geborene J – 20,18–24 *Freilich* bis *begegnen.*] fehlt in J – 20,26.27
eröffnet in ihren schwarz-weißen Holzschnitten sich] *eröffnet sich in
ihren schwarz-weißen Holzschnitten* J – 20,27–21,10.11 *Ihr* bis *Verirrung.*] fehlt in J – 21,13–15 *In* bis *anders.*] fehlt in J – 21,21 *ein*]
fehlt in J – 21,27 *klassizistischen*] *klassischen* J – 21,28 *Schlagworten*]
Schlagwörtern J – 21,36–22,12 *In* bis *haben.*] fehlt in J
NACHWEISE 16,24–17,1 *Es* bis *selbst.*] diesen Abschnitt nahm Benjamin
unter dem Titel *Baustelle* nur wenig verändert in die *Einbahnstraße*
auf; s. Bd. 4, 92 f. – 17,16 *Text.«*] Karl Hobrecker, Alte vergessene
Kinderbücher, Berlin 1924, 54 – 17,18 *sicher.«*] a.a.O., 77 – 18,32
wach.«] a.a.O., 88

23–28 FRIEDENSWARE

Benjamin legte großes Gewicht auf seine Kritik *jenes scheußlichen
Friedensbuches* (15. 6. 1926, an H. von Hofmannsthal), wie er das
Reisebuch Unruhs apostrophierte. Am 3. 7. 1925 schrieb er an Rilke,
dem er für die Vermittlung eines Übersetzungsauftrags – es ging um
die Übersetzung der »Anabase« von Saint-John Perse – dankte: *Ich*

*bin sehr glücklich, an einem kleinen Teile, dank Ihrer Güte, an der
Verbindung deutschen und französischen Schrifttums wirken zu dürfen. Der Weg der Übersetzung, zumal der eines so spröden Werkes,
ist zu diesem Ziele gewiß einer der schwersten, eben darum aber auch
wohl weit rechtmäßiger, als etwa jener der Reportage, deren ge-
wissenlosestes Beispiel mir kürzlich in Gestalt von Unruhs »Flügeln
der Nike« zu Gesicht kam. Brutaler konnte man das Glück, Paris zu
einer Zeit zu sehen, wo das den meisten deutschen Freunden des
französischen Geistes noch versagt war, nicht verraten. Ich glaube, es
wäre an der Zeit, solchen »Botschaftern« des geistigen Deutschland
die Beglaubigung abzusprechen. In diesem Sinne plane ich eine Anzeige des Werkes.* (s. Briefe, 391) Daß Benjamin mit seiner Besprechung eine bestimmte publizistische Absicht verfolgte, geht aus einem
Brief vom 21. 9. 1925 an Scholem hervor: *Eine Rezension von Unruhs »Flügel der Nike« soll den Platz, den ich namentlich in der
»Literarischen Welt« behaupten will – vieles bleibt höchst variabel
pseudonym – abstecken. Diese Rezension muß einfach formidabel
werden. Wie denn das Buch der Abhub des deutschen republikanischen
Schrifttums ist.* (Briefe, 404) Die Rezension erschien im Mai 1926 in
der »Literarischen Welt« mit der folgenden Vorbemerkung der Redaktion: »›Flügel der Nike‹ von Fritz von Unruh ist schon im vorigen
Jahr erschienen; aber die unzweideutige Ablehnung dieses Buches ist
so lange aktuell und wichtig, als das Mißtrauen gegen ehrlichen deutschen Verständigungswillen in seriösen französischen Literaturkreisen
andauert, das dieses Buch verschuldet hat – also auch heute noch.«
Die Veröffentlichung der Unruh-Kritik ging nicht ohne Schwierigkeiten ab, wie einem Brief vom 29. 5. 1926 an Scholem zu entnehmen
ist: *An dem »Unruh« habe ich freilich im vorigen Jahre auf Capri
mit Applikation gearbeitet. Er erscheint erst jetzt (etwas gekürzt)
weil Heinz Simon [Besitzer der Frankfurter Zeitung] selbst bei
der »Literarischen Welt« wegen eines weit zahmeren Angriffs mit
furchtbaren Drohungen intervenierte. Es hat ein halbes Jahr gedauert
bis ich das Erscheinen, das mich die Mitarbeit an der Frankfurter
Zeitung kosten dürfte, durchsetzte.* (Briefe, 426 f.) Derlei Besorgnisse
erwiesen sich allerdings als überflüssig; am 18. 9. 1926 schrieb Benjamin an Scholem: *Um Frankfurt herum scheint mir alles verfahren:
meine Unruh-Kritik soll keinerlei Echo geweckt haben, es sei denn,
daß man eine vor lauter Dummheit schon gerissene Erwiderung auf
sie so nennen will, die ein Freund dieses Edelmannes demnächst in der
»Literarischen Welt« mit einer Duplik von mir versehen, veröffentlichen soll. Mir fällt es aber schwer, zum zweiten Male etwas zu der
Sache zu bemerken.* (Briefe, 432) Es kam denn auch zu keiner weiteren Publikation über den Gegenstand. Sie hätte sowenig, wie es die

große Besprechung tat, jene Wirkung erzielen können, die Benjamin
intendierte und die er am deutlichsten in einem Brief an Hofmannsthal formuliert hat: *Vielleicht haben Sie in einer der letzten Num-*
mern der »Literarischen Welt« meine Anzeige jenes scheußlichen
Friedensbuches von Unruh gelesen. Sie kommt für Paris – nicht durch
mein Verschulden – zu spät. Wie mittelmäßig ist hier nicht im Gan-
zen die Information über die deutschen Angelegenheiten. Nur dadurch
konnte ja ein Aufenthalt wie der von Unruh so folgenschwer ab-
stoßend sich gestalten. Ich lege Ihnen in jedem Fall die Kritik bei,
nicht – wenn ich das anmerken darf – so sehr um des sachlich Selbst-
verständlichen willen, denn als bewußten Versuch einer »Annihi-
lierung«, der Vernichtung einer öffentlichen Person durch ein Buch,
wie sie, wenn ich nicht irre nur durch die Laxheit unserer kritischen
Sitten als eigene Form aus der Mode gekommen ist und den Versuch
einer Erneuerung vielleicht verdient. (15.6.1926, an H. von Hofmannsthal)

ÜBERLIEFERUNG

J Die literarische Welt, 21. 5. 1926 (Jg. 2, Nr. 21/22), 9 f.

M Manuskript; Benjamin-Archiv, Ms 834 f. – Korrigierte Reinschrift
   mit Abweichungen von der Druckfassung.

Druckvorlage: J

LESARTEN 23,3 *»Paris bis Ziel!«*] *»Blättere deine Jahrgänge durch«* M
– 23,8 *hatte.*] *hatte. Es war das dumping der Inflationszeit, welches die*
schlecht konfektionierten Güter eines zu normaler Konsumtion nicht
mehr fähigen, verarmten Volkes als »Friedensware« zu Schleuder-
preisen auf den europäischen Markt hinauswarf. M – 23,12 *ein.*] *ein.*
Denn war der finanzielle Nutzen hier geringer, so hob sein Umsatz
das Prestige des Unternehmers. M – 23,18 *wahre*] *echte* M – 23,22.23
Demokratien] *Demokratie* M – 23,23.24 *tragen, bis dazu*] *tragen. Das*
Tuch der Friedensfahne ward gebatikt, ihr weißes fadenscheiniges
Gewebe bunt gemustert und von Bezeichnung und Symbolen schwer
hob nun – wir werden es bestätigt finden – das Grün der Hoffnung
von dem kriegerischen Rot der Hummer, das Blau der Treue sich vom
düstern Braun des Putenbratens ab. Das dergestalt erneuerte Gespinst
eines mit allen Farben des Weltlaufs sowie auch sonst gesättigten Pa-
zifismus war vor der internationalen Kundschaft aufzurollen. Und
wie man von dem simpelsten Kommis verlangt, daß er den Ballen
Tuch nach Regeln auswerfen, falten, überlegen kann, so hat der Herr,
der diesen farbenfrohen Flor vertreiben sollte, wohl oder übel mit den
Farben des Alls sich drapieren und die Gotteswelt, die er vom Stück
zu verkaufen hatte, dem Kunden vor die Nase halten müssen. Es galt
allein, M – 23,28 *besseren Kreisen*] *»besseren Kreisen«* M – 23,31.32

angetan, bis *machen*] angetan, daß Herr von Unruh selbst für Augenblicke stutzt M – 24,6 Veröffentlichung] Publikation M – 24,27 Rede.] Rede. Und »philosophische Politik Frankreich gegenüber«, wie so streng als menschlich, so exakt als tief sie Florens Christian Rang den Deutschen entwickelt hat (in seinem letzten Werke »Deutsche Bauhütte«, jener wahrhaftigsten Kritik, der Kriegs- und Nachkriegsliteratur und einer der größten politischen überhaupt, von der aus der gesamten deutschen Tagespresse die »Frankfurter Zeitung« allein, und auf würdige Weise, Notiz nahm), »philosophische Politik« verschmilzt in Unruhs Pathos mit dem idealischen Geschwätz. »Tout action de l'esprit est aisée si elle n'est pas soumise au réel« – so steht die alte Wahrheit jetzt bei Proust zu lesen. Vom Wirklichen hat Herr von Unruh sich heroisch losgerungen. M – 24,27 Vielmehr] Jedenfalls M – 24,30 seine] seine neue M – 24,32 Liebesmahl] Liebesmahl vielleicht M – 25,23 wird.] wird. Denn niemals wird Herr von Unruh »dem Arbeiter nur auf Grund einer schwieligen Hand die Kommunion des Lebens einfach vermitteln können, wenn er nicht zuvor Gefühl und Geist in allen Fasern der Verantwortung vor dem Gott in seiner Brust befestigt hat« (123). Kurz – um mit Dank hier eines unvergeßlichen Begriffs, den Karl Kraus geprägt hat, zu gedenken – das Werk, an welchem Herr von Unruh sich für seine Reise schulte, war »die Fibel«. Ihre Sätze haben gehaftet. So durchschaut denn Herr von Unruh »die Geste der immer einander gleichenden Machthaber der Welt . . ., mit der sie dem Volke ihre dunklen Geschäfte schmackhaft zu machen gewagt« (101). M – 25,26 Tyrannei!« (86)] Tyrannei!« Dergleichen zählt zum guldnen ältesten Bestand der Fibel. Doch hat der Dichter auch die Neuauflage durchgenommen und kann ganz à propos im Schloßpark sein Sätzchen hersagen. »Kann man in der Umgebung anders empfinden als ein Kommunist? . . . Durch diese in der Wand künstlich vorgetäuschten Rattenlöcher unter dem Holunderstrauch stechen die Augen Lenins heraus! Auf dem künstlichen Strohdach dieses Lügendorfes, jetzt so purpurn gemalt in der Nachmittagsglut, dort hockt er, der rote Dämon des Bolschewismus!« (86/89) Im Schutze dieses roten Dämons hat ihn eben erst geträumt, wie »der Roi Soleil mit seinem Hofstaat der Nacht in den unschuldigen Schoß von dreihundert Nymphen sieht« (82) und so ausführlich geträumt, daß der wiener Regisseur, den man um ein galantes Szenenbild, das er im Parke aufnahm, prozessierte, den ungehemmten Höhenflug des reichsdeutschen Pegasus nur beneiden kann. M – 25,31 Mappe] Tasche M – 26,10.11 gehabt.« (330)] gehabt.« (330) Die Schulbank, wo er seinen Unterricht verschlief, ist nun, zur Strafe, immer noch das Schreibpult des Poeten. Im deutschen Aufsatz hapert es auch jetzt: »Während sie das beträchtliche Glas in einem Zuge leert, gibt sie es Jaques zurück.« (195)

Zu den früheren Fehlern sind Laster getreten. M – 26,11 *Das Deutsch*]
Der Stil M – 26,36.37 *den öden Attitüden*] *der öden Attitüde* M –
27,8 *Ohren*] *Nase* M – 27,12.13 *seiner früheren Kommilitonen*] *stram-
mer Chorbrüder* M – 27,17 *unter*] *über* M – 27,19 *geflüstert bis worden*] *geflüstert worden, altjüngferlicher niemals stilisiert gewesen* M
– 27,24 *schließt.*] *schließt. (Nicht das Buch, das mit einer Apotheose
des Friedens endet, die nur auf die Manege Sarrasanis wartet!)* M –
27,27 *eine bis Tiefsinn*] *eine ganze Flucht von Ideen* M – 27,38 *großer
und ehrlicher*] *ehrlicher oder großer* M – 28,3 *nur*] fehlt in M – 28,6–
26 das *Reiterlied* fehlt in M

29 ALFRED KUHN, DAS ALTE SPANIEN, BERLIN 1925

ÜBERLIEFERUNG

J Die literarische Welt, 19. 3. 1926 (Jg. 2, Nr. 12), 6. – Gezeichnet: *B.*
NACHWEIS 29,6 *existiert«*] Alfred Kuhn, a. a. O., 10

29-33 HUGO VON HOFMANNSTHAL, DER TURM, MÜNCHEN 1925

Benjamin berichtete Scholem am 6. 4. 1925: *Hofmannsthal forderte
ein privates, persönliches Gutachten über den »Turm«, eine Umdich-
tung von Calderons »Leben ein Traum«, die er herausbrachte; die
Absolvierung dieser Arbeit plane ich mit einer publizistischen zu verbinden. Eine neue Revue für literarische Kritik [»Die literarische
Welt«] bei Rowohlt erbittet meine ständige Mitarbeit und ich ge-
denke zunächst eine Rezension des »Turms« einzuliefern.* (Briefe,
377) Das erbetene Gutachten sandte Benjamin an Hofmannsthal im
Brief vom 11. 6. 1925. *Ihr letztes Schreiben machte mir das Erscheinen
des neuen Heftes der »[Neuen Deutschen] Beiträge« durch die Ankündigung des »Turms« und die freundliche Ermunterung, vom Eindruck Ihres Werks auf mich zu schreiben, doppelt erwünscht. Nun
liegt es seit Wochen vor und wenn ich erst heute schreibe, so ist die
Tatsache, daß ich von Ihrer Rückkunft aus Afrika erst unlängst erfuhr, nur einer der Gründe dafür. Ich habe mich wieder und wieder
mit dem Drama befassen müssen, um über den tiefen Eindruck der
Lektüre hinaus Raum für die Rechenschaft von ihm mir zu gewinnen.
Sie werden es mit Nachsicht aufnehmen, wenn ich die Meinung ge-
stehe, für diese Rechenschaft etwas besser vorbereitet zu sein als ein
beliebiger anderer Leser und darum werde ich Ihnen meine Freude
vertrauen dürfen, in ihm einen geistigen Bereich mir immer deutlicher
eröffnet zu sehen, an den meine letzten Studien ganz nah mich heran-
geführt hatten. In Wahrheit sehe ich in Ihrem Werk ein Trauerspiel
in seiner reinsten, kanonischen Form. Und zugleich empfinde ich die
außerordentliche dramatische Kraft, deren diese Form, der verbreite-*

ten Bildungs-Meinung zum Trotz, in ihren höchsten Repräsentationen
fähig ist. Ein Vergleich mit Ihren übrigen Werken steht mir an dieser
Stelle nicht zu: aber vielleicht empfinde ich recht, wenn ich dieses
letzte als eine Krönung ihrer Erneuerung und Wiedergeburt jener
deutschen Barockform ansehe und als ein Werk von höchster Autorität
für die Bühne. Der Moment – um nur einen zu nennen – da Sigismund im Saale vor dem Alkoven seiner Mutter zurückschauert, müßte
einer der größten Augenblicke eines großen Schauspielers werden.
Und sogleich will ich den Julian nennen, über dem ein Mensch zum
Schauspieler sich müßte entzünden können, wie er, wunderbar durch
den lateinischen Spruch des Arztes aufgerufen, treu dieses nächtige
Wesen durchs ganze Drama bewährt. Am nächsten berührt in dieser
Gestalt mich das großartige Widerspiel tiefer Schwäche und tiefer
Treue. Einer Treue, die unfreiwillig, nur aus Schwäche kommt und
dennoch wunderbar mit ihr versöhnt. Denn dieser Mann nähert der
befreienden Entscheidung sich aufs Haar und bleibt doch, wo er steht,
als ewiger Diener des Entschiednen, gebannt. Ich fühle selbst, wie weit
meine Worte hinter dem Geheimnis dieser Figur zurückbleiben, der
ich nicht bald Wesensgeschwister im dramatischen Bereich zu nennen
wüßte. Anders Basilius, wie mir scheint ein echter Bruder des Königs
Claudius. Wie wunderbar aus dem Munde dieses Verlornen die große
Schilderung der Abendlandschaft am Ägidientage kommt: wie wahrhaft dramatisch und weit vom lyrischen Intermezzo entfernt sie wird,
da sie diesem Manne vom Munde geht. Wer wird das heute sprechen
können? Vor mehr als zehn Jahren hörte ich Paul Wegner das Gebet
des Königs Claudius so sprechen, wie weder er noch sonst wohl einer
es heute zustande brächte. – Es hat mich Studium und Überlegung
dahin geführt, daß ich mit einem gewissen Grade von Sicherheit
glaube vermuten zu dürfen, daß Sie mit Calderon nicht mehr als den
puren Stoff der Sage teilen und teilen wollten. Und darum schiene
ein Wort des Vergleiches mir wenig angebracht. Wohl aber darf ich
Ihnen vielleicht sagen, daß ich mir Calderons in diesem wie fast in
jedem Drama höchst merkwürdiges und philosophisches Vorgehen
verdeutlichte: er kristallisiert, fast im Sinne der Moralitäten, das
Tiefste als Formel; die wendet er hin und her und in dem facettierten
Inbegriff reflektiert sich bedeutsam ein sehr unbekümmert, leicht und
flüchtig aufgebautes Spiel. Mit einem Wort: Calderon entnimmt dem
Stoff nichts als die Formel seines Titels, diese freilich philosophischer
gehandhabt, als man es ohne ihn je denken könnte, aber dem Dramatischen des Stoffes konnte sein Drama so wenig entsprechen, wie
irgend ein »Schauspiel« dies vermöchte. Es ist der Stoff eines »Trauerspiels« und der Sigismund Ihres Dramas ist »Creatur« in weit radi-
kalerem Sinne als Calderons »Höfling des Berges«, ja als nur einer

*unter den Helden der barocken Dramatik, die ich zu nennen wüßte.
Irre ich, wenn ich in ihm das in die nüchterne Mitte der Trauerspiel-
bühne gerückt sehe, was bei Shakespeare als Caliban, Ariel, Tier-
mensch und Elementargeist aller Art den farbigen Rand der komischen ausmachte? Denn eben von hier aus ist es mir sich auf, wie der
Kinderkönig am Schluß diesem Prinzen entgegenkommt. Die Kindlichkeit ist es ja, was die junge Menschenkreatur von der Tiergeburt
unterscheidet und deren Schutz ist Sigismund verweigert worden. In
ihm wächst nun das Kindsein, aber innerlich, aber riesengroß, aber
verhängnisvoll; weil ihm das rettende Maß, das im Umgang mit
Eltern liegt, fehlt. Er wird dergestalt Richter von unbestechlicher,
furchteinflößender Reinheit. Daß er mit Frauen nichts zu schaffen
haben kann, ist überdeutlich. Aber gewiß ist auch, wie zuletzt die
dumpfen Geister der frühen Jahre im Turme dieses riesenhafte Kind
stürzen müssen. Sein Ringen um die Sprache ist davon ein Vorspiel.
Höchst beachtenswert erschienen mir alle dramatischen Hinweise hier-
auf; ich erkannte ein Grundmotiv der Trauerspieldichtung nicht nur
unvergleichlich entschieden sondern erstmalig an diesen Stellen schau-
spielerisch greifbar erklärt. Und eben dahin gehört für mich auch die
Behandlung der Orgel in der mächtigen Szene des dritten Aktes; wie
denn im Trauerspiele immer die Musik den Klageton der Menschen-
stimme, befreit von den Bedeutungen und den Vokabeln, singend
ausschwingt. So behält auch hier Musik in den Posaunenklängen das
letzte »Wort«. Unterliegen muß ja der Prinz. Ist es im Grund nicht
nur die wiederkehrende Gewalt der toten Dinge, des Schweins, mit
dem er eines zu werden fürchtete, der er unterliegt? In der Beschwörung, welche da zumeist in Trauerspielen nichts als Intermezzo ist,
vernichtet dieses Kind, das sie auf Kinderweise als sein letztes Mittel
handhabt, sich selbst. Die Geister, die dem Trauerspiele obligat sind,
verbinden hier sich innigst mit der Kreatur. [Absatz] Es wäre mir
empfindlich, wenn mit diesen wenigen Worten ich etwas Fremdes Ihnen
vorgetragen haben sollte, wenn die Gedanken meines neuen Buches
[s. »Ursprung des deutschen Trauerspiels«, Bd. 1] darin dem Geiste
Ihres Werkes unziemlich begegnet wären. Ich hoffe, dem ist nicht so und
diese Gedanken werden Sie nicht hindern, bei gelegner Zeit einen Blick
in das Manuscript zu werfen, das Ihnen mit gleicher Post zugeht.
(Briefe, 384–387)*
Über die Besprechung des »Turms« in der »Literarischen Welt« und
die Verzögerung ihrer Fertigstellung berichtete Benjamin am 25. 1.
1926 an Hofmannsthal: *Schon vor Monaten, als ich unter dem unmittelbaren Eindruck des Dramas stand, hatte ich dem Herausgeber
der »L.W.« [Willy Haas] nahegelegt, mir das Mandat zu einem Aufsatz darüber zu geben. Er schien, wie in so vielen Dingen auch hierin*

damals unentschlossen und so übersah ich denn nicht ohne weiteres,
wie weit es ihm mit seiner letzten Anregung Ernst gewesen. Ihre
Mitteilung veranlaßte mich, sofort ihm zuzusagen, und darauf ist,
wie Herr Haas ausdrücklich mich Ihnen zu sagen bittet, sein letzter
Brief gegenstandslos. Ganz im Sinne Ihrer Andeutungen hatte ich
ursprünglich das Erscheinen dieses Blattes mit Freude aufgenommen,
bis ich – binnen kurzem – erkannte, daß im Ganzen es auf ernsthafte
Kritik darin nicht im geringsten abgesehen war. Ich verschließe mich
nicht den redaktionellen und publizistischen Notwendigkeiten, die
Leichtem und Leichtestem in solcher Wochenzeitung eine Stelle einzu-
räumen zwingen. Das Gewichtigere sollte aber darum gerade doppelt
genau genommen und nicht nur dem Umfang nach es sein. (25. 1.
1926, an H. von Hofmannsthal) Am 23. 2. 1926 heißt es in einem
weiteren Brief an Hofmannsthal: *Die Güte, mit der Sie nochmals*
meiner Anzeige des »Turms« gedenken, war mir sehr wohltuend. Es
ist für mich eine große Freude, das Wenige aufzuzeichnen, was mir in
den vorgeschriebnen Schranken zu sagen möglich ist und die einzige
Befürchtung bleibt, das Pragmatische der Anzeige möchte etwa zu
sehr hinter den Gedanken zurücktreten, die Ihr Werk in mir wachrief.
Ich will indessen hoffen, daß sie ihre Aufgabe erfüllt, ohne der Ver-
legenheit des Ortes Konzessionen zu machen. Die geradezu panische
Angst der »Literarischen Welt« vor jeder nicht schlechtweg im Aktuel-
len verspielten Äußerung ist grotesk. Bevor ich diese Tendenz des
Blattes ahnen konnte, bei seiner Begründung, trug ich zu allererst dem
Herausgeber den Wunsch vor, den »Turm« anzeigen zu dürfen. Das
wurde auf die lange Bank geschoben wie so vieles andere. Wenn ich
dann zögernder erschien als Haas nun seinerseits an mich herantrat,
so ist das eine Geste der Vorsicht nach mannigfacher Erfahrung seiner
redaktionellen Unzuverlässigkeit gewesen und sie wäre nicht einmal
der Erwähnung wert, wenn sie nun (ohne Ihr freundliches Abwarten)
nicht Anlaß neuer Konfusionen des Herausgebers hätte werden
können. (s. Briefe, 412 f.)

ÜBERLIEFERUNG
J Die literarische Welt, 9. 4. 1926 (Jg. 2, Nr. 15), 6.
NACHWEISE 30,15 *Geschichte«*] Hugo von Hofmannsthal, Der Turm.
Ein Trauerspiel in fünf Aufzügen, München 1925, 7 – 30,39–31,1
erwecken.«] Don Pedro Calderon de la Barca, Schauspiele, übers. von
J. D. Gries, Bd. 1, Berlin 1815, 295 (»Das Leben ein Traum«, III) –
31,25 *dich?«*] Hofmannsthal, a.a.O., 96 – 31,31 *Träume.«*] a.a.O.,
119 – 31,37 *Händen!«*] a.a.O., 120

33 f. HANS BETHGE, ÄGYPTISCHE REISE, BERLIN 1926

Am 5. 4. 1926, zwei Monate vor dem Erscheinen der Rezension, kommentierte Benjamin das Buch bereits brieflich: *Ich habe da neulich ein ekelerregendes »Ägyptisches Tagebuch« von Bethge in die Hände bekommen.* (Briefe, 418)

ÜBERLIEFERUNG
J Die literarische Welt, 11. 6. 1926 (Jg. 2, Nr. 24/25), 7 f.
NACHWEISE 34,3 *Reiz«*] Hans Bethge, a. a. O., 6 – 34,15 *Phantasie.«*]
a. a. O., 64 – 34,21 *verknüpfte.«*] a. a. O., 102 – 34,25 *sein.«*] a. a. O.,
60

34–37 »BELLA«

ÜBERLIEFERUNG
J Der Querschnitt 6 (1926), 546–548 (Heft 7, Juli '26).
NACHWEISE 35,33 *Nähe.«*] Jean Giraudoux, Bella, Paris 1926, 170 f.
– 36,13 *werden.«*] a. a. O., 34 f.

37 f. EIN DRAMA VON POE ENTDECKT

Es war nicht zu ermitteln, woher die Informationen Benjamins über den »Politian« stammen. Sicherlich hat er, der kein Englisch sprach, das Manuskript nicht selbst gelesen; möglicherweise beruht sein Bericht auf einer Publikation in einer französischen Zeitschrift (s. jetzt Bd. 7, 458 [1011]). — Benjamins Annahme, daß es sich beim »Politian« um ein unbekanntes Werk von Poe handle, ist nicht einsichtig. Das Drama konnte nicht einmal für verschollen gelten. Tatsächlich wurden zu Poes Lebzeiten — im Dezember 1835 und im Januar 1836 — Szenen des Fragments im Southern Literary Messenger gedruckt; Thomas O. Mabbott gab 1923 — drei Jahre vor der Benjaminschen Anzeige — »Politian. An unfinished tragedy, with hitherto unpublished scenes from the original MS« heraus.

ÜBERLIEFERUNG
J Die literarische Welt, 30. 7. 1926 (Jg. 2, Nr. 31), 6.

38 f. DEUTSCHE VOLKHEIT, JENA 1926

ÜBERLIEFERUNG
J Die literarische Welt, 6. 8. 1926 (Jg. 2, Nr. 32), 6. – Gezeichnet:
W. B.

39 Ventura Garcia Calderon, La vengeance du Condor, Paris 1925

ÜBERLIEFERUNG
J Die literarische Welt, 20. 8. 1926 (Jg. 2, Nr. 34), 5.

40 f. Übersetzungen

ÜBERLIEFERUNG
J Literaturblatt der Frankfurter Zeitung, 22. 8. 1926 (Jg. 59, Nr. 34).
NACHWEISE 40,26 *Wehmütige Zwiesprache*] s. Paul Verlaine, Armer Lelian, übertr. von Alfred Wolfenstein, Berlin 1925, 42 – 40,27 *Weisheit*] s. a. a. O., 60 – 40,27 *Sonette VIII*] s. a. a. O., 70 – 40,27 *Das Meer ist schöner*] s. a. a. O., 13 f. –40,27.28 *Kaspar Hauser singt*] s. a. a. O., 18 – 40,28 *Die Abendsuppe*] s. a. a. O., 24 f. – 40,32 *eröffnet*] s. a. a. O., 7 – 41,21 *Ma Bohème, Le Mal, Au Cabaret Vert*] s. Arthur Rimbaud, Gedichte, übertr. von Franz von Rexroth, Wiesbaden 1925, 41, 35 und 37 – 41,24 *eigen«*] a. a. O., 84 – 41,30 *zeitgemäß«*] a. a. O., XIV

42 f. Margaret Kennedy, Die treue Nymphe, München 1925

ÜBERLIEFERUNG
J Die literarische Welt, 3. 9. 1926 (Jg. 2, Nr. 36), 5.
NACHWEIS 43,7 *denunzierte*] s. Heinrich Fraenkel, Amerikanische Dummheit, nach Staaten geordnet, in: Die literarische Welt, 26. 2. 1926 (Jg. 2, Nr. 9), 4.

43–45 Carl Albrecht Bernoulli, Johann Jacob Bachofen und das Natursymbol, Basel 1924

Über seine erste Lektüre des Bachofen-Buches von Bernoulli schrieb Benjamin an Scholem zu Beginn des Jahres 1926: *Sonst las ich [...] einen auf den Schreibtisch geschneiten Wälzer C. A. Bernoulli: J. J. Bachofen und das Natursymbol. Das geht mich – m ä r c h e n h a f t e r Weise – näher an. Die Auseinandersetzung mit Bachofen und Klages ist unumgänglich – freilich spricht vieles dafür, daß sie gänzlich stringent nur aus der jüdischen Theologie zu führen ist, in welcher Gegend denn also diese bedeutenden Forscher nicht umsonst den Erbfeind wittern. Dieser Bernoulli, der sein Talent zur gelehrten Kolportage schon im Nietzsche-Overbeck-Buch [s. auch Benjamins Kritik Nietzsche und das Archiv seiner Schwester, 323–326] erwiesen hat, hat*

nichts gelernt und nichts vergessen. Lehrreich ist der Wälzer doch.
(Briefe, 409 f.) Noch 1934 und 1935, als Benjamin seinen französischen Aufsatz über Bachofen (s. Bd. 2) schrieb, diente das Buch von Bernoulli ihm als Quelle; damals gestand er Scholem: *So komme ich zum ersten Male dazu ihn [Bachofen] selbst zu lesen; bisher war ich vorwiegend auf Bernoulli und Klages angewiesen gewesen.* (Briefe, 614)

ÜBERLIEFERUNG

J Die literarische Welt, 10. 9. 1926 (Jg. 2, Nr. 37), 5.

NACHWEISE 43,20 *Otto Gruppe*] s. Otto Gruppe, Geschichte der klassischen Mythologie und Religionsgeschichte während des Mittelalters im Abendland und während der Neuzeit, Leipzig 1921 – 44,2 *»Kosmogonische Eros«*] s. Ludwig Klages, Vom kosmogonischen Eros, München 1922 – 45,2 *Bernoullis Schrift*] s. Carl Albrecht Bernoulli, Franz Overbeck und Friedrich Nietzsche. Eine Freundschaft, 2 Bde., Jena 1908

45 f. FRANZ HESSEL

ÜBERLIEFERUNG

J^{BA} Die literarische Welt, 24. 9. 1926 (Jg. 2, Nr. 38), 5; Benjamin-Archiv, Dr 245.

LESARTEN 45,26 *Ehrecke*] handschr. für *Gericke* – 46,11 *gewaschenen*] konjiziert für *gewachsenen*

46–48 DER KAUFMANN IM DICHTER

ÜBERLIEFERUNG

J_{BA} Die literarische Welt, 15. 10. 1926 (Jg. 2, Nr. 42), 1; Benjamin-Archiv, Dr 227 f.

LESARTEN 48,24 *ihnen*] konjiziert für *ihr* – 48,34 *Haustier*] in J^{BA} hat Benjamin die Variante *Wappentier* am Rand der Zeile handschr. eingetragen, ohne die gedruckte Version *Haustier* zu tilgen.

NACHWEIS 46,27 *dingen*] Laurence Sterne, Tristram Shandis Leben und Meynungen, übers. von J. J. Bode, Erster Theil, Hamburg 1774, 31

49 SSOFJA FEDORTSCHENKO, DER RUSSE REDET, MÜNCHEN 1923

Mit Begeisterung berichtete Benjamin über das Buch in einem Brief vom 5. 4. 1926 an Scholem: *Nun [...] etwas sehr Schönes, das Ihr lesen und in Jerusalem bekannt machen sollt. Das Buch heißt »Der*

Russe redet« [. . .]. Es bringt ohne Anmerkungen, Daten noch Namen Sätze aus Unterhaltungen und Erzählungen russischer Soldaten, wie eine Samariterin, die an der Front war, sie von Fall zu Fall aufgezeichnet hat. Es ist vielleicht, wahrscheinlich, das aufrichtigste und positivste Buch, welches der Krieg hervorgebracht hat. (Briefe, 418).

ÜBERLIEFERUNG

J^BA Die literarische Welt, 5. 11. 1926 (Jg. 2, Nr. 45), 6; gezeichnet: W. B.; Benjamin-Archiv, Dr 200.

NACHWEIS 49,29 *Herzens*«] s. Heinrich von Kleist, Penthesilea, V. 2800, und Brief vom 14. 1. 1808 an Goethe

50 f. Oskar Walzel, Das Wortkunstwerk, Leipzig 1926

In einem Brief an Hofmannsthal vom 30. 10. 1926 setzte Benjamin *dieses typisch moderne Buch* gegen einen älteren Typus der Literaturgeschichtsschreibung ab, der ihn im Hinblick auf seinen Goethe-Artikel für die Große Sowjet-Enzyklopädie (s. Bd. 2) beschäftigte: *So lernte ich nicht ohne Staunen, wie noch um die Mitte des vorigen Jahrhunderts Literaturgeschichte geschrieben wurde. Wie kräftig, reliefmäßig profiliert im Sinne eines schön gegliederten Frieses ist die dreibändige Geschichte der deutschen Literatur seit Lessings Tod, die Julian Schmidt verfaßt hat. Man sieht, was mit der Organisation im Sinne der Nachschlagewerke dergleichen Bücher verloren haben, wie die (unanfechtbaren) Erfordernisse neuerer wissenschaftlicher Technik unvereinbar mit der Gewinnung eines eidos, eines Lebensbildes sind. Auch ist erstaunlich, wie mit der historischen Distanz die Objektivität dieser eigenwilligen Chronistengesinnung zunimmt, während nichts die wohlabgewogene laue Urteilsweise in neueren literargeschichtlichen Werken davor bewahren wird, als spannungs- und interesseloser Ausdruck des Zeitgeschmacks zu erscheinen, eben weil nichts Persönliches ihn korrigiert. Es traf sich, daß ich gerade in den letzten Tagen Walzels »Wortkunstwerk« ein in diesem Sinne typisch modernes Buch, und immer noch der besseren eines, anzuzeigen hatte, und dies und anderes habe in meiner Besprechung zum Ausdruck zu bringen gesucht.* (Briefe, 436)

ÜBERLIEFERUNG

J^BA Literaturblatt der Frankfurter Zeitung, 7. 11. 1926 (Jg. 59, Nr. 45); Benjamin-Archiv, Dr 351.

LESARTEN 50,16 *subalterne*] handschr. korrigiert für *mindere* – 51,19–21 *Aber* bis *typischen.*] handschr. eingefügt

NACHWEISE 50,20.21 *»Grundsätzliches«* und *»Einzelfragen«*] s. Oskar Walzel, a. a. O.: I. Teil: »Grundsätzliches«, II. Teil »Einzelfragen«. –

50,30 *»Spätrömischen Kunstindustrie«*] s. Alois Riegl, Die spätrömische Kunst-Industrie nach den Funden in Österreich-Ungarn, Wien 1901; s. auch Benjamins Besprechung, 169–171 – 51,18 *Hellingraths Studie*] s. Norbert von Hellingrath, Pindarübertragungen Hölderlins. Prolegomena zu einer Erstausgabe, Diss. München 1910

51–53 W. I. LENIN, BRIEFE AN MAXIM GORKI, WIEN 1924

ÜBERLIEFERUNG
J Die literarische Welt, 24. 12. 1926 (Jg. 2, Nr. 52), 8.
NACHWEISE 51,33 *wichtigsten.«*] W. I. Lenin, a. a. O., 9 – 52,28 *herauskommt?«*] a. a. O., 87 – 53,4 *normal.«*] a. a. O., 28 f.

54–59 EINIGE ÄLTERE UND NEUERE NEUDRUCKE

ÜBERLIEFERUNG
J[BA] Die literarische Welt, 21. 1. 1927 (Jg. 3, Nr. 3), 5; Benjamin-Archiv, Dr 201 f.
NACHWEISE 54,18.19 *Humanistenlateins«*] Marsilio Ficino, Briefe des Mediceerkreises, Berlin 1925, 267 – 56,16 *drückte«*] Carl Gustav Carus, Reisen und Briefe, Leipzig 1926, Bd. 1, 24 – 56,26 *Notizen aus Italien 1828*] s. a. a. O., Bd. 1, 53 ff. – 56,33 *»Briefe über Landschaftsmalerei«*] s. a. a. O., Bd. 2, 261 ff. – 56,33.34 *»Fragmente eines malerischen Tagebuchs«*] s. a. a. O., Bd. 2, 276 ff. – 59,5 *legen«*] Friedrich Schlegel, Charakteristiken und Kritiken I, hrsg. von H. Eichner, München, Paderborn, Wien 1967, 68

59–61 PAUL HANKAMER, DIE SPRACHE, IHR BEGRIFF UND IHRE DEUTUNG IM 16. UND 17. JAHRHUNDERT, BONN 1927

ÜBERLIEFERUNG
J Literaturblatt der Frankfurter Zeitung, 15. 5. 1927 (Jg. 60, Nr. 20). – Der Abdruck trägt den wahrscheinlich von der Redaktion herrührenden Titel »Sprache«.

61–63 FJODOR GLADKOW, ZEMENT, BERLIN 1927

ÜBERLIEFERUNG
J Die literarische Welt, 10. 6. 1927 (Jg. 3, Nr. 23), 5 f.
NACHWEISE 63,16 *»Nacktem Jahr«*] s. Boris Pilnjak, Golyj god [Das arme Jahr]. Roman, Berlin 1922 – 63,17 *»Städten und Jahren«*] s. Konstantin Fedin, Städte und Jahre. Roman aus dem alten Deutschland und dem neuen Rußland, übers. aus dem Russischen von Dmitrij Umanskij, Berlin 1927

63 f. Iwan Schmeljow, Der Kellner, Berlin 1927

ÜBERLIEFERUNG

J^BA Die literarische Welt, 10. 6. 1927 (Jg. 3, Nr. 23), 6; Benjamin-
Archiv, Dr 213.

65 f. Europäische Lyrik der Gegenwart 1900–1925. In Nachdich-
tungen von Josef Kalmer, Wien, Leipzig 1927

ÜBERLIEFERUNG

J^BA Literaturblatt der Frankfurter Zeitung, 7. 8. 1927 (Jg. 60,
Nr. 32); Benjamin-Archiv, Dr 266. – Der Titel des Abdrucks
»Eine lyrische Anthologie« stammt wahrscheinlich von der Redak-
tion.

LESART 66,14 *des deutschen Philisteriums*] handschr. korrigiert für
unseres Philistertums

NACHWEIS 65,22 *saugen.*«] Europäische Lyrik der Gegenwart, a. a. O.,
5

66–68 Gaston Baty, Le masque et l'encensoir, Paris 1926

ÜBERLIEFERUNG

J^BA i 10. Internationale Revue (Amsterdam) 1 (1927), 320 (Nr. 8/9);
Benjamin-Archiv, Dr 728. – Zusammen mit den folgenden Rezensionen bis einschließlich »Anthologie de la nouvelle prose française« (s. 78 f.) wurde die vorliegende Besprechung innerhalb einer
Spalte »Boekbesprekingen« abgedruckt; Benjamins Name findet
sich nur am Fuß der letzten Besprechung.

NACHWEIS 67,29 *Literatur*] s. Gaston Baty, a. a. O., 75 ff.

68 f. Paul Léautaud, Le théâtre de Maurice Boissard, Bd. 1,
Paris 1926

ÜBERLIEFERUNG

J i 10. Internationale Revue (Amsterdam) 1 (1927), 320 f. (Nr. 8/9).

70–72 Ramon Gomez de la Serna, Le cirque, Paris 1927

ÜBERLIEFERUNG

J^BA i 10. Internationale Revue (Amsterdam) 1 (1927), 321 f. (Nr. 8/9);
Benjamin-Archiv, Dr 728.

72–74 Philippe Soupault, Le cœur d'or, Paris 1927

ÜBERLIEFERUNG

J i 10. Internationale Revue (Amsterdam) 1 (1927), 322 (Nr. 8/9).

NACHWEIS 73,30 *Montrouge)«*] auf dem Titelblatt findet sich das Proverbe in umgekehrter Reihenfolge: *»Cœur solitaire – cœur d'or«*

74 f. HENRY POULAILLE, L'ENFANTEMENT DE LA PAIX, PARIS 1926

ÜBERLIEFERUNG
J i 10. Internationale Revue (Amsterdam) 1 (1927), 322 f. (Nr. 8/9).

75 f. HENRY POULAILLE, AMES NEUVES, PARIS 1925

ÜBERLIEFERUNG
J i 10. Internationale Revue (Amsterdam) 1 (1927), 323 (Nr. 8/9).

76 f. PIERRE GIRARD, CONNAISSEZ MIEUX LE CŒUR DES FEMMES, PARIS 1927

ÜBERLIEFERUNG
J[1] i 10. Internationale Revue (Amsterdam) 1 (1927), 323 (Nr. 8/9).
J[2] Die literarische Welt, 21. 6. 1929 (Jg. 5, Nr. 25), 7 f. – Fünfte
Besprechung von *Bücher, die übersetzt werden sollten*, s. 174–182.
Druckvorlage: J[1]
LESART 76,20 *schweizerdeutsche*] *schweizerische* J[2]

77 f. MARTIN MAURICE, NUIT ET JOUR, PARIS 1927

ÜBERLIEFERUNG
J i 10. Internationale Revue (Amsterdam) 1 (1927), 323 f. (Nr. 8/9).

78 f. ANTHOLOGIE DE LA NOUVELLE PROSE FRANÇAISE, PARIS 1926

ÜBERLIEFERUNG
J i 10. Internationale Revue (Amsterdam) 1 (1927), 324 (Nr. 8/9).
NACHWEIS 78,34 *heraus*] s. Anthologie de la nouvelle poésie française,
Paris 1924

79–81 DREI FRANZOSEN

ÜBERLIEFERUNG
J Literaturblatt der Frankfurter Zeitung, 30. 10. 1927 (Jg. 60, Nr. 44).
NACHWEIS 80,13.14 *Julian Hirschs*] s. Julian Hirsch, Die Genesis des
Ruhmes. Ein Beitrag zur Methodenlehre der Geschichte, Leipzig 1914

82–84 Franz Hessel, Heimliches Berlin, Berlin 1927

ÜBERLIEFERUNG
J Die literarische Welt, 9. 12. 1927 (Jg. 3, Nr. 49), 15.
NACHWEIS 83,31 *haben«*] Franz Hessel, a. a. O., 178

84 f. Aus Gottfried Kellers glücklicher Zeit. Der Dichter im Briefwechsel mit Marie und Adolf Exner, Wien 1927

ÜBERLIEFERUNG
J Die literarische Welt, 9. 12. 1927 (Jg. 3, Nr. 49), 16.
NACHWEIS 84,29 *dran!«*] Aus Gottfried Kellers glücklicher Zeit,
a. a. O., 77

86–88 Porträt eines Barockpoeten

ÜBERLIEFERUNG
J Literaturblatt der Frankfurter Zeitung, 1. 1. 1928 (Jg. 61, Nr. 1).
LESART 87,27.28 *»Körperliches bis tragisch.«*] berichtigt nach Friedrich
Gundolf, Andreas Gryphius, Heidelberg 1927, 35; *»Körperliches Lei-
den«, wirft Gundolf ein, »sei als solches nicht tragisch.«* J
NACHWEISE 87,23 *Umfang.«*] Friedrich Gundolf, Andreas Gryphius,
Heidelberg 1927, 28 – 87,28 *tragisch.«*] a. a. O., 35 – 88,7.8 *begleitet«*]
a. a. O., 4

88–94 Landschaft und Reisen

Von seiner Besprechung der Borchardtschen Prosasammlung »Der
Deutsche in der Landschaft« schrieb Benjamin am 4. 12. 1927 in einem
Briefe an Hofmannsthal, dem er für die Rede »Das Schrifttum als
geistiger Raum der Nation« dankte: *Mich hat die Darstellung des
deutschen Typus, den Sie darin in den Mittelpunkt stellen, sehr ergriffen. [...] Dann aber hat mich wieder sehr auf Nordisches das
wundervolle Stück von Passarge in Borchardts Landschaftsbuch verwiesen. Eine Anzeige dieses Buches geht Ihnen nächstens zu.* (Briefe,
453) Er sandte sie am 8. 2. 1928 Hofmannsthal mit den Worten:
*Wenn die Besprechung des »Deutschen in der Landschaft« Ihnen und
Herrn Wiegand etwas von der Freude und dem Gewinn sagt, den ich
bei der Lektüre des Borchardtschen Buches hatte, wäre ich sehr glücklich.* (Briefe, 459 f.)

ÜBERLIEFERUNG
J^BA Die literarische Welt, 3. 2. 1928 (Jg. 3 [d. i. 4], Nr. 5), 5; Benjamin-Archiv, Dr 151–153

NACHWEISE 88,17 *Hauptwerks*] s. Johann Jacob Bachofen, Versuch über die Gräbersymbolik der Alten, Basel 1859 – 89,22 *»Mutterrecht«*] s. Bachofen, Das Mutterrecht. Eine Untersuchung über die Gynaikokratie der alten Welt nach ihrer religiösen und rechtlichen Natur, Stuttgart 1861 – 89,22 *»Tanaquil«*] s. Bachofen, Die Sage von Tanaquil. Eine Untersuchung über den Orientalismus in Rom und Italien, Heidelberg 1870 – 90,19 *Wartenburgs Briefwechsel mit Dilthey*] s. Briefwechsel zwischen Wilhelm Dilthey und dem Grafen Paul Yorck v. Wartenburg 1877–1897, Halle a. d. S. 1923 – 90,34 *Seele.«*] Georg Lichey, Italien und wir, Dresden 1927, 17 – 91,5 *Sixtina«*] a.a.O., 267 – 91,9 *hatte.«*] a.a.O., 223 – 91,15 *tragen?«*] a.a.O., 11 – 91,20 *Faust«*] a.a.O., 9; die Verse finden sich in dem Gedicht »Verweilst du« s. Stefan George, Werke. Ausgabe in 2 Bdn., München, Düsseldorf 1958, Bd. 1, 178 – 91,23 *Ganze«*] Lichey, a.a.O., 17 – 92,22 *vergleichen.«*] Der Deutsche in der Landschaft. Besorgt von Rudolf Borchardt, München 1927, 486 – 94,7 *Stamm«*] Hugo von Hofmannsthal, Das Schrifttum als geistiger Raum der Nation, Berlin 1933, 21 – 94,14 *Riesenlotusblume.«*] Ludwig Hermann Wolfram, Faust. Ein dramatisches Gedicht in 3 Abschnitten von F. Marlow, Neuausg. von Otto Neurath, Berlin 1905, 215 – 94,21 *Geistergrösse«*] Borchardt, a.a.O., 500

94–96 DREI KLEINE KRITIKEN VON REISEBÜCHERN

Der Titel findet sich in Benjamins handschriftlichem *Verzeichnis meiner gedruckten Arbeiten* (Benjamin-Archiv, Ms 1834–1843), im Druck fehlt er.

ÜBERLIEFERUNG
J Die literarische Welt, 3. 2. 1928 (Jg. 3 [d. i. 4], Nr. 5), 6. – Gezeichnet: *W. B.*

96 f. EVA FIESEL, DIE SPRACHPHILOSOPHIE DER DEUTSCHEN ROMANTIK, TÜBINGEN 1927

ÜBERLIEFERUNG
J Literaturblatt der Frankfurter Zeitung, 26. 2. 1928 (Jg. 61, Nr. 9).

98–101 HUGO VON HOFMANNSTHALS »TURM«

Am 30. 10. 1926 schrieb Benjamin an Hofmannsthal im Anschluß an Ausführungen über die Intention des »Ursprungs des deutschen Trauerspiels«: *Es ist ein Glück, für das ich nicht einmal Ihnen danken darf, daß Sie die schöpferische Probe auf die Analyse eines (in der Tat nur dem Oberflächlichen und im Oberflächlichen) vergangenen*

Zustandes des deutschen Dramas machen. Mit verdoppelter Ungeduld erwarte ich die Aufführung und damit die neue Schlußfassung des »Turms«. So bringt mir was Sie schreiben ein Echo, auf das ich fast verzichten zu müssen geglaubt hatte. (Briefe, 438) Am 8. 2. 1928 heißt es in einem Brief an Hofmannsthal: *Gestern sah ich zum ersten Male die endgültige Fassung des »Turms«. Ich habe sie noch nicht gelesen, freue mich aber darauf, bei Gelegenheit dieser Ausgabe in der »Literarischen Welt« auf das Drama zurückkommen zu dürfen.* (Briefe, 460)

ÜBERLIEFERUNG

J^BA^ Die literarische Welt, 2. 3. 1928 (Jg. 4, Nr. 9), 7 f.; Benjamin-Archiv, Dr 257 f.

NACHWEISE 98,10 *Anzeige*] s. 29–33 – 100,4 *erklären.«*] Hugo von Hofmannsthal, Der Turm, 2., veränderte Fassung, Berlin 1927, 148 – 100,31 *willst.«*] a.a.O., 126 – 100,35 *hingehen.«*] a.a.O., 137 – 100,37 *Hoffen«*] a.a.O., 150

101–104 EINE NEUE GNOSTISCHE LIEBESDICHTUNG

Über Alfred Brust äußerte Benjamin sich in dem Brief an Hofmannsthal, in dem er diesem für die Münchner Rede »Das Schrifttum als geistiger Raum der Nation« dankte. *Mich hat die Darstellung des deutschen Typus, den Sie darin in den Mittelpunkt stellen, sehr ergriffen. Ich glaube in ihm neben vielen andern auch die Züge von [Florens Christian] Rang wiederzufinden. Und damit hat das, was Sie hier sagen, mir den Vorsatz wieder lebendig gemacht, mit der Figur von Alfred Brust mich bekannt zu machen, in dem alles, was Sie das Wissende; Ahnende dieses Menschenschlags nennen, bis ins Qualvolle gesteigert ist. Brust ist mir nicht nur aus den »Neuen Deutschen Beiträgen« bekannt. Rang hat, wie Sie sicher wissen, in der letzten Zeit seines Lebens mit ihm korrespondiert. Ich will zunächst »Die verlorene Erde« vornehmen.* (Briefe, 453) Am 17. 3. 1928 äußert Benjamin sich noch einmal Hofmannsthal gegenüber zu Brust. *Ich hätte so gerne mit Ihnen über Alfred Brust gesprochen. Nicht nur weil ich aus den »Neuen Deutschen Beiträgen« und von [Willy] Haas weiß, daß er Sie interessiert und Sie Anteil an ihm nehmen, sondern weil wir wohl auch die Freundschaft zwischen Rang und Brust berührt hätten – die sich freilich wohl nie gesehen haben. Mir ist sein Werk doch fremd und wohl auf immer. Ich habe begonnen »Jutt und Jula« zu lesen, erkenne, daß man diesem Mann die größte Achtung schuldet und spüre die Kräfte, die da wirksam sind doch als gefährliche, feindliche, die ich vielleicht nur einmal, eben in der Gestalt von Rang, bezwungen und zu wahren Genien geworden sah.* (Briefe, 464 f.)

ÜBERLIEFERUNG

J^{BA} Die literarische Welt, 30. 3. 1928 (Jg. 4, Nr. 13), 5; Benjamin-
    Archiv, Dr 173 f.

LESART 104,10 *Vater*] im Druck heißt es *Vater entrückt*; das Wort
entrückt ist in J^{BA} handschr. gestrichen

NACHWEISE 102,15 *umrissen.«*] Alfred Brust, Jutt und Jula, Berlin-
Grunewald 1928, 102 f. – 102,25 *Pentagramm«*] a. a. O., 97 – 103,6
verbaut.«] a. a. O., 151 – 103,22 *»Sich-freisündigen«*] a. a. O., 54 –
104,1 *verkünden«*] a. a. O., 108 – 104,3 *ihm!«*] a. a. O., 55

105 MICHAEL SOSTSCHENKO, SO LACHT RUSSLAND! HUMORESKEN,
    PRAG 1927

ÜBERLIEFERUNG

J^{BA} Die literarische Welt, 20. 4. 1928 (Jg. 4, Nr. 16), 6; gezeichnet:
    W. B.; Benjamin-Archiv, Dr 355.

LESART 105,25 *nach.*] *nach. Die Übersetzung stammt von Mary Pruss-
Glowatzky und Elsa Brod.* in Benjamins Handexemplar gestrichen;
der Satz dürfte eine Hinzufügung der Redaktion darstellen.

NACHWEISE 105,11 *beschäftigen.«*] Michael Sostschenko, a. a. O., 60 –
105,13 *zurückgelassen.«*] a. a. O., 102

105–107 AUS UNBEKANNTEN SCHRIFTEN. FESTGABE FÜR MARTIN BUBER
    ZUM 50. GEBURTSTAG, BERLIN 1928

ÜBERLIEFERUNG

J^{BA} Die literarische Welt, 27. 4. 1928 (Jg. 4, Nr. 17), 5; Benjamin-
    Archiv, Dr 334

NACHWEIS 106,33 *Mardechai«*] Aus unbekannten Schriften, a. a. O., 43

107–113 DREI BÜCHER

ÜBERLIEFERUNG

J^{SSch} Humboldt-Blätter. Monatsschrift für Wissenschaft, Kunst und Tech-
    nik (Berlin) 1 (1927/28), 148 ff. (Heft 8, Mai '28); Sammlung
    Scholem. – Der Titel der Sammelrezension lautet »Drei Bücher
    des Heute«; Benjamin tilgte sowohl in seinem Handexemplar
    wie in dem Exemplar der Sammlung Scholem die Wörter »des
    Heute« und kennzeichnete sie als *Zusatz der Redaktion.*

J^{BA}   dass.; Benjamin-Archiv, Dr 182 f.

Druckvorlage: J^{SSch}

LESART 109,32 *es*] konj. für *er*

NACHWEISE 108,30 *»Feuer«*] s. Henry Barbusse, Le feu. Roman, Paris
1916 – 110,27.28 *Schriftsteller.«*] Alfred Polgar, Ich bin Zeuge, Berlin
1928, XIII

113–117 KULTURGESCHICHTE DES SPIELZEUGS

ÜBERLIEFERUNG

J Literaturblatt der Frankfurter Zeitung, 13. 5. 1928 (Jg. 61, Nr. 20).
NACHWEIS 114,39 *Haus*] Karl Gröber, Kinderspielzeug aus alter
Zeit. Eine Geschichte des Spielzeugs, Berlin 1928, 15

117–119 GIACOMO LEOPARDI, GEDANKEN, ÜBERS. VON RICHARD
        PETERS, HAMBURG-BERGEDORF 1928

ÜBERLIEFERUNG

J Die literarische Welt, 18. 5. 1928 (Jg. 4, Nr. 20), 5.
NACHWEIS 118,22 *Empedokles.*] Karl Vossler, Leopardi, München
1923, 13 – 119,14 *Ausgabe*] s. Giacomo Leopardi, Gedanken, aus dem
Italienischen übers. von Gustav Glück und Alois Trost, Leipzig 1922
(Reclams Universal Bibliothek. 6288.)

119–122 EIN GRUNDSÄTZLICHER BRIEFWECHSEL ÜBER DIE KRITIK
        ÜBERSETZTER WERKE

ÜBERLIEFERUNG

J^BA Die literarische Welt, 27. 7. 1928 (Jg. 4, Nr. 30), 4; Benjamin-
      Archiv, Dr 498 f.
LESARTEN 120,20 *den . . .*] den *12. Juni 1928* handschr. Ergänzung –
121,39 *Nr. 9*] handschr. nachgetragene Fußnote; der Verweis bezieht
sich auf Benjamins Besprechung 96 f.
NACHWEISE 119,35 *hat.*] Fußnote der Redaktion der »Literarischen
Welt« – 120,4 *educatori*] Giacomo Leopardi, Opere, hrsg. von Anto-
nio Ranieri, Bd. 2, Firenze 1845, 181 – 120,5 *Erzieher*] Leopardi,
Gedanken, übers. von Glück und Trost, a. a. O., 84 – 120,5 *regolarlo*]
Leopardi, Opere, Bd. 2, a. a. O., 181 – 120,6 *halten*] Leopardi, Gedan-
ken, a. a. O., 86 – 120,8 *vermissen.*] In der Neuausgabe der Pensieri-
Übersetzung Richard Peters – Giacomo Leopardi, Gedanken, aus dem
Italienischen übers. von Richard Peters, Hamburg 1951 – ist die Über-
setzung von Gustav Glück und Alois Trost verzeichnet – 122,8 *George
Moore*] s. 123 f.

123 f. GEORGE MOORE, ALBERT UND HUBERT. ERZÄHLUNG, BERLIN
       1928

ÜBERLIEFERUNG

J^BA Die literarische Welt, 18. 5. 1928 (Jg. 4, Nr. 20), 5; Benjamin-
      Archiv, Dr 315.

NACHWEISE 123,32 *Mädchen!«*] s. George Moore, a.a.O., 40 – 124,1
gesagt?«] bei Moore, a.a.O., 63 f.: »Aber wie sollte sie es Helen bei-
bringen? [...] Wie hat es Hubert seinem Weib gesagt, daß sie eine Frau
ist?«

124 A. M. FREY, AUSSENSEITER. ZWÖLF SELTSAME GESCHICHTEN, MÜN-
CHEN 1927

ÜBERLIEFERUNG
J Die literarische Welt, 8. 6. 1928 (Jg. 4, Nr. 23), 6. – Gezeichnet:
W. B.
NACHWEIS 124,19.20 *»Solneman der Unsichtbare«*] s. A. M. Frey,
Solneman der Unsichtbare. Roman, München 1920

125–127 ZWEI KOMMENTARE

ÜBERLIEFERUNG
J Die literarische Welt, 22. 6. 1928 (Jg. 4, Nr. 25), 6.
NACHWEISE 125,7 *kann*] s. R. Finger, Diplomatisches Reden, Berlin
1927 – 125,23 *Höflichkeit«*] a.a.O., 16 – 125,26 *worden.*] s. a.a.O.,
25 – 125,36 *wollen.*] s. a.a.O., 90

127–132 SPIELZEUG UND SPIELEN

ÜBERLIEFERUNG
J Die literarische Welt, 6. 7. 1928 (Jg. 4, Nr. 27), 5 f. — Enthält zwei
Abbildungen nach dem Buch von Gröber.
NACHWEISE 127,16 *Spielzeug und Spielen*] s. auch *Kulturgeschichte des
Spielzeugs*, 113–117 – 129,6 *ganz.«*] Karl Gröber, Kinderspielzeug aus
alter Zeit. Eine Geschichte des Spielzeugs, Berlin 1928, 30 – 130,24.25
Karl Groos] s. Karl Groos, Die Spiele der Menschen, Jena 1899 –
130,29 *Willy Haas*] s. Willy Haas, Sommerschlager, Volksmärchen, in:
Die literarische Welt, 18. 5. 1928 (Jg. 4, Nr. 20), 1 – 131,18 *verrich-
ten«*] Goethe, Gedenkausgabe, Bd. 1: Sämtliche Gedichte I, Zürich,
Stuttgart 1950, 420 (»Sprichwörtlich«)

132–135 JAKOB JOB, REISEBILDER UND SKIZZEN, ZÜRICH 1928

ÜBERLIEFERUNG
J^BA Die literarische Welt, 20. 7. 1928 (Jg. 4, Nr. 29), 5; Benjamin-
Archiv, Dr 262 f.
NACHWEIS 134,4 *anzufallen.«*] Jakob Job, a.a.O., 99

135–139 ANJA UND GEORG MENDELSSOHN, DER MENSCH IN DER
        HANDSCHRIFT, LEIPZIG 1928–1930

Über seine Lektüre dieses Buches berichtete Benjamin Scholem am
18. 6. 1928: *Ein Buch hat mich in den letzten Tagen sehr bewegt:
Anja und Georg Mendelssohn: Der Mensch in der Handschrift. Ich
bin im Begriffe, nach seiner Lektüre den Sinn für Schriften, der mir
vor ungefähr 10 Jahren verloren ging, wieder zu gewinnen. Es ist
ein Buch, das genau die Richtung hält, die ich im Grunde in der Betrachtung von Schriften gefühlt und doch selbstverständlich nicht gefunden habe. Intuition und Ratio zugleich sind in diesem Gebiete
niemals weiter vorgetrieben worden. Es enthält eine ebenso kurze wie
treffende Auseinandersetzung mit Klages.* (Briefe, 477)

ÜBERLIEFERUNG
J Die literarische Welt, 3. 8. 1928 (Jg. 4, Nr. 31), 5.
NACHWEISE 137,5 *Ausdrucksbewegung«*] Ludwig Klages, zit. bei Anja
und Georg Mendelssohn, a. a. O., 27 – 137,8 *Bild«*] Mendelssohn,
a. a. O., 27 – 137,18 *trägt.«*] a. a. O., 31 – 137,26 *glaubt*] s. a. a. O., 31
– 137,35 *war.«*] Ludwig Klages, Handschrift und Charakter. Gemein-
verständlicher Abriß der graphologischen Technik, Leipzig 1921, 42 f.;
als an einem unvergleichlich ärmeren Medium partizipierend ist Benjamins Formulierung, bei Klages lautet die Passage »aus einem wesentlich ärmeren Lebens m i t t e l gespeist«. – 139,2 *kennt.«*] Mendelssohn,
a. a. O., 76 – 139,9 *Kurven«*] Magdalene Ivanovic, Die Gesetze der
modernen Graphologie, zit. bei Mendelssohn, a. a. O., 87

139–142 PARIS ALS GÖTTIN

ÜBERLIEFERUNG
J Die literarische Welt, 7. 9. 1928 (Jg. 4, Nr. 36), 5.
NACHWEIS 141,30 *»Bella«*] s. auch Benjamins Besprechung 34–37

142 f. ALEXYS A. SIDOROW, MOSKAU, BERLIN 1928

ÜBERLIEFERUNG
J^BA Die literarische Welt, 9. 11. 1928 (Jg. 4, Nr. 45), 7; Benjamin-
Archiv, Dr 341.

144 I. BENRUBI, PHILOSOPHISCHE STRÖMUNGEN DER GEGENWART IN
    FRANKREICH, LEIPZIG 1928

ÜBERLIEFERUNG
J Die literarische Welt, 9. 11. 1928 (Jg. 4, Nr. 45), 10. – Gezeichnet:
W. B.

144–148 FEUERGEIZ-SAGA

Im Brief vom 30. 10. 1928 an Scholem spricht Benjamin von einem
Büchergebirge an seinem Krankenbett, *das sich um das Doppelmassiv
der beiden Werke von Julien Green aufbaut: Mont-Cinère und
Adrienne Mesurat, die mich nicht eher ruhen ließen als bis ich mir die
Besprechung von beiden aufhalste und nun weiß ich nicht aus noch
ein. [...] Auf Green aber glaube ich Dich schon hingewiesen zu
haben und um die »Adrienne Mesurat« (die ja ich nicht entdeckt habe
und die schon in Europa berühmt ist) kann keiner meiner Freunde
herumkommen.* (Briefe, 482; s. die Besprechung der »Adrienne Mesurat«, 153–156.)

ÜBERLIEFERUNG
J Die literarische Welt, 16. 11. 1928 (Jg. 4, Nr. 46), 5.
NACHWEISE 145,13 *hinzieht«*] Julien Green, Mont-Cinère. Roman,
übers. von Rosa Breuer-Lucka, Wien 1928, 19; *truhenförmig* bis *hinzieht* jedoch eine von der besprochenen Ausgabe abweichende Übersetzung – 147,3 *war.«*] a. a. O., 7; ebenfalls von Breuer-Lucka abweichende, jedoch wortgetreue Übersetzung – 147,8 *Besitz.«*] Franz
Rosenzweig, Der Stern der Erlösung, 1. Teil, Heidelberg 1954, 93

148–151 JOHANN WOLFGANG VON GOETHE, FARBENLEHRE, HG. UND
   EINGEL. VON HANS WOHLBOLD, JENA 1928

ÜBERLIEFERUNG
J Die literarische Welt, 16. 11. 1928 (Jg. 4, Nr. 46), 6.
NACHWEISE 148,12 *»Beiträge zur Optik«*] s. Goethe, Beyträge zur
Optik, Facsimile-Neudruck, Nachwort von Julius Schuster, Berlin
1928 – 149,5 *»Über das Geistige in der Kunst«*] s. Kandinsky, Über
das Geistige in der Kunst, insbesondere in der Malerei, München 1912
– 149,17 *sprechen.«*] Goethe, Farbenlehre, a. a. O., 88 f. – 149,21
werde«] a. a. O., 85 – 149,23 *Lichtes.«*] s. a. a. O., 201 – 149,39 *kompetent«*] a. a. O., 8 – 150,14 *Verwandlung.«*] a. a. O., 100 f. – 150,27
Simmel] s. Georg Simmel, Goethe, Leipzig 1913 – 151,2.3 *werden.«*]
S. Friedlaender, Schöpferische Indifferenz, München 1918, 313 f.

151–153 NEUES VON BLUMEN

ÜBERLIEFERUNG
J^SSch Die literarische Welt, 23. 11. 1928 (Jg. 4, Nr. 47), 7; Sammlung
   Scholem.
LESART 152,4 *auf.*] Absatz durch handschr. Korrektur gefordert.

NACHWEIS 152,15 *»Fleurs animées«*] s. Jean-Ignace-Isidore-Gérard Grandville, Fleurs animées, Paris 1847

153–156 »ADRIENNE MESURAT«

ÜBERLIEFERUNG
J i 10. Internationale Revue (Amsterdam) 2 (1928), 116 (Nr. 17/18, 20. 12. '28).

157–159 RÜCKBLICK AUF CHAPLIN

ÜBERLIEFERUNG
J Die literarische Welt, 8. 2. 1929 (Jg. 5, Nr. 6), 2. – Gezeichnet: W. B.
NACHWEISE 157,3 *»Zirkus«*] The Circus, Chaplin-Film von 1928 – 157,30 *wissen.«*] Philippe Soupault, Charlie Chaplin, in: Europe, Bd. 18, 1928, 392 – 158,5 *»L'opinion publique«*] A Woman of Paris, Chaplin-Film von 1923 – 159,2 *erkennt«*] Soupault, a. a. O., 380 – 159,4 *an,*] Diese Parallele schließt nicht an das Zitat an, sondern findet sich erst auf Seite 395 – 159,9 *Pélerin*] The Pilgrim, Chaplin-Film von 1922 – 159,20 *Wichtigste.«*] Soupault, a. a. O., 402

159–162 RUSSISCHE ROMANE

Über Panferow findet sich eine Bemerkung Benjamins in einem nicht datierten Brief an Alfred Cohn: *Bitte entschuldige, daß der angekündigte Panferow »Die Genossenschaft der Habenichtse« nicht kam. Ursprünglich hatte ich es auf meinen Namen genommen und auch schließlich behalten, weil meine russische Freundin, die seit einiger Zeit hier ist, mit Panferow sehr gut bekannt ist und mir allerlei von ihm erzählen will, was ich einer Rezension zu gute kommen lassen möchte.* (Briefe, 486 f.)

ÜBERLIEFERUNG
JᴮᴬDie literarische Welt, 15. 3. 1929 (Jg. 5, Nr. 11), 5; Benjamin-Archiv, Dr 318 f.
LESART 162,4.5 *in der Form*] handschr. Einfügung
NACHWEISE 161,3 *kaut«*] F. Panferow, Die Genossenschaft der Habenichtse. Roman, übers. von Edith Hajós, Berlin 1928, 151 – 161,21 *»Zement«*] s. Fjodor Gladkow, Zement, Berlin 1927; s. auch Benjamins Besprechung 61–63 – 162,19 *versinken.«*] Tarassow-Rodionow, Februar. Roman, übers. von Olga Halpern, Potsdam 1928, 5

162–166 ZWEI BÜCHER ÜBER LYRIK

ÜBERLIEFERUNG
J Literaturblatt der Frankfurter Zeitung, 21. 4. 1929 (Jg. 62, Nr. 16).
LESART 164,16 *kein*] konjiziert für *ein*
NACHWEISE 164,23.24 *werden*«] Rudolf Borchardt, Handlungen und
Abhandlungen, Berlin-Grunewald 1928, 280 – 166,1 *stehen*«] Alexan-
der Mette, Über Beziehungen zwischen Spracheigentümlichkeiten
Schizophrener und dichterischer Produktion, Dessau 1928, 54

166 ARTHUR HOLITSCHER, ES GESCHAH IN MOSKAU. ROMAN, BERLIN 1929

ÜBERLIEFERUNG
J^BA Die literarische Welt, 3. 5. 1929 (Jg. 5, Nr. 18), 5; gezeichnet:
W. B.; Benjamin-Archiv, Dr 260.
NACHWEIS 166,32 *umfaßt*«] Arthur Holitscher, a. a. O., 8

167 ROBERT FAESI, DIE ERNTE SCHWEIZERISCHER LYRIK, ZÜRICH 1928

ÜBERLIEFERUNG
J Die literarische Welt, 17. 5. 1929 (Jg. 5, Nr. 20), 5. – Gezeichnet:
W. B.
NACHWEIS 167,4–20 *Es* bis *machen.*] s. Benjamins Besprechung der
»Anthologie de la nouvelle prose française«, 78 f.

168 f. NICOLAS VON ARSENIEW, DIE RUSSISCHE LITERATUR DER NEU-ZEIT UND GEGENWART, MAINZ 1929

ÜBERLIEFERUNG
J Die literarische Welt, 17. 5. 1929 (Jg. 5, Nr. 20), 6.
NACHWEIS 168,32 *vgl. S. 334*] In einer Fußnote zu dieser Seite beklagt
der Autor, daß »die russische Volkssprache« »jetzt immer mehr entstellt wird durch den unendlichen Schwall von verstümmelten und
unverstandenen fremdländischen Schlagwörtern, die wie ein trüber
Strom sich unter den Bolschewiken über das ganze russische Volk, auch
über die Dorfbevölkerung, ergossen haben.«

169–171 BÜCHER, DIE LEBENDIG GEBLIEBEN SIND

ÜBERLIEFERUNG
J Die literarische Welt, 17. 5. 1929 (Jg. 5, Nr. 20), 6.

NACHWEIS 170,22 *Werk*] s. Sigfried Giedion, Bauen in Frankreich. (Bauen in) Eisen, (Bauen in) Eisenbeton, Leipzig 1928

171–174 DIE DRITTE FREIHEIT

ÜBERLIEFERUNG
J Die literarische Welt, 7. 6. 1929 (Jg. 5, Nr. 23), 5.
NACHWEISE 172,10 *Geld.«*] Hermann Kesten, Ein ausschweifender Mensch. Roman, Berlin 1929, 173 – 172,20 *Kupferpfennige.«*] a. a. O., 110 – 172,39 *ersten Band dieser Josefs-Geschichte*] s. Hermann Kesten, Josef sucht die Freiheit. Roman, Potsdam 1927 – 173,23 *Philipp Kellers*] s. Philipp Keller, Gemischte Gefühle, Leipzig 1913

174–182 BÜCHER, DIE ÜBERSETZT WERDEN SOLLTEN

In Benjamins *Verzeichnis meiner gedruckten Arbeiten* (Benjamin-Archiv, Ms 1834–1843) sind diese Besprechungen – als *ein Rudel von Kritiken* (Briefe, 492) kündigte Benjamin sie am 15. 3. 1929 Scholem an – unter dem Titel »Französische Buch-Chronik« verzeichnet, einer Überschrift der Redaktion der »Literarischen Welt«, zu der der wahrscheinlich Benjaminsche Titel *Bücher, die übersetzt werden sollten* den Untertitel bildet. – An fünfter Stelle der Besprechungsreihe findet sich die bereits 1927 in der »i 10« gedruckte Besprechung des Romans »Connaissez mieux le cœur des femmes« von Pierre Girard (s. 76 f.). Die einzige Variante der beiden Abdrucke wurde angeführt.

ÜBERLIEFERUNG
J Die literarische Welt, 21. 6. 1929 (Jg. 5, Nr. 25), 7 f.
LESARTEN 176,1 *bildet*] konjiziert für *bindet* – 177,38 *»Anecdotiques«*] konjiziert für *»Vie anecdotique«*. Die Glossen Apollinaires erschienen im Mercure de France mit der Überschrift »Vie anecdotique«, die Buchpublikation aber hatte den Titel »Anecdotiques« – 181,26 *eine*] Konjektur der Hg.
NACHWEISE 176,8.9 *»Petit manuel du parfait aventurier«*] s. Pierre Mac Orlan, Petit manuel du parfait aventurier, Paris 1920 – 177,11 *schenkte.*] Das 1918 erschienene Drama hat den Untertitel »Drame surréaliste en deux actes et un prologue« – 177,38 *»Anecdotiques«*] s. Guillaume Apollinaire, Anecdotiques, Paris 1926 – 178,2 *Billy*] s. André Billy, Apollinaire vivant, Paris 1923 – 178,3 *Soupault*] s. Philippe Soupault, Apollinaire ou les reflets de l'incendie, Marseille 1927 – 182,30 *»Ailleurs«*] s. Léon Deubel, Ailleurs, hg. von A. R. Meyer, Berlin-Wilmersdorf 1912 – 182,30.31 *»In Memoriam Léon*

Deubel«] s. »In memoriam Léon Deubel«, hg. A. R. Meyer, Berlin-Wilmersdorf 1913 (Die Bücherei Maiandros. 6.) – *182,33 Paul Zech*] s. Léon Deubel, Leidenschaft. Deutsche Nachdichtung von Paul Zech, in: Die Neue Kunst, Jg. 1, Bd. 1, 1913–1914, 143–147

183 f. GEBRAUCHSLYRIK? ABER NICHT SO!

Daß er mit seiner Kritik der späteren Entwicklung Mehrings bereits vorgegriffen habe, konstatierte Benjamin am 18. 9. 1929 in einem Brief an Scholem: *Inzwischen hat sich mit Heulen und Zähneklappern die Eröffnung der »season« vollzogen. Es gab etwas Unbeschreibliches, Ostjüdisches von Mehring, von dem unglückselig beratenen Piscator mit viel Bravour inszeniert; und erst dieses Stück ist so ganz bodenlos schlecht wie ich [...] seine Chansons machte.* (Briefe, 502)

ÜBERLIEFERUNG
J Literaturblatt der Frankfurter Zeitung, 23. 6. 1929 (Jg. 62, Nr. 25).
NACHWEIS *184,6 Passagier*] Walter Mehring, Die Gedichte, Lieder und Chansons, Berlin 1929, 210

184 WILLA CATHER, FRAU IM ZWIELICHT, FREIBURG I. BR. 1929

ÜBERLIEFERUNG
J^BA Die literarische Welt, 19. 7. 1929 (Jg. 5, Nr. 29), 6; gezeichnet: W. B.; Benjamin-Archiv, Dr 181.
LESART *184,29.30 Ein bis Buch.*] handschr. Zusatz

185 f. CURT ELWENSPOEK, RINALDO RINALDINI, DER ROMANTISCHE RÄUBERFÜRST, STUTTGART 1929

ÜBERLIEFERUNG
J Die literarische Welt, 30. 8. 1929 (Jg. 5, Nr. 35), 5.
NACHWEISE *185,11 Hornruf«*] Charles Baudelaire, Le Cygne, s. Benjamins Übertragung, Bd. 4, 29 – *186,18 herabblickte«*] Curt Elwenspoek, a. a. O., 140

187–189 DER ARKADISCHE SCHMOCK

ÜBERLIEFERUNG
J^BA Literaturblatt der Frankfurter Zeitung, 1. 9. 1929 (Jg. 62, Nr. 35); Benjamin-Archiv, Dr 330
LESART *187,17 melodisch.«*] melodisch.« – *Das sind Proben aus Albrecht Schaeffers: »Griechische Heldensagen« (Insel-Verlag, Leipzig, 246 S.*

Geb. M 6). Der Satz wurde von Benjamin eingeklammert und mit dem handschr. Zusatz versehen: *nicht im Original!,* d. h. er stellt eine Hinzufügung der Redaktion der Frankfurter Zeitung dar.

NACHWEISE 187,7 *zufallen.«*] Albrecht Schaeffer, Griechische Helden-Sagen, Folge 1, Leipzig 1929, 215 – 187,10 *Betrug.«*] a.a.O., 23 – 187,17 *melodisch.«*] a.a.O., 97 – 187,22 *»Jenseits«*] a.a.O., 170 – 187,25 *Gesichts«*] a.a.O., 129 – 187,29 *hängen.«*] a.a.O., 132

189–191 ECHT INGOLSTÄDTER ORIGINALNOVELLEN

ÜBERLIEFERUNG
J Die literarische Welt, 27. 9. 1929 (Jg. 5, Nr. 39), 5.
NACHWEISE 190,5 *»Pioniere in Ingolstadt«*] s. Marieluise Fleißer, Pioniere in Ingolstadt, 1929 – 190,15 *überzeugt.«*] Marieluise Fleißer, Ein Pfund Orangen und neun andere Geschichten, Berlin 1929, 39 – 190,16 *weg.«*] a.a.O., 160 – 190,21 *Sammlung.«*] a.a.O., 177 – 191,12 *Girl.«*] a.a.O., 116

191–193 HANS HECKEL, GESCHICHTE DER DEUTSCHEN LITERATUR IN SCHLESIEN, BD. 1, BRESLAU 1929

ÜBERLIEFERUNG
J Die literarische Welt, 27. 9. 1929 (Jg. 5, Nr. 39), 6.

194–199 DIE WIEDERKEHR DES FLANEURS

ÜBERLIEFERUNG
J Die literarische Welt, 4. 10. 1929 (Jg. 5, Nr. 40), 5 f.
NACHWEISE 195,24 *Landschaft«*] Franz Hessel, Spazieren in Berlin, Leipzig, Wien 1929, 295 – 195,34 *steuerte«*] a.a.O., 177 – 196,4 *bewohnen.«*] a.a.O., 298 – 197,33 *unterhält.«*] a.a.O., 262 – 197,35 *gesprochen*] s. Charles Baudelaire, Œuvres complètes, éd. Y.-G. Le Dantec et C. Pichois, Paris 1961, 81 (»Le Cygne«) – 198,5 *haben.«*] Hessel, a.a.O., 168

199f. ALFRED POLGAR, HINTERLAND, BERLIN 1929

ÜBERLIEFERUNG
J Die literarische Welt, 4. 10. 1929 (Jg. 5, Nr. 40), 5.
NACHWEISE 199,23 *also«*] Alfred Polgar, a.a.O., 7 – 200,18 *erklären.«*] a.a.O., 72 – 200,27 *Straße.«*] a.a.O., 103

201 Joseph Gregor, Die Schwestern von Prag und andere No-
    vellen, München 1929

ÜBERLIEFERUNG
J Die literarische Welt, 4. 10. 1929 (Jg. 5, Nr. 40), 6. – Gezeichnet:
  W. B.
NACHWEISE 201,15 *ist.«*] Joseph Gregor, a. a. O., 95 – 201,20 *psychoanalysiert.«*] a. a. O., 228 – 201,23 *brachte«*] bei Gregor, a. a. O., 88:
»der die Sinne meines Publikums denn auch bis zur Explosion brachte«
– 201,26 *Rouletteschale«*] a. a. O., 168

202 Magnus Hirschfeld, Berndt Götz, Das erotische Weltbild,
    Hellerau bei Dresden 1929

ÜBERLIEFERUNG
J Die literarische Welt, 4. 10. 1929 (Jg. 5, Nr. 40), 6. – Diese und die
  folgende Rezension – »Familienbriefe Jeremias Gotthelfs« – sind
  gemeinsam W. B. unterzeichnet.

202 Familienbriefe Jeremias Gotthelfs, hg. von Hedwig Wäber,
    Frauenfeld 1929

ÜBERLIEFERUNG
J Die literarische Welt, 4. 10. 1929 (Jg. 5, Nr. 40), 6. – Die Rezension
  folgt unmittelbar auf die vorige; beide sind gemeinsam W. B. gezeichnet.

203–206 Hebel gegen einen neuen Bewunderer verteidigt

ÜBERLIEFERUNG
J Literaturblatt der Frankfurter Zeitung, 6. 10. 1929 (Jg. 62, Nr. 40).
NACHWEISE 204,18 *Aufklärung‹*] bei Hanns Bürgisser, Johann Peter
Hebel als Erzähler, Horgen-Zürich 1929, 40: »kühle Welt platter Ver-
ständigkeit« – 204,19 *Anakreontik‹*] bei Bürgisser, a. a. O., 70: »in der
konventionellen Form der Anakreontik« – 204,21 *finden«*] a. a. O., 73

206–209 Eine kommunistische Pädagogik

ÜBERLIEFERUNG
J Die neue Bücherschau 7 (1929), Heft 12, Dezember '29.
M Erste Niederschrift; Sammlung Scholem, Pergamentheft, 92 f.
Druckvorlage: J
Orthographische Eigenheiten von J wie »Etik«, »Filosofie«, »Karakter«

stammen nicht von Benjamin; unser Abdruck folgt in der Rechtschreibung M.

LESART 207,29 *unterscheidet*] M; *unterscheiden* J

209–211 WAS SCHENKE ICH EINEM SNOB?

ÜBERLIEFERUNG

J Die literarische Welt, 13. 12. 1929 (Jg. 5, Nr. 50), 7 f.
Der Titel wurde von der Herausgeberin formuliert; in J findet sich
Benjamins Text – unter dem Titel »Ein Snob« – als Antwort auf eine
redaktionelle Umfrage »Was schenke ich meinen Freunden?«.

211 f. G. F. HARTLAUB, DER GENIUS IM KINDE. EIN VERSUCH ÜBER DIE ZEICHNERISCHE ANLAGE DES KINDES, BRESLAU 1930

ÜBERLIEFERUNG

J[BA] Die literarische Welt, 19. 12. 1929 (Jg. 5, Nr. 51/52), 14; gezeichnet: *W. B.*; Benjamin-Archiv, Dr 238.
NACHWEISE 212,8 *aus.*] bei G. F. Hartlaub, a. a. O., 64: »Der Erwachsene [...] malt sich durch die Dinge [...] Die Dinge sagen gleichsam durch das Kind: ›So bin ich‹.«

213–218 LOB DER PUPPE

ÜBERLIEFERUNG

J Die literarische Welt, 10. 1. 1930 (Jg. 6, Nr. 2), 5 f.
NACHWEISE 214,21 *»Puppenfetischismus«*] Max von Boehn, Puppen
und Puppenspiele, Bd. 1, München 1929, 53 – 214,34 *sage«²*] Baudelaire, Madrigal Triste I, v. 1 – 215,15 *entwickelt.*] s. von Boehn,
a. a. O., Bd. 2, 128 – 215,29.30 *Metamorphosen«*] s. a. a. O., 131 –
217,25 *kommen.«*] a. a. O., 215

218 f. FRANÇOIS PORCHÉ, DER LEIDENSWEG DES DICHTERS BAUDELAIRE, BERLIN 1930

ÜBERLIEFERUNG

J Die literarische Welt, 17. 4. 1930 (Jg. 6, Nr. 16/17), 6. – Gezeichnet:
W. B.

219–225 EIN AUSSENSEITER MACHT SICH BEMERKBAR

ÜBERLIEFERUNG

J[BA] Die Gesellschaft 7 (1930), Bd. 1, 473–477; Benjamin-Archiv, Dr

283–285. – Der redaktionelle Titel »Politisierung der Intelligenz« wurde in Benjamins Handexemplar durch den *ursprünglichen Titel »Ein Außenseiter macht sich bemerkbar«* handschr. ersetzt.

LESARTEN 219,27 *auf seine*] handschr. korrigiert aus *aus seiner –* 222,33.34 *verheißungsvoller*] handschr. für *versprechender –* 224,16 *Verschlagenheit*] handschr. für *Befähigung*

NACHWEISE 221,26 *Waren.«*] S. Kracauer, Die Angestellten. Aus dem Neuesten Deutschland, Frankfurt a. M. 1930, 142 – 222,2 *erfassen.«*] a. a. O., 20 – 222,18 *Entpolitisierung.«*] a. a. O., 129 – 222,23 *widerstreitet.«*] a. a. O., 145 f. – 222,36 *»Moralisch-Rosa«*] a. a. O., 32

226–228 S. Kracauer, Die Angestellten. Aus dem Neuesten Deutschland, Frankfurt a. M. 1930

ÜBERLIEFERUNG
J^{BA} Die literarische Welt, 16. 5. 1930 (Jg. 6, Nr. 20), 5; Benjamin-Archiv, Dr 286 f.

NACHWEISE 226,25 *wird.«*] S. Kracauer, a. a. O., 21 – 227,11 *auf.«*] a. a. O., 129 – 227,19 *»Ginster«*] s. Ginster, von ihm selbst geschrieben. [Verf.: Siegfried Kracauer], Berlin 1928; Benjamin wußte selbstverständlich, daß Kracauer der Autor des anonym erschienenen Romans war. – 228,5 *wird.«*] Kracauer, Die Angestellten, a. a. O., 20 – 228,8 *entlarven*] s. Joseph Roth, Schluß mit der »Neuen Sachlichkeit«!, in: Die literarische Welt, 17. 1. 1930 (Jg. 6, Nr. 3), 3 f. – 228,13 *»Das steinerne Berlin«*] s. Werner Hegemann, Das steinerne Berlin, Berlin 1930; s. Benjamins Besprechung, 260–265.

228–230 Ein Buch für die, die Romane satt haben

ÜBERLIEFERUNG
J^{BA} Literaturblatt der Frankfurter Zeitung, 25. 5. 1930 (Jg. 63, Nr. 21); Benjamin-Archiv, Dr 198.

NACHWEISE 229,15.16 *perdue.«*] Chateaubriand, Œuvres complètes, Bd. 4, Les Martyrs, Paris 1861, 354 (70. Anm. zu Livre I) – 229,25 *»Chrut und Uchrut«*] Titel eines Schweizer Heilkräuterbuchs, s. Benjamins Besprechung, 294–300 – 229,33 *vollbringen.«*] Fritz Ernst, Studien zur europäischen Literatur, Zürich 1930, 127 – 229,34 *hätte.«*] a. a. O., 116 – 229,39 *begnügte.«*] a. a. O., 186 – 230,7 *Ganze«*] a. a. O., 100

230–236 KRISIS DES ROMANS

ÜBERLIEFERUNG

J^BA Die Gesellschaft 7 (1930), Bd. 1, 562–566; Benjamin-Archiv, Dr
186–188.

LESARTEN 232,32 *Drucksachen*] konjiziert für *Drucksorten*; Konjektur
von G. Seidel (s. Walter Benjamin, Lesezeichen. Schriften zur deutschsprachigen Literatur, hg. von Gerhard Seidel, Leipzig 1970, 214, 446) –
234,6 *sich*] handschr. eingefügt. – 234,6.7 *Kein Industrieviertel*] handschr. aus *Keine Industriegegend*
NACHWEISE 231,20 *Sprache.«*] Alfred Döblin, Der Bau des epischen
Werks, in: Jahrbuch der Sektion für Dichtkunst, Berlin 1929, 262 –
232,21 *dabei.«*] a.a.O., 239 – 235,28.29 *Butterbrot.«*] bei Döblin, Berlin Alexanderplatz, Berlin 1929, 10: »Dies zu betrachten und zu hören
wird sich für viele lohnen, die wie Franz Biberkopf in einer Menschen-
haut wohnen und denen es passiert wie diesem Franz Biberkopf, nämlich vom Leben mehr zu verlangen als das Butterbrot.«

236f. GABRIELE ECKEHARD, DAS DEUTSCHE BUCH IM ZEITALTER DES BAROCK, BERLIN 1930

ÜBERLIEFERUNG

J^BA Die literarische Welt, 6. 6. 1930 (Jg. 6, Nr. 23), 6; gezeichnet:
W. B.; Benjamin-Archiv, Dr 192.

LESARTEN 236,32 *rühmliche*] handschr. für *begrüßenswerte* – 237,5–8
Launisch bis τύχη] handschr. Einfügung – 237,24 *mimischen*] konjiziert
für *mimischem* – 237,28–32 *Daß* bis *Barockzeitalters*] handschr. Einfügung

238–250 THEORIEN DES DEUTSCHEN FASCHISMUS

ÜBERLIEFERUNG

J^BA Die Gesellschaft 7 (1930), Bd. 2, 32–41; Benjamin-Archiv, Dr 288–
293.

LESARTEN 238,14 *verzichten,*] Komma handschr. eingefügt – 240,15
der Gaskrieg] konjiziert für *den Gaskrieg* – 247,9.10 *Antinomie*] konjiziert für *Autonomie*; Konjektur von G. Seidel, a.a.O., 249 – 247,10
Setzung] handschr. korrigiert aus *Satzung* – 247,12 *dir*] handschr.
korrigiert aus *ihr*
NACHWEISE 239,4 *wird«*] Krieg und Krieger, hg. von Ernst Jünger,
Berlin 1930, 11 – 239,20 *»Welthaft-Wirklichen«*] a.a.O., 55 – 239,39–
240,5 *Denn* bis *Levisit.*] s. die ähnliche Passage in *Die Waffen von
morgen*, Bd. 4, 473 – 240,5–8 *Ab* bis *Flugzeugs.*] s. die ähnliche Passage
in *Die Waffen von morgen*, Bd. 4, 474 – 240,14–16 *Mit* bis *Völker-*

rechts.] s. die ähnliche Passage in *Die Waffen von morgen*, Bd. 4, 475 –
240,35 *geführt.«*] a. a. O., 44 – 240,36 *mehr.«*] a. a. O., 39 – 240,38
gemacht.«] a. a. O., 45 – 241,3 *worden.«*] a. a. O., 42 – 241,16 *Erich
Unger*] s. Erich Unger, Über die staatslose Bildung eines jüdischen Volkes, Berlin 1922 – 241,30 *überschreiten.«*] Krieg und Krieger, a. a. O.,
57 – 243,21.22 *geführt«*] a. a. O., 88 – 244,24 *abreißen«*] Florens Christian Rang, Deutsche Bauhütte. Ein Wort an uns Deutsche über mögliche Gerechtigkeit gegen Belgien und Frankreich und zur Philosophie
der Politik, Sannerz und Leipzig 1924, 51 f. – 245,10 *Revisor‹*] s. Krieg
und Krieger, a. a. O., 58 – 245,10 *fühlt‹*] s. a. a. O., 58 – 245,11 *Schluß‹*]
s. a. a. O., 60 – 245,11 *auszuräumen‹*] s. a. a. O., 60 – 245,12 *Ruinen«*]
a. a. O., 61 – 245,12 *Firnis«*] a. a. O., 61 – 245,20 *ein.«*] a. a. O., 29 –
245,23.24 *Unsterblichkeit‹*] s. a. a. O., 64 – 245,25 *gesteigert«*] a. a. O.,
34 – 245,26 *Bluts‹*] s. a. a. O., 133 – 246,29 *führt.«*] a. a. O., 65 – 247,36
geworden«] a. a. O., 37 – 248,18 *Staat«*] a. a. O., 163 – 249,3 *verkauft.«*] a. a. O., 118

250–252 ZUR WIEDERKEHR VON HOFMANNSTHALS TODESTAG

ÜBERLIEFERUNG
J Die literarische Welt, 1. 8. 1930 (Jg. 6, Nr. 31), 5.
NACHWEIS 251,8 *Wolters*] s. Friedrich Wolters, Stefan George und die
Blätter für die Kunst. Deutsche Geistesgeschichte seit 1890, Berlin 1930

252–259 WIDER EIN MEISTERWERK

Über seine Arbeit an der Kommerell-Rezension berichtete Benjamin
am 27. 7. 1929 an Scholem: *In San Gimignano habe ich mir die Hände
an den Dornen eines allerdings stellenweise überraschend schön blü-
henden Rosenbuschs aus Georges Garten zerschunden. Es ist das
Buch »Der Dichter als Führer in der deutschen Klassik«. Sein Verfasser heißt Kommerell und meine Rezension: Wider ein Meisterwerk.*
(Briefe, 499 f.) Am 18. 9. 1929 schrieb Benjamin noch einmal an
Scholem über Kommerells Buch: *Jetzt bin ich an der endgültigen
Redaktion der großen Rezension, die mich in San Gimignano beschäftigt hat. Es handelt sich um die erstaunlichste Publikation, die
in den letzten Jahren aus dem Georgekreis hervorging.* (Briefe, 502)

ÜBERLIEFERUNG
J^BA Die literarische Welt, 15. 8. 1930 (Jg. 6, Nr. 33/34), 9–11; Benjamin-Archiv, Dr 277–279.
LESARTEN 253,14 *fühlt*] *fühlt an diesem Buche*, die letzten drei Wörter
handschr. gestrichen – 259,16 *entfernt.*] *entfernt, hält sich entfernt.*
die letzten drei Wörter handschr. gestrichen

NACHWEISE **254,30** *Scham genannt wird.*] s. Max Kommerell, Der
Dichter als Führer in der deutschen Klassik, Berlin 1928, 45; s. Hölderlin, Brief an Böhlendorff vom 4. Dezember 1801 – **254,39** *Welt-
Lebens«*] Florens Christian Rang, Deutsche Bauhütte. Ein Wort an uns
Deutsche über mögliche Gerechtigkeit gegen Belgien und Frankreich
und zur Philosophie der Politik, Sannerz und Leipzig 1924, 51 – **255,8**
nehmen«] Kommerell, a. a. O., 124 – **255,14** *Waffen«*] a. a. O., 483 –
255,22 *Schicksals?«*] a. a. O., 427 – **258,13** *stehen.«*] a. a. O., 291 –
258,33 *Sterne.«*] a. a. O., 285 – **259,18** *verwiesen«*] a. a. O., 408

260–265 EIN JAKOBINER VON HEUTE

ÜBERLIEFERUNG

J¹ Literaturblatt der Frankfurter Zeitung, 14. 9. 1930 (Jg. 63, Nr. 37).
J² Königsberger Hartungsche Zeitung, 28. 9. 1930.
T Teiltyposkript; Benjamin-Archiv, Ts 2506 f.
Druckvorlage: J¹, T
J² ist ein durch einige Druckfehler entstellter Nachdruck von J¹. T enthält die nachträgliche Umarbeitung einer Passage; es wurde von Benja-
min seinem Archiv-Exemplar von J¹ beigefügt.
LESART **264,22–265,12** *Gewiß* bis *umfassen.*] T; *Hegemann wäre freilich kein Jakobiner, wenn er vom Genius der Geschichte sich leiten, von
seiner Hand den Zugang zu dem begnadeten Dasein – dem physiognomischen – sich weisen ließe. Dieser Aufklärer mit der scharf geschnittenen Physiognomie besitzt für das Physiognomische so wenig
Sinn wie der unvergleichliche Lichtenberg, welcher die Lavater'sche
Physiognomik geradezu als den gottgesandten Gegenstand seiner Satire
verehrte. Hegemanns Stammbaum hat seine Wurzeln in den knorrigsten, originalsten, aber auch blicklosesten Subjekten, die um die zweite
Hälfte des 18. Jahrhunderts den norddeutschen Boden bevölkerten.
[Absatz] Gewiß ist das Leben, das Hunderttausende jahrhunderte-
lang, in diesen Berliner Gelassen geführt haben, ungesund, unwürdig
gewesen. Gewiß drückt sich das diabolische Wesen der Mietskaserne
heut' wie damals im Ehe- und Familienleben, in den Qualen der Frauen
und Kinder, in der Borniertheit des Gemeinwesens, der Häßlichkeit
seines Alltags aus. Aber ebenso gewiß ist es, daß Boden, Landschaft,
Klima, und vor allem Menschen – nicht nur Hohenzollern und Polizeipräsidenten – diese Stadt geschaffen und ihrerseits im Bilde der Mietskaserne einen Abdruck des ihrigen hinterlassen haben. Noch die planlose Roheit dieser Siedlung, so gewiß ihr Kampf bis aufs Messer zu
liefern ist, hat ihre Schönheit, nicht nur für den flanierenden Snob aus
dem Westen, sondern für den Berliner, den Zille-Berliner selbst, eine
Schönheit, die innigst seiner Sprache, seinen Sitten verwandt ist. Das*

muß gesagt werden: die Mietskaserne, so fürchterlich sie als Behausung ist, hat Straßen geschaffen, in deren Fenstern nicht nur Leid und Verbrechen, sondern auch Morgen- und Abendsonne sich in einer traurigen Größe gespiegelt haben, wie nirgend sonst, und aus Asphalt und Treppenhaus hat die Kindheit des Städters seit jeher so unverlierbare Substanzen gezogen wie der Bauernjunge aus Stall und Acker. Eine historische Darstellung muß dies alles umfassen. J[1]

NACHWEISE **261,30** *könnte«*] Heinrich von Treitschke, Der Sozialismus und seine Gönner, 1874, zit. bei Werner Hegemann, Das steinerne Berlin, Berlin 1930, 19 – **262,5** *ausübt.«*] James Hobrecht, Über die öffentliche Gesundheitspflege, Stettin 1868, zit. bei Hegemann, a. a. O., 329 – **262,27** *Verfasser*] s. Werner Hegemann, Fridericus oder das Königsopfer, Hellerau 1926; ders., Napoleon oder »Kniefall vor dem Heros«, Hellerau 1927; ders., Der gerettete Christus oder Iphigenies Flucht vor dem Ritualopfer, Potsdam 1928 – **262,36** *gab«*] zit. bei Hegemann, Das steinerne Berlin, a. a. O., 7

266 SYMEON, DER NEUE THEOLOGE, LICHT VOM LICHT. HYMNEN, ÜBERS. UND MIT EINEM NACHWORT VERSEHEN VON KILIAN KIRCHHOFF, HELLERAU 1930

ÜBERLIEFERUNG
J Die literarische Welt, 31. 10. 1930 (Jg. 6, Nr. 44), 6. – Gezeichnet: W. B.

267–272 CHICHLEUCHLAUCHRA

ÜBERLIEFERUNG
J[BA] Frankfurter Zeitung, 13. 12. 1930 (Jg. 75, Nr. 927); Benjamin-Archiv, Dr 335.
NACHWEISE **268,17** *voll.«*] Tom Seidmann-Freud, Hurra, wir lesen! Hurra, wir schreiben! Eine Spielfibel, Berlin 1930, 51 – **268,23** *»Schreibturnen«*] a. a. O., 24 – **268,27** *schwarz.«*] a. a. O., 27 – **268,31** *anfangen«*] a. a. O., 3 – **269,32** *hat.«*] Anja und Georg Mendelssohn, Der Mensch in der Handschrift, Leipzig 1930, 10; s. Benjamins Besprechung, 135–139 – **269,37** *Tilmann Olearius*] s. Tilmann Olearius, Deutsche Sprachkunst. Aus den allergewissesten/ der Vernunfft und gemeinen brauch Deutsch zu reden gemässen/ gründen genommen. Sampt angehengten newen methodo, die Lateinische Sprache geschwinde und mit lust zu lernen, Hall/ bey Melchior Oelschlegeln/ Anno 1630 – **270,27** *daneben.*] s. Seidmann-Freud, a. a. O., 46 – **271,24** *verrammelt.«*] a. a. O., 64 – **271,38** *Weise«*] a. a. O., 64

272–274 KOLONIALPÄDAGOGIK

ÜBERLIEFERUNG
J Literaturblatt der Frankfurter Zeitung, 21. 12. 1930 (Jg. 63, Nr. 51).
LESART 273,10 *Pofelware*] konjiziert für *Powelware*
NACHWEISE 273,14 *empfindet.«*] Alois Jalkotzky, Märchen und gegenwart. Das deutsche volksmärchen und unsere zeit, Wien 1930, 32; nach
dem Vorgang von J ist die Kleinschreibung der Substantive bei Jalkotzky in der Besprechung nicht übernommen worden. – 273,15 *Narzißmus*] s. Sigmund Freud, Zur Einführung des Narzißmus, in: Gesammelte Werke, Bd. 10, London 1946, 137 ff. – 273,32 *alkoholgegnerisch.«*] Jalkotzky, a. a. O., 69; die Sätze, eine Zusammenfassung
der Paragraphenüberschriften eines Kapitels, sind im Original gesperrt
gedruckt. – 274,5 *notwendig«*] a. a. O., 72 – 274,15 *sein.«*] a. a. O.,
62

275–278 THEOLOGISCHE KRITIK

ÜBERLIEFERUNG
J Die Neue Rundschau 42 (1931), 140 ff. (Heft 1, Februar '31).
NACHWEISE 276,22 *Max Mell*] s. Benjamins Besprechung, 250–252 –
276,29 *geworden.«*] Willy Haas, Gestalten der Zeit, Berlin 1930, 160
– 277,35 *weiterdenken«*] a. a. O., 97 – 278,5 *denken‹.«*] a. a. O., 247 –
278,16.17 *Wochenschrift*] Die literarische Welt – 278,31 *Plastik.«*]
Haas, a. a. O., 141

279–283 LINKE MELANCHOLIE

Am 11. 10. 1930 schickte Benjamin seine Kästner-Rezension an Bernard von Brentano, der damals Korrespondent der »Frankfurter
Zeitung« in Berlin war: *Bringen Sie sie, wenn irgend möglich, in
Ihrer Rubrik »Zur Kritik der symptomatischen Zeiterscheinungen in
der Literatur«. Sie werden erkennen, daß sie für diese geschrieben
ist. Ich würde mich sehr freuen, wenn wir auch dieser problematischen
Erscheinung gegenüber – ich will sagen Kästner – zusammengingen.
[...] Hoffentlich kann der Kästner ins nächste Literaturblatt.*
(11. 10. 1930, an B. von Brentano) Benjamin wiederholte diese Hoffnung Brentano gegenüber am 23. 10. 1930 und fügte hinzu: *Ich hoffe,
die Rebhühner im Welt- und Bühnen-Sumpf werden erschreckt in die
Höhe fahren.* (23. 10. 1930, an B. von Brentano) Die Besprechung
dürfte eines der frühesten Zeugnisse von Brechts Einfluß auf Benjamin sein, wie auch ein Brief an Adorno belegt: *Wie gerne würde ich*

*mich mit etwas Geschriebenem Ihnen vernehmbar machen, da von
den gegenwärtig recht aufgewühlten Gesprächsmassen – den Zu-
sammenkünften zwischen Brecht und mir – doch wohl das Brandungs-
geräusch Sie noch nicht erreicht hat. Aber die Frankfurter Zeitung,
auf die ich dabei – ich denke an meinen Kästner-Artikel – vor allem
gerechnet hatte, macht sich sehr schwierig. Es werden da offenbar
Rücksichten über Rücksichten genommen* (10. 11. 1930, an Th. W.
Adorno) – Abgelehnt wurde die Publikation der Besprechung von
Friedrich T. Gubler, dem damaligen Leiter des Feuilletons der »Frankfurter Zeitung« (s. 18. 11. 1930, an B. von Brentano); erschienen ist
die Besprechung dann ein viertel Jahr später in der »Gesellschaft«.

ÜBERLIEFERUNG
J Die Gesellschaft 8 (1931), Bd. 1, 181–184.
LESARTEN 280,31 *proletarische*] konjiziert für *proletarischen* – 280,32
zerfallenen] G. Seidel schlägt die Konjektur *zerfallenden* vor (s.
a. a. O., 255)
NACHWEISE 279,3 *Bänden*] s. neben dem rezensierten die Bände Erich
Kästner, Herz auf Taille, Leipzig 1928 und ders., Lärm im Spiegel,
Leipzig 1929 – 280,7 *»Hymne«*] s. »Hymnus auf die Bankiers«, jetzt
in Erich Kästner, Gesammelte Schriften für Erwachsene, München,
Zürich 1969, Bd. 1, 144 f. – 280,8.9 *»Eine Mutter zieht Bilanz«*] s.
a. a. O., 115 f. – 281,35.36 *»Elegie mit Ei«*] s. a. a. O., 105 f. –281,36
»Weihnachtslied chemisch gereinigt«] s. a. a. O., 94 f. – 281,36.37
»Selbstmord im Familienbad«] s. Kästner, Ein Mann gibt Auskunft,
Stuttgart, Berlin 1930, 66 – 281,37 *»Schicksal eines stilisierten Negers«*]
s. a. a. O., 72

283–290 LITERATURGESCHICHTE UND LITERATURWISSENSCHAFT

ÜBERLIEFERUNG
J^BA Die literarische Welt, 17. 4. 1931 (Jg. 7, Nr. 16), 3 f.; Benjamin-
Archiv, Dr 67. – Abdruck innerhalb einer Artikelreihe »Der heutige Stand der Wissenschaften« als Nr. »XII«.
LESARTEN 285,16 *Die Scherersche Literaturgeschichte*] *Die große Scherersche Literaturgeschichte; große* handschr. getilgt – 286,14.15 *das
»Wortkunstwerk«*] handschr. für *Walzels »Wortkunstwerk«* – 286,32
dem] konjiziert für *der* – 286,33 *dem*] konjiziert für *der* – 286,35
seine] konjiziert für *ihre* – 288,19 *neuere*] handschr. für *erst* –
288,31.32 *die von Gegenwärtigem und Gewesenem, will sagen die von
Kritik und Literaturgeschichte*] konjiziert für *den von Gegenwärtigem
und Gewesenem, will sagen den von Kritik und Literaturgeschichte*;
Konjektur von G. Seidel (s. a. a. O., 348) – 290,16–18 *und sie dazu –*

nicht das Schrifttum zum Stoffgebiet der Historie zu machen, ist die Aufgabe der Literaturgeschichte.] handschr. für *und dies – nicht das Schrifttum zum Stoffgebiet der Historie zu machen – ist die Aufgabe der Literaturgeschichte.*
NACHWEISE 284,35 *ersetzen.«*] Walter Muschg, Das Dichterporträt in der Literaturgeschichte, in: Philosophie der Literaturwissenschaft, hg. von Emil Ermatinger, Berlin 1930, 288 – 285,31 *entsteht.«*] a. a. O., 290 – 285,37 *»Deutscher Geschichte«*] s. Karl Lamprecht, Deutsche Geschichte, 12 Bde., Berlin 1894–1909 – 286,10 *Rede.«*] Robert Petsch, Die Analyse des Dichtwerkes, in: Philosophie der Literaturwissenschaft, a. a. O., 263 – 286,13.14 *Wortungs-Lust«*] a. a. O., 255 – 286,26 *zuerkennt.«*] a. a. O., 259 – 287,26 *»Deutsche Dichtung in ihren sozialen, zeit- und geistesgeschichtlichen Bedingungen«*] s. Alfred Kleinberg, Die Deutsche Dichtung in ihren sozialen, zeit- und geistesgeschichtlichen Bedingungen. Eine Skizze, Berlin (1927) – 289,14 *hinausweisender«*] s. Petsch, a. a. O., 276 – 290,4 *sieht.«*] Muschg, a. a. O., 311

290–294 DAS PROBLEM DES KLASSISCHEN UND DIE ANTIKE, HG. VON WERNER JAEGER, BERLIN, LEIPZIG 1931

ÜBERLIEFERUNG
J Literaturblatt der Frankfurter Zeitung, 10. 5. 1931 (Jg. 64, Nr. 19).
NACHWEISE 291,14 *darf.*] s. Das Problem des Klassischen und die Antike, a. a. O., 5 – 291,39 *werden.«*] a. a. O., 24 – 292,11 *ist«*] a. a. O., 119 – 292,18 *können.«*] a. a. O., 115 – 292,21 *Kunst«*] a. a. O., 22 f. – 292,36 *aussetzt.«*] a. a. O., 116 – 293,8 *Kunstwollen‹.«*] a. a. O., 82 – 293,31 *Leistung«*] a. a. O., 119

294–300 WIE ERKLÄREN SICH GROSSE BUCHERFOLGE?

ÜBERLIEFERUNG
J^{BA} Literaturblatt der Frankfurter Zeitung, 14. 6. 1931 (Jg. 64, Nr. 24); Benjamin-Archiv, Dr 297.
NACHWEISE Der Herausgeberin war nur eine Ausgabe von 1918 zugänglich; so mußten die Zitate nach ihr geprüft und nachgewiesen werden. 296,9 *gedruckt.«*] Johann Künzle, Chrut und Uchrut. Praktisches Heilkräuterbüchlein, Feldkirch 1918, 3 – 297,1 *Dünnbier.«*] a. a. O., 65 – 297,10 *Heilkräuter.«*] a. a. O., 30 – 297,14 *hineinkommt«*] a. a. O., 19 f. – 297,15 *Heilkräuter«*] a. a. O., 19 – 297,21 *Trotz«*] a. a. O., 32 – 297,28 *Jubelgreis«*] a. a. O., 4; in der Ausgabe von 1918: »ehrwürdiger Jubelgreis« – 297,30 *Menschen«*] a. a. O., 67 – 298,5 *finden.«*] a. a. O., 47 – 299,11 *habe«*] a. a. O., 30 – 300,1 *müssen.«*] a. a. O., 49 – 300,8 *Bäche«*] a. a. O., 52

300—302 WISSENSCHAFT NACH DER MODE

ÜBERLIEFERUNG

J^{BA} Literaturblatt der Frankfurter Zeitung, 9. 8. 1931 (Jg. 64, Nr. 32);
Benjamin-Archiv, Dr 271.
LESART 301,34—36 *es wird bis stoßen.*] handschr. eingefügt
NACHWEIS 302,29 *Sozialempfinden.*«] Heinz Kindermann, Das litera-
rische Antlitz der Gegenwart, Halle 1930, 79

303 f. BAUDELAIRE UNTERM STAHLHELM

ÜBERLIEFERUNG

J^{BA} Literaturblatt der Frankfurter Zeitung, 23. 8. 1931 (Jg. 64,
Nr. 34); Benjamin-Archiv, Dr 274.
NACHWEISE 303,19 *Wuchten*«] Peter Klassen, Baudelaire. Welt und
Gegenwelt, Weimar 1931, 123 — 303,19 *Prophet*‹] s. a. a. O., 124 —
303,20 *Künstlergeist*«] a. a. O., 96 – 303,20 *Dichtung*«] a. a. O., 116 –
303,22 *verwandtes*«] a. a. O., 52 – 303,23 *Mysteriensicht*«] a. a. O., 64
– 303,26 *betrachten*«] a. a. O., 146 – 303,27.28 *ansprechen*«] a. a. O.,
146 – 303,36 *Eros*‹] a. a. O., 141 – 304,1 *Beginnlichen*«] a. a. O., 149 –
304,2 *Vornaturischen*«] a. a. O., 110 – 304,3 *Paria*‹] a. a. O., 133 –
304,11.12 *Menschweisheit*«] a. a. O., 125 – 304,16 *ging*«] a. a. O., 61
– 304,22 *syphilisés.*«] Baudelaire, Œuvres complètes, éd. Y.-G. Le
Dantec et C. Pichois, Paris 1961, 1456

304—308 EIN SCHWARMGEIST AUF DEM KATHEDER: FRANZ VON BAADER

ÜBERLIEFERUNG

J Literaturblatt der Frankfurter Zeitung, 18. 10. 1931 (Jg. 64, Nr. 42).
NACHWEISE 305,15 *sämtliche Schriften*] s. Franz von Baader. Sämtliche Werke, hg. von Franz Hoffmann, Julius Hamberger [u. a.],
16 Bde., Leipzig 1850–60 – 306,3 *Werken.*«] Alexander Jung, Charaktere, Charakteristiken und vermischte Schriften, 2 Bde., Königsberg
1848, Bd. 1, 191 f. – 306,6 *sie.*] s. David Baumgardt, Franz von Baader und die philosophische Romantik, Halle/Saale 1927, 65 – 307,34
Baaders«] Jung, a. a. O., 194 – 308,5 *erscheinen*«] Wilhelm von Humboldt, zit. bei Baumgardt, a. a. O., 30 – 308,11 *Vergangenheit*«] Baumgardt, a. a. O., 397 – 308,28 *dienen‹.*«] a. a. O., 325 – 308,36 *helfen*«]
a. a. O., 399

309–311 Oskar Maria Graf als Erzähler

ÜBERLIEFERUNG
J Literaturblatt der Frankfurter Zeitung, 22. 11. 1931 (Jg. 64, Nr. 47).
NACHWEIS 311,4 Regen.«] Oskar Maria Graf, Bolwieser. Roman eines
Ehemannes, München, Berlin 1931, 358

311–314 Grünende Anfangsgründe

ÜBERLIEFERUNG
J^BA Frankfurter Zeitung, 20. 12. 1931 (Jg. 76, Nr. 945 f.); Benjamin-
Archiv, Dr 336 f.
LESART 314,21 ihnen] konjiziert für ihr
NACHWEISE 311,12 bekannt.] s. Benjamins Besprechung, 267–272 –
311,28 bedeutet.«] Tom Seidmann-Freud, Hurra, wir lesen! Hurra,
wir schreiben! Eine Spielfibel, Berlin 1930, 51

315–322 Privilegiertes Denken

Benjamin schrieb in einem von den Herausgebern der »Briefe« auf
Oktober 1931 datierten Brief an Scholem über den »Vergil« Theodor
Haeckers: Es ist soviel Heilsgeschichte wie irgend möglich in das
schmale Bändchen gepreßt; desto erfreulicher sind einige profane
Stellen, wo der Verfasser es weniger frommen und begabten Leuten
deutsch gibt. (Briefe, 538) Benjamin hoffte, daß seine vernichtende
Rezension des Haeckerschen Vergil Gedanken, wie er sie als Antwort
an Max Rychner zur Frage materialistischer Literaturanalyse formulierte (s. Briefe, 522 ff.), konziser enthalten werde – so in einem
Brief von Ende Oktober 1931 an Scholem (s. Briefe, 542 f.). – Die Redaktion der »Literarischen Welt« versah Benjamins Kritik mit der folgenden Fußnote: »Die Redaktion der ›L.W.‹ hat ihrer ungleich höheren Wertung des Haeckerschen Buches bereits kurz Ausdruck gegeben,
das mag genügen; eine Entgegnung auf so grundsätzliche Untersuchungen wie die Benjamins, der hier immer Sitz und Stimme hat,
wäre unfruchtbar. – Willkommen sind sie uns nicht zuletzt wegen
ihrer Verteidigung R. A. Schröders gegen die Angriffe Haeckers.« –
Am 24. 12. 1936, bei Gelegenheit eines Aufsatzes von Horkheimer
über Haecker (s. Max Horkheimer, Zu Theodor Haecker: Der Christ
und die Geschichte, in: Zeitschrift für Sozialforschung 5 [1936],
372 ff.), kam Benjamin noch einmal auf seine Besprechung von
Haeckers »Vergil« zurück (s. Briefe, 725).

ÜBERLIEFERUNG
J Die literarische Welt, 5. 2. 1932 (Jg. 8, Nr. 6), 1 f.

NACHWEISE 316,5 *fühlt.«*] Watscheslaw Iwanow, Vergils Historiosophie, in: Corona, 1. Jahr, 6. Heft, Mai 1931, 769 – 316,7 *Dei.«*] a. a. O., 771 – 316,35 *beschworen*] s. Theodor Haecker, Vergil. Vater des Abendlands, Leipzig 1931, 122 ff. – 317,7 *Liebe«*] a. a. O., 111 f. – 317,12.13 *Unvergängliches.«*] a. a. O., 128 – 318,12 *eingeordnet.«*] Rudolf Alexander Schröder, Marginalien eines Vergil-Lesers, in: Corona, a. a. O., 752 – 318,18 *nur.«*] Haecker, a. a. O., 80 f. – 318,23 *Gegensatz.«*] a. a. O., 80 – 319,23 *scheinen.«*] a. a. O., 13 f. – 320,4 *Glauben‹.«*] a. a. O., 19 f. – 320,6 *Menschen«*] a. a. O., 13 – 321,8 *Bezold*] s. Friedrich von Bezold, Das Fortleben der antiken Götter im mittelalterlichen Humanismus, Bonn, Leipzig 1922 – 321,15.16 *standhalten«*] Haecker, a. a. O., 103 – 321,28 *Geister«*] a. a. O., 21

322 GOTTFRIED KELLER, SÄMTLICHE WERKE, HG. VON JONAS FRÄNKEL,
    BD. 1: GESAMMELTE GEDICHTE, 1, BERN, LEIPZIG 1931

ÜBERLIEFERUNG
J Die literarische Welt, 12. 2. 1932 (Jg. 8, Nr. 7), 6. – Gezeichnet:
    W. B.
NACHWEIS Benjamin hatte schon 1927 der Fränkelschen Keller-Ausgabe einen Essay *Gottfried Keller. Zu Ehren einer kritischen Gesamtausgabe seiner Werke* gewidmet, s. Bd. 2.

322 f. HANS HOFFMANN, BÜRGERBAUTEN DER ALTEN SCHWEIZ, FRAUEN-
     FELD 1931

ÜBERLIEFERUNG
J Die literarische Welt, 11. 3. 1932 (Jg. 8, Nr. 11), 6. – Gezeichnet:
    W. B.
NACHWEIS 323,5 *Pedanterie.«*] Hans Hoffmann, a. a. O., 110᾿

323–326 NIETZSCHE UND DAS ARCHIV SEINER SCHWESTER

Als Benjamin am 1. 6. 1932 Scholem gegenüber sein unentschiedenes Verhältnis zu Nietzsche darlegte, erwähnte er auch diese Besprechung: *Ich habe noch keine Zeit gehabt, mich mit der Frage zu befassen, welche Bedeutung seinen [Nietzsches] Schriften im Ernstfall abzugewinnen ist. Sollte ich geneigt sein, mich darum zu kümmern, so würde ich einmal nachlesen, was Klages »die psychologischen Errungenschaften Nietzsches« nennt. En attendant habe ich mich, in der von Dir erwähnten Rezension, was meine Meinung über Nietzsche selbst betrifft, nicht festgelegt.* (Briefe, 554)

ÜBERLIEFERUNG
J Die literarische Welt, 18. 3. 1932 (Jg. 8, Nr. 12), 1 f.
NACHWEISE 323,8 *hat*] s. jetzt Else Lasker-Schüler, Prosa und Schau-
spiele, hg. von Friedhelm Kemp (Gesammelte Werke, Bd. 2), München
1962, 264 f. – 323,28 »*Franz Overbeck und Friedrich Nietzsche*«] s.
Karl Albrecht Bernoulli, Franz Overbeck und Friedrich Nietzsche. Eine
Freundschaft, 2 Bde., Jena 1908 – 324,21 *vorliegt*] s. E. F. Podach,
Gestalten um Nietzsche, Weimar 1932, 125–176 – 325,2 *Reiches*«]
Nietzsche, zit. bei Podach, Nietzsches Zusammenbruch, Heidelberg
1930, 70 – 325,10 *dar.*«] Podach, Gestalten um Nietzsche, a. a. O., 197 –
325,20 *hingestellt.*«] a. a. O., 196 – 325,29 »*Haschischpsychose*«] wahrscheinlich irrtümlich für »Haschisch-Paralyse«, s. Podach, Nietzsches
Zusammenbruch, a. a. O., 30 – 325,34 *sei*‹] bei Paul Cohn, Um Nietzsches Untergang, Hannover 1931, 19: »In diesen Begriff des Wahn-
sinns paßt es auch hinein, daß ein Mensch durch über Menschenkraft
hinausgehende ›Gedanken‹ wahnsinnig werden könnte.«

326–340 HUNDERT JAHRE SCHRIFTTUM UM GOETHE

Diese anonym erschienene Bibliographie raisonnée wird in dem von
Benjamin geführten *Verzeichnis meiner gedruckten Arbeiten* (Benjamin-Archiv, Ms 1834–1843) unter der Nummer 320 als von ihm verfaßt angeführt. Der vorliegende Abdruck folgt dem Erstdruck, ohne
die bibliographischen Daten zu korrigieren oder zu vereinheitlichen.
– Aus Ibiza schrieb Benjamin am 22. 4. 1932 an Scholem: *Die merkantile Konjunktur des Goethejahrs gab mir unvorhergesehene etliche
Hunderte zu verdienen* (Briefe, 547), dabei dürfte er vorab an die
Bibliographie gedacht haben.

ÜBERLIEFERUNG
J Literaturblatt der Frankfurter Zeitung, 20. 3. 1932 (Gedenknummer
zum 100. Todestag Goethes). – Der Abdruck ist ungezeichnet.

340–346 FAUST IM MUSTERKOFFER

ÜBERLIEFERUNG
J^BA Literaturblatt der Frankfurter Zeitung, 20. 3. 1932 (Gedenknum-
       mer zum 100. Todestag Goethes); Benjamin-Archiv, Dr 294–296.
LESARTEN 341,17 *die Wanderjahre*] handschr. Einfügung – 345,35.36
Genaueste] handschr. aus *Genauere*
NACHWEISE 342,2 *Faustgedanke.*«] Eugen Kühnemann, Goethe, 2 Bde.,
Leipzig 1930, Bd. 2, 336 – 342,15 *werden*«] a. a. O., Bd. 1, 8 – 342,23
sind«] a. a. O., 9 f. – 343,22 *auf.*] Goethe, zit. bei Gottfried Wilhelm

Hertz, Natur und Geist in Goethes Faust, Frankfurt a. M. 1931, 186 –
343,26 *auf.*] Goethe, zit. a. a. O., 199 – 343,34–344,1 *Goethe* bis *war.*]
freies Selbstzitat aus Benjamins Goethe-Artikel für die Große Sowjet-
Enzyklopädie, s. Bd. 2 – 344,9 *auf*] s. Hertz, a. a. O., 197 – 344,18
habe«] a. a. O., 178 – 344,26 *begnügen;«*] a. a. O., 199 – 344,29 *verweilt«*] Goethe, zit. a. a. O., 199 – 345,2 *Pflanzenwelt«*] Hertz, a. a. O.,
190 – 345,9 *Sitz.«*] a. a. O., 200 – 345,21 *hervorzaubern.«*] Kühnemann, a. a. O., Bd. 2, 398 f. – 345,34 *bezeichnet.«*] a. a. O., 462 f. –
346,17 *sind«*] a. a. O., Bd. 1, 9

346–349 Pestalozzi in Yverdon

Benjamin berichtete von seiner Lektüre des Buches am 20. 12. 1931
an Scholem: *Um noch weiter von kleinen Schrift- und Leseepisoden
zu reden, so bin ich durch den Herausgeber, der es mir sandte, auf
eines der großartigsten und erschütterndsten Documents humains
geraten: das Leben von Pestalozzi in den Zeugnissen derer die ihn
gekannt haben. Man kann über bürgerliche Erziehung wohl schwerlich mitreden, ohne sich diese Physiognomie zu vergegenwärtigen,
von der, wie ich mir habe erzählen lassen, in seinen berühmten pädagogischen Romanen fast nichts in Erscheinung tritt; in seinem persönlichen Wirken und seinem Mißgeschick – er hat sich am Ende seines
Lebens mit Hiob verglichen – dagegen alles.* (Briefe, 546)

ÜBERLIEFERUNG
J Literaturblatt der Frankfurter Zeitung, 12. 6. 1932 (Jg. 65, Nr. 24).
NACHWEISE 347,37 *überrascht.«*] Alfred Zander, Leben und Erziehung
in Pestalozzis Institut zu Iferten, Aarau 1932, 69 – 348,13 *Kleinen«*]
a. a. O., 142 – 349,4.5 *ausbreiten.«*] Pestalozzi, zit. a. a. O., 193 –
349,16 *gründen.«*] Zander, a. a. O., 196

350–352 Der Irrtum des Aktivismus

ÜBERLIEFERUNG
J Literaturblatt der Frankfurter Zeitung, 19. 6. 1932 (Jg. 65, Nr. 25).
NACHWEISE 350,26 *kommunistische«*] Kurt Hiller, Der Sprung ins
Helle, Leipzig 1932, 9 – 351,26 *denken«*] a. a. O., 8 – 352,22 *Typus«*]
a. a. O., 314

352–354 Goethebücher, aber willkommene

ÜBERLIEFERUNG
J Die literarische Welt, 24. 6. 1932 (Jg. 8, Nr. 26), 5. – Abgedruckt im
Rahmen einer Sparte »Neue Goethe-Bücher«.

NACHWEIS 353,31 *H. G. Gräf*] s. Johann Wolfgang von Goethe, Gedichte in zeitlicher Folge, hg. von Hans Gerhard Gräf, 2 Bde., Leipzig 1916

354 f. CHERRY KEARTON, DIE INSEL DER FÜNF MILLIONEN PINGUINE, STUTTGART 1932

ÜBERLIEFERUNG
J Die literarische Welt, 1. 7. 1932 (Jg. 8, Nr. 27), 5. – Gezeichnet: *W. B.*

NACHWEISE 354,32 *studierten.«*] Cherry Kearton, a.a.O., 10f. – 355,36 *werden.«*] a.a.O., 188 f.

356–360 ERLEUCHTUNG DURCH DUNKELMÄNNER

ÜBERLIEFERUNG
J[BA] Literaturblatt der Frankfurter Zeitung, 21. 8. 1932 (Jg. 65, Nr. 34); Benjamin-Archiv, Dr 302 f.

LESARTEN 356,19 *hat*] handschr. aus *haben* – 357,34 *Drüben*] handschr. aus *Trüben*

360–363 JEMAND MEINT

ÜBERLIEFERUNG
J[BA] Literaturblatt der Frankfurter Zeitung, 20. 11. 1932 (Jg. 65, Nr. 47); Benjamin-Archiv, Dr 164.

LESARTEN 361,4 *Auf*] handschr. aus *An* – 361,16 *die*] handschr. für *für seine* – 363,5 *belanglos*] handschr. für *unbeträchtlich* – 363,11 *Es*] handschr. aus *Er* – 363,11 *verliehen*] handschr. aus *verleihen*

NACHWEISE 361,34 *Tracht«*] Emanuel Bin Gorion, Ceterum Recenseo. Kritische Aufsätze, Berlin 1932, 35 – 362,1 *wurde«*] a.a.O., 39 – 362,4 *Hesse«*] a.a.O., 15 – 362,12 *Materie.«*] a.a.O., 18 – 362,14 *gefertigt.«*] a.a.O., 14 – 362,20 *wird.«*] a.a.O., 14 f. – 362,30 *Erkenntnis«*] a.a.O., 14 – 362,35 *haben«*] a.a.O., 16

363–374 STRENGE KUNSTWISSENSCHAFT, 1. UND 2. FASSUNG

Benjamin erhielt den ersten Band der »Kunstwissenschaftlichen Forschungen« von Carl Linfert. Über dessen Beitrag zu dem Buch (s. Carl Linfert, Die Grundlagen der Architekturzeichnung, in: Kunstwissenschaftliche Forschungen, Bd. 1, Berlin 1931, 133–246) schrieb Benjamin ihm am 18. 7. 1931: *Sie haben mir mit der Übersendung Ihres Buches eine ganz besondere Freude gemacht. In welchem Sinne sie*

*durch die freundlichen Zeilen, die es begleiteten, noch gemehrt wurde,
werden Sie leicht erraten. [Absatz] Das Thema, das Sie gewählt
haben – so fremd es mir bisher gewesen ist – fesselt mich außerordentlich. Noch ehe ich an den Text ging, schlug mir aus den Bild-
tafeln die dünnste, anregendste Luft entgegen. Dann habe ich entschlossen die gerade fälligen Schreibereien vertagt, um mich mit ge-
sammelter Aufmerksamkeit zu Ihren Ausführungen zu wenden. Sie
werden mir glauben, daß sie voll von bedeutsamen Aufschlüssen für
mich gewesen. Es scheint mir ein eminent zielsicher, wahrhaft methodischer Umweg, der Sie die Architekturzeichnung wählen ließ, um in
ein und demselben Akt dem Wesen der Baukunst und des barocken
Ingeniums nahe zu kommen. Sie haben dabei – wenn Sie mir einen
figürlichen Ausdruck erlauben wollen – ganz anders als die große
Menge der Historiker, die das Gewesene wie einen fadenscheinigen
Zylinder immer noch einmal auf neu polieren, die Vergangenheit
gewissermaßen gegen den Strich gebürstet, so daß nun jedes Faktum
(œuvre) einzeln da steht, der Betrachtende aber zwischen das Einzelne hindurch auf den gemeinsamen Grund schauen kann, aus dem es
hervorkommt. Besonders faszinierend waren mir die Zusammenhänge,
die Sie zwischen Architektur und Ornament erkannt und vor allem in
der Behandlung von Delafosse so nachdrücklich dargestellt haben.
Eine alte Lieblingsidee von mir, daß die Mitte des achtzehnten Jahrhunderts ein ganz genau so seltsames und verschlossnes Formen- und
Gedankenleben wie das Barock gehabt habe, nur ein anderes, ist mit
einmal in Ihrer Analyse von Delafosse mehr als eine Schrulle geworden und es öffnen sich auf diesen Blättern Durchblicke bis in Sarastros
Tempel. [Absatz] Vielleicht, daß wir einmal Gelegenheit finden,
die mannigfache und tiefgehende Verwandtschaft zwischen unsern
Arbeiten, die ich zu spüren glaube und welche Sie selbst in Ihren
vielen Zitaten so schön und erkennbar bezeugt haben, in persönlicher
Unterredung weiterhin fruchtbar zu machen. Ich würde mich herzlich
darüber freuen. (18. 7. 1931, an C. Linfert)*

Den gesamten ersten Band der »Kunstwissenschaftlichen Forschungen«
besprach Benjamin für die »Frankfurter Zeitung«. Seine Besprechung
wurde jedoch von Friedrich T. Gubler, dem damaligen Leiter des
Feuilletons, und von Benno Reifenberg abgelehnt. Linfert berichtete
in einem Brief vom Dezember 1932 an Benjamin, den dieser aufbewahrte, über ein Gespräch mit Gubler und Reifenberg; da der Bericht
Linferts charakteristisch für das Verständnis sein dürfte, das Benjamins Arbeiten bei den Autoritäten der Publizistik jener Jahre fanden,
sei er ausführlich zitiert: »Über Ihre Besprechung unseres ersten Bandes [der ›Kunstwissenschaftlichen Forschungen‹] bin ich beglückt;
ich kann schwer mit richtigen Worten sagen, wie ausdrücklich ich die

Beteiligung an der Absicht der Darlegung und an ihrem Gegenstand
selber finde. Auch mit dem Zugang, den Sie zu dem Programm unserer Arbeiten wählten, stimme ich durchaus überein; und ich bin sicher,
daß Sedlmayr in Ihren Einwänden wichtige Hinweise sehen wird; ich
habe selbst mich mit ihm über Betrachtungsarten außerhalb der Gestalttheorie unterhalten, er wird sie in seiner weiteren Arbeit nicht
außer Acht lassen. [Absatz] Was nun die keineswegs deutlichen und
schlüssigen Einwände Gublers angeht, so kann ich Ihnen dank einem
glücklichen Zufall darüber einiges mitteilen. Die briefliche Verbindung mit Gubler war mir in allerlei Dingen zu schlaff und unwirksam
geworden. Daher bin ich in der letzten Woche kurzerhand nach
F[rankfurt] gefahren und habe ihn mit meinem Besuch überrascht.
Es gelang mir, was bei ihm ja seine besonderen Schwierigkeiten hat,
ihn sofort in eine eingehende Unterhaltung zu verwickeln, und mitten darin, nach einer Zufallsassoziation, die ich nicht mehr weiß, griff
er nach Ihrem Manuskript und gab es mir. Dabei bat er mich, dieses
ungewöhnliche Verfahren geheim zu halten, welche Bitte mir Ihnen
gegenüber nicht der Erfüllung zu bedürfen scheint (abgesehen davon,
daß ich sie ihm nicht ausdrücklich zugesagt habe), wenn Sie nur
gegenüber G. diese meine Mitteilungen ebenso unerwähnt lassen wie
ich Ihre eigene Information über G.s Brief. [Absatz] Seine summarische erste Äußerung war: ›Ich verstehe es nicht‹, die bekannte
Floskel, mit der man weniger das eigene Verständnis desavouieren,
als gewisse Diskussionsmöglichkeiten von vornherein ablehnen will.
Gleichwohl habe ich später mit G. und dann auch mit G. und Reifenberg zugleich darüber diskutiert und dabei festgestellt, daß das zitierte
Generalurteil von R. ausging, was ja in seiner unbedingten Bevorzugung einer ›Sprache des Genusses‹, vor allem wenn es sich um
Kunstdinge handelt, eine gewisse Begründung haben mag. R. hat
aber auf meine, amüsiert vorgebrachte, Antwort, das sei doch nur ein
metaphorisch zu nehmendes und etwas ›bösartiges‹ Verfahren, gegenüber allem Befremdenden um jeden Preis sofort eine ›klare Position‹
einzunehmen, mir sogleich zugegeben, daß das natürlich keine endgültige Stellungnahme bedeute. [Absatz] Vorher war mir aber schon
bei der Besprechung mit G. klar geworden, daß er sozusagen als
Schweizer und aus ungenügender Kenntnis dessen, was neben und
über Wölfflin hinaus in der Kunstgeschichte alles vorgefallen ist
(also vor allem Unkenntnis der Wiener Schule), in der Absetzung
W.s gegen Riegl eine wirkliche und verächtlich machende ›Absetzung‹ Wölfflins überhaupt sah. Das sei natürlich nicht gemeint, erklärte ich ihm, sondern es handle sich nur darum, daß die unfruchtbare Situation, die durch Wölfflin teils beseitigt wurde, schließlich
gerade infolge der öden Verwendung von W.s formaler Analyse eine

neuerlich unfruchtbare Situation hervorgebracht habe, die in der platten, bloß die internen Formrelationen eines Kunstwerks abschmeckenden Begutachtung, wie sie heute unter Museumskennern und den meisten Universitätskunsthistorikern gängig sei, ihren verderblichen Ausdruck finde. Alles halte sich an die antithetischen Grund›begriffe‹, statt das wesentlichste Werk W.s, ›Renaissance und Barock‹ zu bevorzugen, welches selber aber gerade durch den vergessenen, zum mindesten halb verstandenen Riegl eine Erweiterung gefunden habe, die beim Barock die Frage der Subjektivisierung wie überhaupt der im Kunstwollen selber angelegten ›Auffassung‹ in viel tiefergehend historischer Weise mit ansetze. Es war schwer, weil er Riegl nicht kannte. [Absatz] Vor allem hatte er nun gar kein Verständnis dafür, weshalb die Form der Monographie eine besondere Dignität haben könnte. Und er pries dann schlankweg die ›Universalhistorie‹, die doch so große Früchte getragen habe und die man einfach abtun könne mit einem verschmähenden Hinweis auf die ›Schablonen aus der Erbschaft einer schöngeistigen Kunstbetrachtung‹, wie er es von Ihnen getan glaubte. Ich wies ihn darauf hin, daß hier nur von der falsch verzinsten Erbschaft die Rede sei und keineswegs damit Burckhardt oder Pinder oder auch Wölfflin selbst abgetan sein sollten. [Absatz] In diesem Zusammenhang rief er auch aus: ›Was ist das denn schon, wenn Sie und ihre Gesinnungsgenossen von der Grenze ausgehen?‹ Darauf konnte ich ihm nur sagen, daß das doch bei Ihnen deutlich gesagt stände und daß gerade dies bei Riegl sich als der einzige Weg erwiesen habe, um die schlechte Universalhistorie mit den konventionell-klassischen Höhepunkt-Perioden und dem bloß Minderwertigen dazwischen zu überwinden. (Übrigens habe doch Wölfflin selbst einen Beitrag dazu geliefert, indem er den Barock positiv auslegte, der noch für Burckhardt undiskutabel und Randerscheinung war.) Aber auch das war noch nicht genug, und ich nannte ihm die Abschnitte Dvořáks über den Manierismus (Gesch. der ital. Kunst), in denen zum ersten Mal der Sinn einer spiritualistischen Entstellung der bloß formalistisch erscheinenden Schemen der Klassik benannt worden ist; das war eben nur von der Grenzerscheinung her möglich, die periodenfeste ›Universalhistorie‹ hatte das alles übersehen. [Absatz] Gerade darin habe auch die von Ihnen erwähnte ›trostlose Verfassung‹ gelegen; seit Schnaase hatte es nur noch Sammelarbeit oder Einzelanalysen gegeben. Erst bei Riegl sei a u s der Einzeltatsache wieder der Sinn des Gesamtgangs der Kunstgeschichte gefunden worden. Nicht um Wölfflin auszuschalten, sondern um den gern vom Durchschnitt übergangenen Riegl für das heranzuziehen, was W. nicht für seine Aufgabe erkannt habe, sei der Zug von Wölfflin über Riegl bis zur bewußten Bevorzugung der

›Monographie des Kunstwerks‹ von Ihnen skizziert worden. [Absatz] Ich hätte ihm noch zweierlei vorhalten können, was gegen seine Einwände spräche, aber ich vermied es, weil ihm dies vielleicht als peinliches Zitieren von Ungelesenem erschienen wäre:

1) steht die von Ihnen gemeinte trostlose Verfassung der Kunstgeschichte kurz und deutlich umschrieben in Dvořáks Nachruf auf Riegl (D., Gesammelte Aufsätze, Piper 1929, S. 283 f. und 291 ff.); dabei wird auch deutlich, wieviel eher auf diesem neuen Weg Riegls der eigentliche Lauf der Geschichte heraustritt, den die übliche Universalhistorie nur summarisch und unkritisch umreißt.

2) aber ist dies auch ganz ausdrücklich von Riegl selbst betont worden in seinem ganz kurzen Aufsatz von 1898 ›Kunstgeschichte und Universalgeschichte‹ (Ges. Aufsätze, Filser 1929, S. 3–9). Er unterscheidet da die ältere Art universalhistorischer Betrachtung von der soeben neu eintretenden Tendenz, die nur durch streng empirische Ausdeutung des Einzelwerks auf die Gesetze und Probleme der Kunstentwicklung als solcher stoßen will. Und das ist ja gerade der Sinn des monographischen Ansehens der Kunstwerke. Es handelt sich eben nicht um Personen-Monographie, die allerdings keinen besonderen Weg in die Universalhistorie bietet, sondern um die Monographie des Kunstwerks selber, von der aus allerdings der Zugang zur Universalhistorie so deutlich ist, daß sie nun erst wieder sinnvoll wird und nicht in die Gefahr des Überblicks ohne jede Entdeckung gerät; und das wäre gerade bei der ungeklärten Vorstellung G.s von Universalhistorie immerfort der Fall. Riegl hält in seinem letzten Abschnitt gerade die empirisch beobachtende Skepsis gegenüber den ›toten Punkten‹ in der bisher üblichen Entwicklungszeichnung für wichtig, denn an ihnen und ihrer jeweiligen Sinnklärung bildet sich erst der Angriffspunkt für eine ›universalhistorische Betrachtung der Kunstgeschichte‹. [Absatz] In diesen Richtungen ungefähr werden also die Einwände laufen, die Ihnen G. schreiben wird. Leider sind wir in der etwas gehetzten Durchsprechung Ihres Aufsatzes nur bis Seite 4 oben gekommen, sonst hätte ich ihm einige seiner vermeintlichen Einwände schon aus Ihrem Text selber berichtigen können. Jedenfalls sagte ich ihm, daß es sich immer nur um Mißverständnisse handle, die ihm vielleicht auf Grund der Knappheit der Fassung so erscheinen könnten, aber keine tatsächlichen seien. Und ich glaubte, daß wenn er Ihnen diese Punkte im einzelnen vermerken würde, Sie wohl leicht durch kleine erläuternde Einfügungen diese Einwände aufheben könnten und wohl auch dazu bereit wären. Aber im Zug Ihrer Darlegung selbst vermöge ich keinerlei Verzeichnung zu erkennen. [...] Hoffentlich ist dieser etwas umständlich geratene Aufriß der redaktionellen Lage nützlich zu einer guten Aufklärung der Schwierig-

keiten. Ich werde jedenfalls G.s Aufmerksamkeit auf die überhaupt in unserer Unterhaltung auftauchenden Fragen immer wieder lenken.« (13. 12. 1932, C. Linfert an Benjamin.)

Auf Grund der Kritik von Gubler und Reifenberg arbeitete Benjamin seinen Text um. In einem ersten Arbeitsgang versah er das Typoskript der ersten Fassung (T) mit handschr. Marginalien, die sehr instruktiv belegen, wie Benjamin die Hinweise in dem zitierten Brief Linferts zu nutzen verstand. Die neue Fassung erschien schließlich am 30. 7. 1933 in der »Frankfurter Zeitung« unter dem Pseudonym Detlef Holz. Ihr ging ein aus San Antonio auf Ibiza vom 18. 7. 1933 datierter Brief Benjamins an Linfert voraus; der in dem Brief erwähnte Rudolf Geck war der Nachfolger Gublers in der Feuilletonredaktion der »Frankfurter Zeitung«. *Mancher Tag ist seit unserer letzten Begegnung ins Land gegangen und gern würde ich mich bei Ihnen unter Umständen einfinden, die mehr Aussicht hätten, Gnade vor Ihren Augen zu finden als die Einsendung des beiliegenden – oder mit gleicher Post folgenden – Manuscripts. [Absatz] Seit Gubler mir die »Strenge Kunstwissenschaft« zurückreichte, habe ich alles getan, um die höchst wertvollen Hinweise für mich fruchtbar zu machen, die Ihr Brief vom 13ten Dezember enthielt. Ich habe Dvorak vorgenommen, Riegl und Wikhoff neu durchgesehen. Mitnehmen konnte ich diese Bücher, die ich von der Staatsbibliothek entliehen hatte, freilich nicht. Und davon abgesehen – schon in Berlin erschien die Möglichkeit mir problematisch, den Aufsatz durch umfassendere Zitate aus diesen Quellenwerken zu vergrößern. Rücksichten auf die Redaktion schienen mir eher das Gegenteil nahezulegen. [Absatz] Als ich nun hier nach gemessener Zeit das Ganze wieder vornahm, ergab sich, daß diese Rücksichten und jene Entblößung von den Quellenschriften in ein und demselben – mir sowie Ihnen durchaus unerwünschten – Sinne zusammenwirkten: Ich mußte den Aufsatz kürzen, Rücksicht auf die Gesamteinteilung verlangte ferner, daß ich nicht nur den Teil, der sich polemisch mit Sedlmayrs Theorie befaßte sondern auch jene prinzipielle Deduktion über Architekturzeichnungen fortließ, die sich auf Ihren Jahrbuch-Beitrag gründen. Es ist die schlechteste Entschädigung von der Welt, wenn ich auf der andern Seite einige Sätze Ihres Briefes in den Text eintrug, in denen ich Sie nicht wohl zitieren konnte. [Absatz] Meine einzige Hoffnung ist, daß die offene Darlegung dieses Sachverhalts auf der einen, die Einsicht in den Zwang der Lage auf der andern Seite mir Ihre Nachsicht, wenn schon nicht Verzeihung, erwirke. Es bleibt trotz allem, wie ich hoffen will, unser Interesse an der Plazierung dieser Arbeit noch ein gemeinsames. Auch ersehe ich aus meiner laufenden Lektüre der Zeitung, daß Sie dort weiterhin eine Stelle haben. Und so möchte ich die Rezension weiter-*

*hin unter Ihr Protektorat stellen, wie wenig sie es auch in ihrer neuen
Gestalt verdienen mag. [Absatz] Ich schicke sie mit gleicher Post an
Geck. Ihm zu verschweigen, daß sie Gubler früher vorgelegen hat,
schien mir nicht zweckmäßig. Reifenbergs Widerstände werden –
durch einige Milderungen und Zitierung einiger Autoritäten – vielleicht jetzt überwunden sein; auch bin ich garnicht sicher, ob ihm Geck
das Manuscript vorlegen wird. Vielleicht besteht für Sie in Ihrer
Eigenschaft als Mitarbeit[er] der Zeitung und des Jahrbuchs die
Möglichkeit, die wechselvollen Geschicke dieses Essays noch zum guten
zu lenken. In jedem Falle wollte ich Sie auch über deren gegenwärtige
Phase auf dem Laufenden halten.* (18. 7. 1933, an C. Linfert)

363–369 Erste Fassung

Überlieferung

T Typoskript mit handschr. Korrekturen und späteren Marginalien,
    gezeichnet: *von Walter Benjamin*; Benjamin-Archiv, Ts 1411–1418.

Lesarten

Im folgenden werden die erwähnten Marginalien zu T verzeichnet,
die keine Varianten im strengen Sinn darstellen, sondern eine Zwi-
schenstufe gegenüber den beiden Fassungen der Arbeit repräsentieren;
ausnahmsweise ist es so einmal möglich, Benjamins Umarbeitung eines
Textes im einzelnen zu verfolgen.

364,15 *trostlosen*] handschr. am Rand: *Über diese Verfassung siehe
Dvoraks Nachruf auf Riegl in den »Gesammelten Aufsätzen« München
1929 p 283f p 91f* T – 364,17 *befand*] handschr. am Rand: *– die
Dvorak in seinem Nachruf auf Riegl später so gut kennzeichnen sollte –*
T – 366,23 *Materialbestimmtheit*] handschr. am Rand: *geschichtsphilosophischen Verspannungen* T – 366,39 *wird.*] handschr. am Rand: *Im
übrigen hat Riegl auch methodisch in einem kurzen Essay »Kunstgeschichte und Universalgeschichte«, der 1898 erschienen ist, die ältere
Art universalhistorischer Betrachtung gegen eine neue Kunstwissenschaft abgegrenzt, der er selber die Wege bahnte. Es ist das jene streng
empirische Ausdeutung des Einzelwerks, die ohne irgendwo sich zu
verleugnen auf die Gesetze und Probleme der Kunstentwicklung als
solcher stößt. Diese Forschungsrichtung hat alles von der Erkenntnis
zu erwarten, daß* T; Forts. s. 367,23 – 367,39 *Grenzfall.«*] handschr.
am Rand: *Schon in der »Spätrömischen Kunstindustrie« von Riegl
erwies sich ja, der Grenzfall – denn das ist die Goldschmiedekunst hin-
sichtlich ihrer Stellung zur »Kunst« im Großen – als Ausgangspunkt
für die bedeutsame Überwindung der schlechten Universalhistorie mit
ihren konventionell-klassischen »Höhepunkten« und »Verfallsperioden«. Den gleichen Ansatz hat ja schließlich selbst Wölfflin später hier*

*entfaltet, wenn er als erster das Barock positiv ausgelegt, in dem noch
Burckhardt ein Zeugnis des »Verfalls« gesehen hat. Und damit nicht
genug hat Dvoraks Forschung über den Manierismus aufgezeigt, welche
historischen Aufschlüsse einer spiritualistischen Entstellung der leer-
gewordnen Schemen der reinen Klassik sich abgewinnen lassen. An
alledem ist die periodenfeste »Universalhistorie« vorbeigegangen. Denn
der von ihr verschmähte Grenzfall ist es,* T – 368,38 Soweit bis aber]
handschr. über der Zeile: *Die Analyse dieser Formwelt aber* T – 369,12
die Mittelmäßigkeit] handschr. am Rand und unter dem Text: *behäbige Mittelmäßigkeit der Gründerzeit in Anspruch nahm, das Merkmal
neuen Forschergeistes ist. Sein eigenstes Kriterium ist vielmehr in
Grenzbezirken sich zu Haus zu fühlen. Das ist es auch, was dieser
Forscherreihe in der Bewegung ihren Platz gibt, die heute von den
germanistischen Arbeiten Burdachs bis zu den religionsgeschichtlichen
der Bibliothek Warburg die Randgebiete der Geschichtswissenschaft mit
neuem Leben erfüllt.* T

NACHWEISE 364,8 enthielte.«] Heinrich Wölfflin, Die klassische Kunst.
Eine Einführung in die italienische Renaissance, München 1899, VII f.
– 364,10.11 *beigegeben.«*] a. a. O., IX – 364,34 *sieht.«*] Walter Muschg,
Das Dichterporträt in der Literaturgeschichte, in: Philosophie der Literaturwissenschaft, hg. von Emil Ermatinger, Berlin 1930, 311 –
364,35.36 *Konstruktionen«*] a. a. O., 314 – 365,11 *Art.«*] Kunstwissenschaftliche Forschungen, Bd. 1, Berlin 1931, 19 f. – 366,30 *»Spätrömische Kunstindustrie«*] s. Alois Riegl, Die spätrömische Kunst-Industrie nach den Funden in Österreich-Ungarn, 1. Teil, Wien 1901;
2. Aufl,. Wien 1927 – 367,32 *»Melencolia«*] s. Carl Giehlow, Dürers
Stich »Melencolia I« und der maximilianische Humanistenkreis, in:
Mitteilungen der Gesellschaft für vervielfältigende Kunst, Beilage der
»Graphischen Künste«, Wien 1903 – 367,39 *Grenzfall.«*] Kunstwissenschaftliche Forschungen, a. a. O., 153 – 369,3 *anfing«*] a. a. O., 231

369–374 ZWEITE FASSUNG

ÜBERLIEFERUNG
J^BA Literaturblatt der Frankfurter Zeitung, 30. 7. 1933 (Jg. 66,
Nr. 31); Benjamin-Archiv, Dr 206 f. – Gezeichnet mit dem Pseud-
onym *Detlef Holz.*

LESARTEN 373,33 *Gegebenheit*] handschr. aus *Begebenheit* – 373,37
transparent!] handschr. aus *transparent?* – 373,39 *aufzunehmen!*]
handschr. aus *aufzunehmen?*

NACHWEISE
Nachweise, die mit solchen zur ersten Fassung übereinstimmen, werden
im folgenden nicht wiederholt.

370,6 *Nachruf auf Riegl*] s. Max Dorak, Alois Riegl, in: Gesammelte Aufsätze zur Kunstgeschichte, München 1929, 279 ff. – 372,20 *»Kunstgeschichte und Universalgeschichte«*] s. Alois Riegl, Gesammelte Aufsätze, hg. von Karl M. Swoboda, Augsburg 1929, 3 ff. – 373,11 *Dvoráks*] s. Max Dvorak, Über Greco und den Manierismus, in: Max Dvorak zum Gedächtnis, Wien 1922

375–377 HERMANN GUMBEL, DEUTSCHE SONDERRENAISSANCE IN DEUTSCHER PROSA, FRANKFURT A. M. 1930

ÜBERLIEFERUNG
J[BA] Literaturblatt der Frankfurter Zeitung, 15.1.1933 (Jg. 66, Nr. 3); Benjamin-Archiv, Dr 229.
LESART 375,6 *Studie*] *Studie dieses Themas*, die beiden letzten Wörter handschr. gestrichen
NACHWEISE 375,10 *Physiognomik‹*] s. Hermann Gumbel, a.a.O., 19: »Somit wird Stilforschung zur geistigen Physiognomik.« – 375,34 *müßte.«*] a.a.O., 173 f. – 376,9 *Cassirers*] s. Ernst Cassirer, Philosophie der symbolischen Formen, Bd. 1, Berlin 1923; ders., Die Begriffsform im mythischen Denken, s. jetzt in E. Cassirer, Wesen und Wirkung des Symbolbegriffs, 4. Aufl., Darmstadt 1969 – 376,19.20 *bewähren.«*] Gumbel, a.a.O., 197 – 376,25 *braucht.«*] a.a.O., 202 – 377,6 *Gegentyps«*] a.a.O., 230 – 377,14 *hat.«*] a.a.O., 234 – 377,18 *aufdröselt«*] a.a.O., 14

377–380 MEMOIREN AUS UNSERER ZEIT

ÜBERLIEFERUNG
J Die literarische Welt, 10. 2. 1933 (Jg. 9, Nr. 6/7), 9 f.
NACHWEISE 379,11 *Pompadourabsätzen«*] Rudolf Schlichter, Das widerspenstige Fleisch, Berlin 1932, 99 – 379,22 *Großstadt«*] a.a.O., 102

380–383 KIERKEGAARD

Benjamin las die Habilitationsschrift Adornos bereits im Umbruch. Er schrieb dem Autor darüber am 1. 12. 1932: *Ich unterbreche meine Lektüre im Kierkegaard einen Augenblick, um Ihnen endlich ein (noch unmaßgebliches) Wort von dem Eindruck zu sagen, den diese hochinteressante und hochbedeutende Arbeit mir macht. Es ist, wie ich sage, eine Lektüre im Kierkegaard; sie gibt mir nicht die Kompetenz über Gedankenführung und Aufbau schon jetzt zu sprechen. Auch*

steht der Schluß ja noch aus. *Entscheidendes habe ich noch vom ge-
schlossnen Exemplar zu erwarten. Bei den Bogen ist die Versuch[ung],
sich im Blättern zu verlieren zu groß. Und sie wird wahrhaftig be-
lohnt. Ob ich auf die Darstellung der barocken Motive bei Kierkegaard, auf die epochale Analyse des Interieurs, auf die wundervollen
Zitate, die Sie aus dem technischen Allegorienschatz des Philosophen
geben, auf die Darlegung von Kierkegaards ökonomischer Situation,
auf die Auslegung der Innerlichkeit als Burg oder des Spiritualismus
als Grenzwert des Spiritismus stoße – der Reichtum Ihrer Einsicht
aber auch die Schärfe ihrer Verwertung betrifft mich immer. Seit den
letzten Versen Bretons (der »Union libre«) hat mich nichts mehr
sosehr in meine eigensten Felder gezogen, als Ihre Wegkarte durch
das Land der Innerlichkeit, aus des Bezirk Ihr Held nicht wieder-
kehrte. Es gibt also doch noch etwas wie Zusammenarbeit; und Sätze,
die dem einen es möglich machen für den andern einzustehen. Im
übrigen kann ich nicht wissen, aber doch vermuten, daß Ihr Buch
unendlich viel der völligen Umarbeitung dankt, die Sie mit ihm, im
Augenblick, da Sie es für abgeschlossen hielten, vorgenommen haben.
Es liegt darin eine geheimnisvolle Bedingung des Gelingens, über die
man einmal nachdenken sollte.* (1. 12. 1932, an Th. W. Adorno) Mitte
Januar 1933 berichtete Benjamin Adorno über den Besprechungsauftrag: *In aller Kürze möchte ich Ihnen mitteilen, daß es mir gelungen
ist, das Referat über Ihren »Kierkegaard« mir von der Vossischen
Zeitung übertragen zu lassen. [Absatz] Einfach ist das allerdings
nicht gewesen, denn ich habe dort bisher noch nie Rezensionen publiziert. Da ich aber mit der »Literarischen Welt« vorderhand nichts zu
schaffen haben möchte, mir auch bei ihr das Referat in keinem Fall
entgeht (denn wenn ich das Buch dort nicht anzeige bleibt es unbe-
sprochen), schien es mir bei weitem wichtiger, den Posten dort, wo er
an einen Schädling fallen konnte, zu besetzen. Ich bin auf die Bedingung eingegangen, mich auf 2½ Maschinenseiten zu beschränken;
mehr hätten sie ohnehin keinem Referenten zur Verfügung gestellt.
[Absatz] Leider ist mir das Mißgeschick unterlaufen, die Bogen,
die Sie mir sandten, meinem Freund Gustav Glück mitzugeben, der
auf Urlaub gefahren ist. Da ich andererseits das Buch von der Zeitung
noch nicht erhalten habe, so darf ich es, vielleicht möglichst umgehend,
von Ihnen erwarten. Ich möchte die Arbeit unverzüglich in Angriff
nehmen. [Absatz] So schlagen wir nun einmal mit vereinten Kräften und wollen uns dessen freuen.* (14. 1. 1933) Die Besprechung erschien am 2. 4. 1933, nachdem Benjamin bereits in die Emigration
gegangen war; einen wichtigen *Absatz* hatte die Redaktion der
»Vossischen Zeitung« gestrichen (s. Briefe, 581).

ÜBERLIEFERUNG

J^{BA} Vossische Zeitung, Literarische Umschau (Beilage), 2. 4. 1933
   (Nr. 14); gezeichnet: *W. B.*; Benjamin-Archiv, Dr 353.

LESART 382,34–383,2 *Es ist die* bis *Versöhnung«.*] von der Redaktion
gestrichene Passage, die Benjamin handschr. wiedereingefügt hat.

NACHWEISE 381,23 *Geistes«*] Theodor Wiesengrund-Adorno, *Kierkegaard. Konstruktion des Ästhetischen*, Tübingen 1933, 63 – 382,18
haben‹] s. a. a. O., 129: »Die ›Tiefe‹ Kierkegaards, will man den miß-
brauchten Begriff festhalten, liegt keinesfalls darin, daß er unter der
Hülle idealistischer Denkformen einen absoluten religiösen Ursinn wie-
derherstellte.« – 382,20 *historischen«*] a. a. O., 129 – 382,28 *Menschenwesens«*] a. a. O., 68 – 382,38 *Verkleinerung«*] a. a. O., 144 – 383,2
Versöhnung«] a. a. O., 155

383–386 Briefe von Max Dauthendey

ÜBERLIEFERUNG

J^{BA} Literaturblatt der Frankfurter Zeitung, 30. 4. 1933; gedruckt
   unter dem Pseudonym *Detlef Holz*; Benjamin-Archiv, Dr 185.

LESART 385,37–386,2 *Was* bis *Fest.*] von der Redaktion gestrichene
Passage, die Benjamin handschr. wiedereingefügt hat.

NACHWEISE 383,11 *studiert.«*] Max Dauthendey, Ein Herz im Lärm
der Welt. Briefe an Freunde, München 1933, 149 – 384,2 *sei.«*] a. a. O.,
110 f. – 384,31 *gebeugt.«*] a. a. O., 107 – 385,18 *sein.«*] a. a. O., 145 –
386,2 *Fest.«*] a. a. O., 195

386–388 Marc Aldanov, Eine unsentimentale Reise. Begegnun-gen und Erlebnisse im heutigen Europa, München 1932

ÜBERLIEFERUNG

J^{BA} Vossische Zeitung, Literarische Umschau (Beilage), 21. 5. 1933;
   gezeichnet: *W. B.*; Benjamin-Archiv, Dr 149.

NACHWEISE 386,29 *hat.«*] Marc Aldanov, a. a. O., 173 – 387,5 *»Äternalismus«*] a. a. O., 9 – 387,6 *Weltbetrachtung«*] a. a. O., 9 – 387,34
höher.«] a. a. O., 183

388–392 Am Kamin

Die Besprechung entstand im April und Mai 1933 auf Ibiza. Am
30. 4. 1933 schrieb Benjamin an Gretel Adorno: *Augenblicklich beschäftigt mich die Rezension von Bennetts »Konstanze und Sophie«,
die ich Dir nochmals zu lesen anempfehle. Ich habe vor, darin ver-*

schiedenes Grundsätzliche über den Roman zu sagen und es könnte sein, daß dabei etwas herauskommt. (30. 4. 1933, an G. Adorno) Am 16. Mai war die Besprechung abgeschlossen, denn an diesem Tag schrieb Benjamin, wiederum an Gretel Adorno: *Danach habe ich einen [Essay] über Bennett vor. Über »Konstanze und Sophie«, seinen berühmtesten Roman, habe ich kürzlich geschrieben. Heute hat mir der Rheinverlag zugesagt, mir ein anderes großes Werk von ihm zur Verfügung zu stellen.* (16. 5. 1933, an G. Adorno) Hierbei handelte es sich wahrscheinlich um Benetts Trilogie »Die Familie Clayhanger« (s. Arnold Bennett, Clayhanger. Roman, übers. von Daisy Bródy, Zürich 1930 sowie ders., Die Familie Clayhanger, Bd. 2: Hilda, übers. von Daisy Bródy, Zürich 1930), da Benjamin nach Ausweis des von ihm geführten Verzeichnisses gelesener Bücher in jenen Monaten zumindest den zweiten Band – »Hilda Less-ways« – gelesen hat (s. Bd. 7, 467). Derselben Quelle zufolge las Benjamin etwas später auch den Essayband »Leben, Liebe und gesunder Menschenverstand«, übers. von H. Guttmann, Leipzig und Berlin 1926. Zu dem geplanten weiteren Essay über Bennett ist es jedoch nicht gekommen. – Am 24. 7. 1933 schrieb Benjamin an Jula Radt: *Ich lese weiterhin Bennett, in dem ich immer mehr einen Mann erkenne, dessen Haltung meiner gegenwärtigen sehr verwandt ist und durch den ich in dieser meinigen mich bestärke: einen Mann nämlich, bei dem eine weitgehende Illusionslosigkeit und ein gründliches Mißtrauen in den Weltlauf weder zu morali-schem Fanatismus noch zu Verbitterung führen sondern zu einer höchst durchtriebenen, klugen und raffinierten Lebenskunst, die dahin führt dem eigenen Malheur die Chancen, der eigenen Schlechtigkeit die paar anständigen Verhaltungsweisen, die aufs Menschenleben kommen, abzugewinnen.* (Briefe, 587)

ÜBERLIEFERUNG
J^BA Frankfurter Zeitung, 23. 5. 1933 (Jg. 77, Nr. 378/379); gedruckt unter dem Pseudonym *Detlef Holz*; Benjamin-Archiv, Dr 156 f.
NACHWEISE 390,10 *wurde.«*] Arnold Bennett, Konstanze und Sophie oder Die alten Damen. Roman, übers. von Daisy Bródy, München 1932, Bd. 1, 12 – 391,11 *hinein.«*] a. a. O., 57 – 391,16 *stirbt.«*] zit. in: Hugo von Hofmannsthal, Buch der Freunde, hg. von Ernst Zinn, Frankfurt a. M. 1965, 13; in J^BA zitiert Benjamin wohl aus dem Gedächtnis: »Ein Mann, der mit fünfunddreißig Jahren stirbt, [...] ist an jedem Punkt seines Lebens ein Mann, der mit fünfunddreißig Jahren stirbt.« — 391,34 *Damen«*] »The old wives' tale« lautet der Originaltitel – 392,8 *gehabt«*] Bennett, a. a. O., Bd. 2, 406 – 392,18 *ein.«*] a. a. O., 220

392–399 RÜCKBLICK AUF STEFAN GEORGE

Aus San Antonio berichtete Benjamin am 16. 6. 1933 an Scholem:
Zwei Rezensionsexemplare versetzen mich in die sehr leidige Zwangs-
lage, jetzt, und vor einem deutschen Publikum, über Stefan George
sprechen zu müssen. Soviel glaube ich gemerkt zu haben: wenn jemals
Gott einen Propheten durch Erfüllung seiner Prophetie geschlagen
hat, so ist es bei George der Fall gewesen. (Briefe, 577 f.; s. auch
a. a. O., 853) In einem Brief vom Juli an Jula Radt, die früher dem
George-Kreis nahestand, heißt es: *Ein Aufsatz über Stefan George*
– vielleicht der einzige, der zu seinem 65ten Geburtstag erschienen
ist – sagt, was ich im Namen meiner nächsten Freunde zu diesem
Anlaß zu sagen hatte. (Briefe, 587) Die Besprechung erschien pseudonym; aber im Brief vom 31. 7. 1933 an Scholem meinte Benjamin:
Es scheint, nach dem, was man mir berichtet, ein paar helle Köpfe
gegeben zu haben, die wußten, was sie von »Stempflinger« zu halten
hatten. (Briefe, 590)

ÜBERLIEFERUNG
J^BA Frankfurter Zeitung, 12. 7. 1933 (Jg. 77, Nr. 509–511); gedruckt
    unter dem Pseudonym *K. A. Stempflinger*; Benjamin-Archiv, Dr
    275 f.
LESART 396,38 *durchdringen*] konjiziert für *durchringen*
NACHWEISE 393,5 *gaffer*] Stefan George, Das Neue Reich, Gesamt-
Ausgabe der Werke, Berlin 1927–1934, Bd. 9, 62 – 394,4 *Rudolf Bor-*
chardt] s. Rudolf Borchardt, Stefan Georges Siebenter Ring, in: He-
sperus. Ein Jahrbuch von Hugo von Hofmannsthal, Rudolf Alexander
Schröder und Rudolf Borchardt, Leipzig 1909, 50 f. – 395,16 *glaubt«*]
Willi Koch, Stefan George. Weltbild, Naturbild, Menschenbild, Halle/
Saale 1933, 2 – 395,27 *rollen.*] George, Der Stern des Bundes, a. a. O.,
Bd. 8, 44 – 396,16 *ergeben.«*] Koch, a. a. O., 16 – 396,27 *verwurzelt.«*]
a. a. O., 63 – 396,33 *muß«*] a. a. O., 63 – 397,5 *werden.«*] a. a. O., 59 –
397,15 *verleibt.*] George, Der siebente Ring, a. a. O., Bd. 6/7, 53 –
398,11 *Maximin-Mythus.«*] Koch, a. a. O., 78 – 398,28 *»das Lied des*
Zwergen«] George, Die Bücher der Hirten- und der Preisgedichte, der
Sagen und Sänge und der Hängenden Gärten, a. a. O., Bd. 3, 79 ff. –
398,29 *»Entführung«*] George, Das Jahr der Seele, a. a. O., Bd. 4, 64 –
398,35 *geschafft«*] Koch, a. a. O., 103 – 399,9 *»blumen der frühen hei-*
mat«] George, Der Teppich des Lebens, a. a. O., Bd. 5, 35

399–401 GELEHRTE REGISTRATUR

ÜBERLIEFERUNG

J Literaturblatt der Frankfurter Zeitung, 23. 7. 1933 (Jg. 66, Nr. 30).
– Gezeichnet: *W. B.*

NACHWEISE 401,2 *Bachofen*] s. Johann Jakob Bachofen, Das Mutterrecht, Basel 1861 – 401,2 *Riegl*] s. Alois Riegl, Die spätrömische Kunst-
Industrie nach den Funden in Österreich-Ungarn, Wien 1901; s. Benjamins Besprechung, 169 f. – 401,3 *Giehlow*] s. Karl Giehlow, Die
Hieroglyphenkunde des Humanismus in der Allegorie der Renaissance,
besonders der Ehrenpforte Kaisers Maximilian I. Ein Versuch, mit
einem Nachwort von Arpad Weixlgärtner, Wien, Leipzig 1915 –
401,4 *Hertz*] s. Wilhelm Hertz, Natur und Geist in Goethes Faust,
Frankfurt a. M. 1931; s. Benjamins Besprechung, 340–346 – 401,20
worden«] Georg Ellinger, Geschichte der neulateinischen Literatur
Deutschlands im sechzehnten Jahrhundert, Bd. 3, Abt. 1, Berlin und
Leipzig 1933, 320

401–404 KLEINER MANN AUS LONDON

ÜBERLIEFERUNG

J^{BA} Vossische Zeitung, Literarische Umschau (Beilage), 24. 9. 1933
(Nr. 39); gezeichnet mit den Initialen des Pseudonyms Detlef
Holz: *D. H.*; Benjamin-Archiv, Dr 340.

LESARTEN 402,16 *soliden*] handschr. aus *Soliden* – 402,16 *den*] handschr. aus *das* – 402,18 *Exotik*] handschr. aus *Erotik*

NACHWEISE 402,26 *hinzuzaubern*] s. R. C. Sheriff, Badereise im September. Roman, übers. von Hans Reisiger, Berlin 1933, 132 ff. –
403,27 *gesprochen – –.«*] a. a. O., 186 f. – 403,39 *lag.«*] a. a. O., 137

404–407 DEUTSCH IN NORWEGEN

ÜBERLIEFERUNG

J Literaturblatt der Frankfurter Zeitung, 12. 11. 1933 (Jg. 66, Nr. 46).
– Gedruckt unter dem Pseudonym *Detlef Holz.*

NACHWEISE 406,19 *»Armen Mann im Tockenburg«*] s. Ulrich Bräker,
Lebensgeschichte und natürliche Abenteuer des armen Mannes im
Tockenburg, 1788/89

408 f. RÜCKBLICK AUF 150 JAHRE DEUTSCHER BILDUNG

ÜBERLIEFERUNG

J Literaturblatt der Frankfurter Zeitung, 25. 3. 1934 (Jg. 67, Nr. 12).
– Gezeichnet mit den Initialen des Pseudonyms Detlef Holz: *D. H.*

NACHWEISE 408,24 *Menschen«*] K. J. Obenauer, Die Problematik des
ästhetischen Menschen in der deutschen Literatur, München 1933, 2 –
408,25 *Jahrhunderte«*] a. a. O., 2 – 409,3 *war«*] a. a. O., 405 – 409,11
anknüpft«] a. a. O., 188 – 409,26 *läßt.«*] a. a. O., 2 f. – 409,29 *künder.«*] Stefan George, Gesamt-Ausgabe der Werke, Bd. 6/7, Berlin 1931,
208; Obenauer schreibt: »ist einer nur ein Gott, und einer nur
sein Künder.«

409–417 DER EINGETUNKTE ZAUBERSTAB

Am 18. 3. 1934 bat Benjamin Adorno um dessen Essay über Musik-
kritik und fuhr fort: *Ich werde mich hier mit dem Manuscript einer
großen Anzeige über Kommerells »Jean Paul« revanchieren, der ein
Druck scheinbar nicht beschieden sein soll.* (18. 3. 1934, an Th. W.
Adorno) Die Kritik erschien jedoch wenige Tage später in der »Frankfurter Zeitung«.

ÜBERLIEFERUNG

J Frankfurter Zeitung, 29. 3. 1934 (Jg. 78, Nr. 160/161). – Gezeichnet
mit dem Pseudonym *K. A. Stempflinger.*

NACHWEISE 409,32 *Auslese*] s. Deutsche Dichtung, hg. und eingel. von
Stefan George und Karl Wolfskehl, 3 Bde., Berlin 1900–1902 –
410,14.15 *»Dichter als Führer in der deutschen Klassik«*] s. Max Kommerell, Der Dichter als Führer in der deutschen Klassik, Berlin 1930; s.
auch Benjamins Kritik des Buches 252–259 – 411,2 *sah«*] Jean Paul,
Sämtliche Werke, Akademie-Ausgabe, Abt. 1, Bd. 2, Weimar 1927,
22 – 411,17 *sah.«*] Paul Nerrlich, Jean Paul. Sein Leben und seine
Werke, Berlin 1889, 330 f. – 411,31 *mag.«*] Kommerell, Jean Paul,
Frankfurt a. M. 1933, 392 – 412,1 *macht«*] a. a. O., 323 – 412,6 *bei-
den?«*] a. a. O., 345 – 412,18 *Widersprüche.«*] a. a. O., 381 – 412,25
Welt«] a. a. O., 384 – 412,27 *Paul Scheerbart*] s. Paul Scheerbart,
Cometentanz, Leipzig 1903 sowie ders., Astrale Novelletten, München
1912 – 412,29 *Mynona*] s. S. Friedlaender, Schöpferische Indifferenz,
München 1918 – 412,33 *»Jean Paul als Denker«*] s. Jean Paul als Den-
ker. Gedanken aus seinen sämtlichen Werken, eingel. und geordnet von
S. Friedlaender, München 1907 – 412,37 *Dichtung.«*] Kommerell, Jean
Paul, a. a. O., 394 – 413,6 *erfand.«*] a. a. O., 351 – 413,12 *Selbstbespie-
gelung«*] K. J. Obenauer, Die Problematik des ästhetischen Menschen
in der deutschen Literatur, München 1933, 196 – 413,19 *gehen.«*]
Kommerell, Der Dichter als Führer in der deutschen Klassik, a. a. O.,
285 – 413,26 *verbirgt*] Kommerell, Jean Paul, a. a. O., 359 – 413,30.31
Vernichtungskräften.«] a. a. O., 359 – 413,32 *ist«*] a. a. O., 309 –
414,22 *gelebt.«*] a. a. O., 278 f. – 414,29 *weiter.«*] a. a. O., 418 – 416,10

weg«] a. a. O., 390 – 416,30 *Grenzen«*] a. a. O., 312 – 416,34 *tränkt.«*]
a. a. O., 23 – 417,15.16 *nehmen.«*] a. a. O., 169 – 417,20 *Frau.«*]
a. a. O., 171 – 417,23 *konnte«*] a. a. O., 17

418–425 NEUES ZUR LITERATURGESCHICHTE

ÜBERLIEFERUNG

J[1] *Detlef Holz* [Pseudonym], *Neue Literatur über Goethe.* [Bespr.]
Joseph A. von Bradish, Goethes Erhebung in den Reichsadelsstand
und der freiherrliche Adel seiner Enkel, Leipzig 1933; Georg
Keferstein, Bürgertum und Bürgerlichkeit bei Goethe, Weimar
1933. – Literaturblatt der Frankfurter Zeitung, 27. 5. 1934 (Jg. 67,
Nr. 21).

J[2] *Detlef Holz* [Pseudonym], *Ein Kapitel Schiller.* [Bespr.] Hermann
Schneider, Vom Wallenstein zum Demetrius, Stuttgart 1933. – Literaturblatt der Frankfurter Zeitung, 29. 7. 1934 (Jg. 67, Nr. 30).

J[3] *Detlef Holz* [Pseudonym], [Bespr.] *Günther Voigt, Die humoristische Figur bei Jean Paul, Halle 1934.* – Literaturblatt der Frankfurter Zeitung, 24. 6. 1934 (Jg. 67, Nr. 25).

J[4] *Detlef* Holz [Pseudonym], [Bespr.] *Paul Binswanger, Die ästhetische Problematik Flauberts, Frankfurt a. M. 1934.* – Literaturblatt der Frankfurter Zeitung, 12. 8. 1934 (Jg. 67, Nr. 32).

T *Detlef Holz* [Pseudonym], *Neues zur Literaturgeschichte.* – Typoskript mit handschr. Korrekturen; Benjamin-Archiv, Ts 1427–1436.

Druckvorlage: T

In Benjamins Nachlaß befindet sich das Schreibmaschinenmanuskript
der Sammelrezension, wie er diese offensichtlich der Frankfurter Zeitung eingesandt hatte. Hier wurde der Text indessen nicht als Ganzes
publiziert, nur einzelne der Besprechungen erschienen isoliert. Der
vorliegende Abdruck stellt die einzeln publizierten Besprechungen
wieder zu der von Benjamin gewollten Sammelbesprechung zusammen. Da nicht angenommen werden kann, daß Benjamin Fahnenab-
züge der Erstdrucke erhielt, dient T als Druckvorlage. Die Varianten
der Druckfassungen – von denen alle wichtigen verzeichnet werden
– dürften Eingriffe der Redaktion darstellen; von ihr stammen wahrscheinlich auch die Titel der Einzelpublikationen.

LESARTEN 418,8 *Goethejahr*] J[1]; *Goethewerk* T – 418,25 *Großherzogtum*] J[1]; *Herzogtum* T – 418,26 *betriebsam*] *eifernd* J[1] – 419,34 *Konfuse*] *Unklare* J[1] – 420,33 *worauf diese Hoffnung sich gründet*] *wohin
diese Hoffnung genauer zielt* J[2] – 421,8 *heute*] fehlt in J[2] – 422,9 *in
Formen*] *in den Formen* J[3] – 423,35 *wissenschaftlich unergiebig*] *untauglich* J[4] – 423,36 *Denn nichts ist unerfreulicher als Impotenz, die*]
Denn unerfreulich ist ein Unvermögen, das J[4]

NACHWEISE 419,14 *»Goethe und Tolstoi«*] s. Thomas Mann, Goethe
und Tolstoi. Zum Problem der Humanität, Berlin 1932 – 419,35
Bourgeois«] s. Georg Keferstein, Bürgertum und Bürgerlichkeit bei
Goethe, Weimar 1933, 19 – 419,37 *Außerordentliche«*] a. a. O., 225 –
420,1 *reinsten«*] a. a. O., 17 – 420,3 *Romantik«*] a. a. O., 222 – 420,25
»Fremdheitsgefühl«] Hermann Schneider, Vom Wallenstein zum
Demetrius, Stuttgart 1933, VI – 421,25 *annimmt.«*] a. a. O., VI –
421,35 *Dichters«*] Günther Voigt, Die humoristische Figur bei Jean
Paul, Halle 1934, 10 – 422,3 *Humors«*] a. a. O., 10 – 422,18 *erfassen.«*]
a. a. O., 11 – 422,31 *Mystikers.«*] a. a. O., 95 – 424,26 *umspann.«*] Paul
Binswanger, Die ästhetische Problematik Flauberts, Frankfurt a. M.
1934, 26 f. – 424,32 *lassen«*] a. a. O., 44 – 425,1 *ist«*] a. a. O., 37 –
425,6 *Sache«*] a. a. O., 38 – 425,31 *Dingen.«*] Ronald Peacock, Das
Leitmotiv bei Thomas Mann, Bern 1934, 67

426 f. IWAN BUNIN

ÜBERLIEFERUNG
J Literaturblatt der Frankfurter Zeitung, 24. 6. 1934 (Jg. 67, Nr. 25).
– Gezeichnet mit den Initialen des Pseudonyms Detlef Holz: *D. H.*

427 f. A. PINLOCHE, FOURIER ET LE SOCIALISME, PARIS 1933

ÜBERLIEFERUNG
J Zeitschrift für Sozialforschung 3 (1934), 291 f. (Heft 2).
T Typoskript; Benjamin-Archiv, Ts 1437 f.
Druckvorlage: T
LESARTEN 427,34 *dem Leser*] fehlt in J – 428,3 *in*] *den* J – 428,4 *die
ideale Gesellschaftsordnung*] *der ideale Gesellschaftszustand* J – 428,5
sie] *er* J – 428,10 *ihrer*] *der* J
NACHWEISE 427,25 *sociaux.«*] A. Pinloche, a. a. O., 55 – 427,31 *ban-
ques«*] a. a. O., 47 – 427,34 *intégralement«*] a. a. O., 55

428–430 ARNOLD HIRSCH, BÜRGERTUM UND BAROCK IM DEUTSCHEN ROMAN, FRANKFURT A. M. 1934

ÜBERLIEFERUNG
J^BA *Detlev* [sic] *Holz* [Pseudonym], *Zur Geschichte des deutschen
Romans.* – Literaturblatt der Frankfurter Zeitung, 19. 8. 1934
(Jg. 67, Nr. 33); Benjamin-Archiv, Dr 251.
T Typoskript, unterzeichnet: *D. H.*; Benjamin-Archiv, Ts 1439–
1441.
Druckvorlage: T

LESARTEN 428,33 *angemessenen*] *angemessenen Behandlung* J^{BA} –
429,2.3 *Bezüglich des ersteren*] *In bezug auf die sozialen Bedingnisse*
J^{BA}; *die sozialen Bedingnisse* handschr. geändert in *den ersteren* –
429,14 *früher von*] *gleichzeitig mit dem Bürgertum von* J^{BA}
NACHWEISE 429,5 *gebunden«*] Arnold Hirsch, a. a. O., 92 – 429,27
Thode] s. Henry Thode, Franz von Assisi und die Anfänge der Kunst
der Renaissance in Italien, Berlin 1904, XVIII – 429,37.38 *Besitzes.«*]
Hirsch, a. a. O., 186 – 430,3 *anbietet.«*] a. a. O., 196

430 f. LAWRENCE ECKER, ARABISCHER PROVENZALISCHER UND DEUTSCHER MINNESANG, BERN 1934

ÜBERLIEFERUNG
J *D[etlef] H[olz]* [Initialen des Pseudonyms], *Zur Geschichte des
Minnesangs.* – Literaturblatt der Frankfurter Zeitung, 19. 8. 1934
(Jg. 67, Nr. 33).
T Typoskript, unterzeichnet: *D. H.*; Benjamin-Archiv, Ts 1442.
Druckvorlage: T
LESART 430,22 *Der Untertitel*] *Lawrence Ecker legt eine Studie vor
über »arabischen, provenzalischen und deutschen Minnesang«. Der
Untertitel* J

431 f. DIE DEUTSCHE BALLADE

ÜBERLIEFERUNG
J Literaturblatt der Frankfurter Zeitung, 26. 8. 1934 (Jg. 67, Nr. 34).
– Gezeichnet mit den Initialen des Pseudonyms Detlef Holz: *D. H.*
NACHWEIS 431,30 *Moral.«*] Sammlung deutscher Balladen von Bürger
bis Münchhausen, Halle 1934, V

432–434 DAS GARTENTHEATER

ÜBERLIEFERUNG
J Literaturblatt der Frankfurter Zeitung, 16. 9. 1934 (Jg. 67, Nr. 37).
– Gezeichnet mit dem Pseudonym *Detlef Holz.*
LESART 434,1 *beschreiten*] konjiziert für *beschreiben*
NACHWEISE 432,18 *Artur Kutscher*] s. Artur Kutscher, Das Naturthea-
ter. Seine Geschichte und sein Stil, in: Die Ernte. Franz Muncker zu
seinem 70. Geburtstage, Halle a. d. S. 1926 – 432,25 *ab*] s. Rudolf
Meyer, Hecken- und Gartentheater in Deutschland im XVII. und
XVIII. Jahrhundert, Emsdetten 1934, 24 – 432,30 *bezogen«*] a. a. O.,
248 – 433,7 *ist.«*] François Benoit, zit. a. a. O., 21 – 433,15 *ge-*

schmückt.«] Meyer, a. a. O., 22 – 433,30 *werden.«*] Leonhard Christoph Sturm, Vollständige Anweisung/ Grosser Herren Palläste starck/ bequem/ nach den Reguln der antiquen Architectur untadelich/ und nach dem heutigen Gusto schön und prächtig anzugeben, Augspurg 1718, 60 – 434,18 *werden«*] Meyer, a. a. O., 2 – 434,19 *lassen«*] a. a. O., 3 – 434,25 *werden«*] a. a. O., 226 – 434,26 *Werk*] s. Karl Borinski, Die Antike in Poetik und Kunsttheorie von Ausgang des klassischen Altertums bis auf Goethe und Wilhelm von Humboldt, 2 Bde., Leipzig 1914–1924

435 f. GEORGES LARONZE, LE BARON HAUSSMANN, PARIS 1932

ÜBERLIEFERUNG

J[BA] Zeitschrift für Sozialforschung 3 (1934), 442 f. (Heft 3); Benjamin-Archiv, Dr 299.
T Typoskript mit handschr. Korrekturen; Benjamin-Archiv, Ts 1443 f.
Druckvorlage: T
LESARTEN 435,6.7 *Haussmann* bis *Usurpators.*] fehlt in J[BA] – 435,12.13 *Von* bis *können.*] fehlt in J[BA] – 435,19–27 *Die urbanistische* bis *Licht.*] *Die politischen und administrativen Hintergründe seiner urbanistischen Tätigkeit erhalten bei L[aronze] das gebührende Licht.* J[BA] – 435,28 *zu Tage*] *in Frage* J[BA]; handschr. geändert in *zu Tage* – 436, 16.17 *wieviel* bis *schaffen*] *wieviel für Haussmanns Wirken der glänzende Rahmen bedeutete* J[BA]
NACHWEISE 435,12 *»réalisateur«*] Georges Laronze, a. a. O., 257 – 435,36 *machen.«*] Karl Gutzkow, Briefe aus Paris, 2 Tle., Leipzig 1842, 61 – 436,5 *Hegemann*] s. Werner Hegemann, Das steinerne Berlin, Berlin 1930; s. auch Benjamins Besprechung 260–265

436–439 JULIEN BENDA, DISCOURS À LA NATION EUROPÉENNE, PARIS 1933

ÜBERLIEFERUNG

T[1] Typoskript mit handschr. Korrekturen; Benjamin-Archiv, Ts 1419–1422.
T[2] Typoskript; Benjamin-Archiv, Ts 1423–1426.
Druckvorlage: T[1]
T[1] stellt eine überarbeitete Fassung von T[2] dar, das jedoch einen selbständigen Titel hat: *Vor leeren Bänken.*
LESART 439,26 *daß es sich an einen wendet, der nicht mehr da ist*] *daß es sich vor leeren Bänken vernehmen läßt* T[2]

NACHWEISE 437,35 *Cosmos.*«] Julien Benda, a.a.O., 127 ff. – 438,23 *habe*] s. a.a.O., 61 f. – 438,37.38 *marchands.*«] a.a.O., 87

440–449 BRECHTS DREIGROSCHENROMAN

Benjamin besprach den Dreigroschenroman für die von Klaus Mann herausgegebene literarische Monatsschrift »Die Sammlung«. Am 9. 1. 1935 schrieb er an Brecht: *Den Roman habe ich nun im Druck gelesen, und zwar mit immer wieder erneutem Vergnügen an vielen Stellen. Diesmal habe ich Walley besonders ins Herz geschlossen. – Das Buch scheint mir sehr dauerhaft. [...] Klaus Mann hatte ich gebeten, mir für die Anzeige die bisherigen Pressestimmen zu schicken. Es kann nützlich sein zu wissen, welchen Vers die Leute sich auf das Buch gemacht haben.* (Briefe, 642) Einem späteren Brief an Brecht zufolge hatte Klaus Mann das Manuskript in der ersten Februarhälfte 1935 bekommen, im April sollte die Rezension erscheinen (s. 5. 3. 1935, an B. Brecht). Am 20. 5. 1935, in einem Brief an Scholem, zählte Benjamin jedoch unter seine *äußeren Mißerfolge* die *Auflösung meiner kurzen und doch zu langen literarischen Beziehung zu Klaus Mann, für den ich den Dreigroschenroman besprochen hatte, und der meine Rezension, die schon gesetzt war, zurücksandte, als ich ein unqualifizierbares Honorar ablehnte* (Briefe, 653). Ausführlich berichtete Benjamin über den *elenden Vorfall* an Brecht: *Das kurze und lange von der Sache ist, daß ich – ohne die mindeste Neigung den Marktwert meiner Produktion zu überschätzen – den Honorarvorschlag von 150 fr frcs für ein zwölf Seiten umfassendes und von der Redaktion bestelltes Manuscript, als eine Frechheit betrachtete. Ich habe in einem kurzen Brief 250 fr frcs verlangt und es abgelehnt, unter diesem Entgelt das Manuscript ihm zu überlassen. Darauf habe ich es, obwohl es bereits gesetzt war, zurückbekommen. [Absatz] Selbstverständlich hätte ich die Zumutung von Mann eingesteckt, wenn ich das Ergebnis vorausgesehen hätte. Ich habe mich für dieses Leben nicht klug genug erwiesen und das an einem Punkt, an welchem Klugheit mir viel wert gewesen wäre. [Absatz] Das Manuscript der Rezension erhalten Sie mit gleicher Post. Auch an die »Neuen deutschen Blätter« geht eines ab. Mir ist es allerdings unwahrscheinlich, daß es jetzt noch dort erscheinen kann. Dagegen habe ich mich gefragt, ob jetzt – da das Buch auf tschechisch erscheint – nicht vielleicht eine Möglichkeit bestehen würde, meinen Artikel ins Tschechische übersetzen zu lassen.* (Briefe, 657) Ein Brief vom 26. 4. 1937 an Grete Steffin zeigt, daß Benjamin nicht nur weiter nach einer Möglichkeit der Veröffentlichung suchte sondern auch noch Änderungen an der Besprechung vornehmen wollte. *Beim Zahnarzt bin ich auch.*

*Ich entschädige mich dafür durch eine Lektüre, die ich Brecht unter
gleichen Umständen anrate: das Buch von Chesterton über Dickens.
Ich habe darin einen Abschnitt gefunden, mit dem das beste über den
Dreigroschenroman gesagt ist, was man nur sagen kann. Ich habe ihn
meiner Kritik des Romans einverleibt. Bleibt die Frage, ob die Kritik
nicht erscheinen kann. Besteht keine Möglichkeit, sie ins Englische zu
übersetzen, da nun in England doch großes Interesse für dieses Buch
sich zeigt?* (26. 4. 1937, an G. Steffin) Zu Benjamins Lebzeiten ist die
Arbeit weder im Original noch in einer Übersetzung erschienen.

ÜBERLIEFERUNG

T Typoskript; Benjamin-Archiv, Ts 1448–1459.
J Weimarer Beiträge 12 (1966), 436–445 (Heft 2).
Druckvorlage: T
J ist der von Peter Weber besorgte Erstdruck des »Exemplar[s] des
Bertolt-Brecht-Archivs (1080/61–72)« (Weimarer Beiträge, a. a. O.,
445); Weber berichtet, daß »sich im Brecht-Archiv Teile einer Fassung
des Essays in Benjamins Handschrift finden (367/19–20)« (a. a. O.,
444).

LESARTEN 440,19–23 *gemacht* bis *darum*] s. Peter Weber, a. a. O., 436:
»Im Brecht-Archiv findet sich auf einer mit dem Blatt 1080/61 [...]
gleichlautenden Typoskriptseite folgende handschriftliche Korrektur
des [...] Passus durch Benjamin: *gemacht. Da auf Seiten der Ausbeuter die Barbarei erst spät jene Drastik aufweist, die das Elend der Ausgebeuteten schon zu Beginn des Kapitalismus kennzeichnet, Brecht es
aber mit beiden zu tun hat, so zieht er* (BBA 367/11).« – 446,17 *Anweisung*] s. Weber, a. a. O., 440: »Die typografische Textgrundlage [d. i.
zu J] enthält eine handschriftliche Korrektur dieses Wortes, die als
Angewiesenheit zu entziffern ist.«

NACHWEISE 442,14 *Selbständigkeitstriebes*«] Bertolt Brecht, Dreigroschenroman, Amsterdam 1934, 58 – 443,26 *darstellte.*«] a. a. O., 478 f.
– 444,1 *Mary Swayer.*«] a. a. O., 482 f. – 444,3 *passen*«] a. a. O., 483 –
445,31 *zählen.*«] a. a. O., 427 f. – 446,10 *Großen.*«] a. a. O., 211 –
446,28 *Wasser.*«] a. a. O., 312 – 447,2 *ist!*«] a. a. O., 207 – 447,23
Lebenszeit!«] a. a. O., 399 – 448,13 *haben!*«] a. a. O., 399 – 448,28 *Berganza*] s. Miguel de Cervantes, Gespräch zwischen Cipion und Berganza, den Hunden des Auferstehungshospitals, das da steht in der
Stadt Valladolid, vor dem Campotore – 448,28.29 *Houyhnhnms*] s.
Jonathan Swift, Gullivers Reisen, 4. Teil: Reise in das Land der
Houyhnhnms – 449,5 *Kommunisten.*«] Brecht, a. a. O., 211; die Anfüh-
rungszeichen im Zitat stammen von Benjamin

449 f. Wilhelm Platz, Charles Renouvier als Kritiker der franzÖsischen Kultur, Bonn 1934

ÜBERLIEFERUNG
J Zeitschrift für Sozialforschung 4 (1935), 149 f. (Heft 1).
T Typoskript, Durchschlag; Benjamin-Archiv, Ts 1445.
Druckvorlage: T
LESART 450,16.17 *Renouviers Reflexionen erheben sich schwerlich über die des*] konjiziert für *Sie erheben sich schwerlich über die Reflexionen des* T; in J lautet die Passage: *R.s Reflexionen erheben sich schwerlich über das Niveau des*
NACHWEISE 449,28 *handelt«*] Wilhelm Platz, a.a.O., 119 – 449,35 *naturelles«*] a.a.O., 32 – 450,9 *externe.«*] a.a.O., 27 – 450,20 *wird«*] a.a.O., 119

450–452 VolkstÜmlichkeit als Problem

ÜBERLIEFERUNG
J Literaturblatt der Frankfurter Zeitung, 30. 6. 1935 (Jg. 68, Nr. 26).
– Gezeichnet mit dem Pseudonym *Detlef Holz*.
NACHWEISE 450,23 *Leser«*] Hermann Schneider, Schiller. Werk und Erbe, Stuttgart und Berlin 1934, V – 451,15 *»Vom Wallenstein zum Demetrius«*] der Verweis bezieht sich auf Benjamins Besprechung des Buches, 420 f. – 451,20.21 *Scheidewand«*] Schneider, a.a.O., 116 – 451,24 *gelangweilt«*] a.a.O., VII – 452,2 *Julian Hirschs*] s. Julian Hirsch, Die Genesis des Ruhmes. Ein Beitrag zur Methodenlehre der Geschichte, Leipzig 1914

452–480 Probleme der Sprachsoziologie

Benjamin erwähnt sein *großes Sammelreferat zur Sprachsoziologie,* das die Redaktion der »Zeitschrift für Sozialforschung« *noch im Manuscript besitzt,* in einem Brief aus San Remo an Horkheimer (Briefe, 625 f.); dieser undatierte Brief wurde im Herbst 1934 geschrieben. Am 2. 1. 1935 heißt es, wiederum in einem Brief an Horkheimer: *Das sprachsoziologische Referat werden Sie gewiß rechtzeitig bekommen haben. Ich würde mich freuen, wenn es im nächsten Heft erscheint.* (2. 1. 1935, an M. Horkheimer) In der Zwischenzeit dürfte Benjamin noch einmal an dem Aufsatz gearbeitet haben, der im zweiten Heft des Jahrgangs 1935 in der »Zeitschrift für Sozialforschung« gedruckt wurde. An Scholem berichtete Benjamin am 26. 12. 1934: *In absehbarer Zeit wird nun wohl auch, in der »Zeitschrift für Sozialforschung« mein*

großes Sammelreferat zur Sprachtheorie erscheinen, das ich – wie Du
vielleicht schneller merken wirst als mir lieb ist – als ein Lernender
geschrieben habe. Immerhin habe ich aus diesem coram publico er-
folgenden Lehrvorgang Nutzen gezogen, und zwar noch ganz neuer-
dings durch die Bekanntschaft mit Karl Bühlers »Sprachtheorie«.
(Briefe, 638) In dem undatierten, aus dem Jahr 1935 stammenden
Konzept eines Briefes an Asja Lazis – von der Zeitschrift »alternative«, die den Text veröffentlichte, fälschlich als Brief ausgegeben
– heißt es: *Meine Arbeiten erscheinen fast alle [...] in der Zeit-*
schrift für Sozialforschung. Die nächste kommt in einigen Wochen
heraus und behandelt die Literatur zur Soziologie der Sprache aus
den letzten zehn Jahren. Da sind auch wichtige russische Forschun-
gen von Marr und Wygotzki von mir verarbeitet worden. (Walter
Benjamin, Brief an Asja Lazis, in: alternative, April/Juni 1968,
Nr. 59/60, 62 f.) Ein Hinweis auf die Beziehung der *Probleme der*
Sprachsoziologie zu Benjamins eigener Sprachtheorie findet sich in
dem Brief vom 30. 1. 1936 an Werner Kraft: *Zu Ihrer Bemerkung*
über mein sprachtheoretisches Referat, dem seine Grenzen durch die
Form vorgeschrieben waren: es präjudiziert nichts über eine »Meta-
physik« der Sprache. Und es ist von mir, wenn auch keineswegs mani-
fest, so eingerichtet, daß es genau an die Stelle führt, wo meine eigene
Sprachtheorie, die ich auf Ibiza vor mehreren Jahren in einer ganz
kurzen programmatischen Notiz [gemeint ist *Über das mimetische*
Vermögen, s. Bd. 2] *niedergelegt habe, einsetzt.* (Briefe, 705)

ÜBERLIEFERUNG
J Zeitschrift für Sozialforschung 4 (1935), 248–268 (Heft 2).
T Teiltyposkript; Benjamin-Archiv, Ts 2508–2511.
Druckvorlage: J
Die vier Blätter von T tragen die Zählung *14a, 14b, 14c* und *14c;*
weitere Blätter sind nicht erhalten. Die beiden Blätter *14c* unterscheiden sich nur durch die letzten drei Zeilen voneinander, welche von
Ts 2511 abgeschnitten wurden. Da das vollständigere Blatt Ts 2510
mitten im Satz abbricht, kann nicht ausgeschlossen werden, daß
eine oder mehrere Seiten verlorengegangen sind. Während die ersten
zwei Absätze des maschinenschriftlichen Fragments mit der Druckfassung, 464–466, identisch sind, hat der Schluß keine Entsprechung
in dieser. Der ungedruckte Teil mußte als Variante abgedruckt werden; eine Einfügung oder Wiedereinfügung, die Benjamin vermutlich beabsichtigte, ist nicht möglich, weil weder für den Schluß von
Ts 2510 noch für den von Ts 2511 ein Anschluß in der Druckfassung
sich findet.
LESARTEN **465**,29 *Es*] Weiter T – **466**,17 *gegeben.*] gegeben. *[Absatz]*

*Wenn die Logistik die vorgeschobenste Grenze der Sprachsoziologie in
der Richtung des reinen Denkens darstellt, so würde sie der reinen
Praxis sich kaum irgendwo konkreter bemächtigen als im Studium der
Zeitungssprache. Nichtsdestoweniger ist sie, in Deutschland, nur selten
über eine doktrinäre Kritik am »Zeitungsdeutsch« hinausgekommen.
Das ist kein Zufall. Eingreifende Kritik an der Zeitungssprache muß
über das Formale hinaus zu ihrer politischen Funktion vordringen.
Da zögerte die Wissenschaft. Was in diesem Sinne erreicht worden ist,
ist das Werk von Außenseitern gewesen. Ansätze zu politischer Kritik
der Sprache sind bei Franz Mehring zu finden. Unter dem Titel
»Kapital und Sprache« schreibt er zu Wustmanns »Sprachdummhei-
ten«: »Herr Wustmann sieht ... ganz richtig, daß die Sprachver-
wüstung mit dem Jahre 1866 auf eine höhere Stufe gelangt ist. Natürlich, da nach Königgrätz der Kapitalismus sich mit dem Feudalismus und Militarismus nicht mehr freundnachbarlich schlagen konnte,
sondern freundnachbarlich vertragen mußte, so mußte er in ... Wort-
geflimmer geraten, um den Widerspruch zwischen seinen Taten und
Worten zu verbergen ... Die ›gebildete‹ Bourgeoisie wollte ... alles
nur noch ›ganz und voll‹, ›unentwegt‹, ›zielbewußt‹, damit das ver-
ehrliche, aber genasführte Publikum doch eine kleine Entschädigung
dafür hatte, daß sie ... immer das Gegenteil von dem tat, was sie ...
tun wollte.« Zur Zeit führt Karl Kraus in der »Fackel« mit pole-
mischer Meisterschaft die politische Sprachkritik durch, die die akademische Wissenschaft aus durchsichtigen Gründen schuldig geblieben ist.
Seine Technik besteht darin, den Gestus des Journalisten und der von
ihm bedienten Lesermassen durch das Zitat zu beleuchten. Sein Sinn
für die mimische Seite des sprachlichen Ausdrucks ist die Grundlage
seiner Wirkung. [Absatz] Wenn die dargestellten Tendenzen einer
mehr oder minder fortschrittlichen Gesellschaftswissenschaft zuzuordnen sind, so ist es T; der Text bricht am unteren Rand des Blattes
ab.*

NACHWEISE 453,38 *Natur«*] Herder, Abhandlung über den Ursprung
der Sprache, Sämtliche Werke, hg. von Bernhard Suphan, Bd. 5, Berlin 1891, 51 – 478,20 *Valérys*] s. Paul Valéry, Œuvres, éd. Jean Hytier,
Bd. 2, Paris 1960, 148 ff. (Bibliothèque de la Pléiade. 148.) – 478,24
andere.«] bei Mallarmé, Œuvres complètes, éd. Henri Mondor et
G. Jean-Aubry, Paris 1945, 304 (Bibliothèque de la Pléiade. 65.):
»A savoir que la danseuse n'est pas une femme qui danse,
pour ces motifs juxtaposés qu'elle n'est pas une femme, mais une
métaphore résumant un des aspects élémentaires de notre forme, glaive,
coupe, fleur, etc.« – 480,4.5 *wie falsch es ist, die Sprache als ein Instrument zu betrachten.*] bei Goldstein: ›à quel point il serait faux de ne
considérer le langage que comme un instrument.« – 480,16.17 *das uns*

mit uns selbst und unseresgleichen verbindet.«] bei Goldstein: »qui
nous unit au monde.«

**480 f. JACQUES MARITAIN, DU RÉGIME TEMPOREL ET DE LA LIBERTÉ,
PARIS 1933**

ÜBERLIEFERUNG
J Zeitschrift für Sozialforschung 4 (1935), 282 (Heft 2).
T Typoskript; Benjamin-Archiv, Ts 1446 f.
Druckvorlage: T
LESARTEN 480,22.23 *Eine* bis *sinnlos.*] fehlt in J – 481,17 *des Ver-
fassers*] fehlt in J – 481,28–36 *Maritain* bis *masses.«*] *Deutlich sieht
M. die Schwierigkeiten einer katholischen Renaissance.* J
NACHWEISE 481,15 *mains.«*] Jacques Maritain, a. a. O., 79 – 481,32
problème.«] a. a. O., 214 – 481,36 *masses.«*] a. a. O., 222

482–507 PARISER BRIEFE

Die beiden *Pariser Briefe* entstanden als Auftragsarbeiten für die in
Moskau erscheinende Monatsschrift »Das Wort«, zu der Benjamin
über Brecht, der die Zeitschrift gemeinsam mit Willi Bredel und Lion
Feuchtwanger herausgab, Verbindung hatte. Benjamins Versuchen,
am »Wort« mitzuarbeiten, war jedoch wenig Erfolg beschieden. Er
bot zwar immer wieder – in Briefen an Brecht, häufiger noch über
dessen Mitarbeiterin Grete Steffin – Beiträge an, aber der erste
Pariser Brief war seine einzige Arbeit, die vom »Wort« gedruckt
wurde, und für diese mußte er auch noch um das überfällige Honorar
betteln, wie aus einem Brief vom 26. 4. 1937 an den Mitherausgeber
Bredel hervorgeht. *Wenn Sie, lieber Willi Bredel, von dem schweren
Stand reden, den Ihre Freunde draußen haben, so sprechen Sie, was
mich angeht, wahrer als Sie vielleicht ahnen. Es verschränkt sich hier
das produktive Interesse unlöslich mit dem handgreiflichsten der Reproduktion. Der Weg vom Manuscript zum gedruckten Text ist länger, als
er es bisher je gewesen ist, und damit ist auch die Zeitspanne, nach deren
Ablauf die Arbeitsleistung ihren Entgelt erfährt, bis zum Zerreißen
gedehnt. [Absatz] Ihnen wird die Erfahrung nicht neu sein, daß bei
aller schriftstellerischen Arbeit – geschweige denn bei der Zusammenarbeit wie sie zwischen der Redaktion und dem Autor sich abspielt –
ein bestimmtes Zeitmaß das Optimum darstellt, eine allzu weite Ab-
weichung von diesem eine schwere Hemmung. Ich bin sicher, daß Sie
aus meiner Mitarbeit mehr herausholen könnten, wenn meine Sachen
schneller erscheinen würden. Daß auf diese Weise auch mein äußeres
Leben eine Entlastung durch Sie erführe, würde in solchem Fall sich als*

*angenehmer Nebeneffekt darstellen, während zur Zeit die Umstände
mich chronisch auf äußere Fragen zurückführen. [...] In Erwartung
Ihrer freundlichen Antwort und baldigster Honorarsendung bestens
grüßend [...].* (26. 4. 1937, an W. Bredel)

Der erste *Pariser Brief,* ein *Essay über faschistische Kunsttheorie*
(Briefe, 730), erschien im November 1936 im »Wort«. Über den
zweiten *Pariser Brief* berichtete Benjamin zur selben Zeit an Grete
Steffin: *Ich bereite meinen zweiten Pariser Brief für Bredel vor, der
sich auf zwei Sammelwerke stützt, deren eines bei den ESI, deren
anderes beim Völkerbundsinstitut für Internationale intellektuelle
Zusammenarbeit erschienen ist; beide haben es mit der derzeitigen
Situation der Malerei in der Gesellschaft zu tun.* (4. 11. 1936, an
G. Steffin) Am 20. 12. 1936 schickte Benjamin das Manuskript an
Brecht mit den Worten: *Ich denke, es stehen einige interessante Sachen
darin, und sie kollidieren nirgends mit derzeitigen Parolen. Hoffent-
lich kann der Brief bald erscheinen.* (20. 12. 1936, an B. Brecht) Die
Annahme des zweiten *Pariser Briefs* durch Bredel, der die Redaktions-
geschäfte des »Worts« geführt zu haben scheint und wenig später die
Aufnahme von Benjamins Aufsatz *Das Kunstwerk im Zeitalter seiner
technischen Reproduzierbarkeit* ablehnen sollte (s. 26. 4. 1937, an
G. Steffin), glaubte Benjamin Brecht und Grete Steffin zu verdanken.
Der letzteren schrieb er: *Bredel hat nach glücklicher Beendigung eines
Sanatoriumsaufenthalts, der scheinbar ein Vielfaches seiner Arbeits-
zeit betrug, mich von der Annahme des zweiten »Pariser Briefs«
unterrichtet. Ich glaube, daß ich vor die richtige Schmiede komme,
wenn ich I h n e n und B r e c h t dafür danke. Über Erscheinungs-
termin und Honorarzahlung läßt sich aus Bredels Mitteilungen leider
nicht das geringste entnehmen, und im Augenblick, wo Sie die Sache
aus den Augen verlieren sollten, würde ich trübe sehen.* (29. 3. 1937,
an G. Steffin) Sowenig wie der Kunstwerkaufsatz ist indessen der
zweite *Pariser Brief* im »Wort« erschienen; Grund dafür mag im Fall
des zweiten *Pariser Briefs* die freilich erst 1939 erfolgte Einstellung
der Zeitschrift gewesen sein.

482–495 ANDRÉ GIDE UND SEIN NEUER GEGNER

ÜBERLIEFERUNG
J Das Wort, Jg. 1936, Heft 5 (November '36), 86–95.
LESART 483,28 *Fortgeben*] konjiziert für *Fortgehen*; im Original lautet
die Stelle: »c'est de don qu'est fait mon bonheur«.
NACHWEISE 482,6 *Gide*] s. André Gide, Nouvelles pages de journal
(1932–1935), Paris 1936, 22; das wahrscheinlich von Benjamin über-
setzte Renan-Zitat lautet bei Gide – der es, wie er schreibt, aus dem

Gedächtnis »et peut-être inexactement« zitiert: »L'on ne peut penser
librement que si l'on est bien convaincu que ce que l'on écrit ne tire
pas à conséquence.« – *482,19 »Déracinés«*] s. Maurice Barrès,
Les déracinés. Le roman de l'énergie nationale, Paris 1898 – *482,36
würden?«*] Gide, Nouvelles pages de journal, a.a.O., 118 – *483,36
erschienen*] s. André Gide et notre temps. Entretien tenu au siège de
l'Union pour la vérité le 23 janvier 1935, entre: MM. Ramon Fernan-
dez, André Gide, René Gillouin u.a., Paris 1935 – *483,37.38 erschienen*] s. Gide, Die Rückkehr des verlorenen Sohnes, übertr. von Rainer
Maria Rilke, Leipzig 1914 – *484,34 betrachte?«*] s. auch Gide, Nouvelles pages de journal, a.a.O., 23 f. – *486,18 »Synthese der Tat«*] bei
Thierry Maulnier, Mythes socialistes, Paris 1936: »synthèse active« –
487,38 »Nachruf auf Wilde«] s. Gide, Oscar Wilde. In Memoriam. Le
»De Profundis«, Paris 1910 – *492,30.31 Jean Richard Bloch*] zit. bei
Maulnier, a.a.O., 88; nach Maulniers Darstellung hielt Bloch diese
Ansprache auf dem Moskauer Schriftstellerkongreß 1934, möglicher-
weise wiederholte er sie auf dem Congrès international des écrivains
pour la défense de la culture 1935 in Paris

495–507 MALEREI UND PHOTOGRAPHIE

ÜBERLIEFERUNG

T¹ Typoskript; Benjamin-Archiv, Ts 1548–1563.
T² Typoskript; Benjamin-Archiv, Ts 1564–1579.
M Manuskript; Benjamin-Archiv, Ms 64–72.
Druckvorlage: T¹
M stellt eine Vorstufe zur Typoskriptfassung dar. Es enthält Abweichungen in einzelnen Formulierungen, einige Passagen von T¹ und T²
fehlen in M. Lediglich der letzte Absatz von M hat keine Entsprechung
in den Typoskripten; er wird deshalb unter den Lesarten verzeichnet.
LESARTEN 501,12–15 *Die Verfasserin* bis *wird.*] *Die Verfasserin zeigt
auf besonders glückliche Art, wie technische Tatsachen gesellschaftlich
transparent gemacht werden können.* T², handschr. Formulierungs-
variante – 501,19 *Jahrhundertmitte*] *Die Methode der Schrift ist am
dialektischen Materialismus ausgerichtet. Demungeachtet können dem
kritischen Leser an einigen Stellen gewisse Bedenken kommen.* T²,
handschr. nachgetragen – 505,22–507,25 *Reinmenschlichen* bis *Schluß*]
*Reinmenschlichen.« (La querelle p 102) Es ist der alte Vorschlag zur
Güte, der schon im vorigen Jahrhundert auftaucht. Die Entwicklung
hat ihm nicht recht gegeben. [Absatz] Was die Klärung der Frage
erschwert, ist die Vorstellung, die Maler hätten, bei Licht besehen,
die Schwierigkeiten, mit denen sie kämpfen, dadurch verschuldet, daß
sie auf die Aufnahmefähigkeit »des Publikums« keine Rücksicht*

genommen hätten. Das Unheil habe mit dem Futurismus begonnen und sei mit der abstrakten Malerei, dem Dadaismus und dem Surrealismus nur schlimmer geworden. Von hier ist es nur ein kleiner Schritt, und man wird die Schuld beim »Kulturbolschewismus« suchen. Ob der Rektor der Académie des beaux-arts das tut oder nicht – jedenfalls gibt er die entsprechende Argumentation wieder. »Subtile Geister«, so sagte er kürzlich in einer Festrede, »wollen die Spuren des Futurismus auch in der Politik gefunden und im Wirrsal der so vielfach gebrochenen Linien, die gleichsam einen einzigen großen Rebus bilden, das Auge Moskaus, den Triangel der Freimaurer und den Druck der Massen erkannt haben.« Daß oberflächliche Anschauungen über die jüngste Geschichte der Malerei auf der Rechten verbreitet sind, ist selbstverständlich. Der Zusammenhang dieser Geschichte läßt sich nicht ohne Hinweis auf gesellschaftliche und technische Umstände formulieren, die ebensoviele unangenehme Wahrheiten für den Faschismus darstellen. Daß die gleichen Anschauungen gelegentlich – wie man in Paris sehen konnte – auf der Linken gediehen, muß Besorgnis erwecken. Schuld ist die allzu simple Vorstellung von der Aufnahme der Malerei durch die Massen. Le Corbusier hat sich mit ihr auseinandergesetzt. Niemals, auch in ihren Blüteperioden nicht, ist die Malerei von den Massen unmittelbar rezipiert worden. Immer ging ihre Rezeption durch bestimmte soziale Medien, in denen sie entscheidend gebrochen wurde. »Werfen wir doch«, sagt Le Corbusier, »einen Blick auf die Geschichte. Der einfache Mann – ich spreche vor allem vom Bauern, dessen Verpflichtungen es mit sich brachten, daß er von Zeit zu Zeit in die Stadt oder ins Schloß kam – hatte nicht die Voraussetzungen, die Freiheit, den Geist, die göttlichen Proportionen der Kunstwerke zu verstehen. Dagegen fand er in ihnen eine Harmonie, wie sie ihm zusagte, und es genügte ihm, nebenher eine Anzahl oberflächlicher Elemente in ihnen aufzugreifen; mit diesen Elementen verfuhr er dann ganz nach eigenem Ermessen, richtete sie nach seiner Willkür zu, setzte sich über ihre Proportionen hinweg, entstellte sie unter Nichtachtung ihrer wichtigsten Eigentümlichkeiten und kehrte so, beladen mit anderer Honig, heim. Nach diesem Massaker ging er daran, seine Schöpfung nach eignen Harmonien aufzubauen. So entstanden die wundervollen Kunstwerke der Folklore.« M

NACHWEISE 500,12 *Gisèle Freunds Studie*] s. auch Benjamins Besprechung des Buches, 542–544 – 505,1 *»Die Welt ist schön«*] s. Albert Renger Patzsch, Die Welt ist schön. 100 photographische Aufnahmen, hg. und eingel. von Carl Georg Heise, München 1928

508 f. RECHERCHES PHILOSOPHIQUES, BD. 4, 1934

ÜBERLIEFERUNG
J Zeitschrift für Sozialforschung 6 (1937), 173 f. (Heft 1).
NACHWEIS 509,6.7 *»Le temps vécu«*] s. jetzt Eugène Minkowski, Le
temps vécu. Etudes phénoménologiques et psychopathologiques, Neuchâtel 1968 (Neudruck der Erstausgabe von 1933)

509–511 F. ARMAND ET R. MAUBLANC, FOURIER, 2 BDE., PARIS 1937

ÜBERLIEFERUNG
J Zeitschrift für Sozialforschung 6 (1937), 699 f. (Heft 3).
NACHWEISE 509,29 *A. Pinloche*] s. Benjamins Besprechung des Buchs,
427 f. – 510,15 *Erotologie*] s. Charles Fourier, Hiérarchie du cocuage.
Edition définitive colligée sur le manuscrit original par René Maublanc, Paris o. J. – 510,17 *Elementen«*] s. Armand u. Maublanc,
a. a. O., 206: »Nous avons fait une large part [...] au Fourier romancier.« – 510,38 *bemerkt*] s. a. a. O., 205

511–517 HELMUT ANTON, GESELLSCHAFTSIDEAL UND GESELLSCHAFTS-
MORAL IM AUSGEHENDEN 17. JAHRHUNDERT, BRESLAU 1935
HANSJÖRG GARTE, KUNSTFORM SCHAUERROMAN, LEIPZIG
1935
OSKAR WALZEL, ROMANTISCHES. I. FRÜHE KUNSTSCHAU
FRIEDRICH SCHLEGELS. II. ADAM MÜLLERS ÄSTHETIK, BONN
A. RH. 1934
ALAIN, STENDHAL, PARIS 1935
HUGO VON HOFMANNSTHAL, BRIEFE 1890–1901, BERLIN 1935
HERMANN BLACKERT, DER AUFBAU DER KUNSTWIRKLICHKEIT
BEI MARCEL PROUST, BERLIN 1935
HERMANN BROCH, JAMES JOYCE UND DIE GEGENWART. REDE
ZU JOYCES 50. GEBURTSTAG, WIEN 1936

ÜBERLIEFERUNG
J Zeitschrift für Sozialforschung 6 (1937), 711–715 (Heft 3).
NACHWEISE 512,3 *»Lyrik und Lyriker«*] s. Richard Maria Werner,
Lyrik und Lyriker. Eine Untersuchung, Hamburg 1890. (Beiträge zur
Ästhetik. 1.) – 513,7 *werden.«*] Hansjörg Garte, a. a. O., 171 – 513,29
nicht«] Oskar Walzel, a. a. O., 127 – 513,37.38 *vorschwebte.«*] a. a. O.,
250 – 514,11 *denken«*] Alain, a. a. O., 42 – 514,20 *stecken«*] a. a. O.,
42 – 514,23 *wird.«*] a. a. O., 43 – 514,31 *läßt.«*] a. a. O., 36 – 514,34
stehen.«] a. a. O., 39 – 515,3 *wollen.«*] a. a. O., 44 – 515,6 *Gedichtsammlung*] s. Hugo von Hofmannsthal, Nachlese der Gedichte, Berlin

1934 – 515,11 *erzählt*] s. Hugo von Hofmannsthal, a. a. O., 185 f. –
515,27 *müssen.«*] a. a. O., 161 – 516,19 *abzusperren«*] Ortega y Gas-
set, Gedanken über den Roman, zit. bei Hermann Blackert, a. a. O., 18
– 516,22 *hat«*] Blackert, a. a. O., 18 f. – 516,28 *Curtius*] s. Ernst Robert
Curtius, Marcel Proust, in: Französischer Geist im Neuen Europa,
Stuttgart 1925 – 516,37 *überhaupt«*] Blackert, a. a. O., 120 f. – 517,16
heben«] Hermann Broch, a. a. O., 30 – 517,30 *lebt«*] a. a. O., 26

518–526 Ein deutsches Institut freier Forschung

Benjamins Plan, die Arbeit des Instituts für Sozialforschung in einem
größeren Aufsatz darzustellen, geht auf das Jahr 1937 zurück. Er
wollte die Besprechung in der konservativen Zeitschrift »Maß und
Wert« veröffentlichen, um, wie er am 6. 12. 1937 an Horkheimer
schrieb, *das gebildete Bürgertum zum Aufhorchen* (6. 12. 1937, an
M. Horkheimer) zu bringen. Ferdinand Lion, Redakteur von »Maß
und Wert«, fand sich mit Einschränkung interessiert. In dem erwähnten Brief an Horkheimer entfaltete Benjamin seine Strategie für die
geplante Publikation: *Auf meinen an Oprecht gerichteten Brief kam
vor einer Woche Antwort von dem Redakteur Ferdinand Lion. Er
schreibt: [Absatz] »L. H. B. – Das Einverständnis der Redaktion?
›L'Etat c'est Moi.‹ Also de tout cœur et avec le plus grand plaisir.
Ich möchte den Artikel in Heft 4, spätestens Heft 5 veröffentlichen.
Nur ein Punkt: er darf n i c h t kommunistisch sein. – Und zweiter
Punkt: Er gehört in unseren Kritikteil, nicht wahr? Immerhin, wie Sie
wohl schon gesehen haben, fehlt es auch da nicht an Platz und Ent-
faltungsmöglichkeit. Ich möchte gern wissen, wieviel Seiten Sie beanspruchen? Überhaupt – alter Redakteurfehler schon in der Bibel –
wäre ich neugierig zu wissen, worum es sich handelt – nur ein paar
Winke und Worte genügen mir.« [Absatz] Lions Grundbedingung
stimmt mich im Verein mit der Tatsache, daß er vom Charakter der
Zeitschrift wohl keine rechte Vorstellung hat, etwas trübe. Was unter
einer derart formulierten Einschränkung zu verstehen ist, hängt unter
anderm vom Bildungsgrad des sie Formulierenden ab. Lions letzte
Publikation »Geschichte biologisch gesehen« läßt mich diesen mit
vieler Zurückhaltung einschätzen, beweist außerdem, daß er mit dem
Herzen bei der Sache ist, wenn er seinen Punkt eins formuliert.
[Absatz] Was Punkt zwei betrifft, so handelt es sich bei dem
»Kritischen Teil« um die zweispaltig gedruckten Glossen, die am
Schluß des Heftes erscheinen. Ich nehme nicht an, daß der Aufsatz
sich so präsentieren soll. Der längste Beitrag, den ich an dieser Stelle
fand, umfaßt vier Seiten; ich müßte mich also dort in so engen Grenzen bewegen, daß der Zweck des Aufsatzes nur schwer zu erreichen

wäre. [Absatz] Die Anhaltspunkte, die mir für den Aufsatz vor-
schweben, sind nicht unabhängig von der ersten Bedingung der Re-
daktion. Will man Lions Zensur nicht allzu leichtes Spiel geben, so
müssen die politischen Perspektiven so weit wie möglich im Schatten
bleiben. Was der Aufsatz so an Prägnanz der Perspektive verliert,
muß er an Genauigkeit im einzelnen einbringen. Das würde mit
Punkt zwei kollidieren. Ich nehme auf Punkt zwei im folgenden
keine Rücksicht, sondern gehe von der Annahme aus, daß mir etwa
zehn Seiten zur Verfügung stehen – wenn nicht mehr. Darunter zu
bleiben, scheint mir schwer möglich, ohne – bei Beachtung der poli-
tischen Richtlinien Lions – den Eindruck zu erwecken, es handle sich
einfach um eine neue Sparte im akademischen Betrieb. [Absatz]
Wichtig erscheint mir auf alle Fälle, dasjenige herauszuheben, was
das gebildete Bürgertum zum Aufhorchen bringen kann. Dazu ist
alles geeignet, was an Freud anschließt. Ich denke also, daß ein brei-
terer Raum den Arbeiten von Fromm vorzubehalten ist, auf die wir
ohnehin einen gewissen Akzent legen wollten. Geeignetes Material
scheinen mir einerseits die beiden Aufsätze über das Mutterrecht und
Briffault, andrerseits seine Einleitung zu »Autorität und Familie«
abzugeben. Von diesen Arbeiten aus lassen sich die unumgänglichen
Fluchtlinien ins Politische wohl am unscheinbarsten markieren. [Ab-
satz] Der Konvergenzpunkt dieser Fluchtlinien würde durch Ihren
Essay »Egoismus und Freiheitsbewegung« gebildet werden. Der
Bourgeois, wie Sie ihn dort konstruieren, würde als patrizentrischer
Typ dem matrizentrischen sich entgegenstellen. Solche Anordnung
der Materien würde es möglich machen, die Kritik, die die Arbeiten
des Instituts an dem heute herrschenden Menschen üben, mehr oder
weniger aus der Sphäre der Aktualität herauszurücken. Die äußerste
Annäherung an sie wäre in ästhetischer Verkleidung, das heißt an
Hand von Löwenthals Untersuchungen über die Rezeption von
Dostojewski und die Dichtung von C. F. Meyer vorzunehmen. [Ab-
satz] Mit Ihrer politischen Anthropologie wäre sodann die meta-
physische von Scheler und Jaspers zu konfrontieren. Dabei könnte
man die Kritik am neuakademischen Lakaientum, die den Arbeiten
der Zeitschrift gemeinsam ist, mit Vorsicht zur Geltung bringen. Ge-
wiß würde die Abgrenzung gegen dieses besonders deutlich durch die
Kritik illustriert werden, die die »Wissenssoziologie« in der Zeit-
schrift gefunden hat. Aber hier haben wir im Auge zu behalten, daß
das erste Heft von »Maß und Wert« einen umfangreichen Beitrag
von Mannheim veröffentlicht hat. Man wird nicht leicht etwas auf
den Autor kommen lassen. Im übrigen dürfte Mannheim genau die
intellektuelle Merkwelt von Lion abstecken. [Absatz] Wie man in
einen Abriß pour le Dauphin eine Arbeit wie »Traditionelle und

kritische Theorie«, aus der ich eine Anzahl von wichtigen Zitaten bereitgestellt hatte, oder eine Arbeit wie die über den Jazz einbeziehen kann, ist mir noch nicht ersichtlich. Ich brauche Ihnen nicht zu sagen, daß die Kritik des Systembegriffs, wie sie zumal Ihren letztgenannten Essay bestimmt, meiner Ansicht nach zu den Grundpfeilern unserer Arbeit gehört. Es ist nur leider der dialektische Witz der Sache, daß bei den »reinen« Methodenfragen die politischen Zwecke, für die diese Methoden wirken, nicht weniger »rein« zum Vorschein kommen. Etwas günstiger steht es mit den kunstkritischen Methoden. Ich hoffe, daß ich Wiesengrunds Arbeiten wenigstens nach dieser Seite hin werde kennzeichnen können. [Absatz] Darf ich Ihnen, im Vorbeigehen, gestehen, daß ich bei den Vorbereitungen zu dem Aufsatz den allgemeinen Teil des Autoritätswerkes zum ersten Mal eingehend gelesen habe? Ihre Analyse der Thesen, die die »Phänomenologie des Geistes« über die Familie aufstellt, hat mich tief beeindruckt. Sie ist ein Gegenstück zu den Bemerkungen über den kantischen Schematismus im letzten Heft. Ich hoffe, im Anschluß an sie und an Marcuses Hegelartikel im gleichen Band zeigen zu können, wieviel ernsthafter die Interessen der Geschichte der Philosophie im Zusammenhang der politischen Anthropologie gewahrt werden als in den Arbeiten der Metaphysiker. [Absatz] Die erste Sorge wird allerdings sein, uns zu vergewissern, ob die räumlichen und sachlichen Grenzen, die von der Redaktion gesteckt werden, nicht so ineinander spielen, daß dazwischen kein Raum mehr bleibt. Ich sehe es als selbstverständlich an, die Arbeit, im schlimmsten Falle, vergeblich zu schreiben. Auf der andern Seite sollte man es Lion nicht allzu leicht machen, die absolutistischen Machtvollkommenheiten, zu denen er sich bekennt, zu unserm Schaden zu üben. (6. 12. 1937, an M. Horkheimer.)

Am 6. 1. 1938 teilte Benjamin Horkheimer mit, daß er gemeinsam mit Adorno an dem Aufsatz für »Maß und Wert« gearbeitet habe: Wir [...] sind aber über Bruchstücke nicht hinausgekommen. (Briefe, 742) Benjamin führte die Arbeit allein weiter und sandte am 6. 3. 1938 das abgeschlossene Manuskript mit einem Begleitbrief an Lion: In Ihrem vorjährigen Briefe aus Ouchy wiesen Sie mich auf »Platz und Entfaltungsmöglichkeiten« hin, die auch der kritische Teil von »Maß und Wert« biete. Darum erschrak ich nicht wenig, als ihre letzte Mitteilung mir zunächst zwei, dann gar eine Seite proponierte. [Absatz] Ist es die Kenntnisnahme von der Zeitschrift, die Sie dazu veranlaßt hat? Ihre Karte läßt mich ohne weiteres das Gegenteil annehmen. [Absatz] Selbst wenn dem anders wäre, würde ich Ihnen offen gestehen, daß ich von Freunden spreche, mit denen mich ein gemeinsames Anliegen verbindet. Ich hoffe, nicht weitschweifig gewesen zu sein; will freilich zugeben, daß man in einer Sache, die

einem am Herzen liegt, nicht so bündig wie in einer indifferenten ist.
[Absatz] Ihrem Wunsch, als dem ersten von Ihnen mir lautgewor-
denen entgegenzukommen, habe ich einen nicht minder erstmaligen
Weg eingeschlagen. Ich schicke Ihnen mit gleicher Post nicht ein
Manuskript sondern deren mehrere. Derart ein Stück meiner Gedan-
kenfracht nach dem andern als Ballast bezeichnend, hoffe ich Ihre
redaktionelle Aufgabe Ihnen erleichtert zu haben. (6. 3. 1938, an
F. Lion) Am folgenden Tag berichtete Benjamin Horkheimer: *Gleich-*
zeitig mit diesen Zeilen geht das Manuskript, das ich für »Maß und
Wert« geschrieben habe, an Sie ab. [Absatz] Den Mindestumfang
einer Information über die Arbeit des Instituts hatte ich in meinem
Brief vom 6. Dezember vorigen Jahres auf 10 Seiten eingeschätzt.
Das ist in der Tat der ungefähre Umfang des beiliegenden Aufsatzes.
Er hält sich an das Exposé, das ich Ihnen in dem erwähnten Brief
sandte, indem er den Bericht über die Arbeiten von Fromm und den
anschließenden über »Egoismus und Freiheitsbewegung« zum Haupt-
stück macht. Er vermeidet die Begriffe ›Materialismus‹ und ›Dialektik‹.
[Absatz] Die Schwierigkeit der Arbeit lag darin, den präsump-
tiven Sabotageabsichten von Lion zu begegnen, die in seiner beilie-
genden Karte ihre überschüssige Bestätigung finden. Aus ihr ersehen
Sie, daß er entgegen einer früheren Ankündigung nicht hierher kommt.
Damit fiel die Hoffnung, ihm im Gespräch beizukommen, fort. Umso
mehr mußte ich darauf bedacht sein, sein Übelwollen von vorne-
herein zu parieren. Das bestimmte die Konstruktion des Aufsatzes.
[Absatz] Es ergab sich als das Zweckmäßigste, ihm den Charak-
ter eines Puzzles zu geben, das Lions Lust zu Eingriffen dadurch,
daß es sich ihnen entgegenkommend darbietet, vielleicht herabmin-
dert. Die »Vorbemerkung« gibt den Schlüssel des Puzzles ab. Der
Minimalumfang der Arbeit beträgt nicht ganz drei Seiten. Was ich
um jeden Preis vermeiden wollte, war eine Ablehnung »aus Raum-
mangel«. – Besteht eine Möglichkeit, den Text in extenso etwa in
Amerika zweckdienlich zu verwenden? [Absatz] Sie finden bei-
liegend den Brief, der die Sendung an Lion begleitet. Es schien mir
richtig, in seinem letzten Satz anzudeuten, daß die Aufnahme des
Berichts über das Institut die Bedingung meiner weiteren Mitarbeit an
»Maß und Wert« für mich darstellt. [Absatz] Ich weiß nicht, ob
Sie die Zeitschrift regelmäßig erhalten. Ebensowohl um Ihnen von ihr
wie von dem tour d'esprit minable et inconsistant von Lion einen
Begriff zu geben, sende ich Ihnen die Nummer vom Anfang des
Jahres. Lions Aufsatz über das Lyrische, den Sie darin finden, ist
ein schöngeistiges Spinngewebe, in dem als vertrocknete Fliegen zwei
jeweils falsch zitierte Verse der »Marienbader Elegie« hängen. (7. 3.
1938, an M. Horkheimer)

Die *Vorbemerkung*, die den *Schlüssel* des *Puzzles* abgibt, als welches Benjamin sein Manuskript eingerichtet hatte, lautet: *Den Rahmen des Manuskripts bilden Seite 1, 2, 3 und Seite 11. Seite 8, 9, 10 bilden einen Block, der geschlossen entweder allein oder mit anderen Seiten in diesen Rahmen eingesetzt werden kann. Die restlichen Seiten 4/5, 6, 7 können jede einzeln oder zusammen eingesetzt werden, wobei nur zu beachten ist, daß Seite 6 nicht ohne Seite 4/5 figurieren kann (wohl aber umgekehrt.) – Der Minimalumfang des Manuskripts beträgt also weniger als drei, der Maximalumfang ungefähr acht volle Seiten.* (Benjamin-Archiv, Ts 1482) – Um den Schlüssel dieser *Vorbemerkung* benutzbar zu machen, wird im folgenden angegeben, was die einzelnen Seiten des Typoskripts umfassen: 518,3–19 *Als* bis *hatten.*] Seite 1 – 518,20–519,19 *Die Gruppe* bis *gewonnen.*] Seite 2 – 519,20–31 *Die Solidarität* bis *zusammen.*] Seite 3 – 519,32–521,6 *Dies* bis *hatte.*] Seite 4/5 – 521,7–522,2 *Eine Theorie* bis *wurden.*] Seite 6 – 522,3–28 *Erlittenes* bis *angedeutet.*] Seite 7 – 522,29–525,12 *Die Arbeiten* bis *erschließen.*] Seite 8–10 – 525,13–526,14 *Im* bis *akademischer.*] Seite 11.

Am 16.4.1938 schrieb Benjamin an Horkheimer: *Über das Telegramm, aus dem ich ersah, daß die Notiz für »Maß und Wert« Ihnen gefallen hat, habe ich mich wirklich gefreut. [...] Gestern bekam ich das Heft, in dem meine Notiz in Gestalt einer Anzeige der »Zeitschrift für Sozialforschung« und im Umfang von vier Druckseiten erschienen ist. [...] Ich bin froh, daß das unter Dach und Fach ist, weil ich es bis zum letzten Moment für möglich hielt, von Lion vor ein fait inaccompli gestellt zu werden.* (Briefe, 753 f.) Am 28. 5. 1938 kommt Benjamin noch einmal auf seinen Text zurück, wiederum in einem Brief an Horkheimer: *Den Platz und die Redigierung der Notiz über das Institut habe ich ebenso unerwünscht empfunden wie Sie; freilich – auch darin unterscheidet sich meine Reaktion schwerlich von der Ihrigen – nicht als überraschend. Das Widerstreben von Lion war manifest und ist im Habitus des Mannes nur allzu begründet.* (28. 5. 1938, an M. Horkheimer)

ÜBERLIEFERUNG

J   Maß und Wert 1 (1937/38), 818–822 (Heft 5, Mai/Juni '38).

T¹   Typoskript mit handschr. Korrekturen; Benjamin-Archiv, Ts 1481 bis 1493.

T²   Typoskript, Durchschlag mit handschr. Korrekturen, als *Handexemplar* gekennzeichnet; Benjamin-Archiv, Ts 1494–1506.

Druckvorlage: T¹

LESARTEN 518,2 *Ein deutsches Institut freier Forschung*] Zeitschrift für Sozialforschung J – 518,25.26 *Psychoanalytiker*] Psychologe J –

518,27 *Rottweiler*] *Wiesengrund J* – 518,28 *Löwenthal,*] *Löwenthal,
als Wirtschaftshistoriker Wittfogel, als Jurist Neumann J* – 519,23
»Institute for Social Research«] *»International Institute for Social
Research«* J – 519,32–520,24.25 *Dies bis gemäß zu sein.«* (ZfS VI,
2, S. 261)] *Die deutsche Hochschule der jüngsten Vergangenheit konnte
bei aller Betriebsamkeit da keinen Wandel schaffen; noch viel weniger
vermag es die heutige.* J – 521,3–522,28 *Auf was es bis angedeutet.*]
fehlt in J – 525,4 *Hektor Rottweiler*] *Wiesengrund J* – 525,7–525,8
Kracauer bis Staaten.] fehlt in J – 525,13–526,14 *Im Zentrum bis
akademischer.*] fehlt in J

NACHWEISE 518,27 *Rottweiler*] Hektor Rottweiler, Pseudonym von
Theodor W. Adorno – 519,36.37 *»Bemerkungen über Wissenschaft und
Krise«*] s. Max Horkheimer, Bemerkungen über Wissenschaft und
Krise, in: Zeitschrift für Sozialforschung 1 (1932), 1–7 – 520,2 *»Zum
Problem der Wahrheit«*] s. Horkheimer, Zum Problem der Wahrheit,
a. a. O., Jg. 4 (1935), 321–364 – 520,15 *ergeben.«*] Zitat aus Hork-
heimer, Philosophie und kritische Theorie – 520,24 *sein.«*] Zitat aus
Horkheimer, Traditionelle und kritische Theorie – 521,18 *kann«*]
Zitat aus Horkheimer, Zum Problem der Wahrheit – 521,23 *Zweck-
mäßigen«*] Zitat aus Horkheimer, Traditionelle und kritische Theorie
– 521,32 *Wissenschaft.«*] Zitat aus Horkheimer, Bemerkungen über
Wissenschaft und Krise – 522,16 *Standort«*] Zitat aus Horkheimer,
Traditionelle und kritische Theorie – 522,24 *müssen«*] Zitat aus dems.
Aufsatz – 523,9 *unterdrücken.«*] Zitat aus Erich Fromm, Theoretische
Entwürfe über Autorität und Familie, Sozialpsychologischer Teil –
523,29 *Abbild.«*] Zitat aus dems. Aufsatz – 525,4 *Hektor Rottweiler*]
s. Hektor Rottweiler, Über Jazz, in: Zeitschrift für Sozialforschung 5
(1936), 235–259 – 525,5 *Löwenthal*] s. Leo Löwenthal, Knut Hamsun.
Zur Vorgeschichte der autoritären Ideologie, a. a. O., Jg. 6 (1937), 295–
345 – 525,7 *Kracauer*] Siegfried Kracauer unternahm seine Unter-
suchungen über den deutschen Film zeitweilig in engem Kontakt mit dem
Institut für Sozialforschung; s. S. Kracauer, Propagand and the Nazi
War Film, New York 1942, und ders., From Caligari to Hitler. A
Psychological History of the German Film, Princeton 1947 – 525,31
Kulturbegriff«] s. Herbert Marcuse, Über den affirmativen Charakter
der Kultur – 526,3 *liegt.«*] s. anon., Deutsche Zweifel an Europa, in:
Maß und Wert 1 (1938), 622 (Heft 4)

526–529 MAX BROD, FRANZ KAFKA. EINE BIOGRAPHIE, PRAG 1937

Über seinen ersten Eindruck von Brods Kafka-Biographie berichtete
Benjamin am 14. 4. 1938 Scholem: *Ich komme [...] auf Kafka an
dieser Stelle weil besagte Biographie in ihrer Verwebung Kafkaschen*

*Nichtwissens mit Brodschen Weisheiten einen Distrikt der Geisterwelt
zu öffnen scheint, wo weiße Magie und fauler Zauber aufs erbaulichste
ineinander spielen. Ich habe übrigens noch nicht sehr viel darin lesen
können, mir aber alsbald die Kafkasche Formulierung des kategori-
schen Imperativs »handle so, daß die Engel zu tun bekommen« daraus
zugeeignet.* (Briefe, 748) Ein weiterer Brief an Scholem, vom 12. 6.
1938 datiert, enthält dann den vollständigen Text der Besprechung;
der Brief beginnt: *Auf Deine Bitte schreibe ich Dir ziemlich ausführlich, was ich von Brods »Kafka« halte; einige eigene Reflektionen
über Kafka findest Du anschließend.* (a. a. O., 756) Scholem hatte
Benjamin um seine Stellungnahme zu Brods Buch gebeten mit der
Absicht, sie dem Verleger Salman Schocken zugänglich zu machen.
Die Hoffnung, daß dieser Benjamin den Auftrag zu einem Buch über
Kafka erteilen würde, erfüllte sich indessen nicht. Benjamin zweigte
aus dem Brief an Scholem dann den ersten, Brod gewidmeten Teil
als Rezension ab; das Nachlaß-Typoskript ist als Druckvorlage eingerichtet. Zweifellos war es dieser Text, den Benjamin – gleichfalls
noch am 12. 6. 1938 – Ferdinand Lion für die Zeitschrift »Maß und
Wert« anbot: *Brod hat eine – dubiose – Biographie von Kafka erscheinen lassen. Ich habe über Kafka gearbeitet und würde das Buch
gerne bei Ihnen besprechen, wenn Sie nicht anderweitig über ein
Referat verfügen.* (12. 6. 1938, an F. Lion) Eine Antwort Lions ist
der Herausgeberin nicht bekannt; erschienen ist die Besprechung
erst 1966 als Bestandteil jenes Briefes an Scholem (s. Briefe, 756 ff.).
Im folgenden werden die *eigene[n] Reflektionen über Kafka*
abgedruckt, die in dem Brief an Scholem an die Brod-Kritik sich anschließen. *Du ersiehst aus dem Vorstehenden, lieber Gerhard, warum
Brods Biographie mir ungeeignet scheint, mein Bild von Kafka –
wäre es auch nur auf polemische Weise – in der Befassung mit ihr
durchblicken zu lassen. Ob es den folgenden Notizen gelingt, dieses
Bild zu skizzieren, lasse ich natürlich dahingestellt. Auf jeden Fall
werden sie Dir einen neuen, von meinen früheren Reflektionen mehr
oder minder unabhängigen Aspekt darauf nahelegen. [Absatz] Kafkas Werk ist eine Ellipse, deren weit auseinanderliegende Brennpunkte von der mystischen Erfahrung (die vor allem die Erfahrung
von der Tradition ist) einerseits, von der Erfahrung des modernen
Großstadtmenschen andererseits, bestimmt sind. Wenn ich von der
Erfahrung des modernen Großstadtmenschen rede, so begreife ich
in sie verschiedenes ein. Ich spreche einerseits vom modernen Staatsbürger, der sich einer unübersehbaren Beamtenapparatur ausgeliefert
weiß, deren Funktion von Instanzen gesteuert wird, die den ausfüh-
renden Organen selber, geschweige dem von ihnen behandelten unge-
nau bleiben. (Es ist bekannt daß eine Bedeutungsschicht der Romane,*

insbesondere des »Prozesses«, hierin beschlossen liegt.) Unter dem modernen Großstadtmenschen spreche ich andererseits ebensowohl den Zeitgenossen der heutigen Physiker an. Liest man die folgende Stelle aus Eddingtons »Weltbild der Physik«, so glaubt man Kafka zu hören.

»Ich stehe auf der Türschwelle, im Begriffe, mein Zimmer zu betreten. Das ist ein kompliziertes Unternehmen. Erstens muß ich gegen die Atmosphäre ankämpfen, die mit einer Kraft von 1 Kilogramm auf jedes Quadratzentimeter meines Körpers drückt. Ferner muß ich auf einem Brett zu landen versuchen, das mit einer Geschwindigkeit von 30 Kilometer in der Sekunde um die Sonne fliegt; nur den Bruchteil einer Sekunde Verspätung, und das Brett ist bereits meilenweit entfernt. Und dieses Kunststück muß fertiggebracht werden, während ich an einem kugelförmigen Planeten hänge, mit dem Kopf nach außen in den Raum hinein, und ein Ätherwind von Gott weiß welcher Geschwindigkeit durch alle Poren meines Körpers bläst. Auch hat das Brett keine feste Substanz. Darauftreten heißt auf einen Fliegenschwarm treten. Werde ich nicht hindurchfallen? Nein, denn wenn ich es wage und darauf trete, so trifft mich eine der Fliegen und gibt mir einen Stoß nach oben; ich falle wieder und werde von einer anderen Fliege nach oben geworfen, und so geht es fort. Ich darf also hoffen, das Gesamtresultat werde sein, daß ich dauernd ungefähr auf gleicher Höhe bleibe. Sollte ich aber unglücklicherweise trotzdem durch den Fußboden hindurchfallen oder so heftig emporgestoßen werden, daß ich bis zur Decke fliege, so würde dieser Unfall keine Verletzung der Naturgesetze sondern nur ein außerordentlich unwahrscheinliches Zusammentreffen von Zufällen sein ... Wahrlich, es ist leichter, daß ein Kamel durch ein Nadelöhr gehe denn daß ein Physiker eine Türschwelle überschreite. Handle es sich um ein Scheunentor oder einen Kirchturm, vielleicht wäre es weiser, er fände sich damit ab, nur ein gewöhnlicher Mensch zu sein, und ginge einfach hindurch, anstatt zu warten, bis alle Schwierigkeiten sich gelöst haben, die mit einem wissenschaftlich einwandfreien Eintritt verbunden sind.«

Ich kenne in der Literatur keine Stelle, die im gleichen Grade den Kafkaschen Gestus aufweist. Man könnte ohne Mühe fast jede Stelle dieser physikalischen Aporie mit Sätzen aus Kafkas Prosastücken begleiten, und es spricht nicht wenig dafür, daß dabei viele von den »unverständlichsten« unterkämen. Sagt man also, wie ich das eben getan habe, daß die entsprechenden Erfahrungen Kafkas in einer gewaltigen Spannung zu seinen mystischen standen, so sagt man nur eine halbe Wahrheit. Es ist das eigentlich und im präzisen Sinne

Tolle an Kafka, daß diese allerjüngste Erfahrungswelt ihm gerade durch die mystische Tradition zugetragen wurde. Das ist natürlich nicht ohne verheerende Vorgänge (auf die ich sogleich komme) innerhalb dieser Tradition möglich gewesen. Das Kurze und Lange von der Sache ist, daß offenbar an nichts Geringeres als an die Kräfte dieser Tradition appelliert werden mußte, sollte ein Einzelner (der Franz Kafka hieß) mit d e r Wirklichkeit konfrontiert werden, die sich als die unsrige theoretisch z. B. in der modernen Physik, praktisch in der Kriegstechnik projiziert. Ich will sagen, daß diese Wirklichkeit für den E i n z e l n e n kaum mehr erfahrbar, und daß Kafkas vielfach so heitere und von Engeln durchwirkte Welt das genaue Komplement seiner Epoche ist, die sich anschickt, die Bewohner dieses Planeten in erheblichen Massen abzuschaffen. Die Erfahrung, die der des Privatmanns Kafka entspricht, dürfte von großen Massen wohl erst gelegentlich dieser ihrer Abschaffung zu erwerben sein. [Absatz] Kafka lebt in einer k o m p l e m e n t ä r e n W e l t. (Darin ist er genau mit Klee verwandt, dessen Werk in der Malerei ebenso wesenhaft v e r e i n z e l t dasteht wie das von Kafka in der Literatur.) Kafka gewahrte das Komplement, ohne das zu gewahren, was ihn umgab. Sagt man, er gewahrte das Kommende, ohne das zu gewahren, was heute ist, so gewahrt er es doch wesentlich als der E i n z e l n e von ihm betroffene. Seinen Geberden des Schreckens kommt der herrliche S p i e l r a u m zu gute, den die Katastrophe nicht kennen wird. Seiner Erfahrung lag aber die Überlieferung, an die sich Kafka hingab, allein zugrunde; keinerlei Weitblick, auch keine »Sehergabe«. Kafka lauschte der Tradition, und wer angestrengt lauscht, der sieht nicht. [Absatz] Angestrengt ist dieses Lauschen vor allem darum, weil nur Undeutlichstes zum Lauscher dringt. Da ist keine Lehre, die man lernen, und kein Wissen, das man bewahren könnte. Was im Fluge erhascht sein will, das sind Dinge, die für kein Ohr bestimmt sind. Dies beinhaltet einen Tatbestand, welcher Kafkas Werk nach der negativen Seite streng kennzeichnet. (Seine negative Charakteristik wird wohl durchweg chancenreicher sein als die positive.) Kafkas Werk stellt eine Erkrankung der Tradition dar. Man hat die Weisheit gelegentlich als die epische Seite der Wahrheit definieren wollen. Damit ist die Weisheit als ein Traditionsgut gekennzeichnet; sie ist die Wahrheit in ihrer hagadischen Konsistenz. [Absatz] Diese Konsistenz der Wahrheit ist es, die verloren gegangen ist. Kafka war weit entfernt, der erste zu sein, der sich dieser Tatsache gegenüber sah. Viele hatten sich mit ihr eingerichtet, festhaltend an der Wahrheit oder an dem, was sie jeweils dafür gehalten haben; schweren oder auch leichteren Herzens verzichtleistend auf ihre Tradierbarkeit. Das eigentlich Geniale an Kafka war, daß er etwas ganz neues aus-

*probiert hat: er gab die Wahrheit preis, um an der Tradierbarkeit,
an dem hagadischen Element festzuhalten. Kafkas Dichtungen sind
von Hause aus Gleichnisse. Aber das ist ihr Elend und ihre Schönheit,
daß sie mehr als Gleichnisse werden mußten. Sie legen sich der
Lehre nicht schlicht zu Füßen wie sich die Hagada der Halacha zu
Füßen legt. Wenn sie sich gekuscht haben, heben sie unversehens eine
gewichtige Pranke gegen sie. [Absatz] Darum ist bei Kafka von
Weisheit nicht mehr die Rede. Es bleiben nur ihre Zerfallsprodukte.
Deren sind zwei: einmal das Gerücht von den wahren Dingen (eine
Art von theologischer Flüsterzeitung, in der es um Verrufenes und
Obsoletes geht); das andere Produkt dieser Diathese ist die Torheit,
welche zwar den Gehalt, der der Weisheit zueigen ist, restlos vertan
hat, aber dafür das Gefällige und Gelassene wahrt, das dem Gerücht
allerwege abgeht. Die Torheit ist das Wesen der Kafkaschen Lieblinge;
von Don Quijote über die Gehilfen bis zu den Tieren. (Tiersein hieß
ihm wohl nur, aus einer Art von Scham auf die Menschengestalt und
-weisheit verzichtet haben. So wie ein vornehmer Herr, der in eine
niedere Kneipe gerät, aus Scham darauf verzichtet, sein Glas auszu-
wischen.) Soviel stand ohne Frage für Kafka fest: erstens, daß einer,
um zu helfen, ein Tor sein muß; zweitens: eines Toren Hilfe allein ist
wirklich eine. Unsicher ist nur: verfängt sie am Menschen noch? Sie
hilft vielleicht eher den Engeln (vgl. die Stelle VII, S. 209 über die
Engel, die etwas zu tun bekommen) für die es auch anders ginge. So ist
denn, wie Kafka sagt, unendlich viel Hoffnung vorhanden, nur nicht
für uns. Dieser Satz enthält wirklich Kafkas Hoffnung. Er ist die
Quelle seiner strahlenden Heiterkeit. [Absatz] Ich überliefere Dir dieses auf gefährliche Weise perspektivisch verkürzte Bild umso ruhiger,
als Du es durch die Ansichten verdeutlichen magst, die von andern
Aspekten her meine Kafkaarbeit in der »Jüdischen Rundschau« entwickelt hat. Was mich heute gegen diese am meisten einnimmt, ist der
apologetische Grundzug, welcher ihr innewohnte. Um Kafkas Figur
in ihrer Reinheit und in ihrer eigentümlichen Schönheit gerecht zu
werden, darf man das Eine nie aus dem Auge lassen: es ist die von
einem Gescheiterten. Die Umstände dieses Scheiterns sind mannigfache.
Man möchte sagen: war er des endlichen Mißlingens erst einmal sicher,
so gelang ihm unterwegs alles wie im Traum. Nichts denkwürdiger
als die Inbrunst, mit der Kafka sein Scheitern unterstrichen hat. Seine
Freundschaft mit Brod ist für mich vor allem ein Fragezeichen, das er
an den Rand seiner Tage hat malen wollen. (Briefe, 760–764)*

ÜBERLIEFERUNG

T Typoskript mit handschr. Korrekturen; Benjamin-Archiv, Ts 1526–1530.

NACHWEISE 528,31 *Werner Kraft*] Werner Krafts Arbeiten über Kafka, die seit den dreißiger Jahren in Zeitschriften und Zeitungen erschienen, wurden zusammengefaßt in: Werner Kraft, Franz Kafka. Durchdringung und Geheimnis, Frankfurt a. M. 1968 – 529,20 *»Zauberreich der Liebe«*] s. Max Brod, Zauberreich der Liebe. Roman, Berlin 1928

530–538 EINE CHRONIK DER DEUTSCHEN ARBEITSLOSEN

ÜBERLIEFERUNG

J *Die Rettung.* – Die neue Weltbühne 34 (1938), 593–597 (Heft 19, 12. 5. '38).

T *Eine Chronik der deutschen Arbeitslosen. Zu Anna Seghers Roman »Die Rettung«.* – Typoskript mit handschr. Korrekturen, als *Handexemplar* gekennzeichnet; Benjamin-Archiv, Ts 1507–1512.

Druckvorlage: T

Benjamin kennzeichnete in T – offensichtlich im Hinblick auf eine kürzungsfreudige Redaktion, als welche die »Neue Weltbühne« sich dann auch erwies – eine *große Streichung* und eine *kleine Streichung*, jene durch eckige Klammern mit grünem Stift, diese durch eckige Klammern mit blauem Stift markiert: 531,7–532,28 *Obenhin* bis *vorgehabt?«* (*S. 115*)] kleine Streichung – 534,34–535,17 *Es* bis *fragt.*] kleine Streichung – 536,2–537,36.37 *Oder* bis *Augenblicks.*] große Streichung – 538,18–22 – *der Scheiben* bis *immer.«*] große Streichung.

LESARTEN 531,7–14 *Obenhin* bis *Seghers.*] fehlt in J – 531,14 *Er*] *Bentsch* J – 532,16–28 *Wievieler* bis *vorgehabt?« (S. 115)*] fehlt in J – 534,20–24 *Ist* bis *herauskommen*] fehlt in J – 534,26–28 *›Ja.‹* bis *hin.*] fehlt in J – 535,12–17 *Nur* bis *fragt.*] fehlt in J – 536,14–25 *Sie* bis *Mitte.*] fehlt in J – 536,27–28 *die* bis *ist,*] fehlt in J – 537,38–538,1 *Werden* bis *gibt.*] fehlt in J – 538,1 *sie*] *die Befreiung* J – 538,17–22 *Bestimmt* bis *immer.«*] fehlt in J

NACHWEIS 536,35 *hat*] Benjaminsches Selbstzitat, s. 309

538–541 KRISENJAHRE DER FRÜHROMANTIK. BRIEFE AUS DEM SCHLEGEL-KREIS, HG. VON JOSEF KÖRNER, 2 BDE., BRÜNN 1936f.

ÜBERLIEFERUNG

J Maß und Wert 2 (1938/39), 130 ff. (Heft 1, September/Oktober '38).

T Typoskript mit handschr. Korrekturen; Benjamin-Archiv, Ts 1541–1544.

Druckvorlage: J

NACHWEISE 539,2 *dritten Bande*] s. Krisenjahre der Frühromantik, a. a. O., Bd. 3, Kommentar, Bern 1958 – 539,34 *gewohnt.« (Brief vom 23. Juli 1809.)*] Krisenjahre der Frühromantik, a. a. O., Bd. 2, 63 – 541,24 *geworden.« (Brief vom 18. Dezember 1803.)*] a. a. O., Bd. 1, 59 ff.

542–544 GISÈLE FREUND, LA PHOTOGRAPHIE EN FRANCE AU DIX-NEU-VIÈME SIÈCLE, PARIS 1936

Benjamin, der mit Gisèle Freund befreundet war, kannte ihr Buch bereits im Manuskript; die folgende Stelle aus einem Brief an Brecht vom 9. 1. 1935 kann sich nur auf die Arbeit von Gisèle Freund beziehen: *Das Buch über die Photographie ist noch Manuscript. Ob ein Abzug verfügbar ist, weiß ich nicht. Es geht von den Anfängen bis an das Jahrhundertende.* (Briefe, 642) Seine Rezension kündigte Benjamin Horkheimer am 3. 11. 1937 an: *Das Buch von Gisela Freund ist bei Adrienne Monnier erschienen. Es ist eine gute Arbeit, obwohl es im frankfurter Seminar von Mannheim seinen Ursprung genommen hat. Ich bat [Leo] Löwenthal seinerzeit, seine Anzeige übernehmen zu dürfen.* (3. 11. 1937, an M. Horkheimer) – Teile der Besprechung hatte Benjamin bereits in den zweiten *Pariser Brief* eingearbeitet, s. 500–503.

ÜBERLIEFERUNG
JBA Zeitschrift für Sozialforschung 7 (1938), 296 (Doppelheft 1/2); Benjamin-Archiv, Dr 208.
T   Typoskript, Durchschlag; Benjamin-Archiv, Ts 1521 f.
M   Handschr. Einschub zu T; Benjamin-Archiv, Ms 20.
Druckvorlage: T, M
LESARTEN 542,4–9 *Vor* bis *behandeln.*] fehlt in JBA – 542,17 *Verbilligung*] in JBA *des Porträts* handschr. hinzugefügt – 542,18 *Porträts*] in JBA handschr. *Porträts* gestrichen und durch *ihm* ersetzt – 542,30–543,8.9 *Die Frage* bis *zuzuführen*] fehlt in T, ist T aber als einzelnes Manuskriptblatt (M) beigelegt; unser Text folgt M – 542,31 *mit dem leidenschaftlichen*] M; *unter leidenschaftlichem* JBA – 542,32 *wurde*] M; *wurde allerdings* JBA – 543,10–544,2 *Die Methode* bis *könnte.«*] fehlt in JBA
NACHWEIS 544,2 *könnte.«*] s. jetzt G. W. Plechanow, Kunst und Literatur, übers. von J. Harhammer, Berlin 1955, 966

544–546 GRETE DE FRANCESCO, DIE MACHT DES CHARLATANS, BASEL
1937

Ausführlich berichtete Benjamin in einem Brief vom 21. 8. 1937 an
Adorno über das Buch: *Gleichzeitig mit dem Berg-Exemplar erhalten
Sie auf Bitte von Grete de Francesco die Bogen von ihrem Buch
über den Charlatan. Es nimmt mich durch die Seltenheit seines Materials, durch den mit Sorgfalt gepaarten Spürsinn ein, mit dem sie sich
dieses Materials versichert hat. Leider enttäuscht es in anderer Hinsicht. Es ist von Grund auf mit dem leidigen Vorsatz behaftet, den
Charlatan als einen Geistesverwandten der heutigen Machthaber darzustellen und in der Kritik des einen die andern zu geißeln. Das derart ausgerichtete Raisonnement ist politisch null und nichtig, versperrt
aber der Darstellung den Zugang zu den grundsätzlich interessantesten Seiten dieser Figur. Ich täusche mich wohl kaum in der Annahme,
daß auch den Auftraggebern an einer Behandlung des Themas, die
gewisse positive Elemente in der Erscheinung des Charlatans zur
Geltung gebracht hätte, nichts gelegen war.. So kommt die einigermaßen trübselige moralisierende Grundierung des Buches zustande,
gegen die keine geschichtliche Lokalfarbe mehr ankommen könnte –
gesetzt selbst, ihr Auftrag wäre versucht worden. Handgreiflichst
tritt die Unzulänglichkeit der Behandlung im Kapitel über die
Automaten hervor. Hätte Ernst Bloch sein »Hohes Paar« je geschrieben, so hätten wir wohl Einsichtsvolleres über den Charlatan
zu hören bekommen. – Ich brauche nicht zu sagen, daß das Buch
meine Sympathie für Grete de Francesco durchaus nicht vermindert
hat. Ob man aber bei schwierigen Aufgaben auf sie wird rechnen
können, erscheint mir unsicher.* (21. 8. 1937, an Th. W. Adorno) Am
2. 11. 1937 teilte Benjamin Adorno mit: *Ohne rechtes Vergnügen
habe ich dieser Tage eine möglichst freundliche Anzeige des Buches
von Grete de Francesco geschrieben. Ich teile sie Ihnen bei Gelegenheit mit.* (2. 11. 1937, an Th. W. Adorno) Einen Tag später sandte
Benjamin die Besprechung an Horkheimer: *Was das Buch von Grete
de Francesco betrifft, so kann ich nur hoffen, daß es Ihren und
Löwenthals Intentionen nicht widerspricht, wenn ich es behandle.
Daß ich die Rezension beilege, wird Ihre Entscheidung erleichtern. Ich
hatte bei Ihrem Hiersein vor, Ihnen von dem Buche zu sprechen. Das
geriet über wichtigeren Dingen in Vergessenheit.* (3. 11. 1937, an
M. Horkheimer) – Später scheint Benjamin nach einem französischen Verleger für das Buch gesucht zu haben, wie aus einem Brief
vom 9. 3. 1938 an Karl Thieme hervorgeht: *Für das Buch von
Grete de Francesco habe ich mich hier leider ohne den gewünschten Erfolg umgetan. Die hiesigen Verleger fürchten die Kosten, die*

ein anständig illustriertes Buch ihnen bei der Herstellung macht. (Briefe, 745 f.)

ÜBERLIEFERUNG

J Zeitschrift für Sozialforschung 7 (1938), 296 ff. (Doppelheft 1/2).
T Typoskript mit handschr. Korrekturen, als *Handexemplar* gekennzeichnet; Benjamin-Archiv, Ts 1523–1525.
Druckvorlage: T

LESARTEN 544,7–20 *Vom Altertum* bis *geworden.*] fehlt in J – 544,21 *sie es*] *die Frage akut* J – 544,24 *Macht ausübt*] *Erfolg erzielt* J – 544,24–26 *Ist das* bis *haben.*] fehlt in J – 544,27 *Scharlatans*] *Charlatans* J; der Unterschied in der Schreibweise des Wortes ist durchgehend – 545,22–25.26 *»Die Macht* bis *wurden.« (S. 97)*] fehlt in J – 545,37–546,1 *Der Historiker* bis *figuriert.*] fehlt in J – 546,1 *ist*] *ist jedoch* J – 546,4 *de Francescos*] fehlt in J

546–548 ROMAN DEUTSCHER JUDEN

Über den Autor des Romans »Jan Heimatlos« schrieb Benjamin in einem undatierten, vermutlich im März oder April 1939 verfaßten Brief an Gretel Adorno: *Nach Amerika fährt in den nächsten Tagen auch die einzige wirklich gutsituierte Familie, die ich hier kannte und an der ich einen äußersten Rückhalt gehabt hätte. Der Mann ist ein Sammler von Renaissancemedaillen – und mit niemandem stellt sich mir ein Kontakt leichter her als mit einem Sammler. Wichtiger ist, daß ich seinem Sohn, Ernst Morgenroth, der sich unter dem Namen Lackner in der Laufbahn des Romanciers versucht, auf meine Erfahrungen mit [Wilhelm] Speyer gestützt, einige Fingerzeige geben konnte. Ich versuche, aus dem Verlust dieser letzten Deckung das Beste zu machen und den alten Morgenroth dazu zu veranlassen, Max [Horkheimer] aufzusuchen. Wenn man es geschickt anfängt, so wird man ihn sicherlich für meine Übersiedlung nach Amerika interessieren können und vielleicht sogar, mit der Zeit, für gewisse Unternehmungen des Instituts [für Sozialforschung]. Ich denke, auch der junge Morgenroth wird in seinem Fahrwasser auftauchen. In der Generation, der er angehört, ist er einer der Gebildeteren und der Gutwilligen. Er ist lernbereit und man sollte ihn allzu scharf nicht anfassen.* (März/April 1939, an G. Adorno) Auch an Horkheimer schrieb Benjamin über *Ernst Morgenroth, an welch letzteren Sie sich vielleicht aus Frankfurt, wo er bei Ihnen gehört hat, entsinnen werden. Ich habe dem jungen Morgenroth bei seinen ersten Schritten in der literarischen Laufbahn etwas zur Seite gestanden. [...] Er hat den philosophischen Doktor bei Wittgenstein gemacht; ist aber weder*

*von der Logistik noch vom Romanschreiben sehr bestrickt worden
und wird wohl in Amerika kaufmännisch tätig sein – vielleicht im
Kunsthandel.* (18. 4. 1939, an M. Horkheimer)

ÜBERLIEFERUNG
J Die neue Weltbühne 34 (1938), 1621 f. (Nr. 51; 22. 12. ’38). – Ge-
druckt unter dem Pseudonym *Karl Gumlich.*
NACHWEISE 547,20 *schaffen?‹«*] Stephan Lackner, Jan Heimatlos.
Roman, Zürich 1939, 97 – 547,37 *gehen.«*] a. a. O., 16

548 f. LOUISE WEISS, SOUVENIRS D’UNE ENFANCE RÉPUBLICAINE, PARIS
1937

ÜBERLIEFERUNG
J Zeitschrift für Sozialforschung 7 (1938), 451 (Heft 3).
NACHWEISE 548,24 *Regimes.«*] Louise Weiss, a. a. O., 200 – 548,27
ging.«] a. a. O., 202 – 548,34 *hatten.*] s. a. a. O., 203 – 549,6 *Gegensatz.«*] a. a. O., 199

549–552 ROGER CAILLOIS, L’ARIDITÉ, IN: MESURES, 15ᵉ AVRIL 1938,
No. 2, 7–12
JULIEN BENDA, UN RÉGULIER DANS LE SIÈCLE, PARIS 1937
GEORGES BERNANOS, LES GRANDS CIMETIÈRES SOUS LA LUNE,
PARIS 1938
G. FESSARD, LA MAIN TENDUE? LE DIALOGUE CATHOLIQUE-
COMMUNISTE EST-IL POSSIBLE? PARIS 1937

Die Gründe, die Benjamin bewogen, die Sammelbesprechung unter
einem Pseudonym zu veröffentlichen, gab er in einem Brief vom
17. 11. 1938 an Horkheimer an: *Auf der andern Seite veranlaßt mich
dieses Vorhaben, auf die Calloisrezension zurückzukommen, deren
Fahnen vor mir liegen. Wie ich vor wenigen Tagen durch einen
glücklichen Zufall erfuhr, ist Caillois eng befreundet und auf du und
du mit Rolland de Renéville. Renéville hat sich bisher in seiner
Eigenschaft als Sekretär im Bureau des Naturalisations du Garde des
Sceaux meiner Sache angenommen; er wird aber vor allem für –
würde demzufolge auch gegen sie – wirken können, wenn sie einmal
von der Préfecture ans Justizministerium gegangen ist. Unter diesen
Umständen könnte meine Naturalisation tatsächlich gefährdet werden, wenn die Anzeige der »Aridité« unter meinem Namen er-
schiene. Aus diesem Grunde möchte ich Sie sehr darum bitten, den
Caillois-Benda-Komplex mit HANS FELLNER zeichnen zu dürfen.*
(17. 11. 1938, an M. Horkheimer) Schließlich entschied Benjamin sich

jedoch für ein anderes Pseudonym: *Für die Publikation der Anzeige
in der letzten Nummer wählte ich ein Anagramm meines Namens:
J. E. Mabinn. Ich hoffe, daß es im Verein mit der Ortsangabe [Paris]
für die Kenner der Zeitschrift durchsichtig genug ausgefallen ist.*
(24. 1. 1939, an M. Horkheimer)

ÜBERLIEFERUNG

J Zeitschrift für Sozialforschung 7 (1938), 463–466 (Heft 3). – Gedruckt unter dem Anagramm *J. E. Mabinn*.

NACHWEIS 550,25 *Cosmos.«*] s. Julien Benda, Discours à la nation
européenne, Paris 1933, 127 ff.; s. auch Benjamins Besprechung, 436–
439

553–555 ROLLAND DE RENÉVILLE, L'EXPÉRIENCE POÉTIQUE, PARIS 1938

ÜBERLIEFERUNG

J Zeitschrift für freie deutsche Forschung 2 (1938), 137 f. (Nr. 1).
T Typoskript; Benjamin-Archiv, Ts 1478–1480.
Druckvorlage: J
LESARTEN 554,10 *prophetischen]* poetischen T – 555,3 *ahnte]* wußte
T
NACHWEISE 553,24 *sei.«*] zit. bei Rolland de Renéville, a. a. O., 177 f. –
553,32 *geblieben.«*] zit. a. a. O., 184 f. – 554,14.15 *Gegenwart.«*] a. a. O.,
154 – 554,20 *Sphären«*] a. a. O., 191 – 554,35 *bestimmt.«*] Erich Auer-
bach, Dante als Dichter der irdischen Welt, Berlin und Leipzig 1929,
76 – 555,12 *›Quel‹*] s. Renéville, a. a. O., 43 f. – 555,17 *Rimbaud*] s.
Rolland de Renéville, Rimbaud le voyant. Essai, Paris 1929

555 f. LÉON ROBIN, LA MORALE ANTIQUE, PARIS 1938

ÜBERLIEFERUNG

T Typoskript mit handschr. Korrekturen; Benjamin-Archiv, Ts 1547.

557–560 ALBERT BÉGUIN, L'ÂME ROMANTIQUE ET LE RÊVE. ESSAI SUR
         LE ROMANTISME ALLEMAND ET LA POÉSIE FRANÇAISE, 2 BDE.,
         MARSEILLE 1937

ÜBERLIEFERUNG

J   Maß und Wert 2 (1938/39), 410–413 (Heft 3, Januar/Februar '39).
T¹ Typoskript mit handschr. Korrekturen; Benjamin-Archiv, Ts 1583–
    1587.
T² Typoskript mit handschr. Korrekturen, als *Handexemplar* gekenn-
    zeichnet; T² muß als Vorstufe betrachtet werden.
Druckvorlage: J

LESARTEN 558,3–19 *Hiergegen* bis *geleistet.*] *Die Lektüre des Buches ergibt, daß das ›Interesse‹, das hier verfolgt wird, kein eigentlich objektives, das heißt nicht das des im Befreiungskampf der Menschheit engagierten Individuums ist.* T² – 558,27.28 *Es kommt vielleicht hinzu*] *Hinzukommt* T² – 558,38 *figurieren.*] in T² hier ein Absatz – 559,3 *sprechen.*] in T² hier kein Absatz – 559,5–560,32 *So* bis *gewähren.*] *So anziehend der von B. behandelte Gegenstand wirken mag – es ist in der Tat die Frage, ob zwischen dem Traum, der notwendig seit jeher in einen großen Teil des menschlichen Lebens hineinwirkte und der romantischen Dichterschule eine mehr oder minder eindeutige Beziehung obwaltet. Der Umstand, daß die Romantiker sich hundertfältig auf den Traum berufen, kann sie, zumindest in der Fixierung, die B. ihr gibt, nicht verbürgen. Reflexion auf den Traum ist ein Bewußtseinsvorgang. Tritt sie mit Nachdruck auf, so ist das ein vieldeutiges Faktum. Man kann, wenn man will daraus Schlüsse ziehen, die von der Einfühlung in die Nachtseiten des Seelenlebens geschweige von einer Initiation in sie, weitab liegen. Ist, so dürfe man fragen, der Appell an das Traumleben nicht ein Notsignal? weist er nicht minder den Heimweg ins Mutterland als daß Hindernisse ihn schon verlegt haben? [Absatz] Diese Frage kommt dem Verfasser nicht. Er untersucht nicht, ob dem Thema, wie er es verstanden hat, eine Synthesis überhaupt zugrundeliegt. Noch weniger rechnet er mit der Möglichkeit, daß der wirkliche synthetische Kern des Gegenstandes, wie er sich der historischen Dialektik erschließt, ein Licht aussenden könnte, in dem die Traumtheorien der Romantik Gefahr laufen zu zerfallen. Diese Unzulänglichkeit stempelt leider die Methode des Werks. B. wendet sich jedem romantischen Dichter gesondert zu. Freilich hat diese Schwäche auch ihr Gutes. Sie eröffnet dem Autor die Möglichkeit, als ein Charakteristiker sich zu bewähren, dem zu folgen oft wahren Reiz hat. Es sind die Porträtstudien die das Buch, seiner Anlage ungeachtet, lesenswert machen. Bereits deren erste, die die Beziehungen des aufgeweckten G. Ch. Lichtenberg zum Traumleben seiner Mitmenschen und seinem eigenen zeichnet, gibt einen hohen Begriff von B.s Vermögen. Mit der Behandlung Victor Hugos im zweiten Bande liefert er auf wenigen Seiten ein Meisterstück. Es gibt Abschnitte genug in dem Werk, die [die] enthusiastische Aufnahme begreiflich machen, die ihm in Frankreich zuteil wurde. Was man nicht zu verschweigen braucht ist, daß die existenzial-philosophische Strömung einigen Anteil an ihr hat.* T²

561–564 FERDINAND BRUNOT, HISTOIRE DE LA LANGUE FRANÇAISE DES
ORIGINES À 1900, BD. 9, 2. TEIL, PARIS 1937

Benjamins Arbeit an einer Besprechung der Sprachgeschichte Brunots
reicht bis in das Jahr 1937 zurück. Am 28. 3. 1937 heißt es in einem
Brief an Horkheimer: *Insbesondere habe ich interessantes Material
zu Brunots Geschichte der französischen Sprache in [der] Revolution bereitgelegt. (Ich erwarte das Buch demnächst.)* (28. 3. 1937, an
M. Horkheimer) *Meine derzeitige Arbeit ist sehr interessant,* schrieb
Benjamin am 16. 4. 1937 an Grete Steffin. Adorno berichtete an Benjamin im Juli 1937 über Redaktionsbesprechungen der »Zeitschrift für
Sozialforschung« in New York: »Es wäre zunächst sehr erwünscht,
wenn Sie – wäre es selbst ohne Rücksicht auf Erschein-Termin –
m e h r Besprechungen schrieben; in der Anforderung von Material,
deutschem und französischem, würde man Ihnen die größte Freiheit
geben. Weiter aber wäre es gut, wenn Sie – die gleiche Forderung
gilt für mich – für jede Nummer 1 bis 2 ›Musterbesprechungen‹ (etwa
wie Maxens jetzt erscheinender Jaspers [s. Max Horkheimer, Bemerkungen zu Jaspers' ›Nietzsche‹, in: Zeitschrift für Sozialforschung 6
(1937), 407 ff.]) von etwas größerem Umfang beistellen wollten:
mit der Endabsicht, die in d e u t s c h e r Sprache erscheinenden Besprechungen qualitativ auf den Standard des d e u t s c h e n Aufsatz-
teiles zu bringen. Das ist von besonderer Wichtigkeit.« (2. 7. 1937,
Th. W. Adorno an Benjamin) Darauf anwortete Benjamin: *Nichts
wäre mir lieber – damit komme ich auf die Aspekte, die Sie meiner
Mitarbeit am Besprechungsteil eröffnen – als mit einzelnen Büchern
mich eingehender befassen zu können. Das war mir durch Löwenthal
bisher als unerwünscht bezeichnet worden; es ist auf der andern Seite,
wie Sie wissen, die mir gemäßeste Form. Als erste Probe in ihr
möchte ich die Besprechung von Brunots Französischer Sprache im Zeitalter der Revolution ins Auge fassen* (10. 7. 1937, an Th. W. Adorno)
– Am 6. 12. 1937 schickte Benjamin die Brunot-Rezension an Horkheimer: *Ich würde mich freuen, wenn es sich Ihnen rechtfertigt, daß ihr
Umfang den üblichen etwas überschreitet.* (6. 12. 1937, an M. Horkheimer) Für die Verzögerung ihres Erscheinens findet sich in der der Herausgeberin zugänglichen Korrespondenz Benjamins keine Erklärung.

ÜBERLIEFERUNG

J   Zeitschrift für Sozialforschung 8 (1939), 290 ff. (Doppelheft 1/2).
T¹ Typoskript mit handschr. Korrekturen, als *Handexemplar* gekenn-
     zeichnet; Benjamin-Archiv, Ts 1610–1613.
T² Typoskript; Benjamin-Archiv, Ts 1614–1617.
Druckvorlage: T¹

LESARTEN 561,5–18 *Unter* bis *Gesamtwerk.*] *Von der Bedeutung der Sprachforschung für die Sozialwissenschaften gibt B.s Gesamtwerk* J – 561,18 *Teil*] *Band* J – 561,35.36 , *die »Histoire de la langue française des origines à 1900«,*] fehlt in J – 562,4–7 *Dieser* bis *brachten.* Absatz] fehlt in J – 562,19–20 *Seine* bis *Fall*] *Es handelt sich* J – 563,36–564,15 *Die französischen* bis *sollte.*] fehlt in J

NACHWEISE 561,12 (*vgl. Zeitschrift für Sozialforschung 4* [*1935*], *S. 257*)] der Verweis bezieht sich auf Benjamins Sammelreferat *Probleme der Sprachsoziologie,* 452–480 – 561,20 *ersten Halbband*] s. Ferdinand Brunot, Histoire de la langue française des origines à 1900, Bd. 9, 1. Teil: Le français langue national, Paris 1927 – 562,6 *»Observations sur la Grammaire de l'Académie Française«*] s. Brunot, Observations sur la Grammaire de l'Académie Française, Paris (1932) – 562,15 *haben.*] s. Paul Lafargue, Die französische Sprache vor und nach der Revolution, übers. von Karl Kautsky jun., Stuttgart 1912, 8. (Ergänzungshefte zur Neuen Zeit, Nr. 15.) – 563,19 *Mercier*] s. Mercier, Le nouveau Paris, Paris an VII – 1798, 6 Bde. – 563,33 *Quinet*] s. Quinet, Révolution, 2 Bde., Paris 1865 – 563,39 *»La langue classique dans la tourmente«*] s. Brunot, Histoire de la langue française des origines à 1900, Bd. 10, 1. Teil: La langue classique dans la tourmente, Paris 1939

564–569 RICHARD HÖNIGSWALD, PHILOSOPHIE UND SPRACHE, BASEL 1937

Diese wie auch die folgenden drei Besprechungen schrieb Benjamin für die »Zeitschrift für Sozialforschung«, ohne daß sie dort jedoch erschienen wären; über die Gründe ließ sich nichts ermitteln. Zusammen mit den Besprechungen der Bücher von Dimier und Sternberger wurde die Hönigswald-Rezension Ende Januar 1939 an die Redaktion gesandt (s. 24. 1. 1939, an M. Horkheimer).

ÜBERLIEFERUNG

T Typoskript mit handschr. Korrekturen, als *Handexemplar* gekennzeichnet; Benjamin-Archiv, Ts 1588–1592.

NACHWEISE 565,35.36 *»Über das Eigentümliche des deutschen Geistes«*] s. Hermann Cohen, Über das Eigentümliche des deutschen Geistes, Berlin 1914. (Philosophische Vorträge, Nr. 8.) – 565,36.37 *»Deutscher Weltberuf«*] s. Paul Natorp, Deutscher Weltberuf. Geschichtsphilosophische Richtlinien, 2 Bücher, Jena 1918 – 566,14.15 *»Philosophie der symbolischen Formen«*] s. Ernst Cassirer, Philosophie der symbolischen Formen, 3 Bde., Berlin 1923–1929 – 566,33.34 (*siehe Zeitschrift für Sozialforschung 4* [*1935*], *S. 260 f.*)] der Verweis bezieht

sich auf Benjamins Sammelreferat *Probleme der Sprachsoziologie,*
452–480.

569–572 Louis Dimier, De l'esprit à la parole. Leur brouille et
leur accord, Paris 1937

ÜBERLIEFERUNG
T¹ Typoskript mit handschr. Korrekturen, als *Handexemplar* gekenn-
    zeichnet; Benjamin-Archiv, Ts 1472–1474.
T² Typoskript; Benjamin-Archiv, Ts 1475–1477.
Druckvorlage: T¹
NACHWEIS 570,34 *Neugriechischen.*] s. Louis Dimier, a. a. O., 213 ff.

572–579 Dolf Sternberger, Panorama oder Ansichten vom 19.
Jahrhundert, Hamburg 1938

Benjamin kannte Dolf Sternberger aus der Zeit vor 1933 persönlich.
Beide waren Mitarbeiter sowohl der »Frankfurter Zeitung« wie des
Senders Frankfurt. Auch über Theodor W. Adorno, bei dem Sternberger studierte, scheint eine Verbindung bestanden zu haben. Zumindest von Sternbergers Seite muß auch später noch ein Kontakt
zu Benjamin angestrebt worden sein, wie ein 1935 von Benjamin an
Gretel Adorno gerichteter Brief belegt: *An weniger belangreichen*
Korrespondenten fehlt es nicht. Sternberger schickte mir einen Aufsatz
über »Die Heilige und ihr Narr«, der mir beweist, daß er die von
meinem Winterkönigtum geräumten Gefilde des Jugendstils als fleißi-
ger Landmann bestellt. Indessen erträume ich mir etwas verschlunge-
nere Pfade in diese Gegend. (10. 9. 1935 [Poststempel], an G.
Adorno) Sternbergers Buch »Panorama oder Ansichten vom 19. Jahrhundert« muß Benjamin bald nach Erscheinen gelesen haben. Er berichtete darüber an Adorno; der Plagiatsvorwurf bezieht sich auf
die Thematik des Passagen-Werks (s. Bd. 5), über die Sternberger, sei
es durch Benjamin selbst, sei es durch Berichte Adornos, informiert
war. *Dolf Sternberger hat »Panorama – Ansichten des 19. Jahrhun-*
derts« erscheinen lassen (Goverts – d. i. Classens-Verlag in Hamburg).
Der Titel ist das Eingeständnis versuchten, zugleich der einzige Fall
des geglückten Plagiats an mir, das den Grundgedanken des Buches
abgab. Der Gedanke der »Passagen« ist hier doppelt filtriert worden.
Von dem, was Sternbergers Schädel (Filter I) passieren konnte, ist
das zum Vorschein gekommen, was die Reichsschrifttumskammer
(Filter II) durchließ. Was da geblieben ist, davon können Sie sich
unschwer einen Begriff machen. Im übrigen kann Ihnen die pro-

grammatische Erklärung dazu verhelfen, die Sie im »Aphoristischen Vorwort« finden: »Bedingnisse und Taten, Zwang und Freiheit, Stoff und Geist, Unschuld und Schuld können in der Vergangenheit, deren unabänderliche Zeugnisse, wenn auch verstreut und unvollständig, vor uns liegen, nicht voneinander abgeschieden werden. Alles dies ist vielmehr stets ineinander verwirkt ... Es handelt sich um die Zufälligkeit der Geschichte selber, die in der zufälligen Wahl der Zitate, in dem zufälligen, krausen Wirrsal der Züge, die gleichwohl zur Schrift sich fügen, nur aufgefangen und aufbewahrt ist.« [Absatz] Der unbeschreiblich dürftige Begriffsapparat Sternbergers ist aus Bloch, aus Ihnen und mir zusammengestohlen. Besonders ungewaschen ist die Verwendung des Begriffs der Allegorie, den Sie auf jeder dritten Seite finden. Zwei jämmerliche Exkurse über die Rührung beweisen mir, daß er seine Finger auch in die Wahlverwandtschaften-Arbeit gesteckt hat. – [Absatz] An französische, also hier zentrale Quellen durfte er sich mit Rücksicht auf die Reichsschrifttumskammer nicht heranwagen. Wenn Sie sich vergegenwärtigen, daß es Bölsche, Häckel, Scheffel, die Marlitt und ähnliche sind, die er mit dem gedachten begrifflichen Handwerkszeug bearbeitet, so haben Sie eine zutreffende Vorstellung von dem, was einem, wenn man es schwarz auf weiß vor sich hat, unvorstellbar erscheint. [Absatz] Daß der Junge, ehe er sich an dieses Meisterstück machte, im münchener Bericht über die hitlersche Rede gegen die entartete Kunst sein Gesellenstück lieferte [s. dst, Tempel der Kunst. Adolf Hitler eröffnete das »Haus der Deutschen Kunst«, in: Frankfurter Zeitung, 19. 7. 1937 (Jg. 81, Nr. 362)], erscheint mir in vollster Ordnung. [Absatz] Ich denke, Sie lassen sich das Buch kommen. Vielleicht besprechen Sie mit Max [Horkheimer], ob ich es anzeigen – zu deutsch: denunzieren – soll. (16. 4. 1938, an Th. W. Adorno)

Vermutlich zur selben Zeit entstand der Entwurf zu einem Brief an Sternberger, den Benjamin zwar nicht abgesandt zu haben scheint, dessen Manuskript er jedoch aufbewahrte: Die Aufschlüsse, die ich Ihrer kunsttheoretischen Betrachtung vom 19. Juli 1937 in der Frankfurter Zeitung [s. dst, Der Tempel der Kunst, a. a. O.] verdanke, sind mir durch Ihr neues Buch überzeugend bestätigt worden. Es ist Ihnen darin gelungen, die Synthese zwischen einer neuen Gedankenwelt, die Ihnen mit Adolf Hitler, und einer ältern, die Ihnen mit mir gemeinsam war, herzustellen. Sie haben dem Kaiser gegeben was des Kaisers ist und dem Verbannten genommen, was Sie gebrauchen konnten. Ihr Buch ist brüchig, aber Ihr Verhalten aus einem Guß, dem »Guß aus der verlornen Form«, wie die Bildhauer sagen. (Benjamin-Archiv, Ms 26)

Benjamins Anfrage, ob er das Buch in der »Zeitschrift für Sozial-

forschung« anzeigen solle, wurde von Adorno am 4. 5. 1938 beant-
wortet: »Was den Sternberger anlangt, so habe ich die Beschaffung
des Buches angeregt und hätte gegen eine Denunziation nichts einzu-
wenden. Ich möchte Ihnen nur zu erwägen geben, daß nach meiner
letzten und sehr zuverlässigen Information die Stellung Sternbergers
an der [Frankfurter] Zeitung unhaltbar geworden ist, und daß ich
nicht weiß, ob man an dieser Stelle dem Weltgeist vorgreifen soll.«
(4. 5. 1938, Th. W. Adorno an Benjamin) Benjamin interpretierte
diese Antwort als dilatorisch: *Der Sternberger soll also mit einer
Galgenfrist bedacht werden?* (19. 6. 1938, an Th. W. Adorno) Der
Besprechungsauftrag wurde etwas später dann doch erteilt. Ende
Januar 1939 sandte Benjamin seine Rezension an Leo Löwenthal, den
zuständigen Redakteur der »Zeitschrift für Sozialforschung« (s. 24. 1.
1939, an M. Horkheimer); erschienen ist die Rezension indessen nicht.
Benjamin erkundigte sich wiederholt nach ihrem Schicksal, so im
Juni 1939 bei Gretel Adorno: *Bei dieser Gelegenheit ist mir wieder
das allseitige Schweigen aufs Herz gefallen, dem meine Besprechung
von Sternbergers »Panorama« begegnet ist. Nicht einmal Du hast es
gebrochen als Du mir letzthin über das Buch selbst schriebst. [...]
Ich hätte gedacht, daß mein Referat, ganz abgesehen von seiner
kritischen Ausrichtung, in den Betrachtungen etwas Neues sagt, die
der Struktur des »Genre« gewidmet sind. Willst Du mir dazu nicht
etwas schreiben?* (Briefe, 822) Im Mai 1940 schrieb Benjamin an
Theodor W. Adorno: *Darf ich Sie mit einer administrativen (oder
mehr als administrativen) Frage behelligen? Warum erweist sich die
Zeitschrift mehreren meiner Besprechungen gegenüber so spröde: ich
denke in erster Linie an die von Sternberger, auch an die von Hönigswald, von denen beiden ich bisher keine Fahnen erhalten habe.*
(7. 5. 1940, an Th. W. Adorno) Einen Grund für die Verzögerung
des Erscheinens vermochte die Herausgeberin nicht zu ermitteln. Als
der Brief an Adorno geschrieben wurde, publizierte die »Zeitschrift
für Sozialforschung« zwar keine deutschsprachigen Beiträge mehr; das
letzte Heft, das solche enthielt, war im Januar 1940 erschienen, doch
ist dadurch nicht erklärt, warum die Sternberger-Rezension ein Jahr
lang unveröffentlicht blieb.

ÜBERLIEFERUNG

T¹ Typoskript mit handschr. Korrekturen, als *Handexemplar* gekenn-
zeichnet; Benjamin-Archiv, Ts 1593–1599.
T² Typoskript mit handschr. Korrekturen; Sammlung Scholem.
Druckvorlage: T¹
LESARTEN 575,15.16 *In der Frankfurter Zeitung (19. Juli 1937) nannte
Sternberger]* T²; *In der (Die) Frankfurter Zeitung (19. Juli 1937)*

nannte Sternberger T¹ – 575,19 *setzte er hinzu*] T²; *setzte er (sie) hinzu*
T¹ – 575,20 *Er behauptete*] T²; *Er (Sie) behauptete* T¹. Anscheinend
wollte Benjamin es der Redaktion der »Zeitschrift für Sozialforschung«
überlassen, ob Sternberger als Autor des Artikels »Der Tempel der
Kunst« namhaft gemacht oder ob nur die »Frankfurter Zeitung« genannt würde; das Scholem übersandte Typoskript (T²) ist dagegen ein-
deutig in der Zuschreibung. – 575,33 *Knappheit*] T¹, T²; bei Sternberger heißt es »Kargheit«, Benjamins Zitationsfehler wurde beibehalten,
da er im folgenden wichtig wird.

NACHWEISE 574,2 *Adorno*] s. Theodor Wiesengrund-Adorno, Kierkegaard. Konstruktion des Ästhetischen, Tübingen 1933; s. auch Benjamins Besprechung des Buches, 380–383 – 574,3 *Giedion*] s. Sigfried
Giedion, Bauen in Frankreich, Leipzig, Berlin 1928 – 575,21 *Erörterung*«] die Zitate entstammen dem a. a. O. erschienenen Artikel »Tempel der Kunst. Adolf Hitler eröffnete das ›Haus der Deutschen Kunst‹«;
gezeichnet ist der von Sternberger verfaßte Artikel mit dessen Initialen
»dst«.

579–585 ENCYCLOPÉDIE FRANÇAISE, BD. 16 U. 17: ARTS ET LITTÉRA-
TURES DANS LA SOCIÉTÉ CONTEMPORAINE, PARIS 1935 f.

Die Besprechung wurde spätestens im März 1939 abgeschlossen und
an die Redaktion der »Zeitschrift für Sozialforschung« gesandt, wie
aus einem Brief vom 20. 3. 1939 an Gretel Adorno hervorgeht: *Ob
die letzten Manuskripte, die ich an Löwenthal geschickt habe, den
Weg zu Dir gefunden haben? Ich hoffe das besonders von meiner
Anzeige der französischen Enzyklopädie, die Dich bei Deinen gegenwärtigen Studien über die Malerei stellenweise interessieren wird.*
(20. 3. 1939, an G. Adorno) Im Juni 1939 hatte Benjamin den Fahnenabzug in Händen (s. Briefe, 822), gedruckt worden ist die Besprechung indessen nicht, auch ein Fahnenabzug ist nicht erhalten.

ÜBERLIEFERUNG
T¹ Typoskript mit handschr. Korrekturen, als *Handexemplar* gekenn-
zeichnet; Benjamin-Archiv, Ts 1600–1604.
T² Typoskript; Benjamin-Archiv, Ts 1605–1609.
Druckvorlage: T¹

586 f. JEAN ROSTAND, HÉRÉDITÉ ET RACISME, PARIS 1939

ÜBERLIEFERUNG
T Typoskript mit handschr. Korrekturen; Benjamin-Archiv, Ts 1618.

587–589 HENRI-IRÉNÉE MARROU, SAINT AUGUSTIN ET LA FIN DE LA
CULUTRE ANTIQUE, PARIS 1938

Der einzige Hinweis auf diese unveröffentlichte Rezension, der eine
annähernde Datierung erlaubt, findet sich auf einer Postkarte Benjamins vom 10. 2. 1940 an Karl Thieme: *Avant de terminé je vou-
drais vous signaler un livre qui m'a assez longuement retenu. Il est en
effet remarquable. C'est une thèse de Henri-Irénée Marrou, cour-
ronnée par l'académie des inscriptions: Saint Augustin et la fin de
la culture antique. Le livre met en avant une notion très fructueuse
de la »décadence« romaine – au point de rappeler Riegl – par ci,
par la.* (10. 2. 1940, an K. Thieme)

ÜBERLIEFERUNG

T Typoskript mit handschr. Korrekturen; Benjamin-Archiv, Ts 1545 f.
NACHWEISE 588,22 *Riegl*] s. Alois Riegl, Die spätrömische Kunst-Industrie nach den Funden in Österreich-Ungarn, Wien 1901; s. auch Benjamins Besprechung des Buches, 170 – 588,39 *könne.«*] Henri-Irénée
Marrou, a. a. O., 89 – 589,19 *tragen.«*] a. a. O., 544

589–592 GEORGES SALLES, LE REGARD, PARIS 1939. ERSTE FASSUNG

Der Besprechung von »Le regard« von Georges Salles, die nur in
der Form eines Briefes an Adrienne Monnier publiziert wurde
(s. 592–595), geht eine ausführliche briefliche Äußerung Benjamins
zu dem Buch voraus. Diese, die im folgenden abgedruckt wird, findet
sich in einem Brief vom 23. 3. 1940 an Horkheimer.
*J'ai attendu la fin de ce compte rendu pour parler d'un volume assez
mince qui se présente comme une suite d'essais – Georges Salles
»Le regard«. C'est un ouvrage enchanteur. Je vous le fais communiquer, non tellement à cause de certains passages théoriques dont je
ferai état que pour ses beautés qui frappent un peu partout en des
formules heureuses. Salles est conservateur des antiquités orientales
auprès du Louvre. Il n'écrit qu'accidentellement. Son livre n'en
paraît que plus riche en expériences, accumulées au cours de son
service.*
*Rien de plus significatif que de voir l'auteur s'apitoyer sur »le prestige
unique qu'exercent sur le grand public les chefs-d'œuvres noircis des
vieux maîtres. La faveur qu'ils connaissent est ... un curieux indice
du dédain dans lequel la plupart des gens tiennent leurs impressions
sensibles ... Le voile morose répandu sur l'image célèbre les rassure,
car ils n'y cherchent pas une vision heureuse, mais une gloire embau-
mée.« (p. 23) Pour déterminer une telle vision l'auteur a des formules*

voisines de Proust. Il m'a particulièrement frappé de trouver chez
lui une déscription de l'aura concordante à celle à laquelle je me suis
référé dans le »Baudelaire«. Salles voit dans les objets d'art »les
témoins de l'époque qui les a retrouvés, du savant qui les a étudiés,
du prince qui les a acquis, enfin des amateurs qui ne cessent de les
reclasser. Sur le même objet s'entre-croisent les rayons venus d'in-
nombrables regards, proches ou lointains, qui lui prêtent leur
vie.« (p. 69/70) Salles considère l'apport de l'amateur comme essentiel à la vie des musées même. Il craint le jour où l'État serait devenu
l'unique collectionneur. En attendant il attribue au musée la tâche
d'éduquer la sensibilité du public avant même de l'instruire.
L'auteur s'élève contre un modernisme mal à propos et formule des
réserves au sujet de certaines tentatives à l'exposition mondiale de
Paris, faisant allusion notamment à l'exposition van Gogh dont les
toiles étaient encadrées par une documentation abondante, tant pho-
tographiée qu'écrite. Le public était ainsi saisi d'une matière qui
devait nécessairement le déborder. (Je note qu'un des aides princi-
paux de cette exposition a été John Rewald. Emigré allemand, il est
avec le romancier Noth à peu près le seul à s'être fait remarquer en
France. C'est un travailleur acharné, un jeune homme très câlé sur
certains sujets, un garçon qui possède son monde – au demeurant
un esprit sans envergure.) Salles en s'élevant contre un faux confort
scientifique fait aussi le procès d'un confort matériel exagéré. Il
dénonce le danger »de trop sacrifier à l'aise du visiteur ou au confort
de l'objet d'art« en négligeant ainsi »l'incommodité opportune qui
provoque leur rencontre et amorce le débat.« (p. 90/91)
A un souci de la netteté et de la richesse dans la réception sensitive
se trouve jointe, chez Salles, une parfaite compréhension des démarches
de la théorie. Il en comprend le caractère nécessairement indirect
et détourné et saisit à quoi elle vise. »Un art«, en effet, »diffère de
celui qui l'a précédé et se réalise parce que précisément il énonce
une réalité de toute autre nature qu'une simple modification plastique:
il reflète un autre homme … Le moment à saisir est celui où une
plénitude plastique répond de la naissance d'un type social.« (p. 118,
120) Salles paraît très bien se rendre compte de ce que la pénétration théorique de l'objet d'art, à condition qu'elle soit suffisamment
pénétrée, peut nous apprendre sur la »naissance d'un type social«.
»Pour étudier un art dans ses fondements il faut, en fin de compte,
briser nos cadres et tremper au vif des hallucinations dont cet art
ne nous livre qu'un dépôt figé; il faut voyager dans les profon-
deurs d'espèces sociales disparus. Tâche aventureuse qui a de quoi
tenter une sociologie consciente de sa mission.« (p. 123/124)
Point n'est besoin de forcer le texte pour s'apercevoir que dans ces

lignes l'auteur vise un but identique à celui qu'envisage le chapitre III de mon essai sur »l'œuvre d'art à l'époque de sa réproduction mécanisée«. – J'espère que ces quelques notes suffiront pour vous inviter à la lecture de ce livre à l'atmosphère si essentiellement parisienne: la lumière douce et puissante de la connaissance, tamisée par la couche instable et nuageuse des passions.

(23. 3. 1940, an M. Horkheimer)

ÜBERLIEFERUNG

T Typoskript mit handschr. Korrekturen; Benjamin-Archiv, Ts 1619–1621.

NACHWEISE 590,13 *vins.*«] Georges Salles, a. a. O., 80 f. – 590,34 *essentielle.*«] a. a. O., 21 – 591,7 *intelligent.*] Nachweis s. Bd. 5, 149 – 591,17 *prolonge*«] Salles, a. a. O., 188 – 591,21 *berge*«] a. a. O., 188 – 591,26 *cosmos.*«] a. a. O., 123 – 591,27 *Riegl*] s. Alois Riegl, Die spätrömische Kunst-Industrie nach den Funden in Österreich-Ungarn, Wien 1901; s. auch Benjamins Besprechung des Buches, 170 – 591,32 *l'habituel.*«] Salles, a. a. O., 188 – 592,3 *historiques.*«] a. a. O., 125

592–595 UNE LETTRE DE WALTER BENJAMIN AU SUJET DE »LE REGARD« DE GEORGES SALLES. ZWEITE FASSUNG

ÜBERLIEFERUNG

J Gazette des Amis des Livres (Paris), Mai 1940.
T Typoskript mit handschr. Korrekturen; Benjamin-Archiv, Ts 1623–1627.

Druckvorlage: J

LESARTEN 592,14 *Je*] *Chère Mademoiselle Monnier* Absatz je T – 592,15 *Après vous avoir quittée l'autre jour, je*] *Il se trouvait que j'avais justement une heure creuse dans un après-midi à passer en ville. Je* T – 592,27 *communiquer*] *conférer* T – 592,28 *qui sont toujours*] *qui jamais ont été* T – 593,21 *Georges Salles*] *Salles, par contre,* T – 593,28 *L'auteur*] *Salles* T – 594,1 *prisez le*] *tenez au* T – 595,18 *en prendre*] *s'en donner* T

NACHWEISE 593,3 *vins.*«] Georges Salles, Le regard, Paris 1939, 80 f. – 593,25 *essentielle*«] a. a. O., 21 – 593,38 *intelligent.*] Nachweis s. Bd. 5, 149 – 594,14 *prolonge*«] Salles, a. a. O., 188 – 594,18 *berge*«] a. a. O., 188 – 594,31 *la Chose.*«] Léon Deubel, Œuvres, Paris 1929, 193 (»J'aime … Je crois«) – 595,3 *l'habituel.*«] Salles, a. a. O., 188 – 595,12 *cosmos.*«] a. a. O., 123 – 595,12 *Riegl*] s. Alois Riegl, Die spätrömische Kunst-Industrie nach den Funden in Österreich-Ungarn, Wien 1901 – 595,15 *visuel*«] Salles, a. a. O., 125

599 f. Entwürfe zu Rezensionen

Die beiden Besprechungsfragmente dürften zu den letzten Arbeiten gehören, die Benjamin im Spätsommer 1934 im Auftrag der »Frankfurter Zeitung« schrieb. Seine letzte Rezension erschien dort im September. Im Herbst dieses Jahres schrieb er an Horkheimer, daß *im Laufe dieses Sommers die letzten Möglichkeiten journalistischer Arbeit für mich weggefallen sind – aus Deutschland bekommt man ja keine Überweisungen mehr* (Briefe, 626).

599 Hugo Falkenheim, Goethe und Hegel, Tübingen 1934

ÜBERLIEFERUNG
M Manuskript, wahrscheinlich eine erste Niederschrift; Benjamin-Archiv, Ms 1299.
NACHWEISE **599**,10 *gegenübergestellt*] s. Hugo Falkenheim, a. a. O., 4 – **599**,22 *anknüpft.«*] a. a. O., 3 – **599**,30 *zusammen.«*] a. a. O., 77

600 Otto Funke, Englische Sprachphilosophie im späteren 18. Jahrhundert, Bern 1934

ÜBERLIEFERUNG
M Manuskript, wahrscheinlich eine erste Niederschrift; Benjamin-Archiv, Ms 1301.
NACHWEISE **600**,15 *Priestley«*] Otto Funke, a. a. O., 84 – **600**,23 *Heiligenkult«*] a. a. O., 131

601 f. Vorschläge für den Besprechungsteil der »Zeitschrift für Sozialforschung«

Der Text wurde von Benjamin gemeinsam mit Adorno verfaßt, als dieser im Dezember 1936 mit Benjamin in Paris zusammentraf. Benjamin berichtete Horkheimer: *Ich sende Ihnen beiliegend in zwei Exemplaren die Vorschläge der Redaktion für den Besprechungsteil, wie Wiesengrund und ich sie uns etwa denken. Soweit ich mich erinnere, haben Sie die allgemeine Einrichtung des Besprechungsteils im Gespräch mit mir nie berührt. Desto erfreuter war ich, von Wiesengrund zu hören, daß Ihrer ursprünglichen Absicht nach die bibliographie raisonnée im Besprechungsteil eine entscheidende Rolle spielen sollte. Meine eigenen Überlegungen bewegten sich in der gleichen Richtung.* (17. 12. 1936, an M. Horkheimer) Als Adorno im Juli 1937 von Redaktionsbesprechungen in New York zurückkehrte, konnte er Benjamin schreiben: »Unsere Richtlinien sind im Prinzip akzeptiert.« (2. 7. 1937, Th. W. Adorno an Benjamin) Zu einer Reorganisation

des Besprechungsteils der »Zeitschrift für Sozialforschung«, die den
Vorschlägen von Benjamin und Adorno gerecht geworden wäre, ist
es indessen nicht gekommen.

ÜBERLIEFERUNG

T Typoskript; Benjamin-Archiv, Ts 2306 f.

Alphabetisches Verzeichnis
der Besprechungstitel und der besprochenen Bücher

Inhaltsverzeichnis

1928

Inhaltsverzeichnis

725

Anhang

Entwürfe zu Rezensionen